JN291662

新訂ジョウゼフ・コンラッドの風景

――サン＝テグジュペリ、オルハン・パムク、
ドストエフスキー、カズオ・イシグロ、
小泉八雲、夏目漱石、宮崎 駿、村上春樹――

松村 敏彦　著

The *Rajah Laut*.

大阪教育図書

(出典：*Joseph Conrad: The Three Lives* by Frederick. R. Karl)

まえがき

　ジョウゼフ・コンラッドを手掛けてから半世紀が経過します。当初は作品研究に終始していましたが、いつの頃からか比較文学的アプローチを試みるようになり、コンラッド研究の広がりと深まりをますます募らせて今日に至っています。

　前回の『ジョウゼフ・コンラッドの風景』をさらに掘り下げた新訂版として、今回は更に新たに二編を加えて、コンラッドを核として副題に記した表現者たちから彼の全体像が浮かび上がるように工夫してみました。題して『新訂　ジョウゼフ・コンラッドの風景──ドストエフスキー、チャールズ・ディケンズ、アンドレ・ジッド、オルハン・パムク、ジョージ・オーウェル、カズオ・イシグロ、宮崎 駿、村上春樹、小泉八雲、夏目漱石、サン＝テグジュペリ』です。本書が、文明と未開、西洋と東洋のテーマのみならず地球規模の今日的環境問題の視点にも関わるコンラッドの文学の真髄に触れる事が出来ていれば幸いです。

第1章　従来の欧米中心の視点からの脱却──宮崎 駿のアニメとジョウゼフ・コンラッドの文学──について

　地球が誕生して46億年が経過していますが、西欧中心主義の価値観に基づき化石燃料を大量に使い始めた産業革命後の人間活動の活発化に伴って、地球温暖化が促進され、水、食糧不足、資源の枯渇化などの問題が顕在化しています。カーソンの『沈黙の春』で指弾された地球環境汚染問題は一向に解決していません。そして森林破壊は人為的に生態系を破壊し、それにより二酸化炭素の増加をもたらし、地球温暖化の影響全体を加速する原因を作ります。チリ領イースター島のモアイ像は、森林を大規模伐採して亡びた島民を象徴しています。

　宮崎 駿のアニメとジョウゼフ・コンラッドの小説には、国籍や時代

やジャンルを超えて、危機的にある今日の現状打破への独自の提言があります。宮崎は『風の谷のナウシカ』において、コンラッドは『闇の奥』において、その思想は現代に有効な哲学的基盤を提供しています。

　『風の谷のナウシカ』に描き出されていた近代化学兵器による自然秩序の破壊は、人間が生み出した巨神兵やナウシカの故郷を取り巻く有害な生態系と化した腐海という森や蠢く巨大な王蟲(オーム)の出現に見られて、人類存亡の危機を訴えています。ライオネル・トリリングは、「本物の自我に関わる現代の問題を典型的に表現して見せたのがコンラッドの偉大な文学作品『闇の奥』である」と言明しています。

第2章　ドストエフスキーとジョウゼフ・コンラッド──アンドレ・ジッドとオルハン・パムクを視野に入れて──について

　アンドレ・ジッドは、既成の価値を根底から疑って、再度自らの手で作り直していきたいという強い想いで創作し、生きる原点に人間を引き戻そうとしました。彼の持ち続けた基準は「自己に対する誠実さ」でした。この彼が、共感と敬意をもって評価したのが、フョードル・ドストエフスキーとジョウゼフ・コンラッドです。彼のドストエフスキーへの想い入れは、六回に及ぶ「ドストエフスキーの連続講演」に明示されています。一方、ジッドのコンラッドに対する深い想いは、コンラッド著『闇の奥』を携えて＜コンゴ体験＞を追体験して、その著『コンゴ紀行』の「コンラッドへの思い出に」という献辞に如実に窺えます。オルハン・パムクは、「私自身、第二のドストエフスキーになりたい」と表明し、また「私の西欧人気質はジョウゼフ・コンラッド『西欧の眼の下に』に衝撃を受けた」と彼の唯一の政治小説『雪』の序に掲げており、パムクが両作家から受けた影響の大きさを物語っています。コンラッドは、ドストエフスキーの『罪と罰』と競い合って『西欧の眼の下に』を上梓しています。

　ジッドとパムクを視野に入れて、ドストエフスキーとコンラッドが執

拗に追及した文学の精髄を『西欧の眼の下に』と『罪と罰』を中心に考察します。

第3章　チャールズ・ディッケンズとジョウゼフ・コンラッドの文学　――ジョージ・オーウェルを視野に入れて――について

　ジョージ・オーウェルは、「私が本を書くのは、暴きたいと思う何らかの嘘があるからであり、注意を引きたい何らかの事実があるからだ」と述べて、『動物農場』や『1984年』を世に出し、時代を鋭利な誠実さで弾劾し続けました。また彼は「人間の平等」を希求した作家であり批評家でもありました。その彼が、共感と敬意をもって評価するのが、チャールズ・ディケンズとジョウゼフ・コンラッドです。

　ディケンズの作品の根底には、庶民の立場に立った鋭い社会批判と共にサム・ウェラーとピクウィックの関係の如く、身分の上下を問わない「人間相互の愛情」が土台にあります。ヴィクトリア時代の生活における真面目さや勤勉さを奨励する風潮と読者の好みをしっかりと把握し、「笑い」の要素を織り込んだ『ピクウィック・ペイパーズ』は大成功を収めます。一方コンラッドは、非情な政治の闇が支配する大都市ロンドンを、欺瞞性を比喩的に表す「白く塗りたる墓」と表現し、一世紀以上前に、『闇の奥』をはじめとする文学作品を通じて、西洋世界における基本的な視点の転換を図る必要を提示しています。

　本論では、オーウェルを視野に入れて、それぞれの時代背景のもとに独自の社会批判を行う両作家が作品に込めた真意を考察します。

第4章　村上春樹の『1Q84』――カズオ・イシグロとジョージ・オーウェルを視野に入れて――について

　カズオ・イシグロは、「自身にとっての偉大な現代作家の一人は村上春樹だ」と言明し、村上を「彼は日本人だが、世界中が彼のことを日本人だと考えることは出来ない。彼は国を超えた作家だ」と述べていま

す。村上も「新しい小説が出たらすぐ買い求めて読み始めるのがカズオ・イシグロの作品だ」と述べて、日本的感性やものの見方と、英国の言語や文化を併せ持つ世界文学の旗手とイシグロを高く評価しています。

　村上の『1Q84』は上梓されると国の内外で大きな反響を及ぼしました。この書の執筆に際して村上は、ジョージ・オーウェルの『1984年』を意識しています。オーウェルは、一人の反逆者が階級制度の網の目に捕えられて苦悶する姿を、恐るべき論理結末に達する姿をその心理的苦悶も含めて描き出しています。ビッグ・ブラザーを頂点とする徹底した全体主義社会であるこの世界は、出生から死亡までの一生を思想警察の監視下に置かれ、ビッグ・ブラザーの忠誠心に留まらず、逆らえばその後悔とビッグ・ブラザーへの心からの敬愛以外何一つ残らないように完全な洗脳を行い、人間を抜け殻にするのです。村上は、「『Q』はクエッションの意味です。ジョージ・オーウェルの『1984年』は未来社会についての物語ですが、『1Q84』では私たちのことを書きました。未来は闇です。私は近い過去、起こったかもしれない過去を再現したいと考えました」と語っています。

　イシグロとオーウェルを視野に入れて、『1Q84』を中心に現代社会への彼の問いかけと真意を論述します。

第5章　作家としての使命を持ったエグザイルである村上春樹とジョウゼフ・コンラッドの文学　について

　村上春樹とジョウゼフ・コンラッドは、共に30歳を過ぎてから小説を書き出したエグザイルである事を自認する作家です。40歳で「与えられた責務」を果たす年齢に達したとの自覚のもとで、この両者は使命感を持って独自の創作へ向かっています。村上の最新の長編小説は『騎士団長殺し』です。この作品の主人公である「私」は、＜闇の奥体験＞を重ねた『闇の奥』の主人公マーロウのように、騎士団長殺しにまつわる人

生体験を経て、「自己発見」をしています。コンラッドの分身であるマーロウは、＜闇の奥体験＞を「それは実に暗く哀れで、どう見ても素晴らしいものではなく、はっきりもしていない、全く不明瞭だ。しかしそれでも一筋の光を投げかけている」と述べて、全力で取り組み真実を語ろうと試みています。一方『騎士団長殺し』の「私」も、「この９カ月の期間に限ってはどうにも説明のつかない出来事」と述懐し、「所詮は無駄な試みなのかもしれないが、全力を尽くして、能力の許す限り系統的かつ論理的に話を進めたい」と語っています。

　コンラッドは、マーロウをして、人間存在の究極の孤独を自らに重ね、人生の測り知れない神秘を認識し、人間に存在する闇の中で、あるべき人間の倫理的姿勢や生の在り方を追求しています。果たして村上の主人公の「私」はいかがであろうか。

第６章　小泉八雲とジョウゼフ・コンラッド──夏目漱石を視野に入れて──について

　ラフカディオ・ハーン(小泉八雲)とジョウゼフ・コンラッドは、故郷喪失者としてほぼ同時代に生き、その流浪の境遇を柔軟な思考力と複眼的な見方とを培う糧としつつ、文学を積極的に活用しています。そして両者は、＜あるべき人間＞像を執拗に希求してそれぞれの倫理観に裏打ちされて一貫した＜誠実さ＞をモットーに文学作品を生み出しています。

　夏目漱石は、ロンドン留学中に、日本人としての「自覚」を持って食費を削って文学論ノートを書き続け、東京帝国大学において八雲の後任の講師として在職中に、時代に先駆けた独創的な「文学論」を講義し、コンラッドにも関心を示しています。そして厳しい倫理観を課して病苦を駆って時代を超越した作品を上梓しています。『三四郎』の作中人物である広田先生をして「亡びるね」という言葉を吐かせた漱石は、「日本及び日本文化の紹介者」と呼ばれる八雲とは異なる視点から新興日本

の行く末を作品としています。漱石は、八雲のいうところの「確かな個」に対して、一個の人間の大切さを、彼独自の観点から「私の個人主義」において言明しています。一方コンラッドは、20年間の船乗り体験から得た人間のあるべき倫理観を船乗りの連帯感に見出し、それを作品化したのが『陰影線』であり、そこにはコンラッド文学の中核を成す「倫理観」の本質が明らかにされています。

第7章 飛行士サン＝テグジュペリと船乗りジョウゼフ・コンラッド ――宮崎 駿を視野に入れて――について

　宮崎 駿は、サン＝テグジュペリを「流行に左右されず、決して古びない原石のまま海に消えたダイヤモンド、人間の高貴さを謳った『人間の大地』は今でも少しも輝きを失っていない」と高く評価して、彼の航空郵便飛行を追体験しています。＜高貴な精神＞のあり方は、＜あるべき人間＞を追求するコンラッドの根本的な思想に通底するものです。サン＝テグジュペリは、＜大空のコンラッド＞と呼ばれる作品を執筆している事からも明らかなように、ジョウゼフ・コンラッドに深く共感し彼から大きな影響を受けています。コンラッドは、船乗り体験の悉くを作品の糧にしています。

　サン＝テグジュペリは、飛行機が目覚ましい技術革新を遂げつつある時代に生まれましたが、彼はその技術革新の花形を農夫の鋤や鍛冶屋の鉋といった道具と本質的には同じであると見做して、大自然と接触し、人間の真実、その本然の発見に努める事を重要視しています。一方コンラッドは、時代が蒸気船に移行する時代でも敢えて人間の労力をはるかに要する帆船に乗り込んで、人間は自然と対峙してこそ＜あるべき人間＞が育まれると考えて、「青春」やサン＝テグジュペリに多大な影響を与えた「台風」をはじめとする「船乗りもの」と言われる作品群を創作しています。

　両作家は共に、言語や国籍は異なっても、それぞれ飛行士と船乗りと

いう職業から得た体験を糧にして、「如何にして生きるべきか」という普遍的な＜あるべき人間＞像を問いかける独自の作品を創造しています。

第8章　「テロとの戦争」の先駆けと見做されるジョゼフ・コンラッドの『密偵』——ドストエフスキーの『悪霊』を視野に入れて——について

　近年、ジョゼフ・コンラッドの『密偵』が注目されています。とりわけ2001年9月11日以降、米国のマスメディアにおける引用回数は際立っており、また米国中央情報局の基礎を築き政治的インテリジェンスの収集に携わったパイオニアでもあるアレン・ダレスは、『密偵』を念頭に置いて「私が最も興味あると思う情報活動に関する文学は、コンラッドが描いた小説である」と述べています。

　コンラッドが終生意識していた作家にフョードル・ドストエフスキーがいます。彼は『悪霊』において、テロリストの普遍的な心理を描き出しています。民衆の無知さや騙され易さがテロリストの跋扈を生み出し、それを陰で操る政治思想の持ち主によって利用される危険性を、現代に通じる予言的な言葉で警鐘を鳴らしています。コンラッドは、如何なる主義主張であっても、人間個人を破滅に導くものには与する事はありません。『密偵』の「作者の序文」において言明しています。——「いつも悲劇的なことにひた走る人間の痛々しい貧困と情に脆く信じやすさとを食い物にする、無政府主義の厚かましいペテンにも比すべき気違いじみたポーズを持つ憎むべき一面、つまりその運動の深淵めかした仮面は到底許し難い」。

第9章　戦争・テロとジョゼフ・コンラッドの文学——短編「エイミィ・フォスター」と中編『闇の奥』を中心に——について

　2020年1月、米科学誌が、人類滅亡までの時間を示す「終末時計」の

針を20秒進め、史上最も短い残り100秒と発表しています。トランプ米国大統領が一方的に破棄を宣言した中距離核戦力全廃条約が昨年失効し、米国は「使える核兵器」として原子力潜水艦への小型核兵器の実践配備を完了しています。ロシアも新型核ミサイルを配備するなど、「核の軍事利用」拡大は歯止めを失ったかのようです。また世界各国で戦争・テロのリスクが高まっています。このような現状を鑑みて、「人間を戦争というくびきから解き放つことは出来るのか」という問いかけから、戦争の問題解決に向けて新たな光を希求する「ラッセル・アインシュタイン宣言」を視野に入れて、コンラッド文学のルーツ作品である「エイミィ・フォスター」とジョウゼフ・コンラッドの思想の中核を成す『闇の奥』を中心に、「あるべき人間とは何か」という普遍的命題を提示するコンラッドの文学を考察します。

第10章　コンラッド文学の萌芽──『オールメイヤーの愚行』──について

　コンラッドは、幼少にして両親を政治的理由で亡くし、その「不条理」を少年ながらもしっかりと脳裏に刻み込み、また生来の独立心から彼にとって「自由」の象徴であった「海」に自由を求めて、祖国ポーランドを jump し、フランス商船隊の船乗りになり、次いで英国船に搭乗し、接岸した各地で列強の植民地主義の圧政にあえぐ人々を目の当たりにします。そして艱難辛苦して英国船長資格を1886年に取得し、1895年に38歳にして作家となります。後年、全くの異国の言語で世界に文名を馳せても「離国作家」と呼ばれるデラシネ性に、とりわけその「不条理性」に、コンラッドは終生苦悩します。しかし彼は、「不条理性」に通底する人間存在の悲劇的性格を自分との深い関わりの中で一種宿命的に認識して、人間の identity の問題を文学者として鋭く深く探究しました。その処女作が本論で考察する『オールメイヤーの愚行』です。この主人公には、コンラッドが味わった「余所者意識」（stranger-consciousness）と、根深い祖国離脱という「デラシネ性」とが色濃く窺えます。

目　次

まえがき ……………………………………………………… i

第1章　従来の欧米中心の視点からの脱却
　　――宮崎　駿のアニメとジョウゼフ・コンラッドの文学―― ……… 1

第2章　ドストエフスキーとジョウゼフ・コンラッド
　　――アンドレ・ジッドとオルハン・パムクを視野に入れて―― …… 91

第3章　チャールズ・ディケンズとジョウゼフ・コンラッドの文学
　　――ジョージ・オーウェルを視野に入れて―― ………………… 219

第4章　村上春樹の『1Q84』
　　――カズオ・イシグロとジョージ・オーウェルを視野に入れて――
　　　　　　　　　　　　　　　　　　　　　　……………… 309

第5章　作家としての使命感を持ったエグザイルである村上春樹と
　　ジョウゼフ・コンラッドの文学 ………………………… 353

第6章　小泉八雲とジョウゼフ・コンラッド
　　――夏目漱石を視野に入れて―― ………………………… 479

第7章　飛行士サン＝テグジュペリと船乗りジョウゼフ・コンラッド
　　――宮崎　駿を視野に入れて―― ………………………… 597

第 8 章　「テロとの戦争」の先駆けと見做される
　　　　　ジョウゼフ・コンラッドの『密偵』
　　　　　　──ドストエフスキーの『悪霊』を視野に入れて── ……… 671

第 9 章　戦争・テロとジョウゼフ・コンラッドの文学
　　　　　──短編「エイミィ・フォスター」と中編『闇の奥』を中心に──
　　　　　　……………………………………………………………… 749

第10章　コンラッド文学の萌芽
　　　　　──『オールメイヤーの愚行』── ……………………… 807

あとがき ……………………………………………………………… 851

初出一覧 ……………………………………………………………… 853

参考文献 ……………………………………………………………… 855

索引 …………………………………………………………………… 887

第1章　従来の欧米中心の視点からの脱却
——宮崎 駿のアニメとジョウゼフ・コンラッドの文学——

序論

　人間が化石燃料を燃やす。この時、排出された二酸化炭素は、どこか遠くへ流れていくのではない。そのまま大気中に留まり、地球を暖めていく。人間にとって不都合なガスを、どれほど遠くへ押しやろうとしても、或いは年々強大化していく台風となって、人間の身近に、しつこく張り付いてくる。人間のあらゆる活動は、地球表層のたった数キロの薄い膜の中で行われている。物理的環境と生物の活動が分かちがたく依存しあうこの繊細な地球の被膜を、哲学者ブルーノ・ラトゥールは、『地球に降り立つ』の中でこの被膜を「クリティカルゾーン」と呼ぶ。クリティカルゾーンにおいては、足元の土壌すら、遠く彼方の大気や、異国の植物たちの活動に依存している[1]。2020年は新型コロナ禍で世界が震撼している。人間が自然を破壊し、自分たちに都合のいい生物だけを増やしてきた結果、生きる場所を奪われた野生生物から、未知のウイルスが家畜に飛び移り、それが人間に感染するようになるのは、当然の帰結のように思える[2]。次のパンデミックはコロナとは限らない。発想の転換が求められる昨今である。

　本論では、従来の欧米中心の観点からの脱却を、「宮崎 駿はアニメにおいて、ジョウゼフ・コンラッド（Joseph Conrad）は文学において成し遂げた」という視点から考察する。

　2019年12月に地球温暖化対策の国際会議「COP25」において、小泉進次郎環境相の演説に対して、世界から厳しい目が注がれた。それは「石炭依存」への具体的な道筋を示せなかったためである。「脱石炭」

は世界の潮流になっている。欧州を中心に、2030年までの石炭火力発電廃止を宣言する国が相次いでいる。しかし、日本のエネルギー基本計画が規定する電源構成は、現在電力供給の33％を石炭火力発電が占め、現在、約100基が稼働し、約20基の新設が計画されており、さらに政府は、高い効率の石炭火力発電所を途上国へ輸出する政策も進めている。その結果、温暖化対策に消極的な国に非政府組織（NGO）が贈る「化石賞」に、日本は同会議で２度も選ばれた[3]。

　国連のグテレス事務総長は、世界各地の異常な気象状況を受けて危機感をあらわにした[4]。そんな中で米トランプ政権が、地球温暖化対策の国際枠組み「パリ協定」からの離脱を2019年11月４日に国連に通告した。世界第２位の温室効果ガス排出大国である米国の離脱は、パリ協定の理念である国際協調体制を揺るがし、温暖化対策に取り組む機運に冷や水を浴びせるものである[5]。

　2020年は、新型コロナウイルスのパンデミックで世界が震撼している。コロナ禍によるロックダウン（都市封鎖）で、仏作家カミュの『ペスト』が大増刷され、ベストセラーになっている。この小説が翻訳された当時は遠い国の架空の物語と受け止められたが、現在では「明日は我が身」と考えられているのだろう[6]。『ペスト』は、ペストの流行で封鎖された都市を舞台に不条理な現実を生きる人間のモラルを問いかけた小説である[7]。グローバル化と人間界の自然への介入の深まりによって、従来のヒトと動物の境界が崩れた時、新型ウイルスが人類への新たな挑戦を見せているのではないか[8]。

　米ジョンズ・ホプキンズ大学の集計によると、このコロナの感染者が11月９日現在、世界全体で5040万2558人を記録した。３月26日に50万人を超えた後は、ほぼ１週間ごとに50万人が上積みされている。死者は世界全体で125万6254人となっている。国際エネルギー機関（IEA）は、このコロナの感染拡大に伴う都市封鎖が各国で数カ月続いた場合、2020年の世界のエネルギー需要は前年より６％減少するとの見通しを明らか

にした。エネルギー関連の二酸化炭素排出量は、移動制限や企業活動の休止で石油や石炭といった化石燃料の消費が減少するため、世界全体で前年比約8％減の306億㌧で、10年前の水準になるとした。IEAのピロル事務局長は「コロナ危機終息後のエネルギー産業はこれまでとは異なるものになるだろう」とコメントした[9]。再生可能エネルギー産業を念頭に置いたものである。

　2019年10月、東北地方などに大きな被害をもたらした台風19号は、気象庁によって2月19日に「令和元年東日本台風」と名称を与えられたが[10]、この被災地では、森を全面伐採して丸裸にする「皆伐（かいばつ）」の跡地から土砂崩落が起きるケースが頻発した。近年の他の豪雨災害でも同様の事例が見られる。森林が失われた後の裸地は保水力が減って地表は水を流されたり、雨が土壌に直接あたったりして崩壊が拡大するのである。林業の成長産業化を目指す安倍政権は、2018年森林経営管理法を制定し、2019年国有林法を改正し、伐採の適齢期を迎えた森の「皆伐」を後押しする[11]。

　森林破壊は、人為的に生態系を壊し、それにより二酸化炭素の増加をもたらし、地球温暖化の影響全体を加速する原因を作っている。チリ領イースター島のモアイ像は、森林の大規模な伐採によって亡びた島民を象徴している[12]。それは無制限な経済発展に代わった節度ある発展を、そして、物質的価値観から個性重視の多様な価値観への転換の必要性を意味する。世界各地で異常気象が観測され、人および環境への影響が深刻化している21世紀の今日、自然との共生の意義が人類にとって不可欠な緊急の課題となっている。

　宮崎　駿は、新しい表現をアニメによって追求した開拓者であるが、彼のアニメは文明批評や生きる事の意義を普遍的に問いかけている。彼のアニメが飛躍する分岐点（ぶんきてん）と目される『風の谷のナウシカ』において、21世紀今日のグローバルな環境問題をまさに自然そのものに置き、そこ

から人間を見つめ直すという極めて斬新な文明批評を虫の視点から捉えた独自のアニメを創造している。そこには宮崎のアニミズム思想が根底にある。『となりのトトロ』の企画書の中で、宮崎は「忘れていたもの、気づかなかったもの、なくしてしまったと思い込んでいたもの、でもそれは今もあるのだと信じて『となりのトトロ』を心底作りたい」と語って、その熱い想いを手作りの４万8743枚の原画に込めて、美しい宮沢賢治の世界を映像化した。彼は、『千と千尋の神隠し』において海を疾走する電車のシーンに賢治の『銀河鉄道の夜』を彷彿とさせる幻想的な映像を描き出した。宮崎はこの電車のシーンを「山場」(climax)と呼び、「千尋が電車の旅に出る決意をしたのは、彼女の自立に向けての意思表明である」[13] と『風の帰る場所』において述べた。表現者たる宮崎は、「宮沢賢治を優れた表現者として、またこの日本の表現状況の中でも非常にしっかりとした仕事を成し遂げていながら自分を偉くないと言い続けた偉人、日常生活そのものが偉かった人」[14] と高く評価した。

　「「農民芸術の興隆」
　　　……何故われらの芸術がいま起らねばならないか……
　　　曾つてわれわれの師父たちは乏しいながらも可成（かなり）楽しく生きていた
　　　そこには芸術も宗教もあった
　　　いまやわれわれにはただ労働が　生存があるばかりである
　　　宗教は疲れて近代科学に置換され然（しか）も科学は冷たく暗い
　　　芸術はいまわれわれを離れ然もわびしく堕落した
　　　いま宗教家芸術家とは真善若（も）しくは美を独占し販るものである
　　　われらに贖（あがな）うべき力もなく　又さるものを必要とせぬ
　　　いまやわれらは新たに正しき道を行き　われらの美を創らねばならぬ
　　　芸術をもてあの灰色の労働を燃（つ）やせ
　　　ここにはわれら不断の潔く楽しい創造がある
　　　都人よ　来たってわれらに交じれ　世界よ　他意なきわれらを容（い）れよ
　　　　「農民芸術の制作」

……いかに着手しいかに進んでいったらいいか……
　世界に対する大なる希願をまず起こせ
　強く正しく生活せよ　苦難を避けず直進せよ」[15]
　長い間考察に考察を重ねた結果到達し、凝集された、この宮沢賢治の思想の根幹を示す「農民芸術概論綱要」の一行一行が、益々その重さを増して輝いている。一世紀近く前のこの賢治の言葉は、今一層その感を新たにする。
　一方、ジョウゼフ・コンラッドは、1890年に「アフリカ争奪戦」の時代に現地に赴き、自らの眼（まなこ）でその現実を目の当たりにして、『闇の奥』（*Heart of Darkness*）において、時代に先駆けてその総括をヨーロッパの文明化された精神の「裏面」、または人間の「暗黒面」として表現した。まさしくそこに彼の先見性が見られる。
　ところで外部世界を排除せずに文学の正典を読むところのエドワード・サイード（Edward Said）が高く評価するコンラッドの『闇の奥』は、ヨーロッパ中心の価値観と日常的な信仰を根底から揺さぶる衝撃的な作品である。それと同時に、西洋世界の基本的な視点の転換を図ろうとするコンラッドの思想は、今日の地球温暖化の黙示録的な不安に警鐘を鳴らす先見的なものである。現代の地球規模の環境問題についても彼の思想は有効な哲学的基盤を提供している。

　宮崎とコンラッドとの間には直接的な影響関係は全くないが、両者は、西洋世界の基本的な視点を転換する必要性を自ら実感し、それを作品化して、そこに今日的で普遍的な人間の根本に関わる支配・被支配のおぞましい真実や生きる事の意義を表現している。宮崎は中尾佐助[16] の『栽培植物と農耕の起源』との出会いによって、コンラッドはアフリカでの＜コンゴ体験＞によって、従来の西欧中心主義とは異なる視点を転換した。中尾佐助氏は、およそ25年後にようやくまとめあげた成果を『栽培植物と農耕の起源』の「あとがき」に次のように述べている。

「バナナやサトウキビを開発して立派な作物にしたこと、あるいはジャガイモを寒い気候に適するように開発してきた成果、それらが人類の生活に尽くした貢献を考えてみると、世界史は一変する。それは権力や戦争の歴史でもなく、芸術やいわゆる消費文化の歴史とも全く違った、全世界の民衆が参加してきた農業の歴史が浮かび上がってくる」[17]。中尾は先史時代の縄文期の日本が、アジアにおける広範な「照葉樹林文化圏」の一部であるという説を唱えた人物である。これによって狭い日本のナショナリズムから解放された宮崎は、「自分が何者の末裔なのかを自覚し、従来の思想上の呪縛から解放され、独自の思想の立脚点を見出して、僕にものの見方の出発点をこの本は与えてくれた」[18]と言明する。

一方コンラッドは、「コンゴに行くまでは、私は動物に過ぎなかった。」[19]と述懐していた。＜コンゴ体験＞を経て上梓した『闇の奥』には彼の文学の精髄が凝縮されている。クルツ（Kurtz）という人間に顕現する人間悪が、作者の分身で語り手のマーロウ（Marlow）をして人間性の淵源発見の旅に誘（いざな）うのである。アンドレ・ジッド（André Gide）は、この書を携えてコンラッドの**闇の奥**を追体験し、彼の思想の転換を生起している。その良心の誠実な記録としての『コンゴ紀行』（*Travel: Voyage au Congo*）の中で、ジッドは、クルツの"The horror!"と全く符号するフランス語 cet ≪affreux≫ を用いて、「およそ35年の歳月を経てもなお『闇の奥』は多くの真実を含んでいる」[20]と述べて、コンゴ紀行の目的を明確に自覚し、以後、西欧文明をその外側から批判する事はしなかった。人間主義に立つ文明批評家としての視点が形成された一大転機での一文を、ジッドは『コンゴ紀行』において10月30日の日記に次のように書き記している。──「如何なる悪魔が私をアフリカへ来させたのであろうか？　この地方で私は何を求めようとしたのであろうか？（中略）私は装置の舞台裏に行ってみたいのだ。たとえ隠されていることは恐ろしいことではあっても。私が期待し、見んと欲しているのは、この≪恐るべきこと≫なのだ」[21]。

ジッドが『コンゴ紀行』の扉に掲げた「ジョウゼフ・コンラッドの思い出に（A la Mémoire de Conrad）」という献辞から、彼のコンラッドへの深い想いが窺える。ジッドは、コンラッドへの追悼文において、コンラッドの「人間の魂の暗いひだへの好奇心」[22]の大きさについて言及しているが、故瀬藤芳房教授は「『闇の奥』はその頂点をなすものである」[23]と述べられている。

　国籍や時代やジャンルを超えて「世界の」と形容される宮崎アニメと時代に先駆けたコンラッド文学を取り上げて、それぞれ独自の世界観をもって表現するコンラッドと宮崎が訴える現代へのメッセージに関する考察を、危機的な地球温暖化の現状分析を踏まえつつ、本論において宮崎のアニメ『となりのトトロ』ならびに『風の谷のナウシカ』とコンラッドの『闇の奥』を中心に論述したい。

I　本論へのプロローグ——危機的な地球温暖化とそれに伴う直近の問題点の現状分析

　18世紀の産業革命以降、人類は化石資源をベースとした経済発展を続けてきた。しかしその代償として、地球にとって危機的な温暖化とそれに伴う様々な直近の問題を招来している。

　地球温暖化に関する最新の分析や予測を集約する国連の「気候変動に関する政府間パネル」（IPCC）は、2007年1月、第4次報告書で、化石燃料依存を現状のまま続けると、今世紀末には地球の平均気温は最大で6.3度、海水面は58センチ上昇し、洪水や熱波に見舞われ、人類は食糧難に陥ると発表した。更に同年2月には、「温暖化は人為的」だと分析している[24]。シベリアで2020年1～6月の平均気温が、1981～2010年の同期間の平均と比べて5度以上高かった。この異常高温は「人為的」な気候変動がなければ「8万年に1度しか発生しない」と、欧州・露研究グループが、2020年7月15日に発表した。

在位30年式典において平成天皇（現上皇）が述べられているように、「世界は気候変動の周期に入り、我が国も多くの自然災害に襲われ」[25]ている。気象庁は2020年２月20日、2019年に深さ2000㍍までの海洋に取り込まれた熱量が、1955年に解析を始めてから過去最大になったと発表した。貯熱量が増えた影響で、世界の平均水温はこの65年間で0.15度上昇していた。気象庁は、貯熱量の増加は地球温暖化が進んでいた事を示すデータとしている[26]。政府は６月12日、2020年版「環境型社会・生物多様性白書（環境白書）」を閣議決定した。気候変調に伴い国内外で災害が相次ぎ、人類を含む全ての生き物の生存基盤を揺るがす「気候危機」が起きていると強調し、白書は、昨年の台風19号やオーストラリアの森林火災を例示し、地球温暖化で災害リスクはさらに高まると指摘した[27]。温暖化の脅威は直近の日本でも見られた。2018年７月に「平成30年７月豪雨」と気象庁が命名する記録的な西日本豪雨による大規模な被害である。異常気象は温度でも顕著になっている。2019年７月23日には埼玉県熊谷市で41.1度という観測史上最高値を記録した。気象研究所の研究チームは、日本の2019年の猛暑や夏の西日本豪雨について地球温暖化の影響がなければ、ほぼ起こらなかったとする分析結果をまとめた[28]。連日の猛暑が続くのは日本のみならず、米国のカリフォルニア州デスバレー（死の谷）で52度（2020年９月16日には、世界観測史上最高の54.4度）、アルジェリアのサハラ砂漠では51.3度を記録し、世界各地で異常な高温に見舞われている。世界気象機関（WMO）は、これらの異常気象は「温室効果ガスの濃度上昇に起因する長期的な傾向に合致している」[29]と指摘した。気象研究所によると、平均気温が産業革命前より４度高くなった場合、最大風速59㍍以上の猛烈な台風が日本の南海上を通る頻度は増加するという[30]。

　2016年に発効した地球温暖化対策の新枠組みの「パリ協定」では、産業革命前からの世界の平均気温上昇を２度未満に抑える事を目指し、今世紀後半には温室効果ガスの排出を実質ゼロにする事を掲げている。２

度未満という目標が重要なのは、地球環境が回復不可能な状態まで破壊される臨界点「ティッピングポイント」の温度が２度付近だからである[31]。1.5度の場合と比較して生息地域が半減する昆虫が３倍に、哺乳類は２倍になるとの分析結果を英国などの研究チームが米科学誌サイエンスに発表した。ミツバチなど農作物の受粉を担う昆虫も温暖化の影響を大きく受けるといい、研究チームは、「昆虫の生息地域の減少は人間の活動にも大きな影響を与える」と指摘している[32]。また1.5度に抑えることで、２度の場合と比べ世界全体で2200兆円以上の経済的利益が得られる可能性が高いとする試算の結果を、米国スタンフォード大学の研究グループが英科学誌ネイチャー（電子版）に発表している。同グループは「気温上昇を1.5度に抑えれば、地球規模の貧富の差を小さくすることにも繋がる」と指摘している[33]。パリ協定の目標の提唱者であるハンス・シェルンフーバー氏は、「２度未満」を実現する具体策を、「2020年代に火力発電所を順次廃止し、各国が化石燃料関連事業への助成を注視し、効率よくエネルギーを貯蔵する技術開発が必要だ。更に30年代には建設資材を変える必要がある。製造する際に多く出る鉄鋼やコンクリートの使用を廃止し、木材とカーボンファイバー、粘土などを上手く使う技術を採用していく必要がある」[34]と述べ、日本が脱炭素化産業で世界の技術的指導者として担う役割を強く訴えている。しかし日本は、「パリ協定」に反する石炭火力発電所の建設を、国内だけでなく海外でも推進する国として強い批判を受けている。日本は海外の石炭関連事業に対する世界第２位の融資国である[35]。現在のペースで地球温暖化が進んだ場合、熱中症を避けるには働く時間を今世紀末、世界的に平均5.7時間繰り上げする必要があるとの予測を、国立環境研究所のチームがまとめて、米地球物理学連合の専門誌に発表した[36]。それによると、前倒ししない場合、作業時間の減少で世界の国内総生産（GDP）は2.5％損失する事も分かった。気温上昇２度未満に抑えようとすれば、エクソンモービル社の2019年の推計では、石炭火力は毎年2.4％ずつ削減して40年ま

でに半減、再生可能エネルギーは４％、原子力発電は３％ずつ毎年増加させる、原油需要は0.4％ずつ削減、天然ガスは0.9％ずつ増産という組み合わせが必要という[37]。

　2010年以降、欧州などで、化石資源に代わって、再生可能な森林などの生物資源を使った製品づくりを推進して、地球環境に負荷をかけず、持続可能な社会を目指す概念が提唱された[38]。化石資源には枯渇の問題があるほか、多量に放出されるCO_2が大気中にたまっていく。一方、森林は、成長に伴ってCO_2を吸収して炭素を蓄える。利用する森林と同等量の植樹を繰り返せば、化石資源を使わない限りCO_2は増加しない（カーボンニュートラル）というわけである[39]。欧州連合の欧州委員会は2018年11月28日、2050年までに域内の温室効果ガスの排出量を、森林や新技術などによる吸収量で相殺して実質的にゼロに抑えるとの長期目標を発表した。他の国や地域に先行した意欲的な目標を掲げる事によって、地球温暖化対策への国際枠組みである「パリ協定」の順守に向けて国際社会を先導する狙いがある[40]米国ではエネルギー省などが、温暖化対策に消極的なトランプ政権に、今後適切な対応を取らなければ、2100年までに最大で米国のGDPの10％に相当する経済損失が生じるとの報告書を提出したが、トランプ大統領は「私は信じない」と言って一蹴し、聞く耳を持たない[41]。

　注目すべきは、欧州特に「森と湖の国」と呼ばれるフィンランドの国を挙げて循環経済（サーキュラーエコノミー）実現を目指す動きである。循環経済とは、石油など自然から採掘する１次資源の消費をできるだけ軽減するため、「製造――使用――廃棄」ではなく、「製造――使用――リサイクル――使用……」という、一方通行でない資源の流れを目指す考え方である。処分するのにコストがかかる二酸化炭素を、経済的に価値と成る燃料や素材に作り替える事で大幅な排出削減に繋げる「カーボンリサイクル」といった逆転の発想も考えられる。30年までの工程表は、「25年までに世界の循環経済のリーダーになる」事を目指し、特に

力を入れる分野として食料や森林関連産業などの5分野を柱に掲げ、30年までに同国内で最大で年20億ユーロ（約3800億円）のビジネス創出が可能であり、世界全体では4兆5000億㌦（約500兆円）にものぼると見込まれる[42]。南米ブラジルのアマゾンで熱帯雨林の破壊が深刻化する中、北部パラ州トメアにおいて定着した農業と林業を組み合わせた森林農業「アグロフォレストリー」が注目されている。つまり成長サイクルの異なる農作物や果物、樹木を同時に育てる農法である。安定した収穫や収入が期待でき、環境保全にも繋がるとして近年、関心が高まっている。バルバーリョ・パラ州知事は2019年9月14日にベレンで開かれた90周年記念式典で「森林を保全し、収入や雇用を生み出す」と森林農業を讃え、普及に向けた一層の協力を日本政府に求めた[43]。

　米国海洋大気局（NOAA）などの国際チームは2018年8月1日、地球温暖化に大きな影響を及ぼす二酸化炭素の2017年平均の大気中の濃度が過去最高とする報告書を公表した。それによると、17年の平均CO_2濃度は405ppm（1ppmは100万分の1）で、過去最高であった16年を2.2ppm上回った。深刻な温暖化の影響を避けるには、420ppm程度に抑える事が必要だと考えられている[44]。南極では、二酸化炭素濃度と気温の想定は65万年前までさかのぼる。産業革命が始まるまでの65万年の間、二酸化炭素濃度が300ppmを超えた事は一度もなかった[45]。「パリ協定」の目標達成に向け、各国の排出量の把握が不可欠である。

　アル・ゴア元米国副大統領は、カエルの科学実験でのたとえ話を引用して次のように警告している。――「温暖化は、一人ひとりの一生から見ていると、少しずつしか進んでいないように思えるかもしれない。しかし地球の歴史から見れば、実は電光石火のスピードで進んでいる。沸騰しているお湯にカエルが跳びこむと、カエルは次の瞬間、ぴょんとお湯から跳び出る。瞬時的に、その危険が分かるからだ。同じカエルを生温かい水の入ったお鍋に入れて、沸騰するまで少しずつ温度を上げていくとどうなるか。ただじっと坐っているのです。同じ危険があるという

のに。この話の大事な点は、私たちが自分の生存を脅かす差し迫った危険を認識する、集合体としての"神経系"が、先ほどのカエルの神経系と同じだということだ」[46]。そして「地球が今危機に瀕している。私たちが地球上で生きる力、そして、1つの文明としての将来を有する力が問われている。私は、これは倫理(モラル)の問題であると信じている」[47] と『不都合な真実』（*An Inconvenient Truth*）において訴えていた。

　近年新たなる環境問題が世界を席巻している。プラスチックなどが自然界で分解されにくい廃棄物による汚染に関する問題である。主要20ヶ国・地域（G20）の科学アカデミー代表が2019年3月6日、東京都内で「サイエンス20（S20）」を開き、「海洋生態系への脅威と海洋環境の保全」と題して深刻化する海のプラスチックごみと気候変動対策を求める共同声明を採択した[48]。国連によれば、2015年の世界のプラスチックごみ発生量が年間3億トンを超え毎年800万トンが海に流出している[49]。（2018年、世界では年間900万トン近くのプラごみが海に流失し、G20とASEANでその7割近くを占めているとされる）[50]。経済協力開発機構（OECD）は、環境内に流出して観光や漁業にもたらす悪影響などによる損害が年間約130億ドル（約1兆4000億円）にのぼると報告している[51]。米国ハワイ大学の研究チームは、包装や雑貨など汎用性の高いプラスチックの多くが、太陽光によって劣化する過程で温室効果ガスのメタンなどを輩出している事案を確認し、米国科学誌「プロスワン」で2018年8月1日に発表した。「今回の結果は、とりわけ使い捨てプラスチック製品の生産を根源から絶つ必要性を示す更なる証左だ」[52] と指摘する。世界経済フォーラムの報告によれば、現状のレベルで海への流出が続いた場合、2050年には世界の海のプラスチックごみが重量換算で魚を上回ると警告している[53]。

　海のプラスチックごみで注目されているのが、大きさ5ミリ以下のマイクロプラスチックである。海水中の有害物質を吸着しやすい性質があり、魚や貝が誤って食べると、食物連鎖を通じて生態系や人体に悪影響

が及ぶ心配がある。米国ミネソタ大学などの研究グープが、「世界13カ国の水道水のほか欧米やアジア産の食塩、米国のビールに、微小なプラスチックが広く含まれている事を突き止め、特に日常生活で避けられない水道水の検出率は81％と高く、殆どは繊維状で繊維製品由来と見られるが、水道水の汚染が世界的規模で拡大している事は大きな懸念材料だ」[54]と警告している。欧州連合（EU）の欧州委員会は2018年5月28日、ストローや皿など、一部の使い捨てプラスチック製品の使用を禁止する方針を発表した。プラスチックは海洋ごみの85％を占めるとされ、同委員会は今年初め、30年までに包装に使うプラスチックをすべて再生利用可能なものに替える方針を公表し、今回は、こうした取り組みをさらに進める意思を示している[55]。欧州4カ国とEUは賛同したが、日本は米国と共にリサイクル比率について、2040年までに100％回収を目指すなど具体的な数値目標を掲げるG7憲章の署名を拒否している[56]。背景には、「サーマルリサイクル（熱回収）」としてプラスチックごみの焼却熱を発電などに利用する日本の手法を、欧州ではリサイクルと見做していない点にある。欧州からすれば、焼却は化石燃料を燃やす事と同じで、地球温暖化に影響を与えかねないからである。我が国のプラスチックごみ発生量は年約900万トン。うち6～7割を燃やしている。先ずやるべきは使い捨てプラスチックの削減で、減らせないものは再利用、燃やす事は最後の手段だ。現在の日本では燃やす事が最上位の手段になっている[57]。

米国「サイエンス」誌2015年2月号によると、陸から海へ流出したプラスチックごみの量は中国が最大353万トン、インドネシア同129万トン、フィリピン同75万トンと中国が際立っている[58]。プラスチックごみ問題の解決に取り組む国際基金「AEPW」には日米欧などの企業約30社が参加し、5年間で総額15億ドル（約1600億円）を投じている。世界最大のプラスチックごみ排出国である中国の化学メーカーは2019年1月現在参加を見送っている[59]。ただ首都北京の大気汚染に象徴される環境悪化への

市民の不満に対処せざるを得なくなった中国政府は、昨年12月に生活に由来する廃棄プラスチックの輸入禁止に踏み切った。米国ジョージア大学の研究チームは2018年6月、科学誌サイエンス・アドバンシズに発表した論文で、(16年には世界の廃棄プラスチック輸出の約半分に当たる約735万㌧を受け入れた) 中国の輸入禁止によって30年までに世界で１億1000万㌧の廃プラが行き場を失うと試算して、国際的に協調した取り組みが必要と指摘している[60]。国連環境計画（UNEP）が今年発表した「使い捨てプラスチック報告書」によると、14年時点で、プラスチック容器包装の総廃棄量は中国が断然トップであるが、１人当たりの廃棄物は、①米国②日本③EU（欧州連合）④中国の順である。また温室効果ガス削減に関してUNEPは、「パリ協定」の目標達成に必要な削減量と現実の格差が埋まらなければ、目標の実現は非常に困難になる」と警告し、「化石燃料への課税などをすることで、大幅削減へ投資を促すことが出来る」と訴えている[61]。

　ドイツのボンでは2017年11月に、国連気候変動枠組条約第23回締約国会（COP23）で地球温暖化対策が話し合われた。地球温暖化を招いた化石燃料がメインテーマである。会場では、各国の環境NGOなどから今なお石炭火力発電所を増やそうとしている日本が非難の的となった。2006年に全米で公開されたドキュメンタリー映画『不都合な真実』で主役として出演、地球温暖化問題に警鐘を鳴らし、ノーベル平和賞を受賞したアル・ゴア元副大統領が10年ぶりの続編映画『不都合な真実　2　放置された地球』の全国公開（2017年11月17日）に合わせて来日し、日本に対して鋭い提言をしている。「日本は納税者から集めたお金を、石炭を燃やして作る燃料に投じる事をやめてほしい。それだけでなく、インドネシアの石炭火力発電所の開発に税金を投入しようとしている」[62]と。政府系金融機関である国際協力銀行がジャワ島で進める火力発電所の開発に多額の融資をしていたからである。そして彼は、「米国が合法的にパリ協定から離脱できるのは、次の大統領の後である。新しい大統

領が生まれるなら、またパリ協定に復帰できる」と手を合わせて祈る仕草も見せた。この信念の背景には、近年の再生可能エネルギーの進歩がある。しかし、我が国では再生エネルギーは全く進んでいない。その大きな壁となっているのは原発黄金時代の規則や慣行を盾として、政府や電力会社が再生エネの邪魔をし、送電線の容量に空きがあっても、再生エネルギー事業者には貸さない事にある[63]。電力会社が独占する発電と送電を分け、送電はいわば高速道路のような公共設備にし、発電は自由競争に委ねるというシステムに移行し、その先に再生エネルギー中心の、地産地消型のエネルギー供給を見据えなければならないのではないだろうか。12年後の電源割合が22～24％という日本の目標値は現在の世界平均値に過ぎない。

　「パリ協定」では、適正な土地利用が二酸化炭素の削減や温暖化による被害の軽減に寄与する事を認めている。それは砂漠化による土地の劣化が、世界の貧困により一層直接に影響している現実を突き付けているからである。世界で10億人が乾燥地帯に暮らし、そのうち7億人が3㌶以下の土地を耕す小規模農業従事者で常に土地の劣化の危険に直面して、すぐにも耕作地を奪われることにより、生活の糧を失いかねないのである。砂漠化が起因する年間の死者数は、台風などどんな自然災害よりも多数である。台風であれば大きく報道され、世界の人々が義捐金を出す動機も生まれるが、砂漠化による犠牲や損失は緩慢で静かに広がっているサイレント・デス（静かなる死）であるだけに、あまり知られていないのである[64]。地球温暖化が現在のペースのまま進めば、先進国の技術を途上国に移転したとしても、世界全体の穀物収穫量は今後伸び悩むとの試算を、2017年に農業・食品産業技術総合研究機構が次のように警鐘を鳴らしている。

　――「人口増加に伴う食糧需要の伸びに生産が追い付かず、世界規模の食糧危機を招く恐れがある。CO_2排出を現状のまま放置した場合、先進国による品種改良を加味しても世界のトウモロコシの収穫量は2030

年頃から減少に転じ、今世紀末には2000年代の約6割にも落ち込む。温暖化対策の国際枠組みの「パリ協定」の目標通り、産業革命前の気温上昇を2度未満に抑えたとしても、2000年代比の伸び率は1.2倍にとどまる見通しだ。試算では、大豆も同じ傾向であった」[65]。

　世界気象機関（WMO）は、2017年1月の北極と南極の海氷面積が観測史上最小になったと発表した。同機関によると、米氷雪データセンターとドイツの研究所の衛星写真を分析した結果、1月の北極の氷面積は平均1338万平方㌔で、前年同月より26万平方㌔（英国の面積を上回る）減少し過去38年で最少であった[66]。北極の氷も減少を続け、北大西洋と北太平洋航路は夏の数か月間、砕氷船が不要になった[67]。ポツダム気候影響研究所のハンス・シェルンフーバー所長は、シミュレーションを駆使し、温暖化に伴う北極海の海氷の減少や氷河の後退など、社会に大きな影響を及ぼす問題について研究を主導し、「パリ協定」の誕生に繋がる科学的根拠を示した[68]。

　言語学者ノーム・チョムスキー（Noam Chomsky）[69]は、2016年10月にカリフォルニア州で「核時代平和財団」から贈られた「平和指導者賞」の講演及び記者会見において「トランプ候補が大統領に選出されると大惨事だ。パリ協定離脱を試みるのではないか」と批判と懸念を述べていたが[70]、地球規模の危機的状況下にあって、トランプ米国大統領は、2017年6月1日、地球温暖化対策の国際枠組み「パリ協定」からの離脱を表明した。『毎日新聞』は、これを「人類の未来への背信だ」として「社説」と「余録」でそれぞれ次のように述べている。――「米国は世界第2位の温室効果ガスの排出国で、温暖化対策で高い貢献度を求められるのは当然だ。昨年11月のパリ協定発効で、脱炭素社会の構築に向かう世界の潮流は強まった。温暖化対策は新たなビジネスチャンスとも捉えられている」[71]。「日本の環境相ですら「人類の叡智に背を向けた」と怒ったくらいだから、「失望」「深刻な誤り」などの批判が各国首脳の間で飛び交ったのは当然だ。互いに苦労して積み上げた地球規模の

取り組みをだいなしにした「米国第一主義」だった。だがそれにしても険しい目で大統領の選択を見つめる多くの米国民がいるだろう。古い産業構造の温存にこだわり、21世紀の脱炭素文明への転換を妨げる政策は米国を一体どこへ導くのか。奪われるのは自分たちの未来だからである」[72]。

　米国海洋大気局など13の米政府機関はパリ協定開幕直後、温暖化に懐疑的なトランプ政権の姿勢に反し、温暖化の主因は人間活動による温室効果ガスの排出であり、米国内でも様々な影響が出ているとする報告を公表していた[73]。『毎日新聞』は、「トランプと世界」と題して次のような現場報告をしている。——「政府に気候変動対策の強化を求める訴訟は米国の他、ノルウェー、アイルランド、ベルギー、スイス、ニュージーランドなどで相次いでいるが、複数の国が被告となるのはポルトガルが初めてとみられる。関係者が参考とするのはオランダの事例だ。2015年6月、ハーグ地方裁判所はオランダ政府に対して、20年までに温室効果ガスの排出量を1990年比で少なくとも25％減らすよう命じた。原告団を率いた環境NGO「アルジェンダ」の法律顧問、デニス・ファン・ベルケル氏は、トランプ政権について「脱化石燃料の動きに抵抗する最後の砦」と見るが「化石燃料産業の衰退は明らかで、先延ばしすることしかできない」との見方だ。（中略）温暖化の防止は人類共通の責任であるが、温室効果ガスを多く輩出して発展した先進国の方が、新興国よりも責任が重いという考え方で、92年の国連環境開発会議（地球サミット）において明確となった。「米国第一主義」を掲げるトランプ政権は、先進最大の排出国が負うべき責任から目をそむけ、パリ協定離脱を宣言し、温暖化対策で途上国を支援するための国連基金などへの資金供出も停止した。ただ、全米で支持されているわけではない。州政府や地方自治体、大企業が、「パリ協定」の順守を目指す「ウィ・アー・スティル・イン（私たちはまだ中にいる）」という名の連合体を発足し、連邦政府を差し置いて国際協調を重視する動きが加速している」[74]。

米国に本部を置き、金融機関や機関投資家に対し、化石燃料を使って事業を続ける企業への融資や投資を控えるよう働きかける「化石燃料ダイベストメント」運動を展開する国際NGO「350.org」の古野 真・日本支部代表は、「今後、各国でパリ協定の実施が本格化することで、石炭などの化石燃料は使い道がなくなって価値を失う『座礁資産』になる可能性がある」[75]と指摘している。
　21世紀の現在、新たな懸念が生じている。それは気の遠くなるような宇宙の年月を経過して蓄積された「宇宙化石」のウランである。それを我々人間は原発の燃料として短期間に消費するようになった。そこで生じた副作用が「大量の放射性廃棄物の蓄積」である。天文学者の小平桂一氏は、「ウランは宇宙化石。地球の化石燃料同様急速に消費すると温暖化以上の悪影響を地球の生物や生態系に及ぼす可能性がある。（中略）地球と宇宙の化石燃料に決別し、再生可能エネルギーへ転換するという決心は文明史上特筆すべきこと」[76]と述べる。
　しかし展望はある。米航空宇宙局（NASA）は、2016年に南極上空で破壊されたオゾンの量は、05年よりも20％減っていると発表した。太陽からの有害な紫外線を吸収するオゾン層は、地球温暖化に繋がるフロンなどの化学物質で破壊されている。これらを制限する国際条約「モントリオール議定書」の効果を示す初の証拠とされている。2017年の最大のオゾンホールが、1988年以降では最も小さかった[77]。またEUでは2017年の風力、太陽光、バイオマスによる発電量が初めて石炭火力を上回った、という事が独英のシンクタンクの調査で明らかになった[78]。EU域内では地球温暖化の原因となる温室効果ガスを多く排出する石炭火力の段階的廃止を打ち出す国が広がっており、再生可能エネルギーへのシフトが着実に進んでいる。また国際エネルギー機関（IEA）によると、近年は新規導入された世界の発電容量の過半数を風力や太陽光などの再生可能エネルギーが占めている。再生エネルギーへの投資額は、最近のデータでは2016年が約2970億㌦で、原子力・石炭・天然ガス・石油発電

所への投資額（1430億ドル）の2倍を超えるという。IEAの見通しでは、2025年には発電容量の正味増加分の56％を再生可能エネルギーが占めているもようである[79]。

2019年のノーベル化学賞に名城大学教授の吉野 彰（71歳）氏が決まった。ノーベル化学賞発表の10月9日、スウェーデン王立科学アカデミーの発表者はこう述べた。「リチウムイオン電池はあらゆるものに使われ生活に革命を与えた」という実績に加え、化石燃料のない社会への期待を含め、ノーベル賞の理念である「人類への貢献」と一致すると考えたのだ。吉野氏は、「ここにきて、リチウムイオン電池が地球環境問題に答えを出していくだろうと評価された。重要なミッションを担っているというメッセージだと思う」[80]と話した。そして吉野氏は具体的に次のように──「これからの社会は太陽光や風力発電など再生可能エネルギーに転換していく必要があるが、こうした電機は（発電量の）変動が激しいため（発電で余った電力を充電するための）蓄電池が重要になる（傍点は筆者。以下同じ）。一般家庭向けで蓄電池のためだけの設備ではコストが大きいので、電気自動車の蓄電池で電気をためることが望ましい。私が開発したリチウムイオン電池が電気自動車という形でもっと普及し、社会の蓄電池システムが整って、最終的には発電所から来る電気の二酸化炭素はゼロ、自動車からのCO_2もゼロになることを期待している」[81]と語っている。

2019年、京都大学の研究チームが、温室効果ガスの排出を80％削減する日本の長期目標を達成するためには、達成目標の2050年時点で年約5兆3000億円のコスト負担が必要とのシミュレーション結果をまとめた。過去の複数のシミュレーションよりも最大で10分の1に圧縮されたという。チームによると、この5年で太陽光発電パネルや蓄電池など再生可能エネルギー導入コストが劇的に下がった状況を反映した[82]。

2018年7月に相次いで興味深い発表があった。イタリアのチームが「火星の南極の地下に液体の水がある」と発表し、もう一つは同月末に

「火星の表面の液体の水を取り戻し、テラフォーミング（地球化）することは可能か」という研究の公表である。これまで科学者が提案してきた手法は、地球の100分の1しかない大気中に温室効果ガスを供給し、惑星を「温暖化」する事なのだ。そのために使えるのは二酸化炭素と水蒸気。だが、水や氷を蒸気にするには、先ず二酸化炭素で惑星を温める必要がある。そこで米国航空宇宙局がコロラド大学などのチームに研究資金を出し、過去20年間の探査機のデータを基礎として、表面の平均温度が氷点下60度ほどの火星でも使える二酸化炭素源を洗い出した。極冠にあるドライアイス、土壌に付着している二酸化炭素、炭酸塩の鉱物……。しかしこれらをすべて気体にしても二酸化炭素の増加は地球大気の7％以下で惑星を十分に温める事は出来ず、「現在の技術で地球化する事は、無理である」という結論となった[83]。SFを超えるこのような実証的な研究を知ると人類を育む地球の環境が如何に得難いものであるかを痛感する。

　2020年の新型コロナ禍で、効率と利益を過剰に求めるグローバル経済の弊害が浮き彫りになった。旧来の常識が問い直される昨今、世界を変えるような大変革が生まれる好機とも言える。

II　従来の欧米中心の視点からの脱却
——宮崎のアニメとコンラッドの文学とは

　2004年に環境分野で最初にノーベル平和賞を受賞したワンガリ・マータイ女史は、2010年4月、ナイロビでの『毎日新聞』のインタビューを受けてその受賞理由を次のように語っている。
　——「かつては想像もできなかった平和賞の変化だ。人間が創造的に暮らし、才能を開花させようと思えば、民主的な空間と人権を保障しなければならない。そして平和のためには、民主的統治と優れた天然資源の管理が必要だ。紛争の解決にとらわれるのではなく、紛争予防が重要

第1章　従来の欧米中心の視点からの脱却

だということが明らかになってきたからだろう。環境保護と平和の関係を理解する視座が存在するようになったことの表れでもある」[84]。

更に同女史は、「西欧的な考え方は、消費主義に基づく欲望に大きく影響されている。産業革命を発端として西欧的な考え方が世界中に広がり、その考え方に立つ人たちはあたかも世界が無限の資源を抱え、それを自由にできるものであるかのような錯覚を抱いてきた」[85]と指摘している。

宮崎のアニメにも、科学信仰への偏向が過度となり、自然への畏敬の念を蔑(ないがしろ)にした事への代償を一つの核として生き生きと表現した『天空の城ラピュタ』がある。地上では繁栄する一方であるが地方のさびれた炭坑が描かれ、天空には高度の文明を誇っていたラピュタが、核戦争[86]を想起させる科学文明の崩壊を物語る廃墟となっていた。そこには自然の森や池で独自の進化を遂げて生きながらえている魚や小動物や小鳥が生息し、ロボットが墓守をしている反ユートピアの世界が描き出されていた。

マータイ女史の言葉通り、英国の産業革命を発端として起こったエネルギー革命の結果、地球上の二酸化炭素排出量が急激に増大した。それと同時に手工業から機械工業生産への転換が、今日の格差社会の原点となっている。チャールズ・ディケンズ（Charles Dickens）は、この格差社会の過酷な現実における不正や矛盾を庶民の立場から『ピクウィック・ペイパーズ』（*Pickwick Papers*）などの作品において、チャールズ・チャップリン（Charles Chaplin）を想起させる喜劇やユーモアをこめて告発していた[87]。チャップリンは、「独裁者とは喜劇的なものです。私は彼らを利用して大衆を笑わせることを意図したのです」[88]と述べて、アドルフ・ヒトラー（Adolf Hitler）を戯画化した『チャップリンの独裁者』（*The Great Dictator*）を制作している[89]。ジョージ・オーウェル（George Orwell）は、英国人の道徳観として代表的な民話の『巨人退治のジャック』を引き合いに出して、「大男を相手にする小男

の話、これは本質的にはチャーリー・チャップリンが創造する人物である。単に弱い者いじめを憎むだけでなく、ただそれが弱いというだけで弱い者いじめの方の肩を持つ傾向は英国ではいたるところで見られる。チャップリンの映画は、ヒトラーが権力を握るとすぐに、ドイツでは上映禁止になり、チャップリンは英国のファシスト作家たちからもあくどい攻撃を受けてきた」[90]と述べている。フランク・ハリス（Frank Harris）は、チャップリンを「ユーモアにおける稀有な芸術的才能の持ち主」として、パスカル（Pascal）の次の言葉を添えてチャップリンを称賛している。──＜私が称賛し尊敬するのは、目に涙を浮かべて人間の真実を語る作家だけだ（I praise and prize only that writer who tells the truth about men──with tears in his eyes──*Pascal*.）＞[91]。『モダン・タイムズ』（*Modern Times*）においては、ベルトコンベアでの作業で機械に翻弄される人間の悲劇が、またテレスクリーンによる徹底した管視社会の様相はジョージ・オーウェルの『1984年』（*Nineteen Eighty-Four*）を想起させる笑えぬ悲劇が提起されている。チャップリンの絶妙なパントマイムで表現されるそれらの「笑い」を通して、非人間的な徹底した効率化や合理主義に基づく今日及び近未来のAI社会や管視社会の不合理が生き生きと描き出されている。『街の灯』（*City Lights*）のラスト・シーンは、チャップリンの真骨頂を物語るその好い例であろう。浮浪者チャップリンが、盲目の貧しい花売り娘のために馬糞その他の排泄物専門の道路清掃夫や八百長ボクサーなどをして稼いだその金で治療を受けて眼が治った少女が手の感触で「まあ、貴方でしたの！」と述べて、富豪ではなくて浮浪者チャーリーがその恩人であった事を知るシーンは、まさにその時に流れたバック・グラウンド・ミュージックである「ヴィオレ・テーラ」の音楽と共に、全場面を最高に盛り上げる劇的な効果を醸し出していた。『街の灯』は観終わってから心に小さな灯がともるような深い印象が残る。故日野原重明先生は、「ユーモアによってもたらされる心の表情としての微笑（ほほえ）みは、人間

第 1 章　従来の欧米中心の視点からの脱却

が爽やかに生きるためのエネルギー源となる」と規定した上で、チャップリン映画の真髄を次のように述べられている。――「ユーモアの笑みは、例えばチャップリンの映画に見る泣き笑いのように、笑った後に心に小さな灯がともるような切ないやさしさを残してくれるものがあります」[92]。

　一方、ヨーロッパ文明の脱中心とでもいえる状況が進行している現在、つまりすべてを均質化し、画一化しようとする危機的なグローバル時代にあって、宮崎のアニメは、その独自性が光っている。宮崎 駿監督は、2003年に世界で初めて長編アニメーション部門で世界中が公認するアカデミー賞を受賞した。この長編アニメの『千と千尋の神隠し』[93]は、『もののけ姫』に続いてアメリカで邦画の米国版としては極めて珍しくノーカット、また一切改変もなしでアメリカにおける上映を実現させたのである[94]。アニメの世界で神仏混交の八百万の神や湯屋[95] といった日本民族の文化に繋がるアイデンティティを生かした『千と千尋の神隠し』は、『となりのトトロ』で実証済みのあの青や緑色の従来の宮崎アニメのやわらかな色調が、ギラギラしたどぎつい赤や黄色のけばけばしい色調へと激変して、グロテスクな飽食や排泄といった従来の宮崎のアニメにおいては見られなかったカーニバル的映像がいたるところに描き出されている。「カーニバル」とは、ミハイル・バフチン（Mikhail Bakhtin）が提唱した用語で、ユーモアとカオス（無秩序）によって伝統的な文学の正典の前提を転覆させて、解放する方法の事を指す[96]。バフチンは、『ドストエフスキーの詩学』において、カーニバルの笑いを次のように述べている。――「起源的に見てそれは太古の形式における儀式の笑いに繋がっている。この儀式の笑いは至高の存在に向けられた笑いであり、最高神の太陽、その他の神々、地上の最高権力をけなしあざ笑うことにより、それらの蘇りを促そうとするのである。儀式での笑いは一様に死と再生、生産の行為、生産力のシンボルと結びついていた。儀式の笑いは太陽の営みにおける危機（夏至や冬至）、神々や世界

や人間の生における危機（たとえば葬式）に反応したが、その中には嘲笑と歓喜が綯い交ぜになっていたのである。太古の儀式の笑いが至高の存在（神や権力）に向けられていたことが、古代や中世における笑いの特権的な地位に繋がった。真面目な形では許されない多くのことが、笑いの形でなら許されていた。中世には合法化された自由な笑いを隠れ蓑にすれば、《神性パロディー》が、つまり聖典や儀式のパロディー化が可能だったのである。カーニバルの笑いは、権力や法典の交替、世界秩序の転換に向けられている。笑いは交替する二つの極を一挙に捉えながら、交替のプロセス自体を、つまり危機そのものを笑うのである。カーニバルの笑いの行為の中では、死と再生、否定（嘲笑）と肯定（歓喜の笑い）が結びつく。それはきわめて世界観の観照的で宇宙的な笑いである。これが両義的なカーニバルの笑いの特質である」[97]。

　更に注目すべきは、善と悪を対極に配置しがちな米国のアニメ特有の二元論を避けて、例えば「『千と千尋の神隠し』では、正邪の対決が主題ではなくて、善人も悪人も皆混じり合って存在する世の中とでもいうべき少女の物語」[98]だと宮崎は表明している。他方、伝統的に人間と自然を対峙してきた西欧とは異なり、人間と自然の共存を謳う『もののけ姫』においては、森が崩壊し始めると同時に大自然を象徴する豊かな森に住む淡い緑色をした半透明体のコダマ（木霊）が森から落下し、その存在が強調され、人間に対して＜環境倫理＞が問われている。平成7（1995）年に日本国籍を取得した英国の南ウェールズ出身の作家で環境保護活動家のC・W・ニコル氏は、自分の本の印税で100年後、否それ以後を見据えて、人が入れないほど雑草や雑木が生い茂るまで放置され、地元から「幽霊森」と呼ばれていた暗い森を風が通る光に満ちた照葉樹林の中で多くの命が息づく「アファンの森」づくりを進めている[99]。アファンの森の基本原則は、以下の通りである。──・未熟な森よりも、成熟した森の方が好ましい。・適切な密度の森は、樹木がまばらに生えている森よりも好ましい。・種々雑多な樹木がある森は、一種

類の樹木だけしかない森よりは好ましい。・様々な高さの樹木と植物が共存している「複層林」は、高さが同じ木ばかりの「単層林」より好ましい（木の高さにばらつきがあると、木々に光が当たる面積が増えて、多様な木があることによって多様な生物が集まるなどの利点がある）[100]。

　森は生物の多様性を育む源泉なのである。『もののけ姫』の主人公アシタカの「共に生きよう」という言葉には、「くもりなき眼（まなこ）」をもってそれぞれの生き方の中で、人生の同じ時を同じ目的に向かってそれぞれの立場から＜誠実＞に生きる事を訴える宮崎のメッセージが込められていた。換言すれば、異文化に対応すべき現代に生きる我々への一つの回答が用意されていた。『もののけ姫』のラスト・シーンの再生された森は、何万年も生きた大樹が生い茂る暗くて恐ろしい「原生林」ではなく、『となりのトトロ』や宮崎の盟友である高畑 勲監督の『平成狸合戦ぽんぽこ』などに見られる明るい「里山」である。宮崎監督は、環境と生態系を崩壊させて文明を広げる事ではなく、自然と人間との共生のほどよい実現を強く訴えているのではないだろうか。

　ジョウゼフ・コンラッドに関して言えば、批評家のエドワード・サイードが『文化と帝国主義』（*Culture and Imperialism*）において、小説界にあってはノーベル文学賞を受賞したV・S・ナイポール（V.S. Naipaul）が自らの民族のルーツとなる作品『闇の領域』（*An Area of Darkness*）や「コンラッドの闇」（"Conrad's Darkness"）において、米国映画界にあってはフランシス・コッポラ（Francis Coppola）が『地獄の黙示録』（*Apocalypse Now*）において、西欧の植民地主義の罪科とそれを生み出した精神の暗闇を描き出したコンラッドの『闇の奥』から多大なる影響を受けていた事が明かされている[101]。英国にあってはバートランド・ラッセル（Bertrand Russell）やグレアム・グリーン（Graham Greene）もコンラッドの影響を受けているのである。1913年にラッセルは、「人生と人間の運命」に関して、コンラッドとの

思想上の一致を知って、「『闇の奥』はコンラッドの人生哲学を完全に表している」[102]と言明した。一方、「余りにもコンラッドの影響が大きすぎて一時期彼の著作を読むのを放棄していた」とするグレアム・グリーンは、1959年にコンラッドの『闇の奥』を携えてアフリカへ赴き、「『闇の奥』はやはり見事な小説だ」[103]と脱帽している。

　宮崎 駿は、2013年のデビュー以来30年余りを振り返って次のように引退宣言をした。
　――「一作ごとにたどり着けるところまで行けた。振り向かず、同じことをしないつもりでやってきた」[104]と。その言葉通り、彼は一作ごとに独自のアニメの世界を創造して、世界に日本のアニメの存在を知らしめた。第一回宮崎監督によるTV向けアニメ『未来少年コナン』に続いて、『風の谷のナウシカ』、『天空の城ラピュタ』、『となりのトトロ』、『魔女の宅急便』[105]、『紅の豚』、『もののけ姫』、『千と千尋の神隠し』、『ハウルの動く城』、省力化、効率化を進めさらにコンピューター・グラフィック作品が幅を利かす現代にあって、敢えて手書きにこだわった作画17万枚にも及ぶ『崖の上のポニョ』、そして病んだが故に生を輝かせんとあがきながらも懸命に生きた堀 辰雄が「風立ちぬ、いざ生きめやも。」を題辞に掲げた『風立ちぬ』[106]を原作として、関東大震災から第二次世界大戦に至る世相を背景に、今日の日本に漂う閉塞感よりももっと激しい時代に自分の夢に忠実に直向きに生きたゼロ戦の設計者の堀越二郎の人生を生き生きと表現した『風立ちぬ』までを宮崎は手掛けた。彼は、日本はもとより世界的にも著名なアニメ映画の監督である[107]。
　2017年現在、宮崎監督は目下新作長編アニメ『君たちはどう生きるか』を製作中である事が関係者によって判明している。2017年にジブリの鈴木敏夫プロデューサーは、宮崎監督が長編アニメ制作の準備に入っていると、事実上の彼の引退撤回を発表している[108]。スタジオジブリに

第 1 章　従来の欧米中心の視点からの脱却

よると、題名は1937年に編集者で児童文学者であり哲学者の吉野源三郎が発表した名著から取ったもので、その本が主人公にとって大きな意味を持つという。完成までに 3 ～ 4 年かかる見通しだという[109]。『君たちはどう生きるか』[110] は、児童文学者の山本有三が刊行した『日本少国民文庫』全16巻中の第 5 巻に収録されている。この時代、国内では、軍国主義が、ヨーロッパでは、ムッソリーニやヒトラーが政権を握って、ファシズムが諸国民の脅威となり、言論や出版の自由が著しく制限されていた。山本の考えを継承する吉野は山本の言葉を引用して次のように述べる。──「今日の少年少女たちこそ次の時代を背負うべき大切な人たちだ。まだ希望はある。この人々には偏狭な国粋主義や反動的な思想を超えた、自由で豊かな文化のあることを何とかして伝えておかねばならないし、人類の進歩についての信念を今のうちに育てておかねばならない。ヒューマニズムの精神を守らねばならない。山本先生はその希望を次の時代に賭けた」[111]。

　『世界』の初代編集長吉野と『君たちはどう生きるか』との密接な関係を、元編集長の緑川 亨は、次のように述べている。──「この本は、個人が客体としての社会をどう認識するかという歴史認識の基本構造を人間としての生き方とかかわり合わせて、想像力豊かに少年の日常生活の中に展開している。(中略) ＜君たちはどう生きるか。＞という文章をもって1937年の著書は完結する。戦後の岩波書店の編集長を務めると、それと同時に『世界』の編集長としての激務を果たす行為を通して、吉野氏は、かつて少年たちに対して発したこの設問に自ら答えているかのように思われる」[112]。

　『君たちはどう生きるか』は、この主人公である悩み多き中学生のコペル君が、これから如何にして生きていけばいいのかをおじさんから聞き、未来に向かって成長していく物語である。おじさんは次のように語る。

　──「英雄とは非凡人であり、普通の人以上の能力を持ち、普通の人

には出来ないことを仕遂げた人々だ。その人たちは、みんな、僕たちに頭を下げさせるだけのものを持っている。しかし僕たちは彼らがその非凡な能力を使って、いったい何を成し遂げたのか、またかれらのやった非凡なこととは、いったい何の役に立っているのかと、問わなければいけない。非凡な能力で非凡な悪事をなし遂げるということも、あり得ないことではないんだ」[113]。

そして、何万年にもわたる人類の歴史をそしてこれからも悠々と流れてゆく進歩の歴史の大きな流れの中で自分の精神の目で眺める必要性を前提に、おじさんはナポレオン・ボナパルト（Napoléon Bonaparte）[114]から学ぶべきところを次のように語る。

――「青白い顔をした陰気な貧乏な青年将校がかの有名なアルプス越えでイタリーの平原に侵入してたちまちオーストリアの大軍を撃破し、以後連戦連勝の常勝将軍としてパリに凱旋し、僅か10年の間に35歳にして皇帝の位に駆け上った。（中略）しかしナポレオンは、権力のために権力をふるうようになって自分の権勢を際限なく強めていき、遂にロシア遠征で大敗北を帰し、その報に接し、プロシア、続く他の諸国もナポレオンに反抗し、ウォーターローの戦いで最後の決戦を試みたが、これも敗北に終わり、アフリカのセント・ヘレナの離れ小島に囚人同様に監禁されてそこで死ぬ。これだけのことをしっかりと理解したのちに、ナポレオンから学びえるものをうんと学ばねばならない。彼の奮闘的な生涯、彼の勇気、彼の決断力、それから、あの鋼鉄のような意志の強さ！こういうものがなければ、仮令人類の進歩に尽くしたいと考えたって、ろくなことは出来ないでしょう。だから、どんな困難な立場に立っても微塵も弱音を吐かず、どんな苦しい運命に出会っても挫けなかった、その毅然たる精神には、僕たちは深く学ばなければならない」[115]。

おじさんはコペル君に、どんな偉人や英雄も何万年という大きな歴史の流れの中に漂っている一つの水玉に過ぎない、この流れにしっかりと結びついていない限り、どんな非凡な人のした事も、非常に儚(はかな)いものだ

第1章　従来の欧米中心の視点からの脱却

という事を述べた上で、次のナポレオンの一挿話を話す。
　——「ウォーターロー（の戦い）で敗れたナポレオンは、もうヨーロッパには身を置くところがなかった。イギリス海軍は彼を英国本国へ連れて行った。ナポレオンの乗っているベルロフォーンという汽船がテムズ河口に停泊していた時、波止場は連日見物人で大混雑だった。ヨーロッパの天地に風雲を巻き起こし、20年間も無敵の英雄として恐れられた彼が捕虜になって連れて来られたというのだから、イギリス人が驚喜したのも無理はない。ベルロフォーン号の甲板の上に彼の姿を認めた時、数万の見物人は思わず息を呑んだ。今まで騒ぎ立っていた波止場が一時にシーンとしてしまった。次の瞬間、数万のイギリス人は、誰が言い出すともなく帽子を取って、無言で彼に深い敬意を表して立っていたのだ。戦いに敗れ、ヨーロッパのどこにも身の置き所がなく、いま長年の宿敵の手に捕えられて、その本国に連れて来られていながら、ナポレオンは、みじめな意気阻喪した姿をさらしはしなかったのだ。囚われの身となっても王者の誇りを失わず、自分の招いた運命を、男らしく引き受けてしっかりと立っていたのだ。そしてその気魄が、数万の人々の心を打って、自然と頭を下げさせたのだ。何という強い人格だろう。——君も大人になってゆくと、よい心がけを持っていながら、弱いばかりにその心がけを生かし切れないでいる、小さな善人がどんなに多いかということを、だんだん知って来るだろう。（中略）人類の進歩と結びつかない英雄的精神も空しいが、英雄的な気魄を欠いた善良さも、同じように空しいことが多いのだ」[116]。
　「子供のための作品」を作りたいと願っている宮崎は、子供たちがまだ自然の力や八百万の神の力に近い所にいる間に、「如何にして生きるか」というメッセージを『となりのトトロ』の中で、そして『風の谷のナウシカ』『千と千尋の神隠し』『崖の上のポニョ』などのアニメで訴えていた。本作では文字通りこの主題を掲げた『君たちはどう生きるか』である。宮崎の集大成と思われるアニメの完成が待たれるところであ

— 29 —

る。

　ところで「文化は人間が作るものであり、森の生態系が文化に影響を与えることなどあり得ない」という西洋的世界観が定説であった時代に、森の生態系が文化に大きな影響を与える事を指摘して、「根を忘れて花だけを見ている文化観は、根無し草にひとしい」[117]と喝破した中尾佐助氏の「照葉樹林文化論」をアニメにおいて具体化したのが宮崎監督の次の一連の作品である。『天空の城ラピュタ』におけるラピュタの大樹、『となりのトトロ』のトトロが宿る森、『もののけ姫』のシシ神の森[118]、そして、『風の谷のナウシカ』における照葉樹林的な生命力に溢れた植物群による「腐海」などが考えられる。『となりのトトロ』でサツキやメイの父の草壁タツオの書斎に『森と農耕』と記された一冊の本があったが、このタイトルは明らかに中尾佐助の『栽培植物と農耕の起源』を意識したものであろう。草壁は、照葉樹林文化（縄文時代）と稲作文化（弥生式時代）、これらの文化複合がイメージされた照葉樹林文化期の縄文時代に稲作があった事実を研究する学者であった[119]。宮崎は、「従来とは異なる目線で日本を眺める切り口として中尾佐助の照葉樹林文化論（ヒマラヤ山脈麓から中国南西部を経て日本に至るまで、太古交流のおぼつかなかった地域に文化面での共通点があることから、人類文明の傾向は原生植物に起因しているとする学説）[120]に出会ったことによって、日本の自然のようなものを取り込んで、民話や傾向文学や『赤い鳥』以来のひ弱な児童文学でもなく、世界を作ることが出来ないかと思って、僕の場合は『となりのトトロ』に行き着いた」[121]と表明している。「トトロの住まう、うっそうとした森は、すでに失われた太古の森であり、植林などにより今は姿を消した樹相である。縄文時代の日本人は、その森でドングリなどをさらして食用にしていた。だからトトロの住む森は、中尾佐助の著作を媒体とした、宮崎自身の「観念としての森」の色彩が色濃い。宮崎はそうした縄文の森に、日本の自然と文

化のルーツを見た。自分自身の生のよりどころさえもそこに感じたのだという」[122]。

司馬遼太郎が亡くなる1年前に、「"夕日がきれい"といったことも言えず、"この川を見ていると本当に心が澄んできます"という川もないような国を作ってはいけなかったのです。明日の日本は、無制限な成長を抑えて、人に自慢できるような景観の中にわれわれは住んでいる、と言えるようにしていかなくてはならない。そのためには、もうこれ以上にこの日本の自然を破壊しない、という国民的合意をぜひとも形成しなければならない。やればできる。まだ間に合います。そうしなければ、現代人は子供や孫にお詫びのしようもない」と対談で語った彼の言葉を、司馬の国を想う遺言ととらえた半藤一利は、「大きな忘れ物」と題して「宮崎監督が『となりのトトロ』で言おうとしているのも、司馬さんと同じ心だと思う。大きな忘れ物を思い出そう、日本に四季と自然の美しさを取り戻そうということ、それなんです。単なる幻想の世界ではないのです」[123]と力説している。

事実、『もののけ姫』について宮崎は、晩年の司馬遼太郎との対談において、「森を伐る人間と、それと戦う神々の話で、神々は獣の形をして出てきます。大変なテーマで作り始めてしまいました。その森は照葉樹林です」[124]と語った。自然は、普遍的で絶対的な真実を持って生きている。例えば、植物は、人間が模倣できない光合成で有機化合物を生成している。宮崎アニメの視点は、明らかに人間中心主義ではなく、自然そのものを視点において、そこから人間を見つめ直すという、極めて斬新な文明を批評する立場である。今まで単なる「虫けら」としか見てこなかったその虫の視点から、人間を、また人間社会を眺めている。今日まで人類が無自覚に生きてきた「自然との共生」する中で繰り広げられる人間模様や人間の文化を虫の視点、あるいは自然という視点から眺め直す。そこには、人間の傲慢さや冷酷さ、あるいは、我々が気づかないような滑稽さも潜んでいる。宮崎はアニメの世界を次のように捉えて

いるのである。

　　　「アニメの世界は＜虚構＞の世界だが、その中心にあるのは＜リアリズム＞であらねばならない。（中略）たとえば、ムシからみたムシの世界を描くとする。それは人間が虫メガネでみた世界ではなく、草がすごく巨木となり、地面が平らでなくデコボコ、雨や水滴などの水の性質も人間が考えるものとはまったく異なってくる。こうして描けばおもしろい世界になり、ほんとうらしくなるだろう。アニメとは、そういう特性をもっており、しかも、それを絵にしてみせることができるすばらしさをもっているのである」[125]。

　宮崎は、『風の谷のナウシカ』の元本となった漫画『風の谷のナウシカ』の単行本の第一巻を上梓するに際して、巻末に「ナウシカのこと」と題する一文を記している。
　──「（堤中納言物語に登場する）虫愛ずる姫君と呼ばれる少女は貴族の姫君だが、年ごろになっても野原をとび歩き、芋虫が蝶に変身する姿に感動したりして、世間から変わり者あつかいにされる。（中略）『源氏物語』や『枕草子』の時代に、虫を愛で、眉もおとさぬ貴族の娘の存在は、許されるはずもない。私は子供心にも、その姫君のその後の運命が気になって仕方がなかった。社会の束縛に屈せず、自分の感性のままに野山を駆け回ったその姫君は、その後どのように生きたのだろうか。（中略）私の中で、ナウシカと虫愛ずる姫君はいつしか同一人物になってしまった」。
　この事を念頭に置いて、宮崎監督の実弟でナウシカのプロジェクトのメンバーであった宮崎至朗（しろう）は、「社会の束縛に屈せず、自分の感性のままに野山を駆け回り……の部分は、彼の世の中の子供たちへの思いをそのまま表現しているように見える。兄の思考の中心には、いつも「子供」がいる、「子供」を、無限の可能性を持った希望に充ちた存在とし

てとらえている。彼の作品はいつでも、社会の束縛に苦しむ子供たちへの応援歌と私の目には映る」[126] と述懐している。

宮崎は、来たるべき未来を託す子供たちに向けて、1992年6月小学校において彼のアニメをよりわかりやすく語っている。

> 「虫に比べたら僕らは百倍生きていることになるよね。そうすると、これは僕の勝手な解釈なんだけど、その人間の百分の一の長さしか生きない虫は、僕らの一秒間を百倍に感じているんじゃないかと思うんですよ。(中略) 本当のミツバチを主人公にして、もしその主人公が、一秒を百秒に感じて生きてたら世界はそんなふうに見えるんだろうってことを想像して、いつか映画を作りたいなあと思っているんです。(中略) 僕らは雨が降ってきたら濡れるよね。でもハチは濡れないんじゃないかと思うんですよ。雨がヒューと落っこちてくるんだけど、それがゆっくり見えているから、雨をよけられるんじゃないかと思うんです。ハチはものすごい勢いで羽ばたいているけど、たぶん僕らが歩いているとき手を振っているのが見えるように、自分が羽ばたいているのが見えると思うの。そうするとね、雨つぶだって見えると思うの」[127]。

農薬の大量使用による環境破壊を告発して現代の科学文明を問い直したレイチェル・カーソンの『沈黙の春』[128] を先駆けとするエコロジー運動の波にも乗って、宮崎は、『風の谷のナウシカ』や『となりのトトロ』によって連続大ヒットを飛ばし、これまでアニメに対して無理解であった人までもが激賞するような映画を次々と創作した。地球規模で深刻化する今世紀の環境汚染を告発する先達者のカーソンは、「私は現代が抱える汚染の問題を、エコロジストの視点から検討してみたい」[129] と1963年の最後の講演において初めてエコロジストだと自称した。そして、「人間も他の生物と同様、地球の生態系の一部であり、環境の力に

支配されているという事実を受け入れるべきだ」[130] と述べて、人間とその周囲の生物学的ならびに物理学的な環境とが繋がっており、有害な物質を大気中に放出すれば、結局はめぐりめぐって人間にとっても厄介な問題をもたらすことになり、生態系を支配する動的なシステムを力説した。具体的には、『沈黙の春』において、生態系の中で人類を支えている昆虫たちをDDTなどの薬物で駆除しようとして、逆に人間の害になる有り様をリアルに描き出したのである。

　このような問題をアニメの世界に取り入れた宮崎 駿は、日本人の心のふるさとを物語っている『となりのトトロ』において、これまでアニメーションが避けてきた樹木や雑草を精確に描写するだけでなく、この物語の象徴的な生き物トトロが生息する森を照葉樹林と定め、照葉樹林に分類される楠の大樹にシンボリックな意味を持たせた。宮崎の思い入れは、葉の一枚一枚、枝の一本一本、幹のひだ一本一本までも綿密に描かれた照葉樹林の鬱蒼とした森の描写から窺う事が出来る。トトロや楠の存在は照葉樹林とその文化の存在を意味しているのである[131]。この作品の草稿では、「この国に、人間より昔から住んでいる生き物がいる。（中略）人間と交渉をもつのを嫌い、あたりが騒々しくなると山奥へ移ってしまう。その為に、最近ではめっきり数を減らしてしまった」と記述されている。トトロの姿を見る事が出来るのは、自然を敬って遠ざけるのではなく克服するのでもなく、自然を素直に受け止めその中で生きていくサツキやメイのような人間だけが見る事が出来るのである。これは自然を対立的に捉える図式の中で構築された西欧文化とは、ある意味で対極的な思想である。トトロやススワタリなどのキャラクターの存在そのものが、自然の大切さをさりげなく訴えていたが、また『もののけ姫』においても、大自然を象徴するコダマの不可思議な存在があった。彼らには思想はない。自然がそのまま残されているところに存在する彼らにとっては、まさしく存在する事に意義があった。コダマの存在は森が豊かな証なのである。

第1章　従来の欧米中心の視点からの脱却

　宇宙から地球を眺めた宇宙飛行士の野口聡一氏は、地球環境がどれほど破壊されているのかを次のように語っている。――「マダガスカルの赤い土砂が海へ流れ出している光景は、宇宙から見るとまるで海が燃えているかのよう。赤い土砂の正体は、**森林伐採**が原因での流出です。宇宙から地球を眺めると、環境破壊が目に見えます。いま、地球上で何が起きているのかが一目瞭然なのです」[132]。

　若田光一宇宙飛行士は、「宇宙から地球を見ていると、この惑星がなぜ宇宙船地球号と呼ばれるのかが分かる。宇宙船内ではエアコンや二酸化炭素除去装置が故障すれば、それがすぐさま深刻な状況をもたらすように、いつかそれと全く同じことが、この地球でも起こる。小さな宇宙船でそうしたリスクと共に暮らしていると、気候変動に対応し、地球環境をアクティブにコントロールして守る技術の確立こそが、科学技術を持っている生命体としての義務ではないか、と実感します」[133] と証言している。
　地球規模での環境破壊の惨状を見る時、宇宙に浮かぶかけがいのない「青い緑の地球」という視点が、人類に課せられた命題ではないだろうか。危機的な地球温暖化は確実に進行している。

　人間を視野に入れない科学の一分野として起こった学問としての「エコロジー」という語は、チャールズ・ダーウィン（Charles Darwin）の進化論を紹介し普及に努めたドイツの動物学者エルンスト・ヘッケル（Ernst Häckel）による造られた語であるが[134]、90年以上前に、**共生の思想**として「エコロジー」の意味である「エコロギー」という言葉を用いた自然保護運動の先駆者が日本にいた[135]。その先駆者とは南方熊楠である[136]。 鶴見和子は、熊楠を次のように高く評価した。――「神社反対運動は、南方熊楠の学問一筋に歩む中で、その学力と精力のすべてを傾

― 35 ―

けた、唯一の、実践活動であった。南方の生涯を「南方曼荼羅(まんだら)」にたとえるならば、神社合祀反対の活動は、まさに、「諸事理の萃点(すいてん)ゆえ、それをとると、いろいろの理を見出すに易くてはやい」と彼が述べたその「萃点」[137] にあたる。南方の植物学、生物学への専念と、民俗学、宗教学への関心と、農民、漁民、職人等彼が日ごろ親しくつきあった、人々への共感とが、この一点に集中する事件だったからである」[138]。そして「彼は熊野という一地方を起点として、神社の森から世界の環境の問題へとその**環境倫理**の思想を進化させた。神社合祀反対運動を通じて、自分の住む地域、和歌山の田辺を守ろうとした。彼は地球を目指しつつ地域に徹した人である」[139] と。

その土地本来の植生である**潜在自然植生**を有する「本物の森」(鎮守の森) づくり運動の提唱者である宮脇 昭教授や、イースター島が廃墟と化したのは伐採に起因していると結論付けた地球環境学の先駆者ジャック・イヴ・クストー (Jacques-Yves Cousteau) が言うように、人類文明の歴史は、他面では森林破壊の歴史でもあった[140]。

宮崎は、『天空の城ラピュタ』のヒロインであるシータをして、彼の想いを次のように表現している。――高度な科学技術を駆使し飛行石の結晶を手に入れ、世界を支配したラピュタ (文明) が今や無人の廃墟と化したその現実を目の当たりにした彼女(シータ)は、「今は、ラピュタがなぜ滅びたのか、私、よく判る。(中略) どんなに恐ろしい武器をもってしても、たくさんの可哀そうなロボットを操っても土から離れては生きられないのよ」と人類に警鐘を鳴らしていた。

Ⅲ　『風の谷のナウシカ』『となりのトトロ』『もののけ姫』が問いかける今日的な課題とは

立花 隆は、「前人未到の巨大世界、ナウシカ」と題して、『風の谷のナウシカ』を次のように総括している。――「アニミズムの世界を素直

第1章　従来の欧米中心の視点からの脱却

に童心に返って受け入れる『となりのトトロ』、日本人の自然観の根底にあるアニミズムを見事に歴史的背景の中に形象化した『もののけ姫』、日本文化の基層にある精神のアニミズムの世界をそれこそイマジネーションの大爆発と共に描き切った『千と千尋の神隠し』。これら三つの作品は日本の映画史に残る三大作といっていいと思うが、そのすべての入口が『ナウシカ』だった」[141]。

　環境の劣化が加速度的に進み、人間と自然とが「共生」するどころか人間と自然の共倒れ、つまりは「共死」する危機にも繋がる昨今において、宮崎は、『となりのトトロ』の企画書の中で、「忘れていたもの、気づかなかったもの、なくしてしまったと思い込んでいたものが今も存在すると信じて『となりのトトロ』を心底から作りたい」と語り、彼はその熱い想いを手作りによる4万8743枚の原画に込めて描いた。そして宮崎は、半藤一利との会談で、「『となりのトトロ』は、日本の自然を描く初めての試みだった。「雑草という草はない」という、これはご存じのとおり、昭和天皇[142]の言葉ですが、とにかく雑草一本までもそういうつもりで描こうと」[143]したと述べている。そして、環境が劣化した山や森の問題に複眼的視点から取り組み、更に「他者」の存在を如何にして受容するかといった今日の課題を提示しているのが『もののけ姫』である。この物語は「自然を破壊するものが悪い」という単純な図式になっていない。自然対人間、善対悪といった二元論的な枠組みの中で社会の有り様を解明しようとする西洋の合理主義を退けて、世の「不条理」を背負いながら懸命に生きる異端者たちが多数登場する。否、それは人間だけでなく、自然を象徴する深い森に住む様々な神々も何らかの必然性から存在する。宮崎は、この作品紹介のパンフレットにおいて、「この作品には、時代劇に登場する武士、領主、農民はほとんど顔を出さない。姿を見せても脇の脇である。主要な主人公群は、歴史の表舞台に姿を見せない人々や荒ぶる山の神々である。（中略）これらを設定した目的は、従来の時代劇の常識、先入観、偏見に縛られず、より自由な

人物たちを形象するためである」[144] と彼の意図するところを明らかにした。

実際、『もののけ姫』は日本の中世から近世へ移る混沌とした室町時代中期を背景として、北の隠れ里をタタリ神（大猪）が襲うところから始まる。この大猪も、もとはと言えば人間に銃で撃たれてその苦しみと憎悪からタタリ神となった。しかし、里を守るためにやむを得ず蝦夷（えみし）の血を引く若者アシタカがそのタタリ神を矢で射殺したために、アシタカはタタリ神の死の呪いをかけられる。彼はその呪いを断つために日本の宮廷勢力がその頃支配していた西方へ旅立つ。そこには、環境を破壊しつつも懸命に生きるエボシ御前（ごぜん）を頭領とするタタラ製鉄の集団と、森を守るもののけ姫・サンとの間に対立が生じた。タタラ集団は、製鉄という当時の最先端の技術を持ちながら[145]、世俗の世界から疎外され、抑圧されて、一般社会から隔絶した共同社会を営み、彼らは、生きる事が「自然との共存」であり且つ肉薄した戦いである事を、体験を通じて熟知していた。しかし、彼らは鉄製造のために莫大な量の材木を必要とするため、大量の木を伐採したのである。

その太古の森には山犬や猪、鹿、猿（猩猩（しょうじょう））などの人語をも理解できる賢い獣たちがおり、彼らは聖域を侵す人間を襲う、荒ぶる神々として恐れられていた。しかし、彼らにしても己が信念を正義だと信じていた。一方、エボシ御前は人間が生きるために森を拓き、神々は自ら生きるために森を守っていた。そのような状況にあって、タタリ神の死の呪いを受けているにも拘らず、主人公のアシタカは、「森か人間か」との二者択一を迫るサンやタタラ集団を率いるエボシの立場を選ばずに、森と人間の双方の立場が成り立つ道を模索する苦しい立場を選んだのである。

『もののけ姫』の物語のエピローグに至るプロセスは次のようである。——「生死を司るシシ神の首には不老不死の謎がある」と信じている人間たちによって首をとられたシシ神は、夜の姿ディダラボッチと化

して暴れまわり、森の生き物の命を奪い取ってしまう。木々は生気を失って枯れ始め、コダマは次々に木から落ちていく。絶望するサン。しかし、アシタカは最期まで諦めはしない。アシタカの活躍で首を取り戻したシシ神は、朝日を浴びて倒れ、風となって消えていった。炎上する山や森やタタラ場。しかし、やがてこの山や森に緑が蘇る。姿を消していたコダマも再生する。生死を司るシシ神は、生命を育んできた自然の秩序が崩壊するとどのようになるかを示して、自然を荒らす人間に警告を発したのである。

後に宮崎 駿は、「人間の歴史を、人間がやってしまったことを語りたかった」[146]と明かしている。更に彼は、「人間が生きるために自然環境を保護しようとする以前に、自分たちの心の大切な部分に森が持つ根源的な力のようなものが生きている民族性」[147]の保持を指摘する。宮崎は、人為的進化によって変貌しつつある世界において「如何にして生きるか」という問いに対する答えを出そうと試みた。その時の宮崎の想いは、不条理な理由から死の呪縛をかけられた主人公アシタカの生き様とラスト・シーンでの森の再生における表明である。

照葉樹林は、温暖な気候と豊富な水分を含んだ肥沃な土質の地にしか発生しない。その最大の特徴は、森の蘇生力である。いくら樹を切っても砂漠化せずに、人間が手を加えなくても、数十年経てば元の森林に戻ってしまう。「産業や文明が崩壊した後、森になる」という『風の谷のナウシカ』以降の宮崎の作品のイメージは、ここに原点がある[148]。因みに、林学博士の本多静六氏を中心として、森が本当の天然林になる事を将来200年以上のちをも見据えて極相林と呼ばれる永遠の森づくりに成功した例として70万平方㍍の明治神宮の森が存在する[149]。主林木は常緑広葉樹である[150]。この森には常に自然に落下する種子から発芽する大小の年齢の異なる同種の樹木があるので、これらが成長する事によって、空間を補い、人の手による補植、種蒔きなどの必要はなくて、永遠にわたって自然に森林の更新が行われるのである[151]。

人間と自然との共存を願う宮崎の『もののけ姫』でのクライマックスは次のようである。——この風が止むと、死に絶えていた大地から緑が芽を吹き出し森が蘇る。タタラ場も緑で覆われる。蘇った森を見たサンは、「蘇ってもここはもうシシ神の森じゃあない。シシ神さまは死んでしまった」と言う。そんなサンにアシタカは、「シシ神は死にはしないよ、命そのものだから」と答える。そして「共に生きよう」とサンに言った。ここでは、自然と人間との**共生**の思想が窺える。つまり西洋文明が、自然を対峙し克服する対象と捉えてきたのに対して、日本の伝統の中にある**共生**という思想が底流にある。伝統的に人間と自然を対峙してきた西欧とは異なり、「自然との共存」を謳う『もののけ姫』には、森が崩壊し始めると同時に大自然を象徴する豊かな森に住む淡い緑色をした半透明のコダマが森から落下して、その存在が強調され、＜環境倫理＞が人間に対して問われていた。

　宮崎は自らの思想を次のように言明している。——「今は、人間に都合のいいものだけが自然だと思われています。蚊やハエは要らないものだから自然ではない。殺したって構わないんです。でも、そのような人間中心的な考えは根本的に間違いだと思います。人も獣も木々も水も、みな等しく生きる価値を持っている。だから人間だけが生きるのじゃなく、獣にも木々にも水にも生きる場所を与えるべきなのです。そういう思想が、かつての日本にはありました」[152]。

　地球環境問題に適用すると、宮崎のアニミズム思想[153]は、従来の人間中心の「保全」に基づく自然保護とは一線を画している。宮崎は、『出発点1979〜1996年』において、「日本の森や林は、本当は暗いんです。入っていくと、どこかおっかなくてゾクゾクするんですよ、何かいるって感じるんですね。何かいる気がする。その"こわい"という気持が、日本人にとってはある種の森とかそういうものに対する尊敬の念で——要するに、原始宗教、アニミズムなんですね。"何かいる"みたいに自然とは混沌としているんですよ」[154]と述べている。

第1章　従来の欧米中心の視点からの脱却

　若きアシタカとサンに未来を託せんとする宮崎の想いは、『風の谷のナウシカ』のナウシカ（Nausicaä）への想いにも通底する。
　宮崎との対談で、『ルパン三世』で共同演出して以降、宮崎をよく熟知して、『風の谷のナウシカ』ではプロデューサーを務めた高畑 勲は、「虫愛ずる姫君であるナウシカは、普通の人には得られない洞察力というか、何か物をあるがままに受け入れるというか、本質を見抜く力を所持して王蟲（オーム）に近づくテレパシーを持っている」[155]と述べている。それを受けた宮崎は、「交感ですね。それは先天的なものではなくて、次第に培われていったものです。だから自然との一種の和解というか、つまり王蟲の大群を反転させて、それを見送るという形で終わりたい。腐海の底に清浄な地があっても、自分はやっぱり人間の世界に戻ろうという終わりにしたい」[156]と語っていた。
　『風の谷のナウシカ』の冒頭、ムシたちに攻撃されているユパを、主人公ナウシカは光玉（閃光弾）や虫笛を使ってムシたちの気持ちを巧みに静め、ムシたちを森へと誘導して彼の窮地を救う。彼女はムシの心を読む事が出来る。一方、ナウシカは、腐海の森に棲みながら森を守護している王蟲の抜け殻を見つけると嬉々としてそれを持ち帰る途上、うっかりムシを踏んでしまう。するとすぐさま、「御免」とムシに謝る。この瞬間、ムシへの謝罪の言葉を発するナウシカは、実はムシたちをも含めた自然全体を一つの集合体と見做すところの「共存の思想」を表現している。この腐海は人間にとって有害な瘴気（しょうき）を出す森であるが、実は王蟲が自らの屍を養土として形成されたもので、清浄な水で育った木々は猛毒の瘴気を出さずに、反対に人間によって汚された土壌を浄化している事を、ナウシカは腐海の森の底で発見する。
　宮崎は、『CUT』2008年9月号の『崖の上のポニョ』に関するインタビューにおいて、2011年3月11日に起こった福島第1号原発事故以来、その放射能漏れが止まらない事態を、「使用済み核燃料が原料だったら、採算上は資産になるけど、あれは物凄い負債だ。負債と認めた途端

に全部崩れる。もう大負債なわけですよ、永代の。とんでもないですよ。どうすればいいのかわからない。まさに腐海が生まれつつあるんです」[157] と警鐘を鳴らしている。東京電力福島第 1 原発事故を受けて、哲学者の梅原 猛氏は、「私は今、経済のためではなく、人類の生存のためにエネルギー革命が起こらなければならないと考える」[158]、「我々人類が原発無しでいかに生きていけるか、それが問われる事態になった。目を逸らしてはいけない。今からでも遅くはない。むやみにエネルギーを使わない文明を考えないといけない」(11年、取材に)、「人間中心の傲慢な文明が近代文明。近代哲学はその文明を基礎づけた。そんな人間中心主義を批判しないといけない。こういう事を語らねばならないと思ったのは東日本大震災後だ」(11年、対談で)[159] と強く警鐘を鳴らした。

　2011年の東京電力福島第 1 原発事故を機に世界的に核燃料の需要が低迷している。リトアニアは12年の国民投票で日本が進める原発計画を否決、16年には日本への発注を決めていたベトナムも原発計画を白紙撤回、17年には経営危機に陥った東芝も海外の原発新設事業から撤退。安全対策費の高騰で日立製作所の英国原発建設計画、三菱重工業のトルコでの計画も、総事業費が跳ね上がり、暗礁に乗り上げている[160]。オバマ政権の核不拡散担当の国務次官補であったカントリーマン氏は、「プルトニウムには経済的価値が無いというのが米国の結論。燃料にせず、廃棄物として捨てることにした」[161] と述べていた。日本は、現在プルトニウムをフランスに15.5トン、英国に21.2トン、国内の10.5トンと合わせ、日本の総在庫は47トン強、核爆弾6000発分を所有する事になる。日本の電力各社は（無害化に10万年かかると言われている）プルトニウムの保管料を英仏両国に支払っている。その上乗せされた費用を負担するのは、電気代を支払う消費者なのである。

　『風の谷のナウシカ』に描き出されていた近代化学兵器による自然秩序の破壊は、人間が生み出した巨神兵やナウシカの故郷を取り巻く有害

第1章　従来の欧米中心の視点からの脱却

な生態系と化した腐海という森や蠢く巨大な王蟲の出現に見られて、人類の存亡の危機を訴えている。何よりも、未来の安心は、原発に頼らない自然エネルギー社会の構築にある筈である。福島の事故以来その教訓を学ばなかったとしたら、我々の方向感覚はどこかが狂っている。宮崎は、「僕らの時代の人間にとって、最終的に一番大きな破壊は核兵器の爆発だ」[162] と言明している。宮崎を熟知している鈴木敏夫は、「彼（宮崎）は平和を誰よりも激しく望んでいる。若き日には、反戦デモなどにも数多く参加し、現在もその気持ちを抱き続けている」[163] と述懐している。

　人類文明の歴史が、他方では森林破壊の歴史でもあった事を警告するところの『風の谷のナウシカ』における＜火の7日間戦争＞は、未来に対する社会の根深い表象である。それは一千年前に行われた世界最終戦争であり、その結果、地表のほとんどが汚染され森は失われ、巨大化した菌類の森に地球は覆われるようになった。しかし、宮崎はその終末を描きながらも希望や再生のビジョンを提示した。自然と人間の**共生**を実現させるために死を賭したナウシカを再生させる最後の幻想的なシーンにそれが色濃く窺えるのである。

　腐海最大の王蟲が襲来した痕跡を残して滅んだ都市国家ペジテの残党が、侵略してきた軍事国家トルメキアを殲滅し、しかる後に巨神兵を奪還して腐海を焼き払うために王蟲の幼虫を囮に王蟲の大軍を「風の谷」へと誘導する。王蟲を怒らせるために、王蟲の幼虫の全身には杭が突き刺さっていた。ナウシカは、「風の谷」を守るために、そして故意に傷つけられたその王蟲の幼虫を助けるために捨て身の行動を起こす。王蟲やムシたちの生息地である森を破壊されて、幼虫を傷つけられて怒り狂う王蟲の大群の暴走を止めようとして、彼女は、押し寄せる王蟲の前にたった一人空から降り立つ。怒りのあまり真っ赤な眼をした無数の王蟲に跳ね飛ばされてナウシカは死ぬ。しかし、やがて落ち着きを取り戻して青い眼に戻った王蟲たちは、怒りを鎮めて暴走を止め、金色に輝く触

手を伸ばして彼女を包み天空高く持ち上げる。王蟲たちによって癒されたナウシカはやがて蘇り、王蟲たちの金色の触覚の上を歩く。盲の大ババは、王蟲に心を開かせたナウシカの姿から、大地を蘇らせた伝説の救世主「青き衣の者」を見出す。それは、この物語のファースト・シーンにおける綴れ織りに描かれた青き衣を纏って金色の野に降り立つとされる救世主の姿と重なる。ここには伝統的なキリスト教による罪や罰といった懲罰的な終末観はない。このラスト・シーンが暗示するものは、人間はもとより、虫たちをも含めた自然全体を一つの集合体と見做す「共存」の思想である。自然と人間との共生を、身をもって実現しようとするナウシカの本質を、宮崎は次のように表明している。

　「ナウシカは、風の谷のみんなのためにじゃなくて、自分自身が耐え難かったから行動したんです。死ぬとか生きるとかよりも、あの王蟲の子を群れに戻してやらないと、自分の心に開いた穴が塞がらない、そういう人間だと思うんです。（中略）僕は、自然を愛しながら、なおかつ人間の世界にとどまっている魅力ある人間を描きたかったんです。」[164]

Ⅳ　コンラッドの『闇の奥』と宮崎の『千と千尋の神隠し』に込められた両表現者の想いとは

　一方、コンラッドの場合も、明らかにヨーロッパ文明中心主義とは異なる視点からアフリカを見つめ、かつヨーロッパ文明を批判した。この点でコンラッドと宮崎の共通点が見られる。国籍や時代やジャンルを超えて、それぞれの作品には両者の強い想いが込められている。
　コンラッドの代表作『闇の奥』を指して「アフリカを都合よく空白で、不可知なことは手つかずで、文学的かつイデオロギー的、あるいはイデオロギー的必要条件を満たすべく仕向けられ得るもの」[165]とその

第 1 章　従来の欧米中心の視点からの脱却

描写に不満を述べるアフリカ系アメリカ作家トニ・モリスンやナイジェリアの作家チヌア・アチェベ（Chinua Achebe）のように、コンラッドを「徹底した人種差別主義者」[166] として断罪する人物もいたが、『闇の奥』が「人種差別主義」の作家による人種差別主義的な著作なのか否か、という議論は本来なじみのないものである。セドリック・ワッツ（Cedric Watts）はアチェベの見解に対して次のように述べている。

> 「『闇の奥』を公平に扱うためには、他のどの文学的テクストに対してもそうであるように、それが描かれた年代を考慮しなくてはならない。ヴィクトリア朝帝国主義の最盛期である1890年代の基準に照らせば、やはり『闇の奥』はアフリカでの帝国主義事業の、ひいては帝国主義全般への批判において進歩的だった。コンラッドがこれを執筆していたのは、多くの社会主義者をも含めて、英国国民の大半がまだ帝国主義を立派な事業と見做していた時代である。彼はコンゴにおけるアフリカ人への虐待に注意を喚起する事によって、彼らの待遇改善にも役立ったと言える。（中略）アチェベは『闇の奥』がアフリカ人を周縁化していると言うが、鎖につながれた一団や、茂みで死んでゆく搾取された労働者たちの惨状を非常に鮮明に物語る時、マーロウは彼らを**目に見える存在**にしている。他のヨーロッパ人たちが無視したものを、マーロウはつぶさに観察し、冷笑をこめて憤っている。アフリカ人の周縁化は、それこそが批判の対象になっているわけだが、この物語の一つの主題なのである」[167]。

事実マーロウがそこで目の当たりにしたのは、奴隷のように酷使され用済みとなった原住民たちが死を待つばかりとなって死の森に横たわっている光景であった[168]。彼は利益追求しか考えぬ白人たちの姿に、強い不信と嫌悪を抱く。アフリカ全土における征服と占領の生々しい実態や

− 45 −

その裏面に隠された正体は、白人たちを「植民者（colonists）」と呼ばずに「征服者（conquerors）」[169] と呼ぶマーロウの言い表し方によって明示されている。植民地支配によって抑圧されたアフリカ原住民たちの**可視化**は、今日のポストコロニアル文学に繋がるものではないだろうか。コンラッドは、隠されている人生の真実を追い求めた。『闇の奥』に次のような記述がある。――「表面の偶発時にばかり注意していると、ものの真実――そうだ、真実というものは、影が薄くなる。内部の真実は隠されている」[170]。

　コンラッドは自らも帝政ロシア圧政下のポーランドに生まれ育ったが故に、当時西欧列強の支配下にある暗黒大陸アフリカに目を向けて、飢えや死に追いやられるアフリカ原住民の壮絶な姿を描き出した事は決して他人ごとではなかった。

　人間の実存と植民地支配の問題を鋭く追及した作品『闇の奥』において、労働（仕事）[171] を是とするヴィクトリア朝時代の「船乗りの倫理」を重視するマーロウは、19世紀後半のヨーロッパ列強によって植民地化されたアフリカの奥地出張所全体に渦巻いている陰謀の世界を「虚偽と死の世界」[172] と看取した。そして、そのような出張所に背を向けて一途に「仕事」に取りかかる事が、人生を回復するための唯一確たるものと考えて（82）、実行した。ウォルター・ホートンが『ヴィクトリア朝の精神の枠組み』（*The Victorian Frame of Mind*）で書いていたように、「神」を除けば、ヴィクトリア朝の語彙の中で最も人気があったのは、"work"[173] という語であった。当時のベストセラー、サミュエル・スマイルズの主著『自助』（*Self-Help*）における第一編及び第四編に記されている「みずから助くるの精神」と「勤勉と恒久に耐えて業をなす」という表現によって、当時の世相が反映されている[174]。但し、難局に遭遇した際に発揮される人種、国籍を問わぬ「同胞意識」の大切さと意義がコンラッドの言うところの要諦であった。コンラッドは、船乗りの生活における「労働」の意義を更に発展させて、「人間は働くべきもので

あって、そこで必要な事は一貫した誠実さだ」[175] と『人生と文学についての覚書』（*Notes on Life and Letters*）において表明していた。

　宮崎も、「労働」の意義を『千と千尋の神隠し』において訴えている。この異界における魔法を自在に操れる湯婆婆よりも強いもう一人の姉の魔女である銭婆は、安易に魔法を使わない。彼女は、カオナシや坊ネズミに手伝ってもらって糸を紡ぎ、「みんなで紡いだ髪留めだよ」と言って千尋にそれをお守りとして与えている。手作りの行為は、汗水たらして働いてこそ意義がある事を示している。銭婆は、「魔法で何の苦労も無く作ったものは何にもならないからね」と千尋に優しく語りかけている。一方、異界にあっては、文字通り働く事は生きる事に直結している。働く事を止めれば、ススに変えられるか、すぐ消されるか、食われるかである。千尋は異なる世界でこの恐ろしい真実を実体験している。宮崎は、働きたい人間に職を与えなければならないという労働契約を10歳の子供でも分かるように、湯婆婆に「つまらない誓いを立ててしまったよ」と言わせるに留める。宮崎は、筑紫哲也氏との対談で、「働きたいというのは生きたいということだから」[176] と言明し、＜生きる＞事の重要性を強調すると同時に、＜言葉の重み＞[177] も指摘した。

　さらに「働かせてください」と湯婆婆に何度も懇願して、異界での存在を許された異界の人間である千尋が、言葉通りに直向きな努力によって「異世界」によって認められた。この拠って立つ足場を得て自らの内に潜む力を自覚した証を、宮崎は千尋の顔の表情でもって表した。千尋の顔は、「異界」に迷い込む前の表情ではない。目の力も強くなっている。彼女は、手のつけられない暴れ方をする巨大化したカオナシとただ一人対峙できる凛とした表情になっている。

　岸 正尚氏は言う。――「『千と千尋の神隠し』の「神隠し」とは、いわば千尋が、千尋という名に込められた人格を奪われた事を指している。その神隠しにあった名を取り戻し、個として生きられる「千尋」に成長して、此岸（現世）に戻ってくる経緯がこの物語の核心なのであ

る」[178]。

　最終局面において、「異界」の世界の掟を破って豚に変えられた千尋の両親も元の姿にかえる。それは湯屋における千尋による奮闘努力した結果であるが、彼女の湯屋での「労働」がオクサレさまの清浄に繋がり、更にその「労働」による献身ぶりは、コンラッドが『海の鏡』において言う、「私心を捨てて仕事に当たる事」[179] は、生きている事の存在する証明と軌を一にするものである。注目すべきは、ユニークなカオナシの存在である。宮崎監督は、人間界と異界との境界線上に影のように佇んで、コミュニケーションを図れないカオナシを、疎外感やストレスに心身ともに苛まれる孤独な現代人の象徴として映像化したのである。
　当初、自分が何者であるかも分らず、またその存在すること自体を誰からも認められないカオナシは、そのさみしさや孤独のせいによってか、思いのままに大小の金の粒を出して湯屋の従業員たちを惑わせたり、弄んだりして、意のままにならないと暴れる。湯屋の従業員たちはことごとく金に目が眩み、翻弄される。しかし、千尋だけは、「私が欲しいものはあなたには絶対出せない」ときっぱりと拒絶する。思いもしなかった千尋の拒絶に一瞬戸惑ったカオナシは、悲しげな表情を見せる。そして大暴れする。しかし、一時の怒りから覚めると、「あなたはどこから来たの。来たところから帰った方がいいよ。お父さんは？　お母さんは？」と**率直**に言葉をかけてくれて、表裏のない態度をとる千尋に、カオナシは閉ざしていた心を開く。宮崎は、「人間の持っている根源的なものをシンプルに強く訴えるのは非常に意味のあることだ」[180] と述べた。人は本当のもの、正しいもの、美しいものに惹きつけられるからである。『もののけ姫』においては、「混沌の中にも、生きるに値するものはある。生きろ！」と訴えた。宮崎の『風立ちぬ』のラスト・シーンでは、最後に死んだ妻の菜穂子が現れて、二郎に「生きて！」と語りかけた。宮崎アニメのこの原作である堀 辰雄の『風立ちぬ』は、サナトリウム小説ではあるが、病人における生への強靭な意志が主題と

第1章　従来の欧米中心の視点からの脱却

なった。

　生きる事の意義が希薄になっている現代にあって、この言葉の持つ意義は非常に重い。カオナシが時折発する「さみしい」という言葉は現実味を帯びて響く。どこにも所属する事が出来ないカオナシが、異界で唯一自分を一個の存在として認めてくれた千尋にこそ追い求めたのは、「他者」とのコミュニケーションが図れない彼の「孤独のさみしさ」にその起源があった。今後来たるべき世紀において、自然と人間、そして人間と人間との人間の社会におけるコミュニケーションの問題がますます懸念されると予想される。コンラッドは、短編「エイミィ・フォスター」（"Amy Foster"）において、この「孤独」をコミュニケーションの根源的な問題として提示した[181]。

　現代の軽薄な言論に対する風潮に注目して、表現者としての宮崎は、心に響く**言葉の重み**を『千と千尋の神隠し』のエッセイの中で次のように訴えている。

　　　「今日、言葉はかぎりなく軽く、どうとでも言えるアブクのようなものと受け取られているが、それは現実がうつろになっている反映にすぎない。言葉が力であることは、今もなお真実である。力の無い空虚な言葉が、無意味にあふれているだけなのだ。…
　　　世の中の本質は、今も少しも変わっていない。言葉は意志であり、自分であり力なのだということを、この映画では説得力を持って訴えるつもりである」[182]。

更に宮崎は、この映画の意図する所をきっぱり述べている。

　　　「日本の伝統的意匠は多様なイメージの宝庫でもある。民族的空間——物語、伝承、行事、意匠、神ごとから呪術に至るまでが、どれほど豊かでユニークであるかは、ただ知られていないだけなので

ある。(中略) 子どもたちはハイテクにかこまれ、薄っぺらな工業製品の中でますます**根を失っている**。私たちがどれほど豊かな伝統を持っているか、伝えなければならない。伝統的な意匠を、現代に通じる物語に組み込み、色鮮やかなモザイクの一片としてはめ込むことで、映画の世界は新鮮な説得力を獲得するのだと思う。ボーダーレスの時代、よって立つ場所を持たない人間は、最も軽んぜられるだろう。場所は過去であり歴史である。**歴史を持たない人間、過去を忘れた民族**はかげろうのように消えるか、ニワトリになって喰らわれるまで卵を産み続けるしかなくなるのだと思う」[183]。

カオナシの存在はボーダーレスの時代の象徴であり、カオナシの叫びは同時代への宮崎の警鐘である。宮崎のこの主張から、「根を忘れて花だけを見ている文化観は、根無し草に等しい」と喝破した中尾佐助氏の唱える「照葉樹林文化論」が想起されるだろう。

　普段はおとなしい影のような存在であるカオナシが、偽りの金の粒で狂宴の主人となり、いくら食べても満足せず無制限に巨大化し、凶暴化し、遂には異界の支配者である湯婆婆でさえも手に負えなくなる。但し、カオナシの真の姿は、『闇の奥』におけるクルツの中心部が「うつろ (hollow)」(131) であったのと同様に、底なしに「うつろ」であった。現代風に解釈すれば、彼が物を食べて巨大化するのは、実体の無いところで肥大化したバブル経済のそれと同根である。豊かさの中に潜む「うつろ」である。病める西欧文明、荒廃せる人間社会を「不毛の地」に擬えて、T・S・エリオットは、『荒地』(The Waste Land) を描き、その3年後に「我等はうつろなる人々 (We are the hollow men)」[184]で始まる詩集「うつろなる人々」("The Hollow Men") を世に出した。エリオットは、『闇の奥』のクルツを念頭に、作品のエピグラフに「クルツの旦那——死んだ。("Mistah Kurts——he dead.")」[185] を掲げて『荒地』に繋がる現代の虚無を暗示した。一見欲望の塊のように見えた

カオナシの背後に隠されていたものは、ぎらぎらした欲望ではなく、「孤独」であった。孤独な社会の中で「なぜ生きるのか」「生きる意味があるのか」といった問いに時代がうつろな沈黙を続ければ、うつろな人間が突如変身し社会に牙をむく可能性がある。その実体の危うさは、カオナシをして影の薄い存在から一挙に肥大化した凄まじい映像で視覚化された。このカオナシの「孤独」はコンラッドの闇（Darkness）にも関わってくる。

　西欧文明という錦の御旗を掲げて闇に乗り込んでいった理想主義者のクルツが、闇に呑み込まれて、その本質において「うつろ」になってしまった。クルツの"The horror!"という叫びは、人間存在の欺瞞そのものを含んだ象徴的な闇であり、根源的に問い直すべき西欧文明の危機を物語っている。

　クルツの叫びをグローバル化が進む**格差社会**の今日的視点で捉えるジャーナリストの吉岡忍氏は、次のように見ている。──「『闇の奥』は19世紀に書かれたものですが、アフリカの未開の地を文明によって拓いていこうという滔々とした時代の流れの中で、地元住民の上に君臨して王国を築く西洋人の男がコンゴ河上流の奥地にいて、象牙だの何だのを集めて金儲けをしている。彼は反抗する者を容赦なく殺し、その残酷さを誇示することで神としてますます恐れられるような暮らしをしています。要は、金もうけが全てのような生き方です。その彼がいまわの際に呟くのが「恐ろしい」という言葉です。これは、結局、豊かな文明と称するものの一番の核心ではないか、と気づいた時の恐ろしさです」[186]。

V　西欧中心の価値観に衝撃を与えた「進歩の前哨地点」と『闇の奥』とは

　短編の「青春」においてコンラッドは、自らの青春時代を回顧し、船

乗りのマーロウに英国での経験に基づく規律、忍耐、勇気、冒険心、奉仕の精神を見出して、彼に共感すると同時に、「英国商船隊のモラル」[187] をその行動の規範とした。しかし、英国のよき伝統に基づくモラルが存在していた一方で、ヴィクトリア朝は産業革命後の急激な人口増加や、国内経済の破綻によって、工業技術の革新に基づく植民地政策の拡大が目下の急務であった。コンラッドはヴィクトリア朝の光の部分のみならず影の部分もしっかりと見据えている。「進歩」や「文明化」という美名のもとに、ヨーロッパ列強が狙っていたのが、「1868年当時、この地は地図上に描かれた空白の中でも、とりわけ空白となっている地域」[188] とコンラッドが『個人的記録』(*A Personal Record*) に記している2800万k㎡を超える面積を有するアフリカ大陸であった。広大でかつ境界が明確に引かれていない1880年までのアフリカ大陸は、1914年には、ベルギーを筆頭とするヨーロッパ列強による植民地政策によって、ほとんどすべての独立国が消失して、列強の属国になった。（本論の最後にその凄まじい実態を明示するアフリカ分割の地図を掲載する。）この＜アフリカ争奪戦＞の真只中の1890年に、コンラッドは「アフリカの心臓」[189] と呼ばれるコンゴに赴いてその実態を目の当たりにした。ジェリー・ブロトンは、この白地図が帝国列強によって多色刷りにされたアフリカを「フランス（青）、ポルトガル（橙）、イタリア（緑）、ドイツ（紫）、英国（赤）、ベルギー（黄）の帝国植民地」と記し、次いで「アフリカに関するベルリン会議（1884-1884）は、参加した14カ国の列強がコンラッドの『闇の奥』に描かれているようなやり方でアフリカを切り分けることを前提にした、帝国主義的な＜アフリカ争奪＞の開始と見做されている」[190] と述べている。ベルギー王レオポルド二世（Leopold Ⅱ）の残虐性をマシュー・ホワイトはその著『殺戮の世界史』において、エドワード・D・モレルの言葉を引用して次のように指摘している。――「コンゴの人口が元来2000万から3000万人はいたが、レオポルドによって800万人に激減した」[191]。コンラッドは、レオポルド二世が

犯したコンゴ住民の大量虐殺を、「人間の良心と地理上の探検の歴史を汚した前例のない最も下劣な略奪戦」[192]だと告発した。

＜コンゴ体験＞に基づいてコンラッドが創作したのが、コンラッドが「中央アフリカから持ち帰った戦利品」[193]と呼ぶ衝撃的な二つの作品の「進歩の前哨地点」（"An Outpost of Progress"）と『闇の奥』である。

「進歩の前哨地点」の舞台となるコンゴでの植民地政策では、もともと階級意識の強い英国人社会が、被支配者層から一層区分され、引き離されたが、とりわけ宗教との関わりが大きかった。19世紀、伝道のための探検家の中でも、特に際立った英国人宣教師ディヴィッド・リヴィングストン（David Livingstone）は、福音主義と貿易と大英帝国の先導役と自らを見做した。つまり、現代社会を英国のイメージに変容させようとしていたのである。大英帝国は、植民地での国教会と伝道団体の活動に魅せられた他の宗派によって、現地人をキリスト教に改宗させる媒体ともなった。19世紀のアフリカではこれが他のどの地よりも徹底的に試みられたのであった。

アフリカ征服に役立った理論は、「白色人種優越説」であり、それは「伝道キリスト教」の他に、「生物種の競争」を人間社会に当てはめた「社会ダーウィニズム」に基づいている。「社会ダーウィニズム」とは、チャールズ・ダーウィンの自然淘汰の方途、すなわち生存競争における適者生存による『種の起源』（The Origin of Species）が一部では17世紀以来ヨーロッパの人種優越性という信念に科学的な裏づけとなるかのように思われ、後に「従属人種」や「遅れた人種」への「支配人種」による征服は、生存競争において強者が弱者を支配する「自然淘汰」の過程の一部と見做されたのである[194]。「伝道キリスト教」にとって『種の起源』は呪わしい異端であったにも拘らず、彼らは何ら咎める事もなくその人種的含意を受け入れた。しかし、伝道キリスト教の人種主義の内容は、十分な人道的・博愛的熱意によって適度に緩和されたも

のであった。従って、アフリカの分割は、少なからぬ程度、アフリカ人たちの更生を目指した「広義の布教」と「人道的な動機」のためであるとされてきたのである[195]。

コンラッドは1890年に中央アフリカのコンゴ河を小さな蒸気船で遡行し、実際に自分の眼でしっかりとその実態を見ていた。その最前線を表題として仕上げた作品が「進歩の前哨地点」である。カイヤールやカルリエのような無能な白人を平気で進歩の前哨基地へ派遣する会社の名を「偉大な文明会社（the Great Civilization Company）」[196] と称して、コンラッドはそのアイロニーを見事に提示している。「進歩の前哨地点」というタイトルもまた然りである。進歩の前哨地点を預かる二人の白人の無能さや愚鈍さを繰り返し強調している事がその何よりの証である。

コンラッドが見たコンゴは、自由州である。自由州といっても名ばかりで、実態はベルギーのレオポルド二世の私有地となっていた。つまり、暗黒大陸に「進歩」をもたらしアフリカ系アラブ人による奴隷売買に反対するという人道主義的な使命を口実にしたもので、コンゴ河沿いに設けられたレオポルドの交易所における主な関心事は、原住民からの＜象牙＞を強奪する事であった[197]。「白いダイヤ」と言われるほど莫大な富を生むため、ヨーロッパ列強は象牙強奪に狂奔したのである。今日でも＜象牙＞は、国際保護連合によると、アフリカゾウは過去10年で約41万5000頭から約11万1000頭に激減しており、主にアジア市場での伝統薬や地位の象徴としての需要を満たすため、年間約3万頭が象牙目当てで殺されている[198]。

ベルギー国王によるコンゴの収奪の目的は、ダイヤモンドや金と共に＜象牙＞であった。その前線基地が交易所である。コンラッドは、この作品において人間を支配する組織と異質な環境の前に投げ込まれた矮小化された孤独な交易者をアイロニカルに描き出している。この作品のエピローグは、そのアイロニーの最たるものである。キリスト教を象徴す

る十字架の墓で首つり自殺する交易者カイヤールが直立不動の姿勢で＜舌を突き出して＞「偉大な文明会社」の畏れ多い重役を出迎えている。この＜舌を突き出す＞という行為は、フョードル・ドストエフスキーがその著『地下室の手記』において語らせた主人公（地下室の住人）のそれを想起させてくれる。（この「地下の逆説家」に関しては、本書の　第２章　ドストエフスキーとジョウゼフ・コンラッド　において論述している。）

　Ｆ・Ｒ・リーヴィス（F.R. Leavis）は、コンラッドの漸次盛り上がっていく強烈な印象の描写を、その著『偉大な伝統』(*The Great Tradition*) において、Ｔ・Ｓ・エリオットの批評用語を援用して「『闇の奥』は「客観的相関物（objective correlatives）」によって圧倒的な力で雰囲気を喚起している」[199] と指摘した。コンラッドは、「文明の前哨地点」において植民地主義の欺瞞的なキリスト教の教化や文明の進歩を戯画化して、３年後の『闇の奥』において、「近代西欧の体制に埋没した言葉に疑問を投げかける実存的挑戦」[200] を試みている。

　1908年８月29日、アーサー・シモンズ（Arthur Symons）に宛てた手紙で、コンラッドは自らの根本的な創作態度を吐露している。

> One thing that I am certain of, is that I have approached the object of my task, things human, in a spirit of piety.　The earth is a temple where there is going on a mystery play childish and poignant, ridiculous and awful enough, in all conscience.[201]
>
> 　（私が確信していることは一つ、自分の仕事の対象である人間に関する事柄に敬虔な気持ちで取り組んできたことです。地球は一つの神殿で、そこでは子供じみているが心に強く訴えかけ、馬鹿げているが十分に畏怖の念を抱かせる神秘劇が良心にかけて演じられています。）

敬虔な気持ちで取り組んだコンラッドは、『闇の奥』において強制労働によって使い物にならなくなった原住民が死を待つ「死の森」を次のように描写している。

　　Black shapes crouched, lay, sat between the trees leaning against the trunks, clinging to the earth, half coming out, half effaced within the dim light, in all the attitudes of pain, abandonment, and despair. Another mine of the cliff went off, followed by a slight shudder of the soil under my feet. The work was going on. The work! And this was the place where some of the helpers had withdrawn to die. They were dying slowly——it was very clear. They were not enemies, they were not criminals, they were nothing earthly now,——nothing but black shadows of disease and starvation, lying confusedly in the greenish gloom. … (66)

　　（いくつかの黒い人影が木々の下にうずくまったり、寝そべったり、座ったりしていた。ある者は木の幹にもたれかかり、ある者は地面にはいずり、暗い光の中に、ある者は半ば影のように、浮き出している。しかもそれは、明らかに苦しみと自棄と絶望との姿態なのだ。またしても断崖から発破がとどろいて、足元の地面がかすかに震えた。仕事は続いている。仕事だ！　そしてこの森はあの仕事に従事する者の誰かが引き揚げて来て死を待つところなのだ。彼らはゆっくりと死んでいく——これは明らかだった。彼らは敵でもなければ犯罪者でもない。今やこの世のものでもない。——木々の緑がつくる森蔭に雑然と横たわる病と飢えの黒い影にすぎないのだ。…）

　ジョージ・スタイナー（George Steiner）は、その著『言語と沈黙』

第 1 章　従来の欧米中心の視点からの脱却

（*Language and Silence*）において、ジュルジ・ルカーチ（Georg Lukács）を「誰よりも人間の生存を形成するためにラディカルで独自の峻厳と制度を持つ稀有な批評家である」[202]と高く評価しているが、ナディン・ゴーディマ（Nadine Gordimer）は、そのルカーチが『小説の理論』（*Die Theorie des Romans*）において「批判的リアリズム」[203]を援用してコンラッドを、「批判的リアリズムの旗手」[204]と見做している。ゴーディマは、「時代を画する多くの著作により、人類に多大な貢献をした」として1991年にノーベル文学賞を授与されている。

　20世紀の全体主義と対峙し、真の自由を実現する事を生涯の課題としたハンナ・アーレント（Hannah Arendt）は、『全体主義の起源』（*The Origins of Totalitarianism*）第二部「帝国主義」（"Imperialism"）において、19世紀以降の南アフリカをめぐる記述にコンラッドの『闇の奥』を活用し、「南アフリカでなされた経験がヨーロッパに跳ね返って影響を与えるようになるまでにはかなりの時間を要した。その仲介者となった人々がどんな人間であったかを、コンラッドが『闇の奥』において描いて見せてくれている」[205]と述べている。レオポルド国王の偽りの「自由」国での奴隷制を廃止するための活動を展開していたエドワード・D・モレルは、『コンゴ奴隷国』の「序文」に、「我々は、アフリカ世界へ、ジョウゼフ・コンラッドがその記憶すべき物語の中で描いた"闇の奥"へ、再度、目を向けることになった」[206]と書いて、彼の活動を進める上で『闇の奥』に刺激を受けた事を吐露している。

　「二重人間」を自覚しつつ、複眼的視点を持つコンラッドが提起するアイロニーは、「意味のないもの」と「意味のあるもの」との二項対立を明示している。「見せかけ」の世界において、この二項対立の逆転現象さえも引き起こしている。鎖で繋がれていない黒人たちは、丁度海岸に打ち寄せる波のように「自然」で「真実」（61）と描写され、一方、彼らに襲われて狙いも定かでなく尻で銃の照準を合わせるといった醜態を演じた白人たちは、原住民を威嚇するためにいつも長い棍棒を持って

いるが故に「信仰無き巡礼者」(76)、或いは、象牙のみにうつつをぬかし象牙を得るために陰謀や中傷ばかりしている輩 (78)、植民者ではなく征服者 (50) だと描かれている。

『闇の奥』は、コンラッドが作家としての**誠実な使命感**を窺い知る事が出来る作品である。ライオネル・トリリング（Lionel Trilling）は、『誠実と本物』（*Sincerity and Authenticity*）において、「自伝の主題とはまさしくおのが誠実の明示に熱中する自我である」と規定して、「本物の自我に関わる現代の問題を典型的に表現してみせたのがコンラッドの偉大な文学作品『闇の奥』である」[207] と見做していた。

マーロウはこう述懐している。――「その河を遡行するのは世界の原初の時代に帰っていくのに似ていた」(92)。マーロウがそこで見たものは、未開の原住民の野蛮などではなくて、文明という外皮をはぎ取った、ありのままの姿、一切の虚飾を除外した人間存在の本質であった。コンラッドの言説は、当時のヨーロッパ世界が、その自己矛盾や自己疑惑を発見するための、言い換えれば、「理性」の光から**闇の奥**へと旅立つための、恐怖の「自己発見」を活写する表現であった。マーロウは、物語の冒頭で、ロンドンを流れるテムズ川を大英帝国の歴史を知る川として描き出していた。――「膨れ上がった船倉に数々の財宝を満載して帰り、女王陛下の訪問という光栄を得た後、その儘偉大なる海洋発展史の上から姿を消してしまったドレイク船長が乗船した金鹿号（the *Golden Hind*）をはじめ、新たな征服を目指して船出し、遂に帰還しなかった船に至るまで、テムズ川の流れは総ての船を、また人を知っていた。黄金を求め、名声に憧れて、ある者は剣を、またある者は文化の使者を、聖火を伝える文化の光を携えて、すべてこの流れを下って行ったのだ」(47)。但し、「ここもかつては地球上の暗黒地帯の一つであった。暗黒はつい昨日まであったのだ」(48-49) と述べている。この記述は帝国礼賛ではなく帝国主義批判となった。

コンラッドの＜政治小説＞と見做される『密偵』（*The Secret*

Agent) において、(外側は白く塗られて美しいけれど、内側は不浄なものが詰まった墓に譬(たと)えられた偽善を表す)「白く塗りたる墓」[208] ロンドンが描き出され、『闇の奥』においては、アフリカで非道な搾取を行って悪名高いレオポルド二世の象徴である首都ブリュッセルを、比喩的に欺瞞を表す「白く塗りたる墓(a whited sepulcher)」(55)と指摘され、ベルギー領コンゴの実態が告発された。コンラッドは、文明的なロンドンと**闇の奥**との間の差異が極限状態においては瞬く間に崩壊する事を物語ったのである。

その植民地事業を営む会社の事務所でマーロウが目撃したものは、10歳余の頃に冒険心を抱いていたコンラッドがアフリカの白地図を見て「僕は大きくなったらあそこへ行くんだ。("When I grow up I shall go *there*.")(斜字体はコンラッド)」[209] と目指していたアフリカではなく、ヨーロッパ列強によって植民地化された事を示す多色刷りのアフリカ地図であった。それは、サイードが『故国喪失についての省察』(*Reflections on Exile*)において、「古い帝国の事業には新しいアフリカを収奪する有り様が描き出されている」[210] と指摘したものである。**闇の奥**は、現代文明の首都ロンドンを地球のうちの暗黒の片隅の一つに変容させるコンラッド特有の比喩なのである。そして、この物語は、ある時期のある地域の問題に限定されるのではなく、人間の内部に、そして壮大な人間の歴史に潜む問題を扱ったものなのである。

サイードは、『故国喪失についての省察』において、「コンラッドがなした貢献はヨーロッパ中心に対する批判と修正を求めたことであった」[211] と記述している。米国の映画監督フランシス・コッポラは、『地獄の黙示録』において、アフリカの奥地をベトナムのジャングルに置き換えて、闇のもたらす「不安」や「恐怖」を<戦争の狂気>として捉え、彼自身コンラッドの『闇の奥』を原作として映画化した事を明らかにしている[212]。『闇の奥』は、英国のみならず他のヨーロッパ諸国が他国侵略を是とする帝国主義を推進した19世紀末にあって、コンラッド独

自の思想を物語る文学作品として金字塔と見做すのである。

　『闇の奥』において、闇に光を照らそうと未開のアフリカに乗り込んでいった理想主義者クルツに、マーロウは一つの「理想像」を見出そうとする。しかし、クルツは、緩慢だが根強い精神もしくは魂の破壊を遂げる闇に呑み込まれて「自制心（restraint）」[213]を失い、物質文明の象徴である＜象牙＞の物欲の虜となってしまって、マーロウのクルツに対する「理想像」は見事に砕かれる。マーロウは生涯の分水嶺となる＜コンゴ体験＞を、「この物語は伝えることは不可能だが、人間が存在するある時期の生命感──これこそ人間性の真実と意義（意味あるもの）があった」(82)と述べている。「真実の表現」[214]。まさしくこれこそコンラッドが使命とするところのものであった。文明に**背を向け**、「荒野の奥地」(90)に**顔を向けた**クルツが、彼の魂から悟って発した「恐怖だ！」(149)という叫びは、闇に突き落とされた人間が実存する意味を問うものであった。マーロウはそれを「道徳的勝利だ！」(151)と呼んだ。マーロウは、闇の世界の対極に位置する安全な世界に住み、クルツの許嫁と信じ込んでいる婚約者を訪ねる場面で、マーロウはクルツの「恐怖だ！」の声が果てしなく鳴り響いて聞こえた。コンラッドはこの場面を「まさしく人生の全局面を表し、いわば、語り手が語ることば三万語を封じ込めたもの」[215]と明かした。闇の世界とは対照的な平穏無事な日常を背景に、クルツの発した声の象徴性はますます高められている。

　「自分自身を見つけるチャンス」(85)を内発的動機として**闇の奥**に分け入って、クルツに出会い、自分の思想に**一筋の光**を得て生還したマーロウは、＜闇の奥での体験＞を簡潔に、

> It was the farthest point of navigation and the culminating point of my experience. It seemed somehow to throw a kind of

light on everything about me ──and into my thoughts. It was sombre enough, too──and pitiful──not extraordinary in any way──not very clear either. No, not very clear. And yet it seemed to throw a kind of light.（51）

　（それは私の船乗り経験でも、確かに一つの極点だったし、ある意味で私の経験の一つの頂点を示すものだった。私の周囲、──いや、私の思想にまで、何というか、**一筋の光**を投げかけてくれたように思えるのだ。それは実に暗く哀れで、どう見ても素晴らしいものではなく、はっきりもしていない、全く不明瞭だ。しかしそれでも**一筋の光**を投げかけているように思えるのだ。）（ゴシック体は筆者）

と述懐していた。宮崎が、『風の谷のナウシカ』の＜火の７日間戦争＞における終末を描きながらも最後の幻想的なシーンでナウシカを再生させて希望や再生のビジョンを提示していたように、コンラッドもまたアフリカの絶望的な状況の中で希望のビジョンを示しているのである。マーロウは、クルツに出会って、＜闇の奥体験＞を経ていながらも闇に呑み込まれずに「自己発見」をして、生還している。過去と現在とを反復しつつ、未来を凝視するコンラッドは、"The horror!"という残響が今もなお続いている事を警鐘する真実の語り部となっているのではないだろうか。

　『闇の奥』のプロローグで「仏陀の姿勢（the pose of a Buddha）」（50）をもって語り始めたマーロウは、エピローグにおいても「瞑想する仏陀（a meditating Buddha）」の姿勢で語り終えている。呼吸を整え、姿勢を正して瞑想する（日本仏教の中でも厳しい修行で知られる）曹洞宗の本山永平寺の沈黙を守る三つの神聖な場所とされる三黙道場[216]における修行僧の如く、終始穏やかに語る人物マーロウの設定は、行き詰ったヨーロッパ中心主義を超えるものとして、文明の相対的価値

を平等に認める東洋思想の比喩として、「瞑想する仏陀」をイメージしていたのではないだろうか。永平寺を開いた道元が仏法の究極と定めたのが、坐禅である。ただ、ひたすら坐れ、という只管打坐である。宗教学者の山折哲雄氏は、「坐れば仏陀になる、坐れば達磨＝ダルマになる、と信じて疑わなかった。（中略）無は無限に通ずる、という無の哲学を原理的に考えようとした最初の人間が、わが国では道元だった」[217] と述べている。

　1902年12月22日、親友エドワード・ガーネット（Edward Garnet）に宛てた手紙[218]でキリスト教の教条主義を嫌っている事を表明したコンラッドは、キリスト教の近代化を否定して、自己の内部に降りて行く仏教による救済をこの仏陀のイメージによって暗示しているのではないだろうか。英国人を父とし、フランス人を母として、英国で教育を受けたいわば「全ヨーロッパが作り上げた」(117) と形容されるクルツと出会った事によって、マーロウはアフリカの闇の奥で彼の魂に触れる一大経験を果たした。それは鈴木大拙が言及するところの「直覚」[219] によって果たし得た体験ではないだろうか。外からのものを柔軟に受容し、それによって、「自己」に目覚めるという、極めて柔軟性のある懐の深い、大拙が説くところの禅と仏教を融合した思想に繋がるものではないだろうか[220]。大拙は、哲学者オイゲン・ヘリゲルの『弓道における禅』（*Zen in the Art of Archery*）に「序文」を寄稿している。その中で初めは「無心」を"no mind"と訳したが、"no"や"less"など否定を含んだ語を使うと、どうしても「心が無い」というニュアンスがつきまとうとして、「何事もあるがままに受け止める」積極的な意味合いが前面に出てくるものとして、「無心」を"Childlikeness"と訳した。「心がない状態を示すものではなく、何ものにもとらわれない心を表した」[221] のである。

　『闇の奥』のエピローグは次のように記されている。

第 1 章　従来の欧米中心の視点からの脱却

　　Marlow ceased, and sat apart, indistinct and silent, in the pose of a meditating Buddha. (162)
　（マーロウの話は終わった。彼は一人離れて、凝然(ぎょうぜん)と、あの瞑想する仏陀のような姿勢で、ぼんやり闇の中で座っていた。）

結論

　アンドレ・ジッドやグレアム・グリーンのみならず、今日でもこの＜コンゴ体験＞を追体験した語り部が存在する。その語り部とは山極寿一京都大学総長である。彼は、自身の＜アフリカ体験＞と『闇の奥』との関わりを「生還を支える希望に」と題して次のとおり語っている。

　「確か、高校生の頃、探検家になることを夢見ていた私は、『闇の奥』を初めて目にした時、思わず心が躍った。アフリカのジャングルという未知の地へと誘ってくれる道案内の書だと思ったからである。しかし、船乗りのマーロウが回想する物語は想像を絶するものだった。ジャングルの奥地へ向かう唯一の道はコンゴ河という大河で、それを上流へ船で辿ると、まさに混沌というのがふさわしい世界が開けてくる。人の手を寄せ付けない圧倒的な迫力をもって迫ってくる光と水と緑。そこで人々がふらふらと歩きまわり、高価な象牙が大量に運ばれていく。その中核にクルツという白人がいる。彼は凶暴な部族を支配し、象牙の取引を独り占めにしている。（中略）死の際に彼が叫んだのは、「地獄だ！　地獄だ！」という言葉だった。この強烈な読後感は、私が実際アフリカの奥地へ行くまで心に残り続けていた。この本の描写は19世紀の欧米のアフリカに対する大いなる誤解だったのだが、ジャングルで遭難した時、私は再びこの本を思い出した。不思議なことに、それは絶望ではなく希望をもたらし、私は無事に**生還**したのである（ゴシック体は筆者）」[222]。

一方、宮崎の『千と千尋の神隠し』が、アカデミー賞を受賞した背景には、近代の西欧に端を発する理性中心主義には限界があるように思われる。つまり、その行き着く先は、一方で個我の独立を是とする価値観である。個人主義の行き過ぎは、他者への思いやる心が欠如し、利己主義の風潮を喚起し、その中で疎外感とストレスに心身を苛まれる人間を生み出している。更に、他者の存在を認めようとしない人権無視の姿勢は、人間のみならず、地球環境の汚染や生態系の侵害にも繋がり、人類生存の根幹に関わる問題をも引き起こすものと考えられる。宮崎アニメの「トトロ」「楠」「ススワタリ」「コダマ」そして、「カオナシ」などの存在は、現代の危機的な状況を何よりも雄弁に語りかけている。そして『風の谷のナウシカ』においては、巨神兵や腐海や王蟲の出現は、人類や地球の黙示録的不安に警鐘を鳴らすものであった。

　産業革命を発端として西欧的な考え方が世界中に広まり、植民地主義を経て資本主義社会での消費文化へと移行し、人間が資源を自由にできるという考え方が国境を越えた地球規模の環境問題に深刻な影響を与えている諸事実を鑑みると、今やかような考え方は根本的に方向転換を迫られている。それと同時に文明や文化の多様性や創造性、価値の相対性を尊重しながら自らのアイデンティティ（存在証明）の確立が求められる昨今において、宮崎アニメの作品とコンラッドの文学は、民族の持つ歴史性を保持しながらも自己中心的な民族主義に陥る事なく、相対的に評価する視点を持ちつつ、「人間と自然との共生」といった地球規模の環境問題や、「如何にして生きるべきか」という人類存続に関する諸問題に関して、21世紀のあるべき指針を与えているように思われる。

　＊本論は、2017年2月26日、上智大学大阪サテライトキャンパスにおいて、第38回言語文化研究会で行った講演の原稿を加筆・修正したものである。

第 1 章　従来の欧米中心の視点からの脱却

1　科学書が語る「扉は身近な所に」独立研究者・森田真生『毎日新聞』2020年 5 月30日。
2　＜土記＞青野由利『毎日新聞』2020年 6 月 6 日 2 面。
3　環境相のCOP演説「脱石炭」に背を向けるのか『毎日新聞』2019年12月13日 5 面。
4　＜検証＞異常気象　温暖化で加速『毎日新聞』2019年 8 月14日 4 面。
5　＜社説＞米がパリ協定離脱通告　地球の危機を顧みぬ愚行『毎日新聞』2019年11月 6 日 5 面。
6　戦争に影響　歴史変えた　池上さんと語る感染症『毎日新聞』2020年 5 月29日 4 面。
7　＜余禄＞『毎日新聞』2020年 5 月21日 1 面。
8　＜時代の風＞中西　寛・京都大教授　新型コロナウイルスの流行　感染症との戦い方問う『毎日新聞』2020年 2 月 9 日 2 面。
9　IEA推計　都市封鎖続けば　今年エネ需要 6 ％減『毎日新聞』2020年 5 月 5 日 4 面。
10　19号「東日本」　43年ぶり名称『毎日新聞』2020年 2 月20日24面。
11　全面伐採跡地　崩壊頻発　国の政策で面積急増『毎日新聞』2019年12月17日 2 面。
12　『毎日新聞』2016年 2 月23日16面。
13　宮崎　駿『風の帰る場所　ナウシカから千尋までの軌跡』（ロッキング・オン、2002年）205-06頁。cf. Susan Napier, *MIYAZAKIWORLD A Life in Art* (Yale University Press, 2018), p.209.
14　宮崎　駿『風の帰る場所　ナウシカから千尋までの軌跡』23頁、26頁。
15　宮沢賢治『宮沢賢治コレクションⅠ　銀河鉄道の夜　童話 1・少年小説ほか』（筑摩書房、2016年）354頁、357頁。
16　『道　天皇陛下御即位三十年記念記録集　平成二十一年～平成三十一年』宮内庁（NH出版、2019年）59-60頁。平成23年11月16日、ブータン王国国王王妃両陛下を迎えての歓迎の辞の中で、平成天皇（現上皇）は、「中尾佐助氏が1858年

にブータンに数カ月滞在し、翌年ブータンを本格的に紹介する書物を著わし、両国の照葉樹林の植生の共通性や、竹細工、漆器、手漉き紙、段々畑、棚田、米、麦、蕎麦の作付など、日本にも通じる伝統工芸や伝統的農業について、興味深い記述を残しました」と述べられている。(病気のため御名代皇太子殿下のご代読)。

　池内 紀『二列目の人生　隠れた異才たち』(晶文社、2003年) 190頁、199頁。中尾佐助は照葉樹林文化論の提唱者として知られている。昭和27 (1952)、日本山岳会マナスル踏査隊の一員としてネパールへ行った。カトマンズで近郊の山麓を眺めていて、その南斜面に連なる森が中国南部、朝鮮南部、また西日本と同じ生態系を帯びているのに気がついた。常緑のカシを中心にしてクスノキ、ツバキなどの照葉樹に覆われている。とすると植生にとどまらず、そこに住む人々のあいだに、ひろく生活や文化にわたり共通するところがあるのではないだろうか。翌年、同じマナスル登山隊の科学班としてヒマラヤ山麓一帯をくわしく踏査した。昭和33年 (1958) には、永らく鎖国状態だったブータン王国にはじめて入国を許され、半年余りに及んでくまなく歩いた。この前後の10年間に、さらにパキスタン、シッキム、東ネパールなどの学術調査をして仮説を入念にあとづけた。(中略) この実証の人は著書以上に貴重なものを残した。ブータンから技術援助を求められた時、彼は直弟子というべき西岡京治を送った。若い農学者はブータンに赴き、政府開発省農業局に勤めた。滞在は28年に及び、ブータンの農業生産高が飛躍的に拡大した。ブータン国王は最高の栄誉である「ダショー」の称号をこの誠実な農学者に授与した。1992年、ダショー西岡の死に際し、礼に篤いこの国の人々は、3日にわたる国葬をもって労に報いた。

17　『中尾佐助著作集　第Ⅰ巻　農耕の起源と栽培植物』(北海道大学図書刊行会、2004年) 389頁。

18　宮崎 駿『出発点〔1979〜1996〕』呪縛からの解放——『栽培植物と農耕の起源』(徳間書店、1996年) 267頁。

19　Morton Dauwen Zabel, *The Portable Conrad* (New York: The Viking Press, 1966), p.458. コンラッドがかつてエドワード・ガーネット (Edward

第1章　従来の欧米中心の視点からの脱却

Garnett) に述べた言葉。
20　アンドレ・ジッド「コンゴ紀行」『ジイド全集　第10巻』根津憲三 訳（金星堂、1974年) 15頁、131頁。
21　前掲書。131頁。
22　*The Art of Joseph Conrad: A Critical Symposium,* edited, with and Introduction by K. W. Stallman (Michigan State University Press, 1960), p.4.
23　瀬藤芳房「コンラッドとジッド――コンゴの衝撃」『徳島大学教養部紀要』20頁。
24　『毎日新聞』2007年1月19日1面。
25　天皇陛下在位30年式典『毎日新聞』2019年2月25日8面。
26　海の貯熱量、過去最大　55年以降 昨年、温暖化が影響『毎日新聞』2020年2月21日29面。
27　「気候危機」指摘『毎日新聞』2020年6月13日4面。
28　西日本豪雨「温暖化が一因」気象庁が初の見解『毎日新聞』2019年11月6日3面。
29　世界各地で異常高温『毎日新聞』2018年7月24日7面。
30　気象庁が初の見解『毎日新聞』2019年11月6日3面。
31　＜オピニオン＞地球温暖化対策の行方　日本は再生エネ促進を　独ポツダム気候影響研究所長ハンス・シェルンフーバー氏『毎日新聞』2017年12月4日4面。
32　気温上昇1.5度と2度 影響は大差　生息域半減の昆虫3倍『毎日新聞』2018年5月25日25面。
33　前掲載記事。経済損失2200兆円増。
34　日本は再生エネ促進を『毎日新聞』2017年12月4日4面。
35　＜世界の見方＞脱石炭　日本の協力不可欠『毎日新聞』2019年2月10日8面。
36　始業6時間前倒し　国立環境研など予測『毎日新聞』2018年11月4日3面。
37　＜経済＞気候変動と「炭素管理」田中直毅『毎日新聞』2019年11月12日。
38　国立環境研究所によれば、温暖化で冬季の冷え込みが緩み、海水の沈み込みが鈍っている。100年後には深海が無酸素化するおそれがあり、生態系に大きな影響が出そうだ。序ながら、森林が光合成で二酸化炭素を吸収するように、沿岸

域に分布するアマモなどの海草やコンブなどの海藻、干潟なども、二酸化炭素の重要な吸収源となっている。港湾空港技術研究所などの試算では、日本沿岸域で年間最大約700万㌧近い二酸化炭素が吸収されている。これは日本の排出量の１％に過ぎないが、海での吸収、蓄積を増やすために藻場の保全や拡大を図る事は、魚の産卵場所や稚魚の成育場所の確保にも繋がる。＜社説＞「海の温暖化と酸欠」『毎日新聞』2019年１月８日５面。

39 資源転換　化石から生物へ『毎日新聞』2018年１月24日17面。

40 EU温室効果ガス「ゼロ」2050年目標「パリ協定」先導『毎日新聞』2018年11月30日２面。

41 温暖化対応に温度差『毎日新聞』2018年12月６日３面。

42 環境経済　生活に浸透『毎日新聞』2018年８月22日15面。

43 森林農業　アマゾン守る　移住90年　日系人が定着尽力『毎日新聞』2019年９月24日１面。

44 昨年CO_2濃度過去最高を更新『毎日新聞』2018年８月３日24面。

45 アル・ゴア『不都合な真実』枝廣淳子 訳（ランダムハウス講談社、2007年）66頁。

46 前掲書。254-55頁。このカエルの比喩は、ブラジルで開催される地球サミットに先立ち、平成４年４月15日から18日まで、東京において世界各国の賢人が集まり、地球環境保全問題について協議を行ったその２日目にスピーチを行った梅原　猛（1925-2019）が指摘する大乗仏教の経典である法華経の比喩を想起させる。梅原は、この比喩は現代の地球環境の破壊の真只中にある地球とその中における人間を説明するのに最もよい比喩であるとして次のように述べている。――家がぼうぼう燃えて、火に包まれているのに、まだ子供たちはその中で遊び戯れている。人間の救済を願う菩薩は、この遊び戯れている子供たちをどうして火の外に出すかを考える比喩である（69頁）。そして、賢人の欠陥は、愚人が痛感している人類の危機を身をもって感じることが出来ないことであると思う（78頁）、と指摘している。梅原 猛『世界と人間――思うままに』（文藝春秋、1994年）。

第1章　従来の欧米中心の視点からの脱却

またこのゆでガエルの比喩は、不都合な情報を遮断するフィルターに膜が存在する昨今の官制のフィルターバブルの怖さにも繋がる。福本容子は次のように述べている。──「先進国一深刻な日本の財政状況（1000兆円を超える借金）。通常は、借金がどんどん増えると、市場で危険信号が点灯し、借り続けにくくする作用が働く。金利の上昇だ。ところが、日本政府と日銀はタッグを組んで、市場からの警戒信号をシャットアウトする政策を続けてきた。金利が上がらないよう日銀が国債を買いまくる異次元緩和だ」と。＜水説＞怖いバイアスの力　福本容子『毎日新聞』2019年4月3日2面。

47　アル・ゴア『不都合な真実』298-99頁。

48　「ごみ対策早急に」6項目の共同声明『毎日新聞』2019年3月7日4面。

49　＜社説＞海のプラスチックごみ　危機感持って対策促進を『毎日新聞』2018年6月16日5面。

50　＜みんなのごみ＞プラスチック編6『毎日新聞』2019年10月23日16面。

51　世界の損失　年1.4兆円　OECD報告　ごみ発生3億㌧『毎日新聞』2018年8月6日2面。

52　プラ劣化で温室ガス『毎日新聞』2018年8月3日1面。

53　餓死の鯨に29㌔のプラごみ『毎日新聞』2018年7月16日3面。

54　微小プラ　水道水汚染　米英など13か国『毎日新聞』2018年9月15日1面。

55　EU、プラ食器禁止「使い捨て」対象　海洋汚染対策『毎日新聞』2018年5月29日1面（夕刊）。

56　微細プラ対策　政府及び腰　G7憲章署名拒否『毎日新聞』2016年6月16日6面。

57　東京農工大教授・高田秀重　対策遅れ目立つ日本『毎日新聞』2018年8月25日9面。

58　＜風知草＞山田孝男『毎日新聞』2018年8月20日2面。

59　プラごみ国際基金（AEPW）、日本の化学3社が100億円『毎日新聞』2019年1月18日7面。

60　廃プラ1億㌧行き場失う『毎日新聞』2018年8月4日1面。

61　パリ協定目標達成に温室効果ガス削減3倍必要『毎日新聞』2018年11月28日5

— 69 —

面。

62 温暖化問題「必ず解決する」アル・ゴア氏　10年ぶり映画「不都合な真実2」『毎日新聞』2017年11月18日15面。

63 ＜風知草＞山田孝男　再生エネなぜ伸びぬ『毎日新聞』2018年1月22日2面。

64 国連砂漠化対処条約（UNCCD）『毎日新聞』2017年3月23日11面。

65 温暖化　食料危機招く『毎日新聞』2017年9月6日25面。

66 北極・南極　海氷面積、史上最小『毎日新聞』2017年2月19日9面。

67 止まらぬ温暖化　続く災害　京都議定書採択から20年「パリ協定」に期待『毎日新聞』2017年11月22日17面。

68 パリ協定貢献の研究者らに「ブループラネット賞」を授与『毎日新聞』2017年6月21日23面。

69 チョムスキーは、トランプ米大統領の地球温暖化への対応を次のように厳しく指摘している。「国連の気候変動に関する政府間パネルが警告するように、数十年で化石燃料の消費を大幅に減らさない限り、人類は破滅するのに、トランプ政権は、オバマ前政権による自動車やトラックの燃費規制強化を撤廃しようとしている。規制の撤廃が温暖化にもたらす影響はごくわずかだ、という理由でだ。ローマが火事で広がっているのに何も手を打たなかったと伝えられるローマ帝国の皇帝ネロよりもひどい。地球が燃えている時に強盗しているようなものだ」。＜論点＞民主主義の行方　ノーム・チョムスキー・アリゾナ大教授（言語学）『毎日新聞』2019年1月11日11面。チョムスキー氏の警告は現実のものとなっている。トランプ大統領は9日、空席となっている環境保護局（EPA）の長官に、現在長官代行を務めるアンドリュー・ウィラー氏を指名した。彼は石炭業界のロビイスト出身である。「米環境長官に反環境保護派？」『毎日新聞』2019年1月11日8面。

70 平和指導者賞受賞　チョムスキー氏『毎日新聞』2016年10月25日

71 「社説」米国のパリ協定　人類の未来への背信だ『毎日新聞』2017年6月3日5面。

72 前掲紙。「余録」1面。

第 1 章　従来の欧米中心の視点からの脱却

73　COP23 温暖化対策の明日『毎日新聞』2017年12月 5 日11面。
74　現場報告　トランプと世界「米の抵抗続かぬ」『毎日新聞』2017年12月25日 8 面。
75　火力発電へ投資「撤退」も　環境対策に地球規模の選択肢『毎日新聞』2018年 1 月10日13面。
76　＜土記＞青野由利　宇宙化石の問いかけ『毎日新聞』2017年11月18日 3 面。
77　オゾン層破壊20％減　フロン制限奏功『毎日新聞』2018年 1 月14日 3 面。
78　再生エネルギー発電、石炭火力越す『毎日新聞』2018年 2 月13日 9 面。
　　シンクタンクのアゴラ・エネギーベンデ（独）とサンドバッグ（英）が加盟国の17年のデータを独自にまとめて 1 月末に報告書を発表。それによると、発電量の構成比は、風力11.2％、太陽光3.7％、バイオマス 6 ％で、これら三つの合計で石炭の20.6％を上回った。水力20.6％を加えた再生エネの合計は30％に達する。一方、原子力は25.6％だった。報告書では、10年以降のペースで再エネの導入が進めば50年にはEU全体で総発電量に占める割合が50％に達する事も可能だとした。
79　*The Wall Street Journal* 加速する再生エネルギー投資『毎日新聞』2018年 6 月18日 4 面。
80　＜記者の目＞信田真由美［吉野彰さんノーベル化学賞受賞］環境問題解決の後押しに『毎日新聞』2019年12月25日 8 面。
81　モバイル革命の原動力　脱炭素、旗振りたい『毎日新聞』2019年10月10日 3 面。
82　温室ガス削減費用10分の 1 に圧縮、京大チーム試算、2050年時点で年5.3兆円、再生エネ導入費安く『毎日新聞』2019年11月12日 4 面。
83　＜土記＞青野由利　火星の地球化？『毎日新聞』2018年 8 月18日 3 面。
84　『毎日新聞』2011年10月31日17面。
85　『毎日新聞』2010年 3 月17日21面。
86　核弾頭の総数最大 1 万3865個『毎日新聞』2019年 6 月18日 8 面。スウェーデンのストックホルム国際研究所（SIPRI）は17日、今年 1 月時点の核弾頭総数が世界で最大 1 万3865個となり、昨年から600個（約 4 ％）減ったとの推計を発表して、米国とロシアを中心に核兵器近代化への動きに懸念を示した。

87 拙稿「チャールズ・ディケンズとジョウゼフ・コンラッドの視点――『ピクウィック・ペーパーズ』と『闇の奥』を中心に――」『言語文化研究』第二十二号（言語文化研究会、2016年）27-93頁。

88 ジュルジュ・サドゥール『チャップリン』鈴木力衛・清水 馨 訳（岩波書店、1972年）202頁。

89 偶然4日違いで生まれ、偶然同じ年に同じ髭を生やし始めた二人の運命は交差する。ヒトラーは1940年6月22日に電撃戦の結果、征服者として23日にパリに入城した。その翌日の24日に、チャップリンは『チャップリンの独裁者』の撮影を、彼の命を賭したラストの大演説を行った。撮影前日に翌日の予定と必要な俳優・スタッフの名前、彼らのスタジオ集合時間が書かれた「コールシート」には「チャーリーの最後の演説」と題して次のように書かれていた。――「ミスター・チャップリン　メイク・アップ開始＝午前9時30分　セット入り午前10時　撮影開始10時予定」。大野裕之『チャップリンとヒトラー　メディアとイメージの世界大戦』（岩波書店、2015年）180-81頁。

90 オーウェル『オーウェル著作集 Ⅲ 1943-1945』鮎沢乗岩・小野協一・小野二郎・小野寺健・河合秀和・小池滋・河野徹 訳（平凡社、1970年）9頁。

91 Charles Chaplin, *My Autobiography* (Penguin Books, 1973, reprint), p.239.

92 日野原重明『続　生きかた上手』（ユーリーグ株式会社、2003年）160頁。

93 中国で『千と千尋』公開へ『毎日新聞』2019年6月18日8面。中国で宮崎 駿監督のアニメ映画『千と千尋の神隠し』が21日から正式に上映されるのを前に、上海市で17日、スタジオジブリの星野康二会長らが出席して試写会イベントが行われた。映画は中国全土約9000か所の映画館で上映される。宮崎アニメとしては『となりのトトロ』が昨年12月、日本での公開から30年後に初めて中国で公開された。中国では国内で公開できる外国映画の本数に規制がある。

94 *BBC News Online,* Friday 19 April 2002.　スティーブン・アルパート『吾輩はガイジンである。ジブリを世界に売った男』桜内篤子 訳（岩波書店、2016年）227頁。

95 「風呂好き」日本人のルーツ発見『毎日新聞』2003年6月20日7面。奈良県明

第 1 章　従来の欧米中心の視点からの脱却

日香村の川原寺跡から今月、7世紀末（飛鳥時代）の風呂の湯沸し用と見られる鉄釜の鋳造跡が見つかった。京都府向日市の宝菩提院廃寺からも今年 2 月、9 世紀後半（平安時代）の「湯屋」跡が確認されるなど、日本人の「風呂好き」のルーツを物語る発見が相次いでいる。肩までつかる風呂が一般化したのは明治時代以降で、温泉を除き、江戸時代以前は蒸し風呂か半蒸し風呂、湯をすくってかける取り湯式が主流だった。風呂の語源は岩屋を示す「室」といい、石窟内で火を焚いて利用した「石風呂」が瀬戸内沿岸に残る。湯屋を備えた一般的な風呂導入・普及したのは仏教だ。インドには紀元前から入浴による健康法があり、仏教とともに日本に伝えられたとみられる。

96　キース・ブラウン 編著『D・H・ロレンス批評文学地図』吉村宏一・杉山泰、他 訳（松柏社、2001年）423頁。

97　ミハイル・バフチン『ドストエフスキーの詩学』望月哲夫・鈴木諄一 訳（筑摩書房、1995年）255-56頁。

98　＜社説＞『千と千尋の神隠し』『朝日新聞』2003年 3 月25日 2 面。

99　瀬戸内寂聴・ドナルド・キーン『日本を信じる』（中央公論新社、2012年）87頁。

100　C・W・ニコル『15歳の寺子屋　森をつくる』（講談社、2013年）57頁。なおニコル氏は、天皇皇后両陛下が2016年 6 月に長野を公式訪問された際、アファンの森を案内している（両陛下と森の思い出『毎日新聞』2019年 4 月 3 日13面）。

101　「フランシス・コッポラからのメッセージ」（2001年 5 月）re-dux *Apocalypse Now* パンフレット（東宝株式会社、2002年）。コッポラの『地獄の黙示録』とその re-dux 2001 の原作はコンラッドの『闇の奥』である。コッポラは現代の魂の闇を表す隠喩として、"The horror!" とカーツ（原作ではクルツ）に語らせ、この映画の題名を *Apocalypse Now* としていた。そして、この映画のラスト近くでクルツ役のマーロン・ブランドが、手にした T・S・エリオットの詩集「うつろなる人々」（"The Hollow Men" 1928）の一節を口ずさむ場面に、現代の虚無が暗示されていた。

102　Bertrand Russell, *Portraits from Memory and Other Essays* (London: George Allen & Unwin, 1956), p.81.

103 Graham Greene, *In Search of a Character* (Vintage Classics, 2000), pp.48, 51.
104 僕の長編時代終わった『毎日新聞』2013年9月7日。
105 門野さん「大きな喜び」『毎日新聞』2018年3月21日30面。児童文学のノーベル賞と言われる「国際アンデルセン賞」の作家賞を宮崎の『魔女の宅急便』の原作者、角野栄子(83歳)さんが受賞した。角野さんは、「たった一つの魔法を工夫して使いながら、成長する女の子を描きたかった」と振り返る。
106 『草枕』は宮崎アニメに影響を及ぼしている。宮崎は、「『草枕』はもう何回読んだか分からないくらい。飛行機に乗る時はいつも持って行きます。何度読んでも、どこから読んでも面白い」と言っている。宮崎は2010年、スタジオジブリの社員旅行で熊本行きを提案。宮崎一行は『草枕』の画工が泊まる「那古井の宿」のモデル、熊本の小天温泉にある前田家別邸を訪れた。「漱石が座ったという場所に座ってみました」と宮崎。彼はこの作品において、主人公二郎と菜穂子が新婚生活を送る黒川家の離れを描いている。「漱石生誕150年」『朝日新聞』2017年11月26日14面。
107 千尋もトトロもハロー 米で過去最大 宮崎作品展『毎日新聞』2018年12月6日26面。米アカデミー賞を主催する映画芸術科学アカデミーは4日、ロサンゼルスに建設中の「アカデミー映画博物館」が2019年後半にオープンすると発表した。開館記念にアニメ映画の巨匠、宮崎 駿監督の作品展を開催予定で「全米で過去最大規模の回顧展」になるという。宮崎監督は「千と千尋の神隠し」で03年、アカデミー賞の長編アニメ賞を受賞。14年にはアカデミー名誉賞を受賞、故黒澤 明監督に次ぐ日本人監督として2人目となった。
108 長編アニメへ始動 宮崎 駿監督『毎日新聞』2017年2月25日27面。2013年9月に長編アニメからの引退を宣言していたが、76歳になった宮崎 駿監督は、復帰準備に入った。ジブリの鈴木敏夫プロデューサーが23日、ロサンゼルスで明らかにした。事実上の引退撤回とみられる。26日に発表される米アカデミー賞の関連イベントで、鈴木さんは「去年7月1日に彼(宮崎監督)が企画書を持ってきた。長編映画です」と語った。宮崎監督から20分の絵コンテを描くから見

第1章　従来の欧米中心の視点からの脱却

てほしいと言われ、年末に見て「面白い」と伝えたという。また鈴木さんは毎日新聞などの取材に「（作品として）出来ることになったら公表する。企画検討中。まだ準備段階」と述べた。宮崎監督は絵コンテに加え、さらに描き進めているという。

109　宮崎 駿監督新作「君たちはどう生きるか」『毎日新聞』2017年10月31日28面。

110　「君たちはどう生きるか」200万部突破『毎日新聞』2018年2月1日26面。マガジンハウスは1日付で、「漫画　君たちはどう生きるか」と原作小説の新装版「君たちはどう生きるか」の発行部数が、合計で200万部の大台を突破したと発表した。昨年8月の同時刊行以降、大ブームとなっており、さらに売り上げを伸ばしそうだ。同社によると、マンガ版が170万部、新装版が40万部となった。2018年10月現在では、同マンガは200万部を超えた（『毎日新聞』2018年10月26日22面）。

111　吉野源三郎『君たちはどう生きるか』（岩波書店、1984年、第9刷）＜作品について＞吉野源三郎。302頁。

112　吉野源三郎『平和への意志——『世界』編輯後記　1946-55年』（岩波書店、1995年）＜まえがき＞——本書の編輯に際して　緑川 亨。pp.xii, xiii.

113　前掲書。184頁。

114　吉野源三郎とは別の視点でナポレオンの偉大さを述べるものに古川 薫（かおる）（1925-2018）『剣と法典　小ナポレオン山田顕義（けん ほうてん　やまだ あきよし）』がある。主人公は、吉田松陰門下、幕末には勤皇の志士として活躍し、戊辰戦争当時では「用兵の奇才」を謳われた山田市之允（いちのじょう）、後の伯爵・陸軍中将山田顕義。文明開化の先兵として岩倉使節団の軍事分野の理事官として欧米を視察した彼は、「ナポレオン法典」（Code Napoléon）により近代のフランス繁栄の基礎をつくったナポレオンの事績に心を打たれて帰国し、軍人とは異なる方向に転進した。「われ東洋のナポレオンたらん」と意を決し、帰国後日本の未来を見据えた法典編纂に取り組む。ナポレオンへの彼の想いの言葉——「ナポレオンが偉いのは、単なる英雄というだけでなく、偉大な政治家だったということだろう。彼は法典を作った。国家の発展を支える基本は法律であると考えたのです。法律だけではない。エジプト遠

征の時、軍隊の他に、学者の一団を連れて行き、占領と同時に学術調査を実施しているのです。法典が制定された後、政体は変わり、内容にも変化が見られるが、ナポレオン法典は生きているのだ」(196-97頁)。

115 吉野源三郎『君たちはどう生きるか』176-180頁。

116 前掲書。192-95頁。

117 阪本寧男「雑草を想う――私の偏見と妄想」『NPO法人・地球環境大学編 (2013)：会報特別号「地球大学講座12年間 (2001〜20012年)」』232頁。

118 野村幸一郎『宮崎駿の地平　広場の孤独・照葉樹林・アニミズム』(白地社、2010年) 150-52頁。『もののけ姫』の舞台は、シシ神を頂点とする様々な神々の生息する照葉樹林の森である。この森は、先住民族が信仰した照葉樹林文化が育んだ神的存在の象徴である。瀕死の重傷を負ったアシタカを蘇生させるために、サンは若木を一本切り取り、横たわるアシタカの頭上に立てる。その若木は神霊を呼び寄せる「神樹」（依代）で、事実シシ神がそれを目印にしてアシタカに近寄り彼の命を救う。

119 竹内オサム「名なし、カオナシ、＜含み＞なし」『CONTÉ』No. 1 特集 宮崎駿の不思議（若草書房、2001年) 67頁。

120 スタジオジブリ・文春文庫 編『ジブリの教科書　特別編3』（ウォルト・ディズニー・スタジオ・ジャパン、2015年) 31-32頁。「ヒマラヤ、ブータン、中国・雲南省、華南、長江流域、台湾。この広大な東亜半月弧には共通した風土と植生がある。湿潤な気候と豊かな広葉樹に特徴づけられる照葉樹林である。照葉樹林は繁茂するその葉が営む過剰なまでの光合成によって、森と土壌とそこを棲家とする多種多様な生命を育んだ。結果として同じくその同じく環境と風土に密接に依存して生活してきた人間に独自の文化と習俗を生み出した。その文化と習俗はこの半月弧を旅して移動した人類によって、やがて弧の東端、そこにもまた同じ照葉樹林帯が共有されていた。具体的には、焼畑による農耕、陸稲の栽培、発酵の技法、根菜類を水にさらしてから食べる方法、蚕糸、餅、漆器など。その場所こそが半月弧に連なる沖縄、奄美、九州、四国、中国、近畿地方にわたる日本列島西南部である。私たちは照葉樹林文化を共有し、これこ

第 1 章　従来の欧米中心の視点からの脱却

そ日本人の生活の基層にある自然との共生の精神性なのだ」と生物学者の福岡伸一は述べている。日本思想は、照葉樹林のアニミズムが基層にあるという事であろう。

121　宮崎 駿『風の帰る場所　ナウシカから千尋までの軌跡』297-98頁。
122　竹内オサム「名なし、カオナシ、＜含み＞なし」『CONTÉ』No.1 特集 宮崎駿の不思議（若草書房、2001年）67頁。
123　『ジブリの教科書3　となりのトトロ』（文藝春秋、2013年）半藤一利「大きな忘れ物」66-67頁。
124　司馬遼太郎『対談集　日本人への遺言』（朝日新聞社、1997年）46頁。
125　前掲書。47頁。
126　『ジブリの教科書2　天空の城ラピュタ』（文藝春秋、2013年）宮崎至朗「家族の風景──兄・宮崎駿」子供たちへの思い、270頁。
127　宮崎 駿『出発点　1979～1996』（徳間書店、1996年）181頁。
128　『沈黙の春』（*Silent Spring,* 1962）は、アニメの世界にも多大な影響を及ぼしている。米国の生物学者であるレイチェル・カーソン（Rachel Carson）のこの著書に刺激されたフレデリック・バックは、『木を植えた男』（1987）をはじめとして計9本のアニメを手掛け、そのどれにも自然への敬意や現代文明への批判などの強いメッセージを込めていた。日本のアニメを世界に知らしめたスタジオジブリを宮崎 駿と創設し、宮崎の『風の谷のナウシカ』のプロデューサーを務め、自らも戦争や自然破壊をテーマとして深い思索と時代への問いかけを試みた『火垂るの墓』（1988）や『平成狸合戦ぽんぽこ』（1994）のアニメを監督した高畑 勲は、バックを「我が師」と仰ぎ、親交を重ねていた。
129　リンダ・リア編『失われた森　レイチェル・カーソン遺稿集』古草秀子訳（集英社、2000年）259頁。
130　前掲書。273頁。
131　2006年12月8日、龍谷大学瀬田学舎において民族植物学の草分けの一人である京都大学名誉教授阪本寧男先生から「照葉樹林文化」について数々の貴重な助言をいただきました。厚くお礼申し上げます。

132　野口聡一『宇宙少年』（講談社、2011年）20頁。
133　稲泉 連『宇宙から帰ってきた日本人　日本人宇宙飛行士全12人の証言』（文藝春秋、2019年）252頁。
134　ジョナサン・ベイト『ロマン派のエコロジー　ワーズワスと環境保護の伝統』小田友弥・石幡直樹 訳（松柏社、2000年）69頁。
135　熊楠、日本初の自然運動『毎日新聞』2004年7月20日。
　　鎌田東二は、『ジブリの教科書3　となりのトトロ』（文藝春秋、2013年）に収めた「鎮守の森から見たトトロ論」において、次のように指摘している。――熊楠は、つまるところ神社の森、すなわち「鎮守の森」は、日本の誰の心にも清らかな感覚と日本の風土の良さを感得させ、誇りを持たせる魔法の力を持っていると主張し、それは、日本人の「カミ」感覚の基盤をなし、神社合祀令反対運動の時、彼はいち早く「エコロジー」という言葉を使って、生命の宝庫としての神社の森（鎮守の森）を生態学的な生命研究と接合している。「殖産用に栽培せる森林と異り、千百年来斧斤を入れざりし神林は、諸草木相互の関係ははなはだ密接錯雑致し、近頃は『エコロギー』と申し、この相互の関係を研究すると特殊専門の学問さえ出で来たりおることに御座候。」、「昨今各国競うて研究発表する植物棲態学 ecology を、熊野で見るべき非常の好模範島（神島のこと）」（251-52頁）。そして鎌田は、日本人にとっての「カミ」を本居宣長の『古事記伝』（1767年頃起稿、98年完成、1822年刊行終了）第三巻を引用して、「凡て迦微とは、古への御典等に見えたる天智の諸々の神たちを始めて、其を祀れる社に坐す御霊をも申し、又人はさらにも云はず、鳥獣木草のたぐひ海山など、其余何にまれ、尋常ならずすぐれたる徳のありて畏こきものを迦微とは云なり。すぐれたるとは、尊きこと善きこと、功しきことなどの優れたるのみを云に非ず。悪しきもの奇しきものなども、よにすぐれて畏こきをば、神と云なり」（245頁）と述べている。
　　戸矢 学は、『南方熊楠　開かれる巨人』（河出書房新社、2017年）に収めた「神社合祀問題と熊楠――鎮守も森を守れ！」において、神社合祀の「悪結果」として、熊楠が列挙した八項目を次のように挙げている。――「第一項、神社合

― 78 ―

祀で敬神思想を高めるとは欺瞞であり、むしろ下がる。第二項、神社合祀は民の和融を妨げる。第三項、神社合祀は地方を衰微させる。第四項、神社合祀は国民の慰安を奪い、人情を薄くし、風俗を害する。第五劫、神社合祀は土地の治安と民利に大害あり。第七項、神社合祀は史蹟と古伝を滅却する。第八項、神社合祀は天然風景と天然記念物を亡滅する」(91頁)。

136　南方熊楠生誕150年『毎日新聞』2017年4月15日2面（夕刊）。熊楠は、ロンドンから帰国後、那智山に約3年間孤居し、粘菌（変形菌）の採集に夢中になった。彼は、この世とあの世の境とも言われてきた那智山で、植物とも動物ともつかない粘菌を研究し、後に、「南方曼荼羅」と呼ばれるようになる深遠な思想が構想された。人間と自然、心と物、個と全体など、すべてが妨げなくつながりあう「在り方」を、熊楠はこの聖地から敏感に感じ取り、また彼が那智山を下りてすぐに行った神社合祀反対運動は、日本におけるエコロジー運動の先駆けとも言われている。

137　鶴見和子は、「萃点」を次のように述べている。――「理論的に言えば、それぞれの地域には、それぞれの自然生態系と、それと関連した人間の生態があり、それらを、全体として把握しながら、異なる地域の民族、風習を比較するという立場である。この時萃点となるのは、土壌ではなかろうか。このような比較の方法は、今日でいえば、エコロジカル・アプローチ（生態学的接近法）ということができる。私は、南方熊楠を、日本における生態学の元祖と見ることができると思う。このような考え方は、彼が、粘菌の採集・研究者であったことに、基因する。南方は、「粘菌は、動物である」と言う。南方が、粘菌にとりつかれたのは、それが、動物と植物との境界領域であったからである。そしてそれが、土壌、温度、湿度、その他の植生などの、全体環境と深くつながっているためであった」鶴見和子『南方熊楠』（講談社、1978年）22頁。

138　鶴見和子『南方熊楠』（講談社、1986年）222頁。

139　鶴見和子『鶴見和子曼荼羅　Ⅶ』華の巻――わが生き相（すがた）（藤原書店、1998年）412頁。

140　宮脇 昭「人類の文明は、森林破壊の歴史」『毎日新聞』2006年1月31日。宮脇

昭『植物と人間』(日本放送出版協会、1970年)『毎日新聞』2006年11月4日13面。服部英二『文明間の対話』(麗澤大学出版会、2003年) 274-75頁。

141 『ジブリの教科書1 風の谷のナウシカ』(文藝春秋、2013年) 立花 隆「前人未到の巨大世界、ナウシカ」26頁。

142 本田総一郎『日本神道がわかる本』(日本文芸社、2004年) 本田総一郎は、昭和天皇を神道の体現者として次のように述べている。──「今、地球を救うのは緑と水である。地球の温暖化は、緑と水によって相当に防ぐことが可能だ。これは、神道が追い求めてきた信仰の根幹にある命題である。神道の体現者であられた昭和天皇は、もっとも緑の森林を崇め、大切にしてきた存在であった。昭和天皇の誕生日を「みどりの日」としたのも、このような御心に由来する。昭和天皇は、戦後「この国土を緑の山河に」と願い、毎年「全国植樹祭」にご臨席された。戦争によって荒廃した各地の山地に、自ら植林を進め、国土緑化の先頭に立たれた」(25頁)。

143 半藤一利・宮崎 駿『半藤一利と宮崎駿の腰抜け愛国談義』(文藝春秋、2013年) 253-54頁。

144 宮崎 駿『出発点 1979〜1996』420頁。

145 「プロジェクトX」たたら製鉄の技術は、弥生時代から日本で独自の発展を遂げた。作り上げた鋼鉄は鉄の純度99%と極めて高く、粘り強く強靭。日本刀や神社仏閣のくぎなどに使われてきた。『毎日新聞』2005年3月29日。

146 宮崎 駿『折り返し点 1997〜2008』(岩波書店、2008年) 101頁。

147 前掲書。41頁。

148 「もののけ姫」の基礎知識 叶 精二『キネマ旬報 宮崎 駿と『もののけ姫』とスタジオジブリ』第1233号 (キネマ旬報社、1997年) 56頁。

149 明治神宮社務所『「明治神宮の森」の秘密』(小学館、1999年) 230頁。

150 前掲書。175頁。

151 前掲書。227頁。

152 宮崎 駿『折り返し点 1997〜2008』(岩波書店、2008年) 41頁。

153 宮崎のアニミズム思想は、ラフカディオ・ハーン (小泉八雲) と通底するとこ

第 1 章　従来の欧米中心の視点からの脱却

ろがある。ハーンは小さな虫の世界にも関心を示し、「生命を有する物質のどんな単位にも無限の力が宿っている」とする「蛍」("Fireflies")の輪廻説や、彼の「死生観」を表明する「草ひばり」("Kusa-Hibari")などに、人間中心主義の思想とは異なる彼独自の視点が窺える。拙著『ジョウゼフ・コンラッド研究──比較文学的アプローチ』（大阪教育図書、2014年）第一部 第 2 章 **宮崎 駿とラフカディ・ハーン**　を参照されたい。

154　宮崎 駿『出発点　1979〜1996』493頁。

155　『ジブリの教科書 1　風の谷のナウシカ』（文藝春秋、2013年）78-79頁。

156　前掲書。79頁。

157　宮崎 駿『宮崎 駿　映画監督・宮崎 駿はいかに始まり、いかに幕を引いたのか』（ロッキング・オン、2013年）221頁。

158　梅原 猛『戦争と仏教──思うままに』（文藝春秋、2005年）第二のエネルギー革命を、76-77頁。

159　人間中心の文明は傲慢『毎日新聞』2019年 1 月15日。

160　日立　英原発凍結へ　政府「成長戦略」袋小路　膨らむ事業リスク『毎日新聞』2019年 1 月12日 6 面。

161　＜土記＞専門編集委員・青野由利　再処理の呪縛『毎日新聞』2018年 8 月 4 日 3 面。

162　宮崎 駿『本へのとびら──岩波少年文庫を語る』（岩波書店、2011年）（岩波新書）122頁。1945（昭和20）年、B29から投下されて43秒後、地上580㍍の高さに達したところでまぶしい光の塊となった。中心温度100万℃、表面温度5000℃、大火球となって約10秒間輝き続け、そして広島の中心地は、跡形もなく消滅した。

　　大江健三郎は、『広島ノート』（岩波書店、1994年、第57版）冒頭に「爆心地の話を伝えてくれる人は、いません」と掲げて、さらに本文174頁にこの一文を引用した後に「この肺腑をつらぬく短章にそえられた絵は、暗い空、倒れた裸木、そしてただ荒涼たる焼野原である」とその深い想いを続けて記述している。そのとき爆心地にいた人で生き残った人は誰もいないのである。世界50カ国で

上映され、映画の都、ハリウッドの殿堂入りを果たした『ゴジラ』(1954) の監督である本多猪四郎は、後年次のように語っていた。「私が戦争から帰ってきて、汽車で広島を通過した時、あたりには重々しい雰囲気が漂っていてね、まるでこの世の終わりが遂にやって来たかという感じだった。その時の気持ちが、この映画の礎となったんだよ」(24-25頁)。本多と「志」を同じくする特撮の円谷英二はこの映画の狙いを次のように言明していた。「この映画で僕は、核兵器の恐ろしさ、おろかさを伝えたい。人間が作りだした核兵器という恐ろしい人殺しの道具。それによって目を覚まされ、巨大化させられた怪獣が人間の作り上げた大都市、東京を破壊する。つまり、人間が作り出したものに人間が仕返しされるんです。だから、怪獣の不気味さや迫力だけを売り物にした映画は作りたくない。怪獣の後ろに、核兵器の影が見えるような作品でなくては駄目なんです」(19頁) と。山口理『ゴジラ誕生物語』(文研出版、2013年)。

163　鈴木敏夫『ジブリの文学』(岩波書店、2017年) 26頁。

164　宮崎駿『風の谷のナウシカ』パンフレット (東宝株式会社、1984年)。

165　トニ・モリスン『「他者」の起源　ノーベル賞作家のハーバード連続講演記録』荒このみ 訳 (集英社、2019年) 126-27頁。モリスンは、『闇の奥』の一節を引いて次のように述べている。──コンラッドの『闇の奥』で、主人公の船長マーロウはアフリカを、かつては広大な「少年たちがすばらしい夢を見る [地図上の] 空白の領域」だったが、その後、「川や湖などが」描き込まれ、「(略) 魅惑に充ちた神秘を感じさせる空白地帯であることをやめ、(略) 暗黒の場所になった」と語る。ようやく知り得た知識も謎につつまれ、忌わしく、救いがたい矛盾をはらんでいる。想像上のアフリカは測定不可能な「豊穣の角」で、『ベーオウルフ』の怪物グレンデルのようにいかなる説明も拒絶する。

166　Chinua Achebe, "An Image of Africa" *Joseph Conrad: Critical Assessments*, ed., Keith Carabine, vol. II (East Sussex: Helm Information, 1992), p.399.

167　J・T・ステイプ『コンラッド文学案内』社本雅信 (監訳)・日本コンラッド協会 (訳) (研究社、2012年) 94頁。

168　Joseph Conrad, *Heart of Darkness* (London: Dent, 1967), p.195.

第 1 章　従来の欧米中心の視点からの脱却

169　Ibid., p.50.
170　Ibid., p.93.
171　オールティック『ヴィクトリア朝の人と思想』要田圭治・大島浩・田中孝信 訳（音羽書房鶴見書店、1998年）図版 1 。
172　Joseph Conrad, *Heart of Darkness,* p.82. 以下、同書からの引用は本文中（　）内に頁数を示している。
173　Ian Watt, *Conrad in the Nineteenth Century* (London: Chatto & Windus, 1980), p.149.
174　サミュエル・スマイルズ『西国立志編』中村正直 訳（講談社、1991年）第一編　邦国および人民の自ら助くることを論ず。(Heaven helps those who help themselves.) 55頁。第四編　勤勉して心を用うること、および恒久に耐えて業をなすことを論ず。160頁。
175　Joseph Conrad, *Notes on Life and Letters* (London: Dent, 1949), pp.190-91.
176　宮崎 駿『折り返し点　1997〜2008』285頁。
177　＜言葉の重み＞で想起されるのは、米軍機が飛ぶ空の下で地を這うように水路を開き、これが根本的問題である貧困と飢餓を克服する闘いだと確信をもって述べた中村 哲医師の次の言葉である（米軍支援の自衛隊派遣などを巡る2001年10月の衆議院テロ防止特別委員会で参考人として）。——「力によって敵意が減ることはなく、恐怖は与えられても、本当に人々の気持ちを解かすことは出来ない」。2019年に凶弾に倒れた中村 哲医師は、長い支援活動から、現地には農業を興す水源対策こそ急務と訴え、自らアフガンの現地で医療行為に留まらず井戸掘りや農業水路確保の事業に献身した。＜火論＞玉木研二「戦果」という虚飾『毎日新聞』2020年 1 月21日 2 面。
178　岸 正尚『宮崎 駿、異界への好奇心』（菁柿堂、2006年）37頁。
179　Joseph Conrad, *The Mirror of the Sea* (London: Dent, 1968), p.32.
180　宮崎 駿『風の帰る場所　ナウシカから千尋までの軌跡』336頁。
181　拙著「ジョウゼフ・コンラッド文学のルーツ——「エイミィ・フォスター」の世界」『新編　流浪の作家ジョウゼフ・コンラッド』（大阪教育図書、2007年）

1 -34頁。

182　宮崎 駿「不思議な町の千尋――この映画のねらい」『千と千尋の神隠し』パンフレット。

183　前掲パンフレット。

184　Christopher Ricks and Jim McCure., eds., *The Poems of T.S. Eliot* (Baltimore: Johns Hopkins University Press, 2015), p.81.

185　Ibid., p.79.

186　FUJI Xerox: GRAPHICATION. No.361（2011年１月）８頁。尚、この資料は阪本寧男先生から頂きました。厚くお礼申しあげます。

187　Joseph Conrad, "Well Done" *Notes on Life and Letters,* pp.179-93.

188　Joseph Conrad, *A Personal Record* (London: Dent, 1968), p.13.

189　小川秀樹 編著『ベルギーを知るための52章』（明石書店、2009年）256頁。

190　ジェリー・ブロトン『世界地図が語る12の歴史物語』西澤正明 訳（バジリコ株式会社、2015年）414頁。

191　マシュー・ホワイト『殺戮の世界史』住友 進 訳（早川書房、2013年）419頁。

192　Joseph Conrad, "Geography and Some Explorers" *Last Essays* (London: Dent, 1972), p.17.

193　Joseph Conrad, "Author's Note" *Youth Heart of Darkness The End of the Tether* (London: Dent, 1967), p.vii.

194　A・アドゥ・ボアヘン『ユネスコ　アフリカの歴史――植民地支配下のアフリカ　1880年から1935年まで』第７巻（同朋社、1988年）34頁。

195　前掲書。300-02頁。

196　Joseph Conrad, "An Outpost of Progress" *Tales of Unrest* (London: Dent, 1967), p.116.

197　Owen Knowles and Gene M. Moore, *Oxford Reader's Companion to Conrad.* (Oxford: Oxford University Press, 2000), p.72.

198　人気の巨象 殺される『毎日新聞』2017年３月８日７面。また2018年11月26日『毎日新聞』は、「象牙の違法取引　世界と協調し市場閉鎖を」と題して、「象

第1章　従来の欧米中心の視点からの脱却

牙の国際取引はワシントン条約で1990年に原則禁止されたが、現在も毎年約２万頭のアフリカゾウが密漁されている。テロ組織の資金源になっているとの指摘もある。日本政府も改正した種の保存法を2018年６月に施行し、象牙取扱業者を届け出制から登録制に変えて法令違反の罰則も強化したが、NGOの調査が示すように、日本の市場を通じ、象牙は海外に違法に持ち出される恐れは未だに残されたままだ」と警鐘を鳴らしている。

199　F.R. Leavis, *The Great Tradition* (London: Penguin Books, 1967), p.194.
200　瀬藤芳房「解説」『七つ島のフレヤさん』(旺史社、2000年) 173頁。
201　Frederick R. Karl & Laurence Davies ed., *The Collected Letters of Joseph Conrad,* vol. 4, p.113.
202　ジョージ・スタイナー『言語と沈黙』由良君美 他 訳 (せりか書房、2001年) 445頁。
203　ジョージ・ルカーチ『小説の理論』において、「批判的リアリズム」の好い例としてセルバンテスの『ドン・キホーテ』(*Don Quixote,* 1605, 1615) を挙げている。ルカーチ『小説の理論』(白水社、1986年) 175-76頁。
204　ナディン・ゴーディマ『現代アフリカの文学』土屋 哲 訳 (岩波書店、1975年) 76頁。
205　ハンナ・アーレント『全体主義の起源２ 帝国主義』大島道義・大島かおり 共訳 (みすず書房、1972年) 135頁。
206　J・H・ステイプ『コンラッド文学案内』(研究社、2012年) 311頁。
207　Keith Carabine, ed., *Joseph Conrad: Critical Assessments,* vol.Ⅱ (Helm Information, 1992), p.326. ライオネル・トリリング『＜誠実とほんもの＞――近代自我の確立と崩壊』野島秀勝 訳 (筑摩書房、1976年) 146頁。
208　「マタイによる福音書」第23章27節 (日本聖書協会、1973年) 35頁。
209　Joseph Conrad, *A Personal Record* (London: Dent, 1968), p.13.
210　エドワード・サイード『故国喪失についての省察２』大橋洋一・近藤弘年・和田 唯・大貫隆史・貞廣真紀 共訳 (みすず書房、2009年) 61頁。
211　Edward Said, "Introduction" *Reflections on Exile and Other Essay*

(Cambridge, Massachusetts: Harvard University Press, 2000), p.xv.

212 「フランシス・コッポラからのメッセージ」（2001年5月）redux *Apocalypse Now* パンフレット（東宝株式会社、2002年）。コッポラは『地獄の黙示録』とその re-dux 2001 の原作をコンラッドの『闇の奥』と明言している。

213 日本におけるコンラッド研究の草分けの一人である日高只一教授宛てのコンラッドからの手紙（1971年7月11日付）に、「自分の偽らざる人生観は著作に含まれている」と述べた上で、コンラッドは、尊ぶべきは「誠実」と共に「自制心」である事を明言している。日高只一・白石 靖 共著『コンラッド研究』（英文學社、1929年）12頁。尚、この貴重な資料は、2002年に古希を迎えられた織田 稔先生から頂きました。厚く御礼申し上げます。

214 Joseph Conrad, *A Personal Record*, p.32. Joseph Conrad, *Heart of Darkness*, p.97.

215 William Blackburn, *Conrad's Letters to Blackwood & Meldrum* (London: Duke University Press, 1958), p.154.

216 山折哲雄『「ひとり」の哲学』（新潮社、2016年）84-88頁。三黙道場とは、僧堂（食堂）、東司（便所）、浴司（浴室）のことで、ひとたびそこに入れば、一切音を立てずにことをすませよ、ということだ。無理難題の公案といっていいだろう。（中略）道元が真に追い求めようとしていたものは、よくよく考えると、まことに儚いものだったのかもしれない。影絵のように空漠としたものだったような気がする。そしてそこにこそ、道元の言う、一人で坐り、一人で考える原点、いってみれば無の絶対空間が、存在していたように思う。（中略）道元の和歌。≪春は花　夏はほととぎす　秋は月　冬雪さえて涼しかりけり≫。
　関 大徹老師は、禅について次のように述べている。――「あわただしい日常のなかに、静寂を求める。万有静寂のうちに、永遠に人間を力づけるこころであり、静止しながら限りない活動の源泉となる。それは、自分自身がどっしりと坐り、その坐りを見出す人のこころであり、呼吸をととのえ、背すじをのばし、静かに座ることによって得られる。これが、禅をすることによって得られる境地であり、結果的にいえば、今日を生き、明日を生きる力を湧き出させる

第 1 章　従来の欧米中心の視点からの脱却

であろう。「大禅定」の力であり、この大禅定の力あるかぎり、何ものもおそれなくなる」。関 大徹『食えなんだら食うな　今こそ禅を生活に生かせ』（ごま書房新社、2019年、第11刷）（『食えなんだら食うな』昭和53年 4 月、山手書房刊の復刻版）95頁。

217　山折哲雄『「ひとり」の哲学』76-78頁。

218　Joselyn Baines, *Joseph Conrad: A Critical Biography* (London: Dent, Weidenfeld & Nicolson, 1967), p.447. It's strange how I always, from the age of fourteen, disliked the Christian religion, its doctrines, ceremonies and festivals.

219　鈴木大拙『禅とは何か』（角川書店、1969年）（角川文庫、改版六版）83頁。

220　鈴木大拙の思想に関しては、拙著『ジョウゼフ・コンラッドの比較文学的世界』（大阪教育図書、2016年）第 1 章　ジョウゼフ・コンラッド研究──村上春樹からの比較文学的アプローチ　49頁 と　第 3 章 小泉八雲とジョウゼフ・コンラッド　153-54頁、161頁を参照されたい。

221　洋の東西を結ぶ「翻訳者」鈴木大拙再び脚光『日本経済新聞』2016年10月 1 日。尚、この「無心」は「無我」に通じ、これで想起されるのは横山大観（1868-1958）が1897（明治30）年に日本絵画協会第 2 回共進会に出品した（無我の子供を描いた）≪無我≫である。題名の無我とは、自己＝我は存在しない状態をいう仏教概念に辿り得る（43）。老子の説く「無」の思想に依拠したもので、漠として無限定なる天地の源への復帰を促す老子の教えを、大観は子供の純真さに託している（144-45）。古田 亮『横山大観──近代と対峙した日本画の巨人』（中央公論新社、2018年）。

222　山極寿一「生還を支える希望に」『京都新聞』2015年 8 月16日13面（夕刊）。

新訂　ジョウゼフ・コンラッドの風景

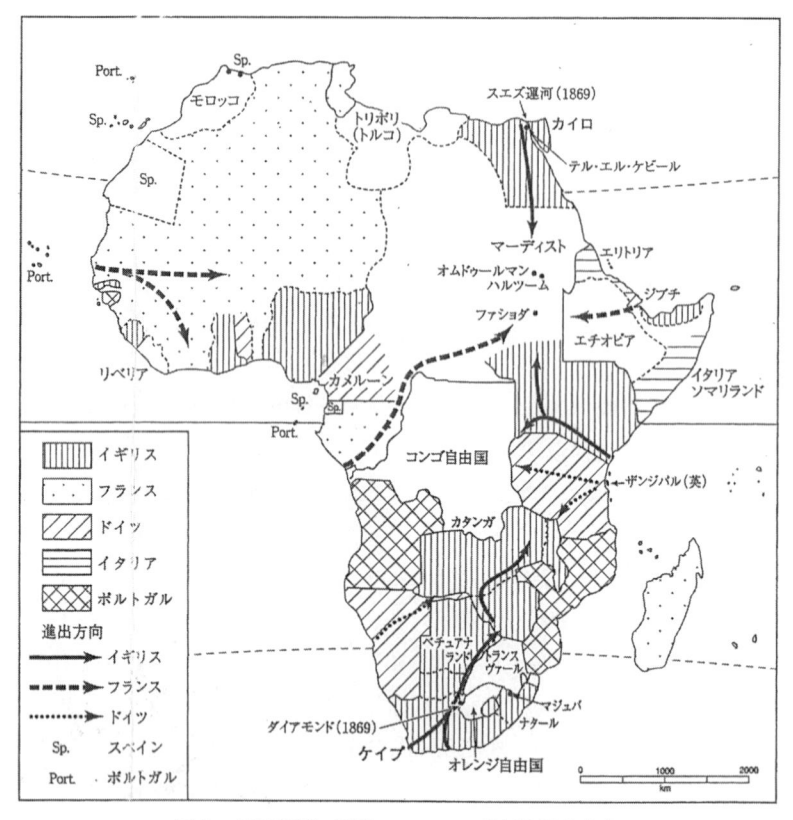

図1　1890年頃の列強のアフリカ分割と進出方向
出典：I. Griffiths, *An Atlas of Affairs,* London, 1984, p. 41.

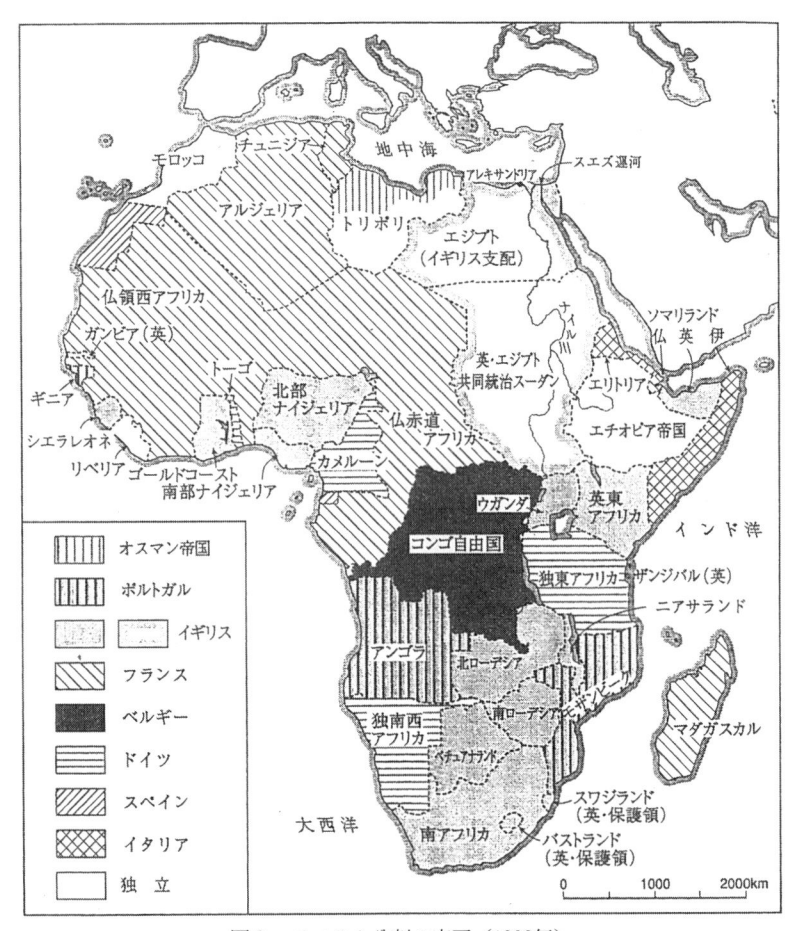

第1章　従来の欧米中心の視点からの脱却

図2　アフリカ分割の完了（1902年）
出典：S. C. Smith, *British Imperialism, 1750-1970,* Cambridge, 1998, p.76.

第2章　ドストエフスキーとジョウゼフ・コンラッド
——アンドレ・ジッドと オルハン・パムクを視野に入れて——

序論

　アンドレ・ジッド（André Gide）のフョードル・ドストエフスキー（Feodor Dostoevskii）への想い入れは、六回にも及ぶ「ドストエフスキー連続講演」に明示されており、ジョウゼフ・コンラッド（Joseph Conrad）への深い想いは、コンラッド著『闇の奥』（*Heart of Darkness*）を携えてアフリカへ赴き、ジッドの誠実な記録である『コンゴ紀行』（*Travel: Voyage au Congo*）に記した「ジョウゼフ・コンラッドの思い出に」という献辞に窺える。オルハン・パムク（Orhan Pamuk）は、「私自身、第二のドストエフスキーになりたい」と表明し、また「私の西欧人気質は衝撃を受けた。——ジョウゼフ・コンラッド『西欧の眼の下に』」とパムクの唯一の政治小説『雪』（*Kar*）の序に掲げており、彼が両作家から受けた影響の大きさを物語っている。本論では、ジッドとパムクを視野に入れて、ドストエフスキーとコンラッドが執拗に追及した文学の精髄を考察する。

　我が国におけるドストエフスキー文学の受容は、内田魯庵[1]に始まる。明治22年の春、ドストエフスキーの『罪と罰』（*Prestuplenie i Nakazanie*）の英訳を読んだ内田は『東京輿論新誌』に収めた論文「女学雑誌の小説論」において日本で最初にドストエフスキーの名を引用した。『思い出す人々』に収めた「二葉亭余談」において「あたかも曠野に落雷に会うて眼眩めき耳聾いたる如き、今までにかつて覚えのない甚深の感動を与えられた」[2]と内田は『罪と罰』を読んだ感動を書き記す。彼は先の小説論で、「リアル」と「アイデアル」の区別をつけドス

トエフスキーをリアリストと見做している[3]。魯庵訳の『罪と罰』を読んだ国木田独歩は、次のように述べている。──「吾人は断じてこの類の小説を以て健全なる文学と信ずる能わず。吾人は由って以て人間性情の暗黒なる方向を知り慄然（りつぜん）として魂戦（おのの）くを感ずれども我が心霊の暗黒は為に何等の光明をも認める能はず。（中略）とはいえ、凡そ人間の心昏（こん）幾分かのラスコーリニコフを有す」[4]と。彼はこの小説の暗い領域を感じ、自らの裡（うち）にラスコーリニコフ（Raskolnikov）を見出している。昭和2年にドストエフスキーに耽溺（たんでき）していた小林秀雄は、「『未成年』の独創性について」においてドストエフスキーの全作品を改めて読み返そうと決意した事を次のように言明している。──「広大な深刻な実生活を活き、実生活に就いて一言も語らなかった作家、実生活の豊富が終わった処から文学の豊富が生まれた作家、而も実生活の秘密が全作にみなぎってゐる作家、而も又娘の手になった、妻の手になった、彼の実生活の記録さえ、嘘だ、嘘だと思はなければ読めぬ作家、かういふ作家にこそ私小説問題の一番豊富な場所があると僕は思ってゐる。出来るならその秘密にぶつかりたいと思ってゐる」[5]。また松本健一氏は次のように述べている。──「そしてこう書いた後、小林は実際に全作品についての検討を始める。まずは『未成年』から『罪と罰』『白痴』『地下生活者の手記』『永遠の夫』というふうに。そして1935年には、『ドストエフスキイの生活』を連載し始めるのである」[6]。小林のドストエフスキー観については、本論の Ⅵ『西欧の眼の下に』の考察1 と『罪と罰』の考察1 と Ⅷ『罪と罰』の考察2 において論述する。

　昭和9年から10年にかけて、世界的に評価の高いドストエフスキー論が邦訳されている。中でもアンドレ・ジッドの論は、その第一番目に挙げられている。小林秀雄は、ジッドのドストエフスキー論を次のように高く評している。──「フランスには、公平精妙な理屈をいう文学批評家は非常に多いが、公平無私であり而も大変激しい語法で語るという批評家はジイド一人しかいない」[7]。吉田精一によれば、ジッドは当時の

第2章　ドストエフスキーとジョウゼフ・コンラッド

青年たちにとって「ヴァレリイと共に我々（吉田ら）の最大の関心の対象」であった。また、当時文学的彷徨に身を任せていた大岡昇平に「助け舟」として現れたのも、ジッドであったという[8]。

　ドストエフスキーは、アンドレ・ジッドとオルハン・パムクとジョウゼフ・コンラッドに、多大な影響を及ぼしている。そしてジッドとパムクはともにコンラッドの影響を強く受けている。
　アンドレ・ジッドは、イデオロギー全盛の19世紀末から20世紀中葉に生きて、いずれのイデオロギーにも耽溺しないで人間性の多様な可能性を認めた。彼は、既成の価値を根底から疑って、再度自分で作り直していきたいという強い想いで創作し、生きる原点に人間を引き戻そうとした。『狭き門』のヒロインであるアリサは、地上の愛を捨て、禁欲主義的に生きようとしたが、ジッドはそのような自己犠牲的な生き方を批判しようとした。ジッドのこの作品の書き起こしの動機は、余りにも空しい自己犠牲に対する風刺であった。アリサは従妹のマドレーヌをモデルにして執筆されており、厳格な宗教的雰囲気に抑圧されていた青少年時代のジッドの精神状態がこのアリサの中に現されていたのである。ジッドは『地の糧』（*Les Nourritures terrestres*）[9]の1927年版の「序文」において「誠実に執筆していた」[10]と述懐していた通り、内的必然性から生じない仕事は生涯しなかった。彼の持ち続けた基準は「自己に対する誠実さ」であった。ロラン・バルト（Roland Barthes）[11]は、「アンドレ・ジッドとその『日記』についてのノート」において、「カトリックとプロテスタントのあいだ、ヘレニズムとキリスト教のあいだの葛藤があまり大きな意味を持たない日本でも、ジッドはとても読まれている[12]。彼のどこが愛されるのだろうか。真実を誠実に追い求める良心のイメージであろうか」[13]と述べている。そしてバルトは、「ジッドが自己の最も深いものを含んでいるのは批評的作品においてである」[14]と言明している。ジッドの講演もこの批評的作品に含まれる。

ジッドの「ドストエフスキー連続六回の講演」のうち初回の冒頭の言葉に、ドストエフスキーの影響の大きさが窺い知れる。──「（ドストエフスキーの）本の一つ一つに形成されている彼の思想を追いながら、私はそれらを引き離し、捕捉し、出来るだけ明瞭に述べるように努めよう。心理学者、社会学者、人性批評家の思想、ドストエフスキーは同時にそれら全部である。勿論彼は何よりも小説家ではあるが、私の話の主題となるのはそれらの思想である。ドストエフスキーのいずれの本にも見出される彼の思想を採り入れれば入れるほど私の思想に重要さを増す」[15]。ジッドの実人生の歩みと深く関わっている『贋金つかい』(Les Fauxmonnayeurs) [16]と『法王庁の抜け穴』(Les Caves du Vatican)にはドストエフスキーの影響が窺える。後者において「動機のない犯罪」[17]を行うラフカディオ[18]には『罪と罰』のラスコーリニコフの影響があり、また後述するコンラッドの『ロード・ジム』(Lord Jim)のジムの影響も認められる。第五巻の「ラフカディオ」の冒頭にはコンラッドの『ロード・ジム』の一節が掲載されている。

　ジッドがコンラッドの小説を読んでその魅力を初めて知ったのは、ポール・クローデル（Pawl Claudel）を介してである。ある昼食会で、一人がラヤード・キプリング（Raudyard Kipling）について熱く語った時、それに対し軽蔑の表情を浮かべていたクローデルが、コンラッドの名前を挙げた。しかし当時のコンラッドは無名に等しくて仏訳したものはなかった。当然ながら同席していたものは誰一人として彼の名を知らなかった。そこでコンラッドのどの作品を読むべきかと尋ねると、クローデルは「全てだ」と即答した。ジッドはすぐにこれらの表題をノートに取った。これがジッドのコンラッドの作品との最初の接触であった。ジッドがコンラッドに捧げた次の追悼文に上記の事が生き生きと描かれている。

　　Claudel was the one who made me aware of Conrad. I am

第2章　ドストエフスキーとジョウゼフ・コンラッド

still grateful to him. After a lunch together, as some other companions were speaking enthusiastically about Kipling, Claudel with a slightly disdainful smile threw out the name of Conrad. Not a one of us had yet heard of him. "What should we read of his?" someone asked. "Everything," said Claudel. And he cited *The Nigger of the "Narcissus", Youth, Typhoon, Lord Jim* ⋯." None of these books had been translated as yet. I immediately took note of these titles and at my first contact with them was completely won over.[19]

　最初の一冊を手にするや否や、コンラッドの作品に「完全な虜」となったジッドは、やがて彼のほとんどの作品を彼が率いるグループによって仏訳する事を思いつき、1918年にジッド自らも「台風」（"Typhoon"）の翻訳を担当し、日記の中でしばしばコンラッドについて言及し、手紙の交換と二度の面会を含め、長年にわたる交際を続ける事になる[20]。1905年12月5日付けの日記によれば、クローデルは一般の英国作家には「最大の軽蔑」をもって、コンラッドにはトマス・ハーディ（Thomas Hardy）と共に「最大の敬意」を払って語っている[21]。これがジッドの日記にコンラッドの名が出る最初である。

　ジッドは『闇の奥』を携えてアフリカへ赴き、コンラッドの『闇の奥』の世界を追体験し、コンラッドの観察眼の的確さを実感している。彼は、『コンゴ紀行』において、コンラッドの『闇の奥』の中の鉄道敷設が行われている地方の事に因んで次のように述べている。――「J・コンラッドがその沿線地方を1890年に横断した時はまだ徒歩に依らねばならなかった。この地方のことを彼は『闇の奥』の中で語っている――これは嘆賞すべき書物であって今日と雖もなお深く真実なものを含んでいると、私は確信することが出来る。この本から私はしばしば引用するであろう。彼の描写には少しも誇張がなく、極めて適確である。しかし

彼の記述を晴れやかにしてくれたことは、彼の書物の中では全く架空のものとして考えられていたこの鉄道計画が成功したことであろう」[22]。

　鉄道敷設に当たる部分のコンラッドの記述は、デント版コンラッド全集の63頁から70頁にわたっている。「死の森」と呼ばれる木陰で横たわる黒人たちの描写は次のとおりである。

　　　"Black shapes crouched, lay, sat between the trees leaning against the trunks, clinging to the earth, half coming out, half effaced within the dim light, in all the attitudes of pain, abandonment, and despair. Another mine on the cliff went off, followed by a slight shudder of the soil under my feet. The work was going on. The work! And this was the place where some of the helpers had withdrawn to die. "They were dying slowly ── it was very clear. They were not enemies, they were not criminals, they were nothing earthly now,── nothing but black shadows of disease and starvation, lying confusedly in the greenish gloom.[23]

　　（いくつかの黒い人影が木々の下にうずくまったり、寝そべったり、坐ったりしていた。ある者は木の幹にもたれかかり、ある者は地面にしがみつくようにして、苦しみと自棄と絶望の様相で、薄暗い木陰に見え隠れしていた。崖の発破がもう一度轟いて足下の地面がかすかに揺れた。仕事は続いている。これが仕事なのだ！　そしてこの森はあの仕事に従事する者の誰かが引き上げてきて死を待つところなのだ。彼らはゆっくりと死んでゆく──これは明らかだった。彼らは敵でもなければ犯罪者でもない。今やこの世のものでもない、──木々の緑がつくる森陰は雑然と横たわる病と飢えの黒い影にすぎないのだ。）[24]

第2章　ドストエフスキーとジョウゼフ・コンラッド

　この一節はF・R・リーヴィス（F.R. Leavis）が『偉大な伝統』（*The Great Tradition*）に収めた「Ⅳ　ジョウゼフ・コンラッド」において引用している[25]。

　『闇の奥』の刊行後、ジッドが『コンゴ紀行』を書くまでに既に25年が経過していたが、『コンゴ紀行』において彼はこの『闇の奥』が「嘆賞すべき書物」であり、「今日と雖もなお深く真実なもの」を持ち、その描写に少しの誇張もなく、「極めて適格」であることを実感し、称賛していた[26]。ジッドは、1927年の『日記』の末尾の「断章」でコンゴ体験に基づく植民地問題を論じた中で、「『闇の奥』を参照せよ」[27]と『日記』に記し、『秋の断想』（*Feuillets d'Automne*）に収めた第二部コンラッドへの追悼文である「ジョウゼフ・コンラッド」においては、コンラッドの「人間の魂の暗いひだへの好奇心の大きさ」に言及し、「私が彼の裡に最も愛したのは、あの一種の生まれながらの高貴さだった。まさにそれを彼は『ロード・ジム』に著わした。（中略）コンラッド以上に人生をあれ程までの忍耐強い、意識的な、賢明な、芸術的転位に従わせた者はいない」[28]と言明している。ジッドのコンラッド受容の大きさは、その良心の誠実な記録と見做される『コンゴ紀行』を「コンラッドへの思い出に（A la Memoire de Conrad）」という献辞に明かされている。

　ジッドは1925年7月から翌年の5月にかけてフランス領赤道アフリカを旅し、そこで植民地の悲惨な実態を目の当たりにして、帰国後、『コンゴ紀行』を上梓した。彼は、コンラッドの＜コンゴ体験＞に匹敵する＜アフリカ体験＞によって思想の転換の必要性を自覚し、その成果を『地の糧』と『背徳者』（*L' Immoraliste*）に結実させている。『地の糧』においてジッドは次のように述べている。──「どの方角も全くわからない土地でも、選ぶべき一本の道があるものなのだ。この道を取ってこそ、人はそれぞれ自分の発見をするのである（傍点はジッド）。全く未知のアフリカを行く極めて不確かな足取りでも、それほど迷うよう

なことはない……」[29]。ジッドは、白人の現地人に対する非人道的行為を目の当たりにして、「なぜ書くか」("Why I Write")において述べていたジョージ・オーウェル（George Orwell）のように、書かずにはおれない「自分」を発見している。暗黒大陸の奥地コンゴで白人が強行しつつある植民地政策の愚かさと残酷さが、彼を急速に体制内の作家から、体制を外側から眺める文明批評家へと転向させて行くのである[30]。

一方パムクは、講演「ドストエフスキーと谷崎・西欧との愛憎」において「西欧の思想を知り、理解し、帰属したいと願う一方で、それを遠ざけたいという気持ち、そうした先人の思いを知ることは、作家である私にとって慰めであり、ほっとすることなのだ」[31]と率直な想いを語り、「トルコ人としての幻想かもしれないが、私自身、第二のドストエフスキーになりたい」と表明している。彼はドストエフスキー著『地下室の手記』の主人公が抱く疎外感に共感し、それと同時に西欧の思想と懸命に取り組んだドストエフスキーを主人公と重ね合わせて読んでいる。圧倒的にロシアの社会を風靡していた西欧の文明開化思想の洗礼を受けていた当時のロシアのインテリゲンツィアの有り様は、ドストエフスキーの『カラマーゾフの兄弟』における彼の一分身とも考えられるイワン・カラマーゾフの次の言葉から色濃く窺われる。

　――「僕はね、アリョーシャ、ヨーロッパへ行きたいのだ、ここからすぐ出かけるつもりだ。しかし、僕の行くところが、ただの墓場に過ぎないってことは、自分でもよく承知している。しかし、その墓場は何よりも、何よりも一番尊い墓場なんだ、いいかい！　そこには尊い人たちが眠っている、その一人一人の上に立っている墓石は、過ぎし日の熱烈火の如き生活を語っている。自己の功名、自己の真理、自己の戦い、自己の科学などに対する燃ゆるが如き信仰を語っている。僕はきっといきなり地べたに倒れて、その墓石を接吻し、その上に涙を流すに相違ない。これはちゃんと承知している、が同時に、『これはずっと前からた

だの墓場に化している、それ以上のものでない』ということも心底から確信しているのだ」[32]。

そしてパムクは、エンジニアとして近代的で西欧の教育を受けた人間でもあったドストエフスキーの葛藤を、「西欧化された自分と、ロシアが西欧化されることに怒りを覚える自分との二つの自我があり、「誇り」こそ、彼を苦しめる元凶であった」[33]と彼の本質を指摘し、自らの作家としての想いをドストエフスキーに重ねて彼への熱い想いを次のように述べている。

「人間はどこでも似ているという信念をもっていつかは書いたものが読まれて、**理解される**だろうことを信じること、これは、端にいること、枠外にいることへの怒りや悩める楽観主義です。ドストエフスキーが一生西欧に対して感じた愛と憎しみの感情を、私も度々自分の中で感じました。しかし彼から学んだこと、つまり真の楽観主義の源は、この偉大な作家が西欧との愛憎関係から出発して、それらを超えて築いた全く別の一つの世界でした」[34]。

パムクが着目したドストエフスキーの「楽観主義」は、シベリア流刑の過酷な体験から深い叡智に基づくドストエフスキーの人生観の発見に繋がるものであり、ジッドも重要視しており Ⅰ 序論における **ヴィユー＝コロンビエ座における連続講演** において言及している。

ところでパムクがコンラッドの影響を強く受けている事は、『雪』の序に掲げている次の詞（ことば）から明らかである。「私の西欧人気質は衝撃を受けた。──ジョウゼフ・コンラッド『西欧の眼の下に』」。（西欧人気質に関しては Ⅱ パムクとコンラッドの文学に関わるトルコとポーランドの時代背景 において論述する。）

そのコンラッドは、ドストエフスキーの『罪と罰』と競い合って『西欧の眼の下に』を執筆した。主要な舞台も『罪と罰』と同じくサンク

ト・ペテルブルグであり、主人公のラズーモフは『罪と罰』のラスコーリニコフと同様、当時のインテリゲンツィアの青年と同じ葛藤を覚える貧しい寡黙な一大学生である。そして自立心や自尊心が高く、少なからぬ自負心も持っているが故に、両者は思いがけない事態を引き起こす。ラスコーリニコフにあっては「殺人」、ラズーモフにあっては「裏切り」である。人間の本性に根差した「悪」の問題を徹底的に追求したこのロシア人作家の超越的な「破壊的要素」を常に感じ取り、彼と同質のものを自分の中に見出したコンラッドにとって、ドストエフスキーは意識せざるを得ない存在であった。

　ジッドとパムクとコンラッドそしてドストエフスキーは、固有文明の存在を重視し、単に西欧思想への批判だけにとどまらず、複眼的な眼で自らの文化を内側から批判するバランス感覚を持って、普遍的な人間の生き方を追求している。ジッドとパムクを視野に入れて、ドストエフスキーの『罪と罰』と「神なきドストエフスキー」と呼ばれるコンラッドの『西欧の眼の下に』を中心に、歴史的背景を踏まえて、わが国の夏目漱石を含めた比較文学の視点から両作家の文学の精髄を本論において論究したい。

I　アンドレ・ジッドと夏目漱石のドストエフスキー観

　＜人間の真の自由＞と＜人間の価値を成すもの＞を希求するジッドは、晩年の『秋の断想』に収めた「文学的回想と現在の問題」と題して創作の矜持を次のように言明している。
　――「私が私の『地の糧』への後年の序文の中に書いたように、「新たに、裸足で大地を踏むこと」が大切であると気付きました。文学においても人生においてと同様に、安易さ、迎合、すべて媚び誘惑するものに対して聖なる嫌悪を持つこと。自分自身と人間とに真実性と廉潔さを

もって対し、そのことに非妥協的な愛と要求を持つこと。又、人間の価値を成すもの、その名誉と尊厳は、何が起ころうとも他の一切のものに打ち勝ち、打ち勝たねばならず、それはまた、他の一切のものがそれに従属し、そしてそのことを要請すること。これらのことであります」[35]。

ジッドは更に続けて語る——「この世界にも、我々の空にも、絶対なものは何一つ存在しないということ、そして、真理や正義や美は人間が創り出したものだ、だからこそそれらを維持することが人間にとって大切なのであり、人間の名誉はそのことに懸っているのだ」[36]と。ジッドがコンラッドの『ロード・ジム』に着目するのもこの名誉に代表される＜人間の価値＞に所以がある。『秋の断想』に収めた「秋の断想」においてジッドは、彼の思想を「斯くあれかし」という精神であると総括して、——「事物をあるがままのものとして受け取ること。手に持っている札で勝負すること。あるがままのものたることを自己に要請すること」[37]とジッド流に述べている。

ジッドは、1922年に行ったドストエフスキー連続講演の初回において、ドストエフスキーの生涯における事件の悲壮さに想いを馳せながら独自のドストエフスキー観を——「彼は、『死の家の記録』の中で、「如何なる人も何かある目的なしに、またその目的に達するための努力なしには生きられない。ひとたび、目的と希望が消滅したならば、人は度々煩悶して恐ろしい人間となる」と述べている。しかしその頃、ドストエフスキーはこの目的をはき違えていたように思われる。なぜなら、すぐその直後、彼はこう付け加えているからだ。「我々すべての目的は、「自由」であり、「監獄から脱出すること」であった」と。これは1861年に書かれたものだ。その頃彼は目的をかくの如くに解していた。確かに、彼はこの恐るべき監禁に苦しんでいた。（彼は4年間シベリア流刑を受け、6年間義務兵役を務めた。）彼は苦しんだ。しかし彼が再び自由の身となるや、彼は真の目的、彼が望んだ自由は、もっと深いものであって、牢獄の解放とは関係のないものである事が了解出来た。1877年に彼

は次のように――「いかなる目的のためにも人生を浪費してはいけない」[38]と書いた。

　ジッドは、ここにドストエフスキーの真の目的、彼が真に望んでいた自由は、もっと深いものであって、牢獄の解放とは無関係である事を見ているのである。然るにジッドが注目するドストエフスキーが希求する自由とは、人間の価値とは、何であるのか。これを念頭に置いてジッドのドストエフスキー観を論述していきたい。先ず連続講演のうちの第一回にその手がかりを見てみよう。ジッドは次のように述べている。

　――我らは、彼の苦悩の描写を通して彼を一生支持した楽観主義が絶えず、現れ出るのを見るだろう、ここに1849年7月18日に彼が判決を待っていた要塞監獄から書いたものがある[39]。

　「今日、12月22日、人々は我々を広場に連れて行きそこで我ら全てに死刑の宣告文を読み上げました。我々に十字架を接吻せしめ、頭上でガチャガチャいわせました。そして最後の支度をさせました。それから、我々三人を死刑執行の為に柱に縛りつけました。私は二度目のグループだったので、もう数時間しか生きられないのでした。兄上、私はあなたのことあなたの家族を思い出しました。最後の瞬間に私の考えの中にあるのはあなただけでした。その時、私は如何にあなたを愛していたかを悟りました。最後に鐘が鳴りました。柱に縛った人たちを連れ戻して、皇帝が我々の生命を御赦しになったことを読んで聞かせました」(13)。

　銃殺刑の一歩手前で死を免れて極寒の流刑地に送られたドストエフスキーは、「私が生き埋めにされて棺桶の中に閉じ込められた時代」「四六時中監視下に置かれたこの4年間は一瞬も私が監獄にいることを感じなかった時は無かった」と述懐した。ジッドは、ドストエフスキーの4年間の悲惨なシベリアでの獄中生活を生き生きと描き出した上で、それでもドストエフスキーに生きる執念があった事を次のように述べている。

第 2 章　ドストエフスキーとジョウゼフ・コンラッド

——「私は夏の間非常に多忙だったので私は眠る時間もほとんどありませんでした。しかし今は少し慣れました。私の健康は少し良くなりました。そして、希望を失わずにかなり勇気をもって未来を眺めます」（28）。ドストエフスキーは、『死の家の記録』[40]において苦しい肉体労働をあえて自らに課して、出獄後の活躍に備えた彼の生への言葉を次のように吐露している。——「自分の体を鍛え、健康な、元気に満ち溢れた、たくましい体で、少しでも老い込まずにここを出よう。私は生きたい。だから立派に生きて見せるぞ」[41]。

ドストエフスキーの真の目的は、如何なる苦難に遭遇しても生きる事、それは創作の自由に帰着するのである。彼は、「ペトラシェフスキー事件」に連座して、死刑宣告を受け、その直前に死刑を免れた当時の模様を兄ミハイルに宛てた手紙（1849年12月22日）の中で、生きる事について次のように述べている。——「僕は元気を失くしてもいませんし、落胆もしていません。生活はどこへ行っても生活です。生きるということは、僕たち自身にあるので、外的なものにあるのではない。これからも僕の許にはたくさんの人が来るでしょう。人々の間にあって人間であること、いつまでも人間であり続けること、如何なる不幸にあっても落胆せず、崩れ折れないこと、——生きるとはそういうことであり、生の課題はそこにあるのです（傍点はドストエフスキー）。（中略）僕は今日、45分間、死の手の中にあったのですし、死ぬものと覚悟していたのですし、最早これまでというところまで行ったのです。それが今、またもや生きているのですからね！」[42]。

ドストエフスキーは、獄中の過酷な生活の中で、自ら労働によって体力をつけ、将来の創作の糧として人間を観察し続け、生きる執念を見せていたのである。先の兄への手紙に続けて、「将来、ものを書いてはならないということになったら、僕は駄目になってしまいます。それくらいなら、15年間獄に繋がれようともペンを持てる方がましです（傍点はドストエフスキー）」[43]と悲痛な叫びをあげていた。

ドストエフスキーは、『白痴』において、彼自身の実体験での心象風景をムイシュキン公爵の口を借りて、死を観念した時でさえもなお一縷の望みとして生への執着を次のように記している。――「この時最も苦しかったのは、絶え間なく浮かんでくる一つの想念だったそうです。『もし死ななかったらどうだろう？　もし命を取り留めたらどうだろう？　それは無限だ！　しかも、その無限の時がすっかり俺のものになるんだ！　そうしたら、俺は一つ一つの瞬間を百年に延ばして、一物たりともいたずらに失わないようにする。そして、各々の瞬間をいちいち算盤で勘定して、どんなものだって空費しやしない！』」[44]。

　ジッドは、ドストエフスキーが獄中生活で生きる糧として所有していた唯一の福音書（ふくいんしょ）とキリストについて、「無神論」を標榜するフリードリッヒ・ニーチェ（Friedrich Niezsche）と比較してドストエフスキーを次のように述べている。――「ニーチェはキリストを嫉妬した。ツァラトゥストラを書きながらニーチェは福音書を揶揄しようという欲望に悩まされた。彼は「反キリスト」を書いた。そして彼の最後の作品『この人を見よ』でキリストに対する勝ち誇った競争者と自認して、キリストの教訓を補おうとした。ドストエフスキーは、何か優れた者、彼より優れているのみならず人類全体より優れた者、何かある神聖なものが存在していることを感じたキリストの前に恭しく頭を下げた。如何なる芸術家も実際に彼ほどよく福音書の次の教えを実行した者はいなかった。その教えとは、「自らの生命を救おうとする者は失うであろう、しかし自らの生命を私に与える者、その人こそ生命を真に生き生きさせるであろう」[45]。このキリストの言葉をジッドは、「書簡を通して見たドストエフスキー」（第二回講演）においても引用してドストエフスキーが福音書を重視している事を次のように指摘している。――「ドストエフスキーの小説の主人公はその知性を放棄し、個人的意志を棄却することと自己放棄とによって初めて神の国に入る」(58)。

　福音書からキリストの教えを受容するドストエフスキーと同様、自ら

第2章　ドストエフスキーとジョウゼフ・コンラッド

も福音書を重要視するジッドは、西欧人とロシア人の差異を「名誉」を解する感情の差異と捉えて、その具体例を『罪と罰』に見出して述べている。

　――「ロシア人の名誉観念を知ると、西洋のそれが福音書の訓戒と如何に反しているかがわかる。ロシア人は西洋人とは異なり、罪を自分の敵の面前でさえも告白しようとする。ギリシャ正教は、公衆の面前での告白を励ます。司教の耳元での告白ではなく、誰かまわぬ万人の前での告白である。（中略）『罪と罰』の中でラスコーリニコフが彼の罪をソーニャに告白した時、ソーニャは直ちにラスコーリニコフに彼の魂を救う唯一の手段として広場で平伏して万人に向かって「私は人殺しをした」と叫ぶことを勧めている」[46]。「書簡を通して見たドストエフスキー」において、ジッドは、「西欧はカトリックのせいで、キリストを見失った」[47] と西欧を批判すると共にキリストに生きる基準を求めるドストエフスキーを明示している。

　ジッドは第二回目の講演には次のように述べている。――「私が敢えて、福音主義的と呼ぶ傾倒によって、最も卑しい人々は最も尊い人々よりも神の国に近い、それほどドストエフスキーの作品は次のような深い真理によって支配されている。即ち「勢力者に拒まれし天国も卑しい人々には与えられるであろう」。一方において我々は、自己放棄や自己献身が見られるし、他方においては人格の肯定や権力への意志や高貴の誇張を見る、そして、この権力への意志は、ドストエフスキーの小説の中では常に破産に導いていることは注目すべきである」[48]。神の存在を否定し権力への意志を最高度に達成したニーチェの「超人思想」と関連付けたジッドは、第五回目の講演において、「人間に何が出来るか」という問題を自分自身に課す傲慢な存在をラスコーリニコフに見て論述している。ラスコーリニコフは、自分が「非凡人」であることを自分自身に証明するために殺人を犯した、と。そしてジッドは、「ドストエフスキーの全作品中で我々は「偉人」を一人も持たない。なるほど『カラ

マーゾフの兄弟』[49] においてゾシマ神父がいる。しかし神父ゾシマは世人の目には決して偉人だと映っていない。彼は聖者であるが英雄ではない。彼は意志を放棄し、知性を棄却して初めて精確な神性に到達しているのである。ドストエフスキーの作品においては、福音書におけると全く同じく、天国は心の貧しい者たちにも属している」[50] と指摘している。

　第三回目の講演でジッドは、人間に内在する二面性に関する感情を次のように述べている。——「ドストエフスキーは矛盾を隠すのではなくその矛盾を照らし出して人間の内に矛盾する感情の共存を認容する。この共存は、ドストエフスキーが創造する人物の感情が極端に推し進められ、荒唐無稽にまで誇張されればされるほど、それは逆説的に見える」[51]。（ドストエフスキーの逆説の最たるものは、「地下室の逆説家」のそれであろう。『地下室の手記』においてドストエフスキーは、世間から軽蔑され虫けらのように扱われた元小官吏をして、自分を嗤った世界を嗤い返すために自意識という「地下室」にもぐらせ、「地下室の逆説家」として手記をモノローグで認めさせている。）そしてジッドは、『罪と罰』のラスコーリニコフを例示している。——（ラスコーリニコフの二つの相反した感情が彼の中で混交し混同する。）「急にラスコーリニコフはソーニャ（Sonia）を嫌っていることに気付いたと信じた。大変不思議な発見に驚いた。自らの愛のために自分の生命を捧げる者は、それを真に生き生きとしたものにするであろう。しかしそうではなかった。彼は自分の感情の性質を誤ったのであった」[52]。第四回の講演においてもジッドは、「その主人公はその憎悪を誇張した時に、一番愛に近づいていて、その愛を誇張した時に、一番憎悪に近よっている」(82) と述べている。

　第五回目の講演においてジッドは、知性と意志で生きる（ニーチェの）「超人」の思想を念頭に置いて、「一個の人間に何が出来るか」という課題を「無神論者」の課題として提起して『罪と罰』の主人公を実例

第 2 章　ドストエフスキーとジョウゼフ・コンラッド

として主張している。
　——「ラスコーリニコフが超人でないことを示して、人間の肯定を致命的に導くものは神の存在を否定することをドストエフスキーは了解した」(127)。「ニーチェは自己肯定を提起する。彼はそのところに人生の目的を見るのである。ドストエフスキーは諦念を提起する。ニーチェが完成の頂点を予感するところに、ドストエフスキーは破滅しか予見しない」(150-51)と。非凡人であることを証明するために殺人を犯したラスコーリニコフは非凡人（超人）になれなかった。彼は苦闘し、苦悩する人間であった。「しかし」、とジッドは言う。「しかし超人の思想の問題がドストエフスキーによって提起されて、その思想が彼の全ての本の中に再び現れるのを見るとしても我々はただ福音書の諸々の真理が深く勝利を博するのを見るのみである」(142)。
　そして第六回の講演において、ジッドは次のように結論付けている。——「我々がドストエフスキーに再び見出すのは、福音書に見られる「新生」と呼ばれる「歓喜」（審美的体験）の状態である」(152)。ジッドは、ラスコーリニコフとソーニャが双方の真情を完全に理解した瞬間の歓喜と新生とを『罪と罰』のエピローグに引用して次のように指摘している。——「二人は何か言おうと思ったが、何も言えなかった。涙が目にいっぱい溜まっていた。二人とも蒼ざめて、痩せていた。だがそのやつれた蒼白い顔にはもう新生活への更生、訪れようとする完全な復活の曙光が輝いていた。愛が二人を蘇らせたのだった」。
　ラスコーリニコフには、宗教的回心と同時にソーニャへの愛の自覚が生じたのである。回心の瞬間についてドストエフスキーは次のように語っている。——「どうしてそんなことになったのか。彼自身にはよくはわからなかったが、不意に何物かが彼をひっつかんで、彼女（ソーニャ）の足下に投げつけたようなことになった。彼は泣いて彼女の膝を抱きしめた。最初の一瞬、彼女はひどくびっくりして、まるで死人のように真っ青な顔になった。彼女はいきなり飛び上がって、身を震わせな

がら、彼を見つめた。だがたちまちその瞬間に彼女は全てを了解した。彼女の目は無限の幸福で輝いた。彼女は理解したのである。彼が自分を愛していること、限りなく自分を愛していることは、彼女にとってはもはや何の疑いもなかった。遂に、その瞬間がやって来たのである……」[53]。

スヴィドリガイロフにはラスコーリニコフのような宗教的回心は無かった。ラスコーリニコフの影もしくは彼の抑圧された存在を誇張した分身である彼にとってはまともな生への希求が無いがために、自殺という形で人生を終えている。ラスコーリニコフとスヴィドリガイロフとの分身の関係が存在するのは、コンラッドが、＜あるべき人間＞を探求し、人間の内部そのものを抉り出そうとした『ロード・ジム』を想起させる。贖罪を背負いながらも＜あるべき人間＞を希求する高潔なジムと高潔なものを破壊せねば気が済まない悪魔のような悪漢ブラウンの存在である。ジムは自らの裡に潜む悪の一面をこのブラウンの中に認めて言い知れぬ恐怖を覚える[54]。スヴィドリガイロフの魔性をラスコーリニコフが分身的存在として認識する恐怖と相通じるものがある。

エドワード・ハレット・カー（Edward Hallett Carr）は、その著『ドストエフスキー』（*Dostoevsky. 1821-1881 A New Biography*）に収めた「倫理問題——『罪と罰』」において、次のように述べている。——「ラスコーリニコフとその夢魔のようなスヴィドリガイロフが極端な自己主張を代表しているのに対して、ソーニャは極端な自己否定を代表している。この二人の哲学が自我主張または肯定の上に建てられているのに対して、彼女の哲学は自己否定の上に建てられている。（中略）ソーニャの中に、彼の宗教的、道徳的信念の中心的真理となる教義——苦難を通じての救済という教義——の萌芽を辿ることができる」[55]。

ミハイル・バフチン（Mikhail Bakhtin）は、『ドストエフスキーの詩学』においてドストエフスキーの小説の本質は「ポリフォニーにある」として述べている。——「それぞれに独立して互いに溶け合うこと

のないあまたの声と意識、それぞれがれっきとした価値を持つ声による真のポリフォニーこそが、ドストエフスキーの小説の本質的な特徴なのである。それぞれの世界を持った対等な意識が、各自の独立性を保ったまま、何らかの事件のまとまりの中に織り込まれてゆくのである。実際ドストエフスキーの小説の主要人物たちは、すでに創作の構想において、単なる作者の言葉の客体であるばかりではなく、直接の意味作用を持った自らの言葉の主体でもあるのだ」[56]。

　まさしく『罪と罰』の主要人物であるソーニャとラスコーリニコフの声はその独立性を持って自らの言葉を吐露している。バフチンは、S・アスコリドフの「ドストエフスキーの宗教的・倫理的な意味」という論文を援用して、ドストエフスキーの小説における犯罪について述べている。──「ドストエフスキーの小説における犯罪は、宗教的・倫理的諸問題を、生死をかけて提起する行為であり、そして刑罰とは、その解決の形である。だから犯罪も刑罰も、ドストエフスキーの創作の本質的な主題となっているのだ。（中略）自らの本質をその極限にまで発揮した者は、悪人であれ聖人であれ、罪深き人間であれ、みなある意味で同等の価値を持っている。それは全てを標準化してしまう環境という濁流に罪滅ぼしをする人格としての個の価値である」[57]。ラスコーリニコフは殺人という犯罪を行った。その刑罰はシベリアの監獄行きであった。そこで彼は、生死をかけて生きる事に関する問いかけを行った。

　ところでドストエフスキーの処女作『貧しき人々』は、著名な文芸評論家ベリンスキー（Belinskii）の賛辞を受けて大成功を収めた。ドストエフスキーは『作家の日記』において当時の状況を認（したた）めている。──「あなたは芸術家として、直接的な感情の動くままにこういうものが書けたのだ。しかしあなたは自分が表現した恐ろしい真理を了解していたか。（中略）あなたは問題の本質そのものに触れたのです。（中略）芸術家としてのあなたに真理が啓示され、真理が告知されたのです。ですからこの天賦の才能を大事にして飽く迄もそれに忠実であれば、きっと偉

大な作家になれるでしょう！」[58]。

そしてドストエフスキーは、「俺はきっとこの賛辞に値する人間になってみせる」[59] と決意している。彼は、賭博癖や神経症に関わる「いわれのない罪悪感」に悩まされ、生涯パンのために出版社に追われながら執筆していくが、作家としての矜持(きょうじ)を、彼が師と仰ぐアレクサンドル・プーシキン (Aleksandr Pushkin) とニコライ・V・ゴーゴリ (Nikolai V. Gogol) を範として兄のミハイル (Mikhail) に宛てた手紙で述べている。——「どんなつらい目に遭おうとも、——最後まで歯を食いしばって、注文に応じて書くことだけは絶対やるまいと僕は心に固く誓ったのです。僕は自分の作品はどんなものでも申し分のないきちんとしたものにしなくては気が済まないのです[60]。プーシキンやゴーゴリを見てごらんなさい。作品の数こそ多くありませんが、二人ともまさに記念碑ものではありませんか」[61]。

とりわけドストエフスキーのプーシキンへの想いは、モスクワに建てられたプーシキン像の除幕式に際しての彼の歴史的演説から顕著に窺える。それは誠心誠意、心の底からほとばしった彼の確信の叫びであった。

ドストエフスキーは、「我が国には『西欧主義者』と呼ばれ、そう呼ばれることを鼻にかけて得意がっている輩(やから)がいる」[62] と1876年6月の日記に指摘している。そして、「文化人になることを望んだロシア人は誰しも、ロシアにはその源泉が完全に欠如しているからこの文化を西欧の源泉から手に入れなければならない」とドストエフスキーに反論した批評家A・グラドーフスキーに対して、彼は次のように——「私が使っている文化という言葉の意味は、文字通り「文化」そのものによって言い表されるもの、言い換えれば、魂を明るく照らし、ハートを啓発し、知性に方向を与え、それに人生の道を指示してくれる、精神的な光に他ならない。もしそうだとしたら、このような文化は、ロシアにはその源泉があり余るくらいあるから、何も西欧の源泉から汲み取ることはない」[63] と反駁している。そして民衆(ナロード)側に立ってロシア国民を激励した国

第 2 章　ドストエフスキーとジョウゼフ・コンラッド

民的詩人のプーシキンを評価するドストエフスキーは、1880年のロシア文学愛好者協会主催の大会での講演において、「世界のあらゆるものに共鳴する才能は我々の国民性の最も重要な才能であり、この才能を、彼は我が国の民衆と共に分かち合っていた国民詩人である」[64]と彼を讃えている。さらに、全世界の人類を結合させたいと願っていたドストエフスキーは、同協会の大会の講演においてプーシキンの言葉を援用して次のように真情を語った。

　「ヨーロッパのさまざまな矛盾に最終的な和解をもたらし、全人類的な、一切を結合させるそのロシア精神中にヨーロッパの悩みの解決策があることを指し示し、同胞的な愛によって私たちの全ての同胞をその中に収容し、究極においては、キリストの福音的掟に従って、全民族の同胞的な、そして決定的な和合と、偉大な、全人類のハーモニーという、最終的な言葉を口にするという目的に向かって突き進むことなのであります！（中略）私はその形跡をロシアの歴史の中に、プーシキンの芸術的天才の中に見るものである、と言っているにすぎません」[65]。

『貧しき人々』の上梓によって名を馳せたドストエフスキーは、1825年のデカブリスト事件に次ぐ大政治裁判となる「ペトラシェフスキー事件」に関わった。彼は専制政治を敢行した皇帝ニコライ一世（Nikolai I）によってロシア社会が混乱をきたしたため青年貴族たちが唱える社会革新の理想に共感した。彼は、ロシアのインテリゲンツィア代表のフーリエ（Fourier）の空想的社会主義を信奉するペトラシェフスキーが主催する秘密サークルの金曜会に出入りしていた[66]。ドストエフスキーの青春時代、1840年代のロシアは、西欧から伝えられた、全人類の和合を説く博愛思想が、あたかも真理を告げる新しい宗教のように、多感な知識青年たちの心を捉えた時代であった。ドストエフスキーもその

− 111 −

博愛思想、「新しいキリスト教としての社会主義」に心酔していたのである[67]。

1849年4月、会員に化けたアントネリというスパイの密告によって[68]ペトラシェフスキーの仲間34人の検挙にあたり、連座としてドストエフスキーも収監されて流刑4年、次いで4年の兵役に服す事になった。しかし彼は、流刑地での耐え難い苦しみを創作の原動力として、尋常でない獄中の体験を冷静な観察眼でもって『死の家の記録』を生き生きと表現した。彼は、シベリア流刑という越境体験で、異様な人間たちへの観察を通じて、人間とは何かという問いかけを自らに課し、それによって自らの文学を方向付けた。この流刑体験は、後の五大長編に繋がる創作の素材となり、彼が若き日に抱いたユートピア思想と繋がる反帝政の社会主義活動家でナロードニキ[69]であったチェルヌイシェフスキー（Chernyshevskii）の小説『何をなすべきか』の功利主義批判、および　VI『西欧の眼の下に』考察Ⅰと『罪と罰』の考察Ⅰ　において論述する「水晶宮」への批判を強化する事になった。

ロシア文学者の米川正夫は、「ラスコーリニコフを創造しようというアイディアは、『死の家の記録』の中で起こった。あの作品の中では単なるスケッチのように表現したものを、ドストエフスキイが創作のるつぼの中で、ラスコーリニコフや、あるいはスタヴローギンみたいなものに変形していった」[70]と述べている。ドストエフスキーの＜シベリア体験＞は、コンラッドの人生の分岐点となった＜コンゴ体験＞にも匹敵するものである。

ドストエフスキーの体験の基盤となった『死の家の記録』の上梓以降、彼は魂を消耗して『罪と罰』、『悪霊』、『白痴』、『カラマーゾフの兄弟』（*Bratiya Karamazovy*）等を上梓している。そして彼独自の時事評論の『作家の日記』を執筆した。4年間の獄中生活の中で自分の過去を想起して描かれた『作家の日記』の中で注目すべきは、「百姓マレイ」である。彼は、マレイの中にロシアの大地に根付いた信仰の魂を見

第2章　ドストエフスキーとジョウゼフ・コンラッド

出した。その中で脳裏に蘇ったエピソードは次のように述べられている。――「私は、しんと静まり返った林の中で「狼が来る！」という叫び声を聞き、驚きのあまり我を忘れて大声でわめきながら、林に囲まれた草地へ飛び出し、土を耕している百姓（当時農奴であったマレイ）の処へ一目散に駆け寄った。彼は不安そうな微笑を浮かべてじっと私の顔を見つめて「さぞびっくりしたこったろうな。坊や、もう心配することはねえよ。さあ、もういいから怖がるんじゃねえ」と言ってくれた。ほどなくして落ち着いた自分に対して「わしが坊ちゃんをちゃんと見といてやる。わしがついているからにゃ坊やを狼なんかに渡しはしねえよ！」と相変わらず母親のように愛情をこめて微笑みかけながら付け加えた。「キリスト様がついていて下さるからな、元気を出して、行った行った」と私に向かって十字を切り自分の胸にも十字を切った。私が去るのをずっと見守ってくれていた。（中略）あの農奴のこの優しい、母親のような愛情の込められた微笑、彼が切ってくれた十字、いつまでも頷（うな）づいてみせてくれていたその姿、……。（中略）一方、労役の休みには監獄はいたるところ酔っぱらいで一杯、囚人たちは獄舎の至るところでカードの賭博に興じ盗みや乱暴狼藉を働いている。ポーランドの政治犯、M―ツキーが、暗いギラギラした目つきで私に向かって「Je hais ces brigands!（僕はあの強盗どもを憎む！）」と低い声で言ってそのまま通り過ぎていった。（中略）私はその晩、もう一度M―ツキーと顔を合わせた。この男にはマレイのような百姓の思い出などある筈はない、これらの人たちに対しても「Je hais ces brigannds!」という以外、ほかの見方など全然できはしないのだ。いいや、これらのポーランド人達はその当時我々ロシア人以上の苦しみをなめていたのである！」[71]。

　ドストエフスキーは、『カラマーゾフの兄弟』のエピローグにおいて、「幼き日の美しく神聖な思い出が一つでもあれば、その思い出は私たちを救うでしょう」[72]と主人公アレクセイ・フョードロヴィッチ・カラマーゾフをして彼の真情を吐露していた。ドストエフスキーは、「野

獣のような彼等（囚人）の中にもどれほど深い、啓発された人間らしい感情と、どれほど細やかな優しさに満たされているものがいるか、神のみぞ知り給う」（231）と述べている。そしてロシア支配下にあるポーランド人の苦境にも認識を新たにしていた。彼のかつての思想は、シベリアの牢獄の中で民衆との接触によって変革を遂げていたのである。オムスク監獄には、娑婆では何の咎もない人々を国家への叛逆を企てていると公安警察に讒言し、監獄では「懲役囚にはどんなきたねえことをしてもいいわけだ、恥ずかしがることなんかありゃしねえ」とうそぶくアリトーフのような（ドストエフスキーが「人間がどこまで卑劣になれるものか、それを示しているこの上なく忌まわしい実例だ」と記述する）人間や、殺人、強盗、自分の優越感というものを有し、自分が犯した罪を犯罪とは思わず、自分は絶対に正しい人間だと認識するペトロフ、オルロフのような人間がいた。ドストエフスキーは、その発見を『死の家の記録』[73] において記す。それと同時に彼は、凶暴な囚人たちの中にあって、誠実と高潔、宗教的温順と行動的な愛情などを持ち、彼が民衆の理想としたあの百姓マレイの如き美しい資質を秘めた人々の存在をも生き生きと表現していた。ヌルラがその一人であった。彼は囚人生活の醜さや忌まわしさ、つまり盗みやごまかしや泥酔やその他の全ての恥ずべきことに怒りを覚えて我を忘れるが、獄中にいる間何一つ盗みも悪いこともしたことが無く、極度に信心深くお祈りは神聖なものとして欠かしたことが無かった。囚人たちは誰もが善良で素朴なヌメラを愛し、彼の正直を信じていた、と描写している。

　自らの修善寺大患の体験を踏まえて深くドストエフスキーを理解する夏目漱石は、『明暗』[74] の35章で小林をして次のように語らせている。――「ロシアの小説、ことにドストエフスキーの小説を読んだものは必ず知っているはずだ。いかに人間が下賎であろうとも、またいかに無教育であろうとも、時としてその人の口から、涙がこぼれるほど有難い、そうして少しも取り繕わない、至純至情の感情が、泉のように流れ出し

第 2 章　ドストエフスキーとジョウゼフ・コンラッド

てくる事を誰でも知っているはずだ。君はあれを虚偽(きょぎ)だと思うか」[75]。
　夏目漱石は、ドストエフスキーが癲癇(てんかん)の発作が起こる直前の審美的体験（歓喜）が創作の源泉になっていた事を次のように記述している。——「発作前(ぜん)に起るドストエフスキーの歓喜は、舜刻(しゅんこく)のため十年もしくは終生の命を賭してもしかるべき性質のものとか聞いている」[76]。そして彼は、ドストエフスキーがペトラシェフスキー事件で味わった死の宣告から辛うじて生還したその極限の想いと自らが明治43（1910）年8月の修善寺での人事不肖に陥って死に直面した臨死体験を深い共感の念をもって次のように述懐している。少し長くなるが、漱石らしい筆致で活写された文を以下に記したい。

　　「ドストエフスキーもまた死の門口まで引きずられながら、かろうじて後戻りすることのできた幸福な人である。けれども彼の命を危(あや)めにかかった災は、余の場合におけるがごとき悪辣な病気ではなかった。彼は人の手に作り上げられた法という器械の敵となって、どんと心臓を打ち貫かれようとしたのである。彼は彼の倶楽部で時事を談じた。已むなくんばただ一揆あるのみと叫んだ。そうして囚われた。八か月の長い間薄暗い獄舎の日光に浴したのち、彼は蒼空(あおぞら)の下に引き出されて、新たに刑壇の上に立った。彼は自己の宣告を受けるため、二十一度（摂氏零下約六度）の霜に、襯衣(シャツ)一枚の裸姿となって、申渡(もうしわたし)の終るのを待った。そうして銃殺に処すの一句を突然として鼓膜に受けた。「本当に殺されるのか」とは、自分の耳を信用しかねた彼が、傍に立つ同囚に問うた言葉である。…　白い手帛(ハンケチ)を合図に振った。兵士は覘(ねらい)を定めた銃口(つつぐち)を下に伏せた。ドストエフスキーはかくして法律の捏ね丸めた熱い鉛の丸を呑まずに済んだのである。その代わり四年の月日をサイベリヤの野に暮らした。彼の心は生から死に行き、死からまた生に戻って、一時間と経たぬうちに三たび鋭い曲折を描いた。そうしてその三段落ともに、

妥協を許さぬ強い角度で連絡された。その変化だけでも驚くべき経験である。生きつつあると固く信ずるものが、突然これから五分のうちに死ななければならないという時、すでに死ぬと極(きま)ってから、なお余る五分の命を提(ひっさ)げて、まさに来(きた)るべき死を迎えながら、四分、三分、二分と意識しつつ進む時、さらに突き当たると思った死が、たちまちとんぼ返りを打って、新たに生と名づけられる時、――余のごとき神経質ではこの三象面(フェーゼス)の一つにすら堪(た)え得まいと思う。現にドストエフスキーと運命を同じくした同囚の一人は、これがためにその場で気が狂ってしまった。それにもかかわらず、回復期に向かった余は、病牀(びょうしょう)の上に寐ながら、しばしばドストエフスキーのことを考えた。ことに彼が死の宣告から蘇った最後の一幕を目に浮かべた。（中略）独り彼が死刑を免れたと自覚しえた咄嗟(とっさ)の表情が、どうしてもはっきり映らなかった。しかも余はただこの咄嗟の表情が見たいばかりに、すべての画面を組み立てていたのである。余は自然の手に罹(かか)って死のうとした。現に少しのあいだ死んでいた。後から当時の記憶を呼び起こしたうえ、なおところどころの穴へ妻から聞いた顛末(てんまつ)を埋めて、はじめてまったくでき上がる構図を振り返ってみると、いわゆる慄然(りつぜん)という感じに打たれなければ已まなかった。その恐ろしさに比例して、九仞に失った命を一簣(いっき)に取り留める嬉しさはまた格別であった。この死この生に伴う恐ろしさと嬉しさが紙の裏表のごとく重なったため、余は連想上常にドストエフスキーを思い出したのである」[77]。

　更に漱石は、「運命の擒縦(きんしょう)（虜にすることと赦し放すこと）を感ずる点において、ドストエフスキーと余とは、ほとんど詩と散文ほどの相違がある。それにもかかわらず、余はしばしばドストエフスキーを想像して已(や)まなかった。（中略）今はこの想像の鏡も何時となく曇ってきた。同時に、生き返ったわが嬉しさが日に日にわれを遠ざかってゆく。あの

嬉しさが始終わが傍(かたわら)にあるならば、——ドストエフスキーは自己の幸福に対して、生涯感謝することを忘れぬ人であった」[78]と述べている。詩は感情という点においては遥かに散文を凌駕している。漱石は、自分とドストエフスキーが生死の境を彷徨(さまよ)った感情の差異をたとえて「詩と散文」ほどと表現しているのである。

　漱石は、借り物ではない自分自身の感覚を通してドストエフスキーを理解しようとしている。それは漱石の作家としての生涯を貫く見方に通じている。心血を注いで執筆した彼の『文学論』はその作家としての信念のもとになされたのである。ドストエフスキーの『罪と罰』は、漱石にあっては『こころ』に該当するであろう。『こころ』は、主人公の先生の犯した罪と罰が人間の根源に迫るテーマとして読者に問いかけている。先生は「人間の罪というものを深く感じた」[79]と遺書に認(したた)めていた。修善寺大患以降、ドストエフスキーの著作に親しんだ漱石は、人生を考える視点を新たにし、死の認識から生を深く考えさせる作品を創作している。『彼岸過迄』の須永をはじめ『こころ』の先生など彼の作品には「如何に生きるか」という自我に悩める近代人の心理描写が深化している[80]。柄谷行人氏は次のように指摘している。——「『こころ』は人間の「心」を描いたが、心理小説ではない。ドストエフスキーの小説が無限の人間の心理を抉り出そうとしながら心理小説ではないのと同じである。人間の心理、自意識の奇怪な動きは、深層心理学その他によって今や我々には見え透いたものとなっている。だが、『こころ』の先生の「心」は見え透いたものであろうか。漱石は人間の心理が見え透いて困る自意識の持ち主であったが、それゆえに見えない何ものかに畏怖する人間だったのである。何が起こるか分からぬ、漱石は（例えば『明暗』[二]において「精神界も全く同じ事だ。何時どう変わるか分からない。そうして其変わる所を己は見たのだ」）しばしば書いている。漱石が見ているのは、真理や意識を超えた現実である。科学的に対象化し得る「現実」ではない。対象として知り得る人間の「心理」ではな

く、人間が関係づけられ相互性として存在するとき見出す「心理を超えたもの」を見ているのである」[81]。

　因みに、＜大空のコンラッド＞と呼ばれたサン＝テグジュペリ（Sanit-Exupéry）は、ドストエフスキーから受けた衝撃を次のように述懐している。──「私は小説に対して際立った好みを抱いたことはかつてなかったし、どちらかと言うとあまり読まない。15歳の時、ドストエフスキーを発見したが、これは恐るべき啓示だった。私は直ちに、何か途方もないものと接触したのだという感じを抱いて、彼が書いた全作品を次から次へと読み始めた」[82]。

Ⅱ　パムクとコンラッドの文学に関わるトルコとポーランドの時代背景

　ところでパムクの祖国トルコは、草創期からキリスト教世界と対峙し、常にその世界と混ざり合って、一部を自らの内部に取り込んできた[83]。600年以上もの間イスラム国家であったオスマン帝国が存続した後に、衰退期に向かう途上で度重なる西欧列強の支配を排除し続け、1923年にトルコ共和国が建国された。その立役者は、1934年にトルコ議会がトルコ建国の父を意味する「アタチュルク」の尊称が贈られたケマル・パシャである。彼は「ガリポリの戦い」で分割領有から祖国滅亡の危機を救った英雄であるばかりでなく、前例のない画期的な政教分離を意味する「世俗主義」やイスラム的伝統への追従排除を意味する「革新主義」を初めとする六つの大原則を掲げて、近代トルコ共和国の建設に邁進した人物である[84]。それ以来、トルコはイスラムの教えを公の場に持ち込まない世俗主義を国是としてきた。パムクは祖国を次のように述べている。

　──「現在のトルコは、文化的にはイスラム的であるが、リベラルなイスラム派もヨーロッパに親近感を持つ人々もいる。最近の選挙では

47％の人が政治的には世俗化、つまり西欧的であることを望むという結果が出ている」[85]。

　トルコは、オスマン帝国以来の多様性を承認し、種々の構成員の連帯によって国造りを目指そうとして出発した。それは翌年、共和制宣言後、最初の憲法第88条「トルコの住民は、宗教、民族を問わず、同胞という観点からトルコ人と呼ばれる」[86] に明記されている。「トルコ」という名を冠しつつ、その内実は多宗教、多民族国家である。従って、トルコはイスラム国家から国民国家へ向けて[87]、イスラム教を国教とはしたものの国語はトルコ語と、服装はイスラム式から西欧式への西欧化に規定し、トルコは次々と近代国家の様相を呈していく[88]。

　パムクは、2008年の「文学フォーラム」において、「今、トルコでも宗教や生活習慣に関し西欧化、世俗化が進んでいる、その中で西洋の人間が我々に成り代わってどう語るか、我々を支配しようとしているのか、私はずっと意識してきた。地域主義や、民族のアイデンティティ、様々なイデオロギーについても。トルコは、帝国の植民地の脅威にさらされた時代もある国なのだ」[89] と、トルコと西欧との関係の複雑さを語っている。

　トルコは、2017年現在、国民の99％はイスラム教徒であるが、1923年の共和国建国以来、世俗主義を国是とし、都市部では宗教色が薄い世俗派が多数を占め、トルコがイランのような「イスラム化」を警戒している。4月に行われた大統領権拡大のための憲法改正を問う国民投票で過激組織「イスラム国」（IS）など外敵の脅威に対抗できる「強いトルコ」が必要だとする賛成派が、権力の一極集中こそが「内なる脅威」だと主張する反対派を上回った。しかし力への過剰な依存は「敵か味方か」の二元論に陥って、多様な文化、価値観の均衡を図ろうとする従来の体制からの離反にも繋がりかねない[90]。ジョセフ・ナイ（Joseph Nye）教授の言う（強制に拠らず人々を魅了する文化や価値観などの力を重視する）「ソフト・パワー」による解決の道はないのであろうか。

文学はその一つになり得るのではないだろうか。
　2006年に「異なる文明の出会いと理解」をテーマにしたオルハン・パムクにノーベル文学賞が授与された。彼は、その授賞式直前のインタヴューにおいて、「私の作家生活は、いつも実験的であることです。西洋のしたことを盲目的にコピーするのではなく、私にふさわしい、或いは実験的な、誰もがなしえなかったことを計画しました。ノーベル賞受賞の理由の一つが、「小説芸術を変えたことである」と言われてとても嬉しかった」[91] と述べている。そしてパムクは、「小説家の政治性は、小説家の想像力から、小説を書く者が自分を他者の立場に置換する力から生まれます。その＜文学の力＞は小説家を、語られたことのない人類の現実を探求する人間のみならず、声を出せなかった者や、怒りを聞き届けられなかった者や、言葉を抑圧された者の代弁者にもする」[92] と言明した。
　ジョウゼフ・コンラッドは、「顧みられることもない無数の当惑している人々、無力な人々、単純素朴な人々、そして声なき人々の中から数人を選んで、その無名の人の人生における不安なエピソードを提示しようとの意図はある意味で説明がつく」[93] と彼の『ナーシサス号の黒人』（The Nigger of the 'Narcissus'）の「序文」において記していた。
　コンラッドは『個人的記録』（A Personal Record）への「作家の覚書き」（"Author's Note"）において、ポーランド人気質には自治の伝統、倫理的な自制についての騎士道的な見方、個人の権利に対する尊重があるとしたうえで、「いわんや**西欧的気質**を持つポーランド人の精神構造自体が、その教育をイタリアとフランスの両国から受け入れ、歴史的には常に変わることがなく、ヨーロッパの最も自由主義的な思潮に共感を覚えてきた」[94] と述べている。
　また**西欧人気質**はパムクにとっても重要な問題であった。エグザイルであるパムクは同じくエグザイルでもあったコンラッドを強く意識している。「オルハン・パムクの最初にして最後の政治小説」[95] と銘打たれ

第 2 章　ドストエフスキーとジョウゼフ・コンラッド

た『雪』の序に掲げている次の詞(ことば)からそれが窺える。

私の**西欧人気質**は衝撃を受けた。──ジョウゼフ・コンラッド『西欧の眼の下に』[96]

　『西欧の眼の下に』は、コンラッドがロシアの専制政治下で、それに対決するテロリスト、革命家集団の世界を初めて執筆した作品で、これには彼の両親、親族及び祖国ポーランドが被った政治的・歴史的な背景がある。
　ロシアで農奴解放令が出た1861年に、コンラッドの父アポロ・コジェニオフスキ（Apollo Korzeniowski）は祖国独立のために政治活動に踏み込み、政治的渦中の中心人物となったため、政治犯として逮捕され、翌年のポーランド大蜂起の時に、流刑地の北ロシアで自由を奪われた無力な囚人となった。当時は家族の同伴も許されており、父は妻と 5 歳のコンラッドと共に酷寒(こっかん)の流刑地に赴き[97]、母はそこで病に倒れ、32歳で死去。父も母の死から 3 年後に同じく肺結核で亡くなっている。非業の最期を遂げた父母に対するコンラッドの想いは複雑である。父は、ウィリアム・シェイクスピア（William Shakespeare）の戯曲の翻訳を 5 点もしておりコンラッドに文学の手解(てほど)きをしてくれた。
　コンラッドは「人間の自由」や「如何にして生きるべきか」を小説の主題として探究していた。その答の手掛かりについて、フレデリック・R・カール（Frederick R. Karl）は、コンラッドの『ロード・ジム』におけるシュタイン（Stein）の言葉にあると指摘している。

　　The way is to the destructive element submit yourself, and with exertions of your hands and feet in the water make the deep, deep sea keep you up.　So if you ask me ── how to be? … That was the way.　To follow the dream, and again to follow

the dream —— and so *ewig* —— *usque ad finem*.）[98]
　（いい方法は、その破壊的な自然の力に身を任せ、水の中で手と足を動かし、深い深い海に支えてもらうようにすることだ。如何に生きるかというおたずねなら、そういうことだ。夢を追い、また夢を追い――こうして――永遠に――最後まで。）

　フレデリックは、ウイリアム・ローセンシュタイン（William Rothenstein）宛てとバートランド・ラッセル（Bertrand Russell）宛てのコンラッドの手紙から「彼のモットーは、"he must go on *usque ad finem*" eternally —— up to the end"（彼は永遠に最後まで生き続けなければならないのだ）」[99] と見做している。コンラッドは、ラッセルの「自由人の信仰」（"A Free Man's Worship"）にある「自由人はどこまでも生き続けるだろう」という言葉を「神からの贈り物」[100] のようだ、と認（した）めていた。宗教の教条主義に捉われず、雄々しく人生に立ち向かっていくラッセルの「自由人の思想」にコンラッドは共鳴したのである。ラッセルは、1927年バターシー・タウン・ホールでの講演において、『私は何故キリスト教徒ではないのか』（*Why I am not a Christian*）に収めた「自由人」に関して述べている。

　――「我々は両足でしっかり立って、世の中を直視し、その良い事実も悪い事実も、その美も醜も見たい。あるがままに世界を見て、それを恐れないでいたいものです。（中略）それ（神という概念の総て）は全く自由人にはふさわしくない概念です」[101]。

　さてコンラッドとパムクは共に、西欧思想と格闘する作家であり、**西欧人気質**が両者のキーワードである。後者の場合は、西欧化された自分と、西欧化される事に怒りを覚える自分との葛藤であり、前者の場合は、非西欧と西欧という複眼的視点を持つ故国喪失者の葛藤である。

　まずパムクの**西欧人気質**を、本人から聞く事にする。彼は、ノーベル

第 2 章　ドストエフスキーとジョウゼフ・コンラッド

文学賞受賞式の講演において次のように、
　――「世界における私の場所に関して、人生と同様に文学においても、私はイスタンブル人やトルコ全体とともに、その外にいるのだ――本当は私が考えたものは西洋文学であって、世界文学ではありませんでした。そして私たちトルコ人はまたその外にいました。私が多くの細部を愛し、決してあきらめることができない土地の世界やイスタンブルの書物や文学があった一方で、それとは全く似ていない、そして似ていないことが私たちに苦痛と同時に希望を与える西洋世界の書物がありました」102 と述べている。
　西欧化促進主義者の家庭で育てられた103 パムクは、西欧と非西欧の両面の価値に悩む自我の葛藤を述べている。事実、パムクは、彼の声明や小説の中に繰り返し「屈辱」と「誇り」という言葉をキーワードとして、その両面の融合と分裂という問題を提起している。かつて16世紀に偉大な政治力を有していた世界の強大国たるオスマン帝国の衰退に伴い西欧列強による植民地化の危機に何度も見舞われた祖国トルコの歴史を念頭に置いて、彼は「屈辱、誇り、抑圧、怒りによって、私の小説は書かれているのです」104 と述べた上で、「文学は特定の国に根を持ち、歴史や文化、社会によって影響を受けるけれども、文学には国境がないのです」105 と文学に対する見解を表明している。
　ところで「越境文学」に関しては、リービ英雄が、『日本語の勝利』において、異言語の英語で文字通り「終わりなき葛藤」106 の末に独自の文学を構築したコンラッドを念頭に置いて、エグザイルの作家が有する利点を次のように述べている。――「＜越境＞を文学の問題として考える時、＜越境＞はその狭間にいる状態を絶望的に捉えるのではなく、二つの文化を同時に見るという非常に**活動的なアイロニー**に見ることが出来る立場にいる。＜越境＞は小説の問題として、二つの文化を同時に見るという非常に**活動的なアイロニー**を意味している」107。更にリービは、「二つの世界で生きながらどちらの世界でも余所者(よそもの)である「境界

人」としての相対的な認識をコンラッドはその境界を横断できる能力を駆使して、国籍喪失者の帰属していないものに特有な強みを有している」とコンラッドを肯定的・積極的に捉えている。エドワード・サイード（Edward Said）は、コンラッドの根元となる作品の「エイミィ・フォスター」（"Amy Foster"）論において次のように述べている。——「コンラッド自身がエグザイルであることを意識して書いたこの作品は、かつてエグザイルに関して書かれたもののうちもっとも妥協なきものである」[108]。

　生涯にわたって故郷を想いながらもエグザイルで過ごしたコンラッドは、『ロード・ジム』において、固有文明への帰属意識が国民のアイデンティティを表し、そのルーツを持つ事の重要性と彼の心情を伝える「語り手」のマーロウをして、次のように述べている。——「帰国できない孤独な人々こそ祖国を理解している。どんな草の葉にもその生命、その力をくみ取る土壌がある。それと同様に人間にも、また生命と共に信念を汲み上げる国土に根を下ろしているものだ」[109]。

　国外に亡命したポーランド人はその地で活動した。パリに亡命した詩人アダム・ミツキェーヴィッチ（Adam Mickiewicz）の「ポーランドの使命」に収めた「愛国心はポーランド人のすべての精神的かつ知的形成の基本的信条である。あらゆる文学は、この祖国という唯一の言葉から発生し、成長し、花開いたのであり、この唯一のイデーのヴァリエーションに富んだ応用であり解釈なのである」を引用して、故瀬藤芳房教授は、極めてコンラッドの自叙伝に近い「エイミィ・フォスター」の主人公ヤンコー（Yanko）が有する葛藤とコンラッドが本質的に有する葛藤とを重ね合せてコンラッドの本質を次のように指摘されている。

　——「だが、「祖国」というイデー（理念）は、民族的な閉鎖的傾向を免れず、全人類的な「普遍性」のイデーとしばしば矛盾することになる。このような「祖国」の持つ求心力と「普遍性」の遠心力を内包しているのが、ポーランド分割以来、今日まで外圧が存在する限り受け継が

れている「ポルスコシチ」(ポーランド性) にほかならない。ポーランド人、なかんずく国外に離脱した者にとっては、この求心力と遠心力との絶えざる葛藤に苛まれ続ける。上述のミツキェーヴィッチがそうであり、ショパン、キューリー、そしてコンラッもまたそうである。そして重要なことは、彼らが祖国分割の最も絶望的な時代のこの困難な内的葛藤から逃避せずに、むしろ誠実に引き受けながら、それぞれ独自の形式で、ポーランド的であるとともに人類的な「普遍性」へと突き進んで行ったことである」[110]。

コンラッドの祖国ポーランドもかつて17世紀にリトアニア、ベラルーシ、ウクライナをも含めた広大な領土を有する「東欧の大国」と呼ばれた事があったが、絶えず列強の脅威に晒されていた。他国からの侵略に脅かされ続けたポーランドは幾度となく分割されたが。しかし、ポーランド国歌の歌詞(一番)の冒頭「ポーランドは未だ亡びず 我らが生きているかぎり…」[111] のように「不死鳥の民族」とも呼ばれるポーランド民族は、根気強い抵抗運動によってロシア革命の翌年に遂に独立を勝ち取ったのである。

ポーランドと英国の両国を祖国とするコンラッドは、生い立ちに由来する非西欧の眼とおよそ20年間にわたる船乗り体験を念頭に置いて、自らの立脚点を次のように表明している。――「海にあっても陸にあっても私の視点は英国人になってしまったと結論付けてもらっては困る。私の場合、「二重人間 (homo duplex)」と意味するのは一つに留まらないのだ」[112]。

真の実在を求めるコンラッドは、艱難辛苦して独自の言葉の構築を試みた。コンラッドの言語面での「二重人間」に関して、故瀬藤芳房教授は次のとおり的確な指摘をされている。

――「もどかしいほど、屈折、蛇行、反芻し、次第に実在を暗示していく彼の言葉と文体を、人々は正当な英語を知らぬイギリス人が書いた、風変わりな英語として受け取った。既成の意味を既成の言葉で伝達

するだけならば、『西欧の眼の下に』においてイギリス人の語学教師が言うように、鸚鵡のように日常語を真似すればよかった。問題は、近代西欧の体制に埋没した言葉に疑問を投げかける実存的な挑戦であった。作品は、その困難な挑戦のプロセスを開示する場であり、読むということはこのプロセスに参加することである」[113]。

ポーランドと英国という非西欧と西欧という複眼的視点を持ち、「二重人間」を自認するコンラッドは、西欧列強の植民地化への欺瞞に対する政治不信とその根本思想への懐疑の念を、彼の『闇の奥』において表現した。コンラッドの影響は、国や時代やジャンルを超えて広い範囲に及んでいる。例えば、英国にあってはバートランド・ラッセル（Bertrand Russell）やグレアム・グリーン（Graham Greene）やジョージ・オーウェルに多大な影響を及ぼした。『西欧人の眼の下に』に関して、オーウェルは、コンラッドの『西欧の眼の下に』が近時の最良の小説の一つだという点で意見の一致を見た[114]、と語っており、ジュリアン・シモンズは、「オーウェルはジョウゼフ・コンラッドの政治小説の『密偵』と『西欧の眼の下に』に関する研究の執筆について語っていた」[115]と「トリビューン」の追悼文に記している。

フランスにあってはアンドレ・ジッドやサン＝テグジュペリに、米国にあってはF・スコット・フィッツジェラルド（F. Scott Fitzgerald）やフランシス・コッポラ（Francis Coppola）やアーネスト・ヘミングウェイ（Ernest Hemingway）に、そして、現代ラテンアメリカ文学を代表するガブリエル・ガルシア＝マルケス（Gabriel Garcia Márquez）にも影響を及ぼしている。マルケスは、作家でかつジャーナリストのプリニオ・アプレーヨ・メンドーサ（Plinio Apuleyo Mendoza）との対談において、絶えず読み返している作家として、ジョウゼフ・コンラッドとサン＝テグジュペリとを挙げて、その理由を次のように述べている。

――「コンラッドとサン＝テグジュペリに関して言えば、一つ共通点

第 2 章　ドストエフスキーとジョウゼフ・コンラッド

がある。彼らは現実をそのまま描かず、ひとひねり加えている。おかげで、卑俗になりかねない瞬間が詩的なものに変わっているように思えるんだ」[116]。

　更に、日本にあっては村上春樹にもコンラッドの影響が窺える[117]。

　　　　Ⅲ　エグザイルであるパムクとコンラッド

　『雪』は、パムクの第七作目の小説である。これまで作家があまり多く取り上げてこなかったイスラム原理主義や、トルコ共和国が国是とする世俗主義といった諸々の政治思想とその相克が扱われ、2001年のアメリカ同時多発テロ事件の翌年に上梓された事も相俟って、トルコのみならず欧米でも大きな反響を呼んだ作品として知られる[118]。

　『雪』の舞台は、アタチュルクの世俗主義、イスラム主義、反トルコ民族主義の三つ巴の対立が表面化した20世紀末のカルス（Kars）[119]である。

　大江健三郎はパムクとの対談で次のように述べている。

　──「9・11のテロリズム後、アメリカの多くの知識人たちがこの小説を読んだことがニューヨーク・タイムズによっても紹介された、（中略）パムクさんの場合は、トルコで仕事をするトルコの作家として『雪』を書いた。そして、多方面からの政治的干渉をいかに切り抜けていくかを懸命に、粘り強く考えてこの小説を完成させた。（中略）パムクさんは、トルコの問題を非常に広範囲に広い視野で捉えて、しかも一般読者に、例えば恋愛小説やミステリー小説が好きな人にも読んでもらえるような仕方で、魅力的に書くことに、成功している」[120]。

　パムクのノーベル賞受賞後の最初の作品は『無垢の博物館』（*Masumiyet Müzesi*）であるが、彼は『雪』の「語り手」としてパムクと自らの名前を付けて、「誰にも打ち明けなかった『無垢の博物館』

のあらすじをKa(カー)にだけに語った」[121]と述べている。「語り手」としてパムクは、『雪』の主人公 Ka の残した手紙やノートやメモを見ながら次のように述懐して、Kaへの想いを伝えている。

　「自分よりもなお深い苦悩を抱え、貧困にあえぎ、虐げられる人々を**理解する**ことができるのだろうか？ もし他者を**理解する**ということが、自分とは異なった人々の立場に自分を置き換えてみることだというのであれば、世界中の金持ちであるとか、支配者であるとかは、この世の底辺に生きる何百万もの貧乏人のことを理解できるということになりはすまいか？ そもそも私、オルハンという小説家に、詩人の親友の苦難に満ちた人生に秘められた暗闇をどれくらい見定められるというのか？」（76）

　「語り手」であるオルハン・パムクは、作家パムクの分身と見做す事が出来る。『雪』は、政治に全く関心がなく詩を書く事にのみ関心を寄せる一市民であるKa(カー)が、西欧化を目指すトルコの複雑な政治と宗教の渦中に巻き込まれ、苦難に満ちた人生に秘められた「愛」と「闇」を凝視する物語である。
　雪は全編のいたるところに頻出し、登場人物は雪の中で活動し、雪はこの小さな街カルスを外界から遮断し、この街に錯綜して見通しがつかない雰囲気を醸し出している。雪を背景に、主人公 Ka の錯綜する心境が描き出されている。パムクは、2008年の講演の第１部において「カルスの雪ノート」を引用して次のように語っている。
　――「物語は積もった雪の雰囲気の中で重い政治的要素を抱え、沈鬱と抑圧が漂っている。それと同時に雰囲気は詩的でもある」[122]。
　作中、読者に提示されるのはカルスのごく限られた地域のみで、これがクーデターと大雪で閉(とざ)された街の閉塞感を高める役割を担っている。しかし作者は、この狭い地方都市の中に20世紀の政治思想の博覧会とも

思われる現代トルコの様々な政治的イデオロギーとその代弁者たる登場人物たちを対置する事によって、本来は鄙(ひな)びた地方都市のカルスを濃密な政治的空間へと誘なっている[123]。

　一方、コンラッドの祖国ポーランドは、1772年の第一次ポーランド分割以降はポーランドを取り巻く列強の支配を受けて、独立の夢と被占領の現実とのはざまに引き裂かれていた。コンラッドが生まれた当時のポーランドはロシアの支配下に置かれ、言論の自由は極度に制限され、一般に個人はその政治的信条を子供の命名によって表わしていた。コンラッドの父アポロもその例外ではなく、長男の名をポーランドの国民的詩人アダム・ミツキェヴィッチの愛国的叙事詩『コンラート・ヴァレンロッド』(*Konrad Wallenrod*)の主人公から取った。コンラッドのアイデンティティは祖国への帰属意識に起因したのである。当時ポーランドは海から遮断されて、海軍も商船隊もないために船乗りになるという事は祖国を永久に捨て去る政治的脱走と見做されるほどであった。コンラッドは『個人的記録』において、15歳当時の生々しい状況を次のように述懐している。

　――「15、16歳の感受性の強い少年を責めたてるその非難が喧しく轟(とどろ)く反響は35年を経過した今日まで残っている。私と同じ国籍と素性を持った少年が、自分の民族環境や結びつきと縁を断って、そこからいわば「立ち幅跳び」をした例は後にも先にも私だけだったに違いない」[124]。

　この祖国離脱によって裏切り者と非難され、コンラッドを苦しめた、また彼の小説で度々一種の贖罪の「告白」と見られるものであるが、その背景には、政治犯の息子という事でこのままだとロシア軍で25年間の軍務を背負わされる可能性があったと考えられる。ここでの意志決定は彼が自立するための抑え難い衝動に根差すものであった。コンラッドは、先ずフランス船の見習い水夫となり、1878年より乗り組んだ英国商船を通じて「こここそがわがホーム」との想いを強くして、英国の伝統

や船乗りとしての忠誠や連帯という価値観に惹かれ、英語習得を成し遂げ、1886年に船長の資格を取得して英国に帰化する。彼は生涯ポーランドと英国という「二重性」を意識していた。

自らを「故国放棄者(エクスペイトリエット)」ではなくて「故国喪失者(エグザイル)」[125]と称するエドワード・サイードは、自分と相共通する故国喪失者の悲哀を認め、異国の言語に悪戦苦闘した中から独自の言語でもって、"Conradian style"を創造し独自の世界観を持つコンラッドに対して、エグザイルの作家として大いに敬意を払った。サイードはコンラッドのルーツとなる作品の「エイミィ・フォスター」について、「コンラッド自身がエグザイル（exile）であることを意識して書いたこの作品は、嘗てエグザイルに関して書かれた最も妥協なきもの」[126]と見做した。更に彼は、『故国喪失についての省察』(Reflections on Exile) において、「コンラッドの貢献はヨーロッパ中心主義に対する批判と修正を求めたことにある」[127]と明言し、彼の最後の公式インタヴューにおいて、「コンラッドは船乗り、ポーランド人、故国喪失者として世界各地を放浪した」[128]と述べている。

勿論コンラッドは、世界各地を単に「放浪」しただけではなかった。人生はよく航海に譬えられるが、文字通りコンラッドの船乗りでの航海はまさしく人生そのものであった。そしてすべての体験が、後年の作家コンラッドを育む糧となっている。

船乗り体験と同様に、コンラッドの人生観の変革に深く関わるのが、1890年の＜コンゴ体験＞である。文明開化、進歩の名の下に行われた植民地搾取の実態をアフリカの奥地で目の当たりにし、自らも風土病に侵されて死線を彷徨い、人間性の深淵を見たコンラッドは、これまでの自己の人生を反省し、客観化して、距離を置いて眺めるようになった。その結果生み出された作品が、「進歩の前哨地点」("An Outpost of Progress") とポストコロニアル文学の古典と見做される『闇の奥』である。『闇の奥』は「ヨーロッパ中心主義の価値観と日常の信仰を根底

から揺さぶる」ものであり、「西欧世界の基本的な視点の転換」を迫るものである[129]。故瀬藤芳房教授のご指摘にあったように、コンラッドは、「近代西欧の体制に埋没した言葉に疑問を投げかける実存的挑戦」を試みていたのである。コンラッドの西欧世界、および人間世界の認識に色濃くペシミスティクな影を深く刻み込む『闇の奥』に関して、外部世界を排除せずに文学の正典(せいてん)を読むサイードは、『戦争とプロパガンダ』(*War and Propaganda*)において、「文明的なロンドンと闇の奥の区別が極限状態においては瞬く間に崩壊するということを、そして、ヨーロッパ文明の絶頂期といえども、いかなる予行も過渡的な期間もおかずに一足飛びに野蛮な極みへと反転し得るのだということを、コンラッドは19世紀末における彼の読者でさえも想像できなかったような強烈さでもって理解していた」[130]と指摘している。そして彼は、「『闇の奥』は私の人生を変えた」[131]とも言明していた。

　コンラッドとパムクの両者はともにエグザイルであった。コンラッドが言う「放浪」する故国喪失者とはパムクの言うところの「亡命者」の事である。イスラム教徒からカリスマ的な支持を受けているイスラム主義者の代表である＜群青＞にパムクは次のような言葉を語らせている。――「亡命というのは、故郷でのひどい仕打ちから逃れるためにではなくて、自身の魂の深淵を見極めるためのものなのかもしれないな。だからこそ**亡命者**たちは、やがて祖国に帰ってくるんじゃないだろうか。踏ん切りがつかず、祖国を捨てられなかったという、ただそれだけで罪に問われたもの同志を救うためにね」[132]。

　『雪』の主人公 Ka は祖国トルコのイスタンブルからドイツへ亡命し、12年ぶりにトルコに戻っても**亡命者**である事を意識している。そして、パムクは自らの立ち位置を、『イスタンブル――思い出とこの町』(*İstanbul: Hatıralar ve Şehir*)において次のように述べている。――「私は、イスタンブルで、片足はある文化の中に、もう片方は別の世界の中に置いて住む者だ」[133]。政治と宗教に揺れ動きつつ西欧化を進

める近代トルコの複雑な実態を地方都市カルスに収斂（しゅうれん）したパムクは、Ka を通して一定の距離を置いた西欧の亡命者の眼でそれらを克明に写し出している。イスラム主義者、世俗主義者、共和主義者、社会主義者、共産主義者、トルコ民族主義者、クルド民族主義者、或いはトルコ軍や警察、国家情報局と、その協力者である体制側の人々——カルスではこうした種々雑多な政治勢力が一堂に会し、しのぎを削っているのである[134]。

IV　パムクの政治小説『雪』の考察

　『雪』の舞台は1990年代、政治と宗教の対立に揺らぐオスマン帝国と帝政ロシアの国境の街カルスである[135]。政治亡命者としてフランクフルトで暮らす詩人 Ka は12年ぶりにトルコへ帰国し、大学時代の憧れの美しい人イペキの住むカルスを訪れるのである。久しぶりに目にした、イスタンブルよりもなお美しい雪に、彼は心を躍らせた。"生涯に一度だけ、人は雪の降る夢を見る"、彼はそんな詩を書いたことがある（17）。
　市長暗殺を受け、近く予定される選挙戦に沸くカルスだが、その裏では"スカーフの少女"と呼ばれる娘たちが相次いで自殺する。イスラム原理主義の影響を受ける彼女たちは、スカーフをつけたまま通学したいと願うのであるが、それが禁じられ、それに苦しんでの自殺であった。同じ時期、市長が宗教的理由もあって暗殺され、次期市長選挙が行われている。やがて、イスラム系政党の候補者（Ka の大学時代の友人ムフタル）の当選が確実視される中、一人のカリスマ的な演劇役者スナイ・ザイムと軍人たちによって共和主義と世俗主義の勢力回復を図るクーデターが起こされる。折からの大雪で交通が遮断されていたカルスの街は一夜にしてこの道化じみたクーデター首謀者たちの支配下に置かれてしまう。カルスに滞在するうちに、それまで失われていた詩想を取り戻す

第2章　ドストエフスキーとジョウゼフ・コンラッド

　一方で、イペキと結ばれない限り自分は幸せになれないという脅迫観念に憑かれたKaは、自ら幸せを掴み取るべく、様々な政治グループの間で命を賭して仲介役を演じる。トルコの抱える宗教と政治の複雑さや過酷さを目の当たりにして、Kaの内にある**西欧人気質**は衝撃を受ける。彼の心の葛藤を、彼の書き残した手紙やメモやノートを手掛かりとしてオルハン・パムクが再現しようというのが政治小説の『雪』である。

　主人公Kaは、この12年間、政治に関わった事でドイツに亡命していた（17）。しかし彼は人並み以上に政治に関心を寄せる事はこれまで一度も無かった。裕福な家庭で育った子供のころの彼にとって、貧困は想像外の別次元での存在であった。成人になっても彼の貧困に対するイメージは漠然としたままであった（40）。イスタンブルからカルスへ旅立つ動機は、ある種の郷愁が、中産階級の暮らしとは関係なく、子供時代には一歩も踏み入れた事のなかった別世界へと彼を勧誘したと言いうる、と語り手のオルハン・パムクは言う（41）。Kaはただ詩のみに情熱を注ぐ、42歳独身のトルコ人である。

　Kaは12年間ドイツでの亡命中に、一番気にかかった事は、自分の沽券に関わるか否かという事であった（53-54）。自分でも気がつかないふりをしていたが、恋人イペキが住むカルスに来て、彼女との幸せな未来への希望が今になって気づかせてくれたのである（54）。Kaが育ったのは、神を持たないで生きていけるという世俗主義を固く信じるイスタンブルの共和主義者（世俗主義と民主主義を根幹とする共和国体制を支持する人々）の家庭であったので、小学校での授業以外ではイスラム教について学んだ事はなかった。自殺した少女たちの事も忘れ、イペキが住むカルスにいられる幸せをただ思っていたのである（41）。

　しかし、12年ぶりに故郷のトルコに戻ったKaは、市長選と少女の連続自殺に関する記事を執筆するために地方都市カルスを訪れた時、彼の**西欧人気質**は衝撃を受ける。彼がカルスで最も貧しい地区でルポを行って非常に驚いたのは、娘たちの自殺が日常生活の中に何の予兆も、予告

-- 133 --

もなしに突然現れたという事実であった (32)。"スカーフの少女たち"の自殺は、自殺を邪魔されないよう、やっとの思いで一人になる時間を見つけて決行する孤独な自殺であった。Ka が今まで考えた事のなかった彼女たちの孤独と自殺との連鎖である。貧困地区で最も貧しい住民たちの家々を訪ね回る Ka に対して、≪国境の街≫紙に「カルスに不信心者あり」と題して「カルスの若者よ、神と預言者を否定する Ka などという外国かぶれの偽名を用いる不信心者、異端者に目にもの見せてやるがいい！」と掲載される。Ka は恐怖を覚える (143)。彼のごく若いころには、知的な、或いは政治的な大志に殉じ、諸々の人々が書き残した書物に一生を捧げるのが、おおよそ人が到達し得る中でもっとも崇高な精神の高揚だと考えていた。しかし、二十代も後半に差し掛かると、取るに足りない理想や、時には完全に誤った志がもとで拷問にあって命を落としたり、政治結社のごろつきに路地裏で殺されたり、或いはひどい時には自分で用意した爆弾が手の中で暴発したりして絶命した多くの友人、知人を目の当たりにして、Ka は彼らの人生がごくつまらないものに思えて、次第に距離を置くようになった。そして、彼自身が一切の意義を見出し得ない政治的な理由から、ドイツでの亡命生活を余儀なくされるに及んで、彼は政治と自己犠牲をきっぱりと区別するようになったのである (144)。

　因みに、コンラッドも、Ka と同様の政治意識を抱いている。ポーランド独立の夢は美しく素晴らしいものではあったが、現実には性急な実現は困難であった。幾多の人々が無益に死んでいった。ポーランド大蜂起の際、それに参加したコンラッドの祖父が命を落とした。父は政府官憲によって政治活動をしたために投獄され、極寒の流刑地に処せられ、父母共々その地で病死した。そんな悲痛な体験からコンラッドは政治的不条理を幼少期から脳裏に刻みつけられていた。コンラッドは祖国の独立を願ってはいたが、彼らの二の舞は踏むまいと決心していたのである。

第 2 章　ドストエフスキーとジョウゼフ・コンラッド

　しかし今、≪国境の街≫紙の記事のせいで、Ka は、唐突にも銃撃を受けて死んでしまうかもしれないと怯えていた（145）。パムクは、Ka のノートに"メインテーマは恐怖だ"と書かれているこの詩から、「きっと、撃ち殺されるのではないかという予感を無視したかったのだろう」(151)、と語っている。おそらく県庁と国家情報局は責任を取らされまいとして事件を闇に葬るだろう（145）、とパムクは推断している。

　Ka は身の危険を感じ、カルスから逃れて最愛のイペキと共にドイツへ赴く決意を固める。イペキもそれに同意していた。しかし、Ka の説得で釈放される手筈になっていた（イペキやカディーフェが敬愛する）＜群青＞が殺された。イペキは、＜群青＞の居場所を知っていたのは Ka しかいない事を親しくしてくれていたファズルから聞き（320）、彼女は、当初の約束が反故にされたのは Ka が＜群青＞の隠れ家を密告して裏切ったものと思い、それっきりイペキは彼のもとへは戻らなかった。＜群青＞は、Ka が約束した通り、いったんは釈放されたが、その後殺害された。Ka は軍に裏切られたのである。

　カルスを去った 4 年後、Ka はフランクフルトに戻って、ある日突然背後から 3 発の銃弾を受け残忍な死を遂げた。一発目は彼の後頭部に当たって、左目を突き抜け、残りの二発が心臓やほかの臓器に損傷を与えていた事から、計画的な殺人ではないかという事であった。トルコ風の男がカイザー通りの方へ駆けて行ったという目撃情報があったが、パムクが推断した通り、真実は**闇**の中に葬られてしまう（68）。

　Ka が最後の 8 年間を過ごしたフランクフルトの小さな部屋をパムクが訪れたのは、Ka がカルスに戻って 4 年後、死後42日目だった（59）。そして彼の部屋で遺品の手紙やノートやメモを手にして、彼の孤独な生涯に想いを馳せるのである。Ka にとって最も重要なのは、全世界に背を向けたところに二人だけの世界を築くことであった（158）。イペキとならば「新しい人生」[136] が開けると思ったのである。命懸けで＜群青＞

救出の仲介を買って出たのもイペキへの愛ゆえだったのである。Kaのイペキに宛てた手紙は投函されずに今、パムクの眼に触れているのである。

　――"僕はこれまで、ひどい喪失感と満たされない思いに傷ついた<ruby>獣<rt>けだもの</rt></ruby>のように苦しみながら生きてきた。あれほど激しく君を抱きしめなかったならば、君をあそこまで怒らせずに済んだかも知れないし、或いはこれまで12年間かけて培ったはずの人生の均衡を失ったまま、もと来た場所へ帰らずに済んだのかもしれない"、"いま僕は、耐え難い喪失感と、君に見捨てられたという思いに苛まれていて、身体中から血を流しているような気がするよ。時々、僕が失ったのは君ではなくて、この世界そのものだったんじゃないかって思えるんだ"――パムクはKaの苦難に満ちた人生に秘められた暗闇を見て次のように語る。

　――「私は確かにKaの手紙を読んだけれど、果たしてそれを**理解し**ているのだろうか？」(76)。

　トルコの近代化を背景に、Kaのイペキへの一途な愛は、『無垢の博物館』の主人公のケマルと同様、**人間の幸せ**を請い希う作家パムクのテーマに通底している。

　パムクの思想を象徴する＜雪＞は、イペキの妹カディーフェの次の言葉に集約されている。

　――「雪を見ると、どんなにいがみ合っていても人間なんて結局はみんな同じ、広大な宇宙とか時間の前では人間の世界なんてちっぽけだって思えるでしょう？　（中略）雪って憎しみとか、野心とか、<ruby>儚<rt>はかな</rt></ruby>さとかを全部覆い尽くして、人間同士を互いに近づけてくれるものかもしれませんね」[137]。

　すべてを覆い尽くす＜雪＞を背景に、**亡命者**Kaを通して愛が時代や国籍を超えて存在する事を信じつつ、普遍的な人間の在り方を作家パムクは問うているようである。

第2章　ドストエフスキーとジョウゼフ・コンラッド

　更に彼女はKaという人間の本質を次のように指摘している。
――「"彼（Ka）は求道者だ"、＜群青＞はそう言っていました。神様は、生まれてから死ぬまで純粋無垢でいられるようにあなたをお創りになったんだって」（407）と。事実＜群青＞は、Kaに「貴方は長年にわたって詩を極めようとしてきた求道者だ。だから信徒や力なき者たちを虐げようとする連中の手先ではありえない」（148）と述べていた。
　この小説の冒頭は――「雪の静けさ。」（15）である。そして、「少なくとも、雪の静けさが神を身近に感じさせてくれるのは確かだ」（117-18）とKaは請け合っていた。彼は途切れる事なく降り続く雪に見入っていた。そうしていると、ずっと追い求めてやまなかった純粋無垢な感覚へと心が洗われていくような気がして、これから先もこの世界で安穏と暮らしていけるに違いないと無邪気に信じられたのである。但し、Kaが初めてカルスに来た時、カルスで最も貧しいカレイチ地区で目の当たりにしたのは、粗末な家屋の一夜建ての煙突からか細い煙が上がっている光景だった。涙がこぼれそうなほどの惨めさだった（26）。この時のKaの想いは、この街を去る時には、彼の**西欧人気質**が進化を遂げた想いに変わっている。コンラッドは、「コンゴに行くまでは、私は動物に過ぎなかった。」[138]と告白するあの＜コンゴ体験＞を積んでこれまでの人生を省みて、自らを距離を置いて客観視するようになっていた。その結果彼の分身的存在であるマーロウは、短編「青春」（"Youth"）において青春を謳歌していた若きマーロウではなく、人生の「試練」を経た壮年の「語り手」マーロウとなっていた。マーロウと同年輩の「語り手」のパムクは、Kaに感情移入して、Kaに舞い降りた詩想の源泉となる街カルスから去る最終の場面を次のような美しい描写でもって語っていた。

　　雪の間から覗く街の一番外れに建つ家の灯りや、テレビのついたみすぼらしい部屋、そして雪の積もった屋根から突き出して崩れか

けた煙突や、そこから震えるように上がるか細い煙を見て、私はわっと泣き出してしまった[139]。

パムクは、Ka と同様、貧困、崩壊が醸し出す憂愁(ヒュズン)をこの街に見出したのである。

　近年、サルマン・ラシュディ（Salman Rushudie）氏のように、東洋と西洋の物語や神話を意図的にミックスする文学の潮流があると思うが、という問いかけに対して、パムクは、「私は、東西の橋渡し役という役目には非常に違和感がある。自分の国を、民族を、説明するために小説を書くのではない。ラシュディ氏の作品は単に東西の混合ではなく、あらゆる要素が混交している。私の使命はただ、美しい小説を書く事だ」[140] と述べていた（傍点は筆者）。
　そしてパムクはコンラッドを引き合いに出して、自らの作家としての立脚点を次のように説明している。
　――「コンラッドやナボコフやナイポールのように、言語、民族、文化、国家、大陸、さらには文明をすら変えて、書いている作家もいる。彼らの想像力が流刑や移住によって力を得たように、私はいつも同じ家、同じ通り、同じ景色、同じ町に結びついていたことが自分を特徴づけたのを知っている。イスタンブルに結びつくことで、その街の運命もまた、人間の性格となるということだ」[141]。
　パムクは、コンラッドを積極的なエグザイルの作家と見做しているのである。そして彼は、一生涯をほとんど過ごしてきたイスタンブルを題名とする『イスタンブル――思い出とこの町』において、自らのルーツとあるべき作家としての認識を、つぎの①と②において詳しく語っている。
　――①「オスマン・トルコ帝国の壊滅感、貧困、町を覆う崩壊が醸し出す憂愁(ヒュズン)は、生涯、イスタンブルの特徴となった。私は生涯この憂愁と

第2章　ドストエフスキーとジョウゼフ・コンラッド

闘いつつ、すべてのイスタンブル人と同じように、それを自分のものとして過ごしてきた」[142]。

　パムクは、彼を育てたイスタンブルの町の特徴を、西洋的・個人主義的なメランコリーとは一線を画して描いている。彼の言うところの「ヒュズン」とは、クロード・レヴィ＝ストロース（Claude Lévi-Strauss）[143] の『悲しき熱帯』（*Tristes Tropiques*）での「悲哀」と同様に、非西洋の一つの集合的感情、「貧困、敗北、喪失によって引き起こされる感情」の事である。彼は、ロバート・バートン（Robert Burton）が『メランコリーの解剖』（*The Anatomy of Melancholy*）において分析した幸せな孤独に通じ、想像力を発展させてくれるがゆえに時には喜ぶべきものだというメランコリーと区別して、原因であれ、結果であれ、孤独が苦痛の中心に置かれる「ヒュズン」というトルコ語で説明している。それは一種の憂鬱であるが、英語のメランコリー（melancholy）が個人の憂鬱、孤独、寂寥感であるのに対して、トルコ語のヒュズン（hüzün）は、単に個人に留まらず、社会全体に漂っている感情であるというのである[144]。

　――②「我々にとって町が美しく、魅惑的に思われるならば、我々の人生もそうでなければならない。イスタンブルについて語る私より前の世代の作家の大部分が、町の美しさへの目くるめく思いを語るたびに、その人たちの物語や言葉の魔術的な雰囲気に影響される一方で、彼らが語る大きい町には既に住んでいない事、彼らが既に西洋化したイスタンブルの近代的居心地の良さを選んだ事が思い出される。イスタンブルを際限なく、詩的に賛美できることの代償が、既にその町で生きていない事、ないしは、"美しい"と思ったものを町の外から見ている事を彼らから習得した。この罪悪を魂の中で感じとった作家は、町の崩れた箇所やヒュズンに接触する時、それらが自らの人生に落とした不思議な光について語るべきであり、町や海峡の美しさに囚われてしまった時は、自らの人生の惨めさと町が過ぎ去った勝利や幸福感とが全く釣り合わない

ことに気付くべきだ」¹⁴⁵（傍点はパムク）。

　パムク独自の視点は、オスマン・トルコ帝国が政治的、経済的、文化的にも最高の円熟期に達した後、イスタンブルでの雪の9日間の出来事を描いた『わたしの名は紅(あか)』（*Benim Adim Kirmizi*）の「日本の読者へ」においても窺える。──「この小説（『わたしの名は紅』）は、単にオスマン・トルコやイランの細密画師たちの苦悩を描いている本としてではなく、西洋文明圏外にあるが、その影響下にある世界で、西洋以外のどこかで生きている創造的な芸術家たちの写実主義と芸術（創造性、嫉妬、幸福、死）の苦悩の物語として読むべきだ」¹⁴⁶。トルコが近代化する過程で、自国の芸術的価値が東洋的なものから西洋的なものへと移っていった事から生じる文化史上での喪失という問題を『わたしの名は紅』に描き出したパムクは、対談≪「東」と「西」を超えて≫において、次のように述べている。──「私の関心は、東と西とどちらが正しいか、どちらがいいかではなくて、あるものが他の方に移った時、失った方の心が痛みますね、人の心の痛み、悲哀、そこが書きたかったのです。一つには**誇り**が傷つくわけですね。それが一番書きたいところです」¹⁴⁷。

　2008年の、「オルハン・パムクとの対話──西洋に最も近い東洋の苦悩と葛藤──」と題するシンポジウムにおいて、パムクは、『雪』を創作する意図と小説家としての立ち位置を「カルスの雪ノート」から次のように表明している。

　──「この街（カルス）の雰囲気とは、貧困、奇妙さ、絶望感で、これらがこの小説を形作る上で本質的な要素となっています。物語は雪の雰囲気の中で重い政治的要素を抱え、沈鬱と抑圧が漂います。しかし雰囲気は本当に詩的でした。（中略）人を傷つけるのは、貧しいという事ではありません。貧しさの表象なのです。我々が不幸にするのは、我々が貧しいということではなく、豊かな人々がすぐ近くに住んでいるということで、その方が貧しさそのものより人を傷つけます。（中略）人類

第2章　ドストエフスキーとジョウゼフ・コンラッド

だけが、人間だけが他の人間の苦しみと同一化することができます。そして**人間性の強さ**が、小説という偉大な芸術の核心にあるのです。他者と、他者の問題と、他者の混乱、宗教、国民的アイデンティティ、それも過去と現在の問題、こうしたものと同一化しようとすること、その人間になろうとし、調和的な統一性の中でその人たちにできるかぎりたくさんの声を与えようとすること、これこそが小説という統一体の真髄なのです。(中略) この小説は、すべての問題、東と西、近代性、宗教、ヨーロッパ、トルコ、抑圧政治などを見つめるためのきっかけなのです。これらすべての問題の中でのアーティストとしての私の位置は、それらの事柄の中に入り込む、そして勿論、カルスの貧しい人々と同一化するきっかけとなる、ということなのです」[148]。

V　コンラッドの『西欧の眼の下に』へのプロローグ

それではドストエフスキーの『罪と罰』と張り合ってコンラッドが上梓した『西欧の眼の下に』は如何であろうか。この小説の主人公ラズーモフも、ラスコーリニコフと同様、政治に無関心である。ごく**普通の**寡黙な大学生である彼にとっての一大関心事は勉学であり、研究であり、一般の青年たちと同様、自分の将来の事である[149]。そのために懸賞論文で銀賞を獲得する事に全力を注いでいる。ところで、文部省から銀賞が授与されると、大学卒業後、かなりよい官職に優先的に就ける特権が得られるのである (11)。しかしその夢が、不意に来訪した訪問者によって、彼の人生があらぬ方向に行ってしまい、ロシアの抱える政治の闇に呑み込まれてしまうのである。

コンラッドは、『西欧の眼の下に』への「作家の覚書」("Author's Note")においてロシアを「無定形の塊」[150]と表現し、この作品においてその政治主義が、**普通のものの見方をするごく一般の人間**を、『闇の

― 141 ―

奥』の"darkness"に通底する政治の闇の中に陥れ、押しつぶす過程を描き出している。更にコンラッドは、勉学への健全な能力、大志を抱いた一般の青年、ラズーモフという人間の内面に眼を据えて、『罪と罰』のラスコーリニコフを想起させる『西欧の眼の下に』の主人公の心理とその葛藤を真の主題として、「語り手」である英国の語学教師を通して、帝政ロシアの政治の恐怖とそのメカニズムとを活写している。それと同時に、「ロシア的なるものの魂そのもの（the very soul of things Russia）」[151] を捉えようとし、ドストエフスキーの向こうを張って、人間の本性に根差した「悪」の問題を問いかけている。

　コンラッドは、ドストエフスキーを「しかめ面をした、取り憑かれた奴」[152] と書き記している。そして、親友の夫人コンスタンス・ガーネット（Constance Garnett）の英訳『カラマーゾフの兄弟』[153] へのドストエフスキー評を「恐ろしくひどいんだが、印象に残り、また腹立たしい。更に、私にはドストエフスキーが何を言い表しているのか、或いは何を暴いているのか分からないが、私には**あまりにもロシア的すぎる**（*too Russian for me*）[154] ということはよく分かる（Italics mine）」[155] と親友エドワード・ガーネット宛てた手紙に認（したた）めて、ドストエフスキーへの強い嫌悪感や反発を表した。エドワード・サイードは、「『密偵』や『西欧の眼の下』には、ドストエフスキーからとても大きな影響を受け、またドストエフスキーに抵抗している小説だ」[156] と述べている。『西欧の眼の下に』についてのエドワード・ガーネットの批評に応えてコンラッドは、1907年の手紙で次のように記述している。「あなたは余りにロシアかぶれした結果、物事の真実が分からなくなっています――キャベツ・スープ（ロシアのスープでボルシチを指す）のにおいがするだけでもうあなたの最も高い尊敬の対象になるのです。我々は、文学共和国駐在のロシア大使というあなたの地位を念頭に置いておかねばなりません」。ジョージ・ジェファーソンは、「コンラッドが心から信頼するエドワード・ガーネットに対するこのような皮肉は彼の出身を背景に置くと

第2章　ドストエフスキーとジョウゼフ・コンラッド

理解できる」[157]と指摘している。

ところでコンラッドは、＜誠実＞を彼の創作理念の中核に位置付けている事が次の文から理解できる。

> Those who read me know my conviction that the world, the temporal world, rests on a few simple ideas; so simple that they must be as old as the hills. It rests notably, among others, on the idea of Fidelity.[158]
>
> （私の読者は、つかの間のこの世界が、二、三の単純な観念に基づいているという私の信念を知っている。それは非常に単純なので、とても古いに違いない。それはとりわけ＜誠実＞という観念に基づいているものだ。）

＜誠実＞[159]をモットーに掲げるコンラッドは、作家の**公平さ**を重視し、「語り手」などには工夫を凝らし、意識して作品に関わっていかぬ「芸術上の超然（detachment）」を心がけている。事実、彼はこの小説への「作家の覚書」において次のように表明している。

――「私の最大の懸念は、細心で公正な調子を打ち出し、固持できるかどうかだった。絶対的な公平さ（absolute fairness）だった」[160]。

政治的な理由から彼は幼くして流刑地で両親を亡くし、多くの同胞が殺され、「このロシア政体が人類に対して犯した最も重い罪は … 無数の精神を容赦なく滅ぼしたことである。」[161]とコンラッドは「専制政体と戦争」（"Autocracy and War"）において述べていた。しかし、作家としての**公正さ**を心がける彼は、ロシアを真正面から扱った『西欧の眼の下に』においてもロシアやロシア人を敵視して描き出していない。彼は、ロシア政体の冷笑主義(シニシズム)を指摘はしても努めて**公正を体現する人物**を通して客観的に表現しようとしている。コンラッドは『西欧の眼の下

に』のタイトルに挙げられている語学教師を「語り手」として設定した意図を「作家の覚書」において述べている。

> What I was concerned with mainly was the aspect, the character, and the fate of the individuals as they appeared to the Western Eyes of the old teacher of languages.
> （私が主に関心を払ったことは、西欧の老語学教師の眼にあるがままに映る、個々のロシア人の様相、特質、運命であった。）[162]

その語学教師は次のように語る。──「断るまでもなく、読者はこの物語を読むことによって事実を記した証拠を随所に発見できることと思う。(I think that without this declaration the readers of these pages will be able to detect in the story the marks of documentary evidence.)」（3）。そして、「すべての人間が実際に求めてやまないのは精神的平和のある形式だと考える。キリロ・シドーロヴィッチ・ラズーモフが自らの記録を書き留めることによっていかなる心の平穏を求めようとしたのか、それは分からない。事実は、彼がそれを（日記に）記したということだ。ここには人間性の中の不思議な衝動が働きかけるのだ」（5）。

コンラッドにあっては、精神的な孤立の状況下にあって試みられた「日記をつける」という行為は、『陰影線』（*The Shadow-Line*）において述べられているように、「内心の安らぎを得たいという純粋にして個人の必要性から出たものであって自己顕示欲などに促されたものではない」[163]という事である。結論としては、この記録には人間の「真実の告白」が記されている。そしてこの物語の眼目は、あらゆる物語のあるべき「倫理的発見（the moral discovery）」（67）である。この「倫理」は、人間倫理の根源に迫るドストエフスキーの小説の中でもとりわけ『罪と罰』のテーマに通底するもので、人間の「良心」の葛藤を問う

ものである。パムク同様、コンラッドにとっても意識せざるを得ないドストエフスキーを視野に入れて、多くの問題をはらむラズーモフが記録された物語を以下に論究したい。

VI 『西欧の眼の下に』の考察 1 と『罪と罰』の考察 1

　ドストエフスキーは、ペトラシェフスキー事件[164]で社会主義運動に関わった国家反逆罪の廉(かど)で逮捕、死刑判決を受け、1849年12月22日未明、銃殺刑に処せられる直前、自らの死と直面した[165]。特赦によって死を免れたドストエフスキーは、翌年から4年間極寒の地オムスクの監獄で過ごした。彼は、四六時中監視下にあったその4年間を「強制的コミュニズム」と呼び、「人間憎悪者となった」と1854年2月、フォン・ヴィージナに宛てた手紙で述べている[166]。その体験記である『死の家の記録』には、「監獄にいる10年間ずっと、片時も、一分たりとも一人きりになれないということが、どんなに恐ろしく又つらいことか！　外での作業中は常に護送兵の監視が付き、所内では二百人の囚人と常に一緒で、一度として一人にはなれないのだ！（中略）大半の者は堕落して、ひどく卑劣な人間に成り下がっていた。人の悪口やあら捜しは絶え間がなかった。それはもう地獄の、暗黒の世界である」[167]と、ある男（アレクサンドル・ペトロヴィッチ）の手記の形をとって、従来の思想が崩壊した時点で時間が止まるという自分がつぶさに嘗(な)めた地獄の苦しみが真実の語りとなって述べられている。

　ドストエフスキーは、ペトラシェフスキー事件を観念の出発点とすれば、シベリアでの流刑を体験の出発点として、彼は民衆との、言い換えれば共通の不幸な目に遭った彼らと同胞としての結びつきを得た。そこでの体験によって彼の見解、信念、心情、思想を一変させた。独自の視点から評論する小林秀雄は、彼の著作『ドストエフスキイの生活』にお

いて、その監獄を「彼が人間観察について自信を得た場所、非社会的分子のみで成立した一つの社会」と規定し、次のように述べている。——「注意深い読者は、彼が後年作中で創造した驚くべき人間の数々の原型が『死の家の記録』中の忠実な人間の素描のうちにあることに気づく筈である。あの精緻を極めた彼独特の技術を会得した場所は、非社会的分子のみで成立した一つの社会であった。彼の異常な資質は、異常な環境のうちにレンズの焦点を合わせたのである」[168]。

　実際ドストエフスキーは、刑罰が終了した直後に兄ミハイルへの手紙を次のように認めていた。——「監獄で強盗どもに囲まれて暮らしていても、僕は、この4年の間に、とうとう本当の人間が見分けられるようになりました。その中にだって深みのある、強い、素晴らしい性格の持ち主がいるのですよ。そして粗野な殻の下に隠された黄金を発見するのはどんなにうれしいことでしょう。（中略）全体としてこの年月は僕にとっては決して無駄に失われたものではありません。たとえロシアそのものではないにしても、僕にはロシアの民衆がよく分かりました。これが僕のささやかなうぬぼれです！」[169]。

　この作品に登場する囚人たちは、みな実在のモデルであった事が、当時のオムスク監獄での囚人名簿と犯罪記録によって証明されているという。工藤誠一郎氏は次のように述べている。

　——「この作品に登場する囚人たちと後の大作の人物とのつながりがある例として挙げれば、ラスコーリニコフには、至上の命令の名において、良心に従って人殺しを敢行する徒刑囚の山民の特徴を見ることができる。スヴィドリガイロフには、卑劣極まる密告者（アリストフ）の徹底した不道徳性を見ることができる。スタヴローギンは、その精神力の点で、ペトロフを思い起こさせる。貴族出身の父親殺し（のちに無実であることが判明、実名イリインスキー）はドミトリイ・カラマーゾフにつながり、正直な心と穏やかな宗教的感情と行動的な愛をもつ山民の若者アレイや旧教徒の老人から、ムイシュキン侯爵や、老巡礼ドルゴルー

キーや、アリョーシャ・カラマーゾフが生まれたといえよう」[170]。

　また工藤氏は続けて「またこの作品において、市井の出来事や、裁判記録や、政治的事件など、人間的記録の正確な資料に基づいて作品を構成し、それらの中から主人公たちの異常な人間ドラマを盛り上げてゆくという、ドストエフスキーの方法が確立された」[171] と述べている。

　流刑による過酷な体験を経たドストエフスキーは、「不幸の中にこそ真理が姿を現す」として、夫と共に25年間シベリアにとどまったデカブリストの妻に、彼の信仰の信条を次のように記録している。――「キリストよりも美しく、深遠で、好感の持てる、理性的で、男らしく、完璧なものは何一つ存在しないと信じることです。（中略）誰かが私にキリストは真理の外にあると証明してくれたにしても、また実際に真理はキリストの外にあるものだとしても、私は真理と共にあるよりは、むしろキリストと共にあることを望むことでしょう」[172]。

　先の小林秀雄は、フリードリッヒ・ニーチェが『善悪の彼岸』（*Jenseits von Gut und Böse*）において警告した言葉「怪物と戦うものは、自らが怪物にならないように気をつけなくてはならぬ。あんまり長く深淵を覗き込んでいると、深淵が魂を覗き込みはじめる」を論拠にして、「ドストエフスキイは、深淵に呑み込まれずに深淵を理解した人、善悪の彼岸の４年間の彷徨で、彼の心が無傷であった筈はない。彼が黄金を見つけ出したのは、粗悪な地殻の下よりも寧ろ自分の被った傷の下である。そして彼にとって心地よかったものは、発見物だったかそれとも発見の苦痛だったか、恐らく彼自身にも判然としなかった、そういう体験の場所で、おそらく彼はニーチェの所謂病者の光学を練磨したのであった」[173] と指摘している。小林が言うところの「光学」とは、ニーチェが『この人を見よ』において述べている次の文言である。――「病者の光学（見地）から、もっと健全な概念や価値を見て、また再び逆に、豊富な生命の充溢と自信の上に立ってデカダンス本能のひそやかな作業を見下ろすこと――これは私の極めて長い修練、私の骨身に徹した

特有の経験であって、もし私が、何かの道の達人になったとすれば、それはこの道である」[174]。

　ところでドストエフスキーの思想の底流にある神の問題に関わりかつ『罪と罰』のラスコーリニコフの回心に通じる『聖書』[175]は、デカブリストの妻たちからの賜物であった。彼は、『作家の日記』に自分たちの運命を待ち受ける監獄の護送囚人留置所に留め置かれた時の彼女たちへの感謝の想いを次のように記録している。──「私たちは自から進んで遠いシベリアまで夫たちの後を追ってきたこれらの偉大な受難者（デカブリストの妻たち）と顔を合わせた。その人達はあらゆるものを、栄誉も富も投げ捨て、肉親の絆までも断ち切って、最高の精神的義務、この世の義務の中で最も自由な義務のためにすべてのものを犠牲にした。自分達にはまったく何の罪もないのに、25年間彼女たちは、有罪の宣告を受けた彼女たちの夫たちが耐え忍んだのと同じ苦痛を、その身でもってすべて受け止めたのである。彼女たちは新しい道に向かって旅立つ私たちを祝福し、十字を切り私たちの一人一人に福音書を分け与えてくれた。──それは獄内で携帯することを許された唯一の書物であった。4年間その福音書はいつも獄中の私の枕の下にしまわれていた」[176]。

　ところでラスコーリニコフが最終的に自分の罪を本当に後悔したのは、獄中で『聖書』を手にした時である。その書はソーニャが彼に手渡したものである。『罪と罰』のエピローグに次の一節が記されている。──「彼の枕の下には常に福音書があった。彼は機械的にそれを取り上げた。この書物は彼女のもので、かつて彼のためにラザロの復活を読んで聞かせた、あの本である。彼は徒刑の初めころ、彼女が宗教談で自らを悩ませ、うるさく福音を説いて、書物を押し付けるだろうと思っていた。ところが、彼女は一度もそのような話をしないどころか、まるで福音書を勧めようとさえしなかった。とうとう彼は病気になる寸前に、自ら彼女に持ってきてくれと頼んだ。彼女は何も言わずに本を持ってきた。（中略）ある一つの想念が彼の頭に閃いた。『今となったら、もうす

― 148 ―

第 2 章　ドストエフスキーとジョウゼフ・コンラッド

でに彼女の確信は同時に俺の確信ではないのか？　少なくとも、彼女の感情、彼女の意欲ぐらいは … 』」(628-29)。

　ソーニャの素朴に信じる信仰と彼女の生き方が彼の心の琴線に触れて、彼の心の重荷が解き放たれたのである。これはドストエフスキーの獄中体験と結びつく事であろう。

　ドストエフスキーは、人間にとっての悪の問題を正面から取り組み、人間の良心の葛藤である倫理性の根源に迫っていく稀有の作家である。彼の代表作の一つ『罪と罰』がまさしくそのテーマを執拗に追究するもので、『罪と罰』は、「罪」を犯した主人公ラスコーリニコフが「罰」を受ける根源的な人間の有り様や人間の実存を問いかける思索の物語である。

　ドストエフスキーは、1862年第1回ヨーロッパ旅行の際に、ロンドンの万国博で水晶宮を見た。チェルヌイシェフスキーの小説『何をなすべきか』の女主人公の夢に登場するフーリエ的な理想社会のモデルとしての水晶宮に向けられたものは、未来の理想社会の縮図であった。ドストエフスキーはチェルヌイシェフスキーのいう革命が生む未来の新しい社会を指す「水晶宮」を批判し揶揄する。その印象を『冬に記す夏の印象』に記し、更に『地下室の手記』においてもそれを非難している。彼は、『地下室の手記』の冒頭に、地下室の住人を「この手記の作者も『手記』そのものも虚構であるが、このような人物はつい最近、過ぎ去った時代の典型の一つである」と述べている。世間から軽蔑され虫けらのように扱われた元小官吏（地下室の住人）は、自分を嗤った世界を嗤い返すために自意識という「地下室」にもぐり「地下室の逆説家」として手記をモノローグ（独白）で認めている。急激な西欧の解放思想の流入を目の当たりにして、彼は、『罪と罰』の主要舞台としたサンクト・ペテルブルグを、「ここは地球全体の中で最も抽象的で人工的な町だ。町には意図的に造られたものと、そうではないものがある」[177]と述べている。彼が高く評価するチャールズ・ディケンズ（Charles Dickens）が

ロンドンを活写したように、彼はサンクト・ペテルブルグを人間が抱える普遍的な問題を提起する場所として描き出した。自分を生んだ伝統社会の母なる大地との精神的な絆の喪失を自覚する彼は、苦痛に満ちた自意識を抱えて人間の自由を希求し、叶わぬもどかしさを訴えているのである。この問題は、地下室の住人が「水晶宮」に向かってこっそり舌を出し、辛辣な逆説を述べる事に通底している。それは彼が「作品の根本思想が表現されている最も重要な章」と呼んだ第10章でいうところの「真実の水晶宮」ではなかった。「水晶宮」の世界では、その世界に疑問を持ったり少しでもその世界を否定したりする者が存在すれば、その世界の調和は崩壊する。つまり、「水晶宮」の中ではうっかりと舌を出せない。しかし「地下生活者」はこのような世界でこそこっそり舌を出してやりたいというのである。ドストエフスキーは、「メモ・ノート」において次のように述べている。——「地下室の住人はロシアの社会にあっては主役である。この人物のことをどの作家よりも一番多く語ったのはこの私である。もっとも他の作家たちも語ることは語った、なぜならそれに気づかずにはいられなかったからである」[178]。ミハイル・バフチンは、「地下生活者はドストエフスキーの創作における最初のイデオローグとしての主人公である。社会主義者を向こうにまわしての議論の中で彼が主張する根本思想の一つは、まさに人間とは何であるかの確実な計算のもとになり得るような、決定された定数ではないという思想であった。つまり人間は自由な存在であり、それゆえに自分に課せられようとするあらゆる法則性を破ることが出来ると彼は主張するのである」[179]と独自の考えを述べている。

　『罪と罰』における酒場を「水晶宮」と呼んだのは、その皮肉からである。ガラス張りの建物の中ではいかなる秘密を持つ事も許されない。現代にあっては徹底した完全な監視社会という事になるであろう。ラスコーリニコフがザミュートフを相手に自分の正体をほのめかす所には、そうした皮肉が窺える。「水晶宮」に向かってこっそり舌を出す逆説に

関しては、Ⅸ『西欧の眼の下に』の考察3　においてコンラッドのアイロニーとの関連で言及したい。

　1865年夏、43歳のドストエフスキーは、彼の思想を著わす『罪と罰』を執筆し始めた。主人公のラスコーリニコフは、サンクト・ペテルブルグ（現在のレニングラード）のセンナヤ広場近くの五階建てのアパートの屋根裏部屋に住んでいた。この舞台となるサンクト・ペテルブルグは、19世紀ロシアの歴史的な社会構造の変革期に当たり、ピョートル大帝の改革によって流入した西欧文明に全身がつかり、それを無理やり呑み込んできたロシア帝国の首都であった。そこはインテリゲンツィアを象徴する町であり近代化を担う都市であったが、ロシア的なものと西欧的なものの葛藤や知識人と民衆との葛藤が先鋭化される場所でもあった。『罪と罰』と『西欧の眼の下に』の両作品の主要な舞台はこのサンクト・ペテルブルグであり、両作品の主人公であるラスコーリニコフとラズーモフ（Razumov）は共にロシア人であり、当時のインテリゲンツィアの青年と同様の葛藤を覚える、貧しい境遇にある寡黙な一大学生である。しかし彼らは専ら「地下室の住人」に留まってはいなかった。自立心が旺盛で、自尊心も高い、少なからぬ自負心も持って行動も起こした。これらの気質が、「思いがけない事態」を引き起こすのである。つまりラスコーリニコフにあっては「殺人」、ラズーモフにあっては「裏切り」である。

　コンラッドが言うところの、ラズーモフのハルディンに対する「裏切り」が『西欧の眼の下に』のキーワードであり、その「告白」に至る「心理的な展開（the psychological developments）」[180] がこの物語の主題である。それと同時にドストエフスキーとコンラッドの両者による「罪の告白」がそれぞれの物語における最大のポイントとなっている。それぞれの物語において、「罪の告白」へ導くのに最も影響力のある人物がソーニャでありナターリア（Nathalie）である。ソーニャは、殺人を犯したラスコーリニコフに、悔い改め自白して流刑地に行くよう勧め

る。ラスコーリニコフは、ソーニャの優しくて強い生き方と敬虔さに魅かれて遂には勧めに応じる。ナターリアの魅力はソーニャとは異なる点はあるが、敬虔さと一途な生き方に共通性がある。彼女たちにもスポットを当てて、『西欧の眼の下に』におけるコンラッドの真意を明らかにしたい。

ところでラズーモフは、当時、日々習慣的になされている熱烈な議論の真最中にあっても寡黙を貫き、人の意見を黙って聞いた故に、度量のある強靭な性格の持ち主であると評価されていた。自由に意見を述べると法的な罪に問われかねない国にあって、彼こそ何でも打ち明けられる信頼するに足る人物と見做されていたのである（５）。人を「信頼」させるという彼の特性は、後述するハルディン（Haldin）や将軍との面談においてもその効力を発揮している。『罪と罰』同様、また『西欧の眼の下に』においても、その骨格は、自問自答を含めた対話と心理描写なのである。

ラズーモフの記録の発端は、ド・P 国務大臣の暗殺事件である[181]。「自由思想は創造主の法令に一度たりとも存在した事がない。一般民衆の合議からは謀反と無秩序以外の何物も生まれはしない。服従と安定のために作られた世界での謀反（revolt）と無秩序（disorder）は罪悪（sin）である」（８）と宣言し、言論の自由や反動分子を徹底的に取り締まり、犯罪者を流刑や絞首刑に処した彼が、爆弾テロで暗殺された事件である。その下手人のハルディンが暗殺した後に逃亡し、逃げ込んだ先がラズーモフの下宿[182]であった。青天の霹靂であったラズーモフは、「なぜ僕の所へ来たのか」とハルディンに問うと、「信頼だ」（19）と答える。ラズーモフの日常の一貫した控えめや寡黙は、強靭な性格の持ち主である事を示し、自分の魂を人目に晒したりはしない男（15）、要するに、**信頼できる人物**、というのがハルディンによるラズーモフ評価であった。一方、ハルディンのテロの論理は次の通りである。

第2章　ドストエフスキーとジョウゼフ・コンラッド

——「君は、僕をテロリスト——既存のものの破壊者と思うだろう。でも考えて見給え。本当の破壊者とは、進歩と真理の精神を破壊する者のことであって、人間の尊厳を迫害する者の肉体を抹殺するだけの復讐者ではない。僕のような人間が、君のような自制的な思索家の生きる余地を作るのに必要なのだ。（中略）我々はこれまで生命を犠牲にして働いてきたが、それでもやはり僕はできれば逃げたい。僕が救いたいのは自分の生命ではなく、僕の行動力なのだ。僕は無為に生きてはいかないつもりだ。僕のような人間は滅多にいない。… それに、犯人が何の痕跡も残さずに消えてしまえば、この事例が圧制者たちにとって更に一層恐ろしいものとなる。君にしてほしいのは、僕が消えるのを手伝ってもらう、ただそれだけだ。僕の代わりにジーミーアニッチに会って、馬橇(ばそり)の手配をしてもらうことだ … 」(19-20)。

　ラズーモフは自分の孤独な生活の安寧が永遠の危険に晒されているのを察知して、彼は決断する。このハルディンに逃亡の機会を与えて自らの手から追い払うために、彼の求めに応じて逃亡の手助けをすることに同意するのである（21）。ラズーモフが部屋を出て行く時、ベッドからハルディンの声が追ってきた。「汝、沈着なる魂よ！　神と共に行け。」(24)。

　その夜の言葉と出来事はしっかりとラズーモフの脳裏に深く刻まれる(24)。老語学教師は、「彼の記録ははるか何か月も経過した後に書かれたにも拘らず、正確に詳細に語り伝えていた」(24)と述べている。そして、「ラズーモフの物語は、西欧の物語ではない。… ラズーモフはロシア人だ」(25)、「一つ間違えば、この独裁政府のもとで政治的陰謀に巻き込まれてしまい、社会のどん底に沈むということをラズーモフは知っていた」(25-26)、とラズーモフがロシア人である事に注意を喚起している。

　コンラッドは、『西欧の眼の下に』への「作者の覚え書き」の中で、「ラズーモフを同情的に扱っている。(Razumov is treated sympathetically.)」[183]と明言している。それは彼が孤児という身の上であるがゆえに、自らがロシアの大地の子であり、それを否定されれば、彼にはどこも拠り所がなくなってしまうからである。繰り返しこの事が記述されている事がその証(あかし)である。そして、ある意味でニキタのようなテロリストも、彼らの生まれた場所、時代、民族の常態から生まれた所産である事が強調されている。

　ラズーモフは、「僕の出身地はこのロシア全土だ」(61)と言明している。ドストエフスキーは、『作家の日記』において、「ロシアの民衆にとって大地こそすべてであり、大地の中には、土壌の中にはなにか神聖なものがこもっている」[184]と述べて、「(それはロシア人という)国民の原理となっている」[185]と彼の意図を明らかにしていた。ラズーモフは、「自分は一ロシア人である、さもなければ無である」、そして何度も「僕はロシア人だ。ロシア人のごとく思索する」(89-90)と述べている。彼は健全な勉学能力とまっとうな野心を持つサンクト・ペテルブルグ大学のごく普通の学生であった。しかしラズーモフは、ロシアという無定形な密集体の中で、彼の意図に反して政治的陰謀の深みにはまっていくのである。

　ハルディンとの約束通り、ラズーモフはジーミーアニッチのいる貧民窟に赴く。彼は穴倉のような厩で泥酔している。ラズーモフはなんとか彼を起こそうとするがとても叶わず、遂に怒りに駆られてジーミーアニッチをそばにあった厩用の熊手で彼を何度も打ち据えた。しかし、目を覚まさない。絶望に打ちひしがれ、ラズーモフは足早に立ち去る。外は一面の雪だった。柔らかい雪の絨毯の下にロシアの大地を感じる。「彼の祖国の土を！――これぞ彼自身のもの！　しかし、そこには温かい炉(ろ)辺(へん)もやさしい心もない！」(32-33)という彼の想いである。彼には「隠れ家もない。この広大な土地のどこにも、自分はこの打ち明け話を持ち込める相手はどこにもいない」(33)という絶望感があるのみである。

第 2 章　ドストエフスキーとジョウゼフ・コンラッド

ラズーモフは考える。「このロシアの大地が必要としているのは、民衆の相反する様々な熱望ではなく、剛毅な一つの意志なのだ——多数のざわめく戯言ではなく、一人の人間——強いただ一人の人間なのだ！」（33）。

ラズーモフは、いまや転換点に立っていた。ここから彼は、ドストエフスキーの『罪と罰』における非凡人のナポレオン・ボナパルト（Napoléon Bonaparte）にならんとしたラスコーリニコフのような視点に立つのである。アンドレ・ジッドが言うように、ラスコーリニコフが求めて犯罪に突き進むのは、自分が超人である事を自分自身に証明するためである。ジッドの指摘はこうだ。——ラスコーリニコフは、「僕は自分がほかの連中同様に卑しい存在なのか、それとも言葉の本当の意味での人間なのか、僕には自分のうちに障害を飛び越す力があるのかないのか、僕は物怖じして震えるような手合いなのか、僕には権利があるのか … 知りたくてうずうずしていたのだ」[186]。

語学教師は言う、「神の恩寵（the grace）が入りきたった」（34）と。ラズーモフは次のように自問する。「我が祖国を愛し、それ以外に愛するものも、信仰するものもないこの僕が——この僕がだ、自分の未来、そしておそらく自分の有用性をこの血なまぐさい狂信者のお蔭で台無しにされねばならないのか？（34）（中略）僕の明晰な知力に比べれば、あの男の朦朧と曇った瞑想の所産など何ほどのものか（35）」と。続けて、「ここは僕の国ではないか。僕には四千万の兄弟がいるではないか」と。すると、彼の胸中から反駁しようもない勝利感が息づいてくる。彼が酔って動かぬジーミーアニッチに加えたひどい鞭打ちは親愛なる結合を示すもので、兄弟愛のなせる心を鬼にして厳しいが必要な処置だと彼には思えてくるのである（35）。

ペトラシェフスキー事件で逮捕されたドストエフスキーの罪状には、ベリンスキーの本の朗読が含まれていたが、空想的社会主義者のフーリエに心酔するベリンスキーが一時的に熱狂した「社会主義」は、「人間

は兄弟なるべし」を最高の教義とする博愛主義の教えであった[187]。コンラッドの思想を一変させたのが＜コンゴ体験＞であったとするならば、ドストエフスキーにあっては、それは＜オムスク監獄での4年間の体験＞であった。彼は当時を回想してエドゥアルド・イヴァーノヴィッチ侍従武官長に宛てた手紙で次のように述べている。

　——「小生は反政府運動を意図したということで、起訴され、法によって正しい裁きを受けました。つらい苦難に満ちた、長期間に及ぶ経験は小生の迷いをさまし、多くの点で小生の思想を一変させてくれました。当時の小生は盲目で、理論とユートピアを信じていたのでした」[188]。

　当初は若きドストエフスキーも「人類みな兄弟」の教えに共感していたのである。しかし後年彼は、『作家の日記』に収めた「1873年 16 現代的欺瞞のひとつ」において「我々は当時理論的社会主義の理念に感染していた」[189]と述懐している。そして、社会主義思想について「彼（ベリンスキー）は、すべての根底は——精神的要素であることを知っていたのである。社会主義の新しい精神的基盤を（もっとも、この社会主義は今日に至るまで、自然と健全な理性の醜悪な歪曲の他は、何一つ基盤らしいものを示したことはなかったが）、彼は盲目的に全く何の反省もなく信じ切っていた」[190]と書く事になる。ドストエフスキーは、「私の逆説」と題してベリンスキーを念頭に置いて次のように述べている。
——「生まれつきすぐに熱中して夢中になりやすい人物であったベリンスキーは、ヨーロッパ文明のあらゆる秩序を頭から否定した、ヨーロッパの社会主義者たちにたちまち同調した、最初のロシア人の一人といってよかったが、それでいながら母国のロシア文学の領域においては、どうやらそれとは全く正反対なもののために、最後までスラヴ主義者と闘い続けた。もしその時相手となるスラヴ主義者が彼に向かって、そういうご当人こそロシアの真理、ロシアという個体、ロシアの根源、言い換えれば、ヨーロッパのためにあなたがロシアにおいて否定した、寓話に

過ぎないと見做したあらゆるものを擁護する、最も極め付きの戦士であると言ったならば、いやそればかりか、ある意味においては、ご本人のあなたこそ実は正真正銘の保守主義者である、——それというのもあなたはヨーロッパにおける社会主義者であり革命家であるからに他ならないことを彼に証明してみせたならば、彼はどんなに驚いたことだろう？」[191] と。更にドストエフスキーの社会主義に対する本質批判は次のように続くのである。

——「社会主義者として彼は何を差し置いてもまずキリスト教をその台座から引きずりおろさなければならなかった。革命は必ず無神論から始められなければならないことを、彼は知っていたのである。彼は自分が否定している社会の精神的基盤がそこから発生した大本(おおもと)の宗教を、どうしてもその台座から引きずりおろさなければならなかった。（中略）社会主義は個人の自由を破壊しないばかりか、むしろ反対にそれを前代未聞の高さにまで引き上げ、新しい、もはや決して崩れることのない強固な基礎の上に再建させることになるものと、彼はその全存在をかけて確信していたのである」(11)。

ドストエフスキーが考えるところの「ロシアの社会主義」は、『作家の日記』において次のように述べられている。

——「ロシアの社会主義の究極の目的は、この地球が収容できる限りの地上に実現される、あらゆる国民を網羅する、全世界的な教会の樹立である。私はロシアの民衆の間にある、不撓不屈の、どんな場合にも消えることのない渇望、キリストの名による偉大な、普遍的で、全人類を対象とする全同胞的団結の渇望のことを言っているのである。この団結はまだ実現されるに至らず、祈りの中だけに存在するのではなくて、現実のものとして、この教会は未(いま)だ完全な形で建設されてはいないにしても、それでもなおこの教会の本性と、どうかするとほとんど無意識的なものとさえ言える、倦むことを知らないこの渇望は、我が国の数千万にのぼる民衆の心の中に疑いもなく生き続けているのだ。ロシアの民衆の

社会主義は、共産主義とも違えば、機械的な形式だけにとどまるものではない。究極においてはキリストの名による全世界的な団結によってのみ救われるものであると、民衆は固く信じているのである。これがわがロシアの社会主義なのだ！」[192]（傍点はドストエフスキー）。

　「キリストの名による」という言葉によってドストエフスキーが理解しているキリストへの信頼を根底にした彼の社会主義についての解釈である。

　現代における宗教が果たす役割を考える時、ドストエフスキーの事を常に考えるという梅原　猛が、「ドストエフスキーの定義した問題は、現代という時代は神を否定した無神論の時代であるけれども、果たして神なくして人類の生存が可能であるかどうかという問題であった。彼はそれを哲学的思弁の形で語らずに、小説という形でそのような重い思想的問題を問うた」[193] と述べている。そして「ドストエフスキーは19世紀末のいわゆる帝政ロシア期の作家であるが、彼の問うた問いは普遍的な問いであり、現在もその問題は十分に解決されていない。彼はマルクス主義を含めた社会主義を無神論の結果と見做す。社会主義は無神論の結論を極端なまでに推し進めるが、果たしてそれが人間の幸福に繋がるかどうかと彼は問う」[194] と結論付けている。

　シベリア流刑での苦悩の日々は、青年ドストエフスキーの楽観主義的・理想主義的な人間観を根底から覆した。但しジッドが連続講演において述べているように、ドストエフスキーは初期の楽観主義を克服して終生「人間の自由」と「如何にして生きるか」という命題を持ち続けていた。それと同時に過酷な獄中にあっては、出獄後に執筆する事を夢見て、執拗なまでに人間観察を怠らなかった。ドストエフスキーは、4年間の刑期を終えてオムスクの監獄から出獄してすぐ、兄のミハイルに宛てた手紙を出している。――「私には金と本が要る。兄さん、私は生きねばならぬのです（傍点はドストエフスキー）。この何年間かは、実りなしに過ぎ去ることはありません。私には金と本が必要なのです。生き

第2章　ドストエフスキーとジョウゼフ・コンラッド

てさえ行けたら、（中略）下らぬものは書きません」[195]。出獄後、彼はセミパラチンスクの第七守備大隊に兵卒として編入されるが、百姓小屋を借りて、そこで入獄中に発売されたロシア文学の作品を読み、自分の文学的空白期を埋める事に極力努めた。

ところでラズーモフは、「自分はいま自由主義への個人的願望を犠牲にしているのだ——ロシアの厳しい真実のために、拒否しているのだ」（36）、「それが愛国心だ、僕は臆病者ではない」（36）と自らに言い聞かせて、次のような自問自答の苦悩をした挙句にハルディンを警察に引き渡す決意をした。

——「裏切る。大へんな言葉だ。裏切りとは何か。国を売るとか、友人や恋人を裏切るとかいう。だが、最初に倫理的な絆がなければならない。だから人が裏切れるのは、自分の良心だけだ。では今の場合、僕の良心がどのような関わりがあるというのか。いかなる共通の信仰や共通の信念のために、あの熱狂的白痴が僕を巻き込むのを黙って見ていなければならないというのか。とんでもない。本当の勇気が成すべきことは全く逆のことだ」（38）。

「裏切り」の問題とは、「良心」の問題でもあった。ラズーモフにとって、政府要人を殺害者したハルディンは彼の将来にとって災い以外の何物でもなかった。日ごろの付き合いもない。自分の「良心」に問いかけてもやましい所はない、というのがラズーモフの実感であり論理であった。しかし、とりあえず無事に自分の部屋から退出してくれれば、官憲に見つからずに逃亡してくれれば、その手助けはしてもよいという想いでラズーモフは御者のジーミーアニッチのところに赴いたのである。この時の彼の「倫理観」は保身とエゴに基づいていた。

ラズーモフはこの広大なロシアの大地の中で、自己疎外と絶望の淵にいたのである。雪の中をサンクト・ペテルブルグの街に、熱病にうなされたようにあてどなく彷徨うラズーモフの姿は、同じサンクト・ペテルブルグの街を悪夢の彷徨をした『罪と罰』のラスコーリニコフの苦悩す

る姿が想起される。
　語り手は、ラズーモフの孤独の苦境を次のように述べている。——「真の孤独（true loneliness）とはどんなものか——月並みな言葉などではなく、その赤裸々な恐怖——これを誰が知ろうか？（中略）人間なら誰であろうと、精神的孤独をじっと見つめて生き続けたら、必ず気が狂ってしまう」(39)。
　突然はっと立ち止まった。通りすがりの一瞬に、ラズーモフの視界をかすめた灰色の頬髯がK公爵の姿を彼のまぶたに浮かびあがらせた(40)。生涯で一度だけ、いたわるような呟きともに、ひそかな合図のようにほんの軽くであったが、誰からもされた事もないような握手を返してくれたK公爵の姿であった。（ラズーモフは公爵の私生児であった。そのため高位にある公爵がラズーモフの父親である事は世間に伏せられていた）。「あの方だ」とはっと思い、彼は、公爵邸へ赴き、公爵に会い、「僕の直観を信頼しておりました。この世に誰といって頼るものもいない若者が、自分の最も深い政治的信念に関わる試練の時にあって、一人の著名なロシア人に頼りました」(42)と言った。彼の訴えを聞き、公爵は「よくやった。… これは警察の下役どころの扱う問題ではない」(42)と述べ、今一度「よくやった」と称賛の言葉を述べる。そして、彼は公爵と一緒に馬橇（ばそり）で将軍のところへ赴く。
　将軍は、しばらく感情を表に出さずにラズーモフを観察していたが、公爵が「彼は将来性のある青年、非凡な才能の持ち主です」と口に出すと、将軍は「それはゆめ疑いません。この青年は人を**信頼**させます」(47)と述べる。将軍は、ラズーモフに国務大臣暗殺の犯人逮捕につながる事件の核心に触れる質問を行う。「ところで、ラズーモフ君、君がそ奴を部屋に残して出てからどのくらいになりますかね」(47)。ラズーモフは、あの貧民窟から取り乱して飛び出した時にほぼ相当する時間を告げた(48)。将軍は、初めて内なる感情をあらわにして、ラズーモフに詰問する。「すると、奴は何も求めずに（ド・P国務大臣殺害とい

第2章　ドストエフスキーとジョウゼフ・コンラッド

う）こんな大それた打ち明け話をしに君のところに来たというわけだね」(48)。いよいよ専制政治の無慈悲な猜疑心が問いかけてきたと感じ、恐怖のためにラズーモフは口を閉ざしてしまった。そこへ公爵が助け舟を出してくれた。「いや、ほかならぬ神の御手がその惨めな奴を導いたのです。ずいぶん前の何かの暇つぶしの思索的な語らいでお互いの意見を交換したのを相手が全く誤解してしまい、それを頼りに奴はラズーモフ君を訪ねたのです。その時奴は精神的に常軌を逸していたのです」(48)。

将軍から「君はしばしばそういう思索的語らいにふけるのかね」と問われると、公爵の助け舟によってその間に余裕ができたラズーモフは自信を持って答えた。──「僕は深い信念を持つ者です。真面目な精神が軽蔑の沈黙を守っていても、向こう見ずの軽率な夢想家から誤解されることだってあり得るのです」。公爵は「真面目な青年です。優秀な人物です」(49)と言ってまたも助け舟を出してくれた。冷静になったラズーモフは将軍の一番の関心事であるハルディン逮捕の核心を話す。「彼が述べた希望的観測は、夜中の十二時を三十分ばかり回ったところに、カラベルナーヤ通りの上手から七番目の左側のところで一台の橇が彼を迎えるということです。とにかく、その時間には彼はそこに行くつもりらしいです。彼は服装を変えたいと僕に頼みもしなかったのです」(50)。「ああ、それだ！」将軍は、わが意を得たり、とばかり公爵の方を向いて満足げに言った。

やりきれない思いで下宿に帰ったラズーモフは、ハルディンから「手配はどうなった？」と問われた時、非常に感情が高ぶっていた。壁に手をついて、ほっとした。そして、彼は振り向きもせずに、押し殺した声で言った──「終わったよ」(55)。

ハルディンは静かにベッドに横たわっている。ラズーモフは懐中時計を取り出して見た。まだ十二時までだいぶ時間がある (61)。ラズーモフは不安そうに相手を一瞥してから話を続ける。「ある不思議な衝動が

君をここへ来させた。実際、間違っていたとは言わない。実際、ある観点からすれば、これ以上によい行動は取れなかっただろう。僕には家族の絆なんかはない。ろくに食べ物も満足に与えられなかった教育施設で育っている身だ。… この世で僕にある唯一の絆は社会的なものだ。僕が行動を起こせるには、その前に何らかで認められなければならない。僕はここに座って勉強している … そして、僕もまた進歩のために努力しているのだと君は思わないかい。僕は真実の道に関する僕自身の思想を見出さなければならないんだ」(60)。ラズーモフは再び時計を見て、まだ十二時までに時間があるのが分かり、一段と声を張り上げた。「君には出身の県があるが、**僕の出身地はこのロシア全土だ**。君はいつの日か、殉教者、英雄、政治的聖者と見做されるだろう。でも僕は御免蒙りたい。僕は、自分が只の一勤勉家であろうと努力することに満足している。君たち民衆が雪の上に数滴血をまき散らしたところで、何ができるというのか。このロシアの巨大な空間に。… この広大なロシアが必要としているのは無数に出没する幽霊ではない——僕は幽霊の群れを突き破って歩いて行けるんだよ——必要なのは一人の人間だ！」(61)。「分かった、もう全てが分かった」とハルディンは畏怖の念に打ちのめされ、叫んだ。「分かったよ——やっと」(62)。ラズーモフの額にはどっと汗が噴き出て、冷ややかな戦慄が背筋を走った。「いったい僕は何をしゃべっていたのだろう」と自問する。だが言った、「君はどうするんだい。… 僕らは夜中の十二時まで一緒に何をしたらいいんだい。君の修羅場を考えろというのかい」(62)。「よく分かったよ、ラズーモフ——兄弟。君は高潔な魂の持ち主だ。だが、僕のとった行動は君には不快でたまらないんだ——」。ラズーモフは凝視していた。恐怖のあまり、あまりにも歯を堅く食いしばっていたので、顔全体が痛んだ。一言も声を発する事ができなかった。「そうなんだ」とハルディンは、低いがはっきりとした調子で、悲しげな声で言った。「では、さらば」(63)。

ラズーモフは部屋の反対側にある堅い馬の毛のソファのところへ行

き、その上に横になった。その夜は数回、夢にうなされて、ぶるぶる震えながら目を覚ました。夢の中で、ラズーモフはただ一人、裏切られた独裁者ならばかくあらんと思える全くの孤独の身を、ロシアとおぼしき所、その雪の吹き溜まりの中をかき分けて歩み続けた。広大な冬のロシア——。… 突如身震いして夢から覚めるたびに、彼のどんよりした眼に瞼(まぶた)が重く覆いかぶさり、又すぐに眠り込んでしまうのであった(66)。これ以降、ラズーモフは、度々現れるハルディンの幻影に苦悩する。その幻影はラズーモフの「良心」の呵責から生じた想念である。

Ⅶ 『西欧の眼の下に』の考察2

　老語学教師は、「私は何十回となくラズーモフの書き記した記録を読み返した。そこにあるのは冷笑主義（cynicism）だ」(67) と語っている。続けて、「ロシア的独裁政治を、また、ロシア的反逆の特徴を表す冷笑主義がある。ロシアの精神は冷笑主義の精神（the spirit of cynicism）である。ラズーモフの世代の情熱に共通するある漠然とした自由主義によって薄められていた彼の保守的信念がハルディンとの接触から受けた衝撃によって一層より固まったものである」(67) と述べている。これらはすべて＜西欧の眼の下で＞において語られていた。

　ラズーモフはひどい震えに見舞われて目覚めたが、窓越しに差し込んでくる朝の光は奇妙にも陰気に見え、希望を全く感じさせない。死に至る病を患っている者の目覚めのように感じている (68)。「ああ、人間の惨めな運命！」と心の中で叫んだ。しかし、このように付け加えている、「その人間の運命が許す限り、僕は**幸福**であらねばならないのだ」(69) と。

　しかし、彼の信念は長続きしなかった。「僕は、生涯、政治犯の容疑者でいなければならないのか。自分にはいかなる未来が期待できるとい

- 163 -

うのか。僕は、今、容疑者なんだ」(70-71) という想いであった。だが、彼の「内省の習慣」と「内部で非常に強い、安全と秩序ある生活への希求」とが、彼の信念を取り戻させる。「僕の静かな、着実な、勤勉な生活が、結局、僕の忠誠心を保証するだろう。革命家にならなくても、進歩に寄与する活動はある。ひとたび名さえ挙げられれば」(71) と。彼の思考は錯綜するが、結局のところは銀賞に行きつくのである。それが今の彼の論理、言い換えれば、自らを正当化する「彼の個人的倫理」なのである。ラスコーリニコフがサンクト・ペテルブルグに上京してきたのが1862年である。その前年に農奴解放令が出されたが真の解放ではなかった。1861年は深刻な学生騒乱が起こった最初の年であり、ロシア知識人の間に組織的な革命の陰謀が開始された年でもあった[196]。

　ドストエフスキーは、『作家の日記』において当時のロシアの無秩序さをこの首都サンクト・ペテルブルグの建物に関して次のように述べている。──「建築様式の点に関してはサンクト・ペテルブルグのような都市は世界中のあらゆる建築様式、あらゆる時代あらゆる流行の反映であり、ありとあらゆるものが段階的に取り入れられ、あらゆるものが自己流に歪められているのである。まるで読み物でも読むように、規則的に或いは不意にヨーロッパから我が国へ飛び込んできて、次第次第に我々を征服し、虜にしてしまった、ありとあらゆる大小の思想の流入が余すところなく読み取れる。(中略) 今日の我が国の建築様式をどう定義したらよいものか、全く頭を抱えてしまう。ここに見られるのは何かひどく無秩序なものであるが、しかしこれは今日の出鱈目な世相に全くふさわしいものである」[197]。そして、「現在の我が国ほどありとあらゆる傾向に振り回されている国が、今のヨーロッパのどこを探したら見つかるだろうか！」[198] と感嘆符をつけて嘆息していた。

　このような状況下で、当初屋根裏部屋に押し込められた前途有望な学生ラスコーリニコフは、現状に不満を抱いてはいても、ツアー専制政治を根底から脅かすような当時のインテリのニヒリストや革命家とは一線

第2章　ドストエフスキーとジョウゼフ・コンラッド

を画し、自らの内から危険な思想を慎重に排除していた。そしてラスコーリニコフと同様に自分の力を信じるラズーモフが常に絶対的に従うものは、「自己実現」のための個人的倫理である。但しそこには孤児であった彼の本質的属性として常に「孤独」であったという事を認識しておかねばならない。

　夜が明けた時、彼は一睡もしていなかった。しかし大した疲労も覚えず、沈着であった。大学の講義に出席した。図書館へ行った。だがうわの空であった。「僕がハルディンにしゃべった言葉はすべて真実だった」（71）と、この種の思考に囚われてラズーモフは自らと議論をたたかわせていた。図書館を出てから、彼は「わが同志よ」と呼ぶ学生から、ハルディンが逮捕された事実を聞き及んでいた。下宿に帰った時、ラズーモフは自分の部屋が警察に家宅捜査された事を知る。彼の書籍が床に散らばっていた。整然と分類されていた彼の研究にすべて関連する資料やノートがテーブルの上にぼろ屑のように、ごたまぜにされていた。この乱雑さを目の当たりにして、この時、ラズーモフは、「個人的倫理」（78）がこれらの無法の力によって翻弄されている事を強烈に実感した。独裁政治の無法と革命の無法に脅かされる未来に無限の不安を抱いている。彼は「個人的倫理」を「合理的信念」に置き換えて自らの理論を擁護する。しかし煩悶は続く。──「僕は合理的信念によって自分の行為を導いていきたい。それなのに、なにものかが──ある破壊的恐怖がここに座っている僕のところにずかずかと入り込んでくる──それに対してどんな安全保障が僕にあるというのだ」（78）。

　大学に行って、そこでコスチャという裕福で無教養で人のいい学生から、「警官に家宅捜査された者は必ずその上に恐ろしい危険が降りかかる、だから国外亡命でもなんでも手助けさせてほしい」（80）という申し出を受ける。仲間みんながラズーモフを、「我が国のために残ってもらわねばならない人物だ」（81）という意見の一致を見たからだという。ラズーモフは、昨夜の事がもう知れてしまっている事に驚くが、そ

の申し出をきっぱりと断る。「コスチャ、君はお人よしだよ。僕の思想の何を知っているというのか。それは君にはとんだ毒かもしれないんだぞ。その中には君の親父さんの財布を空にしてしまう思想だってあるんだぜ。分からない事に首をつっこまない方がいい。速足のお馬や女の子たちのところに戻った方がいい。そうすれば、誰にも害を与えないから」(82)。熱烈に気負った若者はこの侮蔑に完全に気落ちしてこう答えた。「君は僕を豚のような自堕落な生活に戻そうとしているんだな。でも、覚えておいてくれ——僕をダメにしたのは君の軽蔑だっていうことをね」。ラズーモフはその場を立ち去ってから心を痛めて呟いている。「この素朴で荒々しい陽気な魂までもが革命の呪いに取り憑かれている——これはまさに時代の不吉な症候だ」(82) と。しかし、申し合わせたように誰もが誤った判断を下し、本当の自分を見抜けないでいる事の不思議さを、また大学の「思索家たち」が自分とハルディンとを結び付けて、背後に隠れた腹心の友だと思い、ラズーモフは知らぬ間にひとかどの人物に祭り上げられている事をいぶかしく思っている (82-83)。

　一方、コンラッド独特のアイロニーは、ラズーモフが、後に二重スパイとしてジュネーヴに赴き、スパイノートを密かに書き留める場面からも窺える。その場所は、人がもはや関心を払っていないジャン=ジャック・ルソー (Jean-Jaques Rousseau) の青銅像のそばのベンチであった。コンラッドのルソーに対する文面はとても手厳しい。「向こうの橋を渡っている人たちは、『社会契約論』の著者が島流しにされた青銅像が、うつむいているラズーモフの頭上で陰鬱不動の姿で王者のように鎮座している。この小島の方など見向きもしないようだった」(291)。

　しかしコンラッドと同じ見解を表明するバートランド・ラッセルは、コンラッドの見解を次のように表明している。

　——ルソーの見方は、「人間は生まれながらにして鎖に繋がれているが、自由になり得る。(Man is born in chains, but he can become free.)」であるが、コンラッドは「人間は彼の衝動を放任することに

第 2 章　ドストエフスキーとジョウゼフ・コンラッド

よって自由になるのではなくて、気ままな衝動を主な目的へ従わせることによって自由になるのだ、と述べていたと思う。(He becomes free, so I believe Conrad would have said, not by being casual and uncontrolled, but by subduing wayward impulse to a dominant purpose.)」[199]。

　ラッセルは、船乗りでの体験からコンラッドは訓練の重要性を信じていた[200]、というのである。

　そのような折に、一通の出頭要請（公式通知書）が舞い込んで来る。彼の心中は穏やかではない。「容疑者！　容疑者！」（83）という想いである。ラズーモフは、「グロテスクで恐ろしい独裁政治権力の体現者」（84）と評する T 将軍が自分を待ち構えている姿を思い描きながら、覚悟を決める。しかし、事務総局に出頭するとそこに待ち構えていたのは将軍ではなく、その腹心であるミクーリンという枢密顧問官であった。将軍とは異なり、ミクーリンの視線は穏やかで、その柔らかな容貌はかえってラズーモフの神経を高ぶらせ、会見はよほど慎重にせねばという緊張を彼に強いた。
　このミクーリンとのやり取りが、ラズーモフの日記の冒頭で、ラズーモフの苛立ちを伝えるもの（86）、と語学教師は述べている。
　ミクーリン顧問官は、出頭要請は公式のものだが、厳密には公式的なものではなくラズーモフとの近づきのためのものだという（88-89）。事実、ミクーリンの彼への質問は詰問ではなく寧ろ友好的ともいえるものであった。しかし、ミクーリンの落ち着いた、それでいて何かを潜めているような寛容さに引きずられて次第に多弁になっていく自分に苛立つラズーモフであった。やがて思わず「ハルディンは神を信じていた」とラズーモフが言うと、「ほう！　君は知っているのですね」とミクーリンは物柔らかに、いかにも慎重に、にも拘らず、率直に要点を切り出す。「判事たちが彼から聞き出せたよりも多くを君はご存知ですね。三人委

員会が彼の審理をしたのですが、絶対に一言もしゃべろうとはしなかったのですよ。どの尋問にも『拒否——返答拒否』ばかりです。(中略) 最後に君の存在が引き合いに出された時も … 」(91-92) と。そして、ハルディンが今日の午後に、絞首刑になった事を聞かされた (94)。しかしながら、ラズーモフはミクーリンがいつ手の内を見せるか戦々恐々としていた。彼は一刻も早く自分を苛立たせようとするこの相手から遁れたいと思った。「あの男の事ではもうこれっきりで縁切りにしていただく権利を主張します。そして、勝手ながら僕は … 引き取らせて頂きます」(99) と強い決意をもって主張した。「何処へですか」(99) とミクーリンは穏やかに尋ねた。ラズーモフにとって自らの意志で自由に行くところがあり得るのであろうか。政治の陰謀に余儀なく加担させられ、翻弄されるラズーモフは、ミクーリン達の手中に収まるのではなかろうか。ミクーリン顧問官のこの問いかけは、「不可解な問題を強烈にはらんで出てくる箇所」(100) と語学教師が指摘するように深遠なアイロニーを内包する劇的な宣言なのである。それと同時に、コンラッドが、幼少年期から政治に翻弄されてきた実体験からも、政治はいかなるものにも逃げ場所を与えないで、全てを覆い尽くすものである事を承知している事を明示するものではないだろうか。

　井内雄四郎教授は、帝政ロシア支配下のポーランドに生まれ、政治的不条理によって幼くして両親を流刑地で亡くしたコンラッドの政治に対する冷徹な認識を次のように——「政治とは彼にとって決して単なる抽象的存在ではなく、肌身で感じとった息苦しいまでの現実であり、個人の生活を破壊してやまぬ巨大にして冷酷な実在であった。政治に関する作者のこういう冷徹な認識は、『ノストローモ』『密偵』『西欧の眼の下に』を頂点とする一連の政治的作品によって結晶化され、政治を拒むひややかな傍観者の眼から、政治の外的ドラマに巻き込まれた個人の悲劇が、徹底した離脱の姿勢とアイロニーをもって追求されることになる」[201] と指摘している。

第 2 章　ドストエフスキーとジョウゼフ・コンラッド

「(ラズーモフの記録を述べるに際して) 私はその目的に非常に**誠実**だ」(100)と述べる語学教師はこの問題解決に先立って、ハルディンの妹について言及している。その妹のナターリアは、『罪と罰』のソーニャに譬えられるヒロインである。

Ⅷ　『罪と罰』の考察 2

　ラズーモフはなぜハルディンを裏切ったのか。これと同根の主題がドストエフスキーの『罪と罰』である。ラスコーリニコフはなぜ老婆を殺害したのか。その理由は複雑である。人間心理の根底に潜む悪の問題を追究する『罪と罰』の主題は、難解で奥深いものである。
　第二次大戦中においてもドストエフスキー文学に心血を注いで熟考を重ねてきた小林秀雄は、ドストエフスキー没後75年の1956年8月に、「ドストエフスキー七十五年祭に於ける講演」において「ラスコーリニコフの異常な心理描写は、正確な観察の結果であるのだが、作者は、ラスコーリニコフという、実験心理学上の症例を示そうとしたのではなくて、ロシアのインテリゲンチャの悲劇を語りたかったのである。作者の洞察は、主人公の無意識の世界に達していた。当時のインテリゲンチャの歴史的な意識に届いていたのだ」[202]と述べている。更に小林は「罪と罰」と題する論文において、「ラスコーリニコフは、空想を試みるために人を殺した。その行為は彼がその空想を支持できるような男ではなかったことを証明してくれた」[203]、「ラスコーリニコフが不幸であるわけは、深く彼自身の裡(うち)に隠れているということだ」と規定してラスコーリニコフの心の奥深くを「彼の裡には、他力を借りず、自己たらんとする極端な渇望があり、既に定められたもの、與えられたものを否定し、一切を自力で始めようとするその強い性向は、遂に外的存在のみならず自分自身の存在の必然性をも拒絶する。彼の自己喪失は、彼の自己たら

んとする同じ力によって行われるのである。凶行はそういう危機に際して、現れるのだが、彼自ら「実験」と呼ぶこの行為はそう呼ばざるを得ないことが示す通り彼の精神の鏡に映った可能な自己の姿に過ぎなかった」[204] と指摘している。小林は、そんなラスコーリニコフが「孤独」の狂気と正気の間を彷徨(さまよ)っている時に、「ラスコーリニコフとソーニャとの交渉という第二の主題が現れるのだ」[205] と述べている。如何ともし難い自らの孤独を労(いた)わる術(すべ)を知らないラスコーリニコフは、ソーニャ[206]によって彼の孤独な魂が癒されたというのである。ドストエフスキーは、暗黒のなかで彷徨うラスコーリニコフに対して**一筋の光**をソーニャに認めさせたのである。

　小林が、「理屈ではなく公平無私であり、しかも熱のこもった大変激しい語法で語るフランスで唯一の批評家」[207] と見做して、高く評価するアンドレ・ジッドは、1921年、ドストエフスキー生誕百年祭に、パリでの講演において次のように解説している。

　――「僧侶の耳に聞かせる告白ではなく、誰と限らぬ人間の前です る、すべての人間の前でする告白という考えは、ドストエフスキーの小説の中に、憑き物のように、繰り返し立ち現れます。『罪と罰』の中でラスコーリニコフがソーニャにその犯行を自白した時、この女は、ラスコーリニコフにすぐさま、その魂を安らわせるただ一つの手段として、広場に跪き、みんなに向かって「私は人殺しをしました」と叫ぶように忠告します」[208]。

　ラスコーリニコフは、「人間はすべて凡人と非凡人の二種類に分かれる。人類のために役立つ事業を成し遂げるためには、他の人間を犠牲にしてもかまわぬ。歴史上の偉人がそうであった」という自分の論理に従って行動した。貧しい学生であるがゆえに狭苦しい屋根裏部屋の下宿にくすぶっていなければならない自分は、社会に役立つどころか却って害を及ぼす高利貸しの老婆を殺害して、その財産を奪って、有意義な仕

事のために役立てるために殺害も許されるのだとして、老婆殺害を計画し、実行に移し、成功した。しかしながら、犯行の現場に居合わした老婆の妹（リザヴェータ）まで殺害してしまう。この第二の殺人は計画にはなかったものである。その妹の突然の出現に、ラスコーリニコフは自己防衛の本能から彼女を殺害したのである。「斧は彼女の頭上へ振り上げられたのだから、そうする事は、この瞬間最も必要、かつ自然な動作だったのである」[209] と作者は明言している。老婆殺しとリザヴェータ殺しについては、亀山郁夫氏が指摘する次の「黙過」（「神」による人間を見捨てる）という解釈がある。――「馬殺しの夢を見て、あまりの残酷さから、老婆殺しの妄想を吹っ切ったはずのラスコーリニコフがセンナヤ広場に立ち寄る。そのまま下宿に帰っていれば、おそらく老婆とその義理の妹を殺す事もなかった。しかし、「黙過」が起こり、同時に彼は、全く盲目的な運命の支配下に入って行く」[210]。

　ラスコーリニコフは煩悶する。ドストエフスキーは、「ロシア報知」のカトコフ宛てにラスコーリニコフの、否、人間の本質を問うこの作品の意図を次のように説明している。

　――「この小説の思想は、小生の想像する限り、断じて貴誌の方針に撞着するものではありません。いや、むしろその反対です。それは、ある犯罪の心理報告でして、事件は現代的なもの、本年の出来事です。（中略）解決することの出来ない問題が殺人者の前に立ち塞がり、夢にも想像しなかったような、思いがけない感情が、彼の心を苦しめるのです。神の真理、地上の掟が勝利を制して、彼は遂に自首せざるを得なくなります。せざるを得なくなるというのは、たとえ徒刑場で朽ち果てようとも、もう一度人間の仲間に加わらんが為なのです。犯罪遂行後、ただちに感じるようになった**孤独感**、人類との**断絶感**が、彼を苦しめ始めたのです」[211]。

　不安と恐怖に満ちた悪夢の日が続き、人生の勝利者どころか、殺人を実行した後に、急に自信を失い、官憲の目から逃れんがために悩みもだ

える日々を過ごす。彼は、表面的には自らの理論を守り抜こうとしたが、意識の底では、自信を失い、苦悶していた。ラスコーリニコフは、必死になって自己との葛藤と闘い続けた。偶然知り合った娼婦ソーニャとの出逢いで、敬虔な彼女の精神や彼女の慈愛に触れて、罪を告白した。彼はソーニャの信仰や生き方に強く心惹かれた。また家族のために自己犠牲に徹したソーニャに心打たれた。しかし、キリストの愛の教えに屈服したのではなかった。ソーニャの生き方に屈服したのである。ソーニャは、聖なる娼婦であった[212]。ソーニャの眼は慎ましく、静かな眼をしている[213]。彼女は単に自己犠牲者ではなかった[214]。なるほど、彼女は踏みつけられてもじっと我慢している。売春婦という、強いられた境遇を甘受しているだけでなく、実の父親が酒代をせびりに来た時もなけなしの30コペイカを与え、一言も話さず父親の顔を見ている。ここで見過ごしてならないのは、彼女がそうする事によって、結果的に父親は致命的な苦しみを受けざるを得ないということである[215]。ソーニャの眼には、見る者を脅かさずにはおかない恐怖の種子があった。相手の認知したくない本質を認識し、それを口に出さず凝視する眼は相手に不安を与える。見る者の本質を透徹するソーニャの眼は相手の良心に訴えかける。父親は言う、「30コペイカ出してくれました。自分の手で、なけなしの金をありったけはたいてね … わしがこの眼で見たんでがすよ … 娘は何も言わずにな、… ただわしの顔を見ましたっけ … こうなると、もうこの世のものじゃござんせん、あの世のものだ … だが、とがめられんとかえってつらい！」(24)と。ドストエフスキーは、ロシアの大地そのものから生まれ出たかのような混沌として、しかも極端から極端に走り、およそ中庸とか節度といったものに縁のない落ちぶれた九等官マルメラードフという人間の中に、西欧の合理主義的な人間とは対照的な人間を直視して、その赤裸々で純粋、激情的で真実な人間性を描き出している。

　ドストエフスキーはロシア国民と飲酒の問題に異常なほど関心を示し

て、雑誌「時代」にアルコール中毒患者の家庭の子供の運命について一文を発表した。それは『罪と罰』のマルメラードフ一家の原型となる著作を構想していた[216]。

　ソーニャのつつましく静かな眼は、ラスコーリニコフの独白にも明示されている。「ソーニャ！ つつましい眼をした、つつましい可哀想な女、なぜ泣かないのか？ なぜうめかないのか？ すべてを与えながら … ソーニャ、ソーニャ！ 静かなソーニャ！」（308）。
　この眼がラスコーリニコフを告白へと導くのである。「十字路へ行って、身をかがめて、先ず、あなたが汚(けが)した大地に接吻なさい[217]。それから世界じゅう四方八方へ頭を下げて、はっきり聞こえるように大きな声で、『私は人を殺しました！』と言いなさい」（477）と彼に命令した時のソーニャの眼は、黙示録のキリストさながらの燃えるような眼であった。ラスコーリニコフの魂は救済を求めていた（480）。ソーニャはその透徹した眼で、彼の心中が救済を懇願している事を看取し、アンドレ・ジッドが述べた安らぎを与える慈母のような優しさで彼に接し、彼の「孤独」の魂に触れる事が出来た。ソーニャはラスコーリニコフの本質を「この人は何を言おうと何を為そうと神様は既に御存知だ。この人は限りなく不幸な人だ」と直覚する。98歳のご高齢にも拘らず大著『文学の力とは何か』（2015）を上梓された佐藤泰正教授は、小林秀雄がソーニャの眼に関する解釈を容認して指摘されている。
　――「お前にだけではなく、人類全体の苦痛の前に頭を下げたのだというラスコーリニコフの告白を、もはやエゴイストの「欺瞞」や「道化」とはいわぬ。それが道化か真面目か、真実か絶望か、しかしそれらはどうでもよい。ただソーニャは「この人が何を言はうと何を為そうと、神様は御存知だ、この人は限りなく不幸なんだ」と「見抜いて了ふ。」「これが、彼女の人間認識のすべてである。ソーニャの眼は、根底的には作者の眼であったに相違ないと僕は信じる」[218]と小林秀雄は語

る。これはひとりの日本の批評家が語りえた最も深く、美しいドストエフスキイ理解であり、このソーニャの眼を自己の視点に包みえた時、その内なるドストエフスキイは殆ど十全に生き得たといってもよい」[219]。

　小林秀雄は、論文「「罪と罰」についてⅡ」の最終章をこのように締めくくっている。──「作者は、この標題については、一言も語りはしなかった。しかし、聞こえるものには聞こえるであろう、「すべて信仰によらぬことは罪なり」(ロマ書)」[220]。

　ラスコーリニコフは、ソーニャと出逢った事によって、内在する「孤独」の存在を認識させられたのである。その結果、ラスコーリニコフは罪を告白し、シベリアへ流刑に処せられる。ソーニャも彼の後を追い流刑地に赴く。すべてはラスコーリニコフの自尊心の強い意識を通して絶望的に物語は展開されるが、監獄の中で真に自らを考える自由を得、そして流刑地において苦悩する心に共感しともに苦しんでくれるソーニャが現れて、彼が更生の道に入っていく事が次のようにエピローグにおいて暗示されている。

　──ゆくゆく偉大な苦行で払いをせねばならぬ、しかしそこにはもう新しい物語が始まっている──ひとりの人間が徐々に更生して、一つの世界から他の世界へ移って行き、今まで全く知らなかった新しい現実を知る物語が、始まりかかっていたのである(629)。

　大江健三郎は、このエピローグに示されたドストエフスキーの真意を次のように読み解いている。──「ドストエフスキーが言っている、一つの世界から別の世界へ移ってゆく、あるいは一人の人間が、新しい人間に生まれ変わってゆくということは、どういう具体的な意味を持っているのか。先ずはじめに世界の肉体的な、物質的な根源から切り離されている、そして個人の中に閉じこもっている人間がいる。すなわち民衆的な基盤からすっかり切り離されていた、そのような人間が当の民衆的な基盤の中にもう一度入り込んでゆく。そして、民衆の一人として生き始める。そこに新しい人生が始まる、というのがドストエフスキーの言

葉の内容だろうと私は思うのです」[221]。

　ソーニャの勧めで、センナヤ広場でラスコーリニコフは大地に接吻をした。この行為には彼のロシア人としての「大地信仰」があった。そこはサンクト・ペテルブルグの中で最も民衆的な場所であり、それはシベリアに続いて行く復活への入口であった。ソーニャとラスコーリニコフには徒刑地での７年という苦難の歳月があった。しかし、ドストエフスキーは、この物語の「エピローグ」において次のように記していた。──「彼らは隠忍して待とうと決心した。彼らには７年の歳月が残っていた。それまでには、いかばかりかの耐えがたい苦痛が、限りない幸福があるかもしれない！　けれども彼は蘇った。そして自分でもそれを知っていた。自分の更生した全存在においてそれを完全に感じたのである。（中略）７年、たった７年！　こうした幸福のはじめのあいだ、彼らは、彼らはどうかした瞬間に、この７年を７日と見做すほどの心もちになっていた」[222]。

　『罪と罰』に関する「創作ノート」において、「基本的なこと」と題してドストエフスキーは述べている。

　──「なぜ僕は君（ソーニャ）に愛着を覚えたか、僕には君一人しかいないからだ。僕に残されたたった一人の人間だったからだ。（中略）僕と君とは呪われた人間だ、従って、僕たちは別々の方角に顔を向けてはいても、僕たちの進む道は一つなんだ。《君はその身を卑下していても》君は今では僕の支配者なんだ、また僕の運命であり、生命であり──それこそすべてなのだよ。それに僕たちはどちらも呪われている──社会の賤民なんだよ（傍点はドストエフスキー）」[223]。街の女と二重殺人の犯人というこの二人は、立派な紳士や司祭たちが貧しいイエスをいい加減にあしらうロシア社交界の人々よりも、はるかに長老、修道院の僧たちの世界に近づいているのではないだろうか[224]。

　ドストエフスキーは、ロシアの大地に根差した民衆の信仰を次のようにＡ・Ｆ・ブラゴンラーヴォフに宛てた手紙で述べている。──「私が

悪の原因を不信仰に見ているということ、そして民族性を否定する者は信仰を否定するものであるということ、貴方の下されたこの結論は正確です。他は知らず、我が国にあってはそうなのです。なぜなら我々にあっては民族性がすべてキリスト教に根差しているからです。農民、正教のルーシ（ロシアの呼称）、これらの言葉は我々の本源的基盤であります。我が国に在っては、民族性を否定するロシア人は例外なく、無神論であるか、或いは無関心なる者です。逆に言えば、不信仰なる者或いは無関心なる者には、如何なるものであろうと、ロシアの民衆もロシアの民族性も理解されないし、今後も決して理解されることはないのです」[225]。

そしてドストエフスキーは、新しきインテリゲンツィアへの期待を次のように述べている。——「私はむしろ民衆と共にあることを選びます。民衆を否定しているロシアの知識人からではありません。しかし新しきインテリゲンツィアが甦り、歩み寄っています。彼らは民衆と共にあらんと欲しています。民衆との断ち切られることのない第一の紐帯とは、民衆が全き無垢の心を捧げ尽くして愛し、世界の何にもまして深く高く尊んでいるものを、すなわち彼ら自身の神と信仰を、敬い愛する心です」[226]。

しかしコンラッドにとって、ドストエフスキーの前述の見解は、「あまりにもドストエフスキー的ロシア」であった。『カラマーゾフの兄弟』に対してもコンラッドは、「彼（ドストエフスキー）は私にはあまりにもロシア的すぎる（too Russian for me）」[227]と述べていた。「ロシア的すぎる」とは彼にとっては違和感や反発を招くものであった。フレデリック・R・カール（Frederick R. Karl）は、「コンラッドの見解は西欧的で汎スラブ主義や神秘的なものに浸された国土や魂を全く受け入れない」[228]と述べている。ラズーモフの物語の展開は全く逆である。ソーニャに比べられるナターリアは、ラズーモフの告白を受け入れたため失意のどん底に陥り、苦悩した後修道院に入って、ラズーモフの元へ

第 2 章 ドストエフスキーとジョウゼフ・コンラッド

は戻らなかった。最終的にラズーモフの運命を引き受けたのは「善きソマリア人」に譬えられたテクラ (Tekla) であった。

ナターリアの眼は、相手の本質を透徹する眼ではなく、一点の疑いをも差し挟まない一途な信頼の眼であった。この純真無垢の信頼の眼がラズーモフをして「真実の告白」へと導くのである。人間の持つ根源的なものをシンプルに強く訴える事は非常に意義のある事である。人は本当のもの、正しいもの、美しいものに惹きつけられるからである。ドストエフスキーは、『白痴』において、その「美しい人間」をムイシュキン公爵の中に求めようとした。ムイシュキンは、「美しい人」キリストであった。ドストエフスキーは、この小説を献呈した姪のソフィヤに宛てた1868年1月1日の手紙で次のように述べている。――「この小説の中心思想とは、本当に美しい人間を描くことです。この世にこれ以上困難なことは、特に現代ではありません。（中略）美しいもの、それは究極的理想です。しかしその究極的理想は、我が国でも文明化されたヨーロッパでも、確かな形に作り上げられてきたとは到底言えないのです。この世には本当に美しい人がただ一人います。キリストです」。

1951年に『白痴』を映画化した黒澤 明監督は、『キネマ旬報』のインタヴュー「黒澤 明に訊く」において、ムイシュキンの優しさをドストエフスキーの中に認めて述べている。

――「それは、普通の人間の限度を超えておると思うのです。それはどういうことかというと、僕らがやさしいといっても、例えば大変な悲惨なものを見たとき目をそむけるようなそういうやさしさですね。あの人（ドストエフスキー）はその場合目をそむけないで見ちゃう、一緒に苦しんじゃう。そういう点、人間じゃなくて神様みたいな素質を持っていると僕は思うのです」[229]。そして、それがムイシュキンに具体化されている、と見做していた。

ムイシュキンに比べられるのはコンラッドの『密偵』におけるスティーヴィー (Stevie) である。純真無垢なスティーヴィーは、「黙示

録的悲惨さ」[230]と形容されるあばら骨が見える老馬に鞭打つ光景に、怒りと恐怖を覚え、「鞭を止めて」と大声をあげて、異常に興奮する聖なる「博愛精神」の持ち主であった[231]。

　ソーニャとナターリアには、敬虔な信仰心と一途な生き方に共通点があった。敬虔で誠実なナターリアの生き方は語学教師によって明示されている。「彼女に絶対できないものがあるとすれば、それはこそこそした態度だ。彼女の誠実さは歩調のリズムにも表れていた」(142)と。一方、彼女は、「聡明なインテリで、利己心が無く、非凡な才能と気高い性格の持ち主で大いなる未来が到来すると信じている」(101)と母が述べる兄のハルディンを、未来に対して信念を持って行動する人物として信奉している。その兄からの通信で、「けがれなき、高邁な、そして孤独な存在」(135)だとして唯一名をあげられていたラズーモフを、彼女は**この上ない信頼の眼**で見つめる。事実ナターリアは、「**この上ない信頼に満ちた眼をしている**」(22)とハルディンによってラズーモフに語られていた。そしてラズーモフは、「良心」の呵責に耐えかねて彼女に「罪の告白」をするのである。最終的には、彼女はソーニャのような行動はとらなかったが。

IX　『西欧の眼の下に』の考察3

　この小説の語り手である語学教師は、ハルディンの指示に従って母と共にスイスに転居したナターリアの家庭教師をした事から、亡命ロシア人の世界を知り、ラズーモフやロシアの運命を垣間見る。

　語学教師は、ド・P国務大臣暗殺のニュースを新聞で知った時、その事件についてナターリアと話し合う。この時この件について熟慮した彼女から次のように言われた。語学教師は衝撃を受ける。「あなた方は、ヨーロッパでの社会的な争いのように、こちらのものも階級闘争か利害

の闘争と思っていらっしゃるんでしょう。全然そうではありません。全くそれは違うものですわ」(104)。語学教師は「私には分からないと言われれば、それは全くそうかもしれない」と認める。そして彼は、それを「極めてロシア的」だとして次のように理解する。

　――「あらゆる問題を、何か神秘的な表現を用いて、理解可能な水準から持ち上げてしまう傾向は極めてロシア的 (very Russian) なものだ。つまり、ロシア人的単純さ――素朴で絶望的な冷笑主義 (a naïve and hopeless cynicism) を神秘的な言葉で包み込む、恐ろしい腐食作用を持った単純さはロシア人にしか理解できないものだ。ロシア民族が西欧の我々と根深い所で違っているその心理的秘密は、彼らロシア人は実生活――この地上のあるがままの取り返しの利かない生活――を嫌悪する。一方、我々西欧人は実生活に執着する」(104)。

　ロシアのドストエフスキー研究家のニコライ・サンドロヴィッチ・ベルジャーエフは、主著『ドストエフスキーの世界観』において、ロシアの精神およびロシア人の性格の特徴を長年の研究から次のように結論付けている。

　――「文化の危機においては黙示録的な衝迫がある。それはニーチェにあり、そして最高度にドストエフスキーにある。しかしこの黙示録的衝迫、究極的なものを目指す努力、あらゆる中道文化に対する猜疑的・敵対的な態度は、ロシアの性格的な特徴である。そしてこうしたロシア精神の特徴の中に、わがロシアの精神的特性の根源のみならずわがロシアの精神的病患をも求めなければならない。中道文化の拒否はロシア人の危険な本質的特性であるが、それはニヒリズム的な特質である。(中略) ロシア人は、真の存在の根源的状態を表現しようとして、簡単に文化の衣装を脱ぎ捨てたがる傾向がある。(中略) ドストエフスキーの黙示録的衝迫は、歴史、歴史的な聖なる物や価値、歴史的継承の承認と結び付いていた。この点に我々は、ドストエフスキーの精神的継承者であることを特に感じなければならない」[232]。

新聞では当局によってド・P国務大臣の暗殺者の名は周到に伏せられていた。しかし、ナターリアが何度か兄に手紙を出したけれども彼女のもとには一通の手紙も届かなかった事から、彼女は不安に満ちた言葉を語学教師に述べる。「恐れているのは、何も確かなことは分からないということです。何週間も、何か月も、何年も、音沙汰なしという残酷——それがどんなものかはご想像にお任せします。私たちのお友達は、警察が手紙を抑えたと聞くと、それ以上の詮索を止めてしまいましたの。自分の身に危険の降りかかるのを恐れてだと思いますわ。… 兄のために私が最も恐れることは … 」(109-10)。
　語学教師が帰宅して、ロンドンから取り寄せている新聞を開いた時、ナターリアの心配は現実のものとなった。ハルディンの名前が暗殺者として掲載されていた。英国の新聞記事に対する彼女の受け取り方は——「兄は誰か不実の友か、或いは、単に卑怯者によって裏切られたのかもしれないと母に仄めかしました。そう信じる方が母にとって気が休まるでしょうから」(117)であった。この彼女の率直で察しの良い言葉を聞いて、語学教師は、彼女に対するある種の尊敬の念を吐露している。——「彼女は自分の人生を自国の政治情勢によって作られたままの姿で受け取っていたのだ。残酷な現実を直視して、自分から病的な想像をしてそれと顔を突き合わせていく女性ではなかった」(117)。
　しかし、彼女には、兄の死の不可解さが今もなお残っている。今や事実の奥深い真相を知りたいという一途な想いがあるばかりである。彼女は、ラズーモフが密命を帯びて当地ジュネーヴにいる事を亡命革命家たちの中心人物であるピーター・イヴァノヴィッチから知って、当局の監視の眼が光っている中、ピーターの革命指南役でもある革命的な女性解放主義者のド・S夫人のところへ赴く。そして、図らずもラズーモフに会う。革命によってもたらされる未来を夢想して語る中で発せられた唯一の名前、兄と妹との間で交わされた通信に見出された唯一の名前で

あるラズーモフと対面したのである（165）。「ラズーモフの記憶にハルディンの言葉はすべて生きていた。亡霊のようにまといついて、振り払えない。とりわけ一番はっきりと覚えているのは妹について語ったところだ。それ以来ラズーモフの頭の中にその娘は存在し続けてきたのだ」（167）、と語学教師は述べている。二人の眼が合った。初めは彼にも彼女が誰だか分らなかった。彼女の全身の調和のとれた魅力、その力強さ、その優雅さ、その穏やかな開放性にラズーモフは心を動かされた。しかし自らに言い聞かせた。この魅力は自分には無縁のものだと。だからそのまま通り過ぎようとした。その時ハルディン嬢の手が伸びて、初めてラズーモフにははっきりとハルディンの妹だと分かったのである。ラズーモフの衝撃はいかばかりか。それは「彼の自己告白のページ」に記録されているという。すなわち、反動的に彼の感情を襲った憎悪と仰天のあまり、彼はあわや息がつまるところであった――まるで、彼女の出現が「完全に遂行された一つの裏切り行為」ででもあるかのように思えたのである（167）。

　一方、ナターリアは、兄があれほど高い評価をして、又その兄の価値を知っていながら、兄を理解し、兄の告白に耳を貸し、兄を励ました人が今自分の眼の前にいるのだと思うと、彼女の唇は震え、その眼には涙があふれてきて、彼女は手を差し出していた。ナターリアは、その時の彼女の興奮状態を次のように語学教師に説明している。――「ヴィクトール・ハルディン！　この兄の名を言ったことがずいぶん彼を苦しめました。本当に参ってしまったのですわ。彼は深く感情を動かされる人なのです。これは疑いようがありませんわ。彼の顔を見せたかったですわ。実際によろめいたのですよ。兄との友情は、魂と魂との結びつきからなる正に兄弟の絆だったに違いありませんわ！」（172）。

　この一途なナターリアのラズーモフに対する誤解は、それが強烈であればあるほど、ラズーモフに益々彼の苦悩の度合いを強めて、深化させていく。

後日、語学教師が、「ハルディン嬢の方は、一時は、兄さんが何らかの方法で裏切られて、警察に引き渡されたのだと考える気持ちに傾いたのですよ」(193)とラズーモフに言った時、てっきりこの場を立ち去ると思っていたラズーモフが立ちかけた椅子から再び急に座り込んだのである。ここに思いがけないラズーモフの心の動揺が指摘されている。語学教師の言葉は「裏切り」という事件の核心をついていた。ラズーモフの心の動揺から窺われる「良心」の葛藤は、『ロード・ジム』において、沈没寸前のパトナ号から高級船員ジムが乗客を置き去りにして救命ボートに飛び降りてしまったという「良心」の呵責、およびその贖いというプロットに関してコンラッド作品での「裏切り」のテーマに共通して見られるものである[233]。

「間もなくジュネーヴを発つつもりではないんでしょうね」(195)と語学教師が言った。ラズーモフは長い間沈黙していた。語学教師の問いは、あのミクーリン顧問官の「どこへですか」という問いかけを想起させる。ラズーモフは、組み合せた手に非常なほど力を込めていた。それはラズーモフの苦痛の表れである。

ラズーモフはハルディン嬢に1週間以上も会う事を避けていた。語学教師は、それを、突如隠された真実に迫った想いであった(197)、と述べている。ラズーモフはその間の自らの心中を率直に日記に次のとおり書いた。「ナターリア・ハルディンとの最初の出会いを想起しただけで、逃げ出したい衝動に駆られた。自分でもはっきりとその気持ちを確認したが、動かなかった。この馬鹿げた気の弱さに抵抗したかったからではない。自分には飛んで逃げていく場所がないことを知っていたからだ。その上、ジュネーヴを離れるわけにはいかなかった。そんなことをすれば致命的告白であり、精神的自殺行為となる。身の危険にもなることだ」(204)と。

一方、語学教師がナターリアと偶然出会った時、彼女はラズーモフへ

の想いを次のように述べている。「あの非凡な人は何か遠大な計画、大仕事を考慮中なのですわ——それに憑かれて、苦しんでいるのです——きっと一人ぼっちの孤独に苦しんでいるのだと思いますわ」(202)。彼女のラズーモフへの誤解が大きければ大きいほど、事実が明白になった時、彼の罪は益々重くなることが予見される。

　この物語のアイロニーは、ラズーモフを取り巻く人間の勝手な誤解や思い込みは幻想に由来している事である。革命の組織に入り込んで絶対に信頼すべき情報を得るという危険なスパイの密命を帯びてロシアから脱出する計画も、その成功は、ラズーモフがハルディン事件の共犯者であると不思議にも信じ込んでいる革命家たちの自己欺瞞にかかっていた。この事件で疑いをかけられているというだけですでに十分信用を得ているし、しかもそれは彼らが勝手に決めてかかっていたからである(309)。ラズーモフは、ロシア脱出行を「見せかけの遊戯」(314) と見做している。

　ラズーモフは、学生活動家や革命家仲間からも絶大な影響力も持つとされるピーター・イヴァノヴィッチよりも典型的な革命家であるソフィヤ・アントノーヴナなる女傑からもラズーモフを「非凡」だと誤った憶測をされて、悦に入っている有り様を、いわば「間違いの喜劇」(284)と見做し、「言葉とは心の想いを隠すために我々に与えられている」(261) という警句を思い浮かべている。この警句はラズーモフの脳裏に絶えず付きまとっている。つまり、真実を語らず一人の罪を犯した理想主義者の迷妄が青天の霹靂の如くそのものの存在を粉砕して、なおもその残骸の中で反響しているさなかにあって（258）、ラズーモフの生涯の付添人となるテクラの言葉に真実の重みが、後日明らかになるのである。

　ところでミクーリンが発した「どこへですか」という問いかけは、ラズーモフ個人の境遇の持つ普遍的な意味にある光を投げかけている(293)、と語学教師は述べている。「どこへですか」とは、ラズーモフ

の独立宣言に対する、穏やかな質問形式を借りた問いかけであったが、ラズーモフにとってはその返答はぞっとするほど恐ろしいものであった。「革命」がいきなり飛び込んできたあの下宿の部屋のほか、彼には帰る場所はなかったからである。しかし、ミクーリンは次のように確信を持って告げた。「君は大いなる独立心に富んだ青年です。そうです。空気のように自由に出て行きますが、しかし、結局、また我々のところへ舞い戻ってくるでしょう」(295) と。

実際、ミクーリンの「どこへですか」に対するラズーモフの最終的な返事は、ジュネーヴの革命家集団へ潜入せよという提案を受け入れる事になるのである。

運命の赴くところ、ラズーモフの下にミクーリンからの召喚状が届いた。彼がもう自分にはいかなる生活も不可能だと絶望的に諦めていた丁度そのころ、ミクーリンはその用意周到な才能が報われて、警察の全ヨーロッパの監視を指揮する地位に就いている (307)。その時既に掌握している非凡な青年を思い出した。十分な信用を得て、普通のスパイではとても近づけないようなところにも潜入していける完璧な手段として、ハルディン事件の共犯者だと信じ込まれている革命家側の自己欺瞞によって、十分な信用を得ている非凡なラズーモフを利用する事を思いついたのである (307)。召喚状はそのためのものであった。それも用意周到にして非公式なもので。そして、ラズーモフは革命家の動静を探る危険な密命を受けてジュネーヴに赴くのである。キース・キャラバイン (Keith Carabine) が述べているように、「ラズーモフが悲劇的なのは、祖国のより大きな悲劇をその身に体現しているからだけではなくて、ロシアが＜彼の知性の自由な使用＞を生まれながらに拒み、彼を見捨ててきたからでもあるのだ。深遠な語呂合わせが暗に示すように、冷笑的で＜穏やかならざる専制国家＞においては、秘密情報のみが自由に使われるという恐ろしい真実を、ラズーモフの経歴が証明している。こうしたモデルを積み重ねて解釈すると、ラズーモフは同情に値する人物

第 2 章　ドストエフスキーとジョウゼフ・コンラッド

と言えよう」[234]。

　ナターリアがいるジュネーヴの地は、兄ハルディンを当局に密告したラズーモフにとっては良心の呵責に苛まれる異郷の地であり、贖罪の舞台でもあった。ジュネーヴに来て、ハルディンの妹に会って、度々彼女から**この上ない信頼に満ちた眼**で見つめられ、ラズーモフは苦悩の果てに、遂に彼女に告白する。逃れようのない罪の呵責と苦悩から逃れる術は、換言すれば「誰かに理解されたいと願っていた」彼のたどりついた結論は、ナターリアへの罪の告白であった。その二人を目撃した語学教師の眼には次のように映っていた。

　――「沈黙の傍観者である私の眼には、この二人がお互いに初めて顔を見合わせて以来かけられてきた呪縛にやっと気づいた者同士（345）。… 混沌とした広大無辺の東欧の異郷から連れてこられて、私の西欧の眼の下に（under my western eyes）無残にもさらされている（347）」。

　ラズーモフは、ハルディンを裏切ってから自らの虚偽を正当化するために真実を明かさない言葉を操って「間違いの喜劇」で主人公を演じてきた。しかしラズーモフは、日記という形で最後の「真実の告白」をナターリアに宛て次のように認めるのである。

　――「聞いてください――今こそ真実の告白の時が来たのです。これ以前の他の告白などなきに等しいものです。僕を救うために、**あなたの信頼に満ちた眼**がどす黒い裏切りの縁へと僕を誘いこまねばならなかったのです。あなたの眼が、悪を知らぬ清純な心の信頼を以て僕を常に眺めているのが僕には分かっていたのです。ヴィクトール・ハルディンが、この世にそれ以外には何も持たぬ僕から僕の人生の真実を奪ってしまい、そして、僕には頭をのせて慰めてくれる慈愛の膝が一つとしてないこの世に、彼はあなたを通じて生き続けるのだと誇らしげに言ってのけた。妹はいつか結婚するだろうとも言いました。そして、あなたの眼**は信頼に満ちた眼**だとも言いました（359）。（中略）あなたは真実その

- 185 -

ものだった。あなたは僕を疑うことすら知らなかった。… あなたの視線は確かに僕に語りかけるところがあり、僕は遂にあなたを愛してしまった——このことをどうしても言わねばならないと感じたのです。それを言うためにはまず告白をしなければならない。告白し、出て行き——そして滅びるのだと思ったのです。すると突然あなたが僕の前に立ったのです！　僕が告白せねばならないただ一人の相手であるあなたが。**あなたは僕を魅惑し、怒りと憎悪の盲目状態から僕を解放してくれたのです——あなたの内に輝く真実が僕から真実を引き出したのです。**（"You fascinated me —— you have freed me from the blindness of anger and hate —— the truth shining in you drew the truth out of me."）(361)」。

　ここでのラズーモフの「告白」は、人間の根本を問いかけるナターリアの**無垢な眼**がラズーモフの人間としての倫理観を目覚めさせた事を物語る。

　更にラズーモフの「告白」は続く。「… 一つだけ、僕にするべきことが残されています。それを済ましたら、僕はここを去り、惨めな隠棲の境涯に一生身を捧げるつもりです。ヴィクトール・ハルディンを警察に引き渡した時、結局、僕は自分自身を最も卑劣なやり方で裏切ったのです。("In giving Victor Haldin up, it was myself, after all, whom I have betrayed most basely.")(361) … これを痛切に感じるようになったのはあなたのお蔭です。… 僕は独立独歩です——だから、それゆえに破滅が僕の運命なのです。("I am independent —— and therefore perdition is my lot.")(362)」。

　そして、ラズーモフは彼に残されたただ一つの事を実行する。革命家の家で「真実の告白」をする事である。これが彼に課された**良心**の「**倫理**」なのである。告白後、彼は「殺し屋」と呼ばれる革命家のニキタに殴られ、両耳の鼓膜を破られ、放り出される。聾唖となったラズーモフは、近づく始発電車の警笛が聞こえず轢かれて重傷を負う。そこへ善き

ソマリア人のテクラ (Tekla the Samaritan) が駆け寄ってきて、ラズーモフを助ける。彼女は一命を取り留めた彼を、自己犠牲的な献身の純粋な喜びに浸り、倦み疲れる事なく、ただひたすらにラズーモフの看護に明け暮れる (379)。彼女のこの献身はラズーモフの人に対応する時の分け隔ての無い＜誠実さ＞に起因していた。ボレル邸でド・S 夫人と初めて会見する前に、付添婦のテクラにラズーモフが丁重に帽子を脱いで情あふれる態度を取った (231)。夫人にいくら献身を尽くしても報われずに虐げられて情に飢えていたテクラは、ラズーモフを「情のある信頼できるお方」と呼び、悲惨な現状を訴え、彼のためなら献身的に尽くすとラズーモフに述べていた。「万一病気になったり、何か苦しい面倒なことにぶつかった時には、私に知らせてさえくだされば飛んで参ります。付き添って離れません。ここの生活は飢えよりもさらにひどいものです」(233) と。テクラは有言実行の「善きソマリア人」であった。

　後日、彼の鼓膜を故意に破ったニキタが裏切り者でありスパイだった事が判明する。しかもニキタの正体を匂わせたのが、自分の配下の特殊なスパイに見切りをつけたかった警視総監のミクーリンであった事が知られて、今やラズーモフは、革命家仲間から「無法な暴行の犠牲者 (the victim of an outrage)」(380) と見做されている。政治的「闇」を背景に展開されるこの種のアイロニーの劇的効果は、コンラッドの諸作品の底流をなすものである。

　先ず最初に想起されるのは、西欧列強の植民地政策の欺瞞性を白日の下に晒した短編「進歩の前哨地点」のラストシーンである。つまり八か月以上も未開の地に放置され、極度の寂寥と孤独によって人間性に荒廃をきたしたカイヤール (Kayerts) が自殺した場面である。飢餓や渇きで死んだのではない。**孤立**と**絶望**が彼を自殺に追い込んだのである。(ラスコーリニコフは、犯罪遂行直後から、**孤独**と人類との**断絶感**に苦悩していた)。そして彼が、前任者の墓に立てられた十字架に紐をかけ首を吊り、直立不動の姿勢で＜偉大な文明会社＞の重役の出迎えに際して、

無礼にも＜舌を突き出す＞場面は、国策によるプロパガンダによって推し進められる標語＜偉大な文明会社＞や＜進歩の前哨地点＞という実態とはかけ離れた大言壮語の名前やタイトル同様、この種の戯画化に込められたコンラッドの痛烈なアイロニーの提示であった。この「あっかんべー」という行為によって想起されるのは、ドストエフスキーの『地下室の手記』に登場する主人公（地下室の住人）による痛切な逆説である。チュルヌイシェフスキーの小説『何をなすべきか』に出てくる欺瞞的な未来の社会主義社会の水晶宮（何人と雖も批判や嘲笑を決して許さぬ人から自由を奪う建物）に対して、ドストエフスキーは、1851年のロンドン万国博覧会の折に当時の科学の粋を集めて建設された壮大な殿堂「水晶宮」を連想して、『地下室の手記』の主人公をして「ぺろりと舌を出してそいつを愚弄することが出来ない」[235]とそのやりきれなさを逆説として述べさせていた。この逆説は次の一節から明瞭に窺える。「結局、何もしないのが一番良いのだ！」[236]と地下室の生活を賛美した後、すぐに前言を撤回して述べている。——「ちぇっ！　ここでもまた出鱈目を言っている！　確かに出鱈目だ。なぜなら、決して地下室が一番良いのではなく、私が何か別のものを渇望しているが、しかもそれはどうしても発見できないことを、私は二二が四というほど明白に知っているからだ」[237]。

　地下室の住人は自らを「大地と民衆的根源から隔離された人間」[238]と呼ぶ。この表現は、ドストエフスキーと兄ミハイルが1861年から65年に編集発行していた雑誌「時代」と「世紀」によく見受けられるもので、ドストエフスキーは自らを「土壌主義者」と称していた[239]。彼はいわゆる「土壌主義」による文学の創造を宣言して、民衆から分離したロシア・インテリゲンツィアを「土壌から根こそぎにされた者」と見做していた。ドストエフスキーは、民衆と結びついている大地を「ロシアの民衆にとって、大地こそがすべてである。大地の中には、土壌の中にはなにか神聖なものがこもっているからだ」[240]と述べていた。大地の感

覚とは、民衆との一体化の感覚と呼べるものである。「大地との断絶」を自覚する地下室の住人は、進歩とヨーロッパ文明に犯された人間の生き残り世代の代表者として逆説の裏に潜む魂の奥底からのうめき声をあげていたのである。

さて文明社会から隔絶された世界に取り残されて、孤立と孤独が高じて、遂にはコンラッドが「取るに足らない出来事」[241] と呼ぶ角砂糖の争奪事件で、カイヤールは唯一の白人仲間（カルリエ）を射殺する事態にまで至っている。角砂糖は、当時、植民地化の拡大とその際のプランテーション（単一作物の大規模農業）制度による最も重要な産物とされていた[242]。生き残ったカイヤールも首吊り自殺をした。ある意味で、彼ら二人の白人は文明社会から取り残された犠牲者と見做す事が出来る。この作品は、当初「進歩の犠牲者」[243] という題名であった事がそれによって裏付けられる。コンラッドのアイロニー表現も、ドストエフスキーの逆説と同様、奥が深い[244]。

『西欧の眼の下に』のラズーモフは「無法な暴行の犠牲者」と、革命家ハルディンは「専制政体の精神的犠牲者（the moral victim of autocracy）」（347）と明記されていた。「進歩の前哨地点」から3年後に完成された『闇の奥』には、より研ぎ澄まされたコンラッドの時代感覚と、深い人間探求がなされている。暗黒に光を灯すという大義名分とは裏腹に、ラス・カサス（Las Casas）が『インディアス破壊を弾劾する簡略なる陳述』において弾劾したマヤやインカの文明を破壊して原住民の大量虐殺を行った「コンキスタドール（征服者）」[245] と比べられる、ベルギー王レオポルド二世（Leopold Ⅱ）が犯したコンゴ住民の大量虐殺を、コンラッドは、「人間の良心と地理上の探検の歴史を汚した前例のない最も下劣な略奪戦（the vilest scramble for loot that ever disfigured the history of human conscience and geographical exploration）」[246] と称して告発した。また、フランシス・コッポラが『地獄の黙示録』（*Apocalypse Now*）の典拠としたコンラッドの『闇

の奥』は、作品中に特定の帝国主義批判を行っていない。英国のみならず他のヨーロッパ諸国が他国侵略を是とする帝国主義政策を推進した19世紀末期においてそれを背景とした一つの文学作品であった。それと同時に『闇の奥』は、コンラッドが「コンゴに行くまでは、私は動物に過ぎなかった」と告白する生涯における分岐点となった＜コンゴ体験＞に基づくもので、彼の作家として誠実な使命感から創造されたある種の自伝である。ライオネル・トリリング（Lionel Trilling）は、『誠実と本物』（Sincerity and Authenticity）において、「自伝の主題とはまさしくおのが誠実さの表明に熱中する自我である」と規定して、「本物の自我に関わる現代の問題を典型的に表現して見せたのがコンラッドの偉大な文学作品『闇の奥』である」[247]と見做していた。『闇の奥』は人間の心の奥に潜む「闇」の恐怖体験を語る人間が存在する根本を洞察する作品であった。

結論

　「進歩の前哨地点」や『闇の奥』の舞台は、文明の中心地とされるロンドンからはるかに遠く離れたアフリカであった。コンラッドの「政治小説」と呼ばれる『密偵』の舞台は、産業革命とその技術力による植民地の拡大によってなされた19世紀ヴィクトリア朝の繁栄を象徴する世界最大都市のロンドンであった。しかしコンラッドは、繁栄のロンドンから置き去りにされた下町ソーホーへと読者を誘う。そして彼は、大都市ロンドンは表面的には安定が保たれているが、ヴァーロック（Verloc）のような二重スパイが暗躍する「場(トポス)」になっている事を、グリニッジ天文台爆破未遂事件全般に漂う異常な雰囲気から、内に潜む巨大都市の姿、500万もの人々の人生を埋没させるに十分な闇を指摘していた。彼は「作家の序文」において明記している。

　　　Then the vision of an enormous town presented itself, of a

第 2 章　ドストエフスキーとジョウゼフ・コンラッド

monstrous town more populous than some continents and in its man-made might as if indifferent to heaven's frowns and smiles; a cruel devourer of the world's light. There was room enough there to place any story, depth enough there for any passion, variety enough there for any setting, *darkness* enough to bury five millions of lives.[248] (Italics mine)

　（その時ある巨大都市の姿が浮かび上がった。ちょっとした大陸より多くの人口を抱え、まるで天の渋面や微笑にも無関心であるかのように人工物で身を固めた、世界の光を冷酷に貪り食う、怪物都市の姿が。そこならばどんな物語でも十分な余地、どんな情熱でも受け入れる十分な深さ、どんな設定でもできる十分な多様性、500万もの人生を埋没させるに十分な闇があった。）

　闇の深淵に呑み込まれる人間の空しい闘いを、コンラッドは暗黒大陸アフリカのみならず大都市ロンドンを背景に、沈滞と無気力と陰謀を宿す密林として活写した。

　ロシアの大河とネヴァ川の流れがドストエフスキーの理想と問題を示し、人工都市のサンクト・ペテルブルグの水がロシアの大河に繋がるべき事を説いていたように、コンラッドが描写するコンゴ河は遥か遠い大英帝国のテムズ川に繋がっていた。

　コンラッドは、いかなる主義主張であっても、人間個人を破滅に導くものには与せず、一定の距離を置いて、懐疑し、風刺する。それと同時に宿命的な境遇にいる者たちにはある種の共感をもって描き出していた。圧制下のロシアで天涯孤独のラズーモフの「個人的倫理観」（「合理的信念」）のエゴを指摘しながらも、コンラッドは彼へある種の共感を示していた。その背景としては、地理的な環境から列強の侵略に脅かされてきた祖国ポーランドの歴史的な悲劇と彼自身の生い立ちがあった。コンラッドは、生い立ちに由来する非西欧の眼と船乗り体験によって複

眼的視点を育て、更に、生涯における分水嶺となった＜コンゴ体験＞によってその視点を深化させたのである。

『雪』の Ka も『罪と罰』のラスコーリニコフも『西欧の眼の下に』のラズーモフも、政治には無関心である。意に反して政治の闇に翻弄される市民であり、大学生であった。「コンラッドは政治には徹底して懐疑的であり、文学は政治よりも優越すると信ずる芸術家のひとりであった。彼は被支配民族のポーランド人として生まれ、4歳余で流刑され、7歳で母を、11歳で父を失った。彼にとって、政治は絶対的に観念でも抽象的存在でもなかった。それは肌で感じられる息苦しい現実であり、個人の生活を巻き込み、破壊させる巨大な実在であった。彼はいわゆる政治的な作品を拒む視点から冷徹な認識によって書き、政治の外的ドラマにまきこまれた個人の内的悲劇を追求、悪夢的な政治的状況の鮮やかな設定を特色としている」[249]と述べる井内雄四郎教授が指摘される通り、コンラッドは政治に対しては徹底して懐疑的であった。彼は、「連帯」が無数の人々との心の孤独を繋ぐ事を宣言した後で、「物語に織りなされる連帯という思想、或いは感情との繋がりに立ってこそ、顧みられる事もない無数の当惑している人々、無力な人々、単純素朴な人々、そして声なき人々の中から数人を選んで、その無名の人の人生における不安のエピソードを提示しようとする意図はある意味で説明がつく」と述べていた。

ドストエフスキーは、「万人は存在していることの中にすでに負い目がある」という全人類的原罪観に基づいて、そこから罪の連帯感とそれが故の同情心と赦しが芽生えれば救われる、そしてキリストの福音的掟に従って、全人類のハーモニーという最終的な目的に向かって突き進む、という見方を取っている。パムクは、「私の仕事は、社会のすべての声を聴く、一つの支配的な声を聴くのではなく、すべての声を発見し、それを解放し、すべての声を自分の声とすることだ。政治的な声だけでなく、すべての声を聞くことだ。人生についての真実を」[250]と述

第2章　ドストエフスキーとジョウゼフ・コンラッド

べている。

　「孤独な人間の根底にある倫理を問う」これこそがすべての作品の中で、コンラッドが意図した事ではないだろうか。典型的な「政治小説」と見做される『密偵』に関しても、コンラッドは、「私は、アナーキズムを政治的に考察するつもりも、その哲学的な面を真剣に論じるつもりもない。むしろ人間の本質がその不満や愚かさの中に広く現出する有り様を意図していた」[251] と言明している。

　孤独な人生において Ka はイペキを、ラスコーリニコフはソーニャをラズーモフはナターリアを求めていた。F・R・リーヴィスは、「ハルディンを彼の下宿で見つけた瞬間からラズーモフは全くの**孤独**のうちに、罠に捉えられ責めさいなまれる**良心**に耐え続けねばならない運命になる」[252] とラズーモフの**孤独について**述べ、語学教師の言葉を引用している。

　　Who knows what true loneliness —— not the conventional word, but the naked terror?　To the lonely themselves it wears a mask.　The most miserable outcast hugs some memory or some illusion.　Now and then a fatal conjunction of events may lift the veil for an instant.　For an instant only.　No human being could bear a steady view of *moral solitude* without going mad.　*Razumov had reached that point of vision.*[253]　(Italics mine)

　　（真の孤独とはどんなものか――月並みな言葉などではなく、その赤裸々な恐怖――これを誰が知ろうか。ほかならぬ孤独な人たちに対しても、真の孤独は仮面を被っていて素顔を見せない。最も惨めな追放者でさえ、何かの想い出や幻影にしがみついているものだ。だが、時折、運命を決する一連の出来事が重なり、一瞬、孤独

を隠すベールが持ち上げられて、その素顔をのぞかせることがあるかもしれない。しかし、それもほんの一瞬に過ぎない。人間なら誰であろうと、**精神的孤独**をじっと見つめて生き続けたら、必ず気が狂ってしまう。**ラズーモフはそこまで覗いてしまったのだ。**）

　ドストエフスキーは、『福音書』の「石とパン」において悪魔がキリストを試す挿話を引いて次のように述べている。──「「飢えた人間たちに向かって、罪を犯すな、柔和であれ、清らかであれと説く前に、飢えた彼らにまずパンを与えよ、汝は神の子だ、汝はあらゆることを為し得る。ここに石がある。それ、実にたくさんあるではないか。汝は命ずるだけでよい、たちまちにして石はパンに変ずるのだ」。これが、悪魔がキリストに出してきた第一の考えだ。これに対してキリストは、「人はパンのみによりて生くるにあらず」と答えた。これは、人間の精神的出自について一つの公理を述べたものだ。悪魔の考えはただ動物である人間には当てはまったかもしれないが、キリストは、パンのみでは人を蘇らせることはできないことを知っていた。それに精神的生活がなかったなら、美しいものの理想がなかったなら、人間は憂いに沈み、死ぬか、気狂いになるか、自殺するか、してしまう。キリストは自らの中<ruby>うち</ruby>に、そしてその言葉の中に、美しいものの理想を携えて来たから、彼は人々の魂の中に美しいものの理想を植え付けた方が善い、と決めたのだ。その理想を魂の中に持っていれば、すべての人が互いに兄弟になる。美しいものもパンも同時に与えたならば、労働も、個性も、隣人のために自分の財を捧げるということも人間から奪われてしまう。生きるということの全てが、生きることの理想が、奪われてしまう。だから精神的理想のみを告げ知らせる方が善いのだ」[254]。

　ジッド、パムク、ドストエフスキーそしてコンラッドは、国籍や時代は異なっても、共に「連帯」を求める「孤独」な人間の**根底にある倫理**を問いかけていた。政治や革命が舞台であっても、彼らの深い関心事

第 2 章　ドストエフスキーとジョウゼフ・コンラッド

は、政治そのものではなく、それぞれの状況下において翻弄され、疎外される人間の葛藤とその中で生きる人間が存在する意義を問う＜あるべき人間＞像の希求にある。「連帯」を求める人間ドラマの執拗な追求でもある。とりわけドストエフスキーが迫る究極的な魂の葛藤が活写されている『罪と罰』とそれを意識したコンラッドが取り組んだ『西欧の眼の下に』には同じ主題が通底している。コンラッドの「闇」はドストエフスキーの「深淵」[255] に繋がるものがある。ドストエフスキーは、人間の魂の暗黒面に、光を投げかけていた。『罪と罰』のエピローグにおけるラスコーリニコフの「蘇生」にドストエフスキーの想いが明示されていた。

　ジッドやパムクを視野に入れつつドストエフスキーとコンラッドの作品を味読すると、より一層の深まりと広がりが看取する事ができるのである。

1　内田魯庵は、慶応 4（1868）年閏 4 月 5 日生まれで、文字通り明治を送り、大正を送り、その生きてきた時代そのもの、時代の中の様々な人物を、自らの眼と心で眺め、確かめてきた生き証人でもあった。評論も書き、翻訳もし、小説も書いた魯庵ではあるが、その最大の仕事は、丸善の『学鐙』の編集と、『きのふけふ』を水源とする回想集であった。『思い出す人々』は1925年、春秋社より刊行、『きのふけふ』は1916年、博文館より刊行されている。内田自身は昭和に入った直後の1929年（昭和 4 ）年 6 月29日に死去した故、『きのふけふ』を解題し、再編集し直して世に押し出した魯庵の最後の大仕事である。内田魯庵『新編 思い出す人々』紅野敏郎 編（岩波書店、1994年）＜解説＞紅野敏郎、419頁。
2　内田魯庵『新編 思い出す人々』紅野敏郎 編（岩波書店、1994年）94頁。
3　松本健一『ドストエフスキイと日本人（上）二葉亭四迷から芥川龍之介まで』（第三文明社、2008年）60頁。
4　前掲書。84頁。

－ 195 －

5　松本健一『ドストエフスキイと日本人（下）小林多喜二から村上春樹まで』（第三文明社、2008年）45-46頁。
6　前掲書。46-47頁。
7　小林秀雄『小林秀雄全作品5「罪と罰」について』（新潮社、2003年）27頁。
8　前掲書。54頁。
9　ジッドは、『地の糧』の最終章の「反歌」において「ナタナエルよ、今こそ、私の本を捨てたまえ。人生を前にしてとり得る様々な態度の内、ここでは、これが一つだけしかないということを良く考えてくれたまえ。（中略）君は自分の中では、君自身の他にどこにもないと感じることだけにしか、執着してはいけない。そして自ら、焦ろうと、辛抱しようと、ああ！　人間の内でももっともかけがえのないものを創り上げたまえ」と述べて、彼の全作品について読者一人一人が自らの真理を持って参入してくれる事を願い、彼の「反歌」を最終頁に言明している。ジイド『世界文学大系50 ジイド』佐藤正彰 編（筑摩書房、1963年）386頁。
10　前掲書。387頁。
11　ロラン・バルトは、フランスの批評家・思想家で1953年に『零度のエクリチュード』を出版して以来、現代思想に限りない影響を与え続けた。1975年に彼自身が分類した位相によれば、①サルトル、マルクス、ブレヒトの読解を通じて生まれた演劇論、『現代社会の神話』②ソシュールの読解を通じて生まれた『記号学の原理』『モードの体系』③ソレルス、クリステヴァ、デリダ、ラカンの読解を通じて生まれた『S／Z』『サド、フーリエ、ロヨラ』『記号の国』『彼自身によるロラン・バルト』などの著作がある。若きロラン・バルトは、ジッドの存在の大きさを次のように述べている。――「ジッドは私の原言語であり、私の≪原スープ≫、私の文学のスープである」。ロラン・バルト『彼自身によるロラン・バルト』佐藤信夫 訳（みすず書房、1979年）149頁。
12　堀畑正樹氏は、「このバルトの日本への言及は、過去のものとなってしまった。フランスでジッドが時代の寵児となった時期に対応して、ジッドは戦前からよく読まれ、彼の本を読んでいることはひとつの教養でさえあった。河上徹太郎

第 2 章　ドストエフスキーとジョウゼフ・コンラッド

や小林秀雄を読むと、しばしばジッドの名前が出てくる。河上も小林も1902年の生まれである」と述べている。中村光男が読売新聞社の要請に応じてジッドに出した手紙に対して、1951年 1 月 2 日付のジッドからの丁重な返事を受け取り、それが「日本知識人への助言」と題し1951年 1 月 5 日の『読売新聞』に掲載された。堀畑氏はジッドへの想いを込めて、次のようにジッドらしい言葉を紹介している。――「実際、私は自分が何に向かって進み、何を欲しているかを正確に決めるには、相変わらずひどく当惑するのですが、しかし少なくとも自分が同意できぬもの、容認できないもの、抗議するものが何であるかは、確信をもって断言できます。それは虚偽です。（中略）いかなる国のいかなる制度のもとにあっても、自由な人間は（たとえ彼が鎖につながれていようと）、すなわち私がそうでありたいと願う人間は、あなたと共感するに値する人間は、みだりに盲信に引きずられず、彼が仔細に吟味できたもののほかは確かだとしない人間です」。堀畑正樹「バルトの「アンドレ・ジッドとその日記に関する覚書」を読む」（名城論叢、2016年11月）第17巻第 2 号、96-97頁。

13　ロラン・バルト『ロラン・バルト著作集 1　文学のユートピア 1942-1954』渡辺諒（みすず書房、2004年）16頁。

14　前掲書。19頁。

15　『ドストエフスキー文献集成 6　ドストエフスキー』アンドレ・ジイド著　武者小路実光・小西茂也 訳 井桁貞義・本間 暁 共編（大空社、1995年） 1 - 2 頁。

16　アンドレ・ジッド『アンドレ・ジッド集成 第Ⅳ巻』二宮正之 訳（筑摩書房、2017年）276頁。『贋金つくり』の主人公であるベルナールが、親友オリヴィエに『カラマーゾフの兄弟』第一部第三編 四「燃える心の懺悔――秘話の形で」を念頭に置いて次のように述べている。「時として、こうしたら自分を最もよく表せるだろうと思う行為がある。それが何か、分かるかい？ それは … おお！自殺はしないとよく承知している。でも、ドストエフスキイ・カラマーゾフが弟に、感激のあまり、単なる過剰な生命の横溢から … 破裂して、自殺することがありうると分かるかと尋ねる時の気持ちが、不思議なほどわかるんだ」（276頁）。

17 アンドレ・ジッド『アンドレ・ジッド集成 第三巻』二宮正之 訳（筑摩書房、2014年）193頁。
18 ラフカディオという名は、神話的、異国的であって、彼の言動の≪異常性≫をいわゆる現実とは切り離された次元で、受け入れさせることになる。このラフカディオという名には、小泉八雲ことラフカディオ・ハーンに由来するというのが定説であるが、ハーンの反抗的で妥協のない歩みと異文明の体現者という現実の姿に重ねて、この≪神話的≫性格を考慮することが、ラフカディオ評価の上で重要である、という指摘がある。アンドレ・ジッド『アンドレ・ジッド集成 第三巻』二宮正之 訳（筑摩書房、2014年）≪解説≫ 524頁。
19 *The Art of Joseph Conrad: A Critical Symposium.* Edited, with an Introduction, by R.W. Stallman (Michigan State University Press, 1960), p. 3 .
20 瀬藤芳房「コンラッドとジッド――コンゴの衝撃」『徳島大学教養部紀要』（外国語・外国文学、第3巻、1992年）3頁。
21 アンドレ・ジッド『ジッドの日記　Ⅰ』新庄嘉章 訳（日本図書センター、2003年）211頁。
22 アンドレ・ジッド『コンゴ紀行』河盛好蔵 訳（岩波書店、1988年、第5版）17-18頁。
23 Joseph Conrad, *Herat of Darkness* (London: Dent, 1967), p.66.
24 F・R・リーヴィス『偉大な伝統』長岩 寛・田中純蔵 訳（英潮社、1968年）232頁。
25 F.R. Leavis, *The Great Tradition* (Penguin Books, 1967, reprint), p.195.
26 瀬藤芳房「コンラッドとジッド――コンゴの衝撃――」（徳島大学教養部紀要、第3巻、1992年）4頁。
27 アンドレ・ジッド『ジッドの日記　Ⅲ』新庄嘉章 訳（小沢書店、1999年）209頁。
28 アンドレ・ジッド『秋の断想』辰野 隆(ゆたか) 他訳（新潮社、1994年、第12刷）80-81頁。
29 ジイド『世界文学大系　50　ジイド』（筑摩書房、1963年）所収の『地の糧』岡

第2章　ドストエフスキーとジョウゼフ・コンラッド

　　部正孝　訳、328頁。
30　瀬藤芳房「コンラッドとジッド――コンゴの衝撃」8頁。
31　「ドストエフスキーと谷崎・西洋との愛憎」『讀賣新聞』2008年6月17日28面。
32　ドストエフスキー『世界文学全集 19 ドストエフスキー Ⅰ　カラマーゾフの兄弟Ⅰ』米川正夫 訳（河出書房新社、1960年）312頁。
33　「ドストエフスキーと谷崎・西洋との愛憎」『讀賣新聞』2008年6月17日28面。
34　オルハン・パムク『父のトランク』和久井路子 訳（藤原書店、2006年）37頁。
35　アンドレ・ジッド『秋の断想』辰野 隆 他 訳（新潮社、1994年、第12刷）203頁。
36　前掲書。219頁。
37　前掲書。304頁。
38　アンドレ・ジッド『ドストエフスキイ文献集成 6 ドストエフスキー』武者小路実光・小西茂也 訳（大空社、1995年）6-7頁。
39　前掲書。12頁。
40　『死の家の記録』は、妻を殺害した罪によって10年間徒刑囚であった元囚人のゴリャンチコフの手記という体裁をとったものであるが、ドストエフスキーのオムスク監獄での4年間の極限下における人間の実相と生活が生き生きと描き出されている。
41　『ドストエフスキー全集 4』小沼文彦 訳（筑摩書房、1970年）94頁。
42　中村健之助 編訳『ドストエフスキーの手紙』（北海道大学図書刊行会、1986年）61頁、63-64頁。
43　前掲書。63頁。
44　ドストエフスキー『白痴』（上）米川正夫 訳（岩波書店、2006年、第5刷）118頁。
45　前掲書。34頁。
46　前掲書。42-43頁。
47　前掲書。216-17頁。
48　前掲書。55頁。
49　ドストエフスキーの遺作となった『カラマーゾフの兄弟』には、カラマーゾフ

家の三人の兄弟すなわちドミトリー、イワン、アレクセイ（アリョーシャ）を巡る様々な事件を通して人間の奥に潜む獣性と神性の葛藤が生き生きと描き出されている。

50 前掲書。57頁。
51 前掲書。76頁。
52 前掲書。78頁。
53 ドストエフスキイ『世界文学全集18　ドストエフスキイ』米川正夫 訳（河出書房新社、1959年）627頁。
54 拙著『ジョウゼフ・コンラッドの風景——サン＝テグジュペリ、オルハン・パムク、ドストエフスキー、カズオ・イシグロ、小泉八雲、夏目漱石、宮崎 駿、村上春樹』（大阪教育図書、2018年）所収の第一部第5章「村上春樹の『騎士団長殺し』とジョウゼフ・コンラッドの『ロード・ジム』と『闇の奥』を中心に」322-24頁、382-94頁 参照。
55 E・H・カー『ドストエフスキー』中橋一夫・松村達雄 訳（社会思想研究会出版部、1952年）271-72頁。
56 ミハイル・バフチン『ドストエフスキーの詩学』望月哲夫・鈴木淳一 訳（筑摩書房、1995年）15頁。
57 前掲書。25-26頁。
58 ドストエフスキー『ドストエフスキー全集　第13巻　作家の日記 II』小沼文彦 訳（筑摩書房、1980年）273-74頁。
59 前掲書。274頁。
60 ジッドは、「書簡集を通してのドストエフスキー」において、この部分を引用して後、「然しドストエフスキーは一生涯もっと多くの時間と自由さへあったならば、その思想を更によく導くことが出来たであろうとの悲しい確信を抱いていた」と述べている。ジッド『ドストエフスキー文献集成　6　ドストエフスキー』武者小路実光・小西茂也 訳（大空社、1995年）191頁。
61 ドストエフスキー『ドストエフスキー全集　第15巻 書簡集 I』小沼文彦 訳（筑摩書房、1975年、第2刷）104頁。

第 2 章　ドストエフスキーとジョウゼフ・コンラッド

62　ドストエフスキー『ドストエフスキー全集　第13巻　作家の日記 II』小沼文彦訳（筑摩書房、1991年、初版第 2 刷）16頁。
63　前掲書。312頁。
64　ドストエフスキー『ドストエフスキー全集　第14巻　作家の日記 III』小沼文彦訳（筑摩書房、1991年、第 2 刷）306頁。
65　前掲書。309頁。
66　相田重夫『シベリア流刑史　苦悩する革命家の群像』（中央公論社、1966年）100-02頁。若きラフカディオ・ハーンも、新興大国米国で困窮をきわめていた時期に、当代流行りの哲学の一風変わった耳学問で人類宗教と近代文明の脅威を唱えるフーリエ主義に共感を覚えて次の様に述べていた。――「急進思想家はことごとく私の兄弟であり、もしもロシアにいたなら、ツアー［帝政時代のロシア皇帝］打倒を企てていたでしょう」。こうした若者らしい熱狂を、（ハーンに衣食住の面倒を見てやっている印刷屋の）ヘンリー・ワトキン（Henry Watkin）は嬉しそうに、共感をこめて眺めていた。尚、ドストエフスキーは、ピョートル大帝によって性急な西欧文明の怒涛に巻き込まれたロシア帝国の首都ペテルブルグを舞台にした『罪と罰』において、官吏を含めた民衆を代弁する彼の様々な想いが登場人物たちに投影されている。その著作第六編において、皇帝暗殺に繋がる百億倍も醜悪な行為を暗示する言葉をポルフィーリイが語っている。「あなたが、ただばあさんを殺しただけなのは、まだしもだったんですよ。もしあなたがもっとほかの理論を考え出したら、それこそ百億倍も見苦しいことを仕出かしたかもしれませんよ！（中略）いったん、ああいう一歩を踏み出した以上、歯を食いしばって我慢しなくちゃいけません。それはもう正義です」（『罪と罰』米川正夫 訳（河出書房新社、1959年、525頁）。予審判事のポルフィーリイは「私はもうおしまいになった人間です」と述べ、若きラスコーリニコフに未来を託すかのように述べている。
67　中村健之助『ドストエフスキー人物事典』（朝日新聞社、1990年）34頁。
68　前掲書。101頁。
69　人民主義：1860-90年代の帝政ロシアで一部のインテリゲンツィアが唱導した共

― 201 ―

同体社会主義思想。信奉者をナロードニキという。新村 出 編『広辞苑　第四版』（岩波書店、1991年、第四版第一刷）1347頁。

70　埴谷雄高『埴谷雄高全集　第十二巻　『討論・ドストエフスキイ全作品』』（講談社、2000年)』311頁。

71　ドストエフスキー『ドストエフスキー全集　第12巻　作家の日記　Ⅰ』小沼文彦 訳（筑摩書房、1976年）228-231頁。

72　ドストエフスキー『世界文学全集 20　カラマーゾフの兄弟 Ⅱ』米川正夫 訳（河出書房新社、1960年）551頁。幼き日の美しく神聖な思い出が、一つでもあれば、それは私たちを救う、というドストエフスキーの考えは、サン＝テグジュペリにあっては「磁極」という表現でなされている。彼は代表作『人間の大地』（Terre des Hommes, 1939）所収の「飛行機と地球」において次のように述べている。──「私は砂漠のただなかに不時着し、余りにも多くの沈黙によって生の磁極から遠ざけられてしまっているひとりの人間に過ぎなかった。ところが私は、自分が夢想に満たされていることに気付いたのだ。私は理解し、目を閉じて、思い出の呪縛に身を委ねたのだ」(198-99頁)。つまり砂漠に不時着して死の危機に直面した時に、心に浮かんだ子供のころの幸せな記憶は現実には存在しないが、それらは私に生きる喜びや力を与えてくれた（199頁）、と述べているのである。また「磁極」を心に抱いて生きる事は、「責任感」に繋がり、例えば同書の「僚友たち」において「冬のアンデスは決して人間を返してくれぬ」（172頁）と言われていたその冬のアンデスからアンリ・ギヨメ（1902-1940）が奇跡の生還を果たしたのは、ひたすら人間としての「責任感」によるものであった。それと同時に仕事を遂行する上での「連帯感」の重視は、「磁極」の発見が無ければ可能ではなかったであろう。サン＝テグジュペリ『南方郵便機・人間の大地』山崎庸一郎 訳（みすず書房、1983年)。

73　ドストエフスキー『ドストエフスキー全集 5　死の家の記録　他』工藤清一郎 訳（新潮社、1979年）＜解題＞工藤清一郎、369-370頁。ドストエフスキーはこの作品（『死の家の記録』）をすでに獄中で書き始めていた、とする説がある。それを裏付けるのは、オムスク監獄の主任医師トロイツキーの温情によるメモ

の制作である。トロイツキーは雑役囚ドストエフスキーの辛い労役を軽減してやろうと思って、入院期間を延ばしてやり、獄中で厳禁されていた執筆を許してやった。ドストエフスキーは入院中に囚人たちの俗語、俚諺、会話、歌などを書きとめ始めた。そしてこれが看護長の手許に保管され、次第に溜まっていった。これが現在残っている「シベリア・ノート」である。これはドストエフスキーにとって独特の要約で、個々のフレーズやメモのかげに、囚人たちの生活、性格、物語が隠されていて、のちにそれが記憶に蘇り、作品の人物たちに肉付けされたのである。「シベリア・ノート」の522点のメモのうち200点以上も『死の家の記録』に利用されたのを見ても、この作品はすでに獄中で書き始められていたとする説が、重みを持つのである。

74 『明暗』は、「道に志す」、或いは「道を修める」決意を以て、向上に努めようとしていた夏目漱石の遺著であり、彼の心情が宗教的な修道から離れていなかった事を物語る。『行人』『こころ』『道草』を経て『明暗』に至る作品は彼にとって「則天去私」の思想である「無」の態度で執筆が為されている。但し臨終に際して漱石が「死ぬと困るから」と言ったとされるその言葉は、彼が中断したこの作品(『明暗』)への想いにほかならず、漱石は小説を書くことによってのみ、修道は成り立ち得たと解される。末木文美士氏は次のように指摘している。——『明暗』というタイトルは禅語に由来する。「久米正雄・芥川龍之介宛消息(大正五年八月二一日付)に、漱石は「尋仙未向碧山行。住在人間足道情。明暗双双三万字。」という漢詩を披露し、それに「明暗双双といふのは禅家で用ひる熟語であります」と自注を付していることから明らかである。(中略)「明暗双双」は、その両面が備わっているということであり、「暗」は悪い意味での暗闇ではない。「明」の現実相を徹底的に追及することが、同時にそれがその奥の「暗」なる世界を照らし出すことになる、と解すれば、そこに『明暗』の求めるものが明瞭になろう」。末木文美士『仏教からよむ古典文学』(KADOKAWA株式会社、2018年)273-74頁。

75 夏目漱石『漱石全集　第13巻　明暗　他』(角川書店、1961年)71頁。

76 夏目漱石「思い出す事など」『漱石全集　第八巻　門　他』(角川書店、1961年)

220頁。
77 前掲書。221-22頁。
78 前掲書。222頁。
79 夏目漱石『漱石全集　第十一巻　こころ　他』(角川書店、1960年) 210頁。
80 夏目漱石に関する論究については、本書の第3章　小泉八雲とジョウゼフ・コンラッド――夏目漱石を視野に入れて　を参照されたい。
81 柄谷行人『漱石論集成』(平凡社、2001年) 48頁。
82 『サン＝テグジュペリ著作集　9　戦時の記録1』山崎庸一郎 訳 (みすず書房、1988年) 241頁。私の思い出に残る書物「ハーパーズ・バザール」誌、1941年4月号。
83 新井政美『トルコ近現代史』(みすず書房、2001年) 3-4頁。
84 松原真夫『親日の国トルコ　歴史の国トルコ』(東京図書出版会、2006年) 128-32頁。
85 『讀賣新聞』2008年6月17日29面。
86 新井政美『オスマン帝国はなぜ崩壊したのか』(青土社、2009年) 270頁。
87 前掲書。19頁。
88 内藤正典『イスラームから世界を見る』(筑摩書房、2012年) 141頁。
89 「トルコと西欧の関係　実に複雑」『讀賣新聞』2008年6月17日28面。
90 危うい「力」への依存『毎日新聞』2017年4月18日7面。
91 オルハン・パムク『父のトランク』〔付〕1「書くことが、私を救う」135頁。
92 オルハン・パムク『父のトランク』Ⅲ「カルスで、そしてフランクフルトで」88頁。
93 Joseph Conrad, "Preface" *The Nigger of the 'Narcissus'* (London: Dent, 1964), p.viii.
94 Joseph Conrad, "Author's Note" *A Personal Record* (London: Dent, 1968), p.vii.
95 オルハン・パムク『父のトランク』〔付〕2「東」と「西」を超えて＜来日特別対談＞、和久井路子 訳 (藤原書店、2007年) 152頁。

96 オルハン・パムク『雪』(上) 宮下遼訳(早川書房、2012年)。

97 レオ・グルコー『ジョウゼフ・コンラッド伝――海と陸の生涯』水島正路 訳(興文社、1975年)11頁。

98 Frederick R. Karl, ed., *Joseph Conrad: The Three Lives* (London: Faber & Faber, 1979), p.65. Conrad, *Lord Jim* (London: Dent, 1968), pp.214, 216.

99 Frederick R. Karl, *Joseph Conrad: The Three Lives,* p.65.

100 Ibid., p.65.

101 バートランド・ラッセル『宗教は必要か』(荒竹出版社、1968年) 34頁。

102 オルハン・パムク『父のトランク』25-26頁。

103 オルハン・パムク『父のトランク』〔付〕2「東」と「西」を超えて、142頁。

104 『毎日新聞』2008年5月21日。

105 前掲紙。

106 リービ英雄『日本語の勝利』(講談社、1992年) 69頁。リービが言うコンラッドの執筆への「終わりなき葛藤」とは、「果てしのない拷問(torture)」の事で、コンラッドは、「他の作家なら何らかの出発点(some starting point)があるが、私には「梃子をくれれば世界を持ち上げてみせる」と言ったアルキメデスの梃子(fulcrum)がない」と1896年6月19日付のエドワード・ガーネット(Edward Garnett)宛ての手紙で述べている。 Frederick R. Karl & Laurence Davies, ed., *The Collected Letters of Joseph Conrad,* vol. 1 (Cambridge University Press, 1983), p.288.

107 リービ英雄『日本語の勝利』239頁。

108 Edward Said, *Reflections on Exile and Other Essays* (Cambridge, Massachusetts: Harvard University Press, 2000), p.179.

109 Joseph Conrad, *Lord Jim* (London: Dent, 1968), p.222.

110 瀬藤芳房「コンラッド『エイミ・フォスター』試論――アイデンティティの危機」『徳島大学教養部紀要』(外国語・外国文学、第4巻、1993年) 4-5頁。また故瀬藤芳房教授は、1978年にポーランド歴訪の旅で次のように述懐されている。――「1596年、ポーランド王国の首都クラクフからワルシャワに移った。ヒッ

トラーは全市街を破壊しつくした。そして今、旧王宮の復元工事が戦後30年以上経過しても、営々と続けられているのを見た。貧しい国家財政の支出である。奪われた「ポーランド性」回復への象徴的、国家的事業である。王宮前広場で、市民が自発的に運び並べている重い敷石の一つひとつに、祖国との熱い連帯感がこめられているのを感じた。ポーランド人が最も愛する言葉は「祖国」である。そこには本来ポーレ（平野）が育んだカトリック的、多元的、普遍性が内在している。「祖国」を完全に奪われているその最中、ともにフランスを脱出しなければならなかったショパン、キューリー、コンラッドは祖国への贖罪的葛藤を別の形へと昇華し、ショパンは音楽、キューリーは科学、そしてコンラッドは文学によって、その内在的普遍性を全世界に向かって開化させたと言えよう」。『心と文化』（晃洋書房、2001年）15頁。因みに1950年代後半にワルシャワをルポした若き30代のガルシア＝マルケスはポーランド国民の誇りを固守する姿を「沸騰するポーランドを注視して」と題して次のように述べている。──「長期にわたって窮乏生活を強いられ、戦争によって国土が荒廃し、再建に必要な費用の捻出と統治者の失政によって苦しめられてはいても、国民は何とか誇りを失わずに生きていこうとしている。言葉に出来ないほど貧しい暮らしの中でも、少なくとも東ドイツと違って叛逆心をもって貧困に立ち向かおうとしていることが見て取れる。古着を身に付け、底のすり減った靴を履いていながら、ポーランドの人たちはこちらが思わず敬意を払いたくなるほどの尊厳を保っている。ワルシャワ再建のために、国民はかつてない大きな犠牲を強いられている。町は一度破壊し尽くされたが、人々は凄まじい執念と、ポーランドの騎兵隊がヒトラーの戦車に槍ひとつで立ち向かったような恐るべき大胆さで町の再建に取り組んだ」と。ガルシア＝マルケス『ガルシア＝マルケス「東欧」を行く』木村榮一訳（新潮社、2018年）82頁。

111 渡辺克義『物語ポーランドの歴史 東欧の「大国」の苦難と再生』（中央公論社、2017年）55頁。

112 Frederick Karl & Lawrence Davies, ed., *The Collected Letters of Joseph Conrad*, vol. 3 (Cambridge University Press, 1988), p.89.

第 2 章　ドストエフスキーとジョウゼフ・コンラッド

113　瀬藤芳房「解説」『七つ島のフレイヤさん』瀬藤芳房 訳（旺史社、2000年）173頁。
114　オードリー・コパード／バーナード・クリック編『思い出のオーウェル』（*Orwell Remembered*）（晶文社、1986年）341頁。
115　前掲書。346頁。
116　『グアバの香り——ガルシア＝マルケスとの対話』木村榮一 訳（岩波書店、2013年）60頁。
117　拙著『ジョウゼフ・コンラッド　比較文学的研究と作品研究』所収の第 3 章「村上春樹とジョウゼフ・コンラッドの文学」1-271頁。
118　オルハン・パムク『雪』（下）「訳者あとがき」396頁。
119　民族植物学の草分けのお一人であられる阪本寧男先生から、2014年 9 月22日付のお手紙で、カルス（Kars）の街について次のように教えて頂きました。「私は1982年のトルコ北部の調査の時にこの町 Kars（標高1800m）を訪れたことがあります。ここはエルズルムと同じく典型的なトルコ高地で、夏は涼しく冬はきわめて寒く、やや陰気な町でしたが、とくに冬は地面が氷結しますので、秋にコムギなどは播けず、春になって氷が融けるとムギを播く地域で、春コムギ・オオムギしか播けず、9 月に穂ができる地帯です。また、植生がまばらで燃料が少なく、ウシの糞を固めて乾燥させた燃料（Tezek）が農家の周りに高々と摘まれていました。野性のムギ類もほとんど生えていませんでした。」
120　『讀賣新聞』2008年 6 月17日。
121　オルハン・パムク『雪』（上）74頁。以下、同書からの引用は、本文中（　）内に頁数を示している。
122　「オルハン・パムクとの対話——西洋に最も近い東洋の苦悩と葛藤——」2008年 5 月15日、青山学院大学総研ビル 大会議室（アナトリアニュース／日本・トルコ協会編100号、2012年11月）48頁。
123　オルハン・パムク『雪』（下）宮下 遼 訳（早川書房、2012年）「訳者あとがき」398頁。
124　Conrad, *A Personal Record*, p.121.

125 サイード『サイード自身が語るサイード』大橋洋一 訳(紀伊國屋書店、2006年) 152頁。

126 Edward Said, *Reflections on Exile and Other Essays* (Cambridge, Massachusette: Harvard University Press, 2000), p.179.

127 Edward Said, "Introduction" *Reflections on Exile and Other Essays* (Cambridge, Massachusetts: Harvard University Press, 2000), p.xv.

128 Carola M. Kaplan, Peter Mallios & Andrea White, ed., *Conrad in the Twenty-First Century──Contemporary Approaches and Perspectives* (New York: London: Routlege, 2005), p.286.

129 谷口義朗「新刊紹介」『關大』第574号(関西大学校友会、2013年3月15日) 43頁。拙著『ジョウゼフ・コンラッド──比較文学的研究と作品研究』(大阪教育図書、2012年)への書評。

130 エドワード・サイード『戦争とプロパガンダ』中野真紀子・早尾貴紀 共訳(みすず書房、2002年) 45頁。

131 サイード『サイード自身が語るサイード』80頁。

132 オルハン・パンク『雪』(上) 142頁。

133 オルハン・パムク『イスタンブル──思い出とこの町』和久井路子 訳(藤原書店、2007年) 362頁。

134 オルハン・パムク『雪』(下)「訳者あとがき」398頁。

135 オルハン・パムク『雪』(上) 43頁。

136 パムクの作品に『新しい人生』(*Yeni Hayat*, 1994)がある。共和国建国以来トルコが歩んできた近代化の方向に警鐘を鳴らしつつ、新しい人生のために、主人公の「私」がジャーナンへの愛を希求する物語である。

137 オルハン・パムク『雪』(上) 209頁。

138 Douglas Hewitt, *Conrad: A Reassessment* (London: Bowes & Bowes, 1969), p.27.

139 オルハン・パムク『雪』(下) 394頁。

140 『讀賣新聞』2008年6月17日。

第2章　ドストエフスキーとジョウゼフ・コンラッド

141　オルハン・パムク『イスタンブル――思い出とこの町』15頁。
142　前掲書。16頁。
143　フランスの文化人類学者であるレヴィ＝ストロースは、「構造主義」を広げた。彼は未開の社会を研究し、遅れているだけと思われていた未開の文化の中に、高度な規則構造を発見した。人は目の前にある現象だけを見て物事を判断しがちだが、全体像を把握し、そこから不要なものを削ぎ落してこそ、本質は見えてくる。
144　前掲書。118-20頁。
145　前掲書。76-77頁。
146　オルハン・パムク『わたしの名は紅』和久井路子 訳（藤原書店、2006年）2頁。尚、この小説において、パムクは、作家の秘密は、霊感にではなくて、根気と忍耐にあることを、作家としての自分を、この小説の細密画師に譬えて次のように述べている。「同じ馬を熱心に描き続けて、諳んじてしまい、さらには巧みな馬の絵を目をつぶって描くことの出来るペルシャの昔の細密画師について語った時、私は作家の職業を、自分の人生を語ったことを知っていた」。オルハン・パムク『父のトランク』15頁。
147　オルハン・パムク『父のトランク』〔付〕2「東」と「西」を超えて、173頁。
148　「オルハン・パムクとの対話――西洋に最も近い東洋の苦悩と葛藤――」48-51頁。
149　Joseph Conrad, *Under Western Eyes* (London: Dent, 1967), p.10. 以下、同書からの引用は、本文（　）内にその頁数を示している。尚、本文中の訳は、篠田一士 訳「西欧の眼の下に」世界文学全集2『西欧の眼の下に／青春』（集英社、1974年）（第2版）を参照させて頂きました。
150　Joseph Conrad, "Author's Note" *Under Western Eyes* (London: Dent, 1968), p.ix.
151　Frederick R. Karl & Laurence Davies, ed., *The Collected Letters of Joseph Conrad*, vol. 4 (Cambridge: Cambridge University Press,1990), p.8. 1908年1月6日付のジョン・ゴールズワージー（John Galsworthy）宛てのコンラッ

ドの手紙。

152 Jocelyn Baines, *Joseph Conrad: A Critical Biography* (Weidenfeld & Nicolson, 1967), p.360.

153 コンラッドは、ガーネット夫人のこの『カラマーゾフの兄弟』の英訳の見事さに「なんという才能、解釈の才能、翻訳という言葉は奥さんの業績には使えない」と手放しの賛辞を呈しているが、「あの男（ドストエフスキー）の芸はこういう幸運には値しない」（360頁）と述べてこのロシア作家とは一線を画そうとしている。コンスタンス・ガーネットは当時有名なロシア文学の翻訳家で、彼女の英訳『カラマーゾフの兄弟』は、出版後すぐに「若い世代にとってのバイブル（the Bible）のようなものになった」。Samuel Hynes, *The Edwardian Turn of Mind* (Princeton University Press, 1968), p.337.

154 本書の第8章においてドストエフスキーの『悪霊』への考察の中で、ドストエフスキーのロシア的すぎる事への考察を試みている。

155 Jocelyn Baines, *Joseph Conrad : A Critical Biography*, p.360.

156 サイード『サイード自身が語るサイード』84頁。

157 ジョージ・ジェファーソン『エドワード・ガーネット伝』清水一雄 訳（日本エディタースクール出版部、1985年）56頁。因みにコンラッドが作家になったのはエドワード・ガーネットのお蔭であった。「『オールメイヤーの愚行』についての意見を求めてエドワード・ガーネットに会いに行った時、彼は「貴方は一冊小説を書きました。大変いいものでした」と言った。「どんどん書き続けてはいかがですか（Why not go on writing?）」ではなくて「もう一冊書いてみませんか（Why not *write another*?）」と言ってくれた。「それなら私にだってやれる。（I *could* do that.）」そんな風にして、エドワードは私に書き続けさせたのです。それで私は作家になったのです」と感謝の言葉を述べている。Edward Garnett, *Letters from Conrad 1895-1924* (The Nonesuch Press, 1928), p.vii.

158 Joseph Conrad, "A Familiar Preface" *A Personal Record*, p.xix.

159 Joseph Conrad, *Notes on Life and Letters* (London: Dent, 1949), pp.190-91.「人間は働くべきもので、そこで必要な事は一貫した誠実だ」。Joseph Conrad,

The Mirror of the Sea (London: Dent, 1968), pp.29-30.「自己を滅却すること、個人的感情をすべて捨てて名人芸に仕えること、これが船乗りにとって自己の責任を誠実に果たす唯一の道なのだ」。

160　Joseph Conrad, "Author's Note" *Under Western Eyes*, p.ⅷ.
161　Joseph Conrad, "Autocracy and War" *Notes on Life and Letters* (London: Dent, 1949), p.99.
162　Joseph Conrad, "Author's Note" *Under Western Eyes*, p.ⅷ.
163　Joseph Conrad, *The Shadow-Line* (London: Dent, 1969), p.106.
164　高橋誠一郎『ロシアの近代化と若きドストエフスキー「祖国戦争」からクリミア戦争へ』(成文社、2007年) 1849年4月23日未明、ドストエフスキーは寝入りばなを起こされ逮捕された。その容疑はペトラシェフスキーの会の「集会に出席」し「出版の自由、農民解放、裁判制度の変更の三問題に関する討論に加わりゴロヴィンスキイの意見に賛成」したこと、および「ベリンスキーのゴーゴリへの手紙を朗読」したことであった(196頁)。独房での苦しい日々を経て、ドストエフスキーの逮捕から8か月後に刑が確定した。4年間のシベリア流刑の後、一兵卒として軍隊に5年間配属されるというのであった。彼らは実行には至っていなかったので、当時のロシアの法律でも死刑にすることは不可能だったのである。しかし皇帝ニコライ一世は彼らを懲らしめるために、先ず死刑の宣告をし、「執行の準備が完了した後に初めて恩赦を宣告する」という「慈悲ある」芝居を考え出していた(203頁)。

　亀山郁夫『『罪と罰』ノート』(平凡社、2009年) 71-72頁。ドストエフスキーの罪状の一つに挙げられたベリンスキーの手紙の一部が次の文である。「現在のロシアで最も焦眉の国家的課題は農奴制と体罰の廃止であり、せめて現在すでにある法律の可能な限りの厳正な実施です。そのことは政府自身も感じています(政府は地主が自分の農民にどのようなことをしているか、また毎年、農民が何人の地主を切り殺しているかを知っているのですから)。(中略) 教会とは位階制にほかならず、したがって、不平等の擁護者、権力への追従者、人間同士の博愛の敵、迫害者でした。今日も依然としてそのとおりであります」と。

ニコライ・ゴーゴリ（Nikolai Gogol, 1809-1852）に宛てたこの手紙は、ロシア正教会に対する徹底した批判に貫かれ、神に仕える敬虔な民衆という通念を退けるもので、将来における政府転覆をも匂わせるものだった。

165 　小林秀雄『ドストエフスキイの生活』（角川書店、1977年改版13版）56頁。

166 　中村健之助『ドストエフスキー 生と死の感覚』（岩波書店、1992年、第三刷）311頁。

167 　ドストエフスキー『死の家の記録』望月哲男 訳（光文社、2013年）26-27頁、30頁。アウシュヴィッツ強制収容所とその悪名高い支所の別名「絶滅収容所」から奇跡の生還を果たした精神科医のヴィクトール・E・フランクル（Viktor Emil Frankl, 1905-1997）は、4年間極寒の地オムスク監獄で体験したドストエフスキーを想起して、『夜と霧』において次のように記している。――かつてドストエフスキーはこう言った。「私が恐れるのは只一つ、私が私の苦悩に値しない人間になることだ」。この究極の、そして決して失われることのない人間の内なる自由を、収容所における振る舞いや苦しみや死によって証していたあの殉教者のような人々を知った者は、ドストエフスキーのこの言葉を繰り返し噛みしめることだろう。その人々は、私は私の「苦悩に値する」人間だ、と言うことが出来ただろう。彼らは、まっとうに苦しむことは、それだけでもう精神的に何事かを成し遂げることだ、ということを証していた。最期の瞬間まで誰も奪うことの出来ない人間の精神的自由は、彼が最後の息を引き取るまで、その生を意味深いものにした。なぜなら、仕事に真価を発揮できる行動的な生や、安逸な生や、美や芸術や自然をたっぷりと味わう機会に恵まれた生だけに意味があるのではないからだ。そうではなく、強制収容所での生のような、仕事に真価を発揮する機会も、体験に値すべきことを体験する機会も皆無の生にも、意味はあるものだ。ヴィクトール E・フランクル『夜と霧』池田香代子 訳（みすず書房、2013年、第23刷）112頁。

168 　小林秀雄『ドストエフスキイの生活』（角川書店、1977年改版13版）71頁。

169 　ドストエフスキー『ドストエフスキー全集　第15巻　書簡集 I』189-190頁。

170 　ドストエフスキー『ドストエフスキー全集5　死の家の記録　いまわしい話』

第 2 章　ドストエフスキーとジョウゼフ・コンラッド

工藤清一郎 訳（新潮社、1979年）〈解題〉373-74頁。
　梅原 猛は、『カラマーゾフの兄弟』は霊と肉を持つ思想小説と規定し、その思想は強烈な霊性と獣性を所有する登場人物の葛藤から起こる血なまぐさい事件の中に見事に表現されており、人間心理の二面性をえぐり出し、現代は無神論の時代であると論じた（252）、と指摘して、これら三人の兄弟を次のように述べている。「長男のドミトリーは父に似て好色で、欲望に駆られると容易に制御し難い衝動の持ち主であるが、同時に所謂ロシア的素朴さを持った男なのである。次男がイワン、彼は無神論者で、潜在的に親が持っている無神論を徹底的に論理的に追求しようとする。そして彼は、神は無い、神が無ければ道徳が無く、一切が許されるという哲学的結論に達する。この二人の兄と違い、三男のアリョーシャは極めて純粋な宗教的信条の持ち主である。彼は愛と信仰の化身のような人なのである。但しドストエフスキーは、アリョーシャの中にもなお潜んでいる獣的な欲望や、ドミトリーの中にも潜んでいる神のような素朴な心を見逃してはいない」（251頁、253頁）。スタヴローギンは、絶望的無神論のためすべてを否定し、無目的な弛緩の中に自殺している。

171　前掲書。374頁。
172　前掲書。196頁。1854年2月下旬、フォン＝ヴィージン夫人へのドストエフスキーの手紙。
173　小林秀雄『小林秀雄集』（筑摩書房、1956年）91頁。
174　フリードリッヒ・ニーチェ『この人を見よ』阿部六郎 訳（新潮社、1972年、第27刷）17頁。
175　大江健三郎・後藤明生・吉本隆明・埴谷雄高『現代のドストエフスキー』（新潮社、1981年）56頁。ペトラシェフスキー事件でシベリア流刑になる途中、トボリスクというところで、20年以上も前に流刑になったデカブリストたちの妻からドストエフスキーは、一冊の『聖書』を貰った。その『聖書』は、今はモスクワの、彼が生まれた慈善病院の敷地内にあるドストエフスキー記念館のガラスケースの中に陳列されている由。
176　ドストエフスキー『ドストエフスキー全集　第12巻　作家の日記Ⅰ』13頁。

177　ドストエフスキー『地下室の手記』安岡治子 訳（光文社、2007年）16頁。
178　小沼文彦 訳『ドストエフスキー未公刊ノート』（筑摩書房、1997年）56頁。
179　ミハイル・バフチン『ドストエフスキーの詩学』122頁。
180　Frederick R. Karl & Laurence Davies, ed., *The Collected Letters of Joseph Conrad*, vol. 4, p.9. 1908年1月6日付のジョン・ゴールズワージー（John Galsworthy）宛てのコンラッドの手紙。
181　ジョウゼフ・コンラッド『西欧の眼の下に・青春』篠田一士 訳（集英社、1970年）「作家と作品　コンラッド」篠田一士、「ド・ブレーヴは実在したロシアの内務大臣で、1904年にモスクワ大学の学生に投げられた爆弾で暗殺されている。この小説ではド・P―氏とぼかしてある。なお暗殺した学生はすぐその場で逮捕されている」（417-18頁）。
182　梅田良忠・岩間 徹『図説　世界文化史大系　第12巻　東欧・ロシア』（角川書店、1959年）242頁。『罪と罰』は1866年の正月から「ロシア報知」に掲載された。当時速記者だったアンナ・スニートキナは、彼（ドストエフスキー）の下宿はラスコーリニコフの下宿を連想させたと述べている。
183　Joseph Conrad, "Author's Note" *Under Western Eyes* (London: Dent, 1971), p.ix.
184　ドストエフスキー『ドストエフスキー全集　第13巻　作家の日記 II』87頁。
185　前掲書。88頁。
186　アンドレ・ジイド『ドストエフスキー』寺田 透 訳（新潮社、1955年）204頁。
187　中村健之助『ドストエフスキー 生と死の感覚』323頁。
188　ドストエフスキー『ドストエフスキー全集　第15巻　書簡 I』264頁。
189　ドストエフスキー『ドストエフスキー全集　第12巻　作家の日記 I』167頁。
190　前掲書。11頁。
191　ドストエフスキー『ドストエフスキー全集　第13巻　作家の日記 II』18頁。
192　ドストエフスキー『ドストエフスキー全集　第12巻　作家の日記 I』361-62頁。
193　梅原 猛『世界と人間――思うままに』（文藝春秋、1994年）249頁。

194 前掲書。249頁。

195 中村健之助『ドストエフスキーの手紙』20 兄ミハイル宛ての1854年2月22日付けの手紙。80頁。

196 清水 正『清水正・ドストエフスキーロン全集5『罪と罰』論余話』(星雲社、2010年) 238頁。

197 ドストエフスキー『ドストエフスキー全集 第12巻 作家の日記 Ⅰ』137-38頁。

198 前掲書。165頁。

199 Bertrand Russell, *Portraits from Memory and other Essays* (London: George Allen & Unwin, 1956), p.82.

200 Ibid., p.82, p.84.

201 井内雄四郎『比較の視野 漱石・オースティン・マードック』(旺史社、1997年) 133頁。

202 小林秀雄『日本人の知性3 小林秀雄』(学術出版会、2010年) 64頁。

203 小林秀雄『小林秀雄全作品5「罪と罰」について』(新潮社、2003年) 49頁。

204 小林秀雄『新訂 小林秀雄全集第六巻 ドストエフスキイの作品』(新潮社、1988年) 232-33頁。

205 前掲書。237頁。

206 ドストエフスキイ『世界文学全集 18 ドストエフスキイ』624頁。荒くれた刻印つきの囚人たちがソーニャの姿を見たり、労役に行く途上で彼女に出会った時に、彼らは一斉に帽子を脱いで彼女にお辞儀をした。「おまえは俺たちのおふくろがわりだよ。優しい思いやりの深いおふくろだよ！」と言っている。流刑地の囚人たちがソーニャを母のように慕う関係を見て、ラスコーリニコフは根源的な人間と人間の関係が存在する事を目の当たりにしている。

207 小林秀雄『小林秀雄全作品 5「罪と罰」について』27頁。

208 アンドレ・ジイド『ドストエフスキー』112頁。

209 ドストエフスキイ『罪と罰』米川正夫 訳 (河出書房新社、1959年) 88頁。

210 辻原 登『東大で文学を学ぶ ドストエフスキーから谷崎潤一郎へ』(朝日新聞

出版、2014年）102-03頁。

211　埴谷雄高『埴谷雄高全集　第七巻『ドストエフスキイ』』（講談社、1999年）257-59頁。

212　荒　正人「解説」ドストエフスキー『罪と罰』（世界文学全集 18）（河出書房新社、1959年）646頁。

213　ドストエフスキイ『罪と罰』米川正夫　訳、308頁。以下、同書からの引用は、本文（　）内にその頁数を示している。

214　山城むつみ『ドストエフスキー』（講談社、2011年、第3刷）、146頁。

215　前掲書。146頁。

216　ドストエフスキー『ドストエフスキー全集　第12巻　作家の日記Ⅰ』小沼文彦訳（筑摩書房、1976年）123頁。

217　ソーニャはラスコーリニコフに、教会へ行って祭壇の前で懺悔するようには言っていない。大地への口づけを命令した。大地信仰は『カラマーゾフの兄弟』の長老ゾシマによっても、愛弟子アリョーシャ・カラマーゾフによっても告白されている。中村健之助『ドストエフスキー人物事典』（朝日新聞社、1990年）333頁。

218　小林秀雄『新訂　小林秀雄全集 第六巻　ドストエフスキイの作品　「罪と罰」について　Ⅱ』（新潮社、1988年）239頁。

219　佐藤泰正『文学の力とは何か――漱石・透谷・賢治ほかにふれつつ』（翰林書房、2015年）424頁。

220　小林秀雄『新訂　小林秀雄全集第六巻　ドストエフスキイの作品　「罪と罰」について　Ⅱ』263頁。

221　大江健三郎・後藤明正・吉本隆明・埴谷雄高『現代のドストエフスキー』37頁。

222　米川正夫　訳『世界文学全集18　ドストエフスキー　罪と罰』（河出書房新社、1959年）627-29頁。

223　小沼文彦 訳『ドストエフスキー全集　第18巻』192-93頁。

224　ヴァルター・イェンス ＆ ハンス・キュング『文学にとって神とは何か』山下

公子・山本尤・鈴木直 訳（新曜社、1988年）346頁。

225　中村健之助 編訳『ドストエフスキーの手紙』345頁。

226　前掲書。345-46頁。

227　Jocelyn Baines, *Joseph Conrad: A Critical Biography* (Weidenfeld & Nicolson, 1967), p.360.

228　Frederick R. Karl, *Joseph Conrad: The Three Lives*, p.678.

229　黒澤 明『全集　黒澤 明　第三巻』（岩波書店、1988年）＜作品改題＞佐藤忠男、3頁。

230　Joseph Conrad, *The Secret Agent* (London: Dent, 1972), p.167.

231　拙著『ジョウゼフ・コンラッド　比較文学的研究と作品研究』223頁。

232　ベルジャーエフ『ドストエフスキーの世界観』斎藤栄治 訳（山陽社、2009年）278-79頁。

233　拙著『新編　流浪の作家ジョウゼフ・コンラッド』第四章「理想的価値」の追求――『ロード・ジム』の世界――（大阪教育図書、2007年）87-140頁。

234　J・H・ステイプ『コンラッド文学案内』社本雅信 監訳（研究社、2012年）224頁。

235　ドストエフスキー『地下室の手記』安岡治子 訳（光文社、2007年）74頁。

236　前掲書。75頁。

237　前掲書。76頁。

238　前掲書。32頁。

239　前掲書。33頁。

240　ドストエフスキー『ドストエフスキー全集　第13巻　作家の日記 Ⅱ』87頁。

241　Jocelyn Baines, *Joseph Conrad: A Critical Biography*, p.177.

242　シドニー・ミンツ『甘さと権力』川北 稔・和田光弘 訳（平凡社、1989年）94-97頁。

243　Frederick Karl & Laurence Davies, eds., *The Collected Letters of Joseph Conrad*, vol. 1, p.292.

244　拙稿「『不安の物語』――「カレイン」「潟」「進歩の前哨地点」「帰宅」を中心

に――」拙著『ジョウゼフ・コンラッド 比較文学的研究と作品研究』（大阪教育図書、2012年）183-87頁。

245 ラス・カサス『インディアス破滅を弾劾する簡略なる陳述』石原保徳 訳（現代企画室、1987年）16-17頁。

246 Joseph Conrad, "Geography and Some Explorers" *Last Essays* (London: Dent, 1972), p.17.

247 Keith Carabine, ed., *Joseph Conrad: Critical Assessments*, vol. II (Helm Information, 1992), p.326. トリリング『＜誠実＞と＜ほんもの＞――近代自我の確立と崩壊』野島秀勝 訳（筑摩書房、1976年）146頁。

248 Joseph Conrad, "Author's Preface" *The Secret Agent* (London: Dent, 1972), p.xii.

249 井内雄四郎＜解説＞『スパイ』井内雄四郎 訳（思潮社、1966年）267-68頁。

250 「パムクと語る――東洋の西端と東端から――オルハン・パムク/辻井 孝/小倉和夫」（アナトリアニュース／日本・トルコ協会編、100号）52頁。

251 Frederick R. Karl & Laurence Davies, eds., *The Collected Letters of Joseph Conrad*, vol. 3 (Cambridge: Cambridge University Press, 1988), pp.354-55. 1906年9月12日付のジョン・ゴールズワージー（John Galsworthy）宛てのコンラッドの手紙。

252 F.R. Leavis, *The Great Tradition* (Penguin Books, 1967, reprint), p.243.

253 Joseph Conrad, *Under Western Eyes*, p.39.

254 中村健之助 編訳『ドストエフスキーの手紙』320-22頁。1876年6月7日、V・A・アレクセーエフ宛てのドストエフスキーの手紙。

255 アンドレ・ジッド『ドストエフスキー文献集成 6 ドストエフスキー』武者小路実光・小西茂也 訳（大空社、1995年）73-74頁。

第3章　チャールズ・ディケンズと
　　　　ジョウゼフ・コンラッドの文学
　　　——ジョージ・オーウェルを視野に入れて——

序論

　ジョージ・オーウェル（George Orwell）は、「私が本を書くのは、暴きたいと思う何らかの嘘があるからであり、注意を引きたい何らかの事実があるからだ」と述べて、『1984年』（*Nineteen Eighty-Four*）などで、時代を鋭利な誠実さで弾劾し続けた。またオーウェルは「人間の平等」を希求した作家であり批評家でもある。その彼が、共感と敬意をもって評価するのが、チャールズ・ディケンズ（Charles Dickens）とジョウゼフ・コンラッド（Joseph Conrad）である。本論では、オーウェルを視野に入れて、それぞれの時代において独自の社会批判を行う両作家が作品に込めた真意を考察する事を目的とする。

　資本主義の下では格差は拡大していくという結論を導き出した仏国経済学者トマ・ピケティ（Thomas Piketty）の『21世紀の資本』（*Capital in the Twenty-First Century*）が一時期世界的なブームを巻き起こした。この著作は、ドイツ語や日本語などを含む35言語に翻訳され、世界全体で計150万部以上が売れた[1]。日本でも、政治・経済・社会の分野としては異例の約14万部の大当たりとなった[2]。2014年4月に米国で英語版が発売されてからブームに火がついた。ピケティは、格差そのものを批判しているわけではない。民主主義や社会正義の価値観を脅かしかねないほどの格差が問題なのだと言っている。米国では、豊かな人はより豊かに、貧しい人はより貧しくなっている。中間層が貧しくなる事で富裕層に富が集中し、格差の拡大によって社会が分断され、均衡が崩れている。米国では上位1％の富裕層の所得が国民総所得に占

める割合は、1970年代末は9％程度だったのが、近年では20％近くにまで上昇しており[3]、深刻な格差への不満が広がっている。

　ロバート・ライシュ（Robert Reich）は、その著『格差と民主主義』において――「アメリカ人の1％と言われる富裕層の上位400人だけで、下半分の所得階層に当たる1億5000万人の勤労所得をすべて合算したよりも、はるかに多くの富を手中にしているのである。一方、標準的な勤労者の年間賃金の伸びは鈍化しており、この30年間で（物価上昇分を差し引くと）280ドルしか上昇していない。2001年以降は、実質賃金の中央値も下落し続けている。（中略）上位1％の中でも、更にその二分の一に当たる0.5％が、一人当たり720万ドルを超える資産を有する超富裕層であり、彼らは国富の28％を占めている。富の集中に伴って彼等の政治的な影響力も増大して、超富裕層の収入の大半がキャピタル・ゲイン（資本利得）と見做され、その税率はわずか15％で30年間も最低水準にとどまっている。（中略）米国経済の実質的な回復は、拡大する格差が反転するまで望めないだろう。富裕層が余りに多くの所得を得ている状況下において、中間層が経済を好転させるための購買力を維持するために、更なる債務を負わざるを得なくなっている。こうした状況は悲惨な結末に終わる」[4]と警鐘を鳴らしている。

　このように深刻な格差問題は、ビッグ・ブラザーを頂点とし、人口の2％以下の党内局に党権力が集中し徹底した管理の恐怖を描き出したジョージ・オーウェルの予言書とも言われる『1984年』での格差社会を想起させるのである。党に逆らう者には、ビッグ・ブラザーへの忠誠心に留まらず最終的には逆心した事への後悔とビッグ・ブラザーへの心からの敬愛以外何一つ残らないように完全な洗脳を行い、彼らを人間の抜け殻にする[5]。ビッグ・ブラザーによって憎悪に満ちた監視社会が生み出され、都合の悪い言葉やデータは国家によって書き換えられたり、消去されたりする全体主義の恐怖の世界が描き出されていた。この矛盾に気づいたまだ希望というものの残っている人間世界を代表する一人の典

第3章　チャールズ・ディケンズとジョウゼフ・コンラッドの文学

型的残存者であるウィンストン・スミスは党に反抗するが、結局は思想警察に捕えられ、拷問にかけられ、洗脳され、お互いを裏切る事によって最後に残されていた「考える自由」まで放棄した上、党の絶対的な全体主義的独裁者である「偉大なる兄弟」（ビッグ・ブラザー）を祝福しながら殺されてゆく[6]。ステファン・スペンダー（Stephen Spender）は、この小説を「絶望の文学」「ビッグ・ブラザーがアンチ・キリストとなっている世界」と見做して、次のように述べている。

――「『1984年』は一つの政治小説だが、しかしそこでは左翼が善で、右翼が悪だというような流行の先入観から先入観がすっぽり洗い浄められたような政治小説なのである。我々は、左右いずれの側も政治を利用して、世界を悪のどん底に突き落とすための口実となしうるような一つの世界を見せつけられているわけである。オーウェルの世界にはキリストの影もないにもかかわらず、その世界は「偉大なる兄弟」がまさにアンチ・キリストとなっている世界なのである。彼は全社会が彼の意志のほか何ものをも意志しないことを意志する。彼は彼の犠牲者たちの愛をば、彼らの生において、また彼らの死に方において要求する。もしも人間平等の概念がオーウェルの放棄した夢の中核だとすれば、「偉大なる兄弟」の意志という観念がオーウェルの夢の否定の中核である（傍点は筆者）。かくして我々がこの小説を読み進んでいくうちに、この小説の初めに取り入れてあるスローガンは、一見するといかにも乱暴なパロディと見えたものがまったく文字通りに、「悪」がアンチ・クリストの「善」に転化したところの、一つの世界の道徳律であることに気づくのである。「愛は憎悪なり」「戦争は平和なり」「無知は力なり」が「党幹部」の基本的信条である。かくしてウィンストン・スミスは一片の虚偽が真理だということを完全に信じ切った時、意外なことに改宗の気持ちを経験する。彼は「偉大なる兄弟」を愛するのである。オーウェルの世界の悲劇は、人間――「偉大なる兄弟」――がみずからを神と化し、しかも神がまったく不在であるということである」[7]。

- 221 -

オーウェルは激動の時代を生きた。彼の作品は彼の体験に深く結びついている。彼がビルマから帰ってパリにいた1929年は世界恐慌の始まった年であり、翌30年、英国には失業者が溢れていた。パリで彼は「職業として最低のまた最低」の皿洗いを経験し、英国では浮浪者の中で暮らしたり、季節労働者としてケント州でホップ摘みをしたりした。当時の左翼知識人のほとんどが大学出の「客間のボルシェビキ」だったのに対し、彼は大不況時代の社会の最底辺での生活を自分の肌で体験し、それを処女作『パリ・ロンドンどん底生活』(*Down and Out in Paris and London*) において生き生きと描き出していた[8]。オーウェルは、1934年10月15日ロンドンにて『パリ・ロンドンどん底生活』フランス語版への序文で、「この本の主題は貧しさということだ。ポケットに一ペニーも入っていない時には、どの都市であれ、どの地方であれ、最も好意的でない見地から見ざるを得なくなるのである。あらゆる人間は、苦しみを共にする人々か、でなければ敵として見える」[9]と率直な彼の想いを吐露している。彼はこの書の中で次のように指摘する。──「皿洗いは奴隷だ。しかもこき使われる奴隷で、ばかげた、そして大部分は不必要な仕事をやらされる。その仕事はいつまでも続けられる。閑を持たせると危ないだろうという、おぼろげな感じが原因なのだ」[10]、「放浪生活の大きな禍根、それは押し付けられた手もちぶたさである（傍点はオーウェル）。我が国の条例によって、浮浪者は放浪を続けているか、独房の中に坐っている。その合間には、（ほんのわずかな配給食を得るために）浮浪者収容所[11]が開くのを待って地面の上に寝ているといったようにことが決められている。これ以上に無益なものを案出できるはずもない。（中略）愁眉の急の問題は、退屈し切った、生きる屍（しかばね）に等しい放浪者を、自らを重しとする人間にいかにして変えるかということ。これである（ゴシック体は筆者。以下同じ）」[12]。

オーウェルは、「私の略歴」の中で──「1922年から27年まで、ビル

第3章 チャールズ・ディケンズとジョウゼフ・コンラッドの文学

マのインド帝国警察に勤めた。それを辞したのは、一つは気候が私の健康を損なったこと、また漠然とではあったがすでにものを書きたいという気持があったためだが、最大の理由は、ごく大まかに言って一つのペテンとしか思えなくなった帝国主義に、もうこれ以上私がついてゆけなくなったからであった。(中略) 心情的には、確かに私は「左翼」であろう。が、作家は政党色を離れていることによって初めて誠実たり得る、と私は信じている」[13]と述べている。オーウェルは、また「なぜ書くか」("Why I Write")と題するエッセイにおいても——「1936-37年のスペイン戦争やその他の事件は、このどっちつかずの私の考え方をはっきりと変え、それ以後、私は自分がどういう立場をとるかを自覚するものとなった。1936年以来、私が本気で書いた作品は、どの一行も、直接あるいは間接に、全体主義に反対して描いたものであり、私が理解する流儀での民主的社会主義のために書いたものである（傍点はオーウェル）。(中略) 私が本を書くのは、暴きたいと思う何らかの嘘があるからであり、注意を引きたい何らかの事実があるからであり、真っ先に思うのは人に聞いてもらうことである」[14]と言明している。この前提に立ってオーウェルは、『ソヴィエト旅行記修正（1937年6月）』において、＜国家の欺瞞＞と＜特権＞と＜貧富の落差＞の大きさを次のように書いている。——「私がソヴィエトを非難する第一の理由は、かの国の労働者たちの状況を、人も羨むようなものであるかに見せかけ、私たちを欺いたからなのだ。ソヴィエトの労働者は、その勤める工場に縛り付けられている。さながら永遠に回転している地獄の火炎車に縛り付けられているイクシオンの如くである。(中略) 私が驚いたのは、最高のものと普通一般のものとの余りにも大きな落差だった。特権は余りにも大きすぎ、普通のものは余りにも貧弱で劣悪だった。(中略)（一般とはかけ離れた桁違いの）歓待そのものが、絶えず私に特権や差別を思い出させた。私は＜平等＞に出会えるものと期待してあの国に行ったのに。熱烈な支持者として、確信を持った者として、私はここに新しい世界を見

て感嘆するために来たのだった。しかし人々は、私を誘惑するために、旧世界の中で私が忌み嫌っていた＜特権＞というものをこれでもかと私に捧げてきたのだった」[15]。＜平等＞の追究は、人間の人間らしさを探求する**民主的社会主義作家**オーウェルの使命感に通底するものである。オーウェルの真摯な創作態度は、最後まで変わる事はなかった。彼の遺著である『1984年』は、肺結核の悪化で死と対面しながら生命を賭して執筆されていた。ナチ・ドイツ敗北の後、スターリン体制をファシズムに代わる全体主義と見た彼は、この作品によって「人間が人間であるべき自由」の大切さを、文字通り死を賭して訴えていた。

　『動物農場』（Animal Farm）や『1984年』などで、時代を鋭利な誠実さで弾劾し続けたオーウェルにとっては、自ら明かす事のなかった空白の2年間があった。切迫した戦時下の1941年から43年にかけて、スバス・チャンドラー・ボースがヒトラー支配下のドイツで始めたインド放送を向こうにまわして第二次世界大戦下の世界についての状況をインド人に知らせる役割を、英国BBC放送によってオーウェルは果たした[16]。アーカイヴズ・センター（文書収納庫）から、オーウェルに関する新しい資料が、1984年初頭から次々と発見された。編者ウエスト（West）は、『戦争とラジオ──BBC時代』（1985）の＜まえがき＞で、それらの資料に詳しく目を通し、関係者とのインタビューを通じて、いかにこの2年間が、晩年のオーウェルを形成する基盤となって、『動物農場』や『1984年』誕生の温床になったかを、証言している[17]。

　ところで自由を尊ぶ米国においても、昨今さすがに行き過ぎだと感じ始めている[18]。英国の経済誌エコノミスト（2015年1月24・30日号）が、「America's new aristocracy（アメリカの新貴族階級）」と題した論説で、エリート層の世襲化とも言える現実を「成功は生まれながらではなく能力と努力次第というアメリカンドリームが、神話になりつつある」[19]と痛切に批判している。金融資本主義が行き過ぎた結果、格差への不満が爆発した2011年の「ウォール街占拠運動」もピケティの過去の

研究が支えになったという[20]。また2016年5月、タックスヘイブン（租税回避地）の実像を映す世界を震撼させた膨大な内部文書「パナマ文書」[21]の詳細データを、国際調査報道ジャーナリスト連合（ICIJ）がインターネット上に公開した。「所得の不平等は、現代社会が直面する最重要課題の一つだ」と、パナマ文書を匿名でドイツの新聞に漏えいした人物が、暴露の動機などを綴った文章には、貧富の格差に対する強い憤りがにじむ[22]。日本も例外ではない。約21万4000法人と関連する約36万件の個人名のうち、日本も重複分を含め806件あるという[23]。

　さて今から200年以上前に、世界に先駆けて産業革命を起こし、世界の七つの海に乗り出した英国でさえも、深刻な格差問題が起きていた。否、格差社会の原点は、手工業から工場制の機械工業生産への転換を史上初めて成功に導いた英国の産業革命に由来する。つまりリチャード・アークライト（Richard Arkwright）の（水車を利用して動かす）紡績機械の発明（1769年）、ジェイムズ・ワット（James Watt）の蒸気機関の発明（1785年）、ロバート・フルトン（Robert Fulton）の実用蒸気船の建造（1807年）などによって工業は家庭から工場に移り、小さい村も一世紀もたたない内に都市となり、工場生産を巡っては搾取、低賃金での少年の過酷な労働、大衆の悲惨な状態を引き起こし、貿易の振興は少数の富裕者と多数の貧困者の格差を拡大した[24]。そうした過酷な現実社会の不正や矛盾を、文豪チャールズ・デッケンズが庶民の立場に立って告発した。但し彼の社会批判は革命的ではない。ジョージ・オーウェルは、「チャールズ・ディケンズ論」（"Charles Dickens"）において次のように──「ディケンズの作品のどのページを見ても、社会はどこかその根のところで間違っているという意識が表れている。そして『どの根が？』と問いかけることが、彼の位置を把握する糸口になる。ディケンズの社会批判は殆ど専ら道徳的であるというのが真実のところだ。なぜなら、彼の攻撃の目標は、社会であるよりはむしろ、実は『人

間の本性』なのだから。この経済機構は機構として間違っていると暗示している文章を彼の著書の中のどこかに見つけることは困難であろう。愚劣な遺言によって生きている人々を妨害する死者の権力に敵意を示している『相互の友』(*Our Mutual Friend*) のような本の中でさえ、個人は、こんな無責任な権力を持つべきではない、という意見を彼が出すことは在り得ない。勿論、読者が自分でこのように断定を下すことは可能だし、また、『辛い世の中』(*Hard Times*) の末尾でのバウンダー（同書に出てくる銀行家）の遺言に関するディケンズの評言から同じ断定を下すことは出来る。ディケンズの全作品から読者は自由放任の資本主義の悪を推断し得るのだが、ディケンズ自身はそのような推断は全然していない。（中略）この本の中で社会主義的と呼びうるようなところは一行もない。この本に一貫している道徳は、労働者は反抗的であるべきだ、ではなく、資本家は親切であるべしというものである」[25] と述べている。

　ディケンズは常に社会機構の変革よりも精神の変革を問うている。オーウェルは続ける、「「心を入れ換える」ことなしに機構を変革しても、何にもならない——これがディケンズの常に言っていることの要点である。ディケンズは革命家ではない。しかし革命は結局のところ物事をさかさまにすることなのだから、現在流行している政治的、経済的批判が革命的ではないかもしれないと同様に、単に道徳的であるに過ぎない社会批判は「革命的」ではないとは断言できない。ウィリアム・ブレイク (William Blake) は政治家ではなかったが、「私はひとつひとつ地番が公認されている街路を彷徨っていく」という（『経験の歌』の一編「ロンドン」の第一行の）詩には、社会主義文学全体の四分の三にも勝る、資本主義社会の性質に対する洞察がある。進歩とは偶発的な幻想ではなしに、歩みが遅く、常に意に満たないものである。古い暴君を打倒しようと、常に新しい暴君が待ち構えている——彼らは大体において古いのほど悪くはないが、それでも暴君であることに変わりはない。し

第3章　チャールズ・ディケンズとジョウゼフ・コンラッドの文学

たがって二つの視点を主張することは常に可能だ。一つは、社会の仕組みを変革しなければ、人間性を向上させることはできないという主張だ。もう一つは、**人間性を向上させることなしに社会の仕組みを変えて**何の役に立つのかという主張である。「人間がよい行いをすれば世界もよくなるだろう」というのは、陳腐に聞こえるが、実は陳腐ではないのだ」[26]。

　アンガス・ウイルソン（Angus Wilson）は、ディケンズの遺産を次のように述べている。――「ディケンズの永続的な遺産は、彼の小説の驚くべき具体性のある生命力（the wonderful, shaped vitality of his novels）である。それは彼が、ドストエフスキーやコンラッドなど多様で特異な作家たちを育てながらも、自分を正統に呼んだように、＜比類のない＞（"Inimitable"）と見做されるほど強烈で個性的な生命力なのである」[27]。フョードル・ドストエフスキー（Feodor Dostoevskii）は、本当に美しい人を描こうとして『白痴』の執筆中に、ディケンズの『ピクウィック・ペイパーズ』（Pickwick Papers）を次のように述べている。――「ディケンズのピクウィックは滑稽であって、ただそれがあるので成功しているのです。笑いものにされ、自らの価値を知らないでいる美しい者に対しての思いやりが現れています、ということは読者の内にも同情が生まれてくるのです。この思いやりの喚起ということが、ユーモアの秘密であるのです」[28]。

　ディケンズの小説には、彼独自の社会批判と共に、例えば『ピクウィック・ペイパーズ』のような初期の作品では、身分の上下を問わぬ「滑稽さ」が込められている。ドストエフスキーが述べた＜思いやりの喚起に通じる滑稽＞は、ディケンズの影響を受けたチャールズ・チャップリン（Charles Chaplin）の「喜劇」[29]にも通底しており、それが庶民に親しまれる大きな要因の一つとなっている。ディケンズと同様、チャップリンも十代にして一家の経済を支える存在となり、19世紀大英帝国栄光の影で貧富の格差が増大していたロンドンで辛酸をなめながら

舞台役者として頭角を現し、20歳になるまでにはミュージックホール（寄席）の花形役者になっている。チャップリンは自らの体験を基に当時流行していたドタバタ喜劇の笑劇とは一線を画す独自の作品を生み出していった。『街の灯』（*City Lights*）のラスト・シーンは、チャップリンの真骨頂を物語る好い例であろう。浮浪者チャップリンが、盲目の貧しい花売り娘のために馬糞その他の排泄物専門の道路清掃夫や八百長ボクサーなどをして金を稼ぎ、その金で目の治療を受けて目の治った少女が手の感触で「まあ、貴方でしたの！」と述べて、富豪ではなくて浮浪者のチャーリーがその恩人であった事を知る時のシーンは、まさにその時に流れたバックグラウンド・ミュージックである「ヴィオレ・テーラ」の音楽と共に、全場面を最高に盛り上げる劇的効果を醸し出していた。日野原重明先生は、チャップリンの映画を次のように述べられている。――「ユーモアの笑みには、例えばチャップリンの映画に見る泣き笑いのように、笑った後に心に小さな灯がともるような切ないやさしさを残してくれるものがあります」[30]。

　宮崎　駿氏は、映画のあるべき方向性として、チャップリン映画を次のように評価している。――「僕がチャップリンの映画が一番好きなのは、なんか間口が広いんだけど、入っていくうちにいつの間にか階段を登っちゃうんですよね。なんかこう妙に清められた気持ちになったりね。なんか厳粛な気持になったりね」[31]。

　チャップリンは、ディケンズが文学で表現した産業革命時代における大量生産での人間の従属を映画によって活写している。ディケンズが描く舞台を英国から徹底した合理主義による近代化を推し進めるアメリカへ移した『モダン・タイムス』（*Modern Times*）がそれである。米デトロイトの大工場に憧れて来る健康な若い農民が、当時のベルトコンベアーシステムで４、５年も働くと神経衰弱になるという新聞記者の話をきっかけに生まれた[32]、とされるチャップリンの名作である。ベルトコンベアーでの単一反復の作業で精神的に磨滅していき機械に翻弄される

第3章　チャールズ・ディケンズとジョウゼフ・コンラッドの文学

　人間の悲劇が、「笑い」の中にチャップリンの絶妙なパントマイムで表現される。作業が終わってもベルトを締めるしぐさが残りひくひくと両肩を動かし続けるそのしぐさを見て、観客は大笑いの後、何か切ない想いを胸にする。『モダン・タイムス』には、そんな「笑い」を通して非人間的な徹底した効率化や合理主義に基づく格差社会の不合理が描き出されていた。

　ディケンズが活躍したヴィクトリア朝の精神的な特性は、内向よりも外向を求める傾向にあった。世界の七つの海に乗り出す英国商船隊はまさにその象徴と考えられる。この英国商船隊と深く関わっているのがディケンズの影響をも受けたジョウゼフ・コンラッドである。ウィリアム・シェイクスピア（William Shakespeare）劇の5つをポーランド語に翻訳し英文学に造詣が深かった父[33]の影響を受けたコンラッドは、10歳の少年時代に簡略訳版の『ドン・キホーテ』（Don Quixote）などをポーランド語やフランス語で読み、またディケンズも愛読し、「私の英国小説への最初の入門はディケンズの『ニコラス・ニックルビィ』（Nicholas Nickleby）だった」[34] と述べている。そして、『荒涼館（こうりょうやかた）』（Bleak House）を「巨匠の作品」と呼んで、「ポーランド語でも英語でも数えきれないほど読み返した」[35]、と『個人的記録』（A Personal Record）において述懐していた。彼は、船乗りとなって世界各地の植民地の実態を目の当たりにし、その矛盾の数々を作品化した。光が作る影に目を向けたコンラッドは、植民地化されたアフリカに目を向け、大英帝国が誇る大都市ロンドンであろうと文明から取り残されたアフリカであろうと、時代や国籍を問わず普遍的な＜人間に潜む闇＞の問題を『闇の奥』（Heart of Darkness）や『密偵』（The Secret Agent）において独自の表現で告発している。

　ジョージ・オーウェルは、『ピクウィック・ペイパーズ』を次のように述べている。──「ディケンズは人間を常に明瞭な迫真性をもって見ている。しかし彼はいつでも人間をその個人的生活の中で見、「登場人

物」として見ているのであって、社会の構成員として見てはいない。つまり、彼は人間を静的に見ているのだ。したがって彼の最大の成功作は、筋のある話でもなんでもない、ただのスケッチの続き物の『ピクウィック・ペイパーズ』である」[36]。1835年10月の『エディンバラ』誌 (*Edinburgh Review*) は、「ディケンズの作品は実際に明るく慈悲深い人間にしてくれる」と述べている。ディケンズは、『ピクウィック』の初版の「序」において、「わずか一人の読者であろうと、その人に同胞の人間のことをもっとよく考え、人間性のもっと優しい面を見ていただければ」[37] と述べている。

I ディケンズの生い立ちと文壇に躍り出た作家ディケンズの誕生

ディケンズが亡くなった時、「チャールズ・ディケンズの死は、ヴィクトリア女王 (Queen Victoria) のこの上なき悲しみであり、それは女王の臣民のすべての階級の者が等しく抱く感情であった」[38] と報じられた。最下層階級からヴィクトリア女王を含めた最上流階級の者までが彼の死を悼んだのである。ディケンズが58歳で亡くなった時、国民的な葬儀が営まれ、遺骸はウエストミンスター寺院に葬られた。

ディケンズと同時代の批評家セオドア・ワッツ＝ダントン (Theodore Watts-Danton) は、優れた文豪でありながら「敏感な芸術的良心と同等にとても強い自尊心の二つが合わさった」[39] がゆえに、小説『エイルウィン』(*Aylwin*) と詩集『愛の到来』(*The Coming of Love*) の僅か2冊しか上梓しなかった。その彼が、生前ディケンズに関する評論を一つだけ発表していた[40]。1907年12月に『19世紀』紙 (*The Nineteenth Century*) に「ディッケンズとサンタクロースの小父さん」 ("Dickens and 'Father Christmas'") と題する中でダントンは、1870年6月9日を回想しディケンズの死を悼む民衆の姿を自らが目の当

第3章　チャールズ・ディケンズとジョウゼフ・コンラッドの文学

たりにした挿話として次のように描き出していた。――「忘れもしないあの夏の日、ロンドンがディケンズに奪われてしまったその時、私はドルーリー通りを意気消沈して歩いていた。その時、頭にショールを被った女の子が、「ディケンズ小父さんが死んだの？　それじゃあサンタクロースの小父さんも死んでしまったの？」と叫んでいた」[41]。ダントンは、果物や野菜を手押し車で売り歩く貧しい無学なこの少女を、ディケンズの著作を一行すらも読んだ事のない何百万というロンドンの大衆の象徴として、否、ナポレオンがヨーロッパにおける人々の間で神話となっていたのと同様にディケンズが神話となっていた[42]、と見做していた。

　アンドレ・ジッド（André Gide）は、ディケンズを「我々の知っている大小説家の中で、善人と悪人の最も単純な様式で現れているのは彼においてであるし、付け加えるとそれが彼の人望あらしめる所以である」[43]と指摘している。

　ジョウゼフ・コンラッドが"Master"[44]と呼んでいた巨匠ヘンリー・ジェイムズ（Henry James）は、『ある青年の覚書』（*Notes of a Son and Brother*）において、ウィリアム・サッカレー（William Thackeray）と共にディケンズを「価値の高い人生を活写する創作者」[45]と見做して、ディケンズとの出会いを次のように述べて彼の偉大さを賞賛している。――「私たちの世代の若者にとって、体中でディケンズを感じることはどれほど圧倒的なことだったか、思い浮かべようとしても現代の例ではとてもその大きさは伝わらないだろう。当時の私と同じ年齢の今の若者が、どれほど私に似ていようと、心中の偶像を前にしてあれほど抑えがたく興奮し、あれほど不可思議なまでに感動したものを想像することは出来ない。『ピクウィック』や『ディヴィッド・コパーフィールド』（*David Copperfield*）の作者ほどの偶像神があるとは到底考えられないのだ（傍点はジェイムズ）。ディケンズが死んで以来これに匹敵するような事例（中略）はない。その恩義の長く純粋に

「ヴィクトリア朝的な」重み程、それを負う者にとってうず高く積まれた負債は現在にはないのだ」[46]。

奇しくもディケンズの処女小説『ピクウィック・ペイパーズ』が完成したのがヴィクトリア女王即位の年であった。この時代の中でディケンズは活躍したのである。

ディケンズを想起する時、注目すべきは、ジョージ・オーウェルと同様に、彼の生涯と作品が密接に結びついている事である。ヴィクトリア朝は、現エリザベス女王二世（Queen Elizabeth II）に次ぐ英国史上第二位を誇る在位64年のヴィクトリア女王に象徴されるように、自らを律する事に厳しく地味で職務に忠実である事が美徳とされていた時代である[47]。サミュエル・スマイルズ（Samuel Smiles）の主著『自助』（*Self-Help*）[48] には当時の世相がよく反映されている。「勤勉とたゆまぬ努力」が標榜されていた。『ディヴィッド・コパーフィールド』は、主人公ディヴィッドがつらく悲しい幼少年期を乗り越え、刻苦勉励によって身を立て、世に認められる立派な作家として成功する、ディケンズの自伝的小説であった。

1822年、10歳の時にディケンズは、田舎町チャタム（Chatham）から大都市ロンドンに引っ越し、父ジョン・ディケンズ（John Dickens）は破産して債務者監獄に投獄された。当時の法律に従って家族もろとも収容され、ディケンズは一人で監獄の近くに下宿し仕事場に通った[49]。チャールズは父に代わって十代で一家の経済を支える存在となり、ウォレンの靴墨工場で屈辱的な労働者の生活を余儀なくされ、その後、正規の教育を受けていない彼は何か特技を身につけなければ自立できないと一念奮起して速記を学び、弁護士事務所の下級事務員、議会記者、そして作家へと転身、文字通り艱難辛苦して大成功を収めたのである。ディケンズは、スマイルズが提唱したヴィクトリア時代のあるべき体現者であったとも言い得る。

彼の幼少年期における危機的意識は、親友で伝記作家のジョン・フォ

第 3 章　チャールズ・ディケンズとジョウゼフ・コンラッドの文学

スター（John Foster）が語る「自伝的断片」に明らかである。

　I know that, but for the mercy of God, I might easily have been, for any care that was taken of me, a little robber or a little vagabond.[50]
　（もし神の御加護がなかったら、いくら面倒を見てくれる人がいたとしても、きっとチンピラ泥棒か浮浪児になっていた事だろう。）

『ディヴィッド・コパーフィールド』第11章において、コパーフィールドは当時を振り返って次のように述べている。

　I KNOW enough of the world now, to have almost lost the capacity of being much surprised by anything; but it is matter of some surprise to me, even now, that I can have been so easily thrown away at such an age. A child of excellent abilities, and with strong powers of observation, quick, eager, delicate, and soon hurt bodily or mentally, it seems wonderful to me that nobody should have made any sign in my behalf. But none was made; and I became, at ten years old, a little labouring hind in the service of Murdstone and Grinby.[51]
　（今では、私も、色々世間というものを知って、驚くなどという能力は、殆ど無くしてしまったが、それにしても、あんなに幼い年頃で、いきなり世間に放り出されるというのは、今考えてみても、ちょっとこれはひどい。なかなか能力もあり、鋭い観察力を持ち、俊敏で積極的、かつ繊細で、肉体的にも精神的にも傷つきやすい子供だったというのに、救いの手を差し伸べようとする人が誰一人いなかったというのは、驚くべきことではないだろうか。だが救いの手は来ず、私は10歳で、マードストーン・グリンビー商会でこき使

われる、下働きの小僧になったのである。)

　幼いディヴィッドがマードストーン・グリンビー商会で空き瓶洗いをさせられている場面の回想であるが、ディケンズ自身が10歳の時、ストランドにあるウォレン靴墨工場でこれとそっくりの経験をしていた。ジョージ・オーウェルが「チャールズ・ディケンズ論」("Charles Dickens")でこの場面をそっくりそのままを引用している[52]。そしてオーウェルは、「明らかに、これはディヴィッド・コパーフィールドの言葉というより、ディケンズ自身の言葉である」[53] と明言している。更に、第42章においてディヴィッドが述べる生き方や価値観はディケンズのそれと同根であった。「生まれながらの才能で、私がこき使わなかった才能は一つもないだろう。私は人生においてそれこそ非の打ち所のないくらいに心身を打ち込んでやったということ、目標の大小に拘らず常に一途に徹底的に邁進したことだ。生まれつきであれ、後天的であれ、才能というやつは、着実で気取らない勤勉さという美点と二人三脚でなければならない。これが私の黄金律にしてきたことだ」[54] と。

　ディケンズの時代は世界に先駆けて産業革命が着々と進行していた時代でもあった。しかし、その華々しい栄光の裏にそれを支える工場労働者の悲惨な境遇が存在し、貧富の**格差**が増大の一途を辿っていた。ヴィクトリア時代初期の労働者大衆の生活環境は特にロンドンのような都市部では劣悪で、賃金も安く生活水準も低かった[55]。一般大衆には小説は流布していなかった。当時小説といえば三巻本の体裁で出版され、値段は一ギニー半（31シリング6ペンス）と決まっており、この法外な値段はロンドンの最高の熟練工の週給に相当するもので、ごく一部の裕福な階級にしか手に届かなかった[56]。そのような状況下で、月刊一シリングの分冊出版による小説が世に出た。サム・ウェラー（Sam Weller）が登場してからは当時としては天文学的数字である毎月四万部以上が売れ、階層、年齢、職業を問わず、老いも若きも熱狂的に次号の出版を待

第3章　チャールズ・ディケンズとジョウゼフ・コンラッドの文学

ち望んだのが月刊誌『ピクウィック・ペイパーズ』である。コリン・ウィルソン（Colin Wilson）は、「ディケンズは『ピクウィック・ペイパーズ』をコミックで冒険的なスケッチの続き物にするつもりだった。ところが実際には、ピクウィック氏とサム・ウェラーがその小説を乗っ取り、ディケンズを世に送り出してしまったのである」[57]と述べている。

　小説は三巻本で出版され、千部ないし千二百五十部を印刷したうちで、千部は貸本業者が買い上げる時代にあって、『ピクウィック・ペイパーズ』の購読者数が四万人というのは驚くべき数字である[58]。（『ピクウィック・ペイパーズ』の成立事情に関しては『ピクウィック読本──ディケンズ文学の理解のために』に収めた青木 健氏の「The Pickwick Papers の成立事情」に詳しい[59]。）しかもこの時弱冠24歳の作家ディケンズが、これ以後も圧倒的名声を得て、終生それを失わなかったのである。『ピクウィック・ペイパーズ』の異常なほどの売れ行きに、アブラハム・ヘイウォード（Abraham Hayward）は、1837年11月の『クオータリー・レヴュー』誌（Quarterly Review）において「彼（ディケンズ）はロケット花火のように上昇した、そして棒状のようになって落下してくるだろう」[60]と予言した。しかし、多少の上下動はあったもののディケンズの上昇は止まらなかったのである。『骨董店』（The Old Curiosity Shop）は、最初は7万部、次いで5万部に落ちるが、やがて10万部に上昇する。『骨董店』の少女ネル（little Nell）の死は、ウェリントン侯爵のような上流階級から労働者階級に至るまで大多数の英国民を感涙させた。『エディンバラ評論』の峻烈な批評家フランシス・ジェフリ（Francis Jeffrey）や哲学者トーマス・カーライル（Thomas Carlyle）が圧倒的な感動を受けて涙した[61]。ディケンズはその第72章において彼が語る「力強い、普遍的な真実」を次のように述べている。

　　When death strikes down the innocent and young, for every

fragile form from which he lets the panting spirit free a hundred virtues rise —— in shapes of mercy, charity, and love —— to walk the world, and bless it. Of every tear that sorrowing mortals shed on such green graves, some good is born, some gentler nature comes. In the Destroyer's steps there spring up bright creations that defy his power, and his dark path becomes a way of light to Heaven.[62]

（死が年若く無垢な人間に訪れて、か弱い肉体から息切れのした魂を開放する時、数多くの美徳が慈悲の形をとって立ち上がり、この世を祝福する。人がその死を悼んで流す涙の一滴一滴から、何らかの善が、何らかの優しい性質が生まれる。死神の歩んだ後に、その力をものともせぬ明るさが生まれ、死神の暗い足跡は天国に至る光の道となる。）

II　コンラッドの生い立ちと小説家コンラッドの誕生

一方、コンラッドは、帝政ロシア支配下のポーランドに生まれ、政治的な理由から5歳で両親とともに流刑地で孤独体験を味わい、7歳で母を11歳で父を流刑地で亡くして孤児となる。政治犯の息子という事で、重苦しい現実からの解放への希求と生来の強い独立心とが相俟って、国境のない無限の可能性を秘める海に心魅かれ、彼は15、6歳の時に「祖国離脱」を意味する"a standing jump"を試みる。『個人的記録』（*A Personal Record*）においては、「先例は一つもなかった。私と同じ国籍と素性を持った少年が、自らの民族環境や結びつきと縁を切って、そこからいわば「立ち幅跳び」をした例は私だけだったに違いない」[63]と記している。コンラッドは、20歳余で英国の港町ロウストフト（Lowestoft）に1878年6月10日に上陸し、初めて英国の土を踏む[64]。

第3章 チャールズ・ディケンズとジョウゼフ・コンラッドの文学

彼が、初めての長い鉄道に乗車してディケンズが住む大都市ロンドンにやって来た当時を回想して、その不安を未知の国へ赴く探検家に擬えて『人生と文学についての覚書』（Notes on Life and Letters）において、「広大な何百万の中でたった一人も知る者はいない。（中略）私ほど孤独な探検家はあり得なかっただろう」[65]と述べている。

　コンラッドの少年期以降の略伝は次の通りである。まず青年コンラッドはポーランドから仏国南部のマルセイユに赴いた。当時ポーランドと最も結びつきが深かったのがフランスで、コンラッド自身がフランス語に堪能だった事もあって、フランス商船隊の見習い水夫になり、そのあと英国へ行きそこで艱難辛苦して長年の夢であった英国船長の資格を取得、1889年31歳の時に英国人となり、36歳の時船長を辞して、陸に上がり文筆活動に入った。37歳で処女作『オールメイヤーの愚行』（Almayer's Folly）を上梓して彼は作家となる。コンラッド文学の中核をなす倫理観の形成は、フランス商船隊時代を含めた約20年間は船乗り時代であるが、とりわけ「英国船時代」（1878-1894）にその主因がある。彼は伝統ある英国船の経験主義に基づく厳しい訓練を経て船乗りの「連帯感」を体験した事によって船乗りの倫理を習得した。コンラッドは、「16歳から36歳に至るまでの船乗り体験は、物事を見たり感じたりすることを体験として学ぶ十分な期間であると共に、私にとってそれは人生の明確な一時期であった」[66]と述懐している。それと同時にこの船乗り体験によってコンラッドは、自らの創作の基本的姿勢を体得したのである。彼は『ナーシサス号の黒人』（The Nigger of the 'Narcissus'）への「序文」において、「私が成し遂げようとしている仕事は、書いた言葉の力によって読者に聞かせ、感じさせること――とりわけ*見させる*ことである」[67]と明らかにしている（斜字体はコンラッド）。

　船乗りとなって世界各地の植民地の実態を目の当たりにした後に、作家となったコンラッドは、その植民地政策の数々の矛盾を作品化した。光が作る影に目を向けたコンラッドは、植民地化されたアフリカであろ

うと、大英帝国が誇る大都市ロンドンであろうと、独自の表現法でもって『闇の奥』や『密偵』(*The Secret Agent*) などの作品において数々の矛盾を表示している。そして、彼は時代や国籍を問わず人間に潜む普遍的な闇の問題を問いかけている。それを可能ならしめているのは、船乗りによって培った倫理観と、ポーランドと英国とを祖国とする「二重人間」[68]である事を自覚する彼の複眼的視点である。

Ⅲ ディケンズとメイヒューの告発

　産業革命が引き起こした社会的混乱は目を覆うばかりの様相を呈していた。土地を奪われて職を失った多くの人々は、一方で海外の植民地へ、他方は工業都市、とりわけ大都市ロンドンへ流入していった。海外への移住は、都市の貧困と人口過剰の解決策として生じてきたもので、都市の人口は産業化の下での人口の扶養力をはるかに超えて急増した。1846年から1930年の間、ヨーロッパでは5000万人以上が新大陸や植民地に移住していったと言われる[69]。

　先ずは地方都市である英国北部の工業都市コークタウン (Coketown) の悲惨な状況を見てみよう。ディケンズは、『辛い世の中』第5章「主音」("The Key-Note") において、次のように描写している。

　　It was a town of red brick, or of brick that would have been red if the smoke and ashes had allowed it; but as matters stood it was a town of unnatural red and black like the painted face of a savage. It was a town of machinery and tall chimneys, out of which interminable serpents of smoke trailed themselves for ever and ever, and never got uncoiled. It had a black canal in it, and a river that ran purple with ill-smelling dye, and vast piles of building full of windows where there was a rattling and a trembling all day long, and where the piston of the steam-engine worked monotonously up and down, like the head of an elephant in a state of melancholy madness. It contained several large streets all very like one another, and many small streets still more like one another, inhabited by people equally like one another, who all went in and out at the same hours, with the same sound upon the same pavements, to do the same work, and to whom every day was the same as yesterday and tomorrow, and every year the counterpart of the last and the next.[70]

（もし煙と灰が手加減してくれれば、ここは赤レンガの街だ。しかし実際は、顔料を塗りたくった野蛮人の顔のような、不自然な赤と黒の街だ。機械と高い煙突の街だ。煙突からは絶え間なく悪魔の煙がたなびき、煙は決して輪を描かない。街には黒い運河と、染料のために紫色になって悪臭を放つ川と、窓だらけの建物がひしめき合って並んでいる。その窓ガラスは一日中がたがたと鳴り、建物の中では欝病の象が頭を振っているように、蒸気機関のピストンが単調な上下運動を繰り返している。互いに似通った大きな通りが数本と、もっと似通った小さな通りが多数あり、そこには同じように似通った人間が住んでいる。彼らは同じ時刻に、同じ道を同じ音を立てて、同じ仕事をするために出かけ、また同じように帰ってくる。彼らにとって毎日は同じである。昨日も明日も変わらない。来る年も来る年も変わらない。去年も来年も同じ年の繰り返しなのだ。）

次に大都市ロンドンであるが、ディケンズにとってロンドンへの流入は、他人事ではなかった。ディケンズ一家もその流入の民の一群に入っていたからである。後年に作家となったディケンズは、自らの境遇に引

き寄せて、これらの人達を『ドンビー父子』(*Dombey and Son*) において描写している。

> Day after day such travelers crept past, but always, as she thought, in one direction —— always towards the town. Swallowed up in one place or other of its immensity, towards which they seemed impelled by a desperate fascination, they never returned. Food for the hospitals, the churchyards, the prisons, the river, fever, madness, vice, and death, —— they passed on to the monster, roaring in the distance, and were lost.[71]
> （毎日、毎日、この様な旅人達は足を引きずりながら通り過ぎて行ったが、彼女の考えたところでは、それはいつも一つの方角に向かって、即ちロンドンに向かってであった。彼らは凄まじい魔力でそちらへ駆り立てられてでもいるかのように思えるとてつもない大都会の様々な面の中に飲み込まれて、二度と帰ってこなかった。いずれは病院、墓場、牢獄の肥やしとなり、河川に投身自殺し、熱病にかかり、狂気になり、悪徳と死の餌食になるこの人たちは、はるかかなたで吼え狂っている怪物のような大都会に向かって進んで行った。そして見えなくなってしまった。）

しかしながらディケンズにとって、彼の旺盛な執筆活動の源泉は大勢の群衆が集まる大都市ロンドンであった。ディケンズは、スイスのレマン湖畔の町ローザンヌに滞在中、遅々として『ドンビー父子』の筆が進まなかった事を1846年8月30日付けのフォスターに宛てた手紙において胸内を語っている。「あの街頭や大勢の人々が僕にとってどんなに必要なのかは筆舌に尽くしがたい。ロンドンで一日を過ごせば、僕は立ち直って、また仕事を開始する事が出来る。あのマジック・ランターンの

第 3 章　チャールズ・ディケンズとジョウゼフ・コンラッドの文学

ない所で来る日も来る日も執筆することの苦痛は途方もないものだ!!」[72]と感嘆符を二つも重ねて述べている。マジック・ランターンとは灯火のついた大都会ロンドンの夜の事である。ロンドンは、ディケンズにとって物語の形式や内容を発展させられる源泉となっていたのである。

　ところでヴィクトリア時代の繁栄を象徴するロンドン万国博（1851年）[73]に前後して、ロンドンを中心にコレラの大流行があった。コレラの媒体は水、とりわけテムズ川から取水する飲料水にあった[74]。1831年から1832年にかけてのコレラが最初にロンドンを襲い、次いで1848年から1849年に[75]、更に1854年でのそれは猛威を振った。その主因は劣悪な住宅事情と下水道の不備であった。当時、衛生問題の最大の焦点は下水道であった。イーストエンドと呼ばれる地域にはスラム街が点在して、下水が整備されていなかったため、糞尿がたまり汚水が下水道を通してテムズ川に垂れ流されていたためにロンドン市民にとって重要な上水道の水源が汚染される事となった[76]。テムズ川自体が汚染された大きな下水道と化していたからである。近世のヨーロッパでは汚物を道や川に捨てていた事により伝染病が猛威を振るったのである。

　因みに我が国の徳川時代、100万都市とされる江戸では、大量に出た屎尿（しにょう）を近郊の農家に売って、米や野菜と交換したりした。糞尿を豊かな土壌づくりに役立てる循環型社会が築かれていた[77]。1877（明治10）年に来日した米国動物学者エドワード・モース（Edward Morse）は、赤痢やマラリアなどの患者がほとんどいないと聞いて驚いた。その理由を調べて「我が国で悪い排水や不完全な便所その他に起因するとされている病気の種類は日本には無い、あっても非常に稀であるらしい。全ての排出物が都市から運び出され、農園や水田の肥料として利用されることに起因するのかもしれない」[78]と滞在記『日本その日その日』（*Japan Day by Day*）に記している。

　さてロンドンの実態に関して、現地ルポを踏まえたヘンリー・メイ

ヒュー (Henry Mayhew) が、『ロンドンの労働とロンドンの貧民』(*London Labour and the London Poor*) において、当時のロンドンにおける衛生問題を告発している。

  Formerly, in our eagerness to get rid of the pollution, we had literally not looked beyond our noses: hence our only care was to carry off the nuisance from the immediate vicinity of our own residences. It was no matter to us what became of it, so long as it did not taint the atmosphere around us. … so we laid down just as many drains and sewers as would carry our night-soil to the nearest stream; and thus, instead of poisoning the air that we breathed, we poisoned the water that we drank.[79]
  （かつて、我々は汚染問題を取り除くことに熱心なあまり文字通りほんの目先のことしか見なかった。我々の住居の近くから不潔なものを取り去ることしか考えなかった。それが我々の周囲の大気を汚すことさえなければ、後はどうなろうと少しもかまわなかったのだ。（中略）そこで我々は我々の排泄物を最も近くの流れに運ぶに足るだけの排水管と下水道を敷設した。こうして我々が呼吸する空気を毒する代わりに、我々が飲む水を毒したのである。）

『ロンドンの労働とロンドンの貧民』を出版するに先立って、著者のメイヒューは、ディケンズが報道記者として腕を振るった『モーニング・クロニクル』紙 (*The Morning Chronicle*) に、テムズ川の汚染の実態を「バーモンジーのコレラ地区を訪ねて」と題して投稿した。「過去3ヶ月にコレラのために亡くなった1万2800人の死者のうち、6500人がテムズ川南岸の住人で、このような桁外れの数値になるように大いに加勢した地域はランベスであった。（中略）ジェイコブズ・アイランド疫病地区にある下水溝は、ヘンリー二世（在位1154-1189年）の時代に

は清らかな流れであったが、今や(テムズ川の)潮が流れ込んでくる下水溝と化し、悪臭ぷんぷんたる汚物の中に樽がいくつも浮かんで、水面はほとんど蜘蛛の巣のような緑藻で覆われ、油が七色に輝く。腐りかかった緑の海藻の大きな塊がいくつも漂い、橋桁には動物の膨れ上がった死体が引っ掛かり、腐敗によるガスで今にもはちきれんばかり。(中略)私たちはそれからロンドン・ストリートまで行った。その通りに沿って、潮汐溝が続いている。水面は濃緑茶のような色で、実際それは泥水というより、水を含んだ泥のようだ、それなのに、これが惨めな住人達が飲まねばならない唯一の水だと、案内人はきっぱりと言うのだ。(中略)住人達は、桶にその不潔な液体を溜めて一日か二日置いた後で、汚物と汚染と病から成る固形物の破片の上澄み液を掬い取るのである」[80]と。

『ロンドンの労働とロンドンの貧民』におけるメイヒューのロンドン事情は更に続く。

――「貧しい者にとって、街頭の物売りは生活上、不可欠な存在であった。例えば、石炭に関して言うと、そのトップにある石炭商人は半年ないし一年分、10トンから20トンを上流階級の邸宅まで車で運ぶ。その下に位置する石炭小売屋は、4分の1ハンドレッド・ウエイトから石炭の小売りを行った。更にその下に位置するのが石炭の行商人で、彼らは前二者と違って、いかなる量でも売ってくれた。最下層の人々はこの最後の商人から石炭を買ったという」[81]。「食料品に関しても、住宅事情の劣悪さ故に貧困者は食料品を保存する事が出来ず、結局いかなる量でも売ってくれる街頭の物売りに貧困者は依存せざるを得ない。街頭の物売りも貧困民であったが、街頭の物売りの商売を、救貧院に収容される屈辱から逃れて、独立性を保持しようとする職のない職人の最後の砦としたのである」[82]。しかし店を持たない彼らも、ただでさえ低価格を絶え間ない価格引き下げ競争の結果、都市の表通りから追放され、やがて裏通りからも姿を消していく運命にあった。

メイヒューは、(労働者のただでさえ低い低賃金を更に減らして支給する)「引き下げ支給 (under-pay)」[83] という彼の造語を使って、「過重労働が引き下げ支給に繋がるだけでなく、その逆も真なりで、引き下げ支給が過重労働に繋がる」[84] と悲惨な労働者の実態を告発している。メイヒューの独自性は、貧困の実態を告発するだけでなく、どんなささやかな商いをする物売りでさえも「資本」を持った一人の**独立**した商売人と見做す視点と、物売り43,640人、総資本67,023ポンド11シリング、総売り上げ金3,716,270ポンド[85] という統計学的数字を挙げて「大英帝国の首都の商業の大部分は街頭の民の手中にある (a large proportion of the commerce of the capital of Great Britain is in the hands of the Street-Folk)」[86] という記述にある。

IV　コンラッドの告発——『闇の奥』を中心に

　一方コンラッドは、ロンドンを流れるテムズ川を、大英帝国の歴史を知る川として『闇の奥』において次のように描き出している。――「この流れが運んだ幾多の船、それらの船こそが、時という暗闇の中で、まるで宝石のように光を放っている栄光の名前なのである。膨れ上がった船倉に数々の財宝を満載して帰り、女王陛下の訪問という光栄を得た後、その儘偉大なる海洋発展史の上から姿を消してしまったドレイク船長 (Captain Drake) が乗船した金鹿号 (the *Golden Hind*) をはじめ、新たなる征服を目指して船出し、遂には帰還しなかった船に至るまで、テムズ川の流れはすべての船を知り、また人をも知っていた。黄金を求め、名声に憧れて、ある者は剣を、ある者は文化の使者、聖火を伝える文化の光を携えて、すべてこの流れを下って行ったのだ。人類の夢、社会の胚種、そして帝国の萌芽！」[87] と。(テムズ川の歴史と文化の詳細については相原幸一教授著『テムズ河――その歴史と文化』を参

照されたい。)しかし「語り手」マーロウ(Marlow)は、「ここもかつては地球上の暗黒地帯の一つであった。(中略)暗黒はつい昨日までここにあったのだ」(48-49)と述べている。これは帝国礼賛ではなく帝国主義批判の記述となっている。

　コンラッドは、過去の栄光と非情な政治の闇が支配する大都市ロンドンを見据えて、『闇の奥』[88]において悪名高いレオポルド二世(Leopold Ⅱ)を象徴するベルギーの首都ブリュッセルを、比喩的に欺瞞を表す「白く塗りたる墓」[89]と看取してベルギー領コンゴの実態を告発している。コンラッドの分身であるマーロウは次のように語っている。

　　The conquest of the earth, which mostly means the taking it away from those who have a different complexion or slightly flatter noses than ourselves, is not a pretty thing when you look into it too much.[90]
　　(この地上の征服とは一体なんだ。たいていの場合、それは単に皮膚の色の違った人間、我々よりも多少低い鼻をしただけの人間から、無理やり勝利を奪い取ることなんだ。よく見れば汚いことに決まっている。)[91]

　コンラッドの＜政治小説＞の『密偵』においても、外側は白く塗られて美しいが、中は不浄なものが詰まっている墓に例えた事に由来する偽善を表す「白く塗りたる墓」[92]ロンドンが描き出されていた。F・R・リーヴィス(F.R. Leavis)は、「『密偵』の中には紛れもなくディケンズがいる。そのディケンズはすっかり変質してコンラッドになってしまっている」[93]と述べている。コンラッドは、500万人もの人生を埋没させるに十分なロンドンの闇を『密偵』への「序文」で次のように表記している。

Then the vision of an enormous town presented itself, of a monstrous town more populous than some continents and in its man-made might as if indifferent to heaven's frowns and smiles; a cruel devourer of the world's light. There was room enough there to place any story, depth enough there for any passion, variety enough there for any setting, *darkness* enough to bury five millions of lives.[94]（イタリックスは筆者）
　（その時ある巨大都市が浮かび上がった。ちょっとした大陸より多くの人口を抱え、まるで天の渋面や微笑にも無関心であるかのように人工物で身を固めた、世界の光を冷酷に貪り食う、怪物都市の姿が。そこならばどんな物語でも十分な余地、どんな情熱でも受け入れる十分な深さ、どんな設定でも出来る十分な多様性、500万人もの人生を埋没させるに十分な闇があった。）

　コンラッドは、闇の深淵に呑み込まれる人間の空しい闘いを、暗黒大陸のアフリカのみならずロンドンのような大都会をも背景に描き出して、沈滞と無気力と陰謀を宿す密林として活写している。更に彼は、首都ロンドンが繁栄する一方で実は「冷酷な物質主義の思考や野望」が隠されていると、『不安の物語』(*The Tales of Unrest*) に収めた「帰宅」("Return") において指摘している[95]。
　コンラッドは、文明の中心地と見做されるロンドンからはるかに遠く離れたアフリカへ赴き、人間の根源に潜む闇を凝視した。彼は、人生の分岐点となる1890年6月12日〜12月4日[96]の＜コンゴ体験＞によって自らも死線を彷徨い、更に人間の奥深くに潜む闇を認識し、その体験に基づいて「進歩の前哨地点」("An Outpost of Progress") と『闇の奥』を上梓したのである。『闇の奥』には、当時の帝国主義の有り様を見据えて発せられたコンラッドの皮肉を込めたポストコロニアルの言説があった[97]。

第 3 章　チャールズ・ディケンズとジョウゼフ・コンラッドの文学

　コンラッドは、『闇の奥』において特定の帝国主義批判はしていないが、時代や国を超えた普遍的な内容を含んでいる。『闇の奥』は、英国のみならずヨーロッパ諸国が他国への侵略を是とする帝国主義政策を推進した19世紀末の時代にあって、コンラッドが独自の思想を物語った20世紀英文学における金字塔と見做すべき作品であろう。
　1908年 8 月29日、心より共感してくれる読者と見做すアーサー・シモンズ（Arthur Symons）に宛てた手紙で、コンラッドは自らの創作態度を述べている。

> 　One thing that I am certain of, is that I have approached the object of my task, things human, in a spirit of piety. The earth is a temple where there is going on a mystery play childish and poignant, ridiculous and awful enough, in all conscience.[98]
> 　（私が確信している事は一つ、自分の仕事の対象である人間に関する事柄に敬虔な気持ちで取り組んできた事です。地球は一つの神殿で、そこでは子供じみているが心に強く訴えかけ、馬鹿げているが十分に畏怖の念を抱かせる神秘劇が良心にかけて演じられています。）

　「人間に関する事柄に敬虔な気持ちで取り組んできた」と自称するコンラッドが、他国への侵略や地球の征服を、『闇の奥』においてどのように描写しているのであろうか。
　作品中に描き出されるテムズ川は、古代ローマ時代に遡り、ローマ人がテムズ川に侵入し、その後、エリザベス朝時代においては英国の文明の使者がエリザベス女王（Queen Elizabeth）を後ろ盾に海賊行為を堂々と行ったドレイク船長をパロディ化して、良からぬ思惑、私利私欲に踊らされた者たちを繰り返し運んだ川と位置付けられている。未開地に文明や教化をもたらすといった崇高な目的を持って行われた海外貿易

や探検隊を賛美するための川ではなかった。この物語の「語り手」であるマーロウの開口一番の言葉がその何よりの証である。「ここ（世界最大の都市ロンドン）もかつては地球上の暗黒地帯の一つであった」（48）。紀元前後のブリテン島は、ローマから来た征服者たちの定住を拒む暗黒の地であった。この先駆的な今日のポストコロニアルの言説は、当時のヨーロッパ世界が、その自己矛盾や自己疑惑を発見するために、「理性」の光から闇の奥へと旅立つための、恐怖の「自己発見」を活写する表現であった。植民地を経営する会社の船に乗船したマーロウだが、そこで目の当たりにしたのは、奴隷のように酷使され用済みとなった原住民たちが死を待つばかりとなって死の森に横たわっている光景であった。彼は利益追求しか考えない白人たちの姿に対して、強い不信と嫌悪感を抱いた。アフリカ全土での征服と占領の生々しい実態やその裏面に隠された正体は、白人巡礼者たちを「征服者」と呼ぶマーロウの表現によって明らかにされている。

　ではタイトルの闇の奥とはいかなる意味なのであろうか。この意味は、先ずヘンリー・スタンリー（Henry Stanley）が『暗黒大陸横断記』（*Through the Dark Continent*）においてアフリカを「暗黒大陸」と呼んだアフリカの奥地を意味する。次いでこの地への旅に赴くマーロウの、否、人間の壮大な内面世界への降下の過程でその意味が深化し、人間の奥に潜む闇の正体が漸次明らかになってくる。そして旅の究極の終点がクルツ（Kurtz）との邂逅であり、V・S・ナイポール（V.S. Naipaul）が指摘するように、クルツとの邂逅の旅は「原始の世界」[99]へ戻っていく旅であり、更にその旅の随所にヨーロッパ列強によるアフリカ植民地に対するコンラッドの研ぎ澄まされた時代感覚の眼が窺える。

　この世には人知の及ばぬ闇の世界が存在する。その闇の奥で、クルツが最後に言い放った「恐怖だ！」という言葉こそが闇の正体であった。人間に存在する根源的な闇を認識し、人間の根底に潜むエゴの実在を吐

第3章　チャールズ・ディケンズとジョウゼフ・コンラッドの文学

露した言葉であった。

　コンラッドは、10歳余の頃にアフリカの白地図を見てアフリカ大陸への冒険心を抱いていた事を次のように『個人的記録』に記している。「僕は大きくなったらあ・そ・こ・へ・行くんだ。("When I grow up I shall go *there*.")」[100] と（斜字体はコンラッド）。しかし、コンラッドが実際にアフリカに行った1890年は、探検と帝国主義の連携が明白になった時期であった。つまり、地図の空白を埋めるために科学的関心を持った探検は、植民地獲得のための大義に没頭した時期であった。ジェリー・ブロトン（Jerry Brotton）は、この白地図が帝国列強によって多色刷りにされたアフリカを次のように「フランス（青）、ポルトガル（橙）、イタリア（緑）、ドイツ（紫）、ベルギー（黄）、英国（赤）の帝国植民地。（中略）アフリカに関するベルリン会議（1884-1885）は、参加した14ヶ国のヨーロッパ列強がコンラッドの『闇の奥』に描かれているようなやり方でアフリカ大陸を切り分ける事を前提にした、帝国主義的な「アフリカ争奪」開始と見做されている」[101] と述べている。

　中でもベルギーのレオポルド国王が行った植民地化の実態は、ラス・カサス神父（Las Casas）が『インディアス破壊を弾劾する簡略な陳述』（1552）においてマヤやインカの文明を破壊した「コンキスタドール（征服者）」[102] になぞられるもので、バートランド・ラッセル（Bertrand Russell）が、その著作において次のように「（平和なコンゴ住民の大量虐殺を行った）レオポルド国王はコンゴ川流域を譲り受けると、自分の意図は純粋に博愛精神によるものだと宣言した。彼は色々の法令を出してすべての土地、すべてのゴム、すべての象牙[103] を、国――すなわち彼自身――の財産とした」[104] と明らかにしている。ラッセルの証言を裏付ける実態をユネスコが次のように「アフリカの歴史上、急激な諸変化の中でも、最も根本的かつ劇的――悲劇的ではあったが――なものは、1890年から1910年までの20年間に生じている。この期間には、帝国主義列強による事実上のアフリカ全土の征服と占領、およ

び植民地体制の確立がある。1910年以降は基本的にはこの体制の強化と搾取に費やされている」[105] と報告している。

　アントニオ・ネグリ（Antonio Negri）とマイケル・ハート（Machael Hardt）は、その著『＜帝国＞』（Empire）において、コンラッドのヨーロッパ主義の視点を次のように——「アフリカでルイ＝フェルディナン医師は「あらゆる伝染性の病気」を見出す。肉体的な汚染、道徳的な堕落、そして狂気。植民地の領土や住民は伝染病に感染させるものであり、ヨーロッパ人は常に危険にさらされているのだ。このことは、コンラッドの『闇の奥』でクルツが認識するのと本質的に同じである」[106] と非難している。しかし、アフリカの現実を目の当たりにしたコンラッドの想いは、ネグリやハートの指摘している事とは相反している。ジェイムズ・クック（James Cook）や、献身的に務めた宣教師ディヴィッド・リビングストン（David Livingstone）たちの偉業を想起して執筆した「地理学と探検家たち」（"Geography and Some Explores"）において、コンラッドは、「扇情的なジャーナリズムの野合と、植民地拡大に加担した」[107] として、当時著名な探検家のスタンリーを意識して除外した。（1991年に「時代を画する多くの著作により、人類に多大な貢献をした」としてノーベル文学賞を授与されたアフリカ文学作家ナディン・ゴーディマ（Nadine Gordimer）[108] は、リビングストンを「奴隷売買を禁止するよう白人世界に働きかけた」[109] と高く評価している。）コンラッドの意図は明白である。スタンリーはベルギー王レオポルド二世に積極的に協力していたからである。H・G・ウェルズ（H.G. Wells）は、『世界文化史大系』（The Outline of History）において、「ヨーロッパ列強によるアフリカ争奪戦で、とりわけベルギー領コンゴにおいては、土着民から強制的に採集されるゴムを得ようとする貪欲は、ベルギー王の無慈悲な貪欲の為ますます激化する奪い合いでの恐ろしい残虐さ（働きの悪い原住民に対する手首切断）を誘うに至った」[110] と指摘した。

第3章　チャールズ・ディケンズとジョウゼフ・コンラッドの文学

　F・R・リーヴィスは、『偉大な伝統』（The Great Tradition）において、T・S・エリオット（T. S. Eliot）の批評の一句を借りて「『闇の奥』は「客観的相関物」（'objective correlatives'）によって圧倒的な力で雰囲気を喚起している」[111] と述べ、具体例として漸次盛り上がっていく強烈な印象の記録を次のように列挙している。

　フランスの砲艦が、弓矢程度しか持っていない原住民を「敵」と見做して、彼らがいると想定するアフリカの内陸に向けて砲弾を撃ち込んでいる場面は次のとおりである。——There wasn't even a shed there, and she was shelling the bush. (61)（そこには小屋すら一つもなかった。それに軍艦は叢林をめがけて弾丸を射ち込んでいるのだった。）

　会社の出張所へ到着した時の描写は次のとおりである。——A slight clanking behind me made me turn my head. Six black men advanced in a file, toiling up the path. They walked erect and slow, balancing small baskets full of earth in their heads, and the clink kept time with their footsteps. Black rags were wound round their loins, and the short ends behind waggled to and fro like tails. I could see every rib, the joints of their limbs were like knots in a rope; each had an iron collar on his neck, and all were connected together with a chain whose bights swung between them, rhythmically clinking. Another report from the cliff made me think suddenly of that ship of war I had seen firing into a continent. It was the same kind of ominous voice; but these men could by no stretch of imagination be called enemies. They were called criminals, … (64)

　（背後で微かな、鈴でも鳴るような音がして私は振り返った。黒人が六人、喘ぎながら小径を一列になって上がってきた。土を一杯入れた小さな籠を頭に載せ、棒を呑んだような姿勢で、のろのろ歩いて来た。一足踏むごとに、鈴のような音が鳴る。腰のあたりに黒い布片を纏っただけで、その端が尻尾のように揺れ動いていた。肋骨といえば、一本一本

新訂　ジョウゼフ・コンラッドの風景

がはっきりと見えるほどだったし、手足の関節もロープの結び目みたいだった。みんな首には鉄の首輪をはめられ、それが鎖で繋ぎ合わされ、その緩んだ部分が歩くたびに揺れては、リズミカルな金属音を立てていた。断崖の方からまたしても発破の音が響いてきた時、ふと私は内陸に向かって砲弾を射ち込んでいた軍艦のことを思い出した。これも、あれと同じ類の不吉な響きであった。しかしこの人間たちは、どのように想像力を働かしても敵と呼ぶことは出来ない。彼らは犯罪者と呼ばれて…）

　死の森の所では次のとおりである。――Black shapes crouched, lay, sat between the trees　leaning against the trunks, clinging to the earth, half coming out, half effaced within the dim light, in all the attitudes of pain, abandonment, and despair. Another mine of the cliff went off, followed by a slight shudder of the soil under my feet. The work was going on. The work! And this was the place where some of the helpers had withdrawn to die. They were dying slowly――it was very clear. They were not enemies, they were not criminals, they were nothing earthly now,――nothing but black shadows of diseases and starvation, lying confusedly in the greenish gloom. …（66）

　（いくつかの黒い人影が木々の下にうずくまったり、寝そべったり、座ったりしていた。ある者は木の幹にもたれかかり、ある者は地面に這いずり、仄暗い光の中に、ある者は半ば影のように、浮き出している。しかもそれは、明らかに苦しみと自棄と絶望との姿態なのだ。またしても断崖から発破がとどろいて、足元の地面がかすかに震えた。仕事は続いている。仕事だ！　そしてこの森はあの仕事に従事する者の誰かが引き上げて来て死を待つところなのだ。彼らはゆっくりと死んでいく――これは明らかだった。彼らは敵でもなければ犯罪者でもない。今やこの世のものでもない。――木々の緑がつくる森蔭に雑然と横たわる病と飢

第 3 章　チャールズ・ディケンズとジョウゼフ・コンラッドの文学

えの黒い影にすぎないのだ。…)

　ジョージ・スタイナー（George Steiner）は、その著『言語と沈黙』（*Language and Silence*）において、ジェルジ・ルカーチ（Georg Lukács）を「誰よりも人間の生存を形成するためにラディカルで独自の峻厳と精度を持つ稀有な批評家である」[112] と高く評価しているが、ナディン・ゴーディマは、そのルカーチが『小説の理論』（*Die Theorie des Romans*）において述べる「批判的リアリズム」[113] を援用してコンラッドを、「社会的変化を最も正確に反映した批判的リアリズムの旗手」[114] と見做している。

　20世紀の全体主義と対峙し、真の自由を実現する事を生涯の課題としたハンナ・アーレント（Hannah Arendt）は、『全体主義の起源』（*The Origins of Totalitarianism*）第二部「帝国主義」（"Imperialism"）において、19世紀以降の南アフリカを巡る記述においてコンラッドの『闇の奥』を活用して、「南アフリカでなされた経験がヨーロッパに跳ね返って影響を与えるようになるまでにはかなりの時間を要した。その仲介者となった人々がどんな人間であったかを、コンラッドが『闇の奥』において描いて見せてくれている」[115] と述べている。レオポルド国王の偽りの「自由」国での奴隷制を廃止するための活動を展開していたエドワード・D・モレル（Edward D. Morel）は、『コンゴ奴隷国』の「序文」において、「我々は、アフリカ世界へ、ジョウゼフ・コンラッドがその記憶すべき物語の中で描いた"闇の奥"へ、再度、目を向けることになった」[116] と書いて、その活動を進める上で『闇の奥』から刺激を受けた事を吐露している。因みに、マシュー・ホワイトは、その著『殺戮の世界史』において次のように述べている。「ロジャー・ケースメント[117] の最初の報告では、約300万のコンゴ人が死んだと推定している。モレルはコンゴの人口が元来2000万から3000万人はいたのが、僅か800万人に激減し、そこで底をついたと推測している。これが20世紀の

― 253 ―

最も一般的に引用されてきた死者数だった」[118] と。コンラッドは、レオポルドによるコンゴ支配を、「人間の良心と地理上の探検の歴史を汚した前例のない最も下劣な略奪戦」[119] だと告発した。

　「二重人間」を自覚し、複眼的視点を有するコンラッドが提起するアイロニーは、「意味のないもの」と「意味のあるもの」との二項対立を提示する「見せかけ」の世界において、この二項対立の逆転現象さえ引き起こしている。鎖で繋がれていない黒人たちは、丁度海岸に打ち寄せる波のように「自然」で「真実」(61) と描写され、一方、彼らに襲われて銃の狙いも定かでなく、尻で照準を合わせるといった醜態を演じた白人たちは、原住民を威嚇するために長い棍棒をもっているが故に「信仰なき巡礼者」(76)、或いは、象牙のみにうつつをぬかし、そのために専ら陰謀や中傷に余念のない輩(78)、植民者ではなくて征服者(50)だと描かれている。また文明、進歩を標榜する白人の白、搾取されて死んでいく黒人の黒、真っ白なシャツを着こんだ白人会計士と白人に酷使されて死の森で死を待つ黒人といった白と黒の二項対立の描写もある。荒廃と無秩序の中で完璧に「見かけ」(69) を維持している事にマーロウは感嘆すらしている。この種の印象主義的な二項対立の意味するものとは、サイードが言うところの「差異性」や「他者性」を問題とするポストコロニアリズム批評に繋がっている[120]。

　文明化されていない原始の闇を象徴する、沈黙に限りなく近いものとしての荒野の声や、文明人には理解し難い原住民の異様な叫びに、コンラッドは指示的な意味を付与している。半文明化された原住民を含めて彼らの存在そのものが、文明化がもたらす人間の荒廃や闇の世界の恐怖を物語っているのである。原住民は単に消極的な存在ではなくて、「愚行」を演じる白人と対極的な価値を持つ存在なのである。

　更にコンゴ河を遡行して、マーロウが見た中央出張所での「欺瞞」の臭いは、彼が雇われたこの植民地事業の会社の受付で暗示されていた。当時アフリカの奥地で3年契約の仕事を全うするのはわずか7％に過

第 3 章　チャールズ・ディケンズとジョウゼフ・コンラッドの文学

ぎず、大半の60％が 6 か月も勤まらないでヨーロッパに帰還するという過酷なものであった[121]。この実態を踏まえて、会社の入り口でアフリカの奥地へ向かう者に冷たい視線を投げかけ、不吉な棺衣作りを思わせる黒い毛糸を編んでいる二人の受付の女性を見て、マーロウにとっては、二人が「闇の入り口」の番人をしているように感じられ、又そういった会社を存在させているベルギーのブリュッセルそのものが偽善性を連想させる「白く塗りたる墓」(55)だと彼は見て取っている。その事務所でマーロウが目撃したものは、白地図ではなく、ヨーロッパ列強によって植民地化された事を表すために多色刷りしたアフリカ地図であった[122]。それは、サイードが、『故国喪失についての省察』(*Reflections on Exile*) において、「古い帝国の事業には新しいアフリカ領土を収奪する有り様が描き出されている」[123] と指摘するものである。

　コンラッドは、「コンゴに行くまでは、私は動物に過ぎなかった」と述べていた。1890年に生涯における人生観の変革に深く関与する＜コンゴ体験＞を経て闇の存在を知ったコンラッドの分身としてのマーロウは、闇に立ち向かうには「持って生まれた力で真実を直視して、真実に立ち向かわねばならない」(97)、「各自が生まれながらの自分の力、自分一人の**誠実さ**に頼るほかはないのだ」(116) と語っている。＜誠実＞は、コンラッドが人間にとって必要不可欠なものと見做すもので、彼は、『人生と文学についての覚書』(*Notes on Life and Letters*) に収めた「良くやった」("Well Done") において、「人類の大多数にとって必要とされる唯一の美点は、それぞれの人間の束の間の努力であっても最も身近なものへの**一貫した誠実**（steady fidelity）なのだ」[124] と記述している。その具体例の一つは、「台風」("Typhoon") のマックワー船長 (Captain MacWhirr) に見られる。彼は自分に課せられた責務以外に考えが及ばない愚直な人間である。マックワーは、大嵐に遭遇した時、それに真っ向から対峙する。コンラッドは、愚直なまでに職務を誠実に果たすマックワー船長を共感と賛辞をもって描き出している[125]。彼

は、人間にとってあるべき内的倫理を問う＜誠実＞の裏付けでもって、海洋エッセイ集『海の鏡』（The Mirror of the Sea）において次のように記述している。

> The genuine masters of their craft —— I say this confidently from my experience of ships —— have thought of nothing but of doing their very best by the vessel under their charge. To forget one's self, to surrender all personal feeling in the service of that fine art, is the only way for a seaman to the faithful discharge of his trust.[126]
>
> （私の船乗り体験から確信を持って申し上げるが、船に対して誠実だった船長は、自分の指揮する船に最善を尽くすこと以外には何も考えなかった。自己を滅却すること、個人的感情をすべて捨ててあの名人芸に仕えること、これが船乗りにとって誠実に責任を果たす唯一の道である。）

闇の奥で洗礼を受け、思想の変革を遂げて生還したマーロウの眼には、ブリュッセルで見た白人たちは闇によって攻撃されている事すら知らぬほどの鈍感な者たちと映り、又大都会ブリュッセルは、全く反省もなく安全な生活を確信して、只日々の仕事に忙殺されているだけの、互いにわずかな金をくすねあい下らぬ夢を見ている輩が徘徊する「墓場の如き街」（152）であると見えた。生きて戻れなかったならば、人間が存在する根本を洞察し、人間性の最も根本的な闇を照らし出す物語を語る事は出来なかっただろう。生還したマーロウは語る。人間が人生から望み得るのは「自分を多少とも知ることだ」（150）と。この世には人知を超えた闇が広がっている。その闇の奥で「汝自身を知れ！」とコンラッドは問いかけているのではないだろうか。『闇の奥』は、人間の内部の深奥そのものを抉り出そうとするコンラッドの気迫が窺える作品であ

る。文明に背を向け「荒野の奥地」(90) に顔を向けたクルツが、彼の**魂**から悟って発した「恐怖だ!」という叫びは、**闇**に突き落とされた人間が、実存する意味を問うものである。その叫びは、マーロウが文明社会に生還した後も反響し、問い直すべき西欧文明の危機を警告し続けるものであった。

　コンラッドの言説は、文明化したロンドンと**闇の奥**との間の区別が極限状態においては瞬く間に崩壊する事を物語っている。**闇の奥**は、首都ロンドンを地球の暗黒の片隅の一つに変容させるコンラッドの比喩である。『闇の奥』は、歴史的な広がりと奥行きを与え、個人の事件を特殊から普遍へと拡大し、進化させる作品なのである。

V　ディケンズの『荒涼館』考察

　ディケンズは、ジョウゼフ・コンラッドの『闇の奥』ではなくて、ロンドンの＜闇の奥＞を、『荒涼館』において「霧」のメタファーでもって表現し、英国の社会制度の諸悪の根源を撲滅するのに遅延を重ねる大法院法廷や一向に改善されないスラム街を描き出している。ジョージ・スタイナーは、『言語と沈黙』において、『荒涼館』を「繁文縟礼についてのデモーニッシュな神話」[127] であると見做し、「『流刑地にて』において、フランツ・カフカ (Franz Kafka) は象徴的デフォルメの手腕においてディケンズの後継者であるばかりでなく、役所や流れ作業に見られるサディスティックな匿名性に対する怒りという点からも、ディケンズを継ぐ者であった」[128] と述べている。スタイナーの主張で注目すべきは、ディケンズとは異質と思われたフランツ・カフカに及ぼしたディケンズの影響である。周知のとおりカフカは実存主義文学の先駆者で、『変身』『審判』『城』に代表される不条理と絶望の文学を著わした。スタイナーは言う。「『城』は、オーストリア＝ハンガリー帝国の官僚主

義的封建制についての辛辣なアレゴリー以上のものであるが、そのアレゴリーは暗黙のうちに語られているのだ。そして、ポリツァーが示しているように、破壊的な力であり、抽象的に悪の力であるものとして産業機構をとらえる感覚が、カフカにはたえずつきまとっていて、『流刑地にて』ではそれが、ぞっとするまでに具現された」[129] と。ディケンズの後期の作品には彼の暗い面が彼の現実認識の進化と共に深まっていた事と関わるのかもしれない。

ディケンズは、『荒涼館』全編に文字通り荒涼とした暗い色調を冒頭部の「霧」によって象徴している。

> Fog everywhere. Fog up the river, where it flows among green aits and meadows; fog down the river, where it rolls defiled among the tiers of shipping, and the waterside pollutions of a great (and dirty) city.[130]
> （どこもかしこも霧だ。川上も霧、そこでは霧は、緑の草に覆われた小島と牧場の間を流れる。川下も霧、そこでは霧は、船舶の列と大きな（そして汚らしい）都市の水辺の不潔物の間を、汚れながら渦巻く。）

この「霧」は、未来への展望が開けない人間の精神の混迷を象徴している。1837年ヴィクトリア女王即位時の英国は、産業革命のもたらした経済上、社会上の問題に直面しなければならなかった。当時世界の最先端を行く英国では、ハーバート・スペンサー（Herbert Spencer）の「社会進化論」[131] を拡大解釈して、富のある強者こそが進化論の最適任者であるとして産業化が押し進められつつあった。時代の風潮を察知したディケンズは、その現実感覚をもって、弱者の立場で救貧院の劣悪さや大法院における不条理な法廷戦術や旧弊で煩雑なシステムなどを正義感の表現手段として作品化していく。彼の作中人物自体がその時代に

生きていた。ディケンズは、ものの表面の背後に潜む真実に絶えず接近しようとしていたのである。

VI 『ピクウィック・ペイパーズ』考察 1

『ピクウィック・ペイパーズ』の最終章の第57章においてディケンズは次のように述べている。

It is the fate of most men who mingle with the world, and attain even the prime of life, to make real friends, and lose them in the course of nature. It is the fate of all authors or chronicles to create imaginary friends, and lose them in the course of art.[132]
（多くの真の友を作り、自然の流れで失うことは、この世に交わり、人生の壮年期に達した人が多く味わう運命である。想像上の友人を作り、芸術の流れで失うことは、すべての作者と年代記作者の運命である。）[133]

これは『ピクウィック・ペイパーズ』の登場人物のみならず、ディケンズが創作した登場人物すべてに対する想いに通底するものである。
『ピクウィック・ペイパーズ』は、単なる寄せ集めの旅行記ではない。会長サムエル・ピクウィック（Samuel Pickwick）と三人のクラブ員の旅行、調査、風俗習慣の観察、地方の情景及びそれにまつわる物語とを記録したものであるという[134]。それは、知識の進歩、学問の普及を意図する事でもって、ピクウィック・クラブの総会で満場一致で決議、承認を受けて発足した（ロンドンにある）ピクウィック・クラブの通信部に提出するものである。自らの出自を念頭に常に中産階級を意識する

ディケンズは、中産階級が発展を遂げていくその各段階でいかなる様相を呈するかを様々なエピソードを交えた記録を我々に教えている。ディケンズは、この処女作小説をもって一般大衆から上流階級に至る人々に大いに受けて一躍文壇の寵児となった。その要因は何であったのであろうか。彼の生涯と作品とが密接に繋がっている事から、まず、作者ディケンズの生い立ちから考察を始めるとしよう。

彼は、1812年2月7日にポーツマス（Portsmouth）の旧市街に接するランドポート（Landport）に生まれた。チャールズは母方の祖父の名前である。父のジョン・ディケンズは、愛想がよく、優美な物腰で気取った言葉づかいをし、友人を歓待するのが好きで、実際以上に裕福な印象を与えた[135]。生来おおらかで、大仰な言い回しで散漫に話す傾向があり、金にだらしなかったが、紳士然（the tastes of a gentleman）[136]としたところがあった。それは、ディケンズの祖母が最初ブランドフォード公爵のロンドン屋敷の召使となり、彼女の名誉ある引退前には、名門クルー公爵家の女中頭となっており、祖父はこのクルー家の執事であった事がその要因となっていたのかもしれない。

金銭感覚のなさが災いし親族たちから度々借金し親戚の間の評判はよくなかったが、いささか文筆の才能を持っていたジョンは、チャタムでの大火の折、『ザ・タイムズ』紙にペンを走らせ、火事の被害者のための基金に記事の謝礼よりも多い2ギニー（1ギニーは42シリング）を寄付して、自分が紳士である事を世間に示した[137]。文書に自分の身分を書く必要がある時は「紳士」と記し、新聞で最初の息子の誕生を告知した時には郷士（エスクワイアー）と名乗った。チャールズの出生は新聞の告知覧に、「金曜日、マイル＝エンド＝テラスにて、郷士ジョン・ディケンズ夫人、男児を出産（On Friday, at Mile-end-Terrace, the Lady of John Dickens Esq., a son.）」[138]と報じられている。ジョンは彼の最初の20年について口を閉ざし息子のチャールズにも話しておらず、チャールズも、それに関しては人に何も話さなかった。ジョンは変わり者で、息子が創作した

第 3 章　チャールズ・ディケンズとジョウゼフ・コンラッドの文学

最も有名な人物の一人、『ディヴィッド・コパーフィールド』におけるミコーバー（Micawber）のモデルであった。ミコーバーもジョンと同様、いつも「何とかなるだろう」と楽観的な受動的人生を送っている。因みにミコーバーは英国文学の中でも、屈指の喜劇的人物であり、「棚から牡丹餅」を待ち望む底抜けの楽天家で、多くの欠点を持っているが不思議と憎めない人物である。ジョージ・オーウェルが、「私の略歴」の中で、「私に最大の影響を与えた現代作家は、サマセット・モームであろうと思っている。私は、簡潔に無用の修飾なしにストーリーを発展させる彼の腕に敬服している」[139] と見做すそのサマセット・モーム（Somerset Maugham）は、「もしフォールスタッフが文学における最大の喜劇的人物だとするならば、ミコーバー氏はそれに次ぐ人物だ」[140] と述べている。

　オーウェルが晩年に心を許した数少ない親友で、『オーウェルの全体像――水晶の精神』（*The Crystal Spirit: A Study of George Orwell*）を上梓したジョージ・ウッドコック（George Woodcock）は同書で、「オーウェルが主に関心を持っていたのは、「真の人間らしさ」という言葉に彼が集約したもの、即ちディケンズのような作家から吸収した友愛とかフェア・プレイとか公明正大な態度とかいったもの、をどうやって実際に行うか、ということである」[141] と指摘している。オーウェルは、全体主義を憎み、誠実を重んじ、「真の人間らしさ」を希求し、その想いを読者に伝えるために簡潔に無用な修飾なしに明澄（めいちょう）に書く事を心掛けていたのである。サー・ヴィクター・ブリチェットは、「ニュー・ステイツマン」誌にオーウェルについて次の通り追悼文を寄せている。――「良心の痛みがこのインドで生まれた男をビルマ警察から引き離した。良心故にこのイートン校出身者は、ロンドンの貧民とウィガンの失業者やスラム街の住民たちと一緒に暮らすことになった。良心が彼をスペイン内戦に、そして共和政府側の一小党派に送り、そしてこのドン・キホーテは共産主義の裏面を垣間見ることになったのだ。（中略）ヴィ

クトリア朝の長い年月の中で培われた人間らしいまっとうさを叩き出される危険に直面しているのを知っていた」[142]。

　ところで後年、作家ディケンズを視野に入れて彼の幼・少年時代を語る時、チャタムの牧歌的風景や、本の読み方の手ほどきをしてくれた母や屋根裏部屋の父の蔵書及び、子守女のメアリー・ウェラー（Mary Weller）の存在が目に留まる。その書庫には優れた古典、例えばヘンリー・フィールディング（Henry Fielding）やジョージ・スモレット（George Smollett）をはじめとしてミゲル・セルバンテス（Miguel Cervantes）の『ドン・キホーテ』などが含まれて、それらは、病弱だったチャールズを楽しい空想に駆り立てて文学の面白さを教えた。チャールズ・ディケンズは、ケント州チャタムを自らの人生の牧歌的時代だと回想している[143]。事実、ディケンズの遺言執行人ともなった親しい友人であり伝記作家のジョン・フォスターは、チャタムを、「彼（チャールズ・ディケンズ）の空想力の発祥の地」[144]だと書き記している。母エリザベス・ディケンズ（Elizabeth Dickens）に関しては、チャールズが５、６歳の頃、ジョン・フォスターに、「(読み方の手ほどきを) 申し分なく上手に教えてくれた」と話した。ウェラーに関しては、彼女はチャタムの人で、チャールズが５歳の時、毎晩寝る時におとぎ話を語ってくれる話術に優れ、チャールズの想像力を大いに刺激した。チャールズは読む事に熟達していった。ウェラーは、「読む事にかけては恐るべき少年」と彼を評した[145]。因みに、1832年にディケンズは俳優になろうと多くの時間と精力を素人劇に注ぎ込み、偉大な俳優ウィリアム・マクリディーは、青年ディケンズが自作を読むのを初めて聞いた時、日記に次のように書いている。「彼は老練な俳優が読むように、巧みに読む――驚くべき男だ」[146]と。

　当初売れ行きが芳しくなかった『ピクウィック・ペイパーズ』を大成功させた立役者は、クレア・トマリン（Claire Tomalin）とサマセッ

ト・モーム（Somerset Maugham）が述べているように[147]、第4冊に登場した機知に富んだロンドンっ子のサム・ウェラーである。ディケンズはこの従僕に彼女の苗字ウェラーをつけ彼女の影響力がいかに大きかったかを物語っている。サムは、2002年にBBCテレビで紹介されているように、ロンドン界隈を熟知していたディケンズが創造した切れ味鋭いコックニーのユーモアを駆使する「最初のコックニーヒーロー」[148]である。『ピクウィック・ペイパーズ』からその一例を挙げると、

"Person's a waitin'," said Sam, epigrammatically. "Does the person want me, Sam?" inquired Mr. Pickwick. "He wants you partickler; and no one else'll do, as the Devil's private secretary said, ven he fetched avay Doctor Faustus," replied Mr. Weller. "*He*. Is it a gentleman?" said Mr. Pickwick. "A wery good imitation o' one, if it an't," replied Mr. Weller.' [149]

（「人がお待ちです」謎めいた風にサムは言った。「その人はわしに用事なのかね、サム？」ピクウィック氏は尋ねた。「彼は旦那様に特に用事があるんです。他の人は駄目です、フォースタス博士を悪魔の秘書がさらってった時言ってたようにね」ウェラー氏は答えた。「彼だって！　それは紳士の方かね？」ピクウィック氏は尋ねた。「そうでなかったら、実に立派な紳士まがいといったもんでしょう」ウェラー氏は答えた。）

ところで姉のファニー（Fanny）は音楽の才能があり、両親は姉の教育に多額の授業料を払い一家の期待を姉に託す。一方、チャールズはどのような正規の教育も受けなかったが、その代わりに、自由にロンドンを歩き回り、あらゆる地区とあらゆる通りの佇まいと性格を覚え、その年に開通し、非常に広く、建物の列柱の並ぶ立派なリージェント街と、例えば、セヴン・ダイヤル周辺の、そこからほど遠くない狭い路地との

対照を観察した[150]。法律事務所の書記生時代になるとディケンズのロンドンに対する知識は格段と深まる。エリス・アンド・ブラックモア法律事務所の同僚だった一人が当時を回想して次のように語っている。──「私も街（ロンドン）のことはかなり知っているつもりでした。しかしディケンズと話して見ると、私の知識はまるでものの数ではなかった」[151] と。一方、法律事務所は、社会のあらゆる階層の人々が出入りし、あらゆる問題が持ち込まれる場なので、彼の作家としての目を養うには良い環境だった。中流階級の上層と下層の間にある不安定な位置で、プロレタリア層に接触するとともに、信任の厚い召使を通じて貴族階級を垣間見て育ったディケンズのこの立ち位置は作家としての彼にとっては有益だったが[152]、厳格な階級社会の英国にあっては、特に少年時代のディケンズにとっての現実は厳しいものであった。実際、ディケンズ一家は中流階級から一気に下層階級へ追い落とされたからである。

　父のジョン・ディケンズは、海軍経理局に務める中流階級に位置する下級事務官で勤勉に働いていたが、収入以上の派手なパーティを好む愉快なディケンズ的クリスマス[153] を求めるタイプで、"Micawberism"と呼ばれる楽天的な浪費癖が収まらず借金を増やしては債権者に追われ、遂に借金不払いの廉(かど)で逮捕され、マーシャルシー負債者監獄に収監される。負債者監獄（debtor's prison）はヴィクトリア朝における英国社会のどん底の一つであった。「ディケンズが少年であった頃の首都の監獄の設備は、ヨーロッパ中で最も劣悪であった。換気や排水装置さえ無きに等しいありさまで、囚人たちの間では病気が絶え間なかった。賄賂と看守・牢番たちの腐敗に乗じて、連日のように盗品や娼婦たちの取引が監獄内に横行する事もあった。しかも子供たちを含めた、あらゆる年齢層の囚人たちが、同じ場所に収容されていたのである」[154] という。

　ディケンズは、『ニコラス・ニックルビー』において、There, at the very core of London, in the heart of its business and animation, in the midst of a whirl of noise and motion, stemming as it were the giant currents of life that flow ceaselessly on from different quarters and meet beneath its walls, stands Newgate;[155]（ロンドンのど真ん中、実務と活気の心臓部、騒音と活動の渦巻く中央部に、あたかも四方八方から絶え間なく流れてきて、その外壁の下で合流する巨大な生活の潮流を堰き止めるかのように、ニューゲイト監獄がそそり建っている）と描き出している。更に、『ピクウィック・ペイパーズ』第42章において、負債者監獄についての不条理さを、次のように告発している。──「頑強な凶悪犯人が食事と衣服を与えられ、文無しの負債者は飢餓と素っ裸で死ぬにまかされているという正当で健全な法令全書に、消されぬままに残っている。これは作り話ではない」[156]。

　マーシャルシー負債者監獄に投獄（1824年3月〜5月）された負債者たちの様子をその獄舎に収監されている父と同居していた母からのリアルな話とを想像力を働かせて、ディケンズは、『ピクウィック・ペイパーズ』という作品に仕上げた事を「自伝断章」において記している。

　　When I went to the Marshalsea of a night, I was always delighted to hear from my mother what she knew about the histories of the different debtors. … Their different peculiarities of dress, of face, of gait, of manner, were written indelibly upon my memory. … When I looked, with my mind's eye, into the Fleet Prison during Mr. Picwick's incarceration, I wonder whether half a dozen men were wanting from the Marshalsea crowd that came filing in again.[157]

　　（私は毎晩マーシャルシーに出かけるたびに、母から様々な負債者の来歴を聞くのを楽しみにしていた。（中略）相異なる風変わりな身なりや人相や歩き方や物腰は克明に私の記憶に刻まれた。（中略）ピクウィック氏幽閉に及んでフリート監獄を心の目で覗いた時、またもやどっと繰り出してきたマーシャルシー監獄の連中のう

ち、6人と欠けてはいなかったろう。）

　マーシャルシー監獄居住に先立って、一家がロンドンへ移住してから交際好きの父ジョンの金銭感覚の欠如から一家の経済は破綻をきたすようになり、ディケンズは10歳頃から少しでも家計の足しになるよう、ハムステッド・ロードの質屋や、次いで、ウォレン靴墨工場で働く仕儀になる[158]。彼はチャンドス（Chandos）街のベッドフード（Bedford）の角にある窓辺で働かされて、通行人にじろじろ見られるという屈辱を味わっている[159]。

　この生涯に残るディケンズの精神的外傷をフォスターは、「彼は少年時代を想起すると、功成り名を遂げた今日でも、しばしば悪夢にうなされて、自分自身一人前であることを忘れて、あの厭わしい過去の時代へ、一人彷徨っていく」[160] と『チャールズ・ディケンズの生涯』（*The Life of Charles Dickens*）で記している。『オリヴァー・トゥイスト』（*Oliver Twist*）のオリヴァー（Oliver）をはじめディケンズの作品に登場する少年少女が味わう受難の描写は、この時の経験が根底にある。『オリヴァー・トゥイスト』において、「どうか、もう一杯おかゆをください。("Please, Sir, I want some more.")」[161] と、か細い声で懇願するオリヴァーの姿には、満足な食事をも与えない救貧院における児童虐待の実態と作家が少年時代に味わった過酷な体験が反映されている。

　自尊心や向上心が強いチャールズにとって靴墨工場での屈辱は耐え難い事であったが、作家となったディケンズは子供時代の苦悩を自分と重ね合わせて、小説の中で貧しい子供を虐待する冷酷で愚かな時代風潮に抗議する良心を持っていた。そしてディケンズらしいところは、後年、「私はそのことについて恨んだり怒ったりして書きはしない。なぜならば、こうしたすべてが一緒に働いて、今の私を作っているからだ」[162] と述べている。但し、更に続けて「しかし私は、その後母が靴墨工場へ戻るように熱心に勧めたことは、決して忘れなかった、決して忘れな

い、決して忘れられない。」と強く述べ、彼の心に深い失望感を抱かせる事になった。とはいえ、母の口添えで、チャールズは屈辱的な現状を打破する事になる。彼は手遅れにならぬうちに逃げ出せたのである。母の伯母チャールズ・チャールトンが民法博士会館（Doctors' Commons）上級書記と結婚し二人で下宿屋を営み弁護士に部屋を貸していて、エリザベスがそこで法律事務所の若いパートナーのエドワード・ブラックモア（Edward Blackmore）と知り合ってチャールズを売り込み法曹学院で働く事になった。1827年、チャールズ15歳の時である。実際その仕事は使い走りに過ぎなかったが、彼にとってそれは屈辱的な靴墨稼業からの出発の第一歩であった[163]。これを皮切りに、マスターするのが六カ国語をものにするよりも難しいと言われていた速記[164]を持ち前の強い精神力を発揮して、独力で習得し、19歳の時には議会の速記を手掛けて誰もが一目置くような優れた速記者となる[165]。ロンドンの街を歩き回って、その表裏を詳しく知るようになったのもこの頃である。

VII 『ピクウィック・ペイパーズ』考察2

ディケンズは、『ドン・キホーテ』の著者セルバンテスのように、道化の仮面を被って人間と社会に対して鋭い批判を表現している。セルバンテスは、スペイン国内での反宗教改革の嵐が吹き荒れ、異端審問所をはじめとする検閲機関が目を光らせていた時期に自分の真意を直接表現することが出来なかった。そこで彼は、『ドン・キホーテ』においてパロディ、風刺、諧謔、逆説を多用する記述法[166]を考案した。『ドン・キホーテ』前編を読み、表面的に解釈すれば、騎士道物語を読み過ぎて頭がおかしくなった老人が、世に出て様々な困難と闘い、痛い目にあうという単なる滑稽譚とも読めるが[167]、後編を読めば、夢に生き「人生は

夢！」と死に際に正気に返った（74章）人間の自己省察の小説と読める。更に、当時のスペイン社会に横柄に振る舞っていた世俗の権力を批判しているだけでなく、スペイン国内では絶対で、批判が許されなかったカトリック教会をも批判しているとも受け取れる[168]。

　因みにジョウゼフ・コンラッドは、時代錯誤の笑止千万な騎士の中に人間の高貴さを認め、『ドン・キホーテ』のヒーローが抱く空想を 'a very unselfish fantasy' [169] と見做し、ドン・キホーテを、「気高いスペイン騎士」と表現し、「狂人」の愚行という世間の評価とは一線を画していた[170]。サマセット・モームは、ドン・キホーテを「心の優しい、誠実で高潔な男で、この憂い顔の騎士に対して、愛情と同時に尊敬の念を抱かないような者があったら、それこそ鈍感きわまる人間だ。人間の想像力の所産で、私たちが持っている高貴な人間性に、これほど強く訴えてくる人物は、ドン・キホーテをおいて、ほかにはない」[171] と皮肉屋の彼が手放しで賛辞を呈している。またヘンリー・ジェイムズは、「ドン・キホーテは、非常にデリケートな影を成しておりそれは著者のヴィジョンによって特徴づけられたリアリティがある」[172] と述べている。

　たとえ笑止千万であろうとも、いつでも庇護の手を差し伸べ、義務感と使命感に燃えて、行動に移すドン・キホーテによって具現された騎士道には、肯定的なロマンティシズムがあった。

　ディケンズは、『ドン・キホーテ』への評価と賛美を1868年1月13日付の手紙で次のとおりに記している。――The chief idea of the novel is to depict a positively beautiful man … the most perfect is Don Quixote. [173]（この小説の主なアイディアは本当に美しい人を描写することだ。（中略）最も完全な人はドン・キホーテだ）。ディケンズは、サンチョ・パンサ（Sancho Panza）の代替として忠実な下僕にサム・ウェラーを登場させて、サム・ウェラーをして、ピクウィックを次のように評させている。――「ゲートをつけ、メガネをかけた天使であっても、あの人は全くの純血種の天使なんだ」[174]。

第 3 章　チャールズ・ディケンズとジョウゼフ・コンラッドの文学

　人生の過酷な現実に疎く、目に見えた通りにすべてを信じ込み、後になって酷い目に遭うお人よしのピクウィック、年齢は老人であってもすぐに正義感でかっとなったり、情にほだされて涙を流したりするピクウィックは、まさにロマンスの幻想から抜け切れぬドン・キホーテそのままである。それに反して徹底的なリアリストで、世間の全ての裏も表も知り尽くした世俗的英知の塊、ご主人を憐れみつつ、それでいて愛さずにはいられない忠実なサム・ウェラーは、明らかにサンチョ・パンサの再来である[175]。

　処女作『ボズのスケッチ集』(Sketches by Boz)によって文壇に登場したディケンズは、産業革命がもたらした当時のヴィクトリア朝の富裕な上流階級と飢えた下層階級との二極化を首都ロンドンで目の当たりにする。そして彼は、次の長編『ピクウィック・ペイパーズ』において、現実を見据える鋭い観察力をもって、読者を意識して、庶民の立場に立って、登場人物に想像力を働かせ、拡大し、縮小する事によって彼独自の「風刺」と「笑い」を創造している。フョードル・ドストエフスキーは、『作家の日記』において「ロシア語で読んでいても、殆ど英国人と同じようにディケンズを理解していると、私は信じて疑わない。いかにディケンズは典型的で、独特な風格を備えた民族的な作家であることか！」[176]と述べて、ディケンズのピクウィックを次のように指摘している。――「ディケンズは決して自分の目でピクウィックを見たのではなく、ただ自分が観察した現実の種々相の中にそれを認め、ひとりの人物を創造して自分の観察した結果としてそれを提示した。ディケンズは単に現実の理想を取り上げただけであっても、その人物は現実に存在する人物と全く同じように、現実的なのである」[177]。

　第34章の「バーデル対ピクウィック事件の記念すべき裁判」の場では、腹を空かせている陪審は時間の節約で早く終わらせようと原告に有利な判定を下す実態をはじめ、上級弁護士の詭弁によって左右される英

国の裁判に対する辛辣な「風刺」を活写している。

 "Highly important —— very important, my dear Sir," replied Perker. "A good, contented, well-breakfasted juryman is a capital thing to get hold of. Discontented or hungry jurymen, my dear Sir, always find for the plaintiff." "Bless my heart," said Mr. Pickwick, looking very blank; "what do they do that for?" "Why, I don't know," replied the little man, coolly; "saves time, I suppose. If it's near dinner-time, the foreman takes out his watch when the jury have retired, and says, 'Dear me, gentlemen, ten minutes to five, I declare! I dine at five, gentlemen.' 'So do I,' says every body else, except two men who ought to have dined at three, and seem more than half disposed to stand out in consequence. The foreman smiles, and puts up his watch: —— 'Well, gentlemen, what do we say? —— plaintiff or defendant, gentlemen? I rather think, so far as I am concerned, gentlemen, —— I say, I rather think, —— but don't let that influence you —— I *rather* think the plaintiff's the man.' Upon this, two or three other men are sure to say that they think so too —— as of course they do; and then they get on very unanimously and comfortably. Ten minutes past nine!" said the little man, looking at his watch.[178]

（「高度に重要なこと、とても重要なことですよ」パーカー氏は答えた。「善良で、満足し、十分に朝食をとった陪審は、是非抑えなければならん重要なもんなんです。不満を感じ、さもなければ、腹を空かせている陪審は、必ず原告に有利な判定を下すもんですからね。」「いや、驚いた！」ひどくぽかんとして、ピクウィック氏は言った。「どうしてそういうことになるのかな？」「いや、わかりま

第3章　チャールズ・ディケンズとジョウゼフ・コンラッドの文学

せんな」小男は冷静に答えた。「時間の節約になるんでしょうな。晩餐どき近くなら、陪審たちが引き下がった時、陪審長は懐中時計を引出し、『いや、これは！　諸君、五時十分前ですぞ！　私の晩餐は五時なのですからな、諸君』。『私もそうなんです』二人を除いて、ほかの全員が言うんです。この二人は三時に食事をしたに違いなく、その結果、頑張ろうという気合は十分といったところなんです。陪審長はニヤリとし、懐中時計をしまい——『さて、諸君、どっちでしょうかな、原告ですかね、被告ですかね？　私に関する限りでは、諸君、私は思うんですがね——だが、それだからといって、あなた方のお考えを変えることはありませんよ——私は原告がズバリその人と思うんですがね』。すると、自分もそう思うと、二、三の陪審が言い出すのは必定——勿論、そう言いますとも。そして陪審たちは口をそろえ、調子よくやっていくんです。やっ、九時十分すぎですな！」自分の懐中時計を見て、小男は叫んだ。）[179]

　実際、清廉潔白なピクウィック氏が、弁護士の詭弁と法廷戦術によって婚約破棄の訴訟で有罪となり、損害賠償金750ポンドという不当な判決が下される。しかし、サム・ウェラーをピクウィックの弁護証人に立てる事によって、裁判官や上級法廷弁護士を煙に巻いて、裁判の不条理さを思う存分笑い飛ばして一種のカタルシスを醸し出している。

　　"What's your name, Sir?" inquired the Judge. "Sam Weller, my Lord," replied that gentleman. "Do you spell it with a 'V' or a 'W'?" inquired the Judge. "That depends upon the taste and fancy of the speller, my Lord," replied Sam, "I never had occasion to spell it more than once or twice in my life, but I spells it with a 'V.'" [180]
　　（「君の名は？」裁判官は尋ねた。「サム・ウェラーです、閣下」

この紳士は答えた。「ウェラーは V で綴るのかね、それとも W かね？」裁判官は尋ねた。「それは、書く人の好みと趣向に拠りますよ、閣下」サムは答えた。「今までそれを書くようなことは、一度か二度しかありませんでしたが、私はそれを V で書いています。」

"Do you mean to tell me, Mr. Weller," said Serjeant Buzfuz, folding his arms emphatically, and turning half round to the jury, as if in mute assurance that he would bother the witness yet ——"Do you mean to tell me, Mr. Weller, that you saw nothing of this fainting on the part of the plaintiff in the arms of the defendant, which you have heard described by the witnesses?" "Certainly not," replied Sam, "I was in the passage 'till they called me up, and then the old lady was not there."

"Now, attend, Mr. Weller," said Serjeant Buzfuz, dipping a large pen into the inkstand before him, for the purpose of frightening Sam with a show of taking down his answer. "You were in the passage and yet saw nothing of what was going forward. Have you a pair of eyes, Mr. Weller?" "Yes, I have a pair of eyes," replied Sam, "and that's just it. If they wos a pair o' patent double million magnifyin' gas microscopes of hextra power, p'raps I might be able to see through a flight o' stairs and a deal door; but bein' only eyes you see, my wision's limited." At this answer, which was delivered without the slightest appearance of irritation, and with the most complete simplicity and equanimity of manner, the spectators tittered, the little Judge smiled, and Serjeant Buzfuz looked particularly foolish.[181]

第3章 チャールズ・ディケンズとジョウゼフ・コンラッドの文学

（「ウェラー君、君は言うつもりなんですかね」しっかと腕を組み、半ば陪審の方を向いて、さもまだまだ証人を困らしてやると黙ったまま確信して、上級法廷弁護士のバズファズは言った、「君は証人たちが話すのを聞いていただろう、原告が被告の両腕に抱えられて気絶していたのを全然見なかったと、ウェラー君、君は言うつもりなのかね？」「勿論、見ませんでしたよ」サムは答えた。「みんなに呼ばれるまで、私は廊下にいたんです。そこに行った時には、老夫人はそこにはいませんでしたよ」「さて、いいかね、ウェラー君？」サムの返答を書き留めるといったふりで脅かそうとして、目の前のインク壺に大きなペンを浸して、上級法廷弁護士のバズファズは言った。「君は廊下にいながら、その時進行中のことは何も見なかったのだな。君は目の玉を持っているのかね、ウェラー君？」「ええ、目の玉は持っていますよ」サムは答えた、「だが、ただそれだけのこってす。もしそれが特許の二百万倍拡大の特別の力のある酸水素光の顕微鏡だったら、階段と松板のドアを見通すことも、たぶん、できたでしょうがね。ところが、ただの目なんで、目の力にも制限があるわけですよ」少しもいらつく様子もなく、いとも率直に落ち着き払って述べたサムの答えに、傍聴人はくすくすと笑い、小男の裁判官はニヤリとし、上級法廷弁護士のバズファズは特別うつけの馬鹿者に見えてきた。）

サムが「あてずっぽうの投機でこの訴訟を取り上げ、ピクウィックさんからふんだくる以外に、全然代金を要求しないなんて、二人はとても気前のいい人だって言ってましたよ」と事の真相を暴露するに及んで、ドッドソン（Dodson）とフォッグは真っ赤になってうろたえ、お高く留まっていた上級法廷弁護人のバズファズも遂にたまりかねて「これ以上の尋問を彼に行うことはしない」(379)と断念した。

一方、身に覚えのない訴訟と理不尽な判決に彼の紳士としてのプライ

ドが許さず、ピクウィック氏は、原告の弁護士たちに向かって啖呵を切る。「債務者刑務所で余生を暮すようになっても、私からは骨折り賃も損害賠償金も得られはせんでしょう、びた一文だってね」(380) と。その宣告通り、賠償金を支払わず、ピクウィック氏はフリート監獄 (the Fleet) に入獄する。主人に忠実なサムも自分から債務者の監獄に飛び込んできた。ピクウィック氏は彼の無鉄砲なやり方に怒る事も不快の念を表す事もできないでいた。ただサムの愛情の強さに、非常に心打たれているだけであった (478)。

　サムは下層社会の過酷な下積み生活を送ってきたと思われる。第16章において彼は主人のピクウィック氏から今迄の身の上話を聞かれて、世の中にいきなり放り出された時から現在までの経緯を次のように答えている。

"When I vas first pitched neck and crop into the world, to play at leap-frog with its troubles," replied Sam. "I vas a carier's boy at startin': then a vagginer's, then a helper, then a boots. Now I'm gen'lm'n's servant." (164)

(「初めて世の中にいきなりほっぽり出されて、世の荒波と闘うことになった時です。」サムは答えた。「最初は運送人の給仕、次は大型荷馬車の御者の給仕、次は助手、それから旅館の靴磨きになり、今は紳士の召使いなんです。」)

続けてサムは、その放浪生活の一端をピクウィック氏に答えている。

"Arter I run away from the carrier, and afore I took up with the vagginer, I had unfurnished lodgin's for a fortnight. … the dry arches of Waterloo Bridge. … it's generally the worn-out starving, houseless creeturs as rolls themselves up in the dark

第 3 章　チャールズ・ディケンズとジョウゼフ・コンラッドの文学

corners o'them lonesome places —— poor creeturs as an't up to the twopenny rope."（164）

（「運送屋から逃げ出してから大型荷馬車の御者と親しくなるまで、私は二週間家具のない宿に泊まってたんですよ。（中略）ウォタール橋のがらんとしたアーチです。（中略）そのわびしい場所の暗い隅に転がっているのは、たいがい、やつれきった、飢えた、宿のない連中——二ペニーの縄（宿料が二ペンスの安宿）にも手の届かない連中なんです。」）

　しかしその下層の民が、真面目くさった態度で機知や策略、経験を大いに発揮して、身に覚えのない婚約破棄の訴訟で窮地に立ったピクウィック氏の為に、日ごろお高く留まっている裁判官や「鷺を烏」と言いくるめる法外もない恫喝的な上級弁護士たちをやり込める活躍に、『ピクウィック・ペイパーズ』以前には見られなかったこの現象を、サムと同じ境遇にいる人たちは大笑いして拍手喝采を送ったのである。身分の高い人々も、日ごろは軽蔑の対象でしかなかった下層階級の者の中に、サムのたぐいまれな美質を見出し、内心賛同している。その「笑い」は卑俗なものではなく、法廷を仕切っているお高く留まった弁護士が詭弁を弄してまともな人たちを苛め、法の下に不当な判決に導く輩の卑俗さを暴露する人間の歓喜に由来するものであった。その「笑い」は、真のユーモアは常に何かを考えさせてくれ、人間の本質に光を投げかける。チャップリン喜劇の「笑い」と相通じる所であろう。サムが読者をどんなに笑わせようと、そこには一片の悪ふざけもない。正直にものを観て、正直に物事を感じてそれを言葉にして表す彼の言動に、読者は感ずるところがあった。彼らは、従来のメロドラマの洪水の笑劇よりも、第四分冊から登場したサムの醸し出すユーモアと滑稽さに共感したのである[182]。

　ほぼ同時代の作家で批評家でもあるラフカディオ・ハーン（Lafcadio

Hearn)は、ディケンズの本質を『英文学史』(*History of English Literature*)に収めた「ディケンズ」("Dickens")において次のとおりに評している。──「ディケンズは奇想小説を発展させて芸術作品にしている。つまり、現実の物語を書きながら、その真実がいつも奇妙に誇張して表現されている。彼はロンドンの中層階級のみならず下層階級について、そして犯罪者の階級に至るまで熟知しており、彼はそれらをこれまでのいかなる作家もしたことがないような方法で、つまり高笑いはするが悪意のない漫画家(a caricaturist)の眼で活写した。(中略)最後に、これほど健康で楽しく、道徳的に健康な小説家も、これまでになかったとも言っておこう」[183] と。またサマセット・モームは、ディケンズの小説を「英国小説の偉大な伝統に深く根を下ろしているだけでなく、多分に常識的である一方、逞しく率直で、ユーモアと健全で豊かな人間性をその特徴とする」[184] と指摘している。ジョージ・ウドコックは『オーウェルの全体像──水晶の精神』において、次のように指摘している。

　──「ディケンズは極端なものの見方をするような人間ではなかった。オーウェルにとって理想的な時代だと思われた時代、即ち、ラディカルで、軍国主義的な所のあまりなかった英国の19世紀というものを、ディケンズほど親しくオーウェルに伝えてくれる作家はほかになかった。ディケンズは、オーウェルが貴重なものだと考えていた人間的な寛容さとか公正さとか温和さといった美徳を作品の中で表現した作家だった。ディケンズが掲げている鏡の中にオーウェルが見たのは、人の心を和ませるような、見る者を気持ちよくさせるような人物だった。彼がディケンズの中に見ていたのは、19世紀のリベラリストの美点をすべて備えた別の自分の姿だった。オーウェルはこの自分の姿については、無条件に、悪魔祓いの儀式などしないでも受け入れることが出来たのだ。その結果、オーウェルのディケンズ論はスィフト論やトルストイ論よりもはるかに幅広い、包括的なものになっている。(中略)オーウェルは

ディケンズを時代と階級の面から規定し、彼の世界観の限界について論じ、革命のための提案を比較検討し、そして彼が俗悪なナショナリズムを持たなかったことを称賛している」[185]。

Ⅷ　『ピクウィック・ペイパーズ』考察3

　『ピクウィック・ペイパーズ』の第22章において、ピクウィック氏がうっかり間違えて中年婦人のウィザーフィールド嬢（Miss Witherfield）の寝室に入る。高潔な紳士である彼が慌てふためけばふためくほどその様子は喜劇と化し、笑いが増幅される。
　「こんな恐ろしい目に遭ったことは一度もないぞ」と冷や汗をかき、しかし「このままでは自体は益々悪くなるぞ」と思い直して、カーテンの陰に隠れたまま大声を出す。

　　"It's ―― it's ―― only a gentleman, Ma'am, …… Nothing, Ma'am upon my honour, …… It is evident to me, Ma'am, now that I have mistaken this bed-room for my own, I had not been here five minutes, Ma'am, when you suddenly entered it. …… I ―― I ―― am very sorry, Ma'am, to have been the innocent occasion of this alarm and emotion; deeply sorry, Ma'am. …… I trust, Ma'am, that my unblemished character, and the excuse for this" ―― But before Mr. Pickwick could conclude the sentence, the lady had thrust him into the passage, and locked and bolted the door behind him." (pp.241-42)
　（「それは――それは――紳士に過ぎません、ご夫人、（中略）名誉にかけて、（中略）ご夫人、何の用もありません。私がこの部屋を自分の部屋だと勘違いしたことは、ご夫人、もう私にはっはっき

りと分かっています。私がここにきて五分と経たないうちに、ご夫人、あなたが突然入っておいでになったのです。(中略)本当にすみませんでした、何も知らないとはいいながら、こんな驚きと騒ぎを引き起こしてしまって、本当にあいすみません、ご夫人。(中略)ご夫人、私の汚れのない評判、それに女性に対して私が抱いている献身的な敬意が、このことに対するほんのわずかな弁明となり」
──しかし彼がまだその言葉を終えないうちに夫人は彼を追い出し、ドアにしっかりと施錠し、かんぬきを下ろしてしまった。)

『ピクウィック・ペイパーズ』は喜劇のままでは終わらない。床に就いた時、ピクウィック氏は「今晩は前代未聞のとてつもない過ちをしでかしてしまったよ。このことで決心したよ、サム。この旅館に六か月滞在することになっても、二度と再び、一人でここを歩き回ったりはせんとね」「それは、この上ない慎重な決心ですな。あなたの判断力がふらふらと外に出歩いている時には、あなたの世話を見る誰かが、どうしても必要なんです」とサム・ウェラーが答えた。サムは無垢な紳士のピクウィック氏に現実世界を教える案内人の役割をも果たしている。

ディケンズ作品の中でピクウィック氏は、ドドソン・アンド・ファッグ弁護士事務所の陰謀やフリート監獄における体験によって、悪を認識している。しかし、無垢な大人のままでいる稀な主人公である彼は、一連の受難の中で無垢から経験を経て世の不条理の真の姿を知っている。それは世間知に富むサムへの依存が大きかった。

上下の民が、サムとピクウィック氏の両者の醸し出す滑稽な行動の中に人間の誠実や真情或いは尊厳を垣間見た。『ドン・キホーテ』に通じる「笑い」の道化の仮面の裏に潜む人間の真実──世に蔓延っている偽善や悪徳に対する正義感や仁愛──を富者も貧者も感じ取ったのである。

ディケンズの『ピクウィック・ペイパーズ』に代表される初期の作品

第3章 チャールズ・ディケンズとジョウゼフ・コンラッドの文学

を経た後、『ドンビー父子』や『ディヴィッド・コパーフィールド』や『大いなる遺産』(*Great Expectations*)によって代表される中・後期の作品には、彼の人生における進化した描写を通して、更に深まった人間の在り方が問われている。

ディケンズの本意は、資本主義そのものを革命などによって否定する闘争観念ではなかった。ジョージ・スタイナーによって高く評価される批評家エドマンド・ウィルソン(Edmund Wilson)[186]は、『傷と弓』(*The Wound and the Bow*)においてディケンズの社会に対する姿勢を次のように評している。

 For the man of spirit whose childhood has been crushed by the cruelties of organized society, one of two attitudes is natural: that of the criminal or that of the rebel. Charles Dickens, in imagination, was to play the role of both, and to continue up to his death to put into them all that was most passionate in his feeling.[187]

 (気概のある人間が、組織された社会の残酷な行為によって少年時代を打ち砕かれた時、犯罪者の態度か反逆者の態度かという二つに一つを取るのは自然のなりゆきである。ディケンズは想像力においてこの両者の役割を演じ、死に至るまで、これらの中に自分の感情の最も強い部分を注ぎ込むことになった。)

実際ディケンズは、ロンドンでの少年時代に父が債務者監獄に収監され、朝から晩まで靴墨工場で働き、空き腹を抱えロンドンの夜の街を彷徨い、他人には推し量れない苦痛を味わい、泥棒か浮浪者になっていてもおかしくなかった事を、親友フォスターに打ち明けている。

 I know that I have lounged about the streets, insufficiently and unsatisfactorily fed. I know that, but for the mercy of God, I might easily have been, for any care that was taken of me, a little robber or a little vagabond. … That I suffered in secret, and that I suffered exquisitely, no one ever knew but I. How much I suffered, it is, as I have said already, utterly beyond my power to tell. No man's imagination can overstep the reality.[188]

（私は食べ物も満足なだけ充分に与えられず、街をあてどなく彷徨い歩いていたことを知っている。私にどれほどの心遣いが払われていたかを考えると、もし神の御加護がなかったら、いくら面倒を見てくれる人がいたとしても、チンピラ泥棒や浮浪児になっていたことだろう。（中略）私が密かに苦しんでいたこと、鋭い苦痛を味わっていたことを知る人は、私以外誰もいなかった。如何に私が苦しんでいたか、すでに述べたように、それを語ることは全く不可能である。如何なる想像をもってしても、現実を超えることは出来ない。）

　しかしチャールズは、いつかはひとかどの人物になろうという希望も薄らいでいく中で心中を明かさず自分のやるべき仕事を果たした。弱肉強食を公然と認める**格差**社会を実体験して厳しい奮闘を自覚した作家ディケンズは、犯罪者と反逆者の双方のいずれの態度をも認識した上で、一方に偏(かたよ)る事なく、被害者である貧しい人々の側に立って闘ったのである。しかし、彼にとってこの闘いは社会転覆とかブルジョア対プロレタリアの闘争といったものではなかった。ジョージ・オーウェルは、「ディケンズ論」において次のような彼独自の見方を述べている。――「いくつか、小さなものではあったが重要な問題について世論を動かすのに貢献したと言ってもいいだろう。けれども彼には、現在の社会体制では、ある種の悪は絶対に矯正しようがないということが、およそわかっていなかった。色々な小さな不正を見逃さず、これを暴いて白日の

第3章 チャールズ・ディケンズとジョウゼフ・コンラッドの文学

下にさらけ出し、英国の法廷に持ち出せば万事解決する――これが彼の考え方なのだ。ディケンズは、とにかく吹き出物は切れば治るなどとはとうてい考えもしなかった。彼の作品にはどのページにも、社会はどこか根っこのところで間違っているという意識が流れているのである。では「どういう根っこが？」と問うと、はじめて彼の立場を理解する糸口がつかめるのだ。はっきり言えば、ディケンズの社会批判はもっぱら道徳的なものである。だからこそ、彼の作品には、どこを探しても建設的な提言など全く見つからない。彼は法律を、議会政治を、教育制度を片端から批判するが、その代案となるものについては何一つはっきりしたことを言わないのである。無論、小説家や風刺家が必ず建設的提案をしなければならないとは言えないが、注目すべきことは、ディケンズの姿勢が根本において「破壊的」(destructive)でさえない、という点である。彼の標的は社会ではなく、「人間性」("human nature")だからである[189]。」[190] と。そして、Where he is Christian is in his quasi-instinctive siding with the oppressed against the oppressors. As a matter of course he is on the side of the underdog, always and everywhere.[191]（クリスチャンとしての面が表れているのは、なかば本能的に圧迫者に対して反抗し被圧迫者に味方するところである。彼は当然のこととして、いかなる場合にも負け犬の側に立つ）[192] と。

　ある意味でディケンズは個人主義者である。『クリスマス・キャロル』（*Christmas Carol*）において、彼は、スクルージ（Scrooge）には安い給料でこき使っている書記のボブ・クラチット（Bob Cratchit）から人間らしい生活を取り上げる権利はないし、クラチットにはクリスマスに鵞鳥と酒に金を惜しげもなく使う権利がある、と述べている。『クリスマス・キャロル』は単に福音を説くための読み物ではないのである[193]。

　「Dombey and Son had often dealt in hides, but never in hearts.(ドンビー父子商会は、皮革をしばしば取り扱ってきたが、人の心は扱って

こなかった。)」[194] というドンビー氏の言葉で明らかなように、人間の心に無関心で金銭万能を信じ、「星辰をはじめ森羅万象、宇宙のすべては自分の経営するドンビー父子商会のために存在している。西暦のA.D.も"anno Domini"ではなく"anno Dombei-and Son"を意味する」[195] というドンビー氏の行き過ぎた考えを矯正しようとするのがディケンズの視点である。ドンビー氏の人生を「監獄」と捉え、人の心よりも金銭至上主義の父と対極にある無垢な息子ポール（Paul）や娘のフローレンス（Florence）を配置する事によって、人間の生き方や在り方をディケンズは問いかけている。ヴィクトリア朝社会の繁栄の背後に忘れられた人間性や愛情の尊さへの問いかけである。

　ジョウゼフ・コンラッドやヘンリー・ジェイムズが位置する「偉大な伝統（the great tradition）」の系列からディケンズを外したのは、彼が「偉大な娯楽作家であってコンラッドのような並外れた持続的な真剣さ、言い換えれば創造的芸術家としての責任の自覚がなかったからだ」[196]、と主張するF・R・リーヴィスのような批評家もいたが、そのリーヴィスも「ディケンズが偉大な天才であり、永久に古典の列に加えられている事は確かだ」[197]、と見做している。サマセット・モームは、ディケンズの小説を「世界の十大小説」の中に組み込んでいる[198]。更にディケンズの天才を認めたもう一人の作家で、批評家でもあるジョージ・ギッシング（George Gissing）が存在する。彼は、「ディケンズが大人になってからは富と教養と洗練された社会の住人となれたが、心の中はいつも庶民、大衆、貧しい人と共であった。こうした人たちの中から、彼の天才を発揮する材料を見つけ出し、自ら英国の素朴な国民性の代弁者となる術を学んだのである」[199] とディケンズの天才を容認し、更に「強い道徳感覚を持つディケンズは、心の清らかなる者にショックを与えるようなところはすべて穏やかに避けている。彼の芸術的な良心の本質は妥協であった。ディケンズは自己欺瞞者ではない。彼は何時でも、かの風刺画家ウィリアム・ホガース（William Hogarth）が黒と白

第 3 章　チャールズ・ディケンズとジョウゼフ・コンラッドの文学

に描き分けた恐ろしい情景を見る事の出来るロンドンの裏町へ出かけて行き、事実その現実をしばしば直視した。たじろがずに観察し、然るべき機会にはそれについて語る事もできた。しかし物語作家として執筆する時には、彼の天才がかえって彼にブレーキをかけて、何よりもまず楽しませてくれと要求する読者によって、恐れられる作家ではなく愛される作家になれるようにと、現実を解釈し、とり上げた」[200] とディケンズの本質を指摘している。

『ピクウィック・ペイパーズ』において、サム・ウェラーの父親は、サムの教育について、「"I took a good deal o' pains with his eddication, Sir; let him run in the streets when he was wery young, and shift for his-self. It's the only way to make a boy sharp, Sir." (わしは、せがれの教育にゃずいぶん骨を折りましたですよ。小さい時から外に放り出して、自活させました。子供を賢い人間にするにはこの方法しかないんでさ。)」[201] と語っていた。

ディケンズの父親がある友人から、息子をどこで教育したのか、と問われて、彼は答えていた。

　　"Why, indeed, Sir —— ha! ha! he may be said to have educated himself!"[202]
　　（まあ、そのう、独学といってもいいでしょうなあ。）

ディケンズもサム・ウェラーと同じく自身で自らを教育していき、ある意味でサムのように人生の知恵を身につけて作家としての眼識を養い、常に負け犬の側に立ち、弱い者に味方して強い者に逆らって、文豪と称せられるようになったのではないだろうか。サムが登場して以来ディケンズはロンドン子たちの一大寵児になっていた。

ディケンズは、文豪と称せられる先駆けとなった『ピクウィック・ペイパーズ』の「初版への序文」において、彼の小説への意図と読者への

- 283 -

配慮を明確に記述している。

　　The author's object in this work was to place before the reader a constant succession of characters and incidents; to paint them in as vivid colours as he could command; and to render them, at the same time, life-like and amusing. [203] ……
He trusts that, throughout this book, no incident or expression occurs which could call a blush into the most delicate cheek, or wound the feelings of the most sensitive person. If any of his imperfect descriptions, while they afford amusement in the perusal, should induce only one reader to think better of his fellow men, and to look upon the brighter and more kindly side of human nature, he would indeed be proud and happy to have led to such a result.[204]

　（本書における筆者の目的は、読者に人物や出来事を連綿と提示し、それらを出来る限り生き生きと描くと同時に、愉快に肉付けすることであった。(中略)この本の中で、どの出来事の場面も、いかに慎み深い方の頬にも赤みを帯びさすことはありませんし、またいかに繊細な方の感情も傷つけることはないと信じています。どんな不完全な記述であっても、精読して頂いて面白さを与える一方、たった一人の読者であっても、その人に同胞の人間のことをもっとよく考え、人間性のもっと明るい、優しい面を見て頂くことになれば、そのような結果を導いたことに誇りと喜びを感じるのです。)

　ディケンズの目的は、人生をよりよいものにし、人間的な価値観を拡大する事にあったのである。
　ディケンズは、1852年12月20日付けの手紙で、彼の作家としての信条である人道的な、大きな目的を持って執筆をしている事を述べている。

第3章　チャールズ・ディケンズとジョウゼフ・コンラッドの文学

——「どうか、私が（…）ただ人を楽しませるためにとか、あるいは何の目的もなしにものを書くなどとは決して思わないで下さい。私はこれでもかと無理矢理に何かを納得させようとはしません（それでは読者が腹を立てて、かえって敵愾心をあおることになるのです）。その代り、読者の心に巧みに取り入ろうとします。しかし、常に目的はあります。それがなければ、私の仕事——それに必ず伴う不断の努力、専心、忍耐、孤独、規則正しさ、重労働——は自分にとってまったく無意味です。何の目的もなしにものを書くだけで死んでしまったら、他人はいざ知らず、自分にとってそれほど卑しむべき無意味な死はありません」[205]。

『ピクウィック・ペイパーズ』を締めくくる第57章のエピローグには、「サムと彼の主人との間には、死以外のどんなものも切断することが出来ない確固とした相互の愛情が流れている。(between whom and his master there exists a steady and reciprocal attachment, which nothing but death will sever.)」(624) と記されている。

但し、ディケンズは単なる福音を唱える作家ではない。ドストエフスキーは、シベリア流刑の際に聖書と『ピクウィック・ペイパーズ』を携えたと言われる。ディケンズがドストエフスキーにとっていかなる意味を持っていたかを考える時、そこには今一つの大きな研究テーマがあるのではないか。ドストエフスキーの『悪霊』とディケンズの『バーナビー・ラッジ』(*Barnaby Rudge*) との不思議な共通点を想起する時、ディケンズが、庶民の代弁者であり、人間の善意や幸福は上流特権階級のみにではなく、底辺の庶民にも平等に分かち与えられている、という福音を説くのみならず、悪魔的要素もまた万人平等に配給する、奥の深い作家であると考えられるからである[206]。ドストエフスキーが『悪霊』の冒頭に掲げた新訳聖書『ルカ伝』にある悪魔に取り憑かれて暴走する豚の群れに象徴される行動、すなわち狂気による「悪魔憑き」によって行動の善悪さえ知らずに旗竿を振り回しているうちにいつの間にか英雄

になってしまうバーナビーは、その最も適切な代表者であり象徴であると言い得る。福音書の典型と見做されている『クリスマス・キャロル』にあっても負債者監獄の情景など暗い社会への告発が織り込まれており、この書も単に福音を説くための読み物ではなかった。

結論

　存命中に名を成した作家は、ある意味でその時代の読者を代弁している。ジョージ・スタイナーは、「ディケンズの諸小説は一連の経済学と新しい読者大衆の勃興とを力強く反映し」[207]、「彼の小説の筋に映し出されている歴史的・社会的な事象が現実性を備えている」[208]、と指摘している。ディケンズは、自らに身近な人生を掴み、それを文学の素材に用いて、興味深い人生を表現した。読者と共に感ずる事、読者との一体感、これこそが彼にとっての生命であった。「作家は政党色を離れることによって初めて誠実たり得る」と信じて執筆したジョージ・オーウェルが高く評価したディケンズは、人生の描写において＜誠実＞であった。そして作品の根底に、サム・ウェラーとピクウィックの如く、身分の上下を問わない「人間相互の愛情」を土台にして、ヴィクトリア時代の生活における真面目さや勤勉さを奨励する風潮と読者の好みとをしっかりと把握した。ディケンズは、上はヴィクトリア女王から下は名も無き貧しき庶民に至るまであらゆる階層の読者に歓迎され、愛読される事が自らの使命だと考え、その実現のために最大限の努力を払い、時代に向き合って「笑い」の要素を多分に織り込む事によって、彼の処女小説『ピクウィック・ペイパーズ』は大成功を収めたのである。1838年10月『エディンバラ・レヴュー』誌（*Edinburgh Review*）は、次のように報じていた。――「ディケンズの作品は、実際に我々を慈悲深い人間にしてくれる」[209]。

　一方、コンラッドは、「コンゴに行くまでは、私は動物に過ぎなかっ

第 3 章　チャールズ・ディケンズとジョウゼフ・コンラッドの文学

た」[210] と告白し、生涯における分水嶺となった＜コンゴ体験＞に基づいて『闇の奥』を上梓した。コンラッドの分身であるマーロウは、「この物語は伝えるのが不可能であるが、人間存在のある一時期の生命観――これこそ人間生存の真実と意義（意味のあるもの）があった」（82）と述べた。「真実の表現」[211] これこそコンラッドが使命とするものであった。『闇の奥』は、コンゴから生還した彼の**誠実な使命感**から執筆したある種の自叙伝である。コンラッドに関して、ライオネル・トリリング（Lionel Trilling）は、『*誠実と本物*』（*Sincerity and Authenticity*）において、「自伝の主題とはまさしくおのが**誠実**の明示に熱中する自我である」と規定して、「本物の自我に関わる現代の問題を典型的に表現してみせたのがコンラッドの偉大な文学作品『闇の奥』である」[212] と表明している。コンラッドは、非情な政治の**闇**が支配する大都市ロンドンを、欺瞞性を比喩的に表す「白く塗りたる墓」と表現し、一世紀以上前に、『闇の奥』をはじめとする文学作品を通じて、西洋世界における基本的な視点の転換を図る必要がある事を提示したのである。

1　＜社説＞戦後50年　トマ・ピケティ現象『毎日新聞』2015年1月3日。
2　＜社説＞出版市場の縮小『毎日新聞』2016年1月29日。
3　平野純一＜記者の目＞ピケティ「21世紀の資本」現象『毎日新聞』2015年2月12日。
4　ロバート・ライシュ『格差と民主主義』雨宮 寛・今井章子 訳（東洋経済新報社、2015年）8頁、24頁、178-79頁、75頁。
5　ジョージ・オーウェル『1984』新庄哲夫 訳（早川書房、1975年）238-39頁。
6　前掲書。278頁。
7　スペンダー『創造的要素』深瀬基寛・村上至考 訳（筑摩書房、1965年）220-21頁。
8　ジョージ・オーウェル『パリ・ロンドンどん底生活』小林歳雄 訳（晶文社、

1984年)、＜解題＞奥山康治、269頁。

9　オーウェル『オーウェル著作集 I 1920-1940』訳者代表：鶴見俊輔（平凡社、1970年）102頁。

10　前掲書。152頁。

11　オーウェル『オーウェル著作集 I 1920-1940』（平凡社、1970年）34-35頁。オーウェルは、1931年4月『アデルフィー』投稿の「浮浪者収容所」と題するエッセイで次のように述べている。――「浮浪者は、無為無策の恐怖に耐えるに足るものを持ち合わせていない。彼らの生活のうちそんなにも多くの時が、何もせずに費やされるから、彼らは退屈に苦痛を感ずる。（中略）制度は浮浪者に1日14時間収容所で過ごさせ、後の10時間は歩かせ、警察を何とか切り抜けさせていた」。

12　前掲書。254-58頁。

13　オーウェル『オーウェル著作集 II』訳者代表：小野協一（平凡社、1970年）23-24頁。

14　オーウェル『オーウェル著作集 I 1920-1940』7-8頁。

15　ジッド『ソヴィエト旅行記』國分俊宏 訳（光文社、2019年）190-91頁、227-230頁。

16　ジョージ・オーウェル『鯨の腹のなかで　オーウェル評論集3』編者：川端康雄（平凡社、1995年）＜解説＞「鯨の腹の中のオーウェル」鶴見俊輔、300頁。

17　ジョージ・オーウェル『戦争とラジオ――BBC時代』編者：W・J・ウエスト、訳者：甲斐弦・三澤佳子・奥山康治（晶文社、1994年）80頁。オーウェルの眼から見たら、ブレンダン・ブラッケンの放送を検閲し、『動物農場』の出版を妨げた正にその官僚たちが、例えばワーズワスのベイシックへの翻訳などを任せられるなどという事は、スウィフト的風刺の好材料としか言いようがなかったであろう。『1984』の素案には＜ビッグ・ブラザー（Big Brother）＞は出で来ない。だが情報省を風刺しようというのなら、そのトップに立つ人物、省の廊下では「B・B」の名で広く知られていた人物を描かねば、風刺完璧とは言えまい。情報省（the Ministry of Information）の電報での宛名は、「ミニフォー

第3章　チャールズ・ディケンズとジョウゼフ・コンラッドの文学

ム（MINIFORM）」であった、『1984』に出てくる真理省（the Ministry of Truth）を表すニュースピークは、『ミニトルー（MINITRUE）』である。戦時中情報省が置かれていた建物は、マレット・ストリートのロンドン大学の本館である評議員会館であった。これは戦時中、また戦後しばらくは、ロンドンで最も高い建物であり、超高層ビルが立ち並ぶ今のロンドンでは想像できないくらい、周囲を圧して空にそびえていたのである。オーウェルのフラットの屋根から望むと、リージェンツ・パークの樹林の向こうに、このロンドン大学本館がはっきりと見える。丁度、びくとリリー・マンションズのウィンストン・スミスの部屋の窓から、真理省が見えたようにである。オーウェルの風刺は、彼が弁護したBBCに向けられたものではなく、検閲部を通じてBBCを統制したところの、情報省に向けられたものである事を、しっかりと念頭に留めて読めば、これに似た類似点は幾らでも出てくる。『1984』の基本的な部分は、戦時下のロンドンでのオーウェルの体験一般を基にしている。

18　平野純一＜記者の目＞ピケティ「21世紀の資本」現象『毎日新聞』。
19　西水美恵子＜時代の風＞日本で広がる格差『毎日新聞』2015年4月26日2面。
20　「21世紀の資本」150万部、格差拡大「実証」に反響『毎日新聞』2015年1月31日。
21　ピューリッツアー賞「パナマ文書」に『毎日新聞』2017年4月12日26面。コロンビア大は10日、優れた報道などを讃える今年のピューリッツアー賞を発表した。国内報道部門では昨年の米大統領選を通じ、共和党候補だったトランプ氏の関連の慈善団体を巡る不透明なカネの流れを追求した有力紙ワシントン・ポストのデービッド・ファーレンソールド記者が受賞した。解説部門は、弁護士事務所から流出した「パナマ文書」に基づきタックスヘイブンの実体を暴いた国際調査報道ジャーナリスト連合と地方紙マイアミ・ヘラルドなどが受賞した。
22　＜社説＞パナマ文書、情報開示で国際連携を『毎日新聞』2016年5月12日5面。
23　パナマ文書中国2.8万件、租税回避日本関連806件『毎日新聞』2016年5月11日。
24　酒井善孝「ヴィクトリアニズム」『英米文学誌講座 第八巻 十九世紀 II』（研究社、1961年）123頁。

25　オーウェル『オーウェル著作集Ⅰ』380頁。

26　前掲書。390-91頁。

27　Angus Wilson, T*he World of Charles Dickens* (Martin Secker & Warburg, 1970), p.297.

28　中村健之助 編訳『ドストエフスキーの手紙』(北海道大学図書刊行会、1986年) 213頁。1868年1月1日付け、姪のS・A・イワーノフ宛てのドストエフスキーの手紙。尚、ドストエフスキーが本当に美しい人と見做したのは、「この世ではキリスト、それはヨハネ福音書全体で語っている永遠の奇跡で、キリスト教文学における美しい人物たちの最も完成度の高いのはドン・キホーテ」と同手紙に言明し、自らの著作『白痴』においてムイシュキン公爵をドン・キホーテに擬している (215頁)。

29　拙稿「チャールズ・ディケンズとジョウゼフ・コンラッドの視点──『ピクウィック・ペーパーズ』と『闇の奥』を中心に──」『言語文化研究』第二十二号 (言語文化研究会、2016年3月31日) 29-32頁。

30　日野原重明『続　生きかた上手』(ユーリーグ株式会社、2003年) 160頁。

31　宮崎 駿『風の帰る場所　ナウシカから千尋までの軌跡』(ロッキング・オン、2002年) 35頁。

32　＜火論＞玉木研二　新モダン・タイムス『毎日新聞』2017年1月10日3面。

33　Frederick R. Karl, *Joseph Conrad: The Three Lives* (London: Faber & Faber, 1979) 父アポロのシェイクスピアの翻訳5つは、『ヴェローナの二紳士』(*Two Gentlemen of Verona,* 1623)、『間違いの喜劇』(*The Comedy of Errors,* 1623)、『オセロ』(*Othello,* 1622)、『お気に召すまま』(*As You Like It,* 1623)、『空騒ぎ』(*Ado about Nothing,* 1600) である。pp.68, 88.

34　Frederick R. Karl, *Joseph Conrad: The Tree Lives,* p.68.

35　Joseph Conrad, *A Personal Record,* p.124.

36　オーウェル『オーウェル著作集Ⅰ』406頁。

37　Philip Collins, *Dickens: The Critical Heritage* (London: Routledge and Kegan Paul, 1971), p.73.

第3章 チャールズ・ディケンズとジョウゼフ・コンラッドの文学

38 John Foster, *The Life of Charles Dickens*. (Dutton New York: Dent London Melbourne Toronto Everyman's Library, 1980), vol. 2 , p.417.

39 河村民部『セオドア・ワッツ＝ダントン評伝――詩論・評論・書評概説と原文テキスト付――』（英宝社、2015年）180頁。

40 前掲書。i 頁。

41 Theodore Watts-Dunton, "Dickens & 'Father Christmas' *The Nineteenth Century,* vol.62. Dec.1907. p.1016. この資料は、河村民部教授から御恵送頂きました。厚く御礼申し上げます。

42 Ibid., p.1907.

43 アンドレ・ジッド『ドストエフスキー文献集成 6　ドストエフスキー』武者小路実光・小西茂也 訳（大空社、1995年）53頁。

44 Frederick R. Karl & Laurence Davies., *The Collected Letters of Joseph Conrad* (Cambridge University Press, 1986), vol. 2 , p.175.　1899年 3 月（？）12日付け、親友ジョン・ゴールズワージー（John Galsworthy）宛てのコンラッドの手紙。

45 Frederick W. Dupee, ed., "Notes of a Son and Brother" *Henry James autobiography* (New York: Criterion Books, 1956), p.324.

46 『ある青年の覚え書・道半ば――ヘンリー・ジェイムズ自伝　第二巻、第三巻』（市川美香子、水野尚之、舟阪洋子 訳（大阪教育図書、2009年）212-13頁。

47 リットン・ストレイチィ『ヴィクトリア女王』小川和夫 訳（冨山房、1984年）参照。

48 スマイルズの『自助』は中村正直が『西国立志伝』と訳し、1871（明治 4 ）年に出版されて、当時の青少年必読の書として、また若き日の明治天皇の御学問の教科書としても採用された書物である。松村昌家『文豪たちの情と性へのまなざし　坪内逍遥・漱石・谷崎と英文学』（ミネルヴァ書房、1995年）i 頁。

49 相原幸一『テムズ河――その歴史と文化』（研究社出版、1989年）274頁。

50 John Forster, *The Life of Charles Dickens,* vol. 1 , p.25.

51 Charles Dickens, *David Copperfield* (London: The Gresham Publishing

Company, 1901), p.118.
52 オーウェル『オーウェル評論集』小野寺 健 訳(岩波書店、1991年、第14刷)60-61頁。
53 前掲書。61頁。
54 Charles Dickens, *David Copperfield,* p.464.
55 『イギリス文化辞典』編集委員長 川成 洋「ヴィクトリア時代」村岡健次(丸善出版、2014年) 527頁。
56 西条隆雄『ディケンズの文学――小説と社会――』(英宝社、1998年) 5頁。
57 Colin Wilson, *The Craft of the Novel* (London: Victor Gollancz Ltd., 1975), p.70.
58 同掲書。42頁。
59 青木 健「*Pickwick Papers* の成立事情」『ピクウィク読本――ディケンズ文学の理解のために』中西 敏・亀井規子・青木 健 編(東京図書、1987年) 14-27頁。
60 Philip Collins, ed., *Dickens: The Critical Heritage,* p.62.
61 Madeline House & Graham Storey, eds., *The Letters of Charles Dickens,* vol.2, 1840-1841 (Oxford: Clarendon Press, 1969), p.ix.
62 Charles Dickens, *The Old Curiosity Shop and Master Humphrey's Clock* (London: The Gresham Publishing Company, 1901), p.410.
63 Joseph Conrad, *A Personal Record* (London: Dent, 1968), p.121. 15、6歳の感受性の強い少年を責めたてる「祖国逃亡」という周囲の非難轟轟の声は、35年を経てもコンラッドの耳に残っている。祖国離脱は祖国の裏切りという非難で繰り返され、彼を苦しめる。胸の中に深く刻まれたこの想いは、コンラッドの『ロード・ジム』(*Lord Jim,* 1900)などの小説において度々一種の贖罪の「告白」として見受けられる。
64 Frederick R. Karl, *Joseph Conrad: The Three Lives* (London: Faber & Faber, 1979), p.177.
65 Joseph Conrad, *Notes on Life and Letters* (London: Dent, 1949), pp.150-51.
66 Joseph Conrad, "Author's Note" *The Mirror of the Sea* (London: Dent,

1968), p.vi.
67 Joseph Conrad, "Preface" *The Nigger of the 'Narcissus'* (London: Dent, 1964), p.x.
68 Frederick R. Karl & Laurence Davies, eds., *The Collected Letters of Joseph Conrad* (Cambridge: Cambridge University Press, 1990), vol. 3 , p.89.
69 藤田弘夫『都市と文明の比較社会学』(東京大学出版、2003年) 66頁。
70 Charles Dickens, *The Mystery of Edwin Drood and Hard Times* (London: The Gresham Publishing Company, 1901), pp.262-63.
71 Charles Dickens, *Dombey and Son* (London: The Gresham Publishing Company, 1901?), p.374.
72 John Forster, *The Life of Charles Dickens,* pp.419-20.
73 ディケンズ『ディヴィッド・コパーフィールドフィールド』(五)(岩波書店、2003年) 426頁。「解説」石塚裕子。『ディヴィッド・コパーフィールド』が出版された翌年の1851年に、ロンドンで世界初とも言うべき万国博覧会(俗に水晶宮)が開催されているが、この大英帝国の威容を世界に示した鉄とガラスの斬新で画期的な水晶宮の設計を考案したのはジョウセフ・パクストンなる者で、もとはといえば庭師で貧しい農民の子であった。彼はお屋敷の庭園の管理、やがて鉄橋や庭園・温室の設計に携わり、遂にはグレイト・ウェスタン鉄道の重役にまで昇り詰め、文字通り19世紀英国の「セルフ・メイド (self-made)」の精神を地でいく人物であった、という。
74 角山 栄『産業革命と民衆』(河出書房新社、1975年) 193頁。ジョン・スノウ医師が、1849年と1853〜54年のロンドンにおけるコレラ流行期に、その伝染径路を組織的に調査してゆく中で、飲料水、特に汚れたテムズ川から取水している給水会社から飲料水の供給を受けている地区に死者が多い事を発見し、コレラの毒が飲料水を通じて体内に侵入することを突き止めた。1883年にロベール・コッホ (Robert Koch, 1843-1910) がコレラ菌の培養に成功してそれが正しかった事が証明された。
75 Henry Mayhew, *London Labour and the London Poor* (London: Frank Cass

& Co. Ltd.,1967), vol. 2, p.275.
76 見市雅俊「都市の生理学――ヘンリー・メイヒューの新しい読み方」『十九世紀日本の情報と社会変動』編著 吉田光輝（京都大学人文科学研究所、1985年）396頁。
77 ＜余禄＞『毎日新聞』2015年8月16日1面。
78 モース『日本その日その日』明治文学全集 49（筑摩書房、1968年）109頁。
79 Henry Mayhew, *London Labour and the London Poor*, vol. 2, p.161.
80 ヘンリー・メイヒュー『ヴィクトリア朝ロンドンの下層社会』松村昌家・新野緑 編訳（ミネルヴァ書房、2009年）3-10頁。
81 Henry Mayhew, *London Labour and the London Poor,* vol. 2, p.82.
82 Ibid., p.5.
83 Ibid., p.303.
84 Ibid., pp.303-04. ヘンリー・メイヒュー『ヴィクトリア朝のロンドンの下層社会』v頁。
85 Henry Mayhew, *London Labour and the London Poor*, vol. 2, pp.97-103.
86 Ibid., p.3.
87 Joseph Conrad, *Heart of Darkness* (London: Dent, 1967), p.47.
88 拙著『新編 流浪の作家――ジョウゼフ・コンラッド』に収めた 第五章 マーロウが語る『闇の奥』の世界（大阪教育図書、2007年）121-40頁。
89 Joseph Conrad, *Heart of Darkness,* p.55.
90 Ibid., pp.50-51.
91 コンラッド『闇の奥』中野好夫 訳（岩波書店、1963年）（第6刷）12頁。
92 「マタイによる福音書」第23章27節。（日本聖書協会、1973年）35頁。
93 F.R. Leavis, *The Great Tradition* (Penguin Books, 1967, reprint), p.28.
94 Joseph Conrad, "Author's Preface" *The Secret Agent* (London: Dent, 1972), p.xii.
95 Joseph Conrad, "Return" *The Tales of Unrest* (London: Dent, 1968), pp.118-19. 拙著『ジョウゼフ・コンラッド――比較文学的研究と作品研究』に収めた

第3章　チャールズ・ディケンズとジョウゼフ・コンラッドの文学

　　第二部 作品研究 第1章『不安の物語』──「カレイン」「潟」「進歩の前哨地点」
　　「帰宅」を中心に──（大阪教育図書、2012年）187-202頁。
96　Frederick R. Karl, *Joseph Conrad: The Three Lives,* pp.285-300.
97　拙著『新編 流浪の作家ジョウゼフ・コンラッド』に収めた 第八章 宮崎アニメ
　　とコンラッド文学（大阪教育図書、2007年）237-312頁。
98　Frederick R. Karl & Laurence Davies ed., *The Collected Letters of Joseph Conrad,* vol. 4 , p.113.
99　Keith Carabine ed., *Joseph Conrad: Critical Assessments*（Helm Information, 1992), vol.Ⅱ, p.385.
100　Joseph Conrad, *A Personal Record*（London: Dent, 1968), p.13.
101　ジェリー・ブロトン『世界地図が語る12の歴史物語』西澤正明 訳（バジリコ株
　　式会社、2015年）414頁。
102　ラス・カサス『インディアス破壊を弾劾する簡略な陳述』石原保徳 訳（現代企
　　画室、1987年）16-17頁。この資料は龍谷大学名誉教授の樋口正義先生からご教
　　示して頂きました。厚く御礼申し上げます。
103　『闇の奥』におけるクルツは、象牙の収集に稀な才能を発揮するベルギー領コ
　　ンゴ奥地出張所の責任者である。クルツが原住民を率いて強制的に収奪した象
　　牙の量は、そこだけで他の出張所全部と匹敵するほどのものであったという
　　(69)。
104　バートランド・ラッセル『バートランド・ラッセル著作集 3』田中幸穂 訳
　　（みすず書房、1960年）106頁。
105　A・アドゥ・ボアヘン『ユネスコ　アフリカの歴史──植民地支配下のアフリ
　　カ 1880年から1935年まで』第7巻（同朋社、1988年）34頁。
106　アントニオ・ネグリ/ マイケル・ハート『＜帝国＞グローバル化の世界秩序と
　　マルチチュードの可能性』水島一憲/ 酒井 史/ 浜 邦彦/ 吉田俊彦 訳（以文社、
　　2003年）181頁。
107　Joseph Conrad, "Geography and Some Explorers" *Last Essays*（London: Dent, 1972), p.17.

108　ナディン・ゴーディマ『現代アフリカの文学』土屋 哲 訳（岩波書店、1975年）（岩波新書）ゴーディマは、「ヨーロッパとアメリカの作家は益々、肉体・精神両面での異常さの極限を、小説で追及するようになっている。従って、この様な狂気の世界に蝕まれた彼らの精神を魅了するものといえば、あの戦慄的な奇形と精神異常の論理だけであるといっても過言ではない。（中略）これら白人固有のテーマは、アフリカ人作家には全く無縁のものである。（中略）アフリカ人作家は、人間という氷山の、むしろ海面に浮かびあがっている、目に見える部分に、小説の材料を求めているように思える」(18-19) と述べ、欧米文学の深層心理の行き過ぎた果ての衰退とアフリカ文学の健全さとを指摘している。南アでは350年間、黒人に対する白人の抑圧が形を変えて続いてきた。ゴーディマは、「アフリカの作家であるためには、世界からアフリカを見るのではなく、ア
・・・・・・・・・・・・・・・・・・・・・・・・・・・・・・・
フリカから世界を見る事が必要条件となる」(2-3) と述べている（傍点ゴーディ
・・・・・・・・・・・・・・・・
マ）。この大前提に立って、ゴーディマはあるべきアフリカ文学を次のように予言している。「アフリカの現代文学は、本来、拒否の文学として、否定の、負の文学として出発したのであって、この否定の文学が、いつ、どういう形で、肯定の文学に転じるかが、その将来の大きなカギになる」(183) と。ゴーディマは、1992年10月23日に千駄ヶ谷の津田ホールにおいて、こう語っている。「私の知っている人間の中から、拡大する私の人生の意識の中からテーマが出てくる。自分が活動し、多くの人に出会い、経験を積む。その中からテーマが出てくる(15)。私は注文に応じて作品を書くわけではない。私の心に訴える事を書く(45)」(ナディン・ゴーディマ『ナディン・ゴーディマは語る　アフリカは誰のものか』(岩波ブックレット　No.301. 1993年) と。

　彼女は、短編「幸せの下に生まれ」において、ヴェラとニックネイムでラッドという外国人との接触の中で、家族の在り方や人間の本当の触れ合いやコミュニケーションの重要さと共に、テロリストが最後に見せた「目的のためにはいかなる手段も正当化する」非情な政治的テロの問題点を指摘していた。この物語のエピローグは以下の如くである。「世界中の被抑圧者を代表する一派と称する終末的な名前のグループが名乗り出て、二機とも自分たちが、聖なる戦い、

第3章　チャールズ・ディケンズとジョウゼフ・コンラッドの文学

領土の併合、侵略、投獄、国境を超えた、領土紛争、爆発、沈没等、当事者以外誰も理解できない複雑な復讐の為に爆破したと宣言した。その中の一人で、ほかにもたくさんの呼び名を持つラッドという名の若者が、彼の赤ん坊を身ごもっていた下宿先の娘の手荷物の中に、プラスチック製の爆発物を潜ませたのだ。飛行機の通常の安全チェックでは発見できないプラスチック爆弾の一種だった。ヴェラは選ばれた。ヴェラは他の乗客を一緒に連れて行った。赤ん坊を身籠もったまま、彼女の幸せと共に、海の中まで」。ナディン・ゴーディマ『ゴーディマ短編小説集 JUMP』ヤンソン柳沢由美子 訳（岩波書店、1994年）118頁。

109　ナディン・ゴーディマ『現代アフリカの文学』72頁。
110　H・G・ウェルズ『世界文化史大系　第四巻』北川三郎 訳（大鐙閣、1933年）895-96頁。
111　F.R. Leavis, *The Great Tradition* (London: Penguin Books, 1967, reprint), p.194.
112　ジョージ・スタイナー『言語と沈黙』由良君美 他 訳（せりか書房、2001年）445頁。
113　ルカーチ『小説の理論』(*Die Theorie des Romans,* 1920) において、「批判的リアリズム」の好例としてセルバンテスの『ドン・キホーテ』を挙げている。ルカーチ『小説の理論』（白水社、1986年）375-76頁。
114　ナディン・ゴーディマ『現代アフリカの文学』76頁。
115　アーレント『全体主義の起源　2　帝国主義』大島道義・大島かおり 共訳（みすず書房、1972年）135頁。
116　J・H・ステイプ『コンラッド文学案内』社本雅信 監訳・日本コンラッド協会 訳（研究社、2012年）311頁。
117　コンゴ領事のロジャー・ケースメント（Roger Casement）は、英国政府の訓令を受けて、コンゴ河上流地域を約二ヵ月半かけて調査し、その調査の結果を1903年12月11日付けの報告書にまとめて英国政府に提出した。住民が搾取され、過酷な状況を強いられている様子が具体例を示して述べられている。杉浦廣治

『コンラッド『闇の奥』の研究——帝国主義と文明と——』(成美堂、2003年) 17頁。

118 マシュー・ホワイト『殺戮の世界史』住友 進 訳 (早川書房、2013年) 419頁。この推定値は、*Encyclopedia Britannica,* 15th ed., vol. 3, p.535の「Congo Free State (コンゴ自由国)」の項目や、Bertrand Russel, *Freedom and Organization* 1814-1914 (New York: Routledge, 2001; first published by George Allen, 1934), p.453. と Sir Harry Hamilton Johnston, *A History of the Colonization of Africa* by Alien Races (Cambridge Historical Series; Cambridge, UK: Cambridge University 17. Forbath, River Congo), p.375. の引用にも出ている (420頁)。

119 Joseph Conrad, "Geography and Some Explorers" *Last Essays* (London: Dent, 1972), p.17.

120 Edward Said, *Culture and Imperialism* (New York: Alfred A. Knopf, 1994), p.15. サイード『文化と帝国主義 I』大橋洋一 訳 (みすず書房、1998年) 50頁。

121 Zdzisław Najder, *Joseph Conrad: A Chronicle* (New Brunswick, Jersey: Rutgers University Press, 1984), p.125.

122 Ian Watt, *Conrad in the Nineteenth Century* (London: Chatto & Windus, 1980), p.146.

123 サイード『故国喪失についての省察 2』大橋洋一・近藤弘年・和田唯・大貫隆史・貞廣真紀 共訳 (みすず書房、2009年) 61頁。

124 Joseph Conrad, "Well Done" *Notes on Life and Letters* (London: Dent, 1949), pp.190-91.

125 拙著『ジョウゼフ・コンラッド——比較文学的研究と作品研究』に収めた 第一部 比較文学的研究 第2章 飛行士サン=テグジュペリと船乗りジョウゼフ・コンラッド (大阪教育図書、2012年) 89-105頁。

126 Joseph Conrad, "The Fine Art" *The Mirror of the Sea* (London: Dent, 1968), pp.29-30.

127 ジョージ・スタイナー『言語と沈黙』163頁。

128　前掲書。163頁。
129　前掲書。163頁。
130　Charles Dickens, *Bleak House* (London: The Gresham Publishing Company, 1901?), p.1.
131　スペンサーの本来の思想は「国家的干渉を敵として、飽く迄も個人の自由を擁護する」ものである。『世界の名著　46　コント、スペンサー』(中央公論社、1980年) 38頁。
132　Charles Dickens, *The Works of Charles Dickens Standard Edition, The Pickwick Papers of the Pickwick Club* (*The Pickwick Papers*) (London: The Gresham Publishing Company, 1901), vol.Ⅱ, p.622.
133　ディケンズ『ピクウィック・クラブ』(下) 北川悌二 訳 (筑摩書房、1990年) (ちくま文庫) 463頁を参照させて頂きました。
134　Charles Dickens, *The Pickwick Papers,* p.2.
135　Edmund Wilson, "Dickens: The Two Scrooges" *The Wound and the Bow* (Ohio University Press, 1997), p.5. エドマンド・ウィルソン『エドマンド・ウィルソン批評集2　文学』「ディケンズ——二人のスクルージ」中村紘一・佐々木徹・若島 正 共訳 (みすず書房、2005年) 117-18頁。
136　Edmund Wilson, "Dickens: The Two Scrooges" p.5.
137　クレア・トマリン『チャールズ・ディケンズ伝』高儀 進 訳 (理想社、2014年) 36頁。
138　クレア・トマリン『チャールズ・ディケンズ伝』25頁。
139　オーウェル『オーウェル著作集Ⅱ 1940-1943』24頁。英語の簡素化という事について、オーウェルはBBCに勤務していた時、ベイシック英語 (850語) の創設者の C・K・オグデンに丁重な手紙を書いて、ベイシック英語について教えを請い、その理論家であり『単語経済』(ワード・エコノミー) の著者ロックハートに出演してもらったりしていた。英語の簡素化はオーウェルが求める読者との容易なコミュニケーションに繋がり、人と人とのつながりを希求する彼の願いを、ラジオを通じて実現化を試みた。インド放送は、他の放送と比べて、平

明であり、単純に世界の情勢を伝えた。このプログラム編成にオーウェルが加わっていた。ジョージ・オーウェル『鯨の腹のなかで――オーウェル評論集3』＜解説＞「鯨の腹の中にオーウェル」鶴見俊輔、308-312頁。

140 Somerset Maugham, *Ten Novels and Their Authors* (Mercury Books, 1963), p.146.

141 ジョージ・ウッドコック『オーウェルの全体像――水晶の精神』奥山康治 訳（晶文社、1972年）41頁。

142 A・コパード、B・クリック編『思い出のオーウェル』オーウェル会編（晶文社、1986年）349-51頁。

143 クレア・トマリン『チャールズ・ディケンズ伝』37頁。

144 John Forster, *The Life of Charles Dickens,* vol.1, p.11.

145 クレア・トマリン『チャールズ・ディケンズ伝』33頁。

146 クレア・トマリン『チャールズ・ディケンズ伝』69頁。

147 クレア・トマリン『チャールズ・ディケンズ伝』17頁。サマセット・モーム『世界の十大小説』（*Ten Novels and Their Authors,* 1954）西川正身 訳（岩波書店、1969年）（岩波新書、第12刷）269頁。

148 *Dickens —— Public Life and Private Passion* (London: BBC World, 2002), p.22.

149 Charles Dickens, *The Pickwick Papers,* pp.151-52.

150 クレア・トマリン『チャールズ・ディケンズ伝』44頁。

151 アンガス・ウィルソン『ディケンズの世界』松村昌家 訳（英宝社、1979年）71頁。

152 Edmund Wilson, "Dickens: The Two Scrooges," p.42,

153 「クリスマス・キャロル」（"A Christmas Carol," 1843）の次の文中にディケンズの想いが窺える。「クリスマスは、一年もの長い暦の間で、男も女もみんな同じ考え、同じ気持ちになって、閉ざした心をわだかまりなく開け放って、自分より目下の人々の事を、別の旅をする別の種族だなどと考えないで、本当に一緒に墓場に行く仲間の様に考える、そういう唯一の時期だ。」（Dickens, "A

Christmas Carol" *Christmas Books and Reprinted Pieces*（London: The Gresham Publishing Company, 1901）, pp.5-6. この世の辛い思いやりのない時勢にやむを得ず離ればなれの家族が一堂に会して楽しいひと時を過ごせれば、それはまたとない幸せを味わえる（＜解説＞イギリスの国民的作家　中川 敏。ディケンズ『クリスマス・キャロル』中川 敏 訳（1991年）200-01頁）、というのである。過去、現在、未来の精霊たちとの交流を通して、強欲なスクルージ（Scrooge）が改心し、金銭では決して買えない本当の幸福や生き方を学んでいる。改心した彼は、持参できないほど大きな七面鳥を、日ごろ冷淡にこき使っていた部下のボブ・クラチット（Bob Cratchit）の家に匿名で送り、多額の慈善金を寄付し、甥のフレッド（Fred）の晩餐会に出向いてその一家から心からの暖かい歓迎のもてなしを受ける。その日はクリスマスだった。彼の想い描く理想郷はこのクリスマス的雰囲気にあるようだ。ディケンズの作品の原点である『ボズのスケッチ集』（*Sketches by Boz,* 1836）所収の「クリスマス・ディナー」（"A Christmas Dinner"）には「クリスマスには、みんなが隣人にもっと温かい気持ちを抱かなければ」と彼のクリスマスへの想いを述べている（Dickens, *Sketches by Boz*（London: The Gresham Publishing Company, 1901?）, p.168.

　更に「街頭――夜」（"The Streets Night"）において彼の考える素朴な幸福感を述べる次の描写がある。―― But the streets of London, to be beheld in the very height of their glory, should be seen on a dark, dull, murky winter's night, when there is just enough damp gently stealing down to make the pavement greasy, without cleaning it of any of its impurities; and when the heavy lay mist, which hangs over every object, makes the gas-lamps look brighter, and the brilliantly-lighted shops more splendid, from the contrast they present to the darkness around. All the people who are at home on such a night as this seem disposed to make themselves as snug and comfortable as possible; and the passengers in the streets have excellent reason to envy the fortunate individuals who are seated by their own firesides. p.43. (しかし、ロンドンの街頭の最高の素晴らしさを見たいと思ったら、暗い、どんよりとした、陰気な冬の夜に見なければいけない。湿気がそっと地上に忍び寄り、歩道の汚れを清めてはくれず、ただぬらぬらさせる夜。重苦しく垂れこめている霧が、あらゆるものに覆いかぶさり、周囲の暗がりと対照的に、ガス灯が一層明るく見え、煌煌と照らされた店先が一層華やかに見える夜である。こんな夜に家にいる人々は誰でも出来るだけゆったりと気楽にくつろぎたいと思うようだ。街を通り過ぎる人たちが、自宅の炉端に座っている幸運な連中を羨ましく思うのも、至極当然なのだ。)

序ながら、コリン・ウィルソンは、スクルージの守銭奴から神のような人間に変形可能にした事を、人間を自由にした、としてディケンズの最大の業績と見做している。「小説という乗り物を使って人間に想像力を与え人間を彼自身から解放した」と。「精霊たちは、悲惨な生活に否定的になって最も逃れがたき牢獄、つまり習性 (habit) に閉じ込められていたスクルージを、例えば『アラビアン・ナイト』(The Arabian Nights) を読んで心はアリババと共に在って不幸ではなかった小学生の頃に転送し、彼に過去、現在、そして未来を見せ、時空を超えて見る事が出来る自由さを与え、スクルージは他の時代、他の場所を垣間見ることによって、もっと自由になりもっと神の如くになった。(中略) 自由とは我々に発展することを許す条件なのだということがディケンズには分かっていたのである」と指摘している (Colin Wilson, The Craft of the Novel, pp.47-48)。

尚、貧窮や躁病に襲われながらもそれらを克服せんと努力し、27歳にして生きる目的を探し当てて自らの絵画への創造的活動に生涯を捧げたヴィンセント・ヴァン・ゴッホ (Vincent van Gogh, 1853-1890) は、ディケンズの著作を読み、影響を受けている。

ゴッホは1878年12月にベルギーのボリナージュの炭鉱の町に伝道師として献身的に活動を続けたが (<寄稿>吉屋 敬 若きゴッホの伝道活動『毎日新聞』2016年5月12日5面 (夕刊)、貧しい人たちへの、彼の常軌を逸した献身は、説教師の体面を無視したものと解され、彼は、自分が信じた唯一の職業から追放

第 3 章　チャールズ・ディケンズとジョウゼフ・コンラッドの文学

される。この決定的な幻滅によって、彼は本性を表す。小林秀雄はこう述べる。「ゴッホは牧師の子で、画家として立とうと決心する前に、牧師になろうとして失敗した人である。これは、意外な深さを持った事実であって、画家の魂と聖者の魂との不思議な混淆は、彼の生涯を通して見られる様に思われる。(中略) ゴッホの手紙を読む人は、彼の熱狂の背後に画家が静かに眠っているのをはっきりと感ずる。」(小林秀雄『小林秀雄集』(筑摩書房、1956年) 7頁)。ゴッホは、宗教的な懐疑が次第に強まり、聖書の代わりにディケンズなどの本を読み (アルバート・ルービン『ゴッホ　この世の旅人』高儀 進 訳 (講談社、1977年) 78頁)、また自殺を予防するためにチャールズ・ディケンズが『ニコラス・ニックルビー』(*Nicholas Nickleby*, 1839) 第 6 章に挿入されている「グロッグツヴィッヒの男爵 (The Baron of Grogzwig)」の話の中で勧めている治療法 (『ディケンズ短篇集』小池 滋・石塚裕子 訳 (岩波書店、1986年) 115-16頁) ――まず最初に大きなパイプを一服やり、そして酒壜一本まるまる空にして――を自ら試み (1889年 4 月、ゴッホの妹ウィル宛ての手紙「僕は毎日あの比類のないディケンズが勧めている自殺防止法を実行している」。千足伸行『ゴッホを旅する』(論創社、2015年) 63頁)、更にある時は頭の中にしっかりした考えを持ちたいと思ってディケンズの『クリスマス・キャロル』を何度も読み直している。そして、「『クリスマス・キャロル』は非常に深いものがあり時々読み直すべきだと思う」と1889年に弟テオ宛ての手紙に書き送っている (『ゴッホの手紙』(下) ゴッホ・ボンゲル編 硲 伊之助 訳 (岩波書店、1977年、第 9 刷) 117頁、122頁)。

154　J・P・ブラウン『十九世紀イギリスの小説と社会事情』松村昌家 訳 (英宝社、1992年、第 3 刷) 159頁。

155　Charles Dickens, *Nicholas Nickleby* (London: The Gresham Publishing Company, 1901), p.23.

156　Charles Dickens, *The Pickwick Papers,* p.463.

157　James Kinsley, "Introduction" *Charles Dickens The Pickwick Papers* (Oxford: Oxford University Press, 1988, reprint), p.xii.

158 クレア・トマリン『チャールズ・ディケンズ伝』44-45頁。
159 John Forster, *The Life of Charles Dickens*, vol. 1 , p.32.
160 John Foster, *The Life of Charles Dickens*, vol. 1 , pp.22-23.
161 Charles Dickens, *Oliver Twist* (London: The Gresham Publishing Company, 1901), p.10.
162 John Forster, *The Life of Charles Dickens*, vol. 1, p.32.
163 クレア・トマリン『チャールズ・ディケンズ伝』54-55頁。
164 John Foster, *The Life of Charles Dickens*, vol. 1 , p.46.
165 『ディケンズ——後期の小説』宮崎孝一 著訳(英潮社新社1977年) 7 頁。
166 樋口正義「名作は読めば読むほど味が出る」『ドン・キホーテの世界 ルネサンスから現代まで』(論創社、2015年) 28-29頁。
167 前掲書。33頁。
168 前掲書。33頁。
169 Joseph Conrad, *A Personal Record*, p.36.
170 拙著『ジョウゼフ・コンラッド研究 比較文学的アプローチ』に収めた 第二部 村上春樹、オルハン・パムク からのアプローチ 第1章 村上春樹とジョウゼフ・コンラッド (大阪教育図書、2014年) 162-64頁。
171 サマセット・モーム『読者案内』(*Books and You*, 1940) 西川正身 訳 (岩波書店、1970年) (第26刷) 59頁。
172 Leon Edel, ed., *The House of Fiction Essays on the Nobel by Henry James*, (London: Rupert Hart-Davis, 1957), p.25.
173 James Kinsley, "Introduction" *Charles Dickens The Pickwick Papers*, p.x.
174 Charles Dickens, *The Pickwick Papers*, p.499.
175 『ピクウィック読本——ディケンズ文学の理解のために』編者:中西敏一・亀井規子 (東京図書株式会社、1987) 1 イギリス小説の伝統と *The Pickwick Papers* 小池滋、11頁。
176 ドストエフスキー『ドストエフスキー全集 第12巻』小沼文彦 訳 (筑摩書房、1976年) 88頁。

177　前掲書。97頁。
178　Ibid., pp.361-62.
179　ディケンズ『ピクウィック・クラブ』(中) 335-56頁。以下、同書からの引用は、本文（　）内にその頁数を示している。
180　Charles Dickens, *The Pickwick Papers,* p.376.
181　Ibid., pp.377-78.
182　James Kinsley, "Introduction" *Charles Dickens The Pickwick Papers,* p.viii.
183　R. Tanabe, T. Ochiai & I. Nishizaki, ed., *A History of English Literature* by Lafcadio Hearn (Tokyo: The Hokuseido Press, 1950), pp.511-13.
184　サマセット・モーム『読書案内』42頁。
185　ジョージ・ウドコック『オーウェルの全体像――水晶の精神』奥山康治 訳（晶文社、1972年) 379-380頁。
186　ジョージ・スタイナー『言語と沈黙』318頁。
187　Edmund Wilson, "Dickens: The Two Scrooges" *The Wound and the Bow,* p.14. ウィルソンが、ウラジミル・ナボコフ（Vladimir Nabokov）宛てに自信を持って出した1950年5月25日付の手紙。「拙著『傷と弓』の中のディケンズ論は、きわめていい出来栄えです――ぜひ読んでもらいたい」。ナボコフ、ウィルソン『ナボコフ＝ウィルソン往復書簡集 1940-1971』（作品社、2004年）343頁。結果的にウィルソンはナボコフにディケンズの真価を認めさせた。
188　John Forster, *The Life of Charles Dickens,* vol. 1 , p.25.
189　*The Collected Essays, Journalism and Letters of George Orwell,* Sonia Orwell & Ian Angus eds.(London: Secker & Warburg, 1969, reprint), vol. 1 , p. 416.
190　オーウェル『オーウェル評論集』55-56頁。
191　*The Collected Essays, Journalism and Letters of George Orwell,* vol. 1 , p.458.
192　前掲書。140頁。
193　ジョージ・サンプソン『ケンブリッジ版イギリス文学史』平井正穂 監訳（研究

社、1977年）192頁。
194　Charles Dickens, *Dombey and Son,* p.2.
195　Ibid., p.2.
196　F.R. Leavis, *The Great Tradition,* p.29.
197　Ibid., p.29.
198　モーム『世界の十大小説（上）』西川正身 訳（岩波書店、1997年）Ⅵ チャールズ・ディケンズと『ディヴィッド・コパーフィールド』において、モームは、「『ディヴィッド・コパーフィールド』には、実に驚くほど様々な、生き生きとした類のない人物が続々と登場する。ミコーバー夫婦、ペゴティーとバーキス、トラドルズ、ベッツイー・トロットウッド、とディック氏、といった人物は、それまでに一度も描かれた事はなかった。いずれもディケンズの自由奔放な想像力が生み出した途方もない人物である。だが、それぞれ非常な力強さを持ち、その性格は完全に首尾一貫し、絶大な説得力をもっていかにも本当らしく描かれているので、読んでいくうちにいつかその存在を信じないではいられなくなる（307）。（中略）『ディヴィッド・コパーフィールド』は、人生について自由奔放な空想を働かせた、ある時は賑やかで、ある時は哀れ深い作品、活発な想像力と暖かな感情の持ち主が、その過去の思い出と願望充足とから作り上げたものである（315-16）。」と高く評価している。
199　ジョージ・ギッシング『ギッシング選集 第五巻　チャールズ・ディケンズ論』小池 滋・金山亮太 共訳（秀文インターナショナル、1988年）22頁。
200　前掲書。17-18頁。
201　Charles Dickens, *The Pickwick Papers,* p.211.
202　John Forster, *The Life of Charles Dickens,* vol. 1 , p.45.
203　Charles Dickens, "Preface to First Cheap Edition" *The Pickwick Papers,* p.xv.
204　Ibid., p.xvi.
205　マイケル・スレイター『ディケンズの遺産　人間と作品に全体像』佐々木 徹 訳（原書房、2005年）45-46頁。

第3章　チャールズ・ディケンズとジョウゼフ・コンラッドの文学

206　＜解説＞小池 滋　「ディケンズ――人と作品」『世界文学全集15　バーナー・ラッジ』（集英社、1975年）623頁。
207　ジョージ・スタイナー『言語と沈黙』445頁。
208　前掲書。313頁。
209　Philip Collins ed., *Dickens The Critical Heritage* (London: Routledge & Kegan Paul, 1971), p.71.
210　Douglas Hewitt, *Conrad: A Reassessment* (London: Bowes & Bowes, 1969), p.27.
211　Joseph Conrad, *A Personal Record* (London: Dent, 1968), p.32. Joseph Conrad, *Heart of Darkness,* p.97.
212　Keith Carabine, ed., *Joseph Conrad: Critical Assessments,* vol. II, p.326.

第4章 村上春樹の『1Q84』
──カズオ・イシグロと
　　ジョージ・オーウェルを視野に入れて──

序論

　村上春樹[1]は作家としてデビューした当初から人気を博し、近年は毎年ノーベル賞候補者として名前が挙がっている。彼は現代社会の世相を見据えて、作家としてのある種の使命感を抱いて執筆活動を続けている。英国籍を有するノーベル賞作家のカズオ・イシグロは、「自身にとっての偉大な現代作家の一人は村上春樹だ」と言明し、村上を「彼は日本人だが、世界中が彼のことを日本人だと考えることは出来ない。彼は国を超えた作家だ」と述べている。村上も、「新しい小説が出たらすぐ買い求めて読み始めるのがカズオ・イシグロの作品だ。（中略）イシグロという作家はある種のヴィジョンをもって、意図的に何かを総合している。いくつもの物語を結合させることによって、より大きな総合的な物語を構築しようとしている」[2]と述べて、日本的感性やものの見方と、英国の言語や文化を併せ持つ世界文学の旗手であるイシグロを高く評価している。

　村上春樹の『1Q84（いちきゅうはちよん）』が上梓されると国の内外で大きな反響を及ぼした。この書の執筆に際して村上は、英国の作家ジョージ・オーウェル（George Orwell）の『1984年』（*Nineteen Eighty-Four*）を意識している。「世界の村上」と彼を高く評価するカズオ・イシグロと村上が意識するジョージ・オーウェルを視野に入れて、『1Q84』を中心に村上の現代社会への問いかけと真意を論述していきたい。

I　村上春樹の作品受容の軌跡

　村上の処女作『風の歌を聴け』は「群像」の新人文学賞を、『羊をめぐる冒険』（1982）は野間文芸新人賞を、『世界の終りとハードボイルド・ワンダーランド』では谷崎潤一郎賞を受賞している。中でも彼の「体制と個人の魂の相克」を扱った『1Q84』のBook 1は、日本での発売からわずか1カ月で200万部以上のベストセラーとなり、Book 3は発売12日目で100万部に達し、『1Q84』シリーズは単行本が2016年11月現在累計386万4000部、文庫本が計456万7000部に達している。従来なら欧米でまず先に英訳されてから、他国語訳が続くのが通例であるのが、『1Q84』の場合は前例と異なり欧州版が英語版よりも先を越して続々出版されている。2011年4月以来、スウェーデン語版とノルウェイ語版が出版され、デンマーク語版は同年9月に、英語版は英米両国では翌10月末に刊行されるといった具合である[3]。彼の著作は46言語（2019年現在では50言語以上）に翻訳され[4]、2009年2月、イスラエルの文学賞であるエルサレム賞の授賞式で「壁と卵」（"Of Walls and Eggs"）のメタファー（隠喩）の巧みさで全世界にその名を馳せている。
"Between a high, solid wall and an egg that breaks against it, I will always stand on the egg."（太字は村上）（もしここに硬い大きな壁があり、そこにぶつかって割れる卵があったとしたら、私は常に卵の側に立ちます。）その授賞演説で、イスラエル軍によるパレスチナ自治区ガザ地区攻撃について言及して、事実上イスラエルの過剰攻撃を批判した村上は、1989年のベルリンの壁崩壊[5]から四半世紀を迎える2014年11月7日、ドイツ紙『ウェルト』の「ウェルト文学賞」授賞式においても、英語で、「私たち作家にとって、壁は突き破らなくてはならない障害だ。壁を通り抜け、どこへでも行ける。そう感じられるような小説を多く書いていきたい」[6]と述べ、そして2015年には、「壁を崩しなが

ら、規範を持つ世界を作っていく。難しいけれど、じっくりやって行かなくてはならないことだと思う」[7]と作家としての信念を披歴している。さらに、2019(平成21)年に村上は、エルサレム賞授賞の際のスピーチ「壁と卵」を述懐して、「体制とシステムと、ひとりひとりの人間の心との関わりが自分の作家として一貫して書き続けているテーマである」として次のように──「「システム」という言葉にはいろんな要素があります。我々がパレスチナの問題を考える時、そこにあるいちばんの問題点は、原理主義と原理主義が正面から向き合っていることです。シオニズムとイスラム原理主義の対立です。そしてその強烈な二つのモーメントに挟まれて、一般の市民たちが、巻き添えを食って傷つき、死んでいくわけです。人は原理主義に取り込まれると、魂の軟らかい部分を失っていきます。そして自分の力で感じ取り、考えることを放棄してしまう。原理原則の命じるままに動くようになる。そのほうが楽だからです。迷うこともないし、傷つくこともなくなる。彼らは魂をシステムに委譲してしまうわけです。オウム真理教事件がその典型です。(中略) 実行犯たちはもちろん加害者であるわけだけど、それにも拘らず、僕は心の底で彼らもまた卵であり、原理主義の犠牲者だろうと感じます。僕が激しい怒りを感じるのは、個人よりはあくまでシステムに対してです」[8]と言明している。

　『色彩を持たない多崎つくると、彼の巡礼の年』(*Colorless Tsukuru Tazaki: and His Years of Pilgrimage*) も、同年間ベストセラー総合第1位で、発行部数は105万部であると報じている[9]。米国においても同英語版は、2014年夏、米紙『ニューヨークタイムズ』でベストセラーランキング1位（ハードカバーフィクション部門）になっている[10]。最新長編作の『騎士団長殺し』(*Killing Commendatore*) は全2巻、異例の初回配本130万部となっている[11]。
　1987年に日本で刊行されて「100％恋愛小説」と銘打たれた『ノル

ウェイの森』は、クールな都会的センスを感じさせる行間に、名状しがたい虚脱感が漂い、純文学としては異例のベストセラーとなり映画化もされた。村上春樹の作品を含め社会的影響などを幅広く研究する「村上春樹研究センター」が、台北郊外の私立淡江大学に開設され、2014年に同大学で設立記念式典が行われた。村上作品の翻訳が台湾などで出版され始めたのは1980年代半ばで、台湾から波及した人気は香港を経由して中国にも及んだ[12]。90年代初めには香港で『ノルウェイの森』がブームを巻き起こし、次いで上海、北京など中国本土にもブームが広がっている。藤井省三教授は、「こうした村上の毅然たるリベラリズムの姿勢が、中国の人々にとって魅力なのではないか」[13]と指摘している。

『ノルウェイの森』『ねじまき鳥クロニクル』そして『1Q84』などを翻訳したジェイ・ルービン（Jay Rubin）は、村上文学が世界の読者の人気を獲得している理由を以下のように語っている。

――「読者は単に村上の作品をおもしろがり楽しむのではない。彼らは彼の作品を読み捨ての恐怖小説や恋愛小説のようには読まない。彼らは村上が自分たちの心の奥底に入り込むことに感動し、その体験を文学というより宗教で使われる表現で語るのだ。「何十万もの読者の一人ひとりに私のためだけに小説を書いている、私が心の最も奥で感じ意識するものを分かってくれて」いる、という気持を抱かせるからこそ、村上はこの幅広い人気を獲得できるのである」[14]。

イシグロは、村上のポピュラリティーに関して、「村上さんは現実と微妙に違う『もうひとつの世界』を描きながら、読む人に親近感を抱かせる稀有な才能を持っています。（中略）世界の人々は日本に関心があるからではなく、村上さんを身近に感じるから読んでいる」[15]と述べている。この幅広い村上の人気の背景には、世界的に家族や地域、共同体の関係が希薄になり、自己を認めてくれる存在が失われてきている事実があるのではないだろうか。

2006年に村上は、中国紙とのインタビューにおいて、「基本的に僕は

第4章 村上春樹の『1Q84』

個人の自由を大変重視しかつ尊重する。ちょうど硬くて高い壁があり、この壁にぶつかって砕ける卵があるとしたら、僕はしばしば卵の側に立つ」[16]と述べていた。これはエルサレム賞での記念講演の「壁と卵」と全く同じ趣旨である。この「壁と卵」の比喩を、佐藤泰正教授は、ドストエフスキー（Dostoevskii）が28歳の時にペトラシェフスキー政治事件に連座して死刑寸前に許されて、シベリアに流される途上で自分に聖書を与えてくれた夫人に宛てた手紙の「この世の真理よりもキリストの言葉に従う」という言葉を連想したとして次のように述べている。──「キリストは高い壁にぶつかって崩れた存在で、あのイスラエルの時代は、古い教会やユダヤ教の人達が絶対的なボスとして権力を振い、貧しい人や病める人を排斥し抑圧し、いわば大きな神殿体制が出来ていた。今の政治や宗教は腐敗しているとしてキリストはエルサレムの神殿に乗り込んで、神殿の広場で商売をしている連中の台を叩き壊し、鞭を振うといった過激なことをしたと聖書にある。民衆はキリストの後（あと）についていくから権力の側が手を回してキリストを当時の極刑である十字架刑に処する。それをシベリアに送られた獄中生活の中で、ドストエフスキーは、『聖書』がぼろぼろになるまで読みながら、このキリストと本当に深く結ばれていく。それから生まれてきたものが『罪と罰』や『白痴』や『カラマーゾフの兄弟』に至る作品で、ドストエフスキーの中には宗教というものは制度（システム）ではなく、人間が持っている痛み、壁と卵でいえば、卵だ。その卵の側に立って人間の正しさと真理のために徹底的に闘い抜いていく、彼らの痛みを共にしたい。そのキリストのイメージが生きている。ドストエフスキーが残したあの「この世の真理よりもキリストの言葉に従う」と言った言葉は彼の深い体験から生まれた言葉である」[17]。そして佐藤泰正教授は、村上もドストエフスキーと同じ文学への「志」を持っているというのである[18]。

　また長島要一氏は、「日本文学という文化の国境を越えて翻訳され、誤解や偏見にも拘らず新しい見方によって、活性化されることで、村上

の作品は「世界文学」のステータスを確実に獲得してきている」[19] と述べている。2015年4月16日付の米誌『タイム』は、世界で最も影響力のある100人のうちの一人に、作家の村上春樹を「時代の象徴」部門の一人として選出している[20]。

Ⅱ　ジョージ・オーウェルの『1984年』を意識した村上春樹の『1Q84』における彼の現代への問いかけと真意
　　──カズオ・イシグロとオーウェルを視野に入れて──

　村上は、自らを「イシグロファン」[21]と称して、本が出たら必ずすぐ読むと述べている。彼は、「国境を超えた作家」と自称する日本で生まれながら英国を選択したカズオ・イシグロの文化的背景に興味を持ち、次のように述べている。
　──「彼は人種的にはまったくの日本人です。でも日本や日本社会について書くとき、そこにはまるで外国人が日本人を描写しているかのような趣があります。ところが彼が英国的なるもの──例えば**執事**とか**貴族**とか──を書くとき、そこには日本人の目を通して英国社会を見ているような趣があります（ゴシック体は筆者。以下同じ）。彼が描く英国人たちは、まるである種の日本人のように感じられる。そのように複雑に交換する部分に、僕は強く興味を感じるのです。もちろん彼は英国に居住する、日本を出自とする作家として、自らのアイデンティティを希求しているわけですが、そのような彼のアプローチは個人的なものでありながら、広く普遍化することが出来るものです。それが彼の本から僕が感じ取ることです。僕はそのような姿勢と才能を高く評価しています」[22]。
　日本的な感性やものの見方と、英国の言語や文化を併せ持つ世界文学の旗手であるイシグロは2017年のノーベル文学賞を受賞した。スウェーデン・アカデミーは授賞理由を「偉大な感性を持った小説により、世界

第 4 章　村上春樹の『1Q84』

と繋がっているという我々の幻想の下に隠された闇を明るみに出した」[23] と説明した。これは社会を分断する傾向にある世界の潮流へのアカデミーの意思を明確にしたとも言える。イシグロは、受賞の意義について「世界が不安定な状況にある中、小さな形でも平和に貢献できればと思う」[24] と述べた。ノーベル賞授賞でのスピーチでイシグロは、長崎市[25] に住んでいた 5 歳のころ、その14年前に被爆した母親が『ノーベル賞は平和を促進するためにあるのよ』と教えてくれた思い出を語った[26]。薄らいでいく長崎でのかすかな記憶を保存したいとの衝動から20代半ばで小説を書き始めたイシグロは、「平和」と分かちがたく結びついていたのである。1982年に発表した長編処女作『遠い山なみの光』(*A Pale View of Hills*) は、原爆投下から数年後の長崎が舞台となっている。

　日本出身の作家としては、川端康成、大江健三郎に次ぎ 3 人目のノーベル賞受賞者であるイシグロは、「川端さん、大江さんの足跡に連なることに感謝している」と強調し、有力候補と目されていた村上春樹にも言及して、「偉大な作家に思いを馳せれば、真っ先に村上さんが浮かんでくる」[27] とも述べて、「自身にとっての偉大な現代作家三人のうちの一人は村上さんだ」[28] と明言している。そして、ジャーナリストの大野和基氏とのインタビューでは、「もちろん彼 (村上) は日本人ですが、世界中が彼のことを日本人と考えることはできません。国を超えた作家です」[29] と指摘している。イシグロは、受賞の記念講演において「作家になるずっと前から、日本にまつわる両親の話を基に、日本という土地を頭の中で一生懸命に作っていた」[30] と述べて、この想像力が文学的原点だと紹介し、ロンドン北部の自宅の庭で報道陣の取材に対しては「私の一部はいつも日本人だった」と語り、受賞の意義について、「世界が不安定な状況にある中、小さな形でも平和に貢献できればと思う」[31] と述べていた。

　ところでノーベル賞の受賞作となった『日の名残り』(*The Remains*

of the Day）をはじめ多くのイシグロ作品を翻訳した土屋政雄氏は次のようにイシグロを評している。——「日本人を題材にした初期の作品では日本人性、『日の名残り』ではイギリス人性という、自らの根っこを確認した。それらを経て、『充たされざる者』（*The Unconsoled*）以降は、毎回新しいものに挑戦していった。SFファンタジーも手がけ、今度は何を書いてくれるか。現在のイギリスの混乱した政治状況を考えると、政治的要素を取り込む可能性もあるかもしれない」[32]。巽 孝之氏は、史上初めて日本語で『星条旗の聞こえない部屋』を書いて第14回野間文芸新人賞を受賞した米国人のリービ英雄を視野に入れてイシグロを次のように述べている。——「生まれ持った言語と国籍、人種を一致したものとみる国民文学の理念が固まったのは19世紀前半のロマン主義の時代です。ロマンチックな気持ちはナショナリズムと共に高揚する面もあるのですが、今はそういう時代ではありません。母語でなくとも、目の前にある膨大な言語のうちどの言語で書けば自分が抱いている現代的テーマを最もうまく表現できるのか、言語の選択が問われる時代なのでしょう。リービ英雄さんは言っていました、自分の文学は美しい日本語でしか表現できないのだと」[33]。

　因みに1968年にノーベル文学賞を受けた川端康成について、スウェーデン・アカデミーが選考の際、「日本文学の真の代表者」と評価して、授賞理由として「日本人の心の精髄を優れた感受性をもって表現する、その物語の卓越さ」を挙げていた[34]。

　ところでイシグロは、作品が完成するまで訪日を避け、「自分だけの日本」が現実に日本の影響を受けないように努めた[35]。彼は次のように述べている。——「母がシャーロック・ホームズやアガサクリスティを日本語で読んでくれたのが英文学に接した最初です。私にとって日本は外国ですが、感情面では特別な国。もう一つのふるさとなのです」[36]。イシグロは、彼の言う「もう一つのふるさと」をとどめておくために執筆した二冊の本『遠い山なみの光』と『浮世の画家』（*An Artist of the*

第4章　村上春樹の『1Q84』

Floating World）を封じ込めた後に、英国の美しい田園風景を背景とした、英国的な**執事**が主人公の『日の名残り』を執筆した[37]。イシグロは、池田雅之教授とのインタビューで前二作について「私に関してイギリスの批評家が言い立てるのは、作品の中の＜ジャパニーズネス＞ばかりです。書評も、私の作品を、・日・本・人の小説、・日・本・的な文体、・日・本・を・主・題にした異色作と必要以上に強調したものが多い（傍点は原文）。ほとんどの批評家は日本文学に親しんだことがないにもかかわらず、私の独特のスタイルを表するのに、他の標語が見当たらないらしく、日本的とか日本的静謐さとか言っている」[38] と不満を述べていた。そのせいかこの第三作は、第二次世界大戦中に貴族の邸宅で最も英国的な職業と言われる**執事**として働く生粋の英国人を語り手にして大英帝国の栄光が失せた今日の英国を、温和に優しく風刺している。前二作が＜ジャパニーズネス＞（日本人的心性）で三作目が＜イングリッシュネス＞（英国人的心性）と批評された事に対して、イシグロは、アラン・ヴォルダ（Allan Vorda）及びキム・ヘルツィンガー（Kim Herzinger）とのインタビューで、この作品は＜脱イングランド小説＞、＜超イングランド小説＞であり、＜英国的であるよりもっと英国的＞なもので、伝統的なE・M・フォースター（E.M. Foster）ら英国作家とは異なる＜アイロニック・ディスタンス＞（アイロニックな距離）がある、と述べている[39]。彼は、「日本的なるもの」や「イギリス的なるもの」の両面を意識して、一方に偏った見方を否定するスタンスを強調した上で、リービ英雄が言う「一番いい意味で正当的なものを、言い換えれば模範的なイギリス文学の作家」[40] を目指しているのである。＜アイロニック・ディスタンス＞といえば、エドワード・サイード（Edward Said）が、ジョウゼフ・コンラッド（Joseph Conrad）を評して「完璧に同化されておらず、また完全に文化変容を被っていない英国人として、彼の作品はアイロニックな距離を保っている」[41] と見做していた。

語り手の**執事**はかつて貴族に仕えていた。お屋敷では、第二次世界大戦前夜、アドルフ・ヒトラー（Adolf Hitler）による侵略の危機を前に要人たちが何度も外交会議を開いていた。

　ジョージ・オーウェルは、「ライオンと一角獣――社会主義とイギリス精神」（"The Lion and the Unicorn: Socialism and the English Genius"）において、ヒトラー率いるドイツ軍の分列行進に、そしてその行きつく先の世界制覇というおぞましさを次のように表明している。
――「グース・ステップ（ドイツ軍隊の膝を曲げずにしゃちこばって歩く歩調）のごときは、この世で最もおぞましい光景の一つで、それはむき出しの権力の表徴に他ならない。そこには、全く意識的・計画的に、軍靴で顔を踏みつけている姿が宿されている。なぜなら、それは犠牲者に凄んでみせるごろつきのように、「如何にも俺は醜いさ。しかしその俺を笑えるものなら笑ってみろ」と言っているのだ」[42]。「ドイツ国内には一種の戦争社会主義とでもいうべきものが存在するのに対して、その被征服民族に対する態度は誰はばからぬ搾取者の態度である。ナチは、ヒンズー教の世襲階級(カースト)制度にほぼ対応するような四つの主な階級からなる、一種の世襲階級制度をもくろんでいる。一番上にナチ党があり、二番目にドイツの一般国民、三番目にヨーロッパの被征服国民が来る。最後の四番目に来るのは有色人種、ヒトラーのいう「類猿人」で、それは純然たる奴隷状態に置かれる」[43]。

　さて『日の名残り』に戻って、大英帝国が繁栄した1920年代に英国貴族の館であるダーリントン・ホールにおいて開催されたドイツやイタリアを支援するための国際会議の全ての接待を**執事**として立派に取り仕切ったのがスティーヴンス（Stevens）であった。偉大なる**執事**の「品格」を追求してきた彼は、人生の黄昏時を迎えて初めての自動車旅行に出て、丘陵に立ち眼下に広がる英国の田園風景を目の当たりにした時、はっきりと偉大さの中にいる自分を実感し、「偉大なるブリテン」を再認識する。彼は、今は亡きダーリントン卿に仕えてきた35年の歳月に想

いを馳せる。しかし旅の最後に、結婚してミセス・ベンとなったかつての有能で信頼できる女中頭であったミス・ケントンとの再会でスティーヴンスは、「ミスター・スティーヴンス？ なぜ、貴方はいつもそんなに取り澄ましていなければならないの」という彼女の言葉に、はっと思い当たった。ミス・ケントンが結婚の為に仕事を辞めたいと申し出た日、彼女の想いを知りながら**執事**の仮面をかぶり通し素知らぬ態度を貫き通したという記憶が蘇ってきて、彼女への思慕の念と後悔の念を覚える。「自分は自分自身に対して又彼女に対して本当に誠実であったのだろうか。感情を表現することを恐れ、自分の信じた価値観を固持していただけではなかったのだろうか」と。イシグロは「自分の感情を押し殺して感情を表すのは悪だと考える人間を描くのには、**執事**がピッタリだった」[44]と明かしている。主人も死んで、**執事**としての人生の終わりに至った時、彼は自分の人生について自問し始める。

　自分は主人に対して疑問を呈するのは自分の職分ではないと考えて自分の仕事を威厳と誇りをもって誠実にやって来たが、自分の人生が無駄だったか、善いものだったかは、主人のダーリントン卿が立派で有益な振る舞いをしていたかどうかに左右されるという事がスティーヴンスに見えて来る。つまり自分の人生の倫理性が、自分の仕えた人物の倫理性と分かちがたく結びついている事に思い当たるのである。**執事**は、「I gave it all to Lord Darlington.（ダーリン卿がすべてでございました。）」[45]と述懐する。そして彼は、「ダーリントン卿は、亡くなる前に自分が過ちを犯した（残虐なナチズムに傾倒した）ことを認める勇気ある告白をなさいました。それに引き替え私は卿にお仕えして何十年という間、私は自分が価値あることをしていると信じていただけなのです。自分の意志で過ちを犯したとさえ言えません。そんな私のどこに品格がございましょうか」[46]と慚愧の想いを口にしている。この**執事**の人生への懐疑の念は、短い時間しか残されていない若い英国人を主人公にした『わたしを離さないで』（*Never Let Me Go*）に込められたイシグロの

人生観を想起させる。――「人生とは、人が考えているよりもいかに儚くて短いものか。だからこそ、愛を求めるし、過去を振り返ることによって自分の人生の重要な時間を見つけ出そうとする。この主人公たちの短い命は、メタファーであって、彼らの経験する感情は誰にでもあてはまる普遍的なものなのです」[47]。

イシグロは、大和和基氏との対談でこの**執事**の存在の普遍性を次のように明かしている。――「『日の名残り』は、**執事**であることを超える視点を持ちようがない**執事**についての話です。我々はこれと変わらない生き方をしていると思います。我々は大きな視点を持って、常に反乱し、現状から脱出する勇気を持った状態で生きていません。私の世界観は、人はたとえ苦痛であったり、悲惨であったり、あるいは自由でなくても、小さな狭い運命の中に生まれてきて、それを受け入れるというものです。みんな奮闘し、頑張り、夢や希望をこの小さくて狭いところに、絞り込もうとするのです。そういうことが、システムを破壊して反乱する人よりも、私の興味をずっとそそってきました」[48]。

自らの矜持と尊厳であったスティーヴンスの生き方が、悔恨へと変わる。イシグロは、この変化の中に、悲哀に満ちた残酷な人生の不条理を描き出している。しかし、冷笑的にではない。「私が問うのは、底流にあるヒューマン・ストーリーです」[49]と言明しているイシグロは、今の英国には「ステイジ・バトラー」（stage-butler）として戯画化してはいても、自分の仕事を精一杯務める人間に対する温かいまなざしをこの**執事**に向けている。エピローグで、初対面の一団がジョークを言い合って実に楽しげに言葉を交わしているのを目の当たりにして、気を取り直したスティーヴンスは次のように述べている。

> It is not such a foolish thing to do —— particularly if, for some reason, it contains the key to human warmth. … I have, of course, already spent much more practicing my bantering skills.

第4章　村上春樹の『1Q84』

It is possible, however, that I need to be more enthusiastic about it. Perhaps, when I return to Darlington Hall tomorrow ―― Mr Farraday will be away for another week ―― I will make a new start. I shall start practicing bantering again with new energy. If I do this, I shall be able to pleasantly surprise Mr Farraday with my new skill when he returns.[50]

　（人間同士を温かさで結びつける鍵がジョークの中に在るとすれば、これは決して愚かしい行為とは言えますまい。（中略）勿論、私はジョークの技術を開発するために、これまでも相当の時間を費やしてきておりますが、心のどこかで、もうひとつ熱意が欠けていたのかもしれません。明日ダーリントン・ホールに帰り着きましたら、私は決意を新たにしてジョークの練習に取り組んでみることに致しましょう。ファラディ様は、まだ一週間は戻られません。まだ多少の練習時間がございます。お帰りになったファラディ様を、私は立派なジョークでびっくりさせて差し上げることが出来るやもしれません。）[51]

　イシグロは、柴田元幸氏との対談では、この**執事**への想いと問題提起を次のように語っている。
　――「自分の仕事をきちんと果たすよう学んでいく。それが自分の人生に望める最大のことだという場合も多いんじゃないでしょうか。何らかの技術を身に着け、マスターする。そのささやかな貢献を、もっと何か大きな存在に――会社とか、あるいは一人の人物、上司に、または政治上の主義に、国家に――捧げるわけです。そして個人としてはあくまで、めいめいささやかな仕事に専念し、精一杯きちんとやろうと努める。そのささやかな仕事をきちんとできるんだということから、プライド、尊厳といった思いを得るのです。そしてそれを、上にいる人に捧げて、上にいるその誰かが良い形で利用してくれることを願う。（中略）

私の執事について言えば、彼はいわば、画に描いたような執事です。銀器をきちんと磨いたり、食事がきちんと供されるよう気を配ったりすることに大きな誇りを抱いています。ある意味では、優れた専門家だと言っていい。でも本人にしてみれば、主人に対して疑問を呈するのは自分の職分ではありません。より大きな、政治の世界で主人が為す決断に対して疑問を呈したりはしないのです。彼には忠誠心があり、その姿勢は、「私は自分の仕事を精一杯やろう、私の貢献をどう使うかは私の雇い主次第だ、ご主人が最良とお思いになる形で使ってくだされればよいのだ」というものです。そして私たち一般の人間も、たいていはそれと同じじゃないかということなんです。つまり、私たちの人生、私たちの努力が無駄に終わるか否かは、最終的には、そういった上の人間に左右されると思うのです」[52]。イシグロが提起する彼のアイロニーの考え方である。この問題提起は、オウム真理教事件への村上春樹の総括を想起させる。
　2018年7月6日と26日に相次いでオウム真理教の元幹部ら13人の死刑が執行された。1995年の地下鉄サリン事件に衝撃を受け、被害者や遺族へのインタビューを『アンダーグラウンド』という著作にまとめた村上は、希望の余地というものがほとんど存在しないこの長い裁判を通して、最後に辛うじて差し込んできた微かな光明のようなものを、林泰男・裁判長の判決文「およそ師を誤るほど不幸なことはなく、この意味において、林被告もまた、不幸かつ不運であったと言える。（中略）林被告のために酌むべき事情を最大限に考慮しても、極刑をもって臨むほかない」に見出している。村上は、「オウム関連の事件に関して、我々には──そしてもちろん僕自身にも──そこから学び取らなくてはならない案件がまだたくさんあるし、13人の死によってそのアクセスの扉が閉じられたわけではない。（中略）「不幸かつ不運」の意味をもう一度深く考え直してみるべきだろう」[53]と語っている。

第4章　村上春樹の『1Q84』

　ところで村上の『1Q84』はどうであろうか。彼は、徹底した監視社会を背景にマインド・コントロールの恐怖を活写したジョージ・オーウェルの『1984年』を念頭に置いて、作家としてのある種の使命感から『1Q84』を＜現代小説＞にしている。オーウェルの『1984年』で描かれる近未来は、ビッグ・ブラザーが率いる「党」が社会を支配し、人々は職場や自宅の各所に置かれた双方向テレビである「テレスクリーン」で常時監視されている。至る所に張り巡らされている巨大な顔のポスターには「ビッグ・ブラザーがあなたを見ている」の文字がある。党を批判する言葉をテレスクリーンに拾われれば、たちまち思想警察が現れて、連行される。主人公であるウィストン・スミスの仕事は、真理省記録局で党の都合に合わせて公の記録を書き換える事である。思想警察に連行された人間の名前は、すべての記録から削り取られ、存在した痕跡すら残されない。生きていくためには「黒は白と言い切る忠誠心」が求められるのである。このまやかしの恐怖は現在にも存在する。2017年にトランプ政権が誕生した時、米国でジョージ・オーウェルの『1984年』が一時アマゾンの売り上げトップに躍り出た。明白な事実を否定して「ポスト・トゥルース」なる言葉を生んだ政権の姿が、小説で歴史を支配する組織「真理省」と重なったからである[54]。

　『1Q84』のBOOK１　第18章において文化人類学者の戎野（えびすの）は次のように述べている。

　――「ジョージ・オーウェルは『1984年』の中に、ビッグ・ブラザーという独裁者を登場させた。スターリニズムを寓話化したものだ。ビッグ・ブラザーという言葉（ターム）は、以来ひとつの社会的アイコンとして機能するようになった。しかしこの現実の1984年にあっては、ビッグ・ブラザーはあまりにも有名になり、あまりにも見え透いた存在になってしまった。この現実の世界にもうビッグ・ブラザーの出てくる幕はないんだよ。その代わりに、リトル・ピープルなるものが登場してきた。（中略）リトル・ピープルは目に見えない存在だ。それが善きものか悪しき

- 323 -

ものか、実体があるのかないのか、それすら我々にはわからない。しかしそいつは着実に我々の足元を掘り崩していくようだ」[55]。

　オーウェルが執筆した最後にして最も野心的な小説である『1984年』において描き出す世界は、ビッグ・ブラザーを頂点とする徹底した全体主義社会で、党権力はそこでは人口の２％も満たない党内局に集中し、実務は党外局が担い、85％のプロレ（プロール）と呼ばれる下層集団の声なき民衆を支配し、人間の自由を剥奪し**思考停止**に追いやる[56]。否、党に逆らう者には、ビッグ・ブラザーへの忠誠心に留まらず最終的には逆心した事への後悔とビッグ・ブラザーへの心からの敬愛以外何一つ残らないように完全な洗脳を行い、彼らを（人を愛し、友情を暖め、生きる喜びを味わい、笑ったり、好奇心を抱いたり、勇気を奮い起こしたり、誠実であろうとすることも出来ない）人間の抜け殻にする[57]。しかもその党員も、出生から死亡までの一生を思想警察の監視下に置かれている。「党員は、たった一人でいようと、自分以外に誰もいないのだという確信は絶対に持てない。どこにいようと、熟睡していようと、浴室にいようと寝床にいようと休んでいようと予告もなしに、且つ監視されていることも知らぬままに当人を監視することが可能なのだ。彼の行動は何一つ当局の関心から免れることは出来ない」[58]のである。ビッグ・ブラザーによって憎悪に満ちた監視社会が生み出され、都合の悪い言葉やデータは国家によって書き換えられたり、消去されたりする。ここで暮らす人々は「戦争は平和だ」「自由は隷従だ」といった矛盾するものを同時に信じる「二重思考」が求められる[59]。このディストピア小説が米国で今売れている。誰もが知る明白な嘘をトランプ政権高官（報道官）が「もう一つの事実（alternative fact）」と言った[60]。テレスクリーンという画像機で国民を監視し、言葉を簡素化した新語法(ニュースピーク)や相矛盾する事実をそのまま受け入れ、そのまま信じる力である二重思考(ダブルシンク)[61]を強制するディストピアを描き出したジョージ・オーウェルの『1984年』[62]さながらである。この二重思考は人間らしい感性や感情が失われ人間の**思考**

第4章　村上春樹の『1Q84』

停止に繋がるものである。

　オーウェルの『1984年』を念頭に置いて、「習氏1強・中国の監視社会」と題して『毎日新聞』は、現代の監視社会の実態を次のように報じている。──「2018年2月末、私が訪れた新疆ウイグル自治区カシュガルの街中には十数メートルおきに複数の監視カメラが配置されており、それを撮影しようとスマホを向けた数分後、自動小銃で武装した約10人の治安要員が飛んできた。オーウェルの小説『1984年』で描かれた監視国家が現実になろうとしていると、衝撃と恐怖を感じた。中国全土には1億7000万台の監視カメラが目を光らせる」[63]。英国調査会社コンプリテックが2019年8月公表した報告によると、住民1000人当たりのカメラ設置台数で上位を占めた10都市の内トップの重慶（168台）を筆頭に上位7都市はすべて中国であった[64]。また、2020年2月現在、中国都市武漢市から発生した新型コロナウイルスが世界を震撼させているが、国民の生命に関わる「告発」を封じ込めた事で中国が揺れている。武漢市の李 文亮医師（33歳）が2020年2月7日、院内感染とみられる新型肺炎のため、同市内の病院で亡くなった。李医師は中国が新型肺炎を公表する前から危険性を訴えていたが、「デマ」として公安当局に処分された。中国国内では「良心の医師」の告発を封殺して感染拡大を招いたとの怒りが広がり、「言論の自由」を求める異例の高まりを見せている。習指導部はこれまで、「社会の安定」を大義名分に、強力な統治機構で国内の異論を封じてきた。だが、膨らむ感染への恐怖と李医師の死への怒りによって、国民の不満が爆発した形だ[65]。

　WHOによって2020年3月に「パンデミック」と表明されたコロナウイルスの恐怖は、今や世界に拡大している。古賀 攻氏は「民主主義の超難問」と題して次のように述べている。──「ここで注意すべきは、不安に駆られた人々が自由を「重荷」に感じて、政府により強い措置を求める方向に傾くことだ。これはE・フロムがナチズムの分析で指摘した『自由からの逃走』を思い起こさせる」[66]。エリッヒ・フロム

(Erich Fromm) は、『自由からの逃走』(*Escape from Freedom*) において次のように警告を発していた。――「ひとたびヒトラーが権力を握った以上、彼に戦いを挑むことはドイツ人の共同体から自らを締め出すことを意味した。他の諸政党が廃止され、ナチ党がドイツそのもので「ある」時、ナチ党に対する反対はドイツに対する反対を意味した。より大きな集団と合一していない感情ほど、一般の人間にとって耐えがたいものはないであろう。ナチズムの諸原理に対してどんなに反対していようとも、もし彼が孤独であることと、ドイツに属しているという感情を持つことと、どちらかを選ばなければならないとすれば、多くの人々は後者を選ぶであろう。(中略) 孤独や恐怖や混迷に人はいつまでも耐えることは出来ない。彼は「… からの自由」の重荷に耐えていくことは出来ない。消極的な自由から積極的な自由へと進むことが出来ない限り、結局自由からの逃れようとするほかないであろう。現代における逃避の主要な社会的通路はファシスト国家に起こったような指導者への隷属であり、また我々民主主義国家に広くいきわたっている強制的な画一化である」[67]。

　1984年初頭にBBCの文書アーカイヴズ (文書収納庫) から、オーウェルに関する新資料が次々と発見された。オーウェルは、1941年8月から1943年11月まで英国BBC東洋部インド課に勤務していた。「BBCにおける戦時検閲制度について」には次のように記されている。――「BBCは情報省が管理する広範な検閲制度の下に置かれていたが、同省は戦争中マレット・ストリートにあるロンドン大学本部、セネット・ハウス内にあった。この建物は『1984年』の真理省に酷似しており、その直接のモデルとなった。最下級の検閲官「委嘱検閲官」が情報省の出身ではなくBBC内部の、しかも実際に同じ部内の同僚であったという事実は、オーウェルのような人たちがしばしば自らの立場について意識せざるを得なかったような状況の中で、人間関係を緊張させる可能性があった」[68]。

第4章　村上春樹の『1Q84』

　そんな中でオーウェルは、インド向け放送をイギリス・インド間の相互理解のために最大限の努力を払った。インドへの理解と愛情をオーウェルと共有するエドワード・モーガン・フォースター（Edward Morgan Forster）は、「インド向けに放送するのは誠に楽しいし、国内放送よりは自分の言いたいことを語る自由を与えてくれる」[69]とオーウェルによる貢献を高く評価している。

　膨大な新資料を編集したW・J・ウェスト（W.J. West）は、BBCの検閲制度についてこのように証言している。――『BBCは、他のいかなる報道機関よりもはるかに厳しい検閲を受けることとなった。オーウェルがBBCの一員となった時、この検閲がいかに広範囲にわたるものか、またいかに独裁的なものになり得るものなのか、彼としては知るべくもなかった――この一件は銘記しておくべきである。『1984年』に描かれた全体主義の雰囲気――現在だけでなく、過去をも改変する、さらに人間の心までも改変しようとする、社会全般にわたる検閲におけるあの雰囲気は、情報省によって掌握されたBBCの検閲をオーウェルが体験しての当然の帰結であった」[70]と。オーウェルが関わったトーク番組を執筆した最初の二つは、戦時下のロンドンの生活に関係が深い諸問題をテーマとしたもので、「金と鉄砲」「イギリスの配給量と潜水艦戦」である。そこには彼の関心の展開が『1984年』においてはっきりと窺われるとして次のように述べている。――「「金と鉄砲」は、ナチス政府の「生活圏（lebensraum:レーベンスラウム）政策」の偽りを指摘したものである。この政策は、人のいない土地を求めるものであるかのように思われているが、実は、事実が示す通り、人口密度の高い土地を求めるもので、そこでは住民をプロル、つまり奴隷に変え、食うや食わずの生活をさせながら働かせようというのである。このエッセイはまた、鉄砲調達に充てるべき金を「派手な金遣い」で浪費せず、金のかからない共同活動を行った方が有利であると語っている。第二のトークには、配給食糧の増配が既に予想されていた云々の発言があって、これは

― 327 ―

『1984年』における雰囲気をそのまま反映している。『1984年』の世界では、よいニュースとはすなわち、配給糧を予想通り切り下げることを意味するものとなっているからである」[71]。

　BBCでの2年間は作家オーウェルにとって空費された歳月と見做されているが、この見解は、真実からは遠く離れているものの、実は『1984年』への熟成期間と言い得るものであった。オーウェルの新資料を編集した著作『戦争とラジオ　BBC時代』(*George Orwell: The War Broadcasts and The War Commentaries*) の「編者解説」によれば、ウェストは次のように報告している。──「『1984年』の原稿を見ると、イングソック (『1984年』に描かれているイギリス社会主義の世界) の起こりは、社会主義運動と共産主義運動の合体であると記されている。このような結合が起こるだろうという予測は、コミンテルン解体を危惧するオーウェルにとっての悩みの種であった。『動物農場』(*Animal Farm*) も『1984年』も、全体主義の危険に対する警告である。前者はおとぎ話の形式を取り、後者は未来小説として「走馬灯的効果」を狙ったものである。『動物農場』は、戦前オーウェルが住んでいたウォリントン村周辺の田舎を舞台としたものであり、物語はソ連における事件を直接に物語ったものだが、スクィーラーやその他の豚たちが使用する言語は、当時のイギリス共産党のデマゴーグが用いた言語である。この言語はオーウェルが亡くなった後も長く残って、戦闘的な組合の指導者が「同志諸君」に訴えるといった、誠に痛烈なパロディーだが、スペイン共産党を相手としてあの苛烈な体験をなめたオーウェルとしては、やはりひどく怖かったことに違いない」[72]。

　晩年のオーウェルが心を許した数少ない親友であるジョージ・ウドコック (George Woodcock) は、その著『オーウェルの全体像──水晶の精神』(*The Crystal Spirit: A Study of George Orwell*) の中で次のように証言している。──「オーウェルに関する限り、『1984年』を書くことは一種のカタルシスであって、長年にわたって耐えがたいほど

第4章　村上春樹の『1Q84』

まとわりついて彼を悩ませた未来についての懸念を全て払拭しようとしたものだ。オーウェルが自分の健康を破滅させる危険まで冒して、この小説をあのように急いで完成させた理由は、彼は頭の中からこの黒い影を追い払ってしまうことになる仕事を、なるべく早く終わらせたいという内的衝動に駆られていたことにあると言える、と私は確信している。この本が出来上がり、オーウェルの健康が死の直前の何か月間、あたかも回復するかのような幻想を抱かせていた時、彼は自分が1938年以来続けてきた論争的な作品を書くようなことはもう切り上げて、以後はジョウゼフ・コンラッドの作品のような、個人的な問題や個人的な関係に主眼を置いた小説を書きたい、と言い始めていたのである」[73]。またジョージ・ウドコックは、『1984年』に登場する「プロール」たちの姿の描写を通してオーウェルの未来に対する悲観的な見方を次のように指摘している。――「「プロール」というのはオセアニア国の下層労働者階級で、党がどのような決定をしようとおかまいなく、自分たちだけの、現実に根を下ろした生活をかたくなに守り続け、自分たちだけの、小さな喜びや楽しみを追い続けている。党員たちを閉じ込め、窒息させている全体主義的悪夢の及ばない地表面の下に潜って、彼らはモグラのように幸せそうに毎日を送っている。これによってオーウェルが言おうとしていることは、上層の方で政治的、ないしは社会的な溶岩流がどのように流れ、固まろうとも、人間の生活は決して完全に抑圧されたり踏みにじられたりすることは無く、ひそかに地下に穴をうがちながら続いてゆく、ということだろう。オセアニアのプロール達は、自分たちの上に作り上げられた国家というものを覆そうと試みたりなどは決してしない。彼らがやることといえば、せいぜいのところ、戦争の残酷な場面を描いた映画を、子供に見せてはいけない、と映写中に叫ぶ女によって示されているような、取るに足らぬ、無益な抗議だけだ。（中略）只一人話を交わせたプロールである骨董店の主人チャーリントンは、実は思想警察の高官で、初めからウィンストンを誘惑して自己暴露をさせようと

していたということが後でわかる。プロール達は知的、精神的な生活は全て奪われて、動物的とも本能的とも言えるような粗野な生活をしている。一方、党員は実生活に対する喜びを避けると共に、憎悪という感情を除くあらゆる人間的感情を排除するように訓練されている。これはオーウェルの言うドン・キホーテ的な面が荒涼たる知性万能主義(インテレクチャリティ)の中で生育を遂げた姿を示している」[74]。

　オーウェルは「なぜ書くか」("Why I Write")において、次のように言明している。――「スペイン戦争をはじめ、1936年から7年にかけての色々な事件によって局面が決定的になると、以後私の立場は揺らがなかった。1936年以降まともな作品は、どの一行をとっても直接間接に**全体主義**を攻撃し、私が**民主的社会主義**と考えるものを擁護するために書いている。(中略)私の出発点は、常に一種の党派性、つまり不正に対する嗅覚である。一冊の本を書こうとする時、「芸術作品を書くぞ」と思うことはない。暴露したい嘘があるから、世の注意を促したい事実があるから、書くのであって、最大の関心事は耳を貸してもらうことである」[75]。「出版の自由」("The Freedom of the Press")において、彼は次のように述べている。――「西欧文明の優れた特徴の一つであった知性の自由に、何らかの意味があるとすれば、それは社会の他の人間に明らかに危害を加えるものでない限り、自らの真実だと信じることを言い、印刷できる権利が、万人に与えられなければならないという意味である」[76]。因みにオーウェルは、ビルマで大英帝国の警察官となって「圧政の手先に耐えられず」4年半のビルマでの生活の後、辞任して帰国、パリに行き約1年10か月間「最低の労働」と見做される皿洗いなどをし、ロンドンに帰って浮浪者の生活を経験した。それらの体験を綴った処女作『パリ・ロンドンどん底生活』(*Down and Out in Paris and London*)の著者として初めてオーウェルという名前が使われている。

　ヘンリー・ミラー(Henry Miller)の友人である米国人アルフレッド・パールズは、『わが友ヘンリー・ミラー』の中で、『パリ・ロンドン

第4章　村上春樹の『1Q84』

どん底生活』を執筆したオーウェルの真意を次のように吐露している。——「私は後で知ったことなのだが、オーウェルが訪問してきたその日の午後、彼は、インドで警官をしていた時の体験が消し難い痕跡を残している、とミラーに打ち明けたという。オーウェルが目撃し、且つ不本意ながら幇助したとも言える現地人の苦しみは、それからというもの脳裏から離れない重大関心事の源泉となっていた。『パリ・ロンドンどん底生活』で極めて鮮やかに且つ辛辣に描写されている、あの窮乏と屈辱とを、彼が故意に体験しようとしたのは、何ともし難いこの罪悪感をぬぐい去るためであった」[77]。そしてミラーとオーウェルとの比較からオーウェルの人となりを次のように指摘している。——「オーウェルの超絶性は、先天的というよりはいわば環境の力によって負わされているようなものであった。ミラーは無防備で無政府主義的で大体において社会からは何も期待していなかった。オーウェルは粘り強く、不幸にもめげず、そしていつも社会改造をしようと自分なりに努力するという政治的志向の人であった。ミラーは世界市民であり、緑のオリーヴが緑であることを、黒のオリーヴであることを誇ることがないように、世界市民であることを誇ることはなかった。典型的な英国人であるオーウェルは、懐疑的で、幻滅を経験してはいたが、猶も政治的教義、経済政策、政府の交替や社会改革を通じての大衆の生活向上などを信じていた。二人とも平和愛好者ではあったが、ミラーはいかなる理由があろうとも戦うことを拒否することによって平和への愛を表明したのに対して、オーウェルは目的が正しいと思えば戦争に参加することをも辞さなかった」[78]。

　哲学者のアルフレッド・エアも、アルフレッド・パールズと同様の見解を、『哲学者とオーウェル』と題する著書の中で、次のように証言している。——「『パリ・ロンドンどん底生活』の素材を得ていたのは、ただ貧困によるものだとばかり私は思い込んでいた。しかしそれは、ビルマでインド帝国警察の役人として5年間を過ごすことで、英国の植民

地主義の事業に仕えた罪を贖う行為でもあったことを私は後になって理解するようになった」[79]。ヨーロッパ文化の伝統的な自由主義とファシズムが対決した動乱の中で、英国の知識人たちが観念的論議に走った時代に、オーウェルは英国の民衆の間で受け継がれていた一面では保守的と言ってもいい発想を守り続け、目的のために手段を正当化するような主張を認めず、嘘を許さず、人間を愛し、平等を説き、個人としての誠実を貫こうとした[80]。そして彼は、彼の想いの集大成の作品として、階級差別の問題を動物の社会に置きかえて全体主義の恐怖を寓話化した『動物農場』と、一人の反逆者が階級制度の網の目に捕えられて苦悶する姿を、恐るべき論理結末に達する姿をその心理的苦悶をも含めて描き出した予言書である『1984年』とに結晶させたのである。

　ではウドコックが語るオーウェルの『1984年』執筆が彼の死を賭した一種のカタルシスであるとするならば、村上春樹はどうであろうか。彼は『1Q84』を執筆した理由を次のように述べている。――「『アンダーグラウンド』執筆の際、文章にできず澱のように残ったものを、物語の形で出してみたかった。それには10年という時間が必要でした」[81]。

　この執筆によって、村上は作家としての一つの使命を果たしたようである。ほとんどの小説を一人称で書いてきた村上が、『1Q84』においては青豆と天吾という二人の人物を使って三人称で書いていた。村上が「与えられた責務」を果たすという自覚のもとに執筆した『1Q84』。そこではオウム真理教が最初に道場を開いた1984年が、いつの間にか別の世界の「1Q84」年に変貌し、その背後には、恐怖のシステムである巨大な闇の存在が描き出されていた。この闇は長編『羊をめぐる冒険』に深く関わっている。

　村上作品の特徴の一つには、「羊」や「かえる」など、今まで現実に存在しえなかったものが、突如侵入してきて、今まで確固としたものに思えた生活基盤が不意に脅かされる状況が設定されている。しかし、主人公たちは無力ではあってもなにがしかの「モラル」をもって生き残る

第 4 章　村上春樹の『1Q84』

ために、或いは生き延びるために意外な**タフ**さを発揮する。『1Q84』から 3 年後に上梓された『色彩を持たない多崎つくると、彼の巡礼の年』の主人公である多崎つくるにも意外な**タフ**さがあるようだ。ジェイ・ルービンは、「村上作品に自殺や死や悲しみが多くても、生き残って新しい経験と新しい知識と新しい愛を得ようとする、積極的な、人生に対する態度が作者（と読者）の根本的なスタンスだから、世界は村上春樹を愛するのだ」[82] と述べている。

　村上は、河合隼雄との対談において、「小説を書き始めるまでは、自分の体にはあまり興味を持っていなかったが、30歳を過ぎて物を書き始めてからはすごく興味を持つようになって、体を動かすようになった。そうすると、体が変わってくる、脈拍も、筋肉も、体形も。それと同時に僕の小説観や文体もどんどん変わっていくのもよく分かる。（中略）僕は、積み重ねて弁証法的にいくタイプ」[83] と述べ、河合も「村上さんは体を鍛えて作る文体の人であり作家だ」[84] と応答していた。事実村上は、「小説を書くことについて多くを、道路を毎朝走ることから学んでいる」と述べ、＜走ること＞で作家にとって必要な集中力と持続力をコツコツと積み上げていく作家のスタイルを取ってきている。稀代の科学者であるアインシュタインは「天才とは努力する凡才」といったそうであるが、2012年にノーベル賞に輝いた山中伸弥教授もフルマラソンを 3 時間30分以内で走る優れた市民ランナーで、努力を諦めない大切さを「走り続ける力」であると表現している（山中伸也『走り続ける力』毎日新聞出版）。

　ところで2010年 9 月23日ノルウェイのオスロにおいて、村上は、『1Q84』に関する質問に対して、次のように答えている。

　――「『Q』はクエッションの意味です。ジョージ・オーウェルの『1984年』は未来社会についての物語ですが、『1Q84』では私たちのことを書きました。未来は闇です。私は近い過去、起こったかもしれない過去を再現したいと考えました」[85]。更に「着想はどこから得たか」と

いう質問には、次のように答えていた。──「私たちは９・11テロや東京での地下鉄サリン事件を経験しています。ニューヨークのビルが崩壊するニュース映像などはあまりにも完全過ぎ、想像もつかないもので、まるでコンピューターグラフィックのようでした。その時私は、ここは本当の世界ではないのではないか、私たちの周りにはパラレルワールドがあり、そちらが現実に近いのではないか、という感覚を持ちました。イラク戦争は起こっておらず、別の人が大統領になっているような世界がある、といったシュールな感覚を書かずにはいられなかったのです」[86]。

『1984年』との関わりで、ベトナム帰還兵で、自身の実体験を基に地上戦の悲惨さを描いた映画『プラトーン』（*Platoon*）を監督したオリバー・ストーン（Oliver Stone）は、「イラク戦争時とは違い、米国内で大規模な反戦運動が対テロ戦争で無人機などの運用で、米国民には見えない戦争で、安全を守るためと言われれば大規模な反戦運動は起こりにくい」と述べ、更に「世界的は批判を浴びている国家安全保障局（NSA）による（メール収集や携帯電話の）大規模な盗聴・情報収集活動について、ジョージ・オーウェルの小説『1984年』で描かれた監視国家さながらだ」[87]と指摘している。因みに『1984年』において、党権力はビッグ・ブラザーの名の下に、人口の２％以下の党内局に集中し、実務を当外局に委ねながら、全人口の85％を占める下層階級を支配している。この比率と制度の下で、徹底した管視社会を構築し、個人は体制への同化以外に生きる術は無いのである。

「見えない敵」を想定して監視や予防の網の目を張り巡らせて、国境はもはや敵と味方の境界はなくなり21世紀の「テロとの戦争」の形態は、他方、遠隔操作による無人機やロボット兵器が投入されて、どれほど現場が悲惨であっても、攻撃する側には人的被害が出ないため、その悲惨さには想像が及ばない**想像力の欠如**と**思考停止**の人間を増殖させる恐ろしさを想起させる。本来、人間には人間を殺す事への心理的抵抗がある。それが、何らかの痛みを感じる事もなく敵を殺傷できるようにな

第4章　村上春樹の『1Q84』

れば、戦闘行為に歯止めが利かなくなる。

　死と対峙する現実の戦争は、人間を極限状態に置くため、人間の本質を浮かび上がらせ、実存の問題を提示して、文学に多大な影響を与える。戦争や9・11同時多発テロとの関わりで、人間心理の問題に興味がある方は、拙稿「戦争とコンラッド文学――「エイミィ・フォスター」と『闇の奥』を中心に」『英米文学と戦争の断想』（関西大学出版部、2011年）を参照されたい。

　ところで、米国におけるそれまでの村上作品への評価が、2001年9月11日の同時多発テロ以降、一変している。「オウム事件の加害者と被害者をインタビューした村上の『アンダーグラウンド』を、ほとんどのアメリカの批評家は、突然自分たちを襲った大災害ときわめて酷似した出来事のドキュメントとして読み始めた。その結果、アメリカの作家との類似であるとか、物語にちりばめられた欧米のアイコンとか、ポストモダン小説としての手法など、それまで繰り返し述べていた村上作品の特徴にはほとんど触れずに、村上の「普遍的な（universal）作家」というイメージがこの時点において頻繁に提示され、瞬間的に増幅された」[88]という芳賀氏の指摘がある。

　2014年に上梓した最新作の短編集『女のいない男たち』に収めた「木野」と題する一編において、村上は次のように述べている。――「（主人公の木野は）妻が浮気をして離婚し、一人ぼっちになるけど、彼にとって妻がいなくなったことは本質的な問題ではない。一番の問題は、一人になって自分自身と向き合った時の『孤絶』感です。そして向き合った自分の中の暗闇から、蛇とか、お化けみたいなものとか、いろんなものが這い出してくるわけです。それらはもともと自分の中にあるものなのです。僕が物語を通してやりたいのは、読者にロールモデル即ち役割モデルを提供することです。いろんな『孤絶』の様相を潜り抜け、新しい生き方を見つけていく人物たちの姿を、一つ一つ提示していきたい。ある意味でぼくの書いている小説はロールゲームなんです。そこで

は、僕はゲームのプレイヤーであると同時にプログラマーでもあります。その二重性がストーリーを新鮮で重層的なものにする。テーマ主義ではなく、そういう書き方をしていけば、自分の集中力と体力がある限り小説を書き続けられます」[89]。

処女作『風の歌を聴け』から最新短編集『女のいない男たち』まで、様々な価値観の中で葛藤を繰り返しながら自分の内面を見つめて、「生きることの不安」や「生きることの意義」を問題提起する事が村上の小説の要諦であるようである。

村上は、「邪悪な物語」と対比して最新長編作の『騎士団長殺し』(Killing Commendatore)を次のように言明している。──「邪悪な物語のひとつの典型は、浅原彰晃が展開した物語ですね。完全に囲われた場所に人を誘い込んで、その中で徹底的に洗脳して、そのあげくに不特定多数の人を殺させる。あそこで機能しているのは、最悪の形をとった邪悪な物語です。そういう回路が閉鎖された悪意の物語ではなく、もっと広い開放的な物語を作家は作っていかなくちゃいけない。囲い込んで何か搾り取るようなものじゃなくて、お互いを受け入れ、与え合うような状況を世界に向けて提示し、提案していかなくちゃいけない」[90]。この物語は、開放的な「つながり」と「再生」の「善き物語」であった。ジョウゼフ・コンラッドの『闇の奥』(Heart of Darkness)の語り手マーロウ(Marlow)が＜闇の奥体験＞を経て「自己発見」をしたように、騎士団長殺しにまつわる様々な人生体験を経た結果、「私」はそれ以前とは違う人間となって、「人とのつながり」の意義や新たな価値観を体得していたのである。『騎士団長殺し』に関しては、本書の第5章 作家的使命感を持ったエグザイルである村上春樹とジョウゼフ・コンラッドの文学 を参照されたい。

村上は、主人公のみならず作品の登場人物の有り様を、「彼らは決して社会的な強者ではない。しかし彼らには優しい諦観と、内的な価値の

第4章　村上春樹の『1Q84』

ぬくもりと、そしてある種の**タフ**さがあった。彼らが最も大事に考えるのは、言葉や数字では表すことのできない、自らの生き方の静かな総合性であり、一貫性だ。僕は社会体制の在り方に対するひとつのアンチテーゼとして、彼らの**生き方**を描いていたのだと思う」[91]と明かした。この主張は、エルサレム賞授賞式において述べた彼の信条と思われる次のメッセージに通底する。

　――「私たちは皆、国籍や人種や宗教を超えて人間であり、体制（システム）という名の頑丈な壁と向き合う壊れやすい卵だということです。（中略）私たちはそれぞれ形のある生きた**魂**を持っています。体制にそんなものはありません。体制に生命を持たせてはなりません。（中略）私が小説を書く理由はたった一つ、個人の**魂**の尊厳を表層に引き上げ、光を当てることです。物語の目的とは、体制が私たちの**魂**をわなにかけ、品位をおとしめることがないよう、警報を発したり、体制に光を当て続けることです。小説家の仕事は、物語を作ることによって、個人の独自性を明らかにする努力を続けることです」[92]。

　『1Q84』（Book 2）において、「システムというのはいったん形作られれば、それ自体の生命を持ち始めるものだ」[93]と、システムの力を熟知する教団のリーダーに断言させている。更に村上は、オウム真理教事件を例に挙げて、特定の主義主張に凝り固まる＜精神的な囲い込み＞の恐ろしさと文学の力や物語の有り様を次のように明言する。

　――「僕が今、一番恐ろしいと思うのは特定の主義主張に拠る「精神的囲い込み」です。オウム真理教は極端な例だけど、色んな檻というか囲い込みがあって、そこに入ってしまうと下手をすると抜けられなくなる。だが物語というのは、そういう「精神的な囲い込み」に対抗するものでなくてはならない。いい物語は人の心を深く広くする。深く広い心というのは狭いところには入りたがらないものなんです」[94]。

　『1Q84』（Book 1）における文化人類学者の戎野は、次のように述べている。

- 337 -

――「(＜オウム真理教＞や＜やまぎし会＞や＜エホバの証人＞を表すカルト集団) タカシマのやっていることは、何も考えないロボットを作り出すことだ。人の頭から、自分でものを考える回線を取り外してしまう」[95] と。事実、元オウム信者だった永岡辰哉は、2004年1月に、「(信者たちは) 教団にいると**思考停止**になる (ゴシック体は筆者)。自分で見て、聞き、考えることが大事」と現役の信者に訴えている[96]。

新興宗教によってマインド・コントロールされる「囲い込み」の恐怖を述べた村上の『1Q84』は、まさに読者に**深く広い読み**を問いかけている。村上は、『アンダーグラウンド』と『約束された場所』の「解題」において、「僕が小説を通して思っているのは、人々の心を公正に喚起することなのだ」[97] と明言している。『村上春樹インタビュー集 1997-2009』においては、オウム信者が根本的に欠落していたものは「現実との接点を失ってしまったことだ」[98] と語っていた。「車両省」元大臣で09年にオウム教団を去った野田成人元幹部は『毎日新聞』の取材に応じて、事件への謝罪を込めた総括で、＜精神的な囲い込みの恐怖＞を次のように述べている。

――「信仰で現実を見失い、過ちに気付かなかった。自分がやっていることを現実に使った場合にどうなるか、個々の信者は考えていない。組織が大きくなり断片しか見えず、みんなが動いていることに安心してしまう。一つの世界に閉じこもると現実が小さくなる。輪廻転生を考えると、現実世界で人が死のうと全く関係ない。そこに大きな乖離がある。人類救済の理想に比べれば、事件は相対的に小さかった。若い人が希望を見出せない今の社会では再びカルトが台頭してもおかしくない」[99] と警鐘を鳴らしている。村上は「オウム真理教のような妄想的な暴力をきっぱりと排除する力を持つことが新しい時代の ethics (倫理性) だ」[100] と言明している。

更に村上は、知らぬ間に閉鎖的な場所に追い込んでいく綿谷的非人間的な恐ろしさと作家的使命とを次のように表明している。

第 4 章　村上春樹の『1Q84』

　――「綿谷ノボルの在り方は、浅く、表層的です。しかし彼の意見は浅く、表層的なるが故に、その伝達スピードは速く、その影響は極めてプラクティカルです（367-68）。僕が彼を描写することで読者に伝えたかったのは、そのようなレトリックを武器にして現代のメディア剣闘士たちが我々の社会に対して、あるいは我々の精神に対して及ぼす危険性であり、水面下で行使する非人間的な残酷さです。よく考えてみれば、彼らの意見のただ受け売りにすぎないままで世界を眺め、メディアの言葉をそのままそっくり語っているのです。そのような出口のない迷宮に入り込むことを回避するためには、主人公のオカダ・トオルが行ったように、ときとして我々はたった一人で深い井戸の底に降りていくしかありません。そこで自分自身の視点と、自分自身の言葉を回復するしかないのです。我々小説家がやるべきことはおそらく、そういった「危険な旅」の熟練したガイドになることです。そしてまたある場合には読者に、そのような自己探索の作業を、物語の中で疑似体験させることです。オウム真理教の教祖である麻原が行ったのは、物語の有するそのような機能の意図的濫用であり、悪用です。我々は綿谷的なるものも拒否しなくてはならない」（368-69）。

　出口のない迷宮に入り込む恐怖は『ノルウェイの森』においても窺える。心を病んだ人間にとって阿美寮は一種の理想郷のように思われる。しかし、生身の人間がそこに長くとどまっていると**思考停止**状態に陥って、現実に生きる力を失ってしまう。村上は、その恐怖と危険性を直子の自殺でもって読者に警鐘を鳴らしていたのである。

　村上は、2014年11月7日、ドイツ紙『ウェルト』の「ウェルト文学賞」授賞式の記念講演において、1989年のベルリンの壁崩壊から四半世紀余りを迎える今、壁のない世界を創造する力を持ち、その力を持続させる重要性と自らの作家的立場を次のように――「世界には民族、宗教、不寛容といった多くの壁があります。小説家にとって、壁は突き破らなければならない障害です。小説を書く時、現実と非現実、意識と無

意識を分ける壁を抜けるのです。反対側にある世界を見て自分たちの側に立ち戻り、作品で描写するのです。人がフィクションを読んで深く感動し、興奮する時こそ、作者と一緒にその壁を突破したと言えます。その感覚を経験する事が、読書には最も重要だと考えてきました。そういう感覚をもたらすような物語をできるだけたくさん書いて多くの読者と分かち合いたい」[101] と述べている。

　68歳になった村上春樹は、自らの小説を述懐して、「『羊をめぐる冒険』は、最後は何となく寂しい終わり方をするし、『世界の終りとハードボイルド・ワンダーランド』でも主人公は、最後はあの世界に影と別れて一人で残る。決してハッピーな終わり方ではない。しかし人々はこの世界で生き続けていくだろうという、ある種の信頼感のようなものが読者の中に生まれる。生き残ること、或いは生き残った人たちに希望を与えること。それは物語にとって大事なこと」[102] と述べている。そして村上は、ジョウゼフ・コンラッドの『ロード・ジム』(*Lord Jim*) を引き合い出して、「ジムは最後に死ぬ。それは悲劇的なエンディングだが、ジムの死は、ジムの死よりもむしろ、読者に救済の感覚のようなものを与える。それが大事だ」[103] と明言している。村上は、最新の長編作である『騎士団長殺し』を「善きもの」の物語として描き出していた。

　村上は、ジェイ・ルービン（Jay Rubin）編著の『芥川龍之介短篇集』への「序文」で自らの作家的姿勢に基づいて、「作家として重要な点は、その時代に一個の人間としての問題意識を抱き、第一線の芸術家としての社会的責任を引き受け、**誠実**に人生を歩もうと努めることである」[104] と言明している。

結論

　カズオ・イシグロは、1954年の長崎で日本人石黒一雄として生まれ

第4章　村上春樹の『1Q84』

た。彼が5歳の時、海洋学者の父が英国の研究所に招かれて一家は英国に渡った。以来イシグロはグラマースクールを経て、ケント大学カンタベリー校に学び、卒業後はグラスゴーとロンドンで社会福祉事業に従事したのち、イーストアングリア大学大学院の創作科に入り、ブッカー賞の委員長も務めたマルカム・ブラッドベリー教授の指導を受けた。その後英国籍を取得して、1982年の長編デビュー作である『遠い山なみの光』で王立文学協会賞[105]を受賞した。ノーベル文学賞を受けた『日の名残り』は、主人公のスティーヴンスをして、人生が終わろうとする時に、人生において失ったものと再発見されるものとの間に存在する〈あるべき人間〉の葛藤を描き出し、現代に生きる者への確認すべき普遍的な問いかけを提起した。イシグロは、日本を出自とする「国境を超えた作家」と自称して、独自のアイデンティティを希求し英国で執筆を続けている。村上は、そんな文化的背景を持つイシグロに多大な興味を持ち、彼を高く評価している。

　村上春樹は世界を異郷と見做して、「自分の目で見たものを、自分の目で見たように書く、それが基本的な姿勢だ」[106]という作家的視点で「僕」や「私」を初めとする主人公の内面の葛藤を通して自らの存在意義を真摯に探究している。英国、イタリア、ギリシャ、アメリカなど日本以外の国々で長く暮らしてきた村上は、作家として日本という国や日本人という事についてより意識的に「自分は何なのか？　自分は誰なのか？」[107]と一体いかなる存在なのかを常に自らに問いかけている。東西冷戦の終結と原理主義の台頭、グローバリズムと反グローバリズムの拮抗、メガ資本主義の登場と環境問題の盛り上がり、オウム真理教事件と阪神大震災、2011年3月11日の東日本大震災、米国における9・11同時多発テロなど世界全体が混沌とする状況下で、無国籍性と内面意識のパラレルワールドを特徴とする独自の作品の中で村上はあるべきリアリティの探求を試みている。更に、「小説家として最終的に書きたいと思うものは、やはり〈総合小説〉です。具体的に言えば、ドストエフス

キーの『カラマーゾフの兄弟』が総合小説の一つの達成です。(中略)さまざまな人物が出てきて、それぞれの物語を持ち寄り、それが総合的に絡み合って発熱し、新しい価値が生まれる。読者はそれを同時的に目撃することができる。それが僕の考える＜総合芸術＞です」[108] と明言している。イシグロも、「私は一番尊敬しているのはチェホフとドストエフスキーです。私はこれまでチェホフ・小津安二郎スタイルで書いてきましたが、これからはもう少しドストエフスキー・黒澤 明型の書き方を探りたい。これまでは控えめ過ぎたから、これから構成や形式にあまり囚われずに、もっと冒険をしてみるべきだと思う」[109] と述べていた。

　ティム・オブライエン（Tim O'brien）の『ニュークリア・エイジ』(*The Nuclear Age*) の「訳者あとがき」において、村上は＜総合小説＞について次のように述べていた。──「誤解を恐れずにおもいきって言ってしまうなら、あるいはこの『ニュークリア・エイジ』という小説は「現代の総合小説」と呼んでも差し支えないのではないかという気がする。魂の総合小説とでもいうのだろうか。とにかくこれはおそろしく真摯な小説である。作者は自分の中にある精神性のあらゆる要素と断片──それこそ形あるものないものすべてを使いきって、この作品を書き上げているのだ。そしてもうこれ以上は何もないという地点でこの作品を書き終えている。ここには作者の精神性がコミットした事象がかきあつめられ、フル・パワーで注ぎこまれている。作者はあらゆるものの蓋をこじ開け、あらゆるものを可能な限り白日のもとに曝し出し、検証する」[110]。

　2013年5月6日、京都大学百周年記念ホールにおける公開インタビュー「魂を観る、魂を書く」において、「ドストエフスキーの『悪霊』のような総合小説を書きたかった」[111] とその心情を吐露した村上は、「物語というのは人の魂の奥底にある。人の心の一番深い場所にあるから、人と人とを根元でつなぎ合わせることができる」「(『色彩を持たな

第4章　村上春樹の『1Q84』

い多崎つくると、彼の巡礼の年』）僕の感覚としては、頭と意識が別々に動いている話。出来事を追うのではなく、意識の流れの中に出来事を置いていく」[112]と述べていたが、果たして『色彩を持たない多崎つくると、彼の巡礼の年』は、ドストエフスキーが人間の心の奥底を執拗に追及して完成した『罪と罰』のような人間の**魂**の奥底まで辿り着けた作品であるだろうか。『罪と罰』は、世に言うところの犯罪小説でも心理小説でもない。人間が「如何にして生きるべきか」を問いかける**魂**の葛藤の物語である。ドストエフスキーは、意識下の生活の奥底に根を下ろしている人間存在の根源に迫り、徹底して人間の悪を追究していた。その結晶が『カラマーゾフの兄弟』であり『悪霊』であり『罪と罰』であった。『罪と罰』に関しては、本書の 第２章 ドストエフスキーとジョウゼフ・コンラッド　を、『悪霊』に関しては、第８章「テロとの戦争」の先駆けと見做されるジョウゼフ・コンラッドの文学　を参照されたい。

　村上は、オーウェルの『1984年』に加えて『カラマーゾフの兄弟』を念頭に置いて『1Q84』を執筆している。青豆とカルト教団のリーダーとの緊迫した場面で、リーダーは、「この世には絶対的な善もなければ、絶対的な悪もない … 善悪とは静止し固定されたものではなく、常に場所や立場を入れ替えるものだ。ひとつの善は次の瞬間には悪に転換するかもしれない。逆もある。ドストエフスキーが『カラマーゾフの兄弟』の中で描いたのもそのような世界の有り様だ。重要なのは、動き回る善と悪とのバランスを維持しておくことだ。そう、均衡そのものが善なのだ（傍点村上）」[113]。2015年のインタビューで村上春樹は、「僕は小説を書くに当たって意識上の世界よりも意識下の世界を重視している。意識上の世界はロジックの世界。僕が追及しているのはロジックの地下にある世界。ロジックという枠を外してしまうと、何が善で、何が悪かが段々規定できなくなる。善悪が固定された価値観からしたら、ある種の危険性を感じるかもしれないが、そのような善悪を簡単に規定できない

世界を乗り越えていくことが大切だ。それには自分の無意識の中にある**羅針盤**を信じるしかない」[114]と述べている。また「冷戦が崩壊して、東か西か、左か右かという軸が取っ払われ、混沌が平常の状況になってきました。僕が小説で書こうとしているのも、いわば軸の取っ払われた世界です。（中略）一番の問題は、だんだん状況が悪くなっていくというディストピア（ユートピアの反対）の感覚が、すでにコンセンサスになっていることです。僕としては、そういう若い世代に向けても小説を書きたい。僕らが60年代に持っていた理想主義を、新しい形に変換して引き渡していくのも大事な作業です。それはステートメント（声明）の言葉ではなかなか伝わりません。軸のない世界に、「仮説の軸」を提供していくのがフィクションの役目だと信じています」[115]と言明している。

　村上は『1Q84』において彼の真意を表現できたのであろうか。また彼の**羅針盤**を信じる或いは信じたい読者は、その出来栄えに満足しえたのであろうか。「最終的な目標をドストエフスキーの『カラマーゾフの兄弟』においている」[116]と明言している村上は、『1Q84』においてドストエフスキーが執拗に探究した人間存在の根源にある「悪」に迫り得たであろうか。読者としては村上春樹の次なる長編小説を期待するところではないのだろうか。

1　村上春樹氏ノーベル代替賞ノミネート辞退『毎日新聞』2018年9月17日28面。今年のノーベル文学賞の発表見送りを受けて代わりに設けられた「ニューアカデミー文学賞」について、最終候補の一人に選ばれていた村上春樹氏がノミネートの辞退を申し出た。彼は「ニューアカデミー」への電子メールで、最終候補入りに「とても光栄」と謝意を示した上で、メディアの注目を避けて執筆活動に専念したいと表明した。
2　村上春樹『雑文集』（新潮社、2011年）292頁、294頁。「カズオ・イシグロのような同時代作家を持つこと」（"On Having a Contemporary Like Kazuo

第 4 章　村上春樹の『1Q84』

　Ishiguro")。2010年 3 月に米国で出版された、カズオ・イシグロの研究書 *Kazuo Ishiguro：Contemporary Critical Perspectives*（Continuum）の序文に村上が寄せたもの。
3 　『毎日新聞』2011年10月17日。
4 　村上春樹さんにノルウェーで対談『毎日新聞』2010年 9 月 8 日。
5 　「壁」と世界　消えぬ祖国・東独　格差社会　旧東独側に芽吹く排外主義『毎日新聞』2018年12月 4 日 3 面。自由と民主主義を東独にもたらしたベルリンの壁の崩壊。融和へと向かった世界では今、再び「壁」を造り、分断を目指す動きが表面化している。
6 　壁のない世界　創造する力を『毎日新聞』2014年11月 8 日 1 面（夕刊）。
7 　村上春樹さん、時代と歴史と物語を語る『毎日新聞』2015年 4 月19日12面。
8 　『『文藝春秋』にみる平成史』半藤一利 監修（文藝春秋、2019年）356頁。
9 　「多崎つくる」 1 位、年間ベストセラー『讀賣新聞』2013年12月 3 日37面。
10　村上春樹さん単独インタビュー『毎日新聞』2014年11月 3 日10面。
11　村上春樹と又吉直樹『毎日新聞』2017年 3 月21日 4 面（夕刊）。
12　村上春樹氏を国際研究『毎日新聞』2014年 9 月23日。
13　リベラルな姿勢に共感『毎日新聞』2011年10月12日（夕刊）。
14　村上文学　根源的な神秘『京都新聞』2014年11月11日17面。ジェイ・ルービン『村上春樹と私　日本の文学と文化に心をひかれた理由』（東洋経済新報社、2016年）32頁。
15　前掲紙。
16　中国でも村上ブーム『毎日新聞』2011年10月12日（夕刊）。
17　佐藤泰正・山城むつみ『文学は＜人間学＞だ』（笠間書房、2013年）97-98頁。
18　前掲書。99頁。
19　長島要一「世界文学」となった村上作品　欧州版『1Q84』続々出版『毎日新聞』2011年10月17日。
20　「世界の100人」春樹さん『毎日新聞』2015年 4 月17日。
21　村上春樹『村上さんのところ』（新潮社、2015年）135頁。

22 村上春樹『夢を見るために毎朝僕は目覚めるのです　村上春樹インタビュー集1997-2009』（文藝春秋、2010年）331-32頁。
23 ＜社説＞カズオ・イシグロ氏に文学賞　日本的感性に感謝したい『毎日新聞』2017年10月8日5面。
24 カズオ・イシグロさん文学賞　ノーベル賞『日の名残り』『毎日新聞』2017年10月6日1面。
25 池田雅之『イギリス人の日本観――英国知日家が語る"ニッポン"』（河合出版、1990年）178-79頁。イシグロは、「自分の作品が日本的であることを必要以上に強調されることに反発を感じるが、小津安二郎の作品は大好きだ。小津作品は、私が五歳までいた長崎の大変古い日本家屋で、両親と私たち子どもと祖父母が一緒に住んでいたその当時を思い出させる。私が見て育った日本の家具、調度品を再発見する、強い懐郷の念に駆り立てられる。想像力と記憶と瞑想で捏ね上げられた日本。これが私の作品に現れる日本です」と述べている。

　因みに、日本文化及び日本文学を世界に紹介したドナルド・キーン教授（1922-2019）は、映画の最高作品に『東京物語』を挙げている。自立した老夫婦の物語は30年代の米映画『明日は来たらず』が下敷きにあるが、キーン教授は「それを海外からの物まねだと批判する者はいない」と言う。そこにはより高い独創的な完成度があるからである。＜火論＞玉木研二　キーンさんの余話『毎日新聞』2019年2月26日3面。
26 ＜記者の目＞鶴谷真　イシグロ氏　ノーベル賞スピーチ　平和の重さ知らしめる『毎日新聞』2018年1月10日10面。
27 川端、大江に連なり「感謝」『毎日新聞』2017年10月6日1面。
28 英国映画『わたしを離さないで』原作　カズオ・イシグロさん『毎日新聞』2011年2月10日（夕刊）。
29 インタビュー　カズオ・イシグロ『わたしを離さないで』そして村上春樹のこと（『文学界』2006年）140頁。
30 日本追い求めた心　原点　ノーベル賞石黒さん記念講演『毎日新聞』2017年12月8日8面。

31 カズオ・イシグロさん文学賞「私の一部は日本人」『毎日新聞』2017年10月6日1面。
32 ノーベル文学賞 記憶の葛藤 毎作品チャレンジ『毎日新聞』2017年10月6日28面。
33 「偉大な感情の力」とは カズオ・イシグロさんにノーベル賞『毎日新聞』2017年10月20日5面。
34 「川端 日本文学の代表」68年ノーベル賞選考委高評価『毎日新聞』2019年1月5日21面。
35 ノーベル賞の記録編集委員会 編『ノーベル賞117年の記録』(山川出版社、2017年) 164頁。
36 Interview カズオ・イシグロさん『毎日新聞』2015年6月17日8面（夕刊）。
37 「国境を超えた作家」として 来日したブッカー賞のカズオ・イシグロ氏に聞く『毎日新聞』1989年12月1日9面（夕刊）。
38 池田雅之『イギリス人の日本観 英国知日家が語る"ニッポン"』170-71頁。
39 Allan Vorda and Kim Herzinger, eds., "An Interview with Kazuo Ishiguro" *Mississippi Review* 20, 1991. pp.134-45.
40 国境を超える文学『現代思想』19巻2号（青土社、1991年）172頁。
41 Edward Said, *Culture and Imperialism* (New York: Alfred Knopf, 1994), p.25.
42 ジョージ・オーウェル『ライオンと一角獣 オーウェル評論集4』川端康雄 編（平凡社、1995年）20-21頁。
43 前掲書。59頁。
44 和田 俊「カズオ・イシグロを読む ルーツをたどる長崎の旅」『朝日ジャーナル』(1990年1月5日) 104頁。
45 Kazuo Ishiguro, *The Remains of the Day* (Penguin Books, 2008), p.97.
46 Ibid., p.98.
47 『すばる』(*The Subaru Monthly,* May 2011) 2011年5月号、252頁。
48 「インタビュー カズオ・イシグロ『わたしを離さないで』そして村上春樹のこ

と」(『文学界』8月号、2006年) 134頁。
49 前掲書。144頁。
50 Kazuo Ishiguro, *The Remains of the Day,* pp.99-100.
51 カズオ・イシグロ『日の名残り』土屋政雄 訳（中央公論社、1994年、第7版）296-297頁。
52 『ナイン・インタビューズ 柴田元幸と9人の作家たち』柴田元幸 訳（株式会社アルク、2009年）202-06頁。
53 オウム13人死刑執行　村上春樹氏寄稿『毎日新聞』2018年7月29日3面。
54 ＜水説＞古賀 攻「どこかに「真理省」がある」『毎日新聞』2020年2月26日2面。
55 村上春樹『1Q84』BOOK 1（新潮社、2009年）421-22頁。
56 ジョージ・オーウェル『1894』新庄哲夫 訳（早川書房、1975年）192-93頁。
57 前掲書。238-39頁。
58 ジョージ・オーウェル『1984』新庄哲夫 訳（早川書房、1975年）194-95頁。
59 この国はどこへ行こうとしているのか　平成最後の夏に……『毎日新聞』2018年8月17日2面（夕刊）。
60 独裁国家を描いた暗黒小説が今、売れるわけ『毎日新聞』2017年2月20日。
61 ＜火論＞玉木研一『1984』再び『毎日新聞』2017年1月31日。
62 ＜余禄＞『毎日新聞』2017年2月10日。
63 ≪記者の目≫林 哲平「平習氏1強・中国の監視社会」『毎日新聞』2018年4月20日8面。
64 最先端技術をレガシーに「監視にならず安全」目指す『毎日新聞』2019年12月19日4面。
65 医師死亡、揺れる中国　新型肺炎公表前SNSで警鐘→「デマ」当局処分『毎日新聞』2020年2月8日8面。
66 ＜水説＞古賀 攻 民主主義の超難問『毎日新聞』2020年3月11日2面。
67 エリッヒ・フロム『自由からの逃走』日高六郎 訳（東京創元社、1951年）232-33頁、150-51頁。

第4章　村上春樹の『1Q84』

68　ジョージ・オーウェル『戦争とラジオ　BBC時代』W・J・ウェスト、甲斐弦・三澤佳子・奥山康治 編（晶文社、1994年）529-530頁。
69　前掲書。「インドへのメッセージ」三澤佳子、647頁。
70　前掲書。27頁。
71　前掲書。30-31頁。
72　前掲書。82-83頁。
73　ジョージ・ウドコック『オーウェルの全体像――水晶の精神』奥山康治 訳（晶文社、1972年）76-77頁。
74　前掲書。85-86頁。
75　オーウェル『オーウェル評論集』小野寺 健 編訳（岩波書店、1991年、第14刷）16-17頁。
76　前掲書。355頁。
77　オードリィー・コバード、バーナード・クリック 編『思い出のオーウェル』オーウェル会 訳（晶文社、1986年）188-89頁。
78　前掲書。187-88頁。
79　前掲書。268頁。
80　『オーウェル評論集』＜解説＞小野寺健、365頁。
81　村上春樹「毎日出版文化賞の人々」（上）受賞インタビュー『毎日新聞』2009年11月9日。
82　ジェイ・ルービン『村上春樹と私』（東洋経済新報社、2016年）35頁。
83　『村上春樹、河合隼雄に会いにいく』（岩波書店、1996年）97頁。
84　前掲書。98頁。
85　村上春樹さんノルウェイで対談『毎日新聞』2014年9月8日。
86　前掲紙。
87　反戦阻む「見えない戦争」『毎日新聞』2014年1月18日3面。
88　芳賀理彦「アメリカにおける村上春樹の受容」『越境する言の葉――世界と出会う日本文学』（日本比較文学会、2011年）389頁。
89　僕の小説は「ロールゲーム」「孤絶」の時代に『毎日新聞』2014年11月4日5面。

90 川上未映子・村上春樹『みみずくは黄昏に飛び立つ　川上未映子 訊く/ 村上春樹 / 語る』（新潮社、2017年）336頁。
91 村上春樹『村上春樹全作品　1990-2000 ④』（講談社、2003年）＜解題＞559頁。
92 イスラエルの文学書「エルサレム賞」授賞式　村上春樹さん記念講演全文（下）『毎日新聞』2009年3月3日。
93 村上春樹『1Q84』BOOK 2（新潮社、2009年）245頁。
94 村上春樹氏　ロング・インタビュー『毎日新聞』2008年5月12日。
95 村上春樹『1Q84』BOOK 1（新潮社、2009年）222頁。
96 オウム教祖の判決を機に『毎日新聞』2004年3月10日 4面。
97 村上春樹「解題」『村上春樹全作品　1990～2000年　⑦』（講談社、2003年）393頁。
98 村上春樹『夢を見るために毎朝僕は目覚めるのです　村上春樹インタビュー集 1997-2009』（文藝春秋、2010年）133頁。
99 救済求め見失った現実『毎日新聞』2011年11月20日 1面。
100 村上春樹・河合隼雄『村上春樹、河合隼雄に会いにいく』118頁。
101 「壁のない世界　創造する力を」『毎日新聞』2014年11月8日1面、5面（夕刊）。
102 川上未映子・村上春樹『みみずくは黄昏に飛び立つ』170頁。
103 前掲書。170頁。
104 芥川龍之介『芥川龍之介短篇集』ジェイ・ルービン 編著（新潮社、2007年）30頁。
105 英国及び英連邦の市民権を持つ作家によって英語で書かれ、その年に出版された小説のうち、最も優れたものに与えられる文学賞。
106 村上春樹『遠い太鼓』20頁。
107 前掲書。12頁。
108 村上春樹編集長『少年カフカ』（新潮社、2003年）35頁。
109 和田 俊「カズオ・イシグロを読む　ルーツをたどる長崎への旅」『朝日ジャーナル』（1990年1月5日）104頁。

第 4 章　村上春樹の『1Q84』

110　ティム・オブライエン『ニュークリア・エイジ』村上春樹 訳「訳者あとがき」（文藝春秋、1989年）367-68頁。
111　『毎日新聞』2013年 5 月 7 日（夕刊）。
112　前掲紙。
113　村上春樹『1Q84』BOOK 2 （新潮社、2009年）244-45頁。
114　村上春樹さん、時代と物語を語る『毎日新聞』2015年 4 月19日12面。
115　村上さん単独インタビュー『毎日新聞』2014年11月 3 日10面。
116　村上春樹『夢を見るために毎朝僕は目覚めるのです　村上春樹インタビュー集 1997-2009』（文藝春秋、2010年）177頁。

第5章　作家としての使命感を持った
　　　　エグザイルである村上春樹と
　　　　ジョウゼフ・コンラッドの文学

序論

　村上春樹とジョウゼフ・コンラッド（Joseph Conrad）は、その生い立ちや祖国や時代は異なっていても、共にエグザイルでありながら片時も祖国を忘れる事なく、＜如何にして生きるべきか＞という主要テーマを前提に立てて独自の視座で真摯に文学に向き合っている点が共通している。村上の最新の長編作品は、『騎士団長殺し』（*Killing Commendatore*）である。彼はこの作品を、「邪悪な物語」と対比して「善き物語」と見做して執筆している。つまり「「邪悪な物語」の典型は、麻原彰晃が展開した物語で、完全に囲われた場所に誘い込み、その中で徹底的に洗脳して、その挙句に不特定多数の人を殺させるという物語なのだ、そういう回路が閉鎖された悪意の物語ではなく、作家はもっと広い開放的な物語を作っていかねばならない、「麻原彰晃が信者に伝えた物語みたいなものに、打ち勝つ物語を作り出さなくてはいけない」」[1]と村上は述べている。この作品の主人公である「私」は、＜闇の奥体験＞を重ねた『闇の奥』（*Heart of Darkness*）の主人公であるマーロウ（Marlow）のように、騎士団長殺しにまつわる人生体験を経て、「自己発見」をしている。『闇の奥』の作者コンラッドは、1890年、アフリカにおいて、文明化や教化という美名のもとにヨーロッパ列強による植民地政策による欺瞞と原始の寂寥と孤独がもたらすところの人間性の荒廃を目の当たりにして、風土病に侵されて死線を彷徨い、自らのこれまでの人生を省察して、自らを客観視し、距離を置いて眺めるようになった。その結果生み出されたマーロウは、もはや青春を謳歌したあの短編「青春」（"Youth"）における20歳のマーロウではなくて、人生に

おける「通過儀礼」を経て42歳の歳を重ねたマーロウに変貌している。このマーロウは、<闇の奥体験>を「それは実に暗く哀れで、どう見ても素晴らしいものではなく、はっきりもしていない、全く不明瞭だ。しかしそれでも一筋の光を投げかけているように思える」と述べて、ある種の使命感から全力で取り組み真実を語ろうと試みている。一方『騎士団長殺し』の「私」は、「この9カ月の期間に限ってはどうにも説明のつかない出来事と述懐する体験」を、「所詮は無駄な試みなのかもしれないが、全力を尽くして、能力の許す限り系統的かつ論理的に話を進めたい」と語っている。

　本論では、比較文学の観点から、作家としての使命感を持ったエグザイルである村上とコンラッドの真意をそれぞれの主著である『騎士団長殺し』と『闇の奥』を中心に考察してみよう。

I　作家としての使命感を持ったエグザイルである村上とコンラッド

　村上とコンラッドは共に30歳を過ぎてから小説を書き出したエグザイルである事を自認する作家である。村上は『風の歌を聴け』、コンラッドは『オールメイヤーの愚行』(*Almayer's Folly*) をそれぞれの処女作として上梓している。そして40歳で「与えられた責務」を果たす年齢に達したとの自覚のもとで、この両者は使命感を持って更なる独自の作品の創作へと向かうのである。

　村上は、『世界の終りとハードボイルド・ワンダーランド』を執筆後、日本を離れて、『ねじまき鳥クロニクル』（第1部と第2部1994年、第3部1995年刊行）を書き終えるまで稀にしか帰国しなかった。彼自身それを「一種のエグザイル」[2] と述べて、独自の文学を追求している。エグザイルである事を意識する村上は、最初はヨーロッパに、次いでアメリカに移り住んだ。『遠い太鼓』において述懐しているように、「40歳

第 5 章　作家としての使命感を持ったエグザイルである村上春樹とジョウゼフ・コンラッドの文学

という一つの大きな転換期」[3] を過ぎて、彼は一人の小説家として、日本を離れて様々な海外体験をし、腰を据えたその地で、日本語で物語を書くという作業を試みるのである。事実、彼は、『職業としての小説家』において「外国暮らしから日本に戻ってきて、一種の揺り戻しというか、妙に愛国的（ある場合には国粋的）になる人を時折見かけますが、僕の場合は、そういうのではありません。自分が日本人作家であることの意味について、そのアイデンティティの在処について、より深く考えるようになった」[4] と述べている。そして、「日本という国」について切実に知りたいという思いが募って、「与えられた責務」[5] を果たす年齢に達したとの自覚のもとに帰国し、オウム真理教事件を扱った『アンダーグラウンド』をドキュメンタリータッチで上梓した。村上流に言えば「ディタッチメント」（かかわりのなさ）から「コミットメント」（かかわり）へと転換したと言えよう。

　執筆と同時に翻訳を通して自作に磨きをかけてきた村上は、「フィッツジェラルドの文章のリズムが僕にとってスタンダードになっている」[6] と言明していた。最新作の『騎士団長殺し』のリズムの良さもスコット・フィッツジェラルド（Scott Fitzgerald）に由来するようである。村上は、小説家としてデビューして以来、小説を書くかたわら、翻訳をしているが、その最初に手掛けた翻訳書が、スコット・フィッツジェラルドの作品集『マイ・ロスト・シティー』であった[7]。以来村上は長編『偉大なギャツビー』（*The Great Gatsby*）を含めてフィッツジェラルドの翻訳に親しんでいた。フィッツジェラルドは、1939年に新しい長編小説『ラスト・タイクーン』の執筆に取り掛かるがその小説を完成させられないまま、1940年12月11日心臓発作を起こし、唐突にも息を引き取った。村上は個人的な話になるが、と前置きして次のように述懐している。──「自分が44歳になった時、僕はこう思った。「そうか、ちょうどこの歳でフィッツジェラルドは亡くなったのだな」と。僕はその時プリンストン大学に在籍して（フィッツジェラルドの母校だ）『ね

じまき鳥クロニクル』という長編小説を書いているところだった。そして痛感した、「この作品を書き終えられずに死んでしまったら、きっとやりきれないだろうな」と」⁸。村上は、2017年4月に、最新作『騎士団長殺し』をフィッツジェラルドへの一種のオマージュ（献辞）であると述べていた。そのフィッツジェラルドは、ジョウゼフ・コンラッドを師と仰ぎ、とりわけ『ナーシサス号の黒人』（*The Nigger of the 'Narcissus'*）への「序文」から影響を受けた事をアーネスト・ヘミングウェイ（Ernest Hemingway）宛てに書き送っている⁹。この「序文」とは、コンラッドが40歳の時に上梓した彼の「小説の芸術」と称されるものである。更にフィッツジェラルドは、1934年の『偉大なギャツビー』への「序文」の中でも、コンラッドの『ナーシサス号の黒人』への「序文」を読み返したと述べて、コンラッドからの影響の大きさを告白している¹⁰。なおコンラッドがフィッツジェラルドに留まらず多方面に及ぼしている影響については後で述べたい。

　エドワード・サイード（Edward Said）は、最後の公式インタビューで「コンラッドは船乗り、ポーランド人、国籍喪失者として世界各地を放浪した」¹¹と語っている。コンラッドは、ポーランドと第二の祖国英国という「二重性」を生涯意識していたので、自らを「二重人間（homo duplex）」と見做して、次のように述べている。

　　Both at sea and on land my point of view is English from which the conclusion should not be drawn that I have become an Englishman. That is not the case. *Homo duplex has in my case more than meaning.*¹² (Italics Conrad)
　　（海にあっても陸にあっても私の視点は英国人になってしまったと結論付けてもらっては困る。そうではなく、私の場合、「二重人間」という意味は一つに留まらないのだ。）

第5章　作家としての使命感を持ったエグザイルである村上春樹とジョウゼフ・コンラッドの文学

　「二重人間」として構築された自らの帰属意識(アイデンティティ)を探求するコンラッドは、フョードル・ドストエフスキー（Feodor Dostoevskii）の『罪と罰』を意識した大作『西欧の眼の下に』（*Under Western Eyes*）に取り組んでいた頃、親友ジョン・ゴールズワージー（John Galsworthy）に宛てた手紙で、「(自分が)一般大衆に受け入れられない理由は「外来性」（foreignness）だと思う」[13] と述懐した。そうしたコンラッドをアーヴィング・ハウ（Irving Howe）は次のように述べている。
　――「コンラッドは、英国において西欧的な文学者として成功を収め、完璧な紳士になりおおせていたヘンリー・ジェイムズ（Henry James）を、外国人(フォーリナー)であるということで文学者の模範と見做して彼と自分自身とをしっかりと結び付けていた」[14]。
　なおヘンリー・ジェイムズとコンラッドに関して興味のある方は、拙著『ジョウゼフ・コンラッドの比較文学的世界』（大阪教育図書、2016年）に収めた　第5章　ヘンリー・ジェイムズ「ジャングルの野獣」とジョウゼフ・コンラッド『闇の奥』の主題　を参照されたい。
　「エグザイル」や「二重人間」や「外来性」がコンラッドの文学作品に色濃く反映されている事を念頭に置いて注目すべきは、村上が母国語の日本語でしか執筆していないのに対して、コンラッドは母国のポーランド語ではなく、英語で執筆している事である。更に、村上は異国語で執筆するコンラッドを強く意識している事である。これに関する考察は、次の　II　母国語で小説を書いた村上と異国語で小説を書いたコンラッド　において論述する。
　存命中、晩年の『チャンス』（*Chance*）[15] を除けば、一般大衆に長い間受け入れられなかったコンラッドに比べて、村上は当初から人気を博している。そして『1Q84』(いちきゅうはちよん)のBook 3 は、平成21年の年間ベストセラー第1位（日版調べ）で単行本・文庫の累計部数約860万部[16] に上がり、彼の著作は46言語に翻訳されている[17]。2019年においては50言語以上に翻訳されており、「『世界文学』という言葉をどんなふうに定義しても、

村上文学は世界文学です」[18]と言明する米カリフォルニア大ロサンゼルスのマイケル・エメリック教授の発言がある。

『日の名残り』(The Remains of the Day)でノーベル文学賞を授与されたカズオ・イシグロは、村上のポピュラリティーに関して、「村上さんは現実と微妙に違う『もうひとつの世界』を描きながら、読む人に親近感を抱かせる稀有な才能を持っています。(中略)世界の人々は日本に関心があるからではなく、村上さんを身近に感じるから読んでいる」[19]と述べている。そして、「自身にとっての偉大な現代作家三人のうちの一人は村上だ」[20]と言明し、村上を「彼は日本人だが、世界中が彼のことを日本人だと考えることは出来ない。彼は国を超えた作家だ」と語っている。カズオ・イシグロと村上春樹への考察は、本書の 第4章 村上春樹の『1Q84』——カズオ・イシグロとジョージ・オーウェルを視野に入れて—— を参照されたい。

ところで佐藤泰正教授は、村上もドストエフスキーと同じ文学への「志」を持っていると語っていた[21]。村上自身は次のように述べている。——「小説家として最終的に書きたいと思うものは、やはり＜総合小説＞です。具体的に言えば、ドストエフスキーの『カラマーゾフの兄弟』が総合小説の一つの達成です」[22]。そしてこうも述懐している。——「ドストエフスキーの「悪」に憧れていた。僕自身に悪の感覚が欠落していたけれど、頑張って想像力を働かせて、自分の中にある悪も見えてくる感覚が『ねじまき鳥クロニクル』。一番大事なのはこの作品で初めて出てきた『壁抜け』です。主人公が井戸の底で一人ずっと考えていて、別の世界に通じる。深層意識の中に入っていき、出入り口を見つける。『ねじまき鳥』で初めて出てきた『壁抜け』は、小説的な想像力を解き放ち、物語の起爆装置になりました」[23]と。『壁抜け』については、Ⅴ『騎士団長殺し』の考察1 と Ⅵ『騎士団長殺し』の考察2 に論述する『騎士団長殺し』にも関わりがある。

第5章　作家としての使命感を持ったエグザイルである村上春樹とジョウゼフ・コンラッドの文学

Ⅱ　母国語で小説を書いた村上と異国語で小説を書いたコンラッド

　フィッツジェラルドなどの翻訳家としても著名な村上は、英語が得意であるにも拘らず、彼は異国語である英語による小説を一編も執筆していない。「日本人である僕は日本語でしか小説を書けない」[24]と述べて、ひたすら日本語でのみ書き続けている。72歳になった大江健三郎は、日本語でのみ旺盛な執筆活動を続けている村上春樹を目の当たりにして自らの執筆活動を想い起し、「日本語で書くということは根本的なことで、日本語というものが持っている独自の力はある。ただし私は文壇にある日本語からエグザイルする、つまりそれから脱出して自分の新しい言葉で文学を作りたい。村上にも自分は日本語で書いているという意識が根本にある。今の私がそうであるように。その場合、それらはやはり「日本文学」だ」[25]と指摘している。

　一方、コンラッドは、英国の商船に乗り組んでいるうちに英語で小説を書き始め、その作品は全て英語でもって書いている。当時ロシア支配下にあったポーランドで生まれたコンラッドは、政治的不条理によって祖国ポーランドからの離脱を余儀なくされて、自由を意味する海に憧れ、仏国商船の見習い水夫から艱難辛苦して航海士になり、そして英国の船長にまでなって、1889年31歳（満年齢）の時に英国国籍を取得し、異国語である英語をマスターして、作家となった。一時期、祖国を脱出して英語による執筆で生活の糧を得た事により、コンラッドは熱烈な民族主義者から祖国を捨てた作家とのレッテルを貼られた。コンラッドは生涯を通じてこの非難を脳裏に刻む事になる。故瀬藤芳房教授は、コンラッドの危機感を自意識した作家としての創作の源泉を、次のように的確に指摘されている。

　――「ポーランドでは、コンラッドを裏切り者として非難する声が熱烈な民族主義者から起こった。母国語を捨て、英語で小説を書きパンを

稼いでいる、しかも反ロシア蜂起に殉じた父を持つコンラッドは許せないというのである。こうして彼の魂の奥底では、祖国を巡る、求心的ベクトルと遠心的ベクトルが生涯葛藤し続けて、その危機的な自意識が彼の創作の源泉となるのである」[26]。

　一方、村上は英語で小説を一冊も書いていない。彼は「日本語でものを書くというのは、結局、思考システムとしては日本語だ。僕はどう転んでも英語では小説は書けない」[27] と告白していた。村上はジョウゼフ・コンラッドを常に意識している。それはコンラッドが、自国から異国へ亡命して第二外国語で小説を書き、しかも死後30年以上経っても世の中から忘れられず、読み続けられるのは信用するに足る作家である事に由来している。村上は、『ノルウェイの森』において、主人公の「僕」をはるかにしのぐ読書家の永沢をして「死後30年を経ていない作家の本は原則として手に取ろうとはしない。そういう本しか俺は信用しない」[28] と語らせて、その実例にコンラッドを挙げている。
　因みに、来日後、帰化して小泉八雲(こいずみやくも)と名乗り、〈自己修養〉を積み重ねながら、異文化間の異文化探訪の文学者として、「魂の共感」を持って日本文化や神仏の研究に生涯を捧げて、日本や日本文化を世界に知らしめたラフカディオ・ハーン（Lafcadio Hearn）は、死後出版された『人生と文学』（*Life and Literature*）の「読書論」（"On Reading"）において、「最も偉大な批評家は大衆（the public）である。本というのは数世紀を経て大衆に読み返される凄まじい試練（the awful test）に耐えるべきものである」[29] と述べている。村上は、エイブラハム・リンカーン（Abraham Lincoln）の次の言葉を引いて自らの戒めとしている。──「「多くの人を短い間欺くことは出来る。少数の人を長く欺くこともできる。しかし多くの人を長い間欺くことは出来ない」と。小説についても同じことが言えるだろうと僕は考えています。時間によって証明されること、時間によってしか証明されないことが、この世界に

第5章 作家としての使命感を持ったエグザイルである村上春樹とジョウゼフ・コンラッドの文学

はたくさんあります」[30]。そして、村上自身、「自分の国から亡命して、コンラッドは第二外国語で小説を書いています」[31] と述べ、「理想とする文学とは、何回でも読み返しされる作品です。それ以外の試金石はない」[32] と断定していた。村上は、自分とは時代や国籍を全く異にするジョウゼフ・コンラッドを高く評価して、自分の作品を補う意味でコンラッドの『ロード・ジム』や『闇の奥』などを引用している。この考察については次の Ⅲ 村上春樹に影響を及ぼしたコンラッドの『ロード・ジム』 において論述したい。

　全体主義の恐ろしさを寓話化した『動物農場』(Animal Farm) や予言書『1984年』(Nineteen Eighty-Four) などを執筆したジョージ・オーウェル (George Orwell) もコンラッドの小説を高く評価していた。オーウェルは、最晩年までコンラッドについて、日常的にもコンラッドを称賛している。家政婦のスーザン・ワトソンは、「孤独な有名作家」と題する回想記の中で、「日曜日昼食の時間、そして時々はお茶の時間に、オーウェルはお気に入りの書物や著者について私に話してくれました。ジョウゼフ・コンラッドは言葉づかいが厳密で正確だということで、褒めていました」[33] と書き記している。実際オーウェル自身、ポーランドの文芸誌『ウィアドモシィチ』の「英文学におけるコンラッドの位置と序列」("Conrad's Place and Rank in English Letters") と題するアンケートで、次のように回答している。

> I regard Conrad as one of the best writers of this century, … Conrad was one of those writers who in the present century civilized English literature and brought it back into contact with Europe, from which it had been almost severed for a hundred years. Most of the writers who did this were foreigners, or at any rate not quite English —— Eliot and James (Americans), Joyce and Yeats (Irish), and Conrad himself, a transplanted Pole.[34]

（私はコンラッドを今世紀の最上の作家の一人だと見做している、… 今世紀中には英文学に磨きをかけ、100年間ほとんど断ち切られていたヨーロッパとの接触を回復させた作家たちがいるが、コンラッドはその一人だった。これを果たした作家たちの大半は、外国人であるか、もしくは少なくとも生粋の英国人ではない——エリオットとヘンリー・ジェイムズはアメリカ人[35]、ジョイスとイエイツはアイルランド人、そしてコンラッド自身は祖国を離れたポーランド人だった）[36]。

　そしてオーウェルは、1945年6月24日付けの、『オブザーバー』の「書評」において、次のように書いている。——「コンラッドの魅力のほとんどすべては、彼がヨーロッパ大陸の出身であって、英国人でないという事実から生まれている。これは、彼の最良のものは、特に、翻訳調の文体において、最もはっきりしているのである。長年の間、彼は自分の考えをポーランド語からフランス語へ、フランス語から英語へと翻訳することを余儀なくされていたと言われている。（中略）彼が、'his face of a goat'（山羊のような彼の顔）というようなフレーズを用いたり、'it was a fate unique and their own'（それは彼ら自身の独自の運命だった）と形容詞を名詞の後に配置する限りでは、そのプロセスを少なくともフランス語にまで遡ることは可能である。しかし、コンラッドのロマンティシズム、彼の堂々たる身ぶりや運命に対する孤独なプロメテウス的な戦いへの愛もまた、幾分か英国風ではないのである。彼はヨーロッパ貴族風のものの見方をしていた。そして「英国紳士」の存在を、そういうタイプが約二世代前に消えてしまった時に、信じていたのである」[37]。

　コンラッドは、この紳士像を『ロード・ジム』の主人公ジム（Jim）に希求している。これについては、Ⅲ 村上春樹に影響を及ぼしたコンラッドの『ロード・ジム』と Ⅶ 村上とコンラッドにとっての共通点で

第5章　作家としての使命感を持ったエグザイルである村上春樹とジョウゼフ・コンラッドの文学

ある自己のアイデンティ探究　において論述する『ロード・ジム』の主人公ジム（Jim）に希求している。

　コンラッドの友人であり一時期『ロマンス』（*Romance*）などの共同執筆者でもあったフォード・マドックス・フォード（Ford Madox Ford）は、コンラッドが志向する「英国紳士」を次のように述べている。

> His ambition was to be taken for —— to be ! —— an English country gentleman of the time of Lord Palmerston.[38]
> （コンラッドの野心はパーマストン卿時代の英国人カントリー・ジェントルマンと見做されること――否、そうなること！　であった。）

　因みにウェールズ生まれの作家Ｃ・Ｗ・ニコルは、真の誇りとは土地に根差したものであり、しっかりと大地に根を下ろした**信頼するに足る人物**、いわゆる「本物の紳士」を「カントリー・ジェントルマン（country gentleman）」と呼んでいる[39]。

　では、異国語で小説を書き、しかも時代や国籍やジャンルを超えて世界に多大な影響を及ぼしたと言われるコンラッドとは、如何なる作家であろうか。彼は如何にして生まれたのであろうか。

　父アポロ・コジョニオフスキ（Apollo Korzeniowski）は、祖国の自由を勝ち取るために政治活動に足を踏み入れ、知識人という事もあって、いつの間にか政治的渦中の中心人物となり、政治犯として逮捕され、いざポーランド大蜂起という時に、流刑に処せられ遥か彼方の北ロシアで自由を奪われた無力な囚人となっている。夫に従って極寒の流刑地に同行した母エヴェリーナ（Evelina）は、32歳の若さで肺病のために亡くなり、父も母の死後3年後(あと)に同じ肺結核にかかり病死している。

　コンラッドは政治的不条理によって幼くして両親を亡くして以後、母

方の伯父タデウシュ・ボブロフスキ（Tadeusz Bobrowski）が彼の後見人になった。ボブロフスキは典型的なボブロフスキ一族の一員で、コンラッドの両親の死を父アポロの現実的認識の欠如による政治的犠牲者と見做していた[40]。このような見方は伯父の生涯変わらぬ現実感覚でもあった。政治的な理由で非業の最期を遂げた父母の「政治的不条理」を目の当たりにしたコンラッドにとって、タデウシュ伯父の考え方は深く心に感ずるところがあった。また死去するまで物心両面で親身になって後見してくれたこの伯父は、コンラッドにとって掛け替えのない存在であった。コンラッドは36歳にしてようやく『オールメイヤーの愚行』を上梓した。その作品の献辞における、「T・Bの霊に捧げる（To the memory of T.B.）」とは、この処女作を今は亡き恩人の伯父タデウシュ・ボブロフスキに捧げたものである。

　コンラッドは、ある時伯父に「船乗りになりたい」という彼の望みを打ち明ける。当然の事ながら伯父は衝撃を受ける。その後何度も説得を試みるがコンラッドの決意が堅い事を知って、最終的にはそれを許す。そしてコンラッドは、生来のロマンチックな冒険心と独立心から祖国ポーランドを離脱して、船乗りになり、世界各地に接岸して、アフリカにおいて生涯の分岐点となる＜コンゴ体験＞をする。1894年1月、アドワ号を下船して以後、再度船に戻る事はなかった。しかし、海から陸に上がって以降、彼は船乗りで得た体験をことごとく題材にして、「如何にして生きるべきか」という主題のもとに英語を駆使した小説を書き続け、世界に名だたる文豪となったのである。

　彼はポーランドで生まれ、英国で亡くなっている。但し、村上と同様祖国を忘れる事はなく、自らのアイデンティティの根源を常に祖国に置いている。1901年2月14日、同胞のポーランド人で歴史家のユゼフ・コジェニオフスキ（Józef Korzeniowski）に宛てた手紙で、コンラッドは国籍離脱という生涯の「故国喪失（デラシネ）」の葛藤を文面に滲ませながら、"Conrad"ではなく"Konrad"と記して、抑圧に対する民族的心情を

表す名前に「ポーランド性(ポルスコシチ)」を残し、祖国への忠誠を誓った[41]。ポーランドの同胞に宛てた手紙には常に"Konrad"という名で署名していた。コンラッドは、主要作品『ロード・ジム』において彼の心情を伝達する「語り手」のマーロウをして、帰国できない孤独な人々こそが祖国を「理解している」[42]として、次のように語らせている。

> Each blade of grass has its spot on earth whence it draws its life, its strength; and so is man rooted to the land from which he draws his faith together with his life. [43]
> (どんな草の葉にもその生命、その力を汲み取る土壌がある。それと同様に人間も、生命と共に信念を汲み上げる国土に根をおろしているものだ。)

宮崎 駿は、土と人間の関係を人類の存亡に関わるものとして、『天空の城ラピュタ』というアニメでもって表現している。かつては空中を自在に移動できる科学力でもって地上の国々を支配し、ラピュタ文明を誇った伝説のラピュタが、土を離れて滅亡し、ラピュタ帝国の一部が帝国崩壊後も空中を漂い、今や荒廃した無人の城と化した現実を目の当たりにしたヒロインのシータが次のように訴えていた。――「土から離れては生きられないのよ」。

オーウェルが指摘した「＜ヨーロッパ貴族風のものの見方＞を持ちあわせ＜英国紳士の存在＞を信じていた」[44]コンラッドは、祖国のポーランドでは紋章をつける事を認められた歴(れっき)とした「地主貴族階級(シュラフタ)」であった。そして彼は、所謂「英国船時代」に培った「船乗りの倫理」とヴィクトリア朝の時代風潮を意識して英国に帰化し、英国紳士を超えた英国紳士を目指した。しかしながら彼は英国の称号を決して求めようとはしなかった。最晩年の1924年に、時の英国首相ジェイムズ・マクドナルド（James MacDonald）がナイト爵位の授与を申し出た時、コンラッド

はそれを固辞している[45]。それは、祖国との絆を強く意識する彼が、「英国作家」と特定される事を好まなかった心の奥が垣間見られるからであろう。

ポーランド貴族出身のコンラッドには、彼が複眼的な視点を持つ遠因があった。つまり彼には農奴を搾取する貴族という支配階級と当時のポーランドがロシア、プロイセン、オーストリアの支配を受けていた被支配階級という二重性が出生時にあった。コンラッドが考えるポーランド人気質とは、歴史的にヨーロッパの最も自由主義的な思潮に共感を覚えるところがあり[46]、更に彼は、個人的に流刑生活の孤独な時間の多くを父アポロと共に過ごした父親からの影響ならびに彼の翻訳した西欧書物によってその西洋への憧れを抱いていたからである。コンラッドの二重性は、作家コンラッドを育むその後の船乗り体験によって成長し且つ深化するのである。

コンラッドは、「隙あらば、と企んでいる無情な海」[47] において、見習水夫から水夫、そして航海士から船長へ至るまでの経歴を積み重ねていく中で、支配される異国の平水夫としての苦労とその立場が変わった船長としての責任を担った苦労の両面を体験している。つまりその過酷な体験から彼は水夫と船長、双方の立場や心情を理解する事が出来た。その体験によってコンラッドは一連の「船乗りもの」作品を創作したのである。そこには、英国とポーランドという二つの祖国を持ち、自らを「二重人間」と見做して、且つ「故国喪失者」と認め、その二重性とそれゆえの西欧文明批判の眼識を持ち、エドワード・サイードが言うところの「アイロニックな距離」[48] を保持し得たコンラッドには複眼的視点があったのである。この複眼的なものの見方こそが、彼の生い立ちに由来する非西欧的な面とおよそ20年間に亘る船乗り体験との融合であると見做す事が出来よう。

Ⅲ　村上春樹に影響を及ぼしたコンラッドの『ロード・ジム』

　「如何にして生きるべきか」というのがコンラッドの小説の主要テーマである。その大前提に立って、＜あるべき人間＞像の追求というコンラッドの思想の根幹を明示する作品としては、まず村上春樹にも影響を与えたと考えられる『ロード・ジム』がある。それは難破船パトナ号に800人の乗船客を置き去りにしたまま、救命ボートで脱出してしまった船乗りの「魂の相克」である。コンラッドが、贖罪(しょくざい)によって生涯を生きるジムの苦悩を、**倫理的**な意味から執拗に追及する作品である。（ゴシック体は筆者。以下同じ）

　ジムには優れた船乗りとしての資質があった。「２年の訓練を終えるとジムは船に乗り込み、単調な航海や日々の仕事の厳しい訓練にも耐えた。今や**紳士**としての風格が備わり、堅実で、仕事には従順で、船乗りとしての義務を完全に心得ていた。そして、彼は非常に若くして立派な船の航海士になった」(10)と述べられている。彼は当時の大英帝国の栄光を象徴するヴィクトリア女王が刻まれた金本位貨幣であるソブリン金貨[49]のようにまるで本物に見えた。しかし、「客観的視点」を持つ「語り手」マーロウには、「彼の金の中には混ぜ物があった」(45)と、ジムの「内面の価値」や「性格の真の姿」に潜む危うさを指摘している。そして、「彼の見せかけの仮面の下の素顔」(10)を他人のみならず彼自身にもあらわにする海難事件が、ジムにとっての「試練」である事を暗示していた。その海難事件とはパトナ号事件である。

　パトナ号が水面すれすれのところにある何かと衝突すると、喫水線の下に大きな穴が開き、水が大量に浸入し始め、浸入を防ぐための隔壁が今にも破られんとする差し迫った事態。「800人の乗船客に７隻の救命ボート、それにもう時間がない！」(86)という緊急事態である。乗船客である巡礼たちは何も知らずにぐっすりと眠っている。鉄の船、白い

顔をした人々、船内の全ての光景、すべての物音、あらゆるものが、この無知で敬虔な人々にとっては、同じように異様であり、いつまでも不可解であり、信頼すべきものであった。この事実は幸いだ、とふとジムは思った。そう思うと彼はぞっとするほど「恐ろしい」という恐怖感を抱いた。「隔壁が破れ、一気に水が躍り込んでくる。自分は死者の無言の群れを見渡している。もう死人だ。どうしても助けられない。（中略）必死にもがく人々によって真っ白に沸きかえり、助けを求める悲痛な叫び声が響き渡る大波に巻かれているのだろう。もう助からない」(86)と想像したからである。この時の「想像力」は、現実を直視する力をジムから奪い、その代わりに**真の恐怖**を彼に与えている。ジムは当時の自分の行動を、次のように述懐している。"'I had jumped. …' He checked himself, averted his gaze. … 'It seems,' he added."(111)「跳び降りてしまった …」そう言ってから彼は口をつぐみ、目をそらせ、それから「らしい」と付け加えてつぶやいた'It seems'によって示された間接的な表現は、自分でもはっきりとは分からないジムの無意識の行動を率直に物語っている。

　ほんの一瞬の空白、その間の無意識の行為によって、彼の船乗りとしてのヒロイックな夢や理想がことごとく打ち砕かれた。それと同時に、その時ジムは、人間の中に潜む不条理性を知ったのである。「語り手」マーロウは、この時の追い詰められたジムの**恐怖**を、「彼の想像力から生み出された**恐怖**（terror）ほどひどいものはない」(113)と述べていた。

　村上春樹は、『ロード・ジム』のこの個所を、「ジョセフ・コンラッドが書いているように、**真の恐怖とは人間が自らの想像力に対して抱く恐怖のことです**」[50]と短編連作集『神の子どもたちはみな踊る』に収めた「かえるくん、東京を救う」の中でその普遍性を示すために援用した。そして、「これ（東京を守るための闘い）は**責任と名誉**の問題です」(210)と、『ロード・ジム』の主題（船乗りジムの**責任と名誉**）を彼の

作品に完全に当てはめている。この短編連作集は、「戦後、日本の歴史の流れを変える（あるいはその転換を強く表明する）出来事であった」（269）と村上が考える1995年1月の阪神大震災と2月の地下鉄サリン事件を意識して書かれたものである。その「解題」において村上は次のように述べている。——「前者は回避しようのない自然現象であり、後者は人為的な犯罪行為である。しかし、その両者は決して無縁のものではない。（中略）そのふたつは間違いなく因果関係を有する出来事だ。つまり麻原は我々の住む社会の下に、妄想によって生み出された地下の帝国のようなものを築いてきた。そして教団が襲撃の的として選んだのは、まさしくに地下鉄の車両だった。そのような執拗なまでの「地下性」は、僕にはただの偶然の一致とは思えなかった。それらは我々の社会が内包していた時限爆弾であり、それらはほとんど同時刻に設定されていたのだ。僕は『アンダーグラウンド』と『約束された場所で』において、地下鉄サリンガス事件及びオウム教団を扱った後、どうしても阪神大震災についての本を書いてみたくなった」（269-70）。

短編「かえるくん、東京を救う」においては、今までの「僕」や「私」といった一人称ではなく、三人称で書いている。彼はその理由を、「『アンダーグラウンド』を執筆した影響があった」（272）と明言し、「そこでの様々な人たちの生の声をそのまま文章にする作業を1年間辛抱強く行ってきた。その一つ一つが、取り替えがきかない固有のものであり、世界はそれらの無数のボイス（声）の集積によって成り立っていたから」（272）と明かしている。更に彼は述べる、「僕がここで書きたかったのは、僕自身の姿ではなく、むしろ「我々」の姿なのだ。バブル経済が破綻し、巨大な地震が街を破壊し、宗教団体が無意味で残忍な大量殺戮を行い、一時は輝かしかった戦後神話が音を立てて次々に崩壊していくように見える中で、どこかにあるはずの新しい価値を求めて静かに立ち上がらなくてはならない、我々自身の姿なのだ。我々は自分たちの物語を語り続けなくてはならないし、そこには我々を温め励ます

「モラル」のようなものがなくてはならないのだ。それが僕の描きたかったことだった」(274)。

　ほとんどの小説を一人称で書いてきた村上が、『1Q84』においては青豆と天吾という二人の人物を用いて三人称で書いた。最新作の『騎士団長殺し』においては一人称で書いている。この作品への考察については、Ⅴ『騎士団長殺し』の考察１　と　Ⅵ『騎士団長殺し』の考察２　で論述したい。

　村上が「与えられた責務」を果たすという自覚のもとに執筆した『1Q84』。そこではオウム真理教が最初に道場を開いた1984年が、いつの間にか別の世界の「1Q84」年に変貌し、その背後には、恐怖のシステムである巨大な闇の存在が描き出されていた。この闇はⅣにおいて論述する長編『羊をめぐる冒険』に深く関わっている。村上作品の特徴の一つには、「羊」や「かえる」など、今まで現実に存在しえなかったものが、突如侵入してきて、今まで確固としたものに思えた生活基盤が不意に脅かされる状況が設定されている。『騎士団長殺し』も然りである。しかし、主人公たちは無力ではあってもなにがしかの「モラル」をもって生き残るために、或いは生き延びるために意外なほどの**タフ**さを発揮する。『1Q84』の３年後に上梓された『色彩を持たない多崎つくると、彼の巡礼の年』の主人公の多崎つくるにも意外なほどの**タフ**さがあるようだ。村上の翻訳を長年手がけてきたジェイ・ルービンは、「村上作品に自殺や死や悲しみがどんなに多くても、生き残って新しい経験と新しい知識と新しい愛を得ようとする、人生に対する積極的な態度が作者（と読者）の根本的なスタンスだからこそ世界は村上春樹を愛するのだ」[51]と述べている。

　多崎つくるは、大学二年生の時に長く親密に交際していた四人の友人たちから全く突然に絶交を言い渡された時、５か月ほどひたすら死ぬ事ばかり考えていた。その時の絶望と恐怖を、30代後半になっていた彼は、フィンランドにいる色彩を持つ「クロ」（旧姓黒埜恵理）に次のよ

第5章　作家としての使命感を持ったエグザイルである村上春樹とジョウゼフ・コンラッドの文学

うに述懐している。――「誰かに突き落とされたのか、それとも自分で勝手に落ちたのか、その辺の事情は分からない。でも、とにかく船は進み続け、僕は暗く冷たい水の中から、デッキの明かりがどんどん遠ざかって行くのを眺めている。船上の誰も船客も船員も、僕が海に落ちたことを知らない。まわりにはつかまるものもない。そのときの恐怖心を僕は今でも持ち続けている。自分の存在が出し抜けに否定され、身に覚えもないまま、一人で夜の海に放り出されることに対する怯えだよ。たぶんそのために僕は人と深いところで関われないようになってしまったんだろう。他人との間に常に一定のスペースを置くようになった」[52]。更に「クロ」は次のように述べて、多崎つくるの**タフ**さを語っている。――「君には何とか一人で冷たい夜の海を泳ぎ切ってもらうしかなかったんだ。そして君ならそれは出来るはずだと私は思った。君にはそれだけの強さが備わっていると」(297)。つくるは、「その時、頭は正常ではなかったが、混乱はしていなかった。頭はどこまでもクリアだった」(288)、「その五か月間が過ぎて、僕の顔は前とはかなり違う顔になっていた。持っていた洋服がほとんど着られなくなるくらい、体型も変わった」(289)と述べて、人生の転機を乗り切った事をも語った。色彩を持つ「アカ」(赤松)は次のように語っている。――「考えてみれば、おれたち五人のうちでおまえがいちばん精神的に**タフ**だったかもしれない。おっとりした見かけのわりに、意外にな。残りのおれたちには、外に出て行くだけの勇気が持てなかった。育った地を離れ、気の合う親友たちと離ればなれになることが怖かったんだな。…　今ではそれがよくわかる」(196)。

　多崎つくるの**タフ**さは彼の習慣に由来するようだ。「勉強することにさして興味は持てないが、ただ授業中は常に注意深く耳を澄ませ、最低限の予習と復習は欠かさなかった。小さい時からなぜかそういう習慣が身についていた」(13)と作者は述べている。そして、「色彩を持たない」つくるの個性と意外なほどの**タフ**さを次のように明かしていた。

――「目立った個性や特質を持ち合わせていないにもかかわらず、そして、常に中庸を志向する傾向があるにもかかわらず、周囲の人々とは少し違う、あまり普通とは言えない部分が自分にはある（らしい）。そのような矛盾を含んだ自己認識は、少年時代から36歳の現在に至るまで、人生のあちこちで彼に戸惑いと混乱をもたらすことになった。あるときは微妙に、あるときにはそれなりに深く強く」(14-15)。「よく考えてみれば、これまでの人生で、向かうべき場所をはっきり持っていたことがただ一度だけある。高校時代、つくるは東京の工科大学に入って、鉄道駅の設計を専門的に学びたいと望んでいた。それが彼の向かう所だった。そしてそのために必死に勉強をした。（中略）これほど身を入れて勉強したのは、その時が初めてだった。他人と順位や成績を競い合うのは苦手だが、納得のいく具体的な目標さえ与えられれば、自分はそれに心血を注げるし、それなりに力を発揮することもできる。彼にとっては新しい発見だった」(356) と。その資質が現在の彼の生き甲斐にも繋がっている。駅舎を「作る」という仕事である。（この種の名前の付け方は、『騎士団長殺し』においても見受けられる。主人公の「私」が進退窮まった時に閃いたのが、免色 渉という名前の「渉」であった。無と有の狭間に位置する川を「渡る」事を指し示していた。）

　「乱れなく調和する共同体」(20) を構成していた四人の仲間と彼との間にできた微妙な隔たりを取り去るために彼の巡礼を勧めた年上のガールフレンドである沙羅は、つくるの人生を次のように的確に指摘している。――「限定された目的は人生を簡潔にする」(23)。沙羅は、人生の転機となる言葉をつくるに述べている。――「あなたはすぐに名古屋に帰って、18年前にいったい名古屋で何があったのかを調べなくてはならない。（あなたは）自分が見たいものを見るのではなく、見なくてはならないものを見るのよ」と。村上自身、沙羅がそう言うまで、田崎つくるがその四人に会いに行くことになるなんて、考えもしなかった、と述べていた[53]。「僕としては、自分の存在が否定されてその理由もわ

第5章 作家としての使命感を持ったエグザイルである村上春樹とジョウゼフ・コンラッドの文学

からないまま、多崎つくるがその人生を静かに、ミステリアスに生きて行かなくてはならないという、比較的短い話を書くつもりだったのが、沙羅の口にした一言がほとんど一瞬にして、この小説の方向や性格や規模や構造を一変させてしまった。沙羅もまた、僕の分身の投影であったということになるかもしれない。ある意味においては、小説家は小説を創作しているのと同時に、小説によって自らをある部分、創作されているのだ」[54]と村上は吐露している。

　ところで、つくるの人生は案外単純なものかもしれない。しかし、つくるは彼なりの人生を着実に歩んでいる。ある種の**タフ**さを持って。因みに村上自身が『職業としての小説家』において、20歳代で苦しい歳月を経験したので「僕は前よりはいくぶんタフになり、前よりはいくぶん知恵がついた」[55]と述懐し、長い歴史に裏付けられた言語は本質的に**タフ**なものである（48）。それ故に小説家は心身ともに＜強さ＞が不可欠だ（176）、と述べ、そして自らの資質の一つとして「頑固なこと。辛抱強く、**タフ**で、そして頑固だ」[56]と述べている。

　他の主人公たちの**タフ**さへの考察については後で述べるが、注目すべきは、村上自身が、彼の作家人生を、**タフ**さを不可欠とする長距離ランナーに譬えている事である。彼曰く、「僕自身について語るなら、僕は小説を書くことについて多くを、道路を毎朝走ることで学んできた。自然に、フィジカルに、そして実務的に。どの程度まで自分を厳しく追い込んでいけばいいのか？　どれくらいの休養が正当であって、どこからが休みすぎになるのか？　どこまでが妥当な一貫性であって、どこからが偏狭さになるのか？　どれくらい外部の風景を意識しなくてはならず、どれくらい内部に集中すればいいのか？　どれくらい自分の能力を確信し、どれくらい自分を疑えばいいのか？　もし僕が小説家となった時、思い立って長距離を走り始めなかったとしたら、僕の書いている作品は、今あるものとは少なからず違ったものになっていたのではないかという気がする。(中略) 同じ十年でも、ぼんやりと生きる十年よりは、

確りと目的を持って、生き生きと生きる十年の方が当然のことながら遥かに好ましいし、走ることは確実にそれを助けてくれると僕は考えている。与えられた個々人の限界の中で、少しでも有効に自分を燃焼させていくこと、それがランニングというものの本質だし、それはまた生きることの（そして僕にとってはまた書くことの）メタファーでもあるのだ」[57]。

村上は、河合隼雄との対談において、「小説を書き始めるまでは、自分の体にはあまり興味を持っていなかったが、30歳を過ぎて物を書き始めてからはすごく興味を持つようになって、体を動かすようになった。そうすると、体が変わってくる、脈拍も、筋肉も、体形も。それと同時に僕の小説観や文体もどんどん変わっていくのもよく分かる。（中略）僕は、積み重ねて弁証法的にいくタイプ」[58]と述べたのに応じて、河合は「村上さんは体を鍛えて作る文体の人である作家だ」[59]と答えた。

事実村上は、「小説を書くことについて多くを、道路を毎朝走ることから学んでいる」と述べ、＜走ること＞で作家にとって必要な集中力と持続力をコツコツと積み上げていく作家としてのスタイルを習得してきている。村上は、「僕は専業作家になってからランニングを始め、それから30年以上にわたって、ほぼ毎日１時間程度ランニングをすることを、あるいは泳ぐことを生活習慣としてきた」[60]と述懐している。この村上のように、つくるは習慣の人であり、意外なほどの**タフ**さを持っているのである。読者との交流メールの中で、小さいけれども確かな幸福を重んじるという意味での村上の造語である「小確幸（しょうかっこう）」が見受けられる[61]。漢字の意味が通じる台湾で流行語となり、中国でも使われるようになっているが、台湾の若者たちが村上の言うところの「我慢して運動した後の冷えたビール」といった「小確幸」に共感している[62]、という意味だけにとどまらず、そこには日々の体験に裏付けられた村上のストイックな**倫理観**に通じるものがあるのではないだろうか。『騎士団長殺し』の主人公である作者の分身としての「私」も、肖像画家としての

「職業的倫理」観の重要性を、「私は仮にも画家を志したものであり、いったん絵筆をとってキャンバスに向かうからには、それがどんな種類の絵であれ、全く価値のない絵を描くことはできない。そんなことをしたら自分自身の絵心を汚し、自らの志した職業を貶（おとし）めることになる」[63]と創作家としての矜持を述べている。

IV 『騎士団長殺し』へのプロローグ
――ジョージ・オーウェルを視野に入れてコンラッドの『闇の奥』と村上の『羊をめぐる冒険』――

ところで、『ロード・ジム』において述べた'terror'という語を、コンラッドは同じ個所において'horror'（113）という語に置き換えている。この'horror'は、アフリカにおける＜コンゴ体験＞で闇に向かってクルツ（Kurtz）が叫んだ「恐怖だ！（"The horror!"）」[64]に繋がる『闇の奥』のキーワードとなるのである。文明の前哨地点である出張所は、物欲に眼がくらんで出世や陰謀ばかりを企んでいる狡猾な白人たちが存在する。そんな中で「奥地出張所は貿易の中心地であるのみならず、人間性の啓蒙、改善、教化のための中心地であるべきだ」と主張し、一人闇の奥にあって、闇に光を照らそうと未開のアフリカに乗り込んでいった理想主義者クルツに、作者の分身のマーロウは一つの「理想像」を見出そうとするが。しかし、英国人を父に、フランス人を母として、英国で教育を受けて「全ヨーロッパが作り上げた」（117）と形容されるクルツは、緩慢だが根強い精神的もしくは魂の破壊を遂げていく闇に呑みこまれて、「自制心」を失い、「象牙」という物欲の虜となってしまい、マーロウのクルツに対する「理想像」は見事に砕かれる。闇の恐怖は、孤独と荒野によってクルツの中に着実に浸透していき、「文明」「進化」「教化」の理想に燃えたクルツの抱く理性を狂わせる。それは彼の高邁な宣言文の最後「野蛮人どもはすべて根絶しろ！（Exterminate all the brutes!)」(118)に集約されている。

　＜闇の奥＞の危険性はちょっとした出来事にも窺われる。普段は物静かでこの上ない紳士だったマーロウの前任船長が、２年間も奥地にいて、原住民の前で一度何らかの形で自尊心を示そうとして、たかだか二羽の雌鶏の事で酋長をこっぴどく殴った。それを目の当たりにしたその酋長の息子が、いたたまれなくなって彼を思わず刺し殺してしまった。コンラッドは、「殺された船長の死骸は誰一人、人間の手にも触れられず、村は荒廃し、小屋は傾き裁可が下った」(54) と述べる。コンラッドが描き出したこのコンゴの実態の真実を自らも追体験したアンドレ・ジッドは、彼の『コンゴ紀行』(Travel: Voyage au Congo) における1925年８月24日と25日の日記にそれを次のように裏づけている。――「白人が知的でなければならないほど、黒人は彼には一層馬鹿に見えるものだ。余りに若く十分な教養を持たないうちに、余りにも遠隔の地に派遣された不幸な一行政官が裁判を受けているのだった。彼は品性の力、道徳即ち知的な価値を大いに必要としていたにもかかわらず、それらのものを持ち合わせていなかった。これらの徳が欠如していた彼は原住民たちを制圧するために不定で一時的ながら放縦な力を行使した。彼は脅威したり、常軌を逸する事をした。正当な権力を欠いていた彼は恐喝によって権力を振るおうと努めた。そのために彼は威信を失ってしまい、やがて何ものを以てしても、増大していく原住民の不満を制御することが出来なくなった。大抵はとても従順である原住民たちでさえも、様々な不祥事、虐待、残虐などに会うと、反抗し苛立つのだ」[65]。

　ジョージ・オーウェルは、自伝的エッセイ「象を撃つ」("Shooting an Elephant") の中で圧制者が権力を行使する中に、マーロウの前人の船長に類似した心理を次のように述べている。――南ビルマのモウルメインでは、私はたくさんの人々に憎まれていた。大英帝国の植民地下のビルマで働く英国人警察官をしていた私が、さかりのついた象が鎖を切って暴れ、インド人苦力（クーリー）を踏みつぶしたその象と相対した時、そのさ

かりの静まるのを待つか（事実その発作は収まりかけていた）象使いが戻ってくるまでしばしの猶予を置くこともできたのだが、「白人たる者は「原住民たち」の前でおじけついてはならない」[66] という黄金律が脳裏にあって、二千人ものビルマ人群衆が取り巻く中で、私は、ライフルの引き金を引いた。その後、象を撃った事で象の持ち主は猛烈に怒ったが彼は一介のインド人に過ぎなかったので、どうする事もできなかった。法律的には、狂った象を処置した事は狂犬と同様に射殺する事が出来たからであった。このエッセイの最後の文はこうなっている。——「馬鹿に見られたくないというだけの理由で、私が象を撃ったのだと見抜いたものが誰か一人でもいたかどうか、私は何度となく思いめぐらしたものだ」。オーウェルのこの述懐の背後には、植民地支配の尖兵としてのサーヒブ（インド人がヨーロッパ人、とりわけ英国人に対して用いる「旦那」の意の呼び名）[67] にとって自己の体面と白人の威信、そして帝国の威信が一体である事を物語っているのである。その後オーウェルは、『パリ・ロンドンどん底生活』（*Down and Out in Paris and London*）において明示しているように、パリとロンドンにおいて最底辺の貧乏と挫折感を味わい、そしてさらにスペイン戦争での過酷な体験を経て、全体主義打倒と社会主義の理想を希求する道を進む事になる。オーウェルは、こう言明している。——「社会主義は、最終的には、自由で平等な人間から成る世界国家を目指している。それは人権の平等を当然の前提として考えている」[68] と。しかし、実際に社会主義国であるソ連を訪問して、オーウェルは、その実態が一部の特権階級が創り出す権威主義国家で人間の積極的自由が麻痺している事に深く失望している。オーウェルは、人間の圧政に対して農園の動物たちが遂行した革命が指導者となったブタたちの独裁による恐怖政治に転じる有り様を、被支配者の無知に付け込んで、或いは彼らを巧妙な手段を行使して無知の状態に追い込む事によって、独裁的支配を維持しようとする全体主義体制を痛烈に『動物農場』において風刺した。そして、全体主義独裁体制

が個人の「考える自由」までも、心の内奥の個人的感情までも圧殺してしまう戦慄すべき世界を、或いは支配者ビッグ・ブラザーに忠誠を誓わせ、更には叛逆者にはビッグ・ブラザーに敬愛の情を抱くまで洗脳する徹底した管視社会の恐怖を、オーウェルは、病の中で文字通り生命を賭して遺著『1984年』において警鐘を鳴らしていた。このオーウェルの『1984年』を意識した村上春樹は『1Q84』を上梓していた。なお『1984年』と『1Q84』については、本書の第4章 村上春樹の『1Q84』──カズオ・イシグロとジョージ・オーウェルを視野に入れて──を参照されたい。

　一方、植民地主義の偽善を告発するコンラッドの『闇の奥』では、闇の恐怖の象徴は、クルツが起居していた小屋の周囲の杭に突き刺さって干からびた数々の首に明示されていた。それは、F・R・リーヴィス（F.R. Leavis）が、『偉大な伝統』（*The Great Tradition*）において「対象とされている杭の上の人間の首は、コンゴ河を遡行する途上で起こる様々な出来事、はっきり示されている精神と肉体の不調和を表す」[69]と指摘するところのものである。イアン・ワット（Ian Watt）は、「マーロウは、作者が自分のものの見方を稀に見る完璧さでもって述べるのを可能にしてくれる手段となる」[70]と見做している。1890年、アフリカにおいて、文明化や教化という美名のもとにヨーロッパ列強による植民地政策の欺瞞と原始の寂寥（せきりょう）と孤独がもたらすところの人間性の荒廃を目の当たりにして、風土病に侵されて死線を彷徨（さまよ）ったコンラッドは、自らのこれまでの人生を省察して、自らを客観視し、距離を置いて眺めるようになった。その結果生み出されたマーロウは、もはや青春を謳歌したあの短編「青春」における20歳のマーロウではなくて、人生における「通過儀礼」を経た42歳のマーロウに変貌している。青年航海士のマーロウは、船荷の石炭が発火したため、退船を余儀なくされ、脱出用のボートで二人の水夫を指揮して、炎熱やスコールと闘いながらも全く休む事無く過酷な航海を見事に乗り切って「青春！　青春の全

第 5 章 作家としての使命感を持ったエグザイルである村上春樹とジョウゼフ・コンラッドの文学

て！」[71] と青春を実感した。コンラッドは、「20歳では、人はいつも自分を偉いと考えるものです。しかし、宇宙の構造の中で個人は全く取るに足りないという限界を認識するようになった時、はじめて人は役に立つようになる」[72] と述べている。

　この人生経験を重ねた「語り手」マーロウは、植民地を転々とした後、連綿と続く人類の歴史を眺めてきたテムズ川を見通せる場所で、自らの眼でアフリカの実態を目の当たりにしてきた作者の分身として、自らの体験を物語るのである。マーロウは、「この物語は伝えるのは不可能」（82）と述べていた。しかし彼は、ある種の**使命感**からこの物語を語っている。死の間際に闇の正体を"The horror!"と言ってのけたクルツとの邂逅（かいこう）で、自らの人生観を変革する恐ろしい「自己発見」を体験し、**闇**の中で「一筋の光」を見出したマーロウは、＜闇の奥体験＞を、「どう見ても、素晴らしいなどと言えるものではない、——はっきりとした事件でさえない。そうだ、妙に曖昧な事件なのだ。しかし、それにも拘らず、何か一筋の光（a kind of light）を与えられたような気がする」（51）と述懐していた。この語り口は後の Ⅴ『騎士団長殺し』の考察 1　において論述する『騎士団長殺し』の語り手の「私」を想起させてくれる。

　"The horror!"は、ある特定の恐怖を意味しつつ定冠詞を付記して囁くのである。それはクルツが死に際、内に潜むエゴの実在を吐露して、孤独な人間存在の根源的な**闇**を認識した言葉であるが、一方夏目漱石は、「断片」において、クルツを次のように評価している。——「*Heart of Darkness*. 蛮地ヘ行ッタ船長ノ物語リ。（中略）Kurtz ト云フ人ガ居ル。エライ男デアル病気デ死ヌ、……」[73]。コンゴの奥地の闇の中で命を賭した自己発見、つまり「精神的勝利」を勝ち取った「非凡な男」クルツを、漱石が「エライ男」であると共感したのである。クルツが断末魔で発した「恐怖だ！」という叫びには、彼が自ら覗いた自分自身の暗闇、自らがその尖兵であった西欧都市文明の非人間的欺瞞性、

- 379 -

それら一切が込められている[74]。

『闇の奥』は、コンラッドが「コンゴに行くまでは、私は動物に過ぎなかった」というほどに生涯における分岐点となった＜コンゴ体験＞に基づくもので、人間の心の奥に潜む闇の恐怖体験を物語る、人間が存在する根本を洞察した作品である[75]。結果的にクルツは、『ロード・ジム』に登場するシュタイン（Stein）が言うところの「破壊的要素（the destructive element）に身を浸し」(214)て、自分の「閾（threshold）」を超えて自己を認識して、マーロウの思想に何か新しいもの、つまり「一筋の光」を暗示したのである。

村上は、『騎士団長殺し』に先立って、「小説家として自信を持った」と述べる小説『羊をめぐる冒険』においてコンラッドの『闇の奥』を意識的に導入している。まずこのクライマックス・シーンの題は「闇の中に住む人々」となっている。主人公「僕」の分身である「鼠」の別荘の二階にある小部屋のサイドテーブルに「本が一冊伏せてあった。それはコンラッドの小説だった」(301)とコンラッドの小説の関与が示される。「羊男来る」でも「僕」はコンラッドの小説を「鼠」の部屋から借りてきて読んでいる(325)。更に、「僕」が「鼠」に出会う十二滝町は石狩川を上（のぼ）り、塩狩峠を越えて、更に東から西に流れる川を遡ったところにある水源に向かうという設定は、『闇の奥』においてコンゴ河を遡行する部分と類似している。『闇の奥』は多様な解釈ができる「開かれた小説」であるが、その一つに、コンゴ河遡行での冒険はジグムント・フロイト（Sigmund Freud）の性衝動の闇への旅やイド（Id）の発見への旅といった解釈がある[76]。（「人間の無意識の内に潜む悪の世界を暗示する『闇の奥』は、同時に女性の持つ破壊的な性の世界をも暗示している（433頁）。「人間の本性のどこかに利己的な悪が関与している」とフロイトが夢分析で述べている悪が、『闇の奥』のクルツが犯した悪であり、マーロウ自身を誘惑した悪であり、（中略）男女の性を契機として悪の世界を経験していることは注目すべきである（442頁）」[77]との河

村民部教授の指摘がある。）ここでの「イド」は、村上がしばしば作品の特徴である無意識への通路あるいは瞑想の場として用いる「井戸」を連想させるものである。村上は、コンラッドが『闇の奥』で探求した人間の根源的な「悪」の存在を念頭に置きつつ、「羊」を村上流に言えば、「社会悪の権化」の象徴として捉える。「羊」が憑いた右翼の大物「先生」が日本の裏社会を牛耳る。主人公の「僕」と彼の友人「鼠」がその「権力」と戦うという設定である。この物語は、「鼠」という分身との対話を通じてのアイデンティティの奥底にある**闇**を探る冒険である[78]。

そして、『羊をめぐる冒険』の物語の核心は「僕」と「鼠」との対話にある。

「人間はみんな弱さを持っている。しかし**本当の弱さ**というものは本当の強さと同じくらい稀なものなんだ。絶え間なく暗闇に引きずりこまれていく弱さというものを君は知らないんだ。そしてそういうものが実際に世の中に存在するのさ。何もかも一般論で片づけることはできない」[79]。僕は黙っていた。「だから俺はあの街を出た。これ以上堕ちていく自分を人前に曝したくなかったんだ。君も含めてね。一人で知らない土地を歩き回っていれば、少なくとも誰にも迷惑をかけずに済む。結局のところ」と言ってから、鼠はひとしきり暗い沈黙の中に沈みこんだ。「結局のところ、俺が羊の影から逃げきれなかったのもその弱さのせいなんだよ。俺自身にはどうにもならなかったんだ。（中略）俺は叩きのめされたよ。どうしようもないくらい。それを言葉で説明することはできない。それはちょうど、あらゆるものを吞みこむ・つ・ぼ・なんだ（傍点村上）。気が遠くなるほど美しく、そしておぞましいくらいに邪悪なんだ、そこに体を埋めれば、全ては消える。意識も価値観も感情も苦痛も、みんな消える」。「でも君はそれを拒否したんだね？」「そうだよ。俺の体と一緒に全ては葬られたんだ」（354-55）。

「鼠」は自分の体の中に「羊」を取り込んだまま「羊」が熟睡して抜け出さない時を狙って自殺し「羊」を葬った。「鼠」は弱かった。しかし、ある種の**タフ**さを持っていたのである。「羊」は人間に取り憑いて強大な権力機構を作り上げ、完全にアナーキーな観念の王国を構築しようとする存在であった（355-56）。羊に憑かれた「先生」は恐ろしくソフィスティケイトされた強大な地下組織を築いた。「先生」の秘書はそれを次のように語る。──「先生は国家という巨大な船の船底を一人で支配している。先生が栓を抜けば、船は沈む。乗客はきっと何が起こったかわからないうちに海に放り出されるだろうね」(154)。それを「鼠」は放置できなかったのである。但し、この誰も知らない孤独な行為を誰か一人には知ってもらいたかったのである。注目すべきは、最新の長編『騎士団長殺し』においても孤高の生き方をしてそれを完璧と見做していた免色が「信頼に足る」と見做した「私」にだけは、自分の秘密を打ち明けている事である。（村上が高く評価する夏目漱石の『こころ』の先生も、人生に失望し、人間を憎み、自分自身を憎むに至る、**醒めた**人間であったが、唯一「信頼に足る」と見做した「私」にだけは自分の秘密を打ち明けている。遺書の冒頭部分にこうある。──「あなたが無遠慮に私の腹の中から、生きたものを捕まえようという決心を見せた。私の心臓を断ち割って温かく流れる血潮を啜ろうとした。私の鼓動が停まった時、あなたの胸に新しい命が宿る事が出来たら私は満足です」。）村上は、コンラッドがいう「人間の連帯感の必要性」と同様に、本質的な「人間のつながり」の必要性を人間存在の根本に据えている。これへの考察については、ⅤとⅥにおいて論述したい。

　誰一人知られずに死を覚悟して行ったこの孤独な行為を「僕」に語った「鼠」は、「救われた」と静かに言った（353）。しかし、「僕」の方こそ「鼠」によって教えられるところがあった。『こころ』の先生の遺書を受け取った「私」と同様に救われたのは「僕」のほうであった。

第5章　作家としての使命感を持ったエグザイルである村上春樹とジョウゼフ・コンラッドの文学

　「僕」は『闇の奥』のマーロウと同様、闇の中で「一筋の光」を見出した。たとえ認識の深さに違いはあっても、「僕」は「鼠」を通して「生きる」事の意義を自分なりに理解したからである。
　「僕」は次のように述懐している。――「僕は29歳で、そして後6ヶ月で僕の20代は幕を閉じようとしていた。何もない、まるで何もない10年だ。僕の手に入れたものの全ては無価値で、僕の成し遂げたものの全ては無意味だった。僕がそこから得たものは退屈さだけだった。最初に何があったのか、今ではもう忘れてしまった。しかし、そこにはたしか何かがあったのだ。僕の心を揺らせ、僕の心を通して他人の心を揺らせる何かがあったのだ。結局のところ全ては失われてしまっていた。失われるべくして失われたのだ。それ以外、全てを手放す以外に、僕にどんなやり方があっただろうか？　少なくとも僕は生き残った。良いインディアンが、死んだインディアンだけだとしても、僕はやはり**生き延びねばならなかった**のだ」(114)。
　「エピローグ」で「僕」は、川沿いに河口まで歩き、最後に残された50メートルの砂浜に腰を下ろし、2時間泣いた。「そんなに泣いたのは生まれて初めてだった」(376) と語っていた。そして、どこに行けばいいのかわからないが、立ち上がって歩き始める。**生き延びる**ために。「僕」の脳裏には「鼠」と「僕」との対話が焼き付いていたのである。
　「羊はちょうど、あらゆるものを呑みこむ・・・つぼなんだ（傍点は村上）。気が遠くなるほど美しく、そしておぞましいくらい邪悪なんだ。そこに体を埋めれば、全ては消える。意識も価値観も感情も苦痛も、みんな消える」(355)。「でも君はそれを拒否したんだね？」「そうだよ。俺の体と一緒に全ては葬られたんだ」。「先生が死んだあとに君を利用してその権力機構を引き継ぐことになっていたんだね」(355)。「そうだよ。完全にアナーキーな観念の王国だよ。そこではあらゆる対立が一体化するんだ。その中心に俺と羊がいる」「なぜ拒否したんだ？」「俺は俺の弱さが好きなんだよ。苦しさや辛さも好きだ。夏の光や風の匂いや蝉

― 383 ―

の声や、そんなものが好きなんだ。どうしようもなく好きなんだ」（356）。

「鼠」は**本当の弱さ**を知って、再び現実の世界へ帰りたいという欲求を「僕」に訴えていたのである。この人間の弱さに関して、コンラッドの影響を受けたサン＝テグジュペリ（Saint-Exupéry）の『星の王子さま』（*Le Petit Prince*）6章で王子さまがパイロットに述べている次の言葉が想起される。――「ねえ、とても悲しいとき、人は夕日が見たくなるんだよ」。この言葉には、人間の**本当の弱さ**を自覚した真実が吐露されている。

ところで、文壇デビューから10年を経て、40歳になった村上が、「『ダンス・ダンス・ダンス』は、『風の歌を聴け』『1973年のピンボール』、『羊をめぐる冒険』と主人公は同じだが、これはさらに続くのか」という質問に対して次のように応答している。――「『ダンス』は1983年の時代設定だが、あの時代のことはどうしても書きたかった。80年代になって、いろんな価値観が転換した。60年代に育った「僕」が、80年代にほうりこまれて、どのように転換していくか興味があったんです。これは、もとの筋からいえば、**生き延びる**という話なんです。彼にかかわる人はずっと昔から死んでいくが、彼は生き延びる。それは、常に彼の考え方が現実に同化していくからなんです。それまでの三部作では、僕と友人の「鼠」の関係だったが、「鼠」がなくなった。『ダンス』では、やはり友人の五反田君らが落ちて、崩壊していく。彼らは、「僕」の分身というか、相対的な価値観で、それらが死んでいくことで、新たに価値観がつくりあげられる。ちょうど細胞がどんどん生まれ変わっていくように。そうしないと「僕」は生き残れない。問題は、**生き続ける**という意志をもつことなんです」[80]。

『海辺のカフカ』においても、甲村記念館の責任者である佐伯さんが、彼女の全存在を賭してカフカ少年に、「もとの場所に戻って、そして**生き続けなさい**」[81]と言う。カラスと呼ばれる少年から「君はほんも

第 5 章　作家としての使命感を持ったエグザイルである村上春樹とジョウゼフ・コンラッドの文学

のの世界でいちばん**タフ**な15歳の少年」（傍点は村上）と言われた時、彼は「でも僕にはまだ**生きる**ことの意味がわからないんだ」と言う。カラスは「風の音を聞くんだ」（528）と述べる。『1Q84』においても「**生き続ける**という意志を持つこと」が物語の主題の底流にあった。『色彩を持たない多崎つくると、彼の巡礼の年』では、主人公のつくるだけが東京の大学に進むが、大学2年生の夏休み、彼は他の4人から理由も分からぬままに絶交されてしまう。つくるは心に深い傷を受けるが、絶交の理由を探ろうとはしなかった。しかし、36歳になった多崎つくるは、自分の人生をきちんと**生きる**ために、その絶交の真相を知ろうと、かつての親友たちを巡礼のように訪ね歩く。2014年に上梓した短編集『女のいない男たち』に収めた「木野」と題する一編においても、村上は次のように述べる。

　――「（主人公の木野は）妻が浮気をして離婚し、一人ぼっちになるけれど、彼にとって妻がいなくなったことは本質的な問題ではない。一番の問題は、一人になって自分自身と向き合った時の『孤絶』感です。そして向き合った自分の中の暗闇から、蛇とか、お化けみたいなものとか、いろんなものが這い出してくるわけです。それらはもともと自分の中にあるものなのです。僕が物語を通してやりたいのは、読者にロール（役割）モデルを提供することです。色んな『孤絶』の様相を潜り抜け、**新しい生き方**を見つけていく人物たちの姿を、一つ一つ提示していきたい。ある意味で僕の書いている小説はロールゲームなんです。そこでは、僕はゲームのプレイヤーであると同時にプログラマーでもあります。その二重性がストーリーを新鮮で重層的なものにする。テーマ主義ではなく、そういう書き方をしていけば、自分の集中力と体力がある限り小説を書き続けられます」[82]。

　どうやら処女作『風の歌を聴け』から最新の短編集『女のいない男たち』まで、様々な価値観の中で葛藤を繰り返しながら自分の内面を見つめて、「生きることの不安」や「生きることの意義」を問題提起する事

が村上の小説の要諦であるようである。

V 『騎士団長殺し』の考察 1 ──『闇の奥』を念頭に置いて

　それでは最新の長編小説の『騎士団長殺し』はどうであろうか。この物語は、例によって村上文学の特徴である、穏やかな生活基盤が不意に脅かされて、不可解な出来事に遭遇する現実と非現実とを往き来する冒険である。
　コンラッドは、『ロード・ジム』第8章において「It is always the unexpected that happens（起こるのはいつだって予期しない事だ）」[83]と述べている。コンラッド文学の特徴として、例えば「政治小説」と呼ばれる『密偵』(*The Secret Agent*) や『西欧の眼の下に』においても平穏な日常生活を送っていた主人公たちが思いがけない外的な要因によって事件に巻き込まれていく。『密偵』では、これまで「his repose and his security（くつろぎと身の安全）」[84]を金科玉条としておよそ二重スパイとは思われぬ生活を送っていたヴァーロック（Verloc）が、某大使館（ロシア大使館）に新しく着任したウラジミール（Vladimir）からグリニッジ天文台爆破を命じられて窮地に陥り、その余波は何の罪もない庶民を無慈悲にも巻き込む。一方『西欧の眼の下に』の主人公のラズーモフ（Razumov）は、静かな学究生活を送っていた時に、突如政府高官を殺害したテロリストが彼の下宿に闖入して、予期せぬ出来事に巻き込まれていく。注目すべきは、これらが政治小説でありながら声なき声を拾って、政治の裏に隠された人間の「闇」を活写している事である。『西欧の眼の下に』は、コンラッドが「ロシア的なるものの魂そのもの（the very soul of things Russian）」[85]を捉えようとし、ドストエフスキーと張り合って、人間の本性に根差した「悪」の問題について問いかけている。

第5章 作家としての使命感を持ったエグザイルである村上春樹とジョウゼフ・コンラッドの文学

　コンラッドは、33歳の時にアフリカにおいて生涯における分岐点となる体験をした。『闇の奥』において彼の分身の「語り手」マーロウは、その体験を「それは実に暗く哀れで、どう見ても素晴らしいものではなく、はっきりもしていない、全く不明瞭だ。しかしそれでも**一筋の光**を投げかけているように思えるのだ（ゴシック体は筆者）」[86]と述べて、ある種の使命感から全力を尽くして真実を語ろうと試みている。

　このマーロウのように、『騎士団長殺し』の「私」は、「私の人生は基本的には、穏やかで整合的でおおむね理屈に合ったものとして機能してきたが、この９カ月の期間に限ってはどうにも説明のつかない出来事」（15）と述懐する体験を、「所詮は無駄な試みなのかもしれないが、全力を尽くして、能力の許す限り系統的かつ論理的に話を進めたい」（15）と語っている。これまで村上が執筆する小説の一人称は、大体において「僕」であった。「僕」と今回の「私」という一人称との間には距りがある。「その距離感は意図的であり、また同時に自発的なものである」[87]と村上は述べている。彼は、今回『騎士団長殺し』を書くに当たって、コンラッドの『闇の奥』や『ロード・ジム』の一人称の語り手マーロウに注目して次のように明言している。

　――マーロウは、作者の年齢が経過するに従って、少しずつその雰囲気やものの見方が変わっていく。「僕は彼らのように同じ主人公でシリーズものを書いているわけではないが、一人称単数ということで言えば、やはりそういう年齢的な変化は確かにある。僕の視点というのは、主人公の視点に、やはり避けがたく混じり込んでくるから」[88]。そして村上は、一人称の使い方について、今回「**僕**」と「**私**」の違い[89]について次のように述べている。

　――「「私」という一人称じゃないと、この小説はうまく成立しない気がしたんです。僕の感覚からいくと、「私」というのは、どちらかといえば**観察する人**なんです（ゴシック体は筆者）。「僕」という人間は、たとえば『羊をめぐる冒険』の場合が典型的なんだけれど、いろんな周

囲の強い力に導かれたり、振り回されたりすることになる。でも今回の小説の「私」は、確かに導かれたり振り回されたりはするんだけど、もう少し、観察をして、なんとか自分の立場を維持しよう、保持しようとする意志がしっかりある。（中略）三人称の小説をいくつか通過して、今また一人称に戻ったけど、同じところには戻っていないな、という気がする。新しい一人称の世界が始まったのかなと」[90]。更に具体的に、「僕は最初、一人称でずっと書いてきて、少しずつ三人称に移行していった。『1Q84』を純粋な三人称で書ききったことで達成でき、もう一回、一人称に戻りたい気持ちがあった」[91]と述べて、「僕の小説はオープンエンドというか、話がオープンになったまま終わるというケースがほとんどだったが、今回は『閉じる感覚』が僕にも必要になってきたという気持があった」[92]と述懐して、「元のフィールドに戻ってきたという感じは強かったが、ある種の主人公の成熟はあると思う」[93]と彼の意図を明かにしている。そして新しい一人称である「私」は、＜直感＞力ではなく＜直観＞力に特徴があるようだ。担当の優秀なエージェントは、「私」を「あなたにはポートレイトを描く特別な能力が備わっています。対象の核心にまっすぐに踏み込んで、そこにあるものをつかみ取る**直観**的な能力です（ゴシック体は筆者）」(60)と評した。＜直観＞は経験や推理などの思惟作用に拠らず、直接に事物の本質や全体を捉える能力にあるのに対し、＜直感＞は、理性に拠らず、瞬間的に事物の本質や全体を感じ取る、俗に第六感と言われるような感受性に基づく点で異なる[94]。

　作者が意識する「主人公の成熟」に着目して、新たな一人称で語る村上春樹の新境地としての本作品を、コンラッドの分身「語り手」マーロウを念頭に置いて考察するとしよう。

　『闇の奥』において注目すべきは、随所に見られる「夢」という語の表現である。物語の冒頭、テムズ川河口に停泊する帆船ネリー号の上に太陽が低く傾き、船上にも川面にも夕闇が落ちかかるころ、マーロウは

第5章 作家としての使命感を持ったエグザイルである村上春樹とジョウゼフ・コンラッドの文学

語り始める。「僕は君たちに夢の話をしているような気がする」(82)という間接的な表現や、本当の「闇」の恐怖を実体験するクルツとの邂逅それ自体がマーロウにとって「夢のよう」であり、事件全体として、「我々の生も夢と同じだ、──孤独なんだ。…」(82)、この物語は、「悪夢の予兆の中を分け入るとでもいうような、物憂い遍歴の旅」(82)という表現に見られるように、「夢」もしくは夢に関連する言葉がマーロウの語りの中で繰り返し述べられている。それと同時に、物語の核心に迫るクルツと遭遇する時、「日常の平凡な言葉──毎日目覚めている時に交わされる、聞きなれた曖昧な音声」ではなく、「彼が語る言葉一つ一つの背後に、あの丁度夢の中で聞く言葉、悪夢の中で口走る言葉のように、恐ろしいまでの（真実の）暗示が含まれていた」(144)とマーロウは言明していた。

『騎士団長殺し』は、夫婦生活の危機をきっかけに「自分のための作品」を描きたいと思う肖像画家の「私」の体験談である。現実と非現実を象徴する**壁抜け**や瞑想の場である井戸に似た穴の出現やビジネスで成功し広大な邸宅に一人で住む謎の人物や、「イデア」[95]と名乗る騎士団長を形体化した存在が登場し、「私」が現実と非現実との橋渡し役をする。そして主人公の「私」はしばしば夢を見るか、あるいは夢を見ているような体験をする。村上は、読者を物語に誘（いざな）うための方法として、現実と非現実の共存を明確に示す夢をその機能として用いている。夢においては現実と非現実の存在が同時点で共存する。夢を見る事によって異界との触れ合いを持つ。但し、従来の村上作品ならば核心に触れる人物などが物語の途上で消えてしまうのだが、今回は収まるべき所に収まって、読者に納得感を与えている。別れた妻ともよりを戻し、「元の鞘に収まった」(14)という表現で語られている。文体も洗練されてリズミカルで読みやすくなり集大成を目指したものとなっている。

ところで妻と別れて、喪失感の中で描くべき絵を求める「私」が住んだ山の上の家は、「私」にとって数少ない気が合う友人である雨田政彦（あまだまさひこ）

の父親で高名な日本画家の持ち物である。現在92歳の雨田具彦(あまだともひこ)は認知症が進行して高級養護施設に入所しているため、実は彼の家は空き家になっていた（16）。その屋根裏で、戦争体験で傷ついた彼の魂が宿る「騎士団長殺し」と題する絵を発見した後、「私」は不可解な出来事に次々と巻き込まれていくのである。まず谷間を隔てた向かい側に住む「免色(めんしき)」という人物から法外な高額の値段で肖像画製作の依頼を受ける。彼は54歳にしてビジネスでの成功者で広大な邸宅に一人で住む謎の人物である。

　この設定は村上が愛読し、自ら翻訳も手がけたフィッツジェラルドの『偉大なギャツビー』を意識したもので、これは（フィッツジェラルドへの）一種のオマージュ（献辞）だ、と彼は語っている[96]。2017年4月、東京都内で開かれた「翻訳」に関するトークイベントにおいて、村上は次のように翻訳と小説の共通性について語っている。

　──「翻訳を本格的に学んだことは一度もない。学業とは別に、高校時代から英語の本を読んできた。小説に関しても、書き方を誰に教わったわけでもなく、自己流で、書くスキルが自然と身に着いてしまった。小説と翻訳は僕にとって形成のプロセスが似ている。（中略）同時並行的に続けてきたことが、僕の中に長期的なリズムを生んでくれた。一流の作家が書いた文章を検証することはすごく貴重な勉強になる」[97]。

　さて物語の本題に戻ると、真夜中に鈴の音を耳にした「私」はその音の元をたどるうちに、井戸のような穴を見出す。免色の協力を得て、その穴を開放すると、中に古い仏具のような鈴があった。穴を開放した結果、絵に描かれた騎士団長と同じ格好をした60㌢ほどの「イデア」と名乗る不思議な存在が現われる。この騎士団長が見えるのは「私」だけである。善と悪が複雑に絡み合う世界が繰り広げられ、血も流される。絵の中の人物たちに導かれて「私」が地下の暗闇を巡る。「私」は様々な試練を経た後、妻と再び生活を始めるが、離れていた間に妻が身ごもっ

第 5 章　作家としての使命感を持ったエグザイルである村上春樹とジョウゼフ・コンラッドの文学

た子供を自分の子供として育てていく。物語のエピローグは、時が数年後の東日本大震災直後に飛び、「私」が生き方への信念を語ったところで終わる。そこでは「つながり」と「再生」が描かれている。

　この物語の主人公の「私」は肖像画家である。肖像画というのはある意味で自画像である。肖像画家は小説家に近い。この最新作で村上は自らの創作の秘密を随所に明かしている。村上が最終的に目指す小説家のドストエフスキーは、その著『作家の日記』において、鋭い風刺の手法でロシア社会のさまざまな階層の生活を描いてロシア・リアリズム文学の一つの伝統を築いたニコライ・ゴーゴリ（Nikolai Gogol）を優れた風俗画家と見做して、肖像画家を次のように述べている。

　――「我が国の現代の（肖像）画家たちは、現実をありのままに描かなければならないと言っているがそうではない。（中略）肖像画を描くためには、肖像画家はまず画題となる人物を座らせ、準備を整えながら、じっと**観察**する（ゴシック体は筆者）。彼はなぜそのようなことをするのか？　それはつまり彼は実地に積んだ経験によって、人間というものは必ずしも常にその本人に似ているものでないことを知っているからであり、そのために「その人物の容貌の最も大事なイデー」、画題となる人が最もその本人に似ている瞬間を、探し求めようとするのである。この瞬間を見つけ出してそれを上手くつかむことが出来るか否かは、肖像画家の天分の有無にかかっているのである。従って、画家がこの場合していることはどちらかといえば目の前の現実よりもむしろ自分のイデー（つまり理想）を信頼することでなくて果たしてなんであろうか？」[98]。

　そこでこの主人公である肖像画家はどうであろうか？「私」は肖像画を描くにあたって、ゴーゴリの画論に類似した独自のやり方を貫いている。「私」は実物の人間をモデルにして絵を描くという事はしない。依頼を受けると、最初にクライアント（肖像画で描かれる人物）と面談し、二人きりで差し向かいで話をする。デッサンみたいな事もしない。

彼の生い立ちから、どのようにして現在の地位にまでたどり着いたか、そういう話を聴く。その後本人が撮ったスナップ写真を5、6枚借りる。普段の生活の中で自然に撮影された、普通のスナップ写真だ。「私」が必要とするのは目の前の本人よりは、その鮮やかな記憶だった。立体的なたたずまいとしての記憶だ（傍点は村上）（29）。「私」には視覚的記憶力が生まれつきかなり豊かに備わっていたようだ。そのような作業の中で非常に大事なのは、「私」がクライアントに対して少しなりとも親愛の情を持つという事だった。ずっと奥の方まで覗き込めば、どんな人間の中にも必ず何かしらきらりと光るものはある。それを上手く見つけて、もし表面が曇っているようであれば、布で磨いて曇りをとる。なぜならそういった気持ちは作品に自然に滲み出てくるからだ。そのようにしていつの間にか、肖像画を専門とする画家に「私」はなっていた（25）。

「私」は、有能で意欲的な絵画ビジネスの担当者から「ポートレイトを描く特別な能力が備わっている。対象の核心に真っ直ぐに踏み込んで、そこにある物を掴み取る直観的な能力がある」と言われた。しかし「私」は、「自分のための絵画」を描く事に、それほど強い意欲を抱けなくなってしまっていた。そんな自分自身に対して、どこかで見切りをつけるべきだった。しかし「私」はそれを先送りにし続けていた。そして「私」より先に見切りをつけたのはむしろ妻の方だった。村上のこれまでの主人公が10代後半から30歳までであったが今回の「私」は、その時36歳になっていた（27）。そんな時に免色という謎の人物から破格の報酬で彼の肖像画製作の依頼を受けるのである。その人物が「私」の人生に入り込んできて、「私」の歩む道筋を大きく変えてしまう（85）。それと同時に、もし彼がいなかったならば、或いは「私」は暗闇の中で人知れず命を落としていたかも知れない（85）、と述懐している。語り手の「私」は、事の真相に迫るには、謎の人物である免色と『騎士団長殺し』というタイトルを持つ絵画について語らねばならない（86）、と述

第5章 作家としての使命感を持ったエグザイルである村上春樹とジョウゼフ・コンラッドの文学

べる。

　何か伝えたい事があるものは必ずや人の琴線に触れるものがあるという。生涯における人生観の変革に関与する＜コンゴ体験＞を経たコンラッドの分身であるマーロウはある使命感をもって＜闇の奥体験＞を物語った。この「私」も『騎士団長殺し』の絵画にまつわる体験によって、今までの人生の道筋を大きく変えたと述べている。作者の分身であるこの「私」が伝えたい事とは何であるか。それについて物語る展開を追って以下に論述していきたい。

　ドストエフスキーがゴーゴリをその時代の優れた風俗画家と見做したように、村上はこの絵画にまつわる時代背景を検証する。免色邸で、彼から雨田具彦についての意外な情報を「私」は聴く。――「1938年にドイツによるオーストリア全土のほとんどを強権的にアドルフ・ヒトラー（Adolf Hitler）が掌握したために、オーストリアという国家は消滅してしまった。雨田具彦がウィーンに留学していたのはそのような激動の時代であった。ウィーン時代の雨田には深い仲になったオーストリア人の恋人がいて、そのつながりで彼も事件に巻き込まれたのである。大学生を中心とする地下抵抗組織が、ナチの高官を暗殺する計画を立てたらしい。それはドイツ政府にとっても、日本政府にとっても好ましい出来事ではない。その1年半ほど前に日独防共協定が結ばれたばかりで、日本とナチス・ドイツとの結びつきは日を追って強くなっていた。両政府はその友好関係を阻害するような事態は極力避けたかった。雨田はすでに日本で名の知れた画家で、また彼の父は大地主で、政治的発言力を持つ地方の有力者であった。そういう人物を人知れず抹殺してしまうわけにもいかないので、雨田は政治的配慮によって日本に強制送還された。どうやら事件は闇から闇へと葬られたらしい」(421-23)。

　「私」による推論は次のようである。――「とすれば、彼の絵『騎士団長殺し』の中に描かれている「騎士団長」とはナチの高官の事だったのかもしれない。あの絵は1938年のウィーンで起こるべきであった（し

かし実際には起こらなかった）暗殺事件を仮想的に描写したものなのかもしれない。事件には雨田具彦とその恋人が関連している。その計画は当局に露見した。その結果二人は離れ離れとなり、たぶん彼女は殺されてしまった。彼は日本に帰って来てから、そのウィーンでの痛切な体験を、日本画のより象徴的な画面に移し替えたのである。つまりそれを千年以上昔の飛鳥時代の情景に「翻案」したわけだ。彼は青年時代の厳しく血なまぐさい記憶を保存するために、その絵を自らのために描かないわけにはいかなかった。だからこそ彼は描きあげた『騎士団長殺し』を公にすることなく、堅く包装して家の屋根裏に人目につかないように隠していた」(423)。

　雨田具彦は、俊英の洋画家として世間から注目を浴び、将来を期待されてウィーンにまで留学した。しかし彼は、ウィーン滞在中、アドルフ・ヒトラーが政権を握って、オーストリアがドイツに併合された1938年3月の激動の時代を体験した。ジョージ・オーウェルは、ヒトラー著『わが闘争』への書評で、「ヒトラーは、人間の本性の中には安楽さ、労働時間の短縮、健康法といったいわゆる常識的なものばかりを欲しているわけのものではなく、時には闘争や自己犠牲を欲するものが存在する、ということを見抜いて、彼の演説の才を発揮させて人心を巧みにコントロールした。ファシズムやナチズムは如何なる快楽主義的な人生観よりも、心理学的には遥かに強固なものである。彼は人々に「私は諸君に幸せを提供する」ではなく「私は諸君に戦いと、危険と死を提供する」と言った。その結果、国全体が彼の足下に投げ出した。殺戮と飢餓の後の数年は「最大多数の最大幸福」というのが結構なスローガンになるだろう。しかし今のところは「終わりなき恐怖」を持つよりも恐怖を以て終わる方がましだ」というのが、勝を占めている。そして今、我々はこういったスローガンを作り出した人間と戦争をしているのだから、こういったスローガンに訴える力を決して過小評価してはならない」[99]と警鐘を鳴らしている。「人間の平等」を掲げるジョージ・オーウェル

第 5 章　作家としての使命感を持ったエグザイルである村上春樹とジョウゼフ・コンラッドの文学

は、「ライオンと一角獣——社会主義とイギリス精神」において次のように述べている。——「ナチ運動の推進力となっているものは、人間的不平等に対する信仰であり、ドイツ民族はあらゆる民族より優越し、ドイツは世界を支配する権利があるという信念である。ドイツ帝国以外に対しては、それは如何なる義務も認めない」[100]。

　雨田は1939年2月に日本に帰国して以来洋画を描く事を一切放棄し、独学で日本画の勉強をしたらしい。彼の性格では師を見つけて精進する事が不可能であったからである。「孤立」が彼の人生を貫くライトモチーフになっていた（81）。1945年の終戦まで山に籠って世間との関わりを断って日本画の技法を独学で習得する事に心血を注いだ。第二次世界大戦が終結した頃、新たに生まれ変わった雨田は、新進の日本画家として再デビューを飾った。戦争中に描きためていた作品を少しずつ発表した。彼の作品は日本画を革新する大きな可能性として、世間の注目を浴びる事になった。しかし彼は表舞台には決して姿を見せなかった。小田原の山の一軒家（「私」が今暮らしている家）に一人籠って、創作に励んだのである（82）。

　「私」がその家に住むようになって不思議に思ったのは、家中のどこにも絵画と名のつくものが只の一枚もないという事であった。雨田具彦自身の絵がないだけでなく、ほかの作家の絵もないのである。「私」が『騎士団長殺し』という不思議な題名がつけられた彼の絵を発見したのは、全くの偶然であった。夜中に小さな物音を耳にし、屋根裏がその出どころだと察知して、そこに住みついているみみずくを見つけ、その近くで梱包され、幾重にも紐がかけてある一枚の絵を発見した。紐には一枚の名札が針金でしっかりとめられ、そこには青いボールペンで『騎士団長殺し』と記されていた（94）。「私」は思案に思案を重ねてから、その中身を見る決心をした。一幅の日本画であった。紛れもない彼のスタイルで、彼独特の手法を用いて描かれている。大胆な余白と、ダイナミックな構図。そこに描かれているのは、飛鳥時代の格好をした男女で

— 395 —

あった。その時代の服装とその時代の髪型。しかしその絵は「私」をひどく驚かせた。それは雨田がついぞ描く事の無かった息を呑むばかりに暴力的な絵だったからである。リアルな血がたっぷりと流されていた（97）。雨田の描く二人の男の命を賭けた激しい果たし合いの光景には、見る者の心を深いところで震わせるものがあった。勝った男と負けた男。刺し貫いた男と、刺し貫かれた男。その落差のようなものに、「私」は心を惹かれた。この絵には何か特別なものがある（傍点は村上）。雨田はモーツァルト（Mozart）のオペラ『ドン・ジョバンニ』の世界をそのまま飛鳥時代に「翻案」したのである（102）。しかしその翻案の必然性はいったいどこにあるのだろうか？　それは彼の普段の画調とはあまりにもかけ離れすぎている。なぜ彼は、その絵をわざわざ厳重に梱包して屋根裏に隠匿しなくてはならなかったのだろうか？　その絵は見る者をして心の深い部分にまで訴え、その想像力をどこか別の場所に誘うような示唆的な何かを寄与し、「私」を個人的に地下の世界に誘っているような気がしてくるのである（傍点は村上）（104）。これらの謎解きは、脇役だが「私」が唯一心を打ち明けられる雨田政彦と「私」が信頼するに足ると直観した免色とイデアによって明かされていく。

　「私」は、初対面の人に対して肖像画家としての直観で観察する（123）。その依頼主は「私」に対して次のように述べる。

　――「あなたの絵には何かしら、見るものの心を尋常ではない角度から刺激するものがあります。一見すると通常の型どおりの肖像画なんですが、よくよく見るとそこには何かが身を潜めています。本物のパーソナリティーとでも呼べばいいのでしょうか？　絵の中で画家のパーソナリティーと描かれた人のパーソナリティーとの両方が混じり合い、腑分けができないくらい精妙に絡み合っているのでしょう。それは見過ごすことの出来ないものです。パッと見てそのまま通り過ぎても、何かを見落としたような気がして自然と後戻りし、今一度見入ってしまいます。

第5章 作家としての使命感を持ったエグザイルである村上春樹とジョウゼフ・コンラッドの文学

私はその何かに心を惹かれたのです（傍点は村上）」(124)。

面談の結果、画家としてのプライドを刺激され、免色という人物に興味を持ち、「私」は肖像画の依頼を引き受ける。彼が微笑むと、目じり皺が深まった。いかにも清潔で裏のない笑顔だった。しかしそれだけではあるまいと「私」は思った。免色という人物の中には、何かしらひっそり隠されているものがある。その秘密は鍵のかかった小箱に入れられ、地中深く埋められている。それが埋められたのは昔の事で、今ではその上に柔らかな緑の草が茂っている。その小箱が埋められている場所を知っているのは、この世界で免色だけだ。「私」はそのような種類の秘密が持つ**孤独さ**を、彼の微笑みの奥に感じ取っていた (131)。確かに「私」が描いた肖像画は、ある程度は彼の興味を惹いたかもしれない。彼が全くの嘘をついているとは「私」には到底思えなかった。しかし彼の言い分をそのまま真に受け入れるほど、「私」は無邪気な人間ではない (133)、と語っている。「私」もマーロウのように「客観的視点」を持つ人間のようである。

第2部 遷ろうメタファー編 において雨田政彦が、免色について「少し玄関で話をしただけだが、なかなか興味深い人物のようだ」と言った時、「私」は「とても興味深い人物だよ。とてもとてもとても興味深い人物だよ（傍点は村上）」と言い直していた[101]。そしてイデアは、「免色くんにはいつも何かしら思惑がある。必ずしっかり布石を打つ。布石を打たずしては動けない」(141) と彼の資質を指摘していた。彼の資質は、肖像画家としての「私」との関わりの中で漸次明かされていく。

免色がやってきて「私」の前で肖像画のポーズをとった。「私」は彼に関する様々な細かい断片が「私」の中で少しずつ一つに結びついていった。そうするうちに免色という人間が「私」の意識の中で立体的に、有機的に再構成されていく感触があった。「私の中にある隠されたスイッチをオンにしたようだった。（中略）この絵は生身の彼を必要と

― 397 ―

しているのだ。不思議だ（傍点は村上）」(191) と「私」は思った。
　そしてその日の真夜中に、「私」は、またもや昨夜と同じく鈴の鳴る音を耳にする。あの塚の下からだ。それは「私」に向けて鳴らされている音だと思う（傍点は村上）(193)。「私」は何かをしなければならない、今、「私」が相談すべきは免色だけだと思う。翌日の午後一時ピッタリに免色が玄関のドアベルを鳴らした。ラジオの時報と同時に。その正確さに「私」は驚嘆した。免色は「私」の出す面倒な注文に辛抱強く付き合ってくれた、嫌な顔もせず、文句ひとつ口にしなかった。様々な種類の苦行を与えられ、それに耐える事に精通した人物のように「私」には見えた (195)。「私」は胸から上の彼の姿をキャンバスの上に描き上げた。未完成な粗い下絵ではあるけれど、少なくともそれは生命感を持った形象になっていた。そしてその形象は免色渉という人物の存在感を生み出す、内的な動きのようなものを掬い取り、捉えていた。そんな思いの時、永続的な場所に移植された芸術作品と呼ばれる資格を持つヴィンセント・ファン・ゴッホ（Vincent van Gogh）の絵の中に生き続ける名もなき郵便配達夫の絵のごとく、「私」はふと『騎士団長殺し』の絵の事を思い出した。「あの絵の中で刺殺されている「騎士団長」も、雨田具彦の手によって永続する命を身につけることが出来たのだろうか？　そして騎士団長とはそもそも何ものだろうか？」(198) と。
　「私」は、今の嘘偽りのない思いを免色に吐露する。──「僕にはなぜかもう、これまで仕事として描いてきたコンベンショナルな形式の、いわゆる『肖像画』が上手く描けなくなってしまったみたいです。闇の中を手探りで進んでいるような状態です」(198)。免色はこう言った。──「前にも申し上げた通り、結果的にそれがどのようなスタイルの絵になろうが、それはまったくあなたの自由です。私自身、常に変化を求めて移動している人間です。私が求めているのは、あなたの目が捉えた私の姿を、そのまま形にしてもらうことです。手法や手順はそっくりお

第 5 章　作家としての使命感を持ったエグザイルである村上春樹とジョウゼフ・コンラッドの文学

任せします。私は何もあのアルルの郵便配達夫のように歴史に名を残したいと望んでいるわけではありません。ただ私には健全な好奇心があるだけです。あなたが私を描くとき、そこにいったいどのような作品が生まれるのだろうかという」(199)。「私」は思い切ってあの不思議な鈴の音の話を切り出した。免色は一言も口をはさむ事なく、「私」の語る話に耳を澄ませていた。やがて次のように言った。――「興味深い話です。できればその鈴の音を、私自身の耳で聞いてみたい。今夜こちらにお伺いしても構いませんか？」と意外な言葉が返ってきた。「あなたのお役にたてることは、私にとって何よりも喜びです。それに私はもともと好奇心の強い人間です。私としてもぜひその真相を知りたい」(201)。

　その時刻が近づくのを待ちながら、世間話などをしていた。それから免色から思いがけない話を「私」は聴く。「自分には子供がいるのではないかと考えるようになってきたのです」(208) と。「私」はこう考えた、「考えてみれば私には小さいころからなぜか、それほど親しくない人から思いもよらぬ打ち明け話をされる傾向があった。もしかしたら私には、他人の秘密を引き出す特別な資質みたいなものが生まれつき備わっているのかもしれない。それともただ熟達した聴き手みたいに見えるのかもしれない」(208)。後に免色は、「あなたに対してはある程度無防備になってもかまわないだろうという気持が、お会いした最初の日から私の中に生まれたような気がします」(468) と「私」に語っていた。この語り口は、質的には異なるのだが、夏目漱石の『こころ』の登場人物の先生が彼を慕う青年に唯一内心の苦悩を打ち明ける語り口を想起させてくれる。「私」は「先生」との邂逅によって、「私」にとって、先生が父親よりも近しく感じられる存在となり、「いつか私の頭に影響を与えていた。ただ頭というのはあまりに冷かすぎるから、私は胸と言い直したい」と言って次のように語っている。――「肉のなかに先生の力が喰い込んでいると言っても、血のなかに先生の命が流れていると言ってもその時の私には少しも誇張でないように思はれた。私は父が私の本当

の父であり、先生はいうまでもなくあかの他人であるといふ明白な事実を、ことさらに目の前に並べてみて、はじめて大きな真理でも発見したかのごとくに驚ろいた」[102]。「先生」は、愛する妻にも打ち明けなかった重大な「告白」である「先生の遺書」を「私」に認（したた）めたのである。しかしながら免色の「私」への影響は胸の奥深くまでは及んでいなかったようである。――「でも私が免色のようになることはない。彼は、秋川まりえが自分の子供であるかもしれない、あるいはそうではないかもしれない、という可能性のバランスの上に自分の人生を成り立たせている。その二つの可能性を天秤にかけ、その終わることのない微妙な振幅の中に自己の存在の意味を見出そうとしている」(540)。

　因みに村上は、漱石を「ナチュラルだと思う。自分の言葉、文章を持っていて読ませるし、感じさせる。硬直していない」[103]と高く評価している。更に彼は、「最近、僕は漱石を読み直して、あの人は本当に小説を、短い間に書いていて、『三四郎』と遺作の『明暗』の間だって８年ぐらいで、よくもまあ、これだけの短い期間でこんなに違うものが書けるなあ」[104]と感嘆し、「漱石の小説を読んでいると、間に合わせの登場人物は出てこない。頭で考えて作った小説じゃない。しっかりと体感のある小説です」[105]と脱帽している。村上は、漱石の『門』の影響を受けて『ねじまき鳥クロニクル』を執筆した事を次のように述べている。――「ぼくが『ねじまき鳥クロニクル』を書くときにふとイメージがあったのは、やはり漱石の『門』の夫婦ですね。ぼくが書いたのとはまったく違うタイプの夫婦ですが、イメージとしては頭の隅にあった」[106]。『騎士団長殺し』の主人公「私」の数少ない友人の雨田政彦に対して、村上は次のように述べている、「この人が出てくるとほっとする。夏目漱石の小説の脇役として出てきそうな感じがある」[107]。

　免色は続けて話す、「私はこれまで血縁というものに興味を持つことはありませんでした。その気持ちは今も変わりません。しかしその一方で、私はこの（今13歳の）まりえという娘から目を離すことができなく

第 5 章　作家としての使命感を持ったエグザイルである村上春樹とジョウゼフ・コンラッドの文学

なったのです（傍点は村上）。理屈もなにもなく…。こんなことはまっ
　・・・
たく初めての経験です。私は常に自分をコントロールしてきましたし、
そのことに誇りを持ってもきました。でも今では一人きりでいること
を、時としてつらく感じることさえあります」(221-22)。あれほど賑や
かだった虫も声が今ではすっかり消えてしまっていた。我々は夜の静寂
の中に耳を澄ませた (222)。そしてその深い沈黙の中に、「私」はあの
微かな鈴の音を再び耳にする事ができた。「私」は向かいのソファに
座った免色の顔を見やった。その表情から彼もまた同じ音を聞き取って
いる事を知った。「音のするところに行ってみましょう」と彼は乾いた
声で言った (223)。その謎の音は疑いの余地なく、塚の石の隙間から漏
れ聞こえてくるようであった。「この石の下で誰かが、鈴らしきものを
鳴らしているみたいに私には聞こえます」と免色は言った。私は肯い
た。自分が狂っていなかった事がわかって安心するのと同時に、そこに
可能性として示唆されていた非現実性が、免色の言葉によって現実のも
のとなり、そのせいで世界に合わせ目に微かなずれが生じてしまった事
　　　　　　　　　　　　　　　　　　　　　　　・・
を、「私」は認めないわけにはいかなかった（傍点は村上）。免色は言っ
た、「今はとにかく家に戻りましょう。これで音の出どころははっきり
しました。あとのことは家に戻ってゆっくり話し合いましょう」。家に
戻ってから免色は次のように話す。──「これと同じような出来事を以
　　　　　　　　　　　　　　　　あきなり
前、本で読んだことがあります。(上田)秋成の『雨月物語』が完成し
　　　　　　　　　　　　　　　　　　　　　　　　　　　にせ　えにし
てから約40年を経て書かれた『春雨物語』です。その中に『二世の縁』
　　　　　　　　　　　　　　　　　　　　　　かね
という不思議な一編があります。庭の石の下から、鉦の音のようなもの
が時折聞こえてきます。石の蓋をした棺のようなものがあります。それ
を開けると、中には肉を失い、干し魚のように痩せこけた人がいます。
　　　　　　　　　しゅもく
手だけが動いていて、撞木でこんこんと鉦を打っています。どうやらそ
の昔、永遠の悟りを開くために自ら死を選び、生きたまま棺に入れら
　　　　　　　　　　　　　　　　　　　　ぜんじょう
れ、埋葬された僧であるようです。これは禅定と呼ばれる行為です。
　　　　　にゅうじょう　　　　　　　　　　　　　　　　　　　　　　　　　　ねはん
禅定する事を『入定する』と言います。その魂は願い通りに涅槃の境

— 401 —

地に達し、魂を失った肉体だけがあとに残されて生き続けてきたようです」(227)。「私」も禅に関しては一方ならぬ関心を有している。「私」は後で述べる「キャンバス禅」を試みる。

　因みに即身成仏した実在の人物が我が国に存在した。「地中で鐘を鳴らす。その音が絶えたら、その時がわれの入滅のしるしなり」と遺言し禅定を果たした円空である。彼は30歳のころより鉈でぶっきらぼうに彫った木彫りの仏像を作りながら、修行に修行を重ね、自らを乞食沙門と称して全国を旅していた[108]。西行法師は、≪願わくば花の下にて春死なむその如月の望月のころ≫と詠って、予告通り2月16日に死んだ。司馬遼太郎は、満開の花の季節に死ぬその日にちまで決めるというのは即身成仏であるとして[109]、西行法師を、「居ながらにして仏になる。それを「仏」とせずに「花」として詠って死に、思想を美にした日本人の最高の典型」だとしている[110]。梅原　猛氏は、「大自然のすべてが大日如来の顕現であり、人間の中にも宿っている。私たちは行によって大日如来と一体になり、この肉体のまま仏になれる、それが空海の唱える即身成仏ということです」[111]と述べている。

　免色の力を借りて、人々と重機を使って敷石が取り除かれた井戸のような穴の中から出て来たのは、仏具のような木製の鈴であった（251）。免色は次のように予言した。――「考えて見たら、物事は何一つ解決していません。これからまだ何かが持ち上がりそうだという予感が私の心の中にはあるのです」(257)。免色の予感は当たった。その発掘の一日目はただの始まりに過ぎなかった。

　そして翌日「私」はスタジオで免色の絵を見た。スツールに座って免色のポートレイトを眺めた。5、6分たって戻ってからその絵を見た時違和感があった。スツールの位置が変わっていたのだ。角度の変わった絵の中にまるで二つの異なった人格が彼の中に共存しているようだった。「かんたんなことじゃないかね」と誰かが言った（傍点は村上）。辺りを見回した。誰もいなかった。空耳かと思った。しかし、再び同じ声

が私の耳元で聞こえた（279）。そして「メンシキさんにあって、ここに
ないものをみつければいいんじゃないのかい」と誰かが言った（傍点は
村上）。まるで謎かけのようだ。それから一つの事実に思い当たった。
免色にあって、「私」のこの絵にないもの。それは彼の見事な白髪だ
（281）。彼の抱える謎さえもが、そのままそこにあった。それは免色と
いう存在を絵画的に浮かび上がらせる事に成功している（と私は感じ
る）。しかし免色という人間の外見を描く事をその目的とはしていな
い。「私」が自分のために描いた絵であった（傍点は村上）（281）。「私」
は、出口をようやく見つけつつあるのかもしれない、「私」は目の前に
立ちはだかっていた厚い壁をようやく抜けつつあるのかもしれない、と
思った（282）。

　その日の午前11時、約束通り免色がやってきた。そして二人して開放
された穴の処に来た。彼は業者が置いていった金属製の梯子を伝って下
に降りた。そして彼は驚くべき事を「私」に言った。──「この梯子を
引き上げて、それからできるだけ光が入らないようにぴたりと蓋を閉
めてくれませんか？　大丈夫です。何も心配することはありません。こ
こに、この真っ暗な穴の底に、一人で閉じ込められているというのがど
ういうことなのか、自分で体験してみたいだけです。出してほしくなっ
たら、そのときは鈴を振ります。鈴の音が聞こえたら、蓋を外して梯子
を下ろしてください。もし一時間たっても鈴の音が聞こえないときに
は、そちらから蓋を外してください」（287-88）。村上は、1991年に作家
としての仕切り直しという気持で単身渡米し、「象徴的で意欲的な小
説」と見做す『ねじまき鳥クロニクル』を執筆した。後年「この小説で
一番大事なのは『壁抜け』です。主人公が井戸の底でひとりずっと考え
ていて、別の世界に通じる。深層意識の中に入っていき、出入り口を見
つける」[112]と述懐していた。失業中の「僕」は失踪した妻を探して枯
れた井戸の底に潜り、別の世界を見る。免色には『壁抜け』は出来な
かった。

結局鈴は鳴らないまま、一時間が経過した。「私」は穴の処に行き、蓋を開けた。免色は穴から出て来た。家に帰って「私」は彼に言った。——「肖像画は完成しています。ある意味において。僕は依頼を受け、あなたをモデルにして一枚の絵を描きました。しかし正直に申し上げて、それは＜肖像画＞と呼べるようなものではありません。ただ、それはぼくが描かなくてはならなかった絵であるということだけは確かです」（傍点は村上）（294-95）。続けて、「自分のことしか考えなかったせいで、ぼくはそこにあるべきたがのようなものを外してしまったのかもしれない」。そして何か不適切なものをあなたの中から引きずり出してしまったかもしれない、と私は言いかけて、思い直してやめた（傍点は村上）（297）。免色は言った。——「私は自分でも思うのですが、とても籠（たが）が強い人間です。言い換えれば、自分をコントロールする力が強い人間です」（傍点は村上）。「知っています」と「私」は言った（297）。
　「私」は免色をスタジオに案内した。そこにあるのは免色をモデルにしたポートレイトであった。いや、ポートレイトというよりは、絵の具の塊をそのまま画面にぶっつけたひとつの「形象」としか呼びようのないものだ。豊かな白髪は吹き飛ばされた雪のような純白の激しいほとばしりになっている。それは一見して顔には見えない。顔としてあるべきものは色の塊の奥にそっくり隠されている。しかしそこには疑いの余地のない免色という人間が実在している——と（少なくとも）「私」には思える（298）。ずいぶん長い間、免色はその絵を睨んでいた。やがて言った。——「素晴らしい。実に見事だ。何と言えばいいのだろう、これこそまさに私の求めていた絵です」（298）。
　「私」は思った。——「私は免色というモデルを触媒にして、自分の中にもともと埋もれていたものを探り当て、掘り起こしただけなのかもしれない。ちょうど祠（ほこら）の裏手にあった石の塚を重機でどかせ、格子の重い蓋を持ち上げ、あの奇妙な石室の口を開いたのと同じように、私は、自分の周辺でそのような二つの相似した作業が並行して進行していたこ

第5章 作家としての使命感を持ったエグザイルである村上春樹とジョウゼフ・コンラッドの文学

とに、因縁のようなものを感じないわけにはいかなかった」(299-300)。免色は絵の完成を祝して一献振る舞いたいと申し出る。その時「私」はあの石室にいたはずのミイラが脳裏に浮かび、毎夜鈴を鳴らしてどこかに消えてしまったミイラも『ドン・ジョバンニ』の騎士団長の彫像と同じように招待されたがっているのでは、とふと思い彼の陪席を提案する。免色は、なかなか興味深い夕べになるでしょう、と言って「私」の申し出に快く応じてくれた (304)。

　石室を開放した二日後の早朝に目覚めた「私」は、簡単な食事を済ませてから、まだ何も書かれていない真っ白なキャンバスをただじっと見つめる「キャンバス禅」を行う (329)。その真っ白な画面には、来たるべきものがひっそり姿を隠している。目を凝らすといくつもの可能性がそこにはあって、それらがやがて一つの有効な手掛かりへと集約されていく。そのような瞬間がとても好きだったのだ。存在と非存在が混じり合っていく瞬間なのだ。でも今日、自分がこれから描くものは決まっていた。ファミリー・レストランの座席から真っ直ぐ「私」を見上げていた白いスバル・フォレスターに乗っていた男の肖像画だ。免色のポートレイトを描いた時と同じように、「私」はその男の存在の意味を——少なくとも「私」にとっての意味を——浮かび上がらせるために。おまえがどこで何をしていたかあれにはちゃんとわかっているぞ、と彼の目は物語っていた（傍点は村上）。彼の姿を「私」なりに描かなくてはならないのだ。それが「私」に求められていることであった (330)。

　その作業は10時半まで続いた。その時点までに仕上がった下絵を見て、そこに「私」の記憶している男の顔があった。顔の骨格は出来ていたが余分な線を上手く刈り込む必要を感じた。今日の作業はここまでと決めた (331)。昼食後「私」はあの穴の前に座って、時間の死んでいく音にただ耳を澄ませていた。「私」はふと思った。——「穴の底に一人きりで座っているのは、どんな気持ちがするものだろう。真っ暗な狭い空間に、一人きりで長い時間閉じ込められること。私にはとてもそんな

ことはできないが、免色は免色なりのやり方で彼の世界を生きているのだ」(333)。午後3時前に雨田政彦が用事の序にと言って来訪した。「私」は描きかけの『白いスバル・フォレスターの男』の下絵を見せた。他人の絵の良し悪しを一瞬にして見分ける才能がある雨田は、「ここには深い怒りと悲しみがある。でも彼はそれを吐き出すことが出来ない。怒りの身体の内側で渦巻いている。これはポートレイトだが、肖像画じゃない。おまえは … 何か新しい行き先を見つけつつあるのかもしれない」と指摘した (336-37)。「私」は「ぼくもそう思いたい」と肯いた。

　真夜中に目を覚ました。例の鈴が鳴っていた (341)。前よりも大きく鳴る鈴の音は，あの穴からではなくこの家のスタジオの中から聞こえてきたのだ。時刻は真夜中で、場所は孤立した山の中で、全くの一人ぼっち。「私」は混乱と恐怖を感じた。鈴は断続的で、しかも不均一に鳴らされていた。その不均一さには妙に人間的なものが感じられ、誰かが何らかのメッセージを込めて鳴らしているものと思った。毎晩こんなことがずっと続いたら眠りどころかまともな生活も送れやしない。それから逃げ続けることが出来ないのなら、思い切って事の真相を見定めるしかあるまい、と「私」は腹をくくった (343)。一瞬「私」は、こんな事態を招いたのは穴を開放した免色のせいだ、彼に連絡して来てもらおうとも考えた。しかし結局思い直してやめた。「私の責任においてやらなくては」と思い至るのである（傍点は村上）(345)。「私」は思い切って居間に足を踏み入れ、部屋の明かりをつけた。しかし鈴の音は鳴りやまずスタジオから聞こえてくる。大きく深呼吸をし、心を決めて、スタジオに通じるドアを押し開けた。と同時に、それを待っていたかのように鈴の音がぴたりと止んだ。スタジオの中には誰ひとりいなかった。鈴を振っている干からびたミイラの姿はなかった (346)。

　しばらく耳を澄ませていた。その時「私」は居間のソファの上に何か見慣れないものがあることにふと気づいた。生きている60㌢ほどの小さ

第 5 章 作家としての使命感を持ったエグザイルである村上春樹とジョウゼフ・コンラッドの文学

な人間だ。その衣服には見覚えがあった。古風な伝統的な意匠だ。日本の古い時代に位の高い人々が着ていたような衣服。衣服だけではなく、その人物の顔にも見覚えがあった。騎士団長だ、と「私」は思った（傍点は村上）。双方ともじっと見つめ合っていた。やがて騎士団長が言った。──「あたしはただあの人物の姿かたちをとりあえず借用しただけだ。あの騎士団長の形体を便宜上拝借したのだ」。続けて、「あたしはただのイデアだ。霊というのは基本的に神通自在なものであるが、あたしはそうじゃない。いろんな制約を受けて存在している。形体化していないあとの時間は、無形のイデアとしてそこかしこでやすんでおる。屋根裏のみみずくのようにな。それから、あたしは招かれないところには決して行けない体質になっている。しかるに諸君が穴を開き、この鈴を持ち運んできてくれたおかげで、あたしはこの家に入ることができた」（352）。そして騎士団長の姿は薄れて消えてしまった。

翌日「私」は、イデアの騎士団長を想い起して雨田具彦の日本画をじっと見た時、彼の力量を実感する。雨田の絵は、ヴィンセント・ファン・ゴッホ（Vincent van Gogh）が描く郵便配達夫の姿が決してリアルではないのに、見れば見るほど鮮やかに生きづいて見えるのと同じだと思い至った（357）。そして「私」は、書きかけの白いスバル・フォレスターに乗った中年男の絵の形に仕上げていった。約 1 時間半の作業の後にキャンバスの上に現われたのは彼のミイラ化した姿であった。木炭の粗く黒い線だけで表されていたが、「私」の頭の中には来たるべき絵画の形がしっかりと像を結びつつあった。「なかなか見事であるじゃないか」と騎士団長が言った。彼は窓際の棚の上に腰かけていて（359）、そして免色邸での夕食会への招待の件を念押しして姿を消した。

「私」は、車での帰途その屋敷が見えなくなると、今夜起こった事柄の総てが、**夢の中での出来事**であるかのように思えた。何が正常であり何が正常でないのか、何が現実であり何が現実でないのか、だんだん見極めがつかなくなってくる。目に見えるものが現実だ、と騎士団長が耳

元で囁いた。しっかりと目を開けてそれを見ておればいいのだ。判断は
あとですればよろしい（傍点は村上）(425)。帰宅したのは十時少し前
だった。「私」は眠った。当然の事ながら沢山の夢を見た。どれも居心
地の悪い奇妙な夢だった。ウィーンの街に翻る無数のハーケンクロイ
ツ、ブレーメンを出航する大型客船、岸壁のブラスバンド、青髭公の開
かずの間、スタインウェイを弾く免色 (426)。

VI 『騎士団長殺し』の考察2 ──『闇の奥』を念頭に置いて

　自分の肖像画を描いてもらいそれに得心がいった免色が、「この人は
信頼するに足る人だ。この人なら私のものの見方や考え方を、自然なか
たちでそのまま受け入れてくれるのではないか」と思い (468)、実の娘
と思しきまりえの肖像画を描いてほしいと「私」に依頼してくる。まり
え自身が、あなたの絵のモデルになる事に積極的だったらしい事を付け
加えた。二日後「私」は、自発的にまりえの肖像画を描くという条件で
その依頼を承諾する。
　まりえと初対面した時、あの沈着冷静な免色が、まりえを正面から注
視する事ができずに、「私」が描いたまりえのデッサン3枚を食い入る
ように見つめていた。後日免色は次のように「私」に告白する。──
「彼女と一緒にいて、その顔や姿を目の前にして、私は随分奇異な感情
に襲われました。自分がこれまで**生きてきた**長い歳月はすべて無為のう
ちに失われていたのかもしれない、そんな気がしました。そして自分と
いう存在の意味が、自分がこうしてここに**生きている**ことの理由が、今
ひとつよくわからなくなってきました。これまで確かだと見なしていた
ものごとの価値が、思いもよらず不確かなものになっていくみたいに」
(131)、「秋川まりえが私の血を分けた子供かもしれないという可能性
だけで、今の私には十分なのです。あえて事実を明確にしたいとは思い

第 5 章　作家としての使命感を持ったエグザイルである村上春樹とジョウゼフ・コンラッドの文学

ません。私はその可能性の光の中で自分を見つめ直しているのです」（133）。そして「私」の**生き方**の核心にも触れる。「退屈したことはありますか？」。「もちろんあります。でも退屈さは、今ではぼくの**人生**の欠くことのできない一部になっているみたいです。どうやら退屈さに慣れてしまったようです。苦痛に感じることはありません」。「それはやはり、あなたの中に絵を描こうという一貫した強い意志があるからでしょうね。もしそういう芯がなければ、日々の退屈さはきっと耐え難いものになるはずです」（143）。

　更に免色は自分自身の有り様を「私」に打ち明ける。──「からっぽの人間です。こんなことを言うといかにも傲慢に聞こえるかもしれませんが、私は自分のことをずいぶん頭の切れる有能な人間だと思って、これまで生きてきました。勘も優れているし、判断力も決断力もあります。体力にも恵まれています。何を手掛けても失敗する気がしません。実際、望んだものはだいたいすべて手に入れてきました。若い頃は、自分にはどんなことでも可能だと思っていました。そして将来、自分はほぼ完璧な人間になれるはずだと考えていました。世界をそっくり見下せるような高い場所にたどりつけるだろうと。しかし五十歳を過ぎて、鏡の前に立って自分自身を眺めてみて、私がそこに発見するのはただのからっぽの人間です。無です。T・S・エリオットが言うところの藁の人間です」（269）。

　トマス・スターンズ・エリオット（Thomas Stearns Eliot）は、『闇の奥』のクルツを念頭に、詩集「うつろなる人々」（"The Hollow Men"）のエピグラフにおいて「クルツの旦那──死んだ。（"Mistah Kurts ── he dead."）」[113] を掲げ、『荒地』（*The Waste Land*）に繋がる現代の虚無を暗示していた。ここで注目すべきは、自分をほぼ完璧だと思っていた免色が、50歳を過ぎて自分を直視して「からっぽの人間」と見做し、更にまりえの出現を前にして自分の有り様を根本的に問い直している事である。それと同時に他人との距離を常にとってきた免色

- 409 -

が、「信頼するに足る人」として「私」との「つながり」を求めている事である。免色はゆっくり自分の車に乗り込むと、わざわざ窓を開けて「私」に一礼してから、エンジンをかけて去って行った。「人とのつながり」という問題は、最終章において提示されているこの作品の主題と深く関わっているのである。

翌朝、容態が悪化した父に会いに行くから一緒に来てほしいという電話が雨田政彦からかかって来た（270）。「私」は了承して受話器を置く。いよいよ事件の核心に迫って雨田具彦と対面する事になる。

雨田具彦との面会に向かう途上の車中で、「私」は息子の雨田政彦から、父からは何一つ、自分がかつてどんなことを経験してきたか、どんな思いを抱いて生きて来たか、そのわずかな切れ端でさえも教えてもらえなかった、という告白を聴く（281）。そして更に雨田政彦は語る。「おれの印象からすると、父親は何か個人的な重要な秘密を隠していて、それを自分一人で抱え込んだまま、この世界からゆっくり退出しようとしている。心の奥には頑丈な金庫みたいなものがあって、そこにはいくつかの秘密が納められている。どこだったか自分でももう思い出せないところにな」。「私」は思う、「1938年のウィーンで一体何が起こったのか、それは誰にもわからない鍵として闇の中に葬られてしまう。でも『騎士団長殺し』という絵が、ひょっとしたらその「隠された鍵」になるのかもしれない」（281）。

雨田具彦の部屋は個室でホテルのセミ・スイートほどの広さがあり、窓からは太平洋を見事に眺望する事が出来る高級療養施設のたたずまいである。見事な眺望とは全く無関係に、彼はその老いた瞼を覆い隠して、額には深い皺が刻み込まれ、熟睡していた（291）。やがて目覚めた彼に、「私」は事の核心に入っていく。屋根裏の絵の事に触れると、雨田の眼球の奥深くに潜んだ秘密の光が鮮明になったように「私」には感じられた。息子の政彦は言った、「不思議だよ。おれが何を言ってもほとんど見向きもしなかったのに、さっきからおまえの顔を見たっきり、

第5章　作家としての使命感を持ったエグザイルである村上春樹とジョウゼフ・コンラッドの文学

じっと目を逸らせもしない」(301)。やがて雨田政彦は仕事の関係で部屋を出ていく。その部屋には「私」と雨田具彦の二人きりになった。否、二人だけではなく、そこには騎士団長もいたのである (303)。

やがて騎士団長は「私」に言った。――「諸君が諸君自身に出会うことができる場所に、諸君を今から送り出すことはあたしにはできる。しかしそれは簡単なことではあらない。それには少なからざる犠牲と厳しい試練とが伴うことになる。具体的に申せば、犠牲を払うのはイデアであり、試練を受けるのは諸君だ」(307)。イデアはなお続けて言う、「諸君はあたしをあの穴から出した。諸君はあたしを殺さなくてはならない。そうしなければ環は閉じない。開かれた環はどこかで閉じられなくてはならない」(310)。

そしてイデアから、『騎士団長殺し』の絵画の寓意の核心を、更に雨田が戦争後も深い沈黙を貫いてきた理由を聴く。イデアは次のように明かすのである。

――「彼（雨田具彦）の恋人はナチの手で無惨に殺害された。拷問でゆっくり時間をかけて殺されたのだ。仲間たちもすべて抹殺された。彼らの試みは全くの無為のうちに終わってしまった。彼だけが政治的配慮によってかろうじて生き残った。そのことがかえって心の深い傷になった。また彼自身も逮捕され、二カ月ばかりゲシュタポに勾留され、手ひどい拷問を受けた。拷問は死なない程度に、また身体に傷跡を残さないように注意深く、しかし徹底して暴力的に行われた。神経が壊れてしまうくらいのサディスティックな拷問であった。そして実際にその結果、彼の中で何かが死んでしまったのだろう。そのあと彼は、事件については沈黙を守るようにしっかり因果を含められ、日本に強制送還された」(313-34)、「それ（『騎士団長殺し』の絵）は彼の生きた魂から純粋に抽出されたものであった。それを諸君が発見した」(315)。

なお続けて騎士団長は、「さあ、あたしを断固殺すのだ。彼の意識がこうしてひとつにつながっているあいだに」と言って、「私」にその行

- 411 -

為を促した。「私」は雨田政彦が鯛を調理するために持参した包丁を騎士団長の背後から振りかざした（322）。しかしそれを振り下ろす事がどうしてもできなかった。たとえイデアにとってそれが無数分の一の死に過ぎなくても、「私」が「私」の目の前にあるひとつの生命を抹殺するという事に変わりはない。それは（雨田具彦の弟）雨田継彦が南京で、若い将校から命じられた殺人行為と同じ事ではないのか？

「同じではあらない」と騎士団長は言った。「この場合は、あたしがそれを求めているのだ。自分自身が殺されることを、あたしが求めているのだ。それは**再生のための死**なのだ。さあ、心を決めて環を閉じるのだ」(322)。「諸君が殺すのはあたしではない。諸君は今ここで邪悪なる父を殺すのだ、邪悪なる父を殺し、その血を大地に吸わせるのだ」と騎士団長は言った。「私」にとって邪悪なる父とはだれか？ 騎士団長は「私」の心を読んで言った。「その男を諸君はさきほど見かけたはずだ」。私をこれ以上絵にするんじゃないとその男は言った（傍点は村上）。そして暗い鏡の中から「私」に向かってまっすぐ指をつきつけていた。その指先はまるで刃物の切っ先のように、「私」の胸に鋭く突き刺さった。その痛みと共に、「私」は反射的に心を閉ざした。そしてしっかりと目を見開き、すべての思いを払いのけ、すべての感情を奥に押し隠し、表情をそっくり消し去り、包丁を一気に振り下ろした。騎士団長自身は抵抗のそぶりをみじんも示さなかった（323）。雨田具彦はこれまで以上にかっと大きく目を見開いて、そこにある光景を直視していた。「私」が騎士団長を刺殺している光景を。いや、そうじゃない、今ここで「私」に殺されようとしている相手は、彼にとっては騎士団長ではない。彼が目にしているのはいったい誰なのだろうか？ 彼はウィーンで暗殺しようと計画していたナチの高官なのか。南京城内で弟に日本刀を渡し、三人の中国人捕虜の首を斬らせた若い少尉なのか。それとも彼らすべてを生み出したもっとも根源的な、邪悪なる何かなのか（324-25）（傍点は村上）。やがて騎士団長の首と腕から力がすっと抜けた。雨田

第5章 作家としての使命感を持ったエグザイルである村上春樹とジョウゼフ・コンラッドの文学

　具彦の顔に浮かんでいるのは、安らかに落ち着いた表情であった。彼は昏睡という平穏な世界に、意識もなく苦痛もない世界に、再び戻り着く事ができたようだ。「私」は彼のためにもその事を喜ばしく思った（325）。
　耳を澄ませるのだ、とイデアは言った（傍点は村上）。「私」は言われたとおり耳を澄ませた。何かがこの部屋の中にいる。顔なががそこにいた（傍点は村上）。「私」は騎士団長を刺殺する事によって、顔ながをこの世界に引きずり出したのであった（326）。そこに出現しているのは、雨田具彦が『騎士団長殺し』の画面左下の隅に描いたのと同じ光景であった（327）。「顔なが」は部屋の隅に開いた穴からぬっと顔を突き出して、四角い蓋を片手で押し上げながら、部屋の様子をひそかにうかがっていた。「私」は全身に込めた力を少しずつ緩めて、定められた構図から抜け出るようにその場から離れ、こっそり顔ながの方に近づいて行った。顔ながをこのまま地下に戻してしまってはならない。秋川まりえを救い出すために、騎士団長が自らの命を捨てて、『騎士団長殺し』の画面を再現して、この顔ながを地中から引っ張り出してきたのであった（328）。「私」が襟を掴むと、それまで硬直した状態であった顔ながはそこではっと正気を取り戻して、あわてて身を振りほどいて、穴の中に逃げ込もうとした。しかし「私」はその襟を力強く掴んで離さなかった（329）。意識が戻った顔ながに「秋川まりえがどこにいるのか、おまえは知っているのか？」知らないという顔ながに「じゃあ、おまえはここでいったい何をしていたんだ？」と「私」が尋ねると、顔ながは「起こったことを見届けて、記録するのがわたしの職務（つとめ）なのだ。これは真実（まこと）であります。わたしどもはイデアなのではありません。ただのメタファー（暗喩）であります。ものとものとをつなげるだけのものであります。ですからなんとか許しておくれ」と言った。「許してやってもいいが、おまえがやってきたところまで案内してくれないか？」と「私」が言うと、顔ながは「ここまでわたしの通ってきた道は＜メタファー通

- 413 -

路＞で、あなた様がメタファー通路に入ることは余りに危険であります。生身の人間がそこに入って、順路をひとつあやまては、とんでもないところに行き着くことになる。そしてとんでもないやくざで危険な二重メタファーがあちこちに身を潜めております」と言った（336）。

「私」が「騎士団長を殺してしまった。彼の死を無駄にするわけにはいかない」と脅すと、顔ながはもはやこれまでと観念して、道順を教えてくれて明かりを持っていくほうがいいという忠告をして、穴の中へ消え去った（337）。「私」は、懐中電灯を手にして、意を決して穴の中に全身を入れてから、手を伸ばして四角い蓋をぴたりと閉めた。どこまでも深い暗闇の中にあって、自分自身の五感をまともに把握する事ができなくなった。しかしそれでも「私」は前に進まなくてはならない。あたしを殺して、秋川まりえをみつけるのだ（傍点は村上）。騎士団長はそう言った。彼が犠牲を払って、「私」が**試練**を受けるのだ（ゴシック体は筆者）（340）。

「私」を包んでいるのは濃密で隙のない、まるでひとつの意志を備えたような暗闇だった（341）。そこには**一条の光**も射さず、一点の光源も見当たらない。手にした懐中電灯の黄色い明かりだけが、「私」と世界をかろうじて結びつけていた。懐中電灯を握る「私」の手のひらは、緊張したために汗ばんでいた。心臓が鈍く堅い音を立てていた。その音は、ジャングルの奥から聞こえてくる不安な太鼓の響きを思い起させた（342）。＜闇の奥＞に乗り込んでいく時のマーロウを思わせるような心境である。身をかがめて歩き続けた後「私」は微かな水音を耳にする。その音のする方角を目指して「私」は手探りながらなおも歩き続ける。川に着いてからどこへ行けばよいのか迷う。そして更に先に進むには川は渉らなければならない。その時ふと免色の名前が思い浮かぶ。「渉」であった。

「私」は川を正面にして左の方に進む事にした。**色のない免色の無意識による教示に従って**（350）。作者の村上は『色彩を持たない多崎つく

ると、彼の巡礼の旅』を意識してこの書を執筆しているのかもしれない。「つくる」という名は「駅を作る」という主人公のライフワークを意味していた。やがて霞が立ち込める先に何かの姿がぼんやりと浮かび上がってきた。近づくにつれて、それが船着場らしきものである事が分かってきた。どうやら免色が与えてくれた無意識による示唆が、「私」をここまで無事に導いてくれたようであった（351）。淡い霞を通して、船着き場に男が一人立っているのが見えた。「私」の前に立っている長身の男には顔がなかった（353）。彼の首の上には普通に頭がついていた。顔の有るべきところにはただ空白があるだけだった。＜顔のない男＞であった。川を渉るには代価がいる、と顔のない男は言った。（免色が穴の底でみつけた）秋川まりえが携帯電話にお守りとして付けていたペンギンのフィギュアを見せるとその男は「これでよろしい」と言った（357）。

　その舟で対岸に着いた。男は、「ここからは、おまえは一人で進んでいかなくてはならない。もう川の水を飲んだだろう。お前が行動すれば、それに合わせて関連性が生まれていく。ここはそういう場所なのだ」と言った。川に沿って歩いた後、川から離れた道に沿って進み、やがて黒々とした森に遭遇する。奥にある闇はどこまでも深そうであった。しかしここまでやってきて、今さら川まで後戻りするわけにはいかなかった。「私」は、覚悟を決めて暗い森の中に足を踏み入れた（364）。森の中を歩いている間中「私」は終始何かによって見られているという、いやに生々しい感覚があった。森の次には急な断崖が待っていた。その壁には洞窟が一つ口を開けていた。「私」は用心深く、その洞窟の中に足を踏み入れていった。それからはっと記憶が蘇った。子供の頃、夏休みに若い伯父に連れられて、妹のコミチと一緒に訪れた洞窟である（367）。洞窟の中を、黄色い光のこぼれてくる方に向かって「私」はそろそろと進んで行った。その光はカンテラだった[114]。カンテラの下に女が一人立っていた。彼女もやはり『騎士団長殺し』の絵の中から抜け出

してきた人物で、騎士団長が刺殺される現場を、手を口もとにやりながら、怯えた目で目撃していた若い美しい女であった。「お待ちしておりました」と小柄なドンナ・アンナは「私」に言った（368）。「僕が来るのを待っていた？」「そうです。ここで長い間待っておりました。さあ、参りましょう。時間の余裕はありません。道は刻々と狭まっていきます。私のあとをついてきてください。そのカンテラを持って」。

　奥に進むにしたがって、洞窟はだんだん狭くなっていった。やがてドンナ・アンナは歩をとめた。「私が先に立って案内ができるのはここまでです。ここからはあなたご自身が先に立って進んでいかなくてはなりません。あなたが昔から、暗くて狭い所に強い恐怖心を抱いていることは存じ上げています。でも、あなたはあえてその中に入っていかなくてはなりません。そうしなければ、あなたはあなたの求めているものを手に入れることはできません。繰り返すようですが、道を決めるのはあなたご自身です。そして何より、あなたはもう行くべき道を選んでしまっています。あなたは大きな犠牲を払ってこの世界にやって来て、舟に乗ってあの川を渉りました。もう後戻りはできません」（373）。

　「私」は心を決めて身をかがめ、ほとんど四つん這いになって、穴の中に上半身を潜り込ませた（374）。知らないうちに通路は少しずつ狭くなってやがて前進も後戻りも出来なくなった。恐怖が「私」の全身を包んだ。「私」はどこまでも孤独で無力であり、すべての光に見放されていた。「止まらないで。そのまま前に進みなさい」とドンナ・アンナがきっぱりとした声で言った。「身体が動かないんだ」と「私」は背後にいるはずの彼女に向かって、声を絞り出した。「心をしっかりと繋ぎ止めなさい。心を勝手に動かせては駄目よ。心をふらふらさせたら、二重メタファーの餌食になってしまう」と彼女は言った（375）。「二重メタファーとは何なんだ」と「私」は尋ねた。「あなたの中にありながら、あなたにとっての正しい思いをつかまえて、次々と貪り食べてしまうもの、そのようにして肥え太っていくもの。それが二重メタファー。それ

第5章　作家としての使命感を持ったエグザイルである村上春樹とジョウゼフ・コンラッドの文学

はあなたの内側にある深い暗闇に、昔からずっと住まっているものなの」。白いスバル・フォレスターの男だ、と「私」は直観的に悟った（376）。しかし、「私自身」の「心の暗い闇」と深くかかわるこのスバル・フォレスターの男の正体や主人公の「深い暗闇」への追究はコンラッドの主人公のようにはなされていない。コンラッドは、『西欧の眼の下に』のラズーモフや『闇の奥』のクルツに潜む人間の魂の葛藤を深く追求した。

「私」の心は暗い混乱の中にあった。「私」は目を閉じて、その心をひとつのところに繋ぎとめようとした。でも心は見つからなかった。「心は記憶の中にあって、イメージを滋養にして生きているのよ」と女の声が言った。ドンナ・アンナの声ではなく、12歳で死んだ「私」の妹コミの声であった（376）。「明かりを消して、風の音に耳を澄ませて」とコミが言った。微かな空気の唸りを聞き取ることができた。前方から空気が入ってきているようだ。紛れもない匂い、湿った土の臭いだ。「私」がこのメタファーの土地に足を踏み入れて以来、初めて嗅いだ匂いらしい匂いであった。この横穴はどこかに通じているのだ。つまりは現実の世界に（377）。「さあ、先に進んで」と今度はドンナ・アンナが言った。

穴はますます狭くなり、身体を前に進める事がますます困難になっていった。お前は小さな棺桶の中に閉じ込められてしまったのだ、と「私」の耳元で男の声が囁いた。「私」はあらゆる理性を捨てて、渾身の力を込めて身体をより狭い空間に向けて突き出した。「私」の身体が悲鳴を上げた。しかし何があろうとも前に進まなくてはならない（382）。

出し抜けに狭い穴は終わって、土の上に落ちた。あたりの様子を窺った。どうやら人工的な石の壁である。天井があった。いや、天井ではない。光りはどこからも射しこんでこない。やがて**直観**が「私」を打った。これは雑木林の中の、祠の裏手にあるあの穴である。「私」はドンナ・アンナのいた**洞窟**の横穴を潜り抜け、その石室の底に落下したので

ある。現実の世界の現実の穴の中に（384）。そこにはあの鈴があった（385）。騎士団長は百年でも飽きずに鈴を鳴らし続ける事が出来るが、「私」は水も物もなくては鈴を鳴らし続けられない。それでも「私」は＜生きるために＞暗闇の中で鈴を振り続けた（392）。永遠のように思われる時間が経過した後、そして空腹感が耐え難いほどのものになって来た頃、ようやく頭上から蓋を持ち上げるような物音が聞こえてきた。誰かが穴の上から「私」の名前を呼んだ。免色 渉の声であった（395）。

彼が降ろしてくれた梯子の段一つ一つ上に登っていった。地面に近づくにつれて、空気は益々新鮮なものになっていった（397）。地面に手を掛けると、免色が手首をしっかり握って、「私」を地上に引っ張り上げてくれた。安心して身を任せられる力である。彼は「私」の肩を抱きかかえるようにして、雑木林の道をゆっくりと辿った（398）。

家に戻って免色に食事を作ってもらって一息ついたところで、彼から今回の事件の有り様を知らされる。「私」は雨田のいる療養施設から3日前に突然いなくなったとの事であった。免色はしばらくじっと考え込んでから口を開いた。「私は昔から論理的に思考する人間です。でもあの祠の裏手の穴に関していえば、私はなぜかそれほどロジカルになることはできません。あの穴の中ではたとえ何が起こっても不思議ではない、そういう気がしてなりません。特にあの底で一人で一時間を過ごしてからは、そういう気持がいっそう強くなりました」（403）。そして免色は帰っていった。「私」は深い眠りに落ちた（405）。

目が覚めたのは二時十五分であった（406）。眠気はすっかり消え去っていた。「私」はスタジオに入り、壁に付いた電燈のスイッチを入れた。その部屋の中にいるのは「私」ひとりであった。『騎士団長殺し』の絵は被いをかけられたまま床に置かれていた。被いをはがすと、その下には『騎士団長殺し』があった。それは以前に目にしたのと何一つ変わりのない絵であった。画面の左隅には、地面に開いた四角い穴から顔をのぞかせている不気味な「顔なが」がいた（407）。騎士団長は鋭い長剣で

第5章　作家としての使命感を持ったエグザイルである村上春樹とジョウゼフ・コンラッドの文学

心臓を刺し貫かれ、鮮血をほとばしらせていた（408）。「私」はその絵をしばらく鑑賞してから、もう一度さらしの被いをかぶせた（傍点は村上）。それから「私」は、『白いスバル・フォレスターの男』の絵を眺めた。何色かの絵の具の塊の中から、「白いスバル・フォレスターの男」はこちらをじっと見ていた。そこに彼が潜んでいることは、「私」にははっきりと見て取れた。彼は自分が闇から引きずり出され、明るみに立たされることを望んでいないのである（408）。そして「私」は『秋川まりえの肖像』に視線を戻した。彼女をもう実際のモデルとして必要としないところまで、「私」はその絵を描き上げていた。しかし「私」がその絵を完成させることはまずあるまい。彼女の何かを護るために、その絵は未完成のままに留めておかなくてはならない（傍点は村上）。「私」にはそのことがわかっていたのである（409）。

　「私」は次のように述懐する。「どう考えても物理的にはどうにも抜けられないはずの狭い横穴を、向こう側まで潜り抜けることができたのである。そして閉所恐怖症に対する根深い恐怖を克服するにあたって、ドンナ・アンナと妹のコミが私を導いて、励ましてくれた。秋川まりえは一体どこに幽閉されていたのだろう。私が＜顔のない男＞にペンギンのお守りを与えたために、彼女の身の上に好ましくない影響を及ぼしたのだろうか？　あるいは逆に、そのフィギュアは何らかのかたちで秋川まりえの身を護る役に立ったのだろうか？」（411）。疑問となる数が増えていくばかりである。

　翌日、「私」は、あの真っ暗な穴の底で心に決めた事を実行する。まず昼過ぎに、「私」はもとの妻であるユズに話すために彼女が働いている建築事務所に電話をかける。彼女は、妊娠している事を告げ、自分も話があるという事であった。二人がまだ夫婦で一緒に生活している頃何度か待ち合わせ場所にしていた喫茶店で落ち合う約束をする。次いで「私」は秋川笙子に電話をする。彼女は、まりえは何も話してくれないが、先生なら心を許しているから一度会って話してほしい、もしよけれ

ば今からそちらの家で、と頼まれる（432-33）。「私」は、彼女が承知するならと言って電話を切る。20分後に叔母から、まりえが承諾しました、今日午後三時ごろに伺いますとの電話がかかってきた。「私」は承諾する（433）。

　三時少し前に秋川笙子とまりえが見慣れたブルーのトヨタ・プリウス車でやってきた（436）。「私」は、秋川笙子の許可を得て、二人きりになってまりえに事の次第や真相を次のように話し始める。──「『騎士団長殺し』の絵に描かれているドンナ・アンナや死んだ妹などいろんな人の手助けを得て、ぼくはその地底の国を横断、狭くて真っ暗な横穴を横断できて、この現実の世界になんとか帰り着いた。そしてそれとほぼ同時に、それと並行して、君もどこかから解放されて戻ってきた（傍点は村上）。その巡り合わせはただの偶然とはとうてい思えないんだ。その二つの出来事はどこかできっと結びついているはずだ。そして騎士団長がそのいわば継ぎ目のような役目を果たしていた。しかし彼はもうこの世界にはいない。彼はもう役目を終えてどこかへと立ち去ってしまったんだ。あとはぼくと君と、二人だけでこの環を閉じるしかない。ぼくの言っていることを信じてくれるかい？」（445-46）。

　まりえは頷いた。「それが今ここでぼくの話したかったことだ。そのために君と二人だけにしてもらったんだ。本当のことを話しても、ほかの誰にも理解してはもらえないと思った。何しろ現実離れした話だからね。でもきっと君になら受け入れてもらえると思ったんだ。そしてこの話をするからには、相手にこの『騎士団長殺し』の絵を見せなくてはならない。そうしないと話が成立しないからね。でもぼくとしては君以外のほかの誰にも、この絵を見せたくなかった」（446）。まりえは黙って「私」の顔を見ていた。その瞳には少しずつ生命の光が戻ってきたようだった。「これは雨田具彦さんが精魂を傾けて描いた絵だ。そこには彼の様々な深い思いが詰まっている。彼は自ら血を流し、肉を削るようにしてこの絵を描いたんだ。これは彼が自分自身のために、そしてまたも

うこの世界にはいない人々のために描いた絵であり、いうなれば鎮魂(ちんこん)のための絵なんだ。流されてきた多くの血を清めるための作品だ。世間のつまらない批評や報酬は、あるいは経済的報酬は、彼にとってはまったく意味を持たないものだった。むしろあってはならないものだった。この絵が描かれ、この世界のどこかに存在しているということだけで、彼にはもう十分だったんだ。たとえ紙にくるまれて、屋根裏に隠され、他の誰にも見られなかったとしてもね。そしてぼくは彼のそういう気持を大事にしたいと思う」(446-47)。

　「私」は続ける。――「君にひとつ手伝ってもらいたいことがあるんだ。この二枚の絵『騎士団長殺し』と『白いスバル・フォレスターの男』をしっかり包装して、人目に触れないように屋根裏に隠してしまいたい。できれば君にその作業を手伝ってもらいたい」。まりえは黙って頷いた。実のところ、「私」は一人だけでその作業を行いたくなかった。作業を実際に手伝ってもらうというだけではなく、「私」は目撃者と立会人を必要としていた。秘密を分かち合える、口の堅い誰かを（448）。そして雨田具彦の想いを大事にしたい「私」は、誰か一人には、彼の想いを繋げる人を残しておきたかったのである。

　「私」と秋川まりえは更なる秘密を共有する（511）。「私」は自分が地底の世界で経験した事をすべてありのままに彼女に語り、また彼女も自分が免色の屋敷の中で経験した事をすべてありのままに「私」に語ってくれた。私たちはまた、『騎士団長殺し』と『白いスバル・フォレスターの男』という二枚の絵が堅く梱包されて、雨田具彦の家の屋根裏に隠されている事を知る、この世界でただ二人だけの人間であった（511）。

　「私」は結局秋川まりえの肖像画を完成させなかった（512）。完成させてしまえば、免色はきっとあらゆる手を尽くしてその絵を手に入れようとするに違いなかった。そこには危険なものが含まれているかもしれない。しかしまりえはその絵をとても気に入っていたので（「この絵は

今の私の考えをとてもよく表している」と彼女は言った)、できれば手元に置きたいと言った。「私」は喜んで彼女にその絵を進呈した。絵が未完成であるところがかえっていいのだと彼女は言った。「完成された人なんてどこにもいないよ。免色さんだって未完成だ」と「私」は言った (513)。

　『秋川まりえの肖像』を未完成のまま（傍点は筆者）まりえに進呈した事を免色に告げると、彼は何も言わずただ頷いた。その話をした数日後に「私」は『雑木林の中の穴』を自分で簡単に額装して、免色に贈呈した。「私」はその絵をカローラの荷台に載せて免色の家まで持って行った (518)。「これはあなたに命を助けていただいたことへのお礼です」と「私」は言った。彼はその絵をとても気に入ったようであった。ぜひ謝礼を受け取ってほしいと言われたが、「私」はきっぱり断った。「私」は免色とのあいだにこれ以上の貸し借りを作りたくなかった。我々は今では狭い谷間を隔てて住むただの隣人に過ぎなかったし、できることならその関係をずっと保っておきたかったからである (518)。

　それから「私」はユズに会って話をした。彼女から、「離婚届けは出していない。だから法律的には、私とあなたは何事もなくずっと夫婦のまま、だから離婚してもしなくても、生まれてくる子供は法的にはあなたの子供ということになる。あなたはそのことについて、何の責任を負う必要もないわけだけれど」と聞かされる。そして、「私」が妻の元に戻り、再び生活を共にするようになってから数年後、三月十一日に東日本一帯に大きな地震が起こった (529)。「私」はテレビの前に座り、岩手県から宮城県にかけての海岸沿いの街が次々に崩壊していく様子を目にしていた。そこはかつて古いプジョー205に乗って、当てもなく旅をして回った地域であった。それらの地域を旅して回った時、「私」は決して幸福ではなかった。どこまでも孤独で、切ない割り切れない思いを身のうちに抱えていた。しかしそれでも「私」は旅を続けながら、その途中で——多くの場合は無意識のうちに——いくつかの物事を棄て、い

くつかの物事を拾い上げ、それらの場面を通り過ぎた後では、「私」はその前とは少しだけ**違う人間**になっていた（ゴシック体は筆者）、と述懐している（530）。

　ところで娘の名前は「室(むろ)」といった。ユズが**夢**の中でその名前を目にしたのである。広い日本間の座敷に古風な文机があり、そこに置かれていた白い紙に「室」という字がひとつだけ大きく、鮮やかに黒い墨で描かれていた。そういった**夢**であった（531）。

　そしてむ・ろ・は、その「私」の小さな娘は、彼等から「私」に手渡された贈りものなのだ（傍点は村上）。むろは法的には正式に「私」の子供であったし、「私」はその小さな娘をとても深く愛していた。「私」は東北の町から町へと一人移動している間に、**夢を伝って**、眠っているユズと交わったのである。「私」はそう考える事を好んだ（539）。その子の父親はイデアとしての「私」であり、あるいはメタファーとしての「私」なのであう（539-40）。続けて、「でも私が免色のようになることはない。彼は、秋川まりえが自分の子供であるかもしれない、あるいはそうではないかもしれない、という可能性のバランスの上に自分の人生を成り立たせている。その二つの可能性を天秤にかけて、その終わることのない微妙な振幅の中に自己が存在する意味を見出そうとしている」。

　村上は、免色について次のように明かしている。──「よその世界と繋がりを持つか、持たないかということの、その狭間にいる人です。何かに自分がコミットしているのか、していないのかということが自分でもよくわからない。自分ではすべてを把握しているように思っているみたいだが、本当はよく分かっていない。バランスを保ちながら、狭間を静かに彷徨っている。人と人とのつながりの信頼感というものが大事なことになる。免色にはそういう感覚が欠落している」[115]と。

　まりえの存在を宙ぶらりんにしたままの免色の綱渡りの人生とは異なって、確かなものを手にした「私」は、模索しながらも、手応えと意義ある人生を生きていこうとしている。その根拠となるのは、「今やど

のような狭くて暗い場所に入れられても、どのように荒ぶる曠野に身を置かれても、どこかに私を導いてくれるものがいると、私には率直に信じることが出来る。それがあの小田原近郊、山頂の一軒家に住んでいる間に、いくつかの尋常ではない体験を通して私が学び取った物事であった」(540)からである。「私」は、マーロウのように生涯における分岐点となる大きな一筋の光ではないにしても、幾筋かの光を闇の中で見つけて、確実に何かを学び取った。ドンナ・アンナや亡くなった妹のコミらの助けを得て。そして騎士団長が現実と非現実との橋渡しをしてくれた。

確固とした「つながり」を幼い娘の中に見出す「私」は、物語のエピローグの最後を次の言葉で締めくくっている。

――「騎士団長はほんとうにいたんだよ」と「私」はそばでぐっすり眠っているむろに向かって話しかけた(傍点は村上)。「きみはそれを信じた方がいい」(541)。

68歳になった村上は、「邪悪な物語」と対比して『騎士団長殺し』を次のように言明している。――「邪悪な物語のひとつの典型は、麻原彰晃が展開した物語ですね。完全に囲われた場所に人を誘い込んで、その中で徹底的に洗脳して、そのあげくに不特定多数の人を殺させる。あそこで機能しているのは、最悪の形をとった邪悪な物語です。そういう回路が閉鎖された悪意の物語ではなく、もっと広い開放的な物語を作家は作っていかなくちゃいけない。囲い込んで何かを搾り取るようなものじゃなくて、お互いを受け入れ、与え合うような状況を世界に向けて提示し、提案していかなくちゃいけない」[116]。村上は、〈開放〉システムが冷戦以降危うくなってきている事を次のように述べている。――「冷戦時代には東西という二つのシステムの戦いが、今では異種のシステムとシステムとの戦いのようになってきている。オープン(開放)システムとクローズド(閉鎖)システムの戦いだ。オウム真理教というのは完全にクローズドシステムで、外なる社会というのはオープンシステム

第 5 章 作家としての使命感を持ったエグザイルである村上春樹とジョウゼフ・コンラッドの文学

だ。それは一つの社会体制と別の社会体制の対立というのではなく、同じ社会体制の中にも閉鎖系があり、開放系がある。そういう点では物事は以前よりずっと内向化しているし、複雑化しているし、見えにくくなっている」[117]。

　「善き物語」を書くことは作家村上の一貫した矜持であるようだ。村上は次のようにも述べていた。――「ある見解や行動が、客観的に見て正しいか正しくないかを査定する「査定基準」みたいなものを与えるのは、我々小説家の一つの役目ではないかと僕は考えています。物語を体験するというのは、他人の靴に足を入れることによって、あなたは別の誰かの目を通して世界を見ることになる。そのような善き物語を通して、真剣な物語を通して、あなたは世界の中にある何かを徐々に学んでいくことになる。しかしそのような若者たちが実際に与えられたのは、決して「善き物語」ではなかった。教祖である麻原は若者にその物語(グル)を与え、彼らはその物語のパワーの中に閉じ込められてしまった。麻原はそういう強い力を持っていたようだ。悪しき力を発揮する物語を与える力を」[118]。

　そして『騎士団長殺し』の物語は、＜闇の奥体験＞を経たマーロウのように、騎士団長殺しにまつわる人生体験を経た「私」はそれ以前とは全く違う人間となって、「人とのつながり」の重要性や意義そして「生きる」上での新たな価値観を体得したのである[119]。

　2019年10月11日に村上春樹はイタリアの文学賞「ラッテス・グリンザーネ賞」[120]を受賞した。彼は、授賞式が執行されたイタリア北西部のアルバで「洞窟の中の小さなかがり火」と題して「(作家は) 小説――すなわち物語を語ること――の起源は遥か昔、人間が洞窟に住んでいた古代まで遡る」と述べて「物語」を根源とする普遍性について次のように語っている。――「その昔、太陽が沈むと人々は危険な暗闇を避けて洞窟に隠れ、長い夜を過ごした。そこでは小さな火が燃えていて、誰かが物語を語り始める。「物語は、恐怖や空腹をたとえ一時的である

にせよ忘れさせてくれます。語り手はみんなの反応を見ながら、少しずつ物語の流れを変えていく。（中略）恐らく、世界中の洞窟で同じことが行われていたのでしょう」それから長い時を経て、小説という表現が生まれ、今ではデジタル画面で小説が読まれるようになった。「しかし、そこで語られている物語は、本質的には、洞窟の語り手の子孫なのです」[121]。似た話を2年前、長編小説『騎士団長殺し』刊行時のインタビューでも村上は次のように語っていた。──「僕が小説を書く態度は、昔の洞窟時代の語り部なんです。夜は真っ暗な洞窟で、たき火をやっている中で物語を話し、読者は周りにいて、わくわくしながら話を聴いている人たちです。何十万という人たち（読者）のある部分には、その洞窟をとおして通じている。一種の"洞窟感覚"を共有してくれるんじゃないか」、そして60年代後半の大学紛争の経験に触れて、「一時期の騒ぎが収まれば、何事もなかったかのような顔をして、大資本の歯車になることはしたくなかった」「あくまで個人の論理で生きていくことを一貫して求めてきました」[122]。

　彼は、『職業としての小説家』においても次のように言明していた。──「小説家の基本は物語を語ることです。そして物語を語るというのは、言い換えれば、意識の下部に自ら下って行くことです。心の闇の底に下降していくことです。大きな物語を語ろうとすればするほど、作家はより深いところまで下りていかなくてはなりません。大きなビルディングを建てようとすれば、基礎の地下部分も深く掘り下げなくてはならないのと同じことです。また密な物語を語ろうとすればするほど、その地下の暗闇はますます重く分厚いものになります。作家はその地下の暗闇の中から自分に必要なものを──つまり小説にとって必要な養分です──見つけ、それを手に意識の上部領域に戻ってきます。そしてそれを文章という、かたちと意味を持つものに転換していきます。その暗闇の中には、時には危険なものごとが満ちています。そこに生息するものは往々にして、様々な形象をとって人を惑わせようとします。また道標も

第5章　作家としての使命感を持ったエグザイルである村上春樹とジョウゼフ・コンラッドの文学

なく地図もありません。迷路のようになっている個所もあります。地下の洞窟と同じです。その闇の中では集合的無意識と個人的無意識とが入り混じっています。太古と現代が入り混じっています」[123]。

　村上作品は基本的に、「こちらの世界」に住む主人公が、「あちらの世界」に行って戻ってくる、異界めぐりの物語である。主人公は、あちら側の入り口として『ダンス・ダンス・ダンス』の「ホテルのエレベーター」、『ねじまき鳥クロニクル』の「井戸」、『海辺のカフカ』の「森」、『1Q84』の「非常階段」などどこにでもありそうな所から深い地下世界へと迷い込んでしまう。そして、『夢を見るために毎朝僕は目覚めるのです』において述べていたように[124]、「地下二階」の暗闇を彷徨うことで、自分の魂の中へと入り、主人公たちは成長していく。この最新長編作『騎士団長殺し』の主人公は、「暗い森」や「洞窟」の中で恐怖を体験する中で何か「一筋の光」を見出す。村上は、この作品を「善きこと」の物語と述べていた。

　因みに多様な読み方の可能な『騎士団長殺し』は、アリギエーリ・ダンテ（Alighieri Dante）の主著『神曲』を想起させる。『神曲　地獄篇』第一歌の冒頭に次のように記されている。――「人の世の歩みのちょうど半ばにあったとき　私は正しき道の失われた　暗い森の中をさまよっていた。　ああ、そこがどのようなものだったかを語るのは至難のわざである　鬱蒼として茨に満ちたこの野生の森を　いま思い返すだけで恐怖がよみがえる。　その森の恐ろしさは死に比べられるほどであった。しかしその中で私の見出した善きことを述べるため」[125]。「『神曲』理解のために」と題して、藤谷道夫氏は、『神曲』を次のように総括している。――「『神曲』とは何か。『神曲』は余りにも豊かな内容を持っているため、読み手によって様々なイメージが湧くであろう。警世の書として、ダンテは『神曲』を通して当時の腐敗・堕落を痛烈に揶揄している。人が自己の悪と対峙しながら、あるいは、神に至る精神の道のり、魂のルート・マップにも映るであろう。人が自己の悪と対峙しな

がら、自身の精神の深みへと降りて行き、真の自分自身を見出す魂の救済の旅である。あるいは、人類の歴史の旅のようにも映る。『神曲』は人類のこれまでの歩みと現在を精査していく壮大な旅でもある」[126]。

　因みに、ポーランド人コンラッドは、同国人で同世代のスピリディオン・クリシチェフスキ（Spiridion Kliszczewski）に、祖国が帝政ロシアの支配下にあった想いを、ダンテの『神曲　地獄篇』第三歌第三部第九行を引用し、更に当時移民に対して寛容であった英国に対する想いをも吐露している。──「我々は、≪一切の望みを捨てよ　われをくぐる者≫と血と炎で書かれた門を通過してしまっており、今やその門は希望の光を閉ざし我々には忘却の闇しか残されていない。しかし、自由で友好的な国においては、最も迫害されたポーランド人でさえそれなりの平安とある程度の幸福を見出し得るというあなたの意見には同意します。英語で話し、考えている際には、「故郷」（Home）という言葉は、自分にとっては常に温かくもてなしてくれる大英帝国の海岸だから」[127]。

Ⅶ　村上とコンラッドにとっての共通点である自己の　アイデンティティの探究

　コンラッドは、晩年の1917年コルヴィン（Colvin）に宛てた手紙において、「私の作家としての終生の関心事は、事物、事件そして人間の'理想的'価値（'ideal' value）にあった」[128]と述懐している。＜理想的＞という語に強調の意味を込めて上記の通り引用符を付記している。コンラッドは、彼の「船乗りもの」「マレーもの」「コンゴもの」などの中で、自らの体験に基づいて創作した各作品において、「誠実」の倫理観を貫き、人間の'理想的'価値を探求していた。また『ロード・ジム』も＜理想的な人間＞を探求して、人間の内部そのものを抉り出そうとする物語である。その語り手は、自らの体験を客観的省察によって物語るマーロウである。

第5章 作家としての使命感を持ったエグザイルである村上春樹とジョウゼフ・コンラッドの文学

　また村上春樹も、『世界の終りとハードボイルド・ワンダーランド』において、日常世界の「私」と意識下の世界に生きる「僕」との双方の物語が同時進行する中で、主人公が現在の自分と過去の自分を省察し、ひいては自己のアイデンティティとは何かを探究している。ここにおいて村上とコンラッドの共通点が見られるのである。

　村上作品の主人公は決して社会的な強者ではない。しかし、ある種の**タフ**さがある。『羊をめぐる冒険』における主人公の「僕」にその典型を見る事ができよう。広告業界や政権政党の中枢を掌握している右翼の大物の秘書に脅されても、「僕」はそれに屈する事なく、頑として自己の主張を貫く。「我々がほしいのは三つの情報なんだ。君がどこで、誰からこの写真を受け取ったか、そして一体何のつもりでこんな下手な写真を使ったか、だ」（559）。「言えません」と僕は自分でも驚くほどあっさりと答えた。「ジャーナリストにはニュース・ソースを守秘する義務があります」（144）。「私にはやろうと思えば、君たちの仕事を全部シャット・アウトすることもできるんだよ。そうすれば君はもうジャーナリストとも言えなくなる。もっとも今君がやっている下らないパンフレットやチラシの仕事がジャーナリズムであると仮定すればの話だけどね。それに、君のような人間をしゃべらせる方法は幾つかある」（144）。「たぶんそうでしょう」と僕は言った。「しかしそれには時間がかかるし、それまでは僕はしゃべらない。しゃべったとしても全部はしゃべらない。あなたにはどれだけが全部なのかわからない。違いますか？」（145）。

　『ねじまき鳥クロニクル』の主人公である「僕」は、更に積極的に自己の意識に立脚した自らのあるべき生き方を真摯に希求している。あたかもコンラッドの『陰影線』（*The Shadow-Line*）の主人公「私」や「秘密の共有者」（"The Secret Sharer"）の新任船長の「私」のように。前者の「私」は、青春後期の病的不安感にとらわれて倦怠感から「何か新しいとっかかり」[129]を得ようと日々悶々として過ごし、ちょ

うど鳥がとまり心地好い枝から急に飛び立つ事があるかのように、何の文句不足もない乗心地がよい船や仲間や何度も私を引き止める船長のもとから全く唐突に飛び出して腕前のよい事を自他ともに認める一等航海士であった。「私」は、居心地のよい職場を飛び出して以後、様々な試練に遭遇し、内的葛藤を自己の内部に生じさせて、自己をより一層進化させる「自己発見」を体験している[130]。後者の「私」は、＜秘密の共有者＞レガットを得て船長としての自立と責任を自覚するまたとない通過儀礼を経験している。

『ねじまき鳥クロニクル』の30歳になった「僕」は、ずっと勤めていた法律事務所を辞める[131]。それは特に取り立てる理由があっての事ではなかった。仕事の内容が気に入らなかったというのでもない。給料は悪くなかったし、職場の雰囲気だって友好的であった。でも僕は僕なりによく働いたと思う。理解は速いし、行動はてきぱきしているし、文句は言わないし、現実的なものの考え方をする。だから僕が仕事を辞めたいと言い出した時、事務所の持ち主である親子の親の方の老先生は「給料を上げてもいいよ」(15)とまで言ってくれたくらいであった。しかし、「僕」は「自分自身を模索して」(143)居心地のよい職場を去っている。「僕」は離職して以降、次々に不可解な事件に巻き込まれる。飼いネコはいなくなるし、妻も失踪する。代わって怪電話の女や霊媒者の加納姉妹が現れ、更に妻の兄で「僕とは全く逆の世界に属するが故に僕を激しく憎んでいる」[132]底知れぬ冷たさを内面に持つ綿谷ノボルなどによって翻弄される。しかし、「僕」は逃げ出さなかった。「ここから出て・いくことはできる。でもここから逃げ出すことはできない。ここで何かが自分に求められているという予感なり感触なりを、僕はどうしても振い落とすことができない。僕は『逃げることができない』というのは、そういうことなんだ」(330)（傍点は村上）と言う。「僕」は、不可解な出来事に巻き込まれてそれに翻弄される現実から抜け出して、新たな自分を見つけるためにクレタ島に一緒に行く事を勧めてくれる加納クレタ

第 5 章 作家としての使命感を持ったエグザイルである村上春樹とジョウゼフ・コンラッドの文学

の誘いをも断っている。そして、たびたび井戸の中に入って瞑想をする。不思議な高校生の笠原メイは「僕」の事を次のように述べている。──「あなたはいつも涼しい顔をして、何がどうなっても自分とは関係ないという風に見える。でも本当はそうじゃない。結果的に他のいろんな人のために闘っている。でなきゃわざわざあんな井戸の中になんか入らないもの」(345-46) と。「井戸」は、「僕」にとって自分の事を考える瞑想の場であり、こちらの世界とあちらの世界の懸け橋となっている生への回帰のトポスである。そして、井戸に入って自己と葛藤をしながらも、ここぞという時には「僕」は意外な**タフ**さを発揮する。

　心理学者の故河合隼雄氏との対談において、「「井戸」を掘って掘って掘っていくと、そこでまったくつながるはずのない壁を越えてつながる、というコミットメントのありように、ぼくは非常に魅かれた」[133]と述べている村上は、深みのあるコミット（かかわり）を意識して「自分という人間の在り方」[134] を希求している。ユング派分析家資格取得者の河合俊雄は、村上春樹が頻用して言う家の比喩「我々は二階建ての家のようであるけれども、それにはまだ地下室があって、そこには別の次元が開いていて、更には、その地下室の下にはまた別の地下室があるというのが僕の意見だ。いわゆる近代的自我というのは、下手をするというか、ほとんどが地下一階でやっている」を引用して、「文学について言われている事を心理学にも転用して見ると、深層心理学、特に自我との関係で心的現象を捉えている精神分析は地下の一階に対しての理論や接近法は提供できても、地下二階については対処のしようがないというのが村上春樹自身の意見で、それは正しいと思われる」[135] と述べている。

　短編集『女のいない男たち』に収めた「木野」においては、出張からたまたま１日早く戻ると、妻が同僚と関係している姿を目撃する。しかし木野はそのまま家から出て戻らず、会社も辞めてしまう。おれは傷つくべきときに十分に傷つかなかったんだ、と木野は認めた。本物の痛み

を感じる時に、おれは肝心の感覚を押し殺してしまった。痛切なものを引き受けたくなかったから、真実と正面から向かい合うことを回避した。その結果こうして中身のない虚ろな心を抱き続けることになった、と木野は述懐する。彼はこの事実に深く傷ついているが、その事実を直視せず、無感覚のままにその後の人生を送る。深く傷つき、妻への怒りを抱いている事を木野は見ないまま、ふたをしてしまっているのである[136]。しかし村上は、「でもそのふたが開いてくるんです。だんだんと。それがこの話の怖いところ。(中略) 傷つきを見せない、見ない木野の生き方は一見、クールで格好がいい。しかしそれだけでは人は生きていけない。その孤独や断絶感、そして一種の恐怖を経て、再生する。この再生してくることが一番大事だ。再生がなければ、小説としては意味がないと思う」[137] と述べて、真実を直視し、＜人と人とのかかわり＞が復活する事の重要性を強調している。

　「僕」はまた綿谷ノボルの底知れぬ恐ろしさを熟知している。「僕」はそれを次のように述べる。――「綿谷ノボルは、どうしてか理由はわからないけれど、ある段階で何かのきっかけでその暴力的な能力を飛躍的に強めた。テレビやいろんなメディアを通して、その拡大された力を広く社会に向けることができ、不特定多数の人々が暗闇の中に無意識に隠しているものを、外に引き出そうとしている。それを政治家として自分のために利用しようとしている。それは本当に危険なことだ。彼が引きずりだすものは、宿命的に暴力と血にまみれている。それは歴史の奥にあるいちばん深い暗闇にまでまっすぐ結びついている。それは多くの人々を結果的に損ない、失わせるものである」[138] と。

　それを承知の上で、自分よりもはるかに権力を持つ綿谷ノボルに対して「僕」は面と向って次のように述べている。――「いいですか、僕はあなたがどういう人間かよく知っています。あなたは僕のことをゴミや石ころのようなものだと言う。そしてその気になれば僕のことを叩きつぶすくらい朝飯前だと思っている。でも物事はそれほど簡単ではない。

第5章　作家としての使命感を持ったエグザイルである村上春樹とジョウゼフ・コンラッドの文学

僕はあなたにとってはあなたの価値観から見れば、たしかにゴミや石ころのようなものかもしれない。でも僕はあなたが思っているほど愚かじゃない。僕はあなたのそのつるつるしたテレビ向き世間向きの仮面の下にあるもののことを、よく知っている。(中略) その気になれば僕はそれを暴くことができる。そうするには時間がかかるかもしれないけれど、僕にはそれが出来る。僕は詰まらない人間かもしれないが、少なくともサンドバッグじゃない。生きた人間です。叩かれれば叩きかえします。そのことはちゃんと覚えておいた方がいいですよ」(57-58) と。「僕」はその手応えを彼の顔の上にはっきりと見る事ができた (58)。

　村上は、主人公のみならず作品の登場人物の有り様を、「彼らは決して社会的な強者ではない。しかし彼らには優しい諦観と、内的な価値のぬくもりと、そしてある種の**タフ**さがあった。彼らが最も大事に考えるのは、言葉や数字では表すことのできない、自らの生き方の静かな総合性であり、一貫性だ。僕は社会体制の在り方に対するひとつのアンチテーゼとして、彼らの**生き方**を描いていたのだと思う」[139] と明かしていた。この主張は、エルサレム賞授賞式における彼の信条と思われる次のメッセージに通底する。

　──「私たちは皆、国籍や人種や宗教を超えて人間であり、体制(システム)という名の頑丈な壁と向き合う壊れやすい卵だということです。(中略) 私たちはそれぞれ形のある生きた**魂**を持っています。体制にそんなものはありません。体制に生命を持たせてはなりません。(中略) 私が小説を書く理由はたった一つ、個人の**魂**の尊厳を表層に引き上げ、光を当てることです。物語の目的とは、体制が私たちの魂をわなにかけ、品位をおとしめることがないよう、警報を発したり、体制に光を当て続けることです。小説家の仕事は、物語を作ることによって、個人の独自性を明らかにする努力を続けることです」[140]。

　新興宗教によってマインド・コントロールされる「囲い込み」の恐怖を述べた村上の『1Q84』は、まさに読者に対して**深く広い読み**を問い

かけている。戎野は天吾に向かってこう述べる。「（新興宗教の）タカシマのやっていることは、何も考えないロボットを作り出すことだ。人の頭から、自分でものを考える回線を取り外ししてしまう」141 と。そしてジョージ・オーウェルの徹底した管視社会を背景に人間の自由を剥奪し**思考停止**に追いやりマインド・コントロールの恐怖を活写した『1984年』142 を念頭に置いて、作家としての使命感から村上は同書のBOOK 1 第18章において文化人類学者の戎野に次のように述べさせている。

──「ジョージ・オーウェルは『1984年』の中に、ビッグ・ブラザーという独裁者を登場させた。スターリニズムを寓話化したものだ。ビッグ・ブラザーという言葉（ターム）は、以来ひとつの社会的アイコンとして機能するようになった。しかしこの現実の1984年にあっては、ビッグ・ブラザーはあまりにも有名になり、あまりにも見え透いた存在になってしまった。この現実の世界にもうビッグ・ブラザーの出てくる幕はないんだよ。その代わりに、リトル・ピープルなるものが登場してきた。（中略）リトル・ピープルは目に見えない存在だ。それが善きものか悪しきものか、実体があるのかないのか、それすら我々にはわからない。しかしそいつは着実に我々の足下を掘り崩していくようだ」143。

村上は、『アンダーグラウンド』と『約束された場所』の「解題」において、「僕が小説を通して思っているのは、人々の心を公正に喚起することなのだ」144 と述べている。『村上春樹インタビュー集 1997-2009』においては、オウム信者が根本的に欠落していたものは「現実との接点を失ってしまったことだ」145 と語っていた。「車両省」元大臣で09年にオウム教団を去った野田成人元幹部は『毎日新聞』の取材に応えて、事件への謝罪を込めた総括の中で、＜精神的な囲い込みの恐怖＞を次のように述べている。

──「信仰で現実を見失い、過ちに気付かなかった。自分がやっていることを現実に使った場合にどうなるか、個々の信者は考えていない。組織が大きくなって断片しか見えず、みんなが動いていることに安心し

てしまう。一つの世界に閉じこもると現実が小さくなる。輪廻転生を考えると、現実世界で人が死のうと全く関係がない。そこに大きな乖離がある。人類救済の理想に比べれば、事件は相対的に小さかった。若い人が希望を見出せない今の社会では再びカルトが台頭してもおかしくない」[146]と警鐘を鳴らしている。村上は「オウム真理教のような妄想的な暴力をきっぱりと排除する力を持つことが新しい時代の倫理性（ethics）だ」[147]と言明している。

　更に村上は、知らぬ間に閉鎖的な場所に追い込んでいく綿谷のような非人間的な恐ろしさと作家的使命とを次のように表明している。

　──「綿谷ノボルの在り方は、浅く、表層的です。しかし彼の意見は浅く、表層的なるが故に、その伝達スピードは速く、その影響は極めてプラクティカルです（367-68）。僕が彼を描写することで読者に伝えたかったのは、そのようなレトリックを武器にして現代のメディア剣闘士たちが我々の社会に対して、あるいは我々の精神に対して及ぼす危険性であり、水面下で行使する非人間的な残酷さです。よく考えてみれば、彼らの意見のただ受け売りにすぎないままで世界を眺め、メディアの言葉をそのままそっくり語っているのです。そのような出口のない迷宮に入り込むことを回避するためには、主人公のオカダ・トオルが行ったように、ときとして我々はたった一人で深い井戸の底に降りていくしかありません。そこで自分自身の視点と、自分自身の言葉を回復するしかないのです。我々小説家がやるべきことはおそらく、そういった「危険な旅」の熟練したガイドになることです。そしてまたある場合には読者に、そのような自己探索の作業を、物語の中で疑似体験させることです。オウム真理教の教祖である麻原が行ったのは、物語の有するそのような機能の意図的濫用であり、悪用です。我々は綿谷的なるものも拒否しなくてはならない（368-69）」。

　出口のない迷宮に入り込む恐怖は『ノルウェイの森』においても窺える。心を病んだ人間にとって阿美寮は一種の理想郷のように思われる。

しかし、生身の人間がそこに長くとどまっていると**思考停止**状態に陥って、現実に生きる力を失ってしまう（ゴシック体は筆者）。村上は、その恐怖と危険性を直子の自殺でもって読者に警鐘を鳴らしていたのである。

村上は、2014年11月7日、ドイツ紙『ウェルト』の「ウェルト文学賞」授賞式の記念講演において、1989年のベルリンの壁崩壊から四半世紀余りを迎える今、壁のない世界を創造する力を持ち、その力を持続させる重要性と自らの作家的立場を次のように言明している。

──「世界には民族、宗教、不寛容といった多くの壁があります。小説家にとって、壁は突き破らなければならない障害です。小説を書く時、現実と非現実、意識と無意識を分ける壁を抜けるのです。反対側にある世界を見て自分たちの側に立ち戻り、作品で描写するのです。人がフィクションを読んで深く感動し、興奮する時こそ、作者と一緒にその壁を突破したと言えます。その感覚を経験する事が、読書には最も重要だと考えてきました。そういう感覚をもたらすような物語をできるだけたくさん書いて多くの読者と分かち合いたい」[148]。

Ⅷ　コンラッドの『ロード・ジム』の考察

ところで、村上が評価するコンラッドの物語はどうであろうか。「コンラッドは人間観察の視点に偏見を持たない。人間評価を人間心理の実相に即し、「内面の価値」に目を向ける事によってそれを可能にした。一方では、思想や信義によって手を繋ぎあった「隊伍の中で闘う」事が人間連帯の、また人間存在に最も重要な条件であるとする認識がある。それと同時に、「手を離してしまう」可能性がすべての人間の心理に潜んでいる事もコンラッドの体験による真実である。「手を離した」人間に対する執拗なまでの好奇心、「ひっそりと不断の闇の中にある我々の

第 5 章 作家としての使命感を持ったエグザイルである村上春樹とジョウゼフ・コンラッドの文学

側面」に対するほとんど素朴な驚異に近い関心はそこからきているし、それが、「あらゆる思想、情緒、感情、感動の根底に潜む不条理」を鋭く洞察させる事になったと言える」[149]と矢島剛一氏は述べている。『ロード・ジム』には、多数の乗客を見捨てて救命ボートで逃避したジムの「魂の相克」への執拗なまでの追究が試みられている。

　ジムは「手を離してしまった」人間であった。しかし、コンラッドは、「手を離してしまった」人間を突き放してはいない。ジムには、どんなに厳しい罰であってもそれに真正面から対処していく姿勢があったからである。事実、彼は、「自分の自由意志」（68）から自ら進んで海難審判を受け、法廷において次のように証言している。「僕には逃げるなどということは出来なかった。船長は逃げました――船長にはそれでよかったでしょうが、僕にはそれは出来なかったし、そうするつもりもなかった」（79）。しかし、ジムは無力な乗船客を見捨ててパトナ号から跳び降りてしまっていた。それは「船乗りの倫理」に悖る行為である。海洋エッセイ集の『海の鏡』（*The Mirror of the Sea*）においてコンラッドは次のように語っている。

　　The genuine masters of their craft —— I say this confidently from my experience of ships —— have thought of nothing but of doing their very best by the vessel under their charge. To forget one's self, to surrender all personal feeling in the service of that fine art, is the only way for a seaman to the faithful discharge of his trust.[150]

　　（私の船乗り体験から確信を持って申し上げるが、船に対して誠実だった船長は、自分の指揮する船に最善を尽くすこと以外には何も考えなかった。自己を滅却すること、個人的感情をすべて捨ててあの名人芸に仕えること、これが船乗りにとって誠実に責任を果たす唯一の道である。）

因みに宮崎 駿も、職種に拘らず、その仕事を選んでチャンスが来た時に全力を尽くして誠実に生きた人を高く評価している。引退宣言をした宮崎の『風立ちぬ』のモデルとした零戦の設計者の堀越二郎と作家の堀 辰雄である。宮崎は次のように語る。

　──「堀 辰雄は結核もちで、作品をもうひと押し書きたいのに、体力がなくて喀血してしまったりする。しかし、そうやって書いた短い作品の中にも、戦争というものをどう見ていて、その後の人類の運命をどう考えていたかというのは、堀越二郎が非力なエンジンに対して文句ひとつ言わなかったのと同じで、強靭なまでに隠されている。彼の全集なんかを読んでいて、胸を打たれた。堀越の無念と混ざってしまった。二人をモデルに激動の20年間を生きた人たちを描きたい。そんな時代に、最も才能がありながら、最も誠実に生きた人たちを描きたい。そう思ったんです」[151]。

　さてジムのなした行為は、船員に対する乗船客の信頼を裏切り、船乗りの共同体意識への信義に反する裏切り行為に他ならない。船長がその任に耐えなければ、短編「秘密の共有者」における一等航海士レガット（Leggatt）のように、一等航海士のジムが職務を果たせない船長になり代わってでもその職務を果たさねばならない。パトナ号事件以降、ジムはそれを痛感していた。問題となるのは事件後のジムという人間の意識と行動である。ジムは「もう絶対に国へは帰れない」(79)とマーロウに漏らしていた。ジムの父は、主教を補佐して、船乗りの息子ジムを特別のお気に入りにした老牧師であった。パトナ号にジムが乗り込む直前に父からの手紙には、40年間、良心の命ずるままに、**誠実**に生きてきた父の忠告が愛情深く次のように綴られていた。

　──「一度誘惑に屈する者は、その瞬間に、完全な堕落と永遠の破滅の危険を冒すことになる。それゆえに、たとえいかなる動機からであろうとも、お前が間違っていると信じていることは決してしないと固く決

第 5 章　作家としての使命感を持ったエグザイルである村上春樹とジョゥゼフ・コンラッドの文学

心することを願っている」(341-42)。

　それ以来、ジムはその父の手紙を宝物のように彼の文箱に大事に保管していた。それゆえ、彼は、「牧師の父にもう顔向けができない」(79)と述べていた。ジムの後悔と無念さは、容易に察せられる。事件以後、ジムは「匿名」を使っていたという事実がその事を裏づけている。この無念の想いは、戦中の日本において、捕虜となった人が「偽名」を使った時の意識に通じるところがある。しかし、捕虜となった人たちの「偽名」は、ジムのそれとは根本的に異なる。前者には"戦陣訓"の根深い罪科が想起される。

　「恥を知る者は強し。… 生きて虜囚の辱めを受けず、死して罪禍の汚名を残すことなかれ」にある通り、胸の中に「捕虜」という死に値する刻印を焼き付けられた者は、当時の日本では理屈抜きに卑怯者と軽蔑され、自分だけでなく、肉親までもが白い目で見られていた[152]。各地から集められた捕虜の聞き取りが重要な仕事となった故ドナルド・キーン(Donald Keene)教授は「捕虜たちはいずれも死ぬことだけを考えて戦地に赴き、生きて捕虜になることを想定していなかった」[153]と証言している。戦争体験者である司馬遼太郎と大岡昇平も、「捕虜の後ろめたさと関係して、生きて帰国しても、家族も近所の人も自分を快く迎えてくれないと思い込んでいる人がずいぶんいた」[154]と対談で語っている。司馬は『坂の上の雲』において、「大東亜戦争」における「特攻」の問題を強く意識しながら、日露戦争における日本軍の突撃を「自殺戦術」と呼んで厳しく批判し、戦場の勇気に対する日常的な「勇気の概念」が、「日本ではなかなか育ちにくかった」と述べている。大岡は、"戦陣訓"が社会通念として兵士一人ひとりを呪縛していた当時、「アンチ・ヒューマンな戦場にありながら最後の瀬戸際に来た時、人間性が戻って来たという驚きから、私の戦争記録は出発している」[155]と明かして、その捕虜生活を『俘虜記』において活写していた。

　『俘虜記』を優れた戦争記録の小説として評価する半藤一利氏は、大

岡の作品への想いを「(米兵を目前に) 最後のギリギリのところで、引き金を引いてはいけないという人間性が戻ってきたのが驚異だったそうだ。そんな人間の良質の部分を書きたかったのではないかと思う」[156]と述べている。精神科医の斎藤 環氏は、「極限状態では「解離」と言って、幽体離脱のような視点から自分自身を眺める事がある。戦場では、人間に向けて発砲する兵士の割合は決して多くないというデータがある。洗脳を受けていない状態では、葛藤を感じてためらうものだろう、それをとても生々しく感じた」[157]と語る。さらに同氏は、大岡の『俘虜記』に収めた「捉まるまで」の描写について、「(「私」に撃たれず、立ち去って行く若い米兵を見送って) ＜さて俺はこれでどっかのアメリカの母親に感謝されてもいいわけだ＞と呟く。客観的かつ冷静で、信頼できる」と、俯瞰する視点を取らない大岡の虫瞰的というか、低い虫の視点で事実を観照しているとして『俘虜記』を高く評価している。

更に、同じく軍隊経験を有して、軍隊という欺瞞に満ちた組織を実体験して、組織と個人の間の葛藤を小説のテーマとした作家に城山三郎がいる。彼は、「軍隊という組織に入って苦しんだ体験から、組織という巨大なものの中で一人の人間がどう生きるか、たいていは組織に潰されてしまうかもしれないけれども、潰されずに生き延びようと思ったらどうすればよいのか、そんなことを考えたかったのです」[158]（「逆境に生きる」より）と述べていた。彼は、戦争抑止に努めながら戦争犯罪者となっていく文官広田弘毅の強さを、「自らのために計らぬ強さ　死に近づくほど立派になる強さ」[159]と取材ノートに記して、『落日燃ゆ』を執筆した。

城山は、大岡昇平を「強い兵士」ではなく「強い人間」だったと見做している。つまり、兵士として弾薬を持って移動しなければならない時、大岡は自分の体力では30発撃ったらもう続かないということで、あとの弾薬は置いていく。これは兵士としては弱い兵士だ。だが、人間としては強い人間だ。そういう意味で、決してめそめそしない人間だ。マ

第5章 作家としての使命感を持ったエグザイルである村上春樹とジョウゼフ・コンラッドの文学

ラリアで倒れて動けなくなっても、寝たきりになっても、雨期に入ってパラパラと雨が降ってくると、口をあけて、両手を広げて手のひらにたまる水をとる。そうまでして生き延びようとした大岡に対して、城山は、人間として強い大岡を高く評価している[160]。『城山三郎の遺志』を上梓した佐高 信氏はその著で、大岡が捕虜になった事について、「大岡さんは、組織や群のなかの一員として、偶々、あるいは指図されて捕虜になったのではなく、意志的に軍からの離脱を企て、個として、強い人間としての行動に出た結果、捕虜になった——そのことを言外にはっきりさせておきたかったのだ、と推理している」[161]と述べている。その大岡は戦時中、コンラッドの『闇の奥』を読んでいる[162]。そして彼は、コンラッドの『闇の奥』をモデルにしたという理由でフランシス・コッポラ（Francis Coppola）の映画『地獄の黙示録』（*Apocalypse Now*）を戦後二度観たと蓮見重彦氏との対談で語っていた[163]。村上春樹は、ウィラード大尉のカーツ大佐暗殺の旅のカオス（混沌）へ向かうこの難解な『地獄の黙示録』を四度も観ている[164]。

戦後60年の節目となる2005年9月4日にNHKテレビの「カウラの大脱走　日本人捕虜千人・一夜にして決まった決死の暴動の真相は」が放映された。1944年8月5日の豪州におけるカウラの大脱走の真相は、"戦陣訓"であった。偶然にも、私はこのテレビにカウラ事件の生き証人の一人として出演した金田(かなだ)弘氏からその生々しい体験を直接伺う事が出来た。以下、金田氏を含めた多くの方々の証言がその真相を物語っている。

　——「一部の強硬派によって死を前提とした暴動が計画され、無謀の出撃をしても、素手で何ができるかと言えば、"戦陣訓"に従い、目的は「死」だと強弁され、決行された[165]。事件後、死者の大半は穏健派の人たちで、強硬派の人たちは一部の人たちを除き、ほとんど生き残ったという矛盾の数々（138）。彼ら強硬派が謳った「死を前提とした暴動」

は、本当の意味での日本軍人の精神なのであろうか。少なくとも「武士道」とは随分食い違ったところがあるのではなかろうか。あくまで"名誉の戦死"として扱われたいがため、己を美化するためのエゴイズムではないのだろうか（114）。そして終戦。復員！ それを拒否する者は誰一人いなかった。しかし、完全に捕虜であることの悩みから脱皮できているのではなかった（196）。どんな時でも、ひと時も心の中のわだかまりとなって離れないのは、自分が捕虜であったという刻印である（202）」。

　捕虜という刻印を捺されて生き残った者の苦悩は、乗船客を見捨てて逃亡したと刻印された船乗りジムの心の葛藤と同根である。但し、「恥」という意味の捉え方は双方において決定的に異なる。1200余名の日本兵捕虜のうち231名の犠牲者を出し、そのほとんどが「偽名」のまま葬られた「カウラ事件」は、"戦陣訓"が生んだ悲劇であった。帝国軍人の名誉を汚した、という戦陣訓の教えであった"恥"。それが「偽名」を名乗らせ、捕虜たちに突撃ラッパを合図に、棒切れ、ナイフ、包丁、フォークを手に持たせ、自殺的な暴動に駆り立てたのである。一方、ジムの考える「恥」とは、"戦陣訓"のように外的に強要されるものではなく、人間の内的価値に由来するものである。確かにジムは軍隊でいう"脱走"という罪を犯していた。村上は『風の歌を聴け』において、戦争に行きたくないから一人山に籠って暮らす孤独な「羊男」を登場させ、「羊男」の孤独の中身を主人公の「私」に考えさせ、それと同時に国民とは何かという問いかけもしている。言い換えれば、徴兵忌避者から戦争を見る視点を提示していた[166]。

　ジムは「脱走」というその贖罪を認識し、身の処し方を次のようにマーロウに語っていた。

　　――「僕は真実を知っていました。そして僕は今後の生活でそれを贖<small>あがな</small>うつもりでした」（132）と。そして、「なすべきことは、それと真正面から対処することです！ 新しい機会を待り … 確かめることです」

第5章　作家としての使命感を持ったエグザイルである村上春樹とジョウゼフ・コンラッドの文学

(132)。

　マーロウもシュタイン (Stein) にジムの言葉を請け合っていた。「彼は一つの機会を確かにつかみ損なったことは知っているんです」(217) と。それを聴いたロマンチストで、リアリストでもあった謎の人物シュタインの答えは、「誰にでも一つや二つはそういう覚えがある。それが困る——それが問題だ——大きな問題だ」(217) であった。二人は、「理想」や「夢」を追うジムの性向を危惧しているのである。果たせるかな、ジムの言う新しい機会とは、新天地パトゥサンで試されるジムへの「試練」であった。

　目下、ジムは自分の心と葛藤しながらも「生きること」への微かな光を求めて必死に努力している。無論、ジムも人間である。彼も厳しい現実から逃れたい気持ちはあった。しかし、彼はその場に踏みとどまった。船長を含めた三人の白人たちが行方をくらます中で、ジムただ一人が海難審判の裁判に出頭していた事実がその唯一の証である。

　裁判の結果、ジムは海員免許を剥奪され、船乗り社会から追放される。社会的制裁は受けた。しかし、ジムの心の葛藤は続く。パトナ号事件に対するジムの受け止め方は、短編「秘密の共有者」におけるレガットと同様、法による社会的制裁とは異質のものである。それは一生涯消えぬ悔恨の種子となって深く根を下ろしていた。否、「不名誉」や「恥」は、木の幹についた傷のように、時が経つにつれて、消えるどころか、より一層大きくなっていったのである。目下、船乗りジムに残された道は、免許の要らない水上セールスマンとして働くしか手立てがなかった。ジムはその単調で張り合いのない仕事を誠実に且つ懸命に働いて、卓越した水上セールスマンとしての評判をとる。しかし、パトナ号事件の風聞は彼について回る。彼はその噂から逃れようと水上セールスマンとして転々とする。そして、秘境パトゥサンに着いて、ジムはその地に落ち着く。その原住民の部族の敵を打ち破り、善政を行って住民たちから全幅の信頼を得て、村長はジムにマレー語での尊称のトゥアン

(Tuan）を付けて「トゥアン・ジム」（英語ではロード・ジム）と呼んだ（242）。ジムは敬愛され、信頼され、感嘆されて、英雄となる。しかし、ジムがいかに立派な行いをしても、ジムの過去は彼のあとを追って来る。いわば過去からの使者である「闇の力」（Dark Powers）の手先ブラウン（Brown）が仲間を引き連れてパトゥサンに現れ、ジムの最大の弱点に付け込んでくる。「俺は自分だけ跳び出して、仲間を見殺しにするような人間じゃねえ」と。更にブラウンの悪魔的な囁きが追い打ちをかける。名誉と自尊心を重んじるジムが一番恐れている物事の核心に触れて、「暗闇で自分の命を助けようという段になれば、他の誰かが、三人、三十人、三百人が犠牲になろうと、そんな事は知ったこっちゃねえという事はお前さんだって分らんわけではあるまい」と。

　三人、三十人、三百人とブラウンが畳みかける数字は、船員でありながら「闇の中に八百人の乗客を見捨てた」という非常に不名誉な「恥辱」や生涯に残る悔恨の念をジムに想起させる。その結果、圧倒的な兵力や食料を持ち合わせていながら、原住民を殺傷したブラウン一味をジムは黙認して、見逃す約束をしてしまう。ジムは待ち受けていたみんなに向かって、「自分はこの国も、そこに住む人々も愛している。もし彼らに退却を許して、みんなに危害が降りかかるような事があれば、自分の命をかけて贖う」（392）。みんなは「トゥアン・ジムを信じる」と評議で議決した。しかし、原住民のジムへの信頼は見事に裏切られる。白い衣服に身を包み、白く輝く高潔なジム。その高潔さゆえに、高潔なものを破壊せねば気の済まぬ悪魔的なブラウンは、引き際にジムと交わした「紳士協定」を平気で破り、ジムの忠実なデイン・ワリス（Dain Waris）や多数の村人を殺害してパトゥサンを去っていく。忠僕タム・イタム（Tamb' Itam）やジムを愛するジュエル（Juel）の懇願をも振り切って、ジムは、「逃げることはできない」（412）と言って、自らの言明通り、自分の過ちを死によって償うために、息子のワリスを殺害されて怒り狂う酋長ドラミン（Doramin）のもとに無防備のまま行き、

第5章　作家としての使命感を持ったエグザイルである村上春樹とジョウゼフ・コンラッドの文学

彼の銃弾を平然と受ける。その時の様子を、目撃者の証言に基づいて、マーロウは次のように語る。「その白人は左右に並ぶみんなの顔に向けて誇り高く怯むところのない眼差しを投げかけたという」(416)。

　ジムは理想の自分に忠実であろうとした。それを証明するための彼の選択であった。パトナ号事件以来逃亡し続けてきたジムは、逃亡の愚かさを悟り、自己を直視して本質的な内面の自分と向き合い、自己の内的倫理に従って、シュタイン（Stein）が言うところの「破壊的要素に身を浸した」(214)のである。

　パトナ号事件以後、誠実になろうとするジムの人生を見てきたマーロウは、「問題は、罪だけなのに、彼は不名誉をあまりにも気にしすぎた」(177)と述懐した。ジムを初め、不条理や人生の「孤独」な試練に耐えながら疎外された無名の人々へのコンラッドの共感は、処女作『オールメイヤーの愚行』以来およそ30年間に亘る後の作家生活において、『ロード・ジム』を含めて終始変わる事はなかった。この共感こそがヘンリー・ジェイムズの「小説の芸術」（"The Art of Fiction"）と並び称されるコンラッドの「小説の芸術」と評される『ナーシサス号の黒人』への「序文」において記された、人々の心を結び付ける不可思議な「同胞意識」に繋がるものである。それは無数の人々の心の「孤独」を繋ぐ「人間的連帯感」[167]に結びつくのである。

　68歳になった村上春樹は、自らの小説を述懐して、「『羊をめぐる冒険』は、最後は何となく寂しい終わり方をするし、『世界の終りとハードボイルド・ワンダーランド』でも主人公は、最後はあの世界に影と別れて一人で残る。決してハッピーな終わり方ではない。しかし人々はこの世界で生き続けていくだろうという、ある種の信頼感のようなものが読者の中に生まれる。生き残ること、或いは生き残った人たちに希望を与えること。それは物語にとって大事なこと」[168]と述べている。また彼は、ジョウゼフ・コンラッドの『ロード・ジム』を引き合いに出して、「ジムは最後に死ぬ。それは悲劇的なエンディングだが、ジムの死

-445-

は、ジムの死よりもむしろ、読者に救済の感覚のようなものを与える。それが大事だ」[169] と明言している。そして村上は、『騎士団長殺し』を「善き物語」として描き出したのである。

IX 「ジェントルマン」と「名誉」

　ところで、コンラッドが英国に初めて上陸した1878年は、ヴィクトリア朝中期に当たり、英国が世界で最初に産業革命を成し遂げて、「世界の工場」として世界経済の覇者であった時代である。「勤勉とたゆまぬ自助努力」が標榜されていた。サミュエル・スマイルズ（Samuel Smiles）の主著『自助』（*Self-Help*）[170] には当時の世相がよく反映されている。ここで注目すべきは、スマイルズが、人生の目的を金銭よりも「高貴なもの」として、人格の形成に重点を置いていた事である。その理想像とは「真のジェントルマン」である。理想のジェントルマンを表現する時、スマイルズは「真の」（true）という形容詞を用いて世間一般が知悉するジェントルマンかと別しようとしていたようである[171]。スマイルズは次のように述べている。「ジェントルマンは、必ず自らその身を尊敬す。すなわち己の品行をもって重きとなし、これを尊ぶなり。これ他人に観らるるために、品行を修（おさ）むるにあらず。自己の眼目をもって自己の品行を察し、自己の心をもって自己の過失を規（ただ）し、わが本心に是なりと許せるものをもって言行に発する事なり」[172] と。彼は、「紳士は責任を果たし、自分自身の基準に従って行動しなければならない」という新しい紳士としての資質を加えたのである。

　コンラッドと同様、このような時代背景の中でジムは生まれた。ジムはもともと英国の何代にも亘って世襲してきた牧師の息子である（5）。「ジムは紳士の生まれだ」（67）、と述べられている。パトナ号事件以降、英国人なら誰もが知るネルソン提督と同じ紳士階級に属する牧師の

第5章　作家としての使命感を持ったエグザイルである村上春樹とジョウゼフ・コンラッドの文学

息子で、自尊心が強いジムはその事を痛切に感じていた。それ故800人の乗客を見捨ててパトナ号から跳び降りてしまったという事実は、『陰影線』における「私」と同様、船乗りの「義務」を放棄して、「生涯消えぬ悔恨の種子」(95)を自分の胸に蒔いたのである。自尊心の強いジムにとっては「逃亡した船乗り」という**不名誉な烙印**は耐え難いものであった。ジムの行為は、乗船客の信頼を裏切り、船乗りへの信義に反する裏切り行為に他ならなかった。ブライアリー船長が言うように、この種の事件は海の男たちの絆への「信頼」を根本的に損なうものであった。ジムはそれを十分承知していたからこそ彼の葛藤は増幅され、「生涯消えぬ悔恨の種子」となったのである。

　コンラッドと祖国との強い絆は、彼が言語の壁を克服して「ウクライナ出身の紳士」が英国人に伍して英国の船長になった事を誇りとしながらも名前に関し Konrad（コンラート）と「ポーランド性」を残し、自らのアイデンティティの回帰をポーランドに置いていた事からも窺える。それ故＜理想の自画像＞を求めて苦闘し、「ヒロイックな死」を遂げたロード・ジムに共感するマーロウの語り口には、コンラッドが想い描く紳士像とジムの理想像とが重なる。祖国への回帰を希求しながら、果たせずに断念して、船乗りの社会から、否、根源的には人間共通の普遍的な血縁から外れてしまったジムに対して、作者の分身であるマーロウは、強い共感を込めて次のように語っている。

　　The spirit of the land, as becomes the ruler of great enterprises, is careless of innumerable lives. Woe to the stragglers! *We exist only in so far as we hang together.* He (Jim) had straggled in a way; he had not hung on; but he was aware of it with an intensity that made him touching, just as a man's more intense life makes his death more touching than the death of a tree. (223) (Italics mine)

（国土の魂は、人間の企てる大きな支配者にふさわしく、数限りない人間の生命には無頓着だ。哀れなのは落伍者だ！　我々は手を繋ぎあっていればこそ存在している。彼はある意味で落伍した。彼は手を離してしまったのだ。しかし彼は痛切にそのことを意識していた——彼が人を感動させるのはそのためだ。丁度、強烈な生が人間の死を樹木の死よりも感動的にするのと同じだ。）

我々は手を繋ぎあっていればこそ存在している。
　しかし、ジムは手を離してしまった。彼はその事を痛切に意識していた。そして手を繋ごうと必死に努力していた。最後まで自分の「理想像」を追い求め、最後には自己を直視し、自分の「閾(いき)」を跳び越えて、その理想的な人間像を「ヒロイックな死」で完結させた。パトナ号から跳び降りて以降、ジムの苦悩をずっと見てきたマーロウは、ジムの人生への態度を、「理想とする一貫した倫理的姿勢、伝統的約束事の理想像を渦中から救い出そうとする人間の苦闘」（81）と要約していた。ジムは、**不名誉**を最大の恥と考え、「逃げることは出来ない」（412）と言って、自らの最期の決断を下す。コンラッドは、人間の自己の理想像の中に潜むエゴイズムとエゴイズムの中に潜む「高潔さ（nobleness）」とを同時に描き出しながら、ジムの生き方を肯定的に評価している。ジムの最後の行為は、「普遍の節操」（416）と表現されている。死を臆することなく覚悟して、誇りに満ちた視線を投げかけて、最終的に酋長ドラミンの銃弾に倒れ、「ヒロイックな死」を遂げた。ジムは世間でいう名誉、自身の名誉、そのいずれをも守ろうとした[173]。
　本来、「名誉」とはいかなるものなのかを考えれば、人間としての尊厳、価値がおのずと明らかになるはずである。「カウラ事件」の証言の中で語られていた「武士道」の真の意味を、世界に「武士道」を知らしめた新渡戸稲造が、著書『武士道』（*Bushido: The Soul of Japan*）において次のように述べている。「個人の尊厳と個人の価値を自覚する人

第5章 作家としての使命感を持ったエグザイルである村上春樹とジョウゼフ・コンラッドの文学

は、また名誉を重んじる心を持ち、名誉を重んじる心は、武士を武士たらしめるものとし、武士は、自分の身分と特権を重んじることを生まれた時から訓育されている」[174] と。またその副題として The Soul of Japan が明示するように、新渡戸はそこに民族の文化と伝統の精神を謳い、かつての封建社会の遺物としてではなく、イデオロギーや人種的偏見を超えた近代日本の道徳、倫理の根幹をなすものとして、武士道的な規範を普遍的な倫理の規範として提起した。司馬遼太郎は、「武士道」の起こりを鎌倉の坂東武者であると見做し、その精神的モラルを「名こそ惜しけれ」という言葉に象徴化して、「恥を知る」がその心を涵養していると見ている[175]。

1905年、新渡戸は『武士道』の根幹をなす「名誉」の要旨をその著と共に、明治天皇への献納の添え書きに、「此章に於ては、武士は幼児より、恥を知りて面目を傷はざらんことを教えとし、而して虚栄を戒むること厳なりしことを論ず」(10頁) と記している。また彼は、『武士道』において「生きるべき時は生き、死すべき時にのみ死するを真の勇なり」[176] と、徳川光圀の言葉を引用しているが、ジムこそまさに「死すべき時にのみ死した真の勇」を持っていたのではないだろうか。西洋思想との対比によって東洋思想の根底にある母性的な「慈悲」を、究極的には「煩悩即菩薩」という大乗仏教を提唱し、世界に禅を紹介した鈴木大拙は、『禅と日本文化』(Zen Buddhism and its Influence on Japanese Culture) を英文で出版したが、その中で「武士道」の中心思想として、いつにても身命を捧げる武士の覚悟を「武士道といふは、死ぬ事と見付けたり」という「葉隠」の一節を引用して、武士の心構えと禅の直接的・実践的教義との論理的関係を説いていた[177]。但し、死ぬに値する大義があってこその死である。「武士道」にあっては、大義のない死は「犬死に」と言われる。

因みに、小泉八雲 (ラフカディオ・ハーン) は、熊本で「武士道」を体現する人物に出会っている。着任した第五高等中学校第三代校長の嘉

― 449 ―

納治五郎である。1896年に第五高等学校の英語講師として夏目漱石が就任しているが、五高の校長の嘉納が漱石を招請したためである[178]。八雲は初対面の嘉納について、1891年に西田千太郎宛てに手紙を認(したた)めている。

> You would like Mr. Kano extremely, I am sure. He is very different from most Japanese teachers I have met. His nature is extremely sympathetic and also extremely frank,——something almost peculiar to strong personalities. Having met him once, you feel as if you had known him for years.[179]
> （あなたもきっと嘉納氏が好きになるだろうと思います。この人は私がこれまであった日本人の教師とは大分違います。性格は非常に同情心に富み、全く飾らず正直です。これは人格の出来た人の特徴といえるでしょう。一度会っただけで年来の知己であるかのような気がします。）

と八雲は直観で嘉納治五郎という人物を言い当てている。嘉納治五郎は、後に文武両道を旨とした英学の塾「弘文館」や柔道の「講道館」の創始者として知られ、またIOC委員も務めている。

さて「武士道」に照らしてみれば、ジムの大義は「名誉」ではないだろうか。ジムは、「不名誉」を最大の「恥」と考え、より高い倫理的基準を自らに課して、自分自身に内在する確固とした〈誠実〉の基準に従って義務を履行し、いかにもロマンチックに消えていった。ジムにふさわしい言葉としては、「名誉を重んじるロマンチックな人間」ではないだろうか。更に、コンラッドの視点は、ミゲル・セルバンテス（Miguel de Cervantes）が創作した＜夢に生き、「人生は夢！」と死に際して悟って、正気に返った人間の自己省察の小説＞『ドン・キホーテ』（*Don Quixote*）[180] の視点と通底している。時代錯誤の笑止千万な

第5章　作家としての使命感を持ったエグザイルである村上春樹とジョウゼフ・コンラッドの文学

騎士の中に＜人間の高貴さ＞を認めるコンラッドは、『ドン・キホーテ』のヒーローが抱く空想を"a very noble, a very unselfish fantasy"[181]と見做し、ドン・キホーテを、「気高いスペイン騎士（sublime caballero）」と表現し、「狂人」の愚行という世間の評価とは一線を画していた。因みに、15歳当時、祖国離脱にも繋がる船乗りを希求し、自由を憧れる考えを「愚考」だと言われ、「手のつけられないドン・キホーテ」[182]と呼ばれていた事を、コンラッドは面映い気持ちで後年の回想記『個人的記録』に書き記している。

　ジョージ・ルカーチ（Georg Lukács）は、『小説の理論』（*Die Theorie des Romans*）において『ドン・キホーテ』を次のように高く評価している。「『ドン・キホーテ』は、形式に流れ浅薄な娯楽小説に堕してしまった騎士道小説の攻撃の書としてのパロディとして生まれた（98）。キリスト教が世界を見捨ててゆく時代の発端に立って、歴史的哲学的瞬間の直観的幻視者であったセルバンテスは（129）、ドン・キホーテのうちに、神性と狂気とを撚り合わせ、計り知れず深く輝くばかりに感覚的に仕上げた。この作品は世界文学のうち最初の大小説である（99）。『ドン・キホーテ』は世界文学の中で、人々が最大の楽しみをもって読んでいる書物の一つである（374）。『ドン・キホーテ』は、これまで書かれたもっとも徹底した風刺文学である（375）。偉大なスペインの作家セルバンテスが生きた時代に流行した読み物は騎士道物語であった、つまり中世の詩を平板で空虚な散文に解体したものである。人間を現実から遠ざけ、彼らの感情生活と、更には彼らのあらゆる挙動とに過った方向を指示した一つの虚偽の世界を描いたものである。『ドン・キホーテ』は彼らの小説の破壊的な影響をはっきり示している。主要人物は繊細で道徳的な感情を持った、己を知り教養のある賢い人間である。彼はまさしく、社会で有用な役割を演じんがために創られた。だが彼は騎士道物語を読み過ぎて気が狂う。彼は騎士道物語の理想を現実の中に移植しようと試みる。この破壊的な影響を受けて、彼のあらゆる

行動が裏目と出る、崇高なものは笑うべきものとなり、親切は害となり、善意は無意味となる。セルバンテスの小説は愚弄された騎士道文学を絶滅する効果があった。真の文学がこのような虚偽の似非文学に対する勝利を祝ったことは、いまだかつて一度もなかった（傍点ルカーチ）（375）。『ドン・キホーテ』の出現は流行の騎士道物語に一つの終末を準備した。それと同時に、市民小説、批判的リアリズムの文学が数世紀にわたって勝利の行進を開始したのである。そして、批判的リアリズムの偉大な英国の巨匠たち（スウィフト、フィールディング、スターンなど）もいたるところに『ドン・キホーテ』の直接の影響が感じられる（375-76)」[183] とこうも言える。

たとえ笑止千万と受け取られようとも、庇護を必要とする者にはいつでも庇護の手を差し伸べ、義務感と使命感に燃えて、直ちに行動に移すドン・キホーテの言動に具現された騎士道の源には、肯定的ロマンティシズムがあった。バイロン（Byron）は、大作『ドン・ジュアン』（Don Juan）の中で『ドン・キホーテ』を次のように謳っている。——「およそこの世の物語で／ これほど悲しい者はない。／ 我らに微笑み浮かばせるからこそ、いっそう悲しくもなる。彼のヒーローは／ 正義の士で、常に正義を追い求める。／ 悪矯めるのが、この騎士の／ 唯一の目的であり、勝ち目ないのに／ 戦うのが、その報酬だ。／ 彼の気を狂わせているのは／ 彼の美徳に他ならない。／ 彼の行う冒険は／ 見るも無残なもののみだが、／ 物思ったことのある人々に／ あの偉大な教訓は、／ もっと無残なのである。」[184]

我々はドン・キホーテなのであろうか。それともサンチョ・パンサなのであろうか。いや、我々人間には、いかんともし難い二律背反的な性質がある。コンラッドはその人間の特性を『ノストローモ』（Nostromo）において、ドン・キホーテとサンチョ・パンサとを引き合いに出して次のように指摘する。

第5章　作家としての使命感を持ったエグザイルである村上春樹とジョウゼフ・コンラッドの文学

There is a curse of futility upon our character: Don Quixote and Sancho Panza, chivalry and materialism, high-sounding sentiments and a supine morality, violent efforts for an idea and a sullen acquiescence in every form of corruption.[185]

（私達の性格には呪うべき愚かな性質があります。ドン・キホーテとサンチョ・パンサ、騎士道と実利主義、おおげさな感傷と道徳的怠惰、ある理想に対する激しい努力とあらゆる腐敗に対して陰気に黙従してしまうことです。）

　人間の特性を認識したコンラッドは、人間の中に潜むエゴイズムとそのエゴイズムの中に潜む「高潔さ」とを同時にジムという人間の中に描き出して、彼の生き方に肯定的な評価を下していた。人間に高い内的倫理が有るか否かが、コンラッドの人間の評価基準であった。
　パトナ号事件の風聞も届かない文明からかけ離れた秘境の地パトゥサンにジムを誘った謎の人物シュタインは、東南アジアで手広く貿易をする現実主義者である一方で、著名な蝶の収集家でもあった。彼は人間を二つに大別する。甲虫のように理想も夢も持たず、生涯地を這う虫けらのように人生を歩む者と、空中を美しく舞う蝶のように、泥の中の幼虫から生まれ変わって理想的な人生を目指す者との二種類である。彼はジムを後者だと見做していた。コンラッドは、『ロード・ジム』への「作家の覚書」において、「ジムの意味を明らかにするのにふさわしい言葉を探求するのが私の仕事であった」[186]と表明して、謎の人物シュタインをして、ジムの本質を次のように述懐させていた。「ジムはロマンチックだった」、しかし、「それにも拘らず彼は**誠実**だった」（334）と。＜誠実＞は、正しくコンラッドの思想の根幹であった。
　村上春樹も、ジェイ・ルービン編著の『芥川龍之介短篇集』への「序文」で自らの作家としての姿勢に基づいて、「作家として重要な点は、その時代に一個の人間としての問題意識を抱き、第一線の芸術家として

の社会的責任を引き受け、**誠実に人生を歩もうと努めることである**」[187]
と明言していた。

結論

　16歳の時「自由」を求めて帝政ロシアの支配下にあったポーランドを離れて、仏国、次いで英国を足場にして、世界各地に接岸したコンラッドは、生涯故郷の事を想い描きながらもエグザイルで過ごした流浪の作家であり、異郷(いきょう)への眼差しそのものが彼の世界観であると同時に、生涯を通じての文学的テーマでもあった。実際、彼は世界全体をも異郷と考える作家であった。これを前提に、コンラッドは、＜船＞を通して培った独自の視点を得て、人間を信じ、シングルトンやマックファー船長やマーロウ船長を初めとする＜あるべき人間＞像を希求している。その独自の視点は、一国のみではなく多国籍の中で培われたものである。

　村上春樹もまた世界を異郷と見做して、「自分の目で見たものを、自分の目で見たように書く、それが基本的な姿勢である」[188] という作家的視点で「僕」や「私」を初めとする主人公の内面の葛藤を通して自らの存在意義を真摯に探究している。英国、イタリア、ギリシャ、アメリカなど日本以外で長く暮らしてきた村上は、作家として日本という国や日本人という事についてより意識的に「自分は何なのか？　自分は誰なのか？」[189] と一体いかなる存在なのかを常に自らに問いかけている。東西冷戦の終結と原理主義の台頭、グローバリズムと反グローバリズムの拮抗、メガ資本主義の登場と環境問題の盛り上がり、オウム真理教事件と阪神大震災、2011年3月11日の東日本大震災、米国における9・11同時多発テロなど世界全体が混沌とする状況下で、無国籍性と内面意識のパラレルワールドを特徴とする独自の作品の中で村上はあるべきリアリティの探求を試みている。村上は、「僕が小説家として最終的に書きたいと思うものは、やはり＜総合小説＞だ」として、具体的にはドストエフスキー的な19世紀的な＜総合小説＞に『悪霊』を挙げ[190]、「ドスト

第 5 章 作家としての使命感を持ったエグザイルである村上春樹とジョウゼフ・コンラッドの文学

エフスキーの『カラマーゾフの兄弟』が総合小説の一つの達成です。（中略）さまざまな人物が出てきて、それぞれの物語を持ち寄り、それが総合的に絡み合って発熱し、新しい価値が生まれる。読者はそれを同時的に目撃することができる。それが僕の考える＜総合芸術＞です」[191]と言明している。

ティム・オブライエン（Tim O'brien）の『ニュークリア・エイジ』（*The Nuclear Age*）の「訳者あとがき」において、村上は＜総合小説＞についてより明確に述べていた。──「誤解を恐れずにおもいきって言ってしまうなら、あるいはこの『ニュークリア・エイジ』という小説は「現代の総合小説」と呼んでも差し支えないのではないかという気がする。魂の総合小説とでもいうのだろうか。とにかくこれはおそろしく真摯な小説である。作者は自分の中にある精神性のあらゆる要素と断片──それこそ形あるものないものすべてを使いきって、この作品を書き上げているのだ。そしてもうこれ以上は何もないという地点でこの作品を書き終えている。ここには作者の精神性がコミットした事象がかきあつめられ、フル・パワーで注ぎこまれている。作者はあらゆるものの蓋をこじ開け、あらゆるものを可能な限り白日のもとに曝け出し、検証する」[192]。

2013年、京都大学百周年記念ホールにおける公開インタビュー「魂を観る、魂を書く」において、「ドストエフスキーの『悪霊』のような総合小説を書きたかった」[193] とその心情を吐露した村上は、「物語というのは人の魂の奥底にある。人の心の一番深い場所にあるから、人と人とを根元でつなぎ合わせることができる」「（『色彩を持たない多崎つくると、彼の巡礼の年』は）僕の感覚としては、頭と意識が別々に動いている話。出来事を追うのではなく、意識の流れの中に出来事を置いていく」[194] と述べていた。そして、『騎士団長殺し』の主人公「私」が暗闇を進んでいく時、騎士団長を殺して「私」が心の底の暗闇の世界に入っていく場面について、村上は、暗部の先に「許し」はあるとして「一番

− 455 −

暗い所を抜けないと、回復はないと思う。許しの感覚は、善とか悪とか光とか闇とか、そういう判別を超えたものである。それを得るためには、「騎士団長」という「想念」をいったん自らの手で殺す経験が必要である。そうすることで初めて「許し」というのもが得られるのではないか」[195] と語っている。『羊をめぐる冒険』において、「僕だって19世紀に生まれていたら、もっと立派な小説が書けたと思うんだ。ドストエフスキーとまではいかなくても、きっとそこそこの二流にはなれたよ」[196] と述べていたが、『色彩を持たない多崎つくると、彼の巡礼の年』や『騎士団長殺し』は、果たしてドストエフスキーが人間の心の奥底を執拗に追及して完成した『罪と罰』のような人間の魂の奥底まで辿りつけた作品なのであろうか。『罪と罰』は、犯罪小説でも心理小説でもない。人間が「如何にして生きるべきか」を問いかける魂の葛藤の物語である。ドストエフスキーは、意識下の生活の奥底に根を下ろしている人間存在の根源に迫り、徹底して人間の悪を追求していた。その結晶が『カラマーゾフの兄弟』であり『悪霊』であり『罪と罰』であった。

　村上は『カラマーゾフの兄弟』を念頭において、『1Q84』を執筆している。青豆とカルト教団のリーダーとの緊迫した場面で、リーダーは、「この世には絶対的な善もなければ、絶対的な悪もない … 善悪とは静止し固定されたものではなく、常に場所や立場を入れ替えるものだ。ひとつの善は次の瞬間には悪に転換するかもしれない。逆もある。ドストエフスキーが『カラマーゾフの兄弟』の中で描いたのもそのような世界の有り様だ。重要なのは、動き回る善と悪とのバランスを維持しておくことだ。そう、均衡そのものが善なのだ（傍点は村上）」[197]。2015年のインタビューで村上春樹は、「僕は小説を書くに当たって意識上の世界よりも意識下の世界を重視している。意識上の世界はロジックの世界。僕が追及しているのはロジックの地下にある世界。ロジックという枠を外してしまうと、何が善で、何が悪かが段々規定できなくなる。善悪が固定された価値観からしたら、ある種の危険性を感じるかもしれない

第 5 章 作家としての使命感を持ったエグザイルである村上春樹とジョウゼフ・コンラッドの文学

が、そのような善悪を簡単に規定できない世界を乗り越えていくことが大切だ。それには自分の無意識の中にある**羅針盤**を信じるしかない」[198]と述べている。また「冷戦が崩壊して、東か西か、左か右かという軸が取っ払われ、混沌が平常の状況になってきました。僕が小説で書こうとしているのも、いわば軸の取っ払われた世界です。（中略）一番の問題は、だんだん状況が悪くなっていくというディストピア（ユートピアの反対）の感覚が、すでにコンセンサスになっていることです。僕としては、そういう若い世代に向けても小説を書きたい。僕らが60年代に持っていた理想主義を、新しい形に変換して引き渡していくのも大事な作業です。それはステートメント（声明）の言葉ではなかなか伝わりません。軸のない世界に、「仮説の軸」を提供していくのがフィクションの役目だと信じています」[199]と述べている。そして2017年 2 月に、村上は最新作の長編小説『騎士団長殺し』を上梓したが、彼の**羅針盤**を信じる、或いは信じたい読者は、その出来栄えに満足したであろうか。「私」なる画家の語り手を借りて書いた『騎士団長殺し』の主題の一つは、戦争体験で傷ついた雨田具彦の魂を対象化し、彼の奥深くに秘匿(ひとく)されたものを引き出そうとしたが、村上の言う魂に響く「深い物語」を紡ぎ出す事が出来たであろうか。ドストエフスキーは、意識下の生活の奥底に根を下ろしている・・・・・・・人間存在の根源に迫り、徹底して人間の悪を追求し、その結晶として『罪と罰』や『悪霊』や『カラマーゾフの兄弟』を生み出したが、村上の最新長編作『騎士団長殺し』は、ドストエフスキーに迫り得たであろうか。

　村上はドストエフスキーを念頭に置いて作家としての率直な考えを述べていた。——「いつも僕が考えるのは、ドストエフスキーが50歳を過ぎてから、『悪霊』と『カラマーゾフの兄弟』を書いたことです。『カラマーゾフの兄弟』がたしか59歳です。そこで亡くなっている。ほとんど60に近くなって、これまで自分が書いてきた作品のいずれよりも質量ともに大きな小説を書く人って、なかなかいません。出来ることなら僕は

ドストエフスキーみたいに50を過ぎてから、あるいはさらに60を過ぎてから、ますます大きな意欲的なものを書いて成長していきたいという気持ちが強い」[200]、「最終的な目標をドストエフスキーの『カラマーゾフの兄弟』においている。そこには、小説が持つすべての要素が詰め込まれている。それはひとつの統一された見事な宇宙を形成している。僕はそのような形を取った、現代における「総合小説」のようなものを書きたい」[201]、「書くことは通過儀礼の一つの在り方で、さまざまな障害に直面する主人公とともに、僕も進化する」[202]。

更なる進化した村上春樹の次作の長編小説を期待するところではないだろうか。

コンラッドと同じく世界を異郷と思い、また村上と同じく、「自分は何なのか」という問いかけをし、日本文学に深い関心を向けるリービ英雄は、アメリカに生まれ、アメリカで英語に翻訳され英語によって分析される「Japanese literature」[203] を大学で教え、日米を往来した後、その「Japanese literature」と似ても似つかぬ「本物の日本文学」[204]の作家になる夢を抱き、英語を母国語とするアメリカ人で、史上初めて日本語で『星条旗の聞こえない部屋』を書いて第14回野間文芸新人賞を受賞している。リービは、「(生粋の米国人が日本語で小説をものにしたという)ことばかりが注目されましたが、私は現代人にリアルな流離譚、すなわち帰るべき豊かな共同体を持たない人間を書いたつもりです」[205] と述べている。「なぜ日本語で書くのか」という問いに対して、リービはコンラッドを引き合いに出して、作家の創作態度の核心を次のように述べている。──「文章を書くときには常にフリクションがある。日本人として生まれた者でも、本当の作家なら常に＜外国語＞であるかのような緊張の中で書いているに違いない。コンラッドも、英語の作品を生み出すとき、自分の書いている文章と言葉づかいについて百パーセントの確信を持ちかねて、一語一語を勝ち取るのは**終わりなき葛**

藤だった、というような言葉を残している」[206]。そして、彼の「越境文学論」を次のように言明している。――「純粋なる＜外＞というありもしないものの視点にとって代わって、いつの間にか自分の体験に根ざした＜本当の声＞を日本語で発することができた。それは、＜外＞の出身者でありながらもまぎれもなく＜内＞にいるという＜在日者＞の声である。信じてもみなかった＜外人＞の視点が崩れて、もう一つの、より複雑で、より豊かな視座が生まれた。とすれば、ぼく自身にも一つの＜日本語の勝利＞の時が訪れてきたに違いない」[207]。そして彼は、何処にも属さない、何かと何かの狭間にいる状態を＜越境＞と見做し、＜越境＞を文学の課題として考える時、「＜越境＞はその狭間にいる状態を絶望的に捉えるのではなく、むしろそのことによって、ふたつの文化を非常にアイロニカルに見ることができる立場にいる、＜越境＞は小説の問題として、ふたつの文化を同時に見るという非常に**活動的なアイロニー**を意味している」[208]と述べている（ゴシック体は筆者）。

　翻訳という課題を自覚的に取り組んでいる村上は、＜越境＞に関して、「文化の世界では国境を容易に超えることができる。言葉が違い生活様式が異なっても、物語という心のあり方を等価交換的に共有できる」[209]と文学が翻訳を通して国際交流に果たす役割を訴えている。『ブリキの太鼓』で世界的に著名な現代ドイツを代表するノーベル文学賞作家のギュンター・グラス（Günter Grass）は、故郷を失い、移民・難民として生きざるを得なかった経歴が、自分に自由をもたらしたとして、その利点を次のように述べている。「故郷喪失によって私は、自由に他の結びつきを求めてゆくことが出来ました。故郷を持つ人々が生まれてからずっと縛られている土着という考えからは無縁でした。まさに、場所をたやすく変えるということに喜びを見出せたおかげで、異質なものへの好奇心が解放されたのです。故郷喪失者には、多かれ少なかれ、土地を所有して住んでいなくてはならない人々よりも、地平線は広く開かれているのです」[210]と。彼の文学の精髄は社会的弱者に焦点を

当てたものであって、1999年のノーベル文学賞の受賞理由として述べられた「歴史の忘れられた側面」を描く事であった[211]。

　一方、リービ英雄が指摘する「様々な困難」（終わりなき葛藤）を乗り越えて、コンラッドは「故国喪失者」である事を自覚して[212]、その意味を積極的に考えて世界を異郷とする流浪の作家としてポーランド語ではなくて英語で、つまり近代西欧の体制下に埋没した言葉に疑問を投げかける言語でもって人間の疎外をもたらす孤独と人間の有り様を訴えたのである。エドマンド・ウィルソン（Edmund Wilson）は、「コンラッドは、英国作家の真似ではなく、自分独自のものを会得して英文学の分野で成功を収めた数少ない実例だ」[213] とウラジミール・ナボコフ（Vladimir Nabokov）に述べている。リービより1世紀も前に、多国籍の中で生き、自らを「二重人間」だと認めるコンラッドは、その相対化の視点から世界を見て自分という一個の生に普遍性を見出していた。彼はその文学作品において、例えば、「理想像」を追い求めるジムという人間の葛藤を通して、理想とする一貫した「あるべき倫理的姿勢」や根本的な「生の在り方」を、国籍に安住する読者に対して問いかけていた。この21世紀においてさえも通じる国境を超える文学を構築したコンラッド文学の本質は、普遍的な「生」への問いかけにあるのではないだろうか。

　人生の神秘の奥底に下りていき、人間存在の究極の孤独を自らに重ね合わせるコンラッドは、『密偵』（*The Secret Agent*）において、人生の＜計り知れない神秘（*an impenetrable mystery*）＞[214] によって人間の孤独感が引き起こされている、と見做している。その人生の神秘とは、『闇の奥』において語り手マーロウが自らの精神の内部に降下して「自己発見」し、目の当たりにする人間存在に潜む闇に通底するものである。その闇は、『密偵』における大都会ロンドンであろうと、『ロード・ジム』における文明から遠く隔絶されたパトゥサンであろうと、植民地時代の暗黒大陸のアフリカ奥地においても存在する、時空を超えた**暗闇**

なのである。しかしコンラッドは、マーロウやジムのようにこの**暗闇**の中に「一筋の光」を探し求めて、＜あるべき人間＞像を希求し続けたのである。

1 村上春樹さん 特別インタビュー 小説家40年と「騎士団長殺し」死と再生の物語『毎日新聞』2019年5月22日 3面。
2 『村上春樹全作品 1990-2000 ⑥』（講談社、2003年）658頁。
3 村上春樹『遠い太鼓』（講談社、1990年）14頁。
4 村上春樹『職業としての小説家』（スイッチ・パブリッシング、2015年）293頁。
5 村上春樹『若い読者のための短編小説案内』（文藝春秋、1997年）15-16頁。
6 村上春樹氏 ロング・インタビュー『毎日新聞』2008年5月12日。
7 村上春樹 編訳『ある作家の夕刻 フィッツジェラルド後期作品集』（中央公論新社、2019年）＜訳者あとがき＞327頁。
8 前掲書。331-32頁。
9 フィッツジェラルドからヘミングウェイへの1934年6月1日付の手紙。『フィッツジェラルド／ヘミングウェイ往復書簡集』宮内華代子 編訳（文藝春秋、2009年）21頁。
10 Matthew J. Bruccoli, ed., *The Great Gatsby* (Cambridge: Cambridge University Press, 1991), p.224.
11 Carola M. Kaplan, Peter Mallios & Andrea White, eds., *Conrad in the Twenty-First Century —— Contemporary Approaches and Perspectives* (New York/London: Routlege, 2005), p.286.
12 Frederick Karl & Laurence Davies, eds., *The Collected Letters of Joseph Conrad*, vol. 3 (Cambridge: Cambridge University Press, 1988), p.89.
13 Frederick Karl & Laurence Davies, eds., *The Collected Letters of Joseph Conrad*, vol. 4 (Cambridge: Cambridge University Press, 1990), pp. 9 -10.
14 Irving Howe, "Conrad: Order and Anarchy" *Politics and the Novel* (New

York: Books for Libraries Press, 1957), p.79.
15 『サン＝テグジュペリ著作集　別巻　証言と批評』山崎庸一郎 訳（みすず書房、1990年）159頁。ロジェ・カイヨワ（Roger Caillois, 1913-1978）は、「プレイヤード版への序文」において次のように述べている。――ヨゼフ・テオドール・コンラート・ナレンチ・コジェニオフスキーという名のポーランドの水夫は、自分の母国語ではないある言語で小説を書き続けてきたが、その生涯も終わりごろ、はじめて出版上の成功を納めた。彼はそのことに、自分は時代の好みに逆らうことが出来たのだという証拠を見出したが、「人類という巨大な集団に生きることを可能ならしめる本質的庶感情や基本的信念に逆らった」という証拠を見出したわけではない。彼は次のような言葉を以て、自分の書物が好意的に迎えられたことを喜んでいる。「私は常に、小さな党派に限定された作家という位置に甘んじるように無意識のうちに誘われることを最高度に恐れていた。そのような立場は私には忌まわしいものだったに違いないし、私が健全なものだと信じている確信、つまり、単純な観念や真摯な感動に対する全人類の連帯感という私の確信を揺るがすものになっただろう」。
16 平成を映し、時代と歩む　識者が選ぶ30冊『朝日新聞』2019年3月7日27面。
17 村上春樹さんにノルウェーで対談『毎日新聞』2010年9月8日。
18 ＜村上春樹をめぐるメモらんだむ＞「世界文学」としての存在感『毎日新聞』2019年12月7日8面。
19 前掲紙。
20 英国映画『私を離さないで』原作　カズオ・イシグロさん『毎日新聞』2011年2月10日（夕刊）。
21 佐藤泰正・山城むつみ『文学は＜人間学＞だ』（笠間書房、2013年）99頁。
22 村上春樹編集長『少年カフカ』（新潮社、2003年）35頁。
23 平成を映し　時代と歩む『朝日新聞』2019年3月7日27面。
24 『村上春樹、河合隼雄に会いにいく』（岩波書店、1996年）38頁。
25 大江健三郎『大江健三郎　作家自身を語る』（新潮社、2007年）280頁。
26 瀬藤芳房「解説」『七つ島のフレイアさん』（旺史社、2000年）165頁。

27 『村上春樹全作品　1990-2000　⑦』（講談社、2003年）270頁。
28 村上春樹『ノルウェイの森　上』（講談社、1995年）57頁。
29 Lafcadio Hearn, "On Reading" *Life and Literature* (New York: Dodd, Mead & Company, 1919), p.9.
30 村上春樹『職業としての小説家』282-83頁。
31 村上春樹全作品　1990-2000　⑦』270頁。
32 村上春樹氏　ロング・インタビュー『毎日新聞』2008年5月12日。
33 A・コパード、B・クリック 編『思い出のオーウェル』オーウェル会 訳（晶文社、1986年）279頁。
34 Sonia Orwell & Ian Angus, eds.,*The Collected Essays, Journalism and Letters of George Orwell*, vol.Ⅳ（London・Secker & Warburg, 1969, reprint), pp.489-90.
35 ラフカディオ・ハーンは、その著『英文学史』(*History of English Literature*)においてヘンリー・ジェイムズを次のように高く評価している。──「ジェイムズは、常にリアリスティックでありながら非凡さを失わない。彼は現在生きているアメリカ作家では最大の作家ではないか。彼は余りにも洗練され過ぎて一般受けはしていないが、生涯の大半を英国で過ごし、それでいながら素晴らしいものを書いている。ある時はアメリカの精神主義が生みだす奇行の数々を描く『ボストンの人々』(*The Bostonians,* 1886)に、ある時はパリを背景に目に見えるだけの世界から心理的な事実という見えない世界にまで我々を案内してくれる。ジェイムズは道徳的な作者としても優れている。彼の書いたものは全て読んでおく価値がある」。Lafcadio Hearn, *History of English Literature* (Tokyo: Hokuseido Press, 1950), p.785.
36 オーウェル著作集 Ⅲ 1943-1945年』（平凡社、1970年）472頁。
37 ピーター・デイヴィソン『ジョージ・オーウェル書簡集』高儀 進 訳（白水社、2011年）371頁。Sonia Orwell & Ian Angus, eds., *The Collected Essays, Journalism and Letters of George Orwell*, vol.Ⅲ（London: Secker & Warburg, 1969, reprint), pp.388-89.

38 Ford Madox Ford, ed., *Joseph Conrad: A Personal Remembrance* (New York: Octagon Books, 1980), p.55.
39 カントリー・ジェントルマン　大地に根を下ろす人への信頼『毎日新聞』2017年3月29日17面。
40 Eloise Knapp Hay, *The Political Novel of Joseph Conrad* (Chicago: The University of Chicago Press, 1963), p.41.
41 Frederick R. Karl, *Joseph Conrad: The Three Lives* (London: Faber & Faber, 1979), pp.53-54.
42 吉田徹夫「ジョウゼフ・コンラッド」『イギリス小説の愉しみ』(音羽書房鶴見書店、2009年) 218頁。コンラッドが用いる「理解」という語はかなり意図的に用いられているという興味深い吉田徹夫教授の指摘がある。
43 Joseph Conrad, *Lord Jim* (London: Dent, 1968), p.222. 以下、同書からの引用は本文中（　）内に頁数を示している。尚、本文中の訳は、矢島剛一 訳「ロード・ジム」世界文学大系 86『コンラッド』(筑摩書房、1967年) を参照させて頂きました。
44 ピーター・デイヴィソン『ジョージ・オーウェル書簡集』高儀 進 訳（白水社、2011年) 371頁。
45 Zdzisław Najder, *Joseph Conrad—A Chronicle* (New Brunswick, New Jersey: Rutgers University Press, 1984), p.488.
46 Joseph Conrad, "Author's Note" *A Personal Record* (London: Dent, 1968), p.vii.
47 Joseph Conrad, *The Mirror of the Sea* (London: Dent, 1968), p.148.
48 Edward Said, *Culture and Imperialism* (New York: Alfred Knopf, 1994), p.25.
49 ＜余禄＞『毎日新聞』2017年3月30日1面。1ポンド金貨、いわゆるソブリン金貨は1931年の金本位制廃止までは英帝国の栄光を象徴する本位貨幣だった。今も1ポンドの法定貨幣として金貨が発行されるが、金地金の価格、つまり額面の数百倍の値段で取引される。

第 5 章　作家としての使命感を持ったエグザイルである村上春樹とジョウゼフ・コンラッドの文学

50　村上春樹全作品 1990-2000　③』短篇集 II（講談社、2003年）210頁。以下、同書からの引用は本文中（　）内に頁数を示している。
51　ジェイ・ルービン『村上春樹と私』（東洋経済新報社、2016年）35頁。
52　村上春樹『色彩を持たない多崎つくると、彼の巡礼の年』（文藝春秋、2013年）289-90頁。以下、同書からの引用は本文中（　）内に頁数を示している。
53　村上春樹『職業としての小説家』233-34頁。
54　前掲書。234頁。
55　村上春樹『職業としての小説家』35頁。
56　小澤征爾・村上春樹『小澤征爾さんと、音楽について話をする』（新潮社、2011年）16頁。
57　村上春樹『走ることについて語るときに僕の語ること』（文藝春秋、2007年）113-15頁。
58　村上春樹、河合隼雄に会いにいく』（岩波書店、1996年）97頁。
59　前掲書。98頁。
60　村上春樹『職業としての小説家』（スイッチ・パブリッシング、2015年）171頁。
61　＜余禄＞『毎日新聞』2015年2月14日。
62　＜木語＞坂東賢治　余計な「大確幸」発言『毎日新聞』2017年12月21日3面。
63　村上春樹『騎士団長殺し』第1部 顕われるイデア編（新潮社、2017年）23頁。
64　Joseph Conrad, *Heart of Darkness* (London: Dent, 1967), p.149. 以下、同書からの引用は、本文中（　）内に頁数を示している。尚、本文中の訳出にあたって、中野好夫 訳『闇の奥』（岩波書店、1963年）を参照させて頂きました。
65　A・ジイド『ジイド全集』第10巻「コンゴ紀行」根津憲三 訳（金星堂、1974年）21-22頁。
66　ジョージ・オーウェル『象を撃つ　オーウェル評論集　I』川端康雄 編（平凡社、1995年）29頁。
67　前掲書。27頁。
68　オーウェル『オーウェル著作集　II』訳者代表：小野協一（平凡社、1970年）77頁。

オーウェル『ライオンと一角獣』川端康雄 訳（平凡社、1995年）「ライオンと一角獣――社会主義とイギリス精神」58頁。

69 F. R. Leaves, *The Great Tradition* (Harmondsworth: Penguin Books, 1967), p.198.

70 Ian Watt, *Conrad in the Nineteenth Century* (London: Chatto & Windus, University of California, 1980), p.212.

71 Joseph Conrad, *Youth* (London: Dent, 1967), p.34.

72 Frederick R. Karl & Laurence Davies, eds., *The Collected Letters of Joseph Conrad*, vol. 1 (Cambridge University Press, 1983), p.113. 1892年9月4日付けマルガリート・ポラドフスカ（Marguerite Poradowska）夫人宛てのコンラッドの手紙。

73 夏目漱石『漱石全集　13巻　日記・断片』（岩波書店、1966年）160頁。

74 瀬藤芳房「コンラッド『闇の奥』試論――語りの構造と声の響き――」「英語英文學研究」第35巻（広島大学英文学会、1990年）8頁。

75 拙著『新編　流浪の作家ジョウゼフ・コンラッド』　第五章　マーロウが語る『闇の奥』の世界（大阪教育図書、2007年）121-40頁。

76 "Inroduction" by C.B. Cox, *JOSEPH CONRAD Youth, Heart of Darkness and The End of the Tether* (London: Everyman's Library, 1990), pp. xi-xii.

77 河村民部『詩から小説へ――ワーズワスとロマン派の末裔』（英宝社、2008年）

78 清水良典「世界の終りとハードボイルド・ワンダーランド」『村上春樹がわかる』（朝日新聞社、2001年）25頁。

79 村上春樹全作品1979〜1989　②羊をめぐる冒険』（講談社、1990年）354頁。

80 ロング・インタビュー＜僕にも小説にも変質を迫った10年　村上春樹氏、区切りの年を語る＞『朝日新聞』1989年5月2日（夕刊）。

81 村上春樹『海辺のカフカ』（新潮社、2002年）新潮文庫（下）472頁。以下、同書からの引用は本文中（　）内に頁数を示している。

82 村上春樹「僕の小説は「ロールゲーム」「孤絶」の時代に」『毎日新聞』2014年11月4日5面。

第 5 章　作家としての使命感を持ったエグザイルである村上春樹とジョウゼフ・コンラッドの文学

83　Joseph Conrad, *Lord Jim*, p.95.

84　Joseph Conrad, *The Secret Agent* (London: Dent, 1972), p.52.

85　Frederick R. Karl & Laurence Davies, eds., *The Collected Letters of Joseph Conrad*, vol. 4（Cambridge: Cambridge University Press, 1990), p.8.　ジョン・ゴールズワージー（John Galsworthy）宛ての1908年1月6日付けのコンラッドの手紙。

86　Joseph Conrad, *Heart of Darkness*, p.51.

87　川上未映子・村上春樹『みみずくは黄昏に飛び立つ　川上未映子 訊く／村上春樹 語る』(新潮社、2017年) 284頁。

88　川上未映子・村上春樹『みみずくは黄昏に飛び立つ』283頁。

89　「私」と「僕」の違いを、『世界の終りとハードボイルド・ワンダーランド』の訳者であるアルフレッド・バーンバウム（Alfred Burnboum）の例を引いて、辛島ディヴィッドは次のように述べている。――「日本語のオリジナル版では、交互に進行する章に別々の一人称――「ハードボイルド・ワンダーランド」の章には「私」が、「世界の終り」の章には「僕」――があてられて区別されているが、英語の一人称には"I"しかないため、「普通」に訳すと、この「私」と「僕」の違いが失われてしまう。そこで彼と交互に進む章を時制で区別する事にした。「ハードボイルド・ワンダーランド」の章は過去形で語り、より幻想的な「世界の終り」の章は現在形で語ることにした。バーンバウム訳に辛口なコメントをすることもあるジェイ・ルービンも、この手法については、「英語の現在形ならば時を超越する性質も付与されるから、原作における過去形に語る一般的な語りに較べても、ふさわしいものと言えるかもしれない」と讃えている」と。寺島ディヴィッド『Haruki Murakami を読んでいるときに我々が読んでいる者たち』（みすず書房、2018年）153頁。

90　前掲書。284-45頁。

91　新作『騎士団長殺し』震災、再生への転換『毎日新聞』2017年4月4日15面。

92　前掲紙。

93　前掲紙。

94 松村 明・山口明穂・和田利政 編者『国語辞典』(第九版)(旺文社、2001年) 885頁。
95 村上春樹『騎士団長殺し』第1部 顕われるイデア編(新潮社、2017年) 352頁。
96 前掲紙。
97 村上春樹さん「翻訳」トークイベント 世界を切り取る視線学び『毎日新聞』2017年5月11日5面。
98 ドストエフスキー『ドストエフスキー全集 第12巻 作家の日記Ⅰ』小沼文彦訳(筑摩書房、1976年)96頁。因みにドストエフスキーは、ゴーゴリと同等にチャールズ・ディケンズを一流の風俗画を描くと見做して次のように高く評価している。「ディケンズは『ピクウィック・ペーパーズ』や『オリヴァー・トゥイスト』や長編『骨董店』の中に出て来る「祖父や孫娘」を創造した。そうだ、我が国の風俗画がそこまで行くのはまだまだ遠い先のことである。(中略)ディケンズは決して自分の眼でピクウィックを見たのではなく、ただ自分が観察した現実の種々相の中にそれを認め、ひとりの人物を創造して自分の観察の結果としてそれを提示した。ディケンズは単に現実の理想を取り上げただけであっても、その人物は現実に存在する人物と全く同じように、現実的なのである」(96-97頁)と。
99 オーウェル『オーウェル著作集 Ⅱ』訳者代表:小野協一(平凡社、1970年)14-16頁。『ニュー・イングリッシュ・ウィークリー』1940年3月21日。
100 オーウェル『ライオンと一角獣』川端康雄 訳(平凡社、1995年)58頁。
101 村上春樹『騎士団長殺し』第2部 遷ろうメタファー編(新潮社、2017年) 435頁。
102 夏目漱石『漱石全集 第十一巻 こころ 他』(角川書店、1960年) 47頁。
103 僕にも小説にも変質を迫った10年『朝日新聞』1989年5月2日(夕刊)。
104 村上春樹『夢を見るために毎朝僕は目覚めるのです 村上春樹インタビュー集 1997-2009』(文藝春秋、2010年)491頁。
105 村上春樹『職業としての小説家』223頁。
106 『村上春樹、河合隼雄氏に会いにいく』(新潮文庫、1998年)99-100頁。

107　川上未映子・村上春樹『みみずくは黄昏に飛び立つ』167頁。

108　半藤一利『名言で楽しむ日本史』（平凡社、2010年）162頁。

109　司馬遼太郎・山村雄一『人間について』（中央公論社、1988年）219頁。

110　前掲書。217-18頁。

111　梅原 猛『親鸞のこころ──永遠の命を生きる』（小学館、2008年）183頁。

112　平成を映し 時代と歩む村上春樹さん　識者が選ぶ30冊　1位『1Q84』10位『ねじまき鳥クロニクル』『朝日新聞』2019年3月7日27面。

113　Christopher Ricks and Jim McCure, eds., *The Poems of T.S. Eliot* (Baltimore: Johns Hopkins University Press, 2015), p.79.

114　村上春樹を好意的に評価する吉本ばなな（1964〜）は、『イヤシノウタ』（新潮社、2016年）において自らの創作態度を次のように述べている。──「ふだんものを考えない人の分まで観察して、どうなったらその人独自の幸せなあり方に達することができるのかを考えるのが私のいちばんの才能だ。その人だけが持っている色にいちばん近い人生について真剣に考えて、押しつけるのではなくただ伝えるだけだ。実現できるのは本人達だけだから、どの道を通っていってもいいと思う。ただ、その道を照らすカンテラみたいなものが私の言葉だといい。私自身でなくていい、私の言葉の光のかけらが、照らしてくれたらいい」（204-05頁）。

115　村上春樹さん　特別インタビュー　小説家40年と「騎士団長殺し」『毎日新聞』2019年5月27日2面（夕刊）。

116　川上未映子・村上春樹『みみずくは黄昏に飛び立つ』336頁。

117　村上春樹『夢を見るために毎朝僕は目覚めるのです　村上春樹インタビュー集1997-2009』118-19頁。

118　村上春樹『夢を見るために毎朝僕は夢を見るのです　村上春樹インタビュー集1997-2009』20頁。

119　加藤典洋（1948-2019）は、「第二部の深淵──村上春樹における「建て増し」の問題」と題して『騎士団長殺し』の課題を次のように述べている。──青豆が天吾とともに天吾の子供かどうかわからない赤ん坊と新しい生活を始めると

いう、この答えられなかった課題の最終形の設定が、『騎士団長殺し』の最後に主人公の新家庭として再現されている。小説家志望の天吾ならぬ肖像画家の主人公「私」が、"青豆"ならぬ妻の"ゆず"と、『1Q84』のばあいと同様、自分の子供の可能性がなくはないものの現象的にそう考えることの困難な妻の子供とともに生きる、それが『騎士団長殺し』の最後の場面に示される、新しい主人公の設定なのである。このことは、村上が前作の課題の「積み残し」(未了性)に十分に意識的だったことを語る。まだ火は消えていない(傍点は加藤)。そういうメッセージとなっている。加藤典洋『村上春樹の世界』(講談社、2020年) 344頁。

120 ＜村上春樹をめぐるメモらんだむ＞イタリアでの受賞と"洞窟感覚"『毎日新聞』2019年10月19日 9面。「グリンザーネ・カブール賞」は、2011年創設だが、前身の「グリンザーネ・カブール賞」は、ギュンター・グラス(ドイツ)、トニ・モリス(米)といった作家らに授与されてきた国際的な伝統ある賞だ。大江健三郎も1996年に受けている。

121 村上春樹をめぐるメモらんだむ："洞窟感覚"で語る物語の普遍性「個人の倫理」会員制有料記事『毎日新聞』2019年10月19日。

122 ＜村上春樹をめぐるメモらんだむ＞イタリアでの受賞と"洞窟感覚"『毎日新聞』9面。

123 村上春樹『職業としての小説家』175-76頁。

124 村上春樹『夢を見るために毎朝僕は目覚めるのです　村上春樹インタビュー集1997-2009』98-99頁。内田 樹は、村上の「地下二階」を次のように読み解いている。──「文章を書くというのは、自分の内側に潜っていくことだと村上さんは書いています。どこまでも、ずっと入り込んでいくと自分の個別性や個性というものの限界を超えて、その先まで突き抜けてしまう。「鉱脈」とか「暗闇」とか「井戸」とか「地下室」という比喩を使うこともある。自分の内側に深く深く降りてゆくと、固有名の存在なんか呑み込んでしまう、滔々たるマグマの流れのようなところに辿り着く。そこはもう人間の理性や感情が通用しないところなんです。でも、人間はそこから生まれてきた。人間性のいちばん根

第 5 章　作家としての使命感を持ったエグザイルである村上春樹とジョウゼフ・コンラッドの文学

> 本のところには、万物が生成するマグマが蠢いている。それに触れる。「地獄めぐり」に似た経験だと思います。ずっと地中深くまで降りていって、そのドロドロした熱いマグマに触れて、また戻ってくる。行ったきりではダメです。小説家というのは、そういう異界とか暗がりとか、地下の洞窟のようなところに降りていって、この世にあらぬものに触れて、目で見て、耳で聞いて、臭いをかいで、そこに人間的意味を超えたものがあることを経験して、また戻ってくるのが仕事です。この「行って、帰ってくる」というところに作家の技術と才能はあると僕は思います。村上さんはそのマグマのある場所のことを「地下室の下にある地下室」（地下二階）と呼んでいます。」（37-38頁）。内田　樹『街場の文体論』（ミシマ社、2012年）。

125　ダンテ『神曲　地獄篇（第１歌～第17歌）』須賀敦子・藤谷道夫　訳（河出書房新社、2018年）11頁。この第一歌の注釈には次のように述べられている。──「「人の世 nostra vita」とは人類の一生を指す。「当時一般的に神から人間に与えられた終末までの時間が13000年と信じられていた」（フィリッポ・ヴィッラーニ）ことを踏まえ、この物語がアダムが創造されてから6500年目に始まることを指示している。これは勿論、人類についての最初の物語である「創世記」の冒頭句「まず初めに in principio」を踏まえて、人類の時間の中間に『神曲』が始まることを意味している。「暗い森」とは、個々人に立ち現れる暗き人生を意味すると同時に、煉獄編第十四歌で明かされるように、具体的にはフィレンツェをはじめとするトスカーナ地方（ひいてはイタリア）を寓意している。そこでは正義が失われており、これが『神曲』の重要な主題の一つとなっている（中略）「他のこと」とは、善きことの反対、すなわち悪しきことを指す。『神曲』の旅において善きことの前に悪しきこと、すなわち最初の障害と地獄が語られる」（19頁）。

126　前掲書。444頁。

127　Frederick R. Karl & Laurence Davies, eds., *Letters of Joseph Conrad*, vol. 1 (Cambridge: Cambridge University Press, 1983), p.12.

128　Jocelyn Baines, *Joseph Conrad: A Critical Biography* (London: Weidenfeld

& Nicolson, 1967), p.439.

129 Joseph Conrad, *The Shadow-Line* (London: Dent, 1969), p.42. 以下、同書からの引用は本文中（ ）内に頁数を示している。

130 拙稿「ジョウゼフ・コンラッドの倫理観と船長責任――『陰影線』を中心に」『英語英米文学の心――廣瀬捨三先生米寿記念論文集』（大阪教育図書、1999年）433-52頁。

131 村上春樹『ねじまき鳥クロニクル』第1部 泥棒かささぎ編（新潮社、1994年）14頁。以下、同書からの引用は本文中（ ）内に頁数を示している。

132 村上春樹『ねじまき鳥クロニクル』第2部 予言する鳥編（新潮社、1994年）257頁。以下、同書からの引用は本文中（ ）内に頁数を示している。

133 村上春樹・河合隼雄『村上春樹、河合隼雄に会いにいく』（新潮社、2013年）文庫版（25版）84頁。

134 前掲書。20頁。

135 河合俊雄『村上春樹の「物語」――夢テキストとして読み解く――』（新潮社、2011年）18頁。

136 デンマークの童話作家アンデルセン（Andersen, 1805-1875）が描いた「影法師」を援用して、2016年秋のアンデルセン文学賞受賞演説で村上は次のように述べて警鐘を鳴らしている。――「すべての社会と国家にも影があり、向き合わなければならない。我々は影から目を背けがちで排除しようとさえする。影と向き合わなければ、いつか影はもっと強大になって戻ってくるだろう」。≪余禄≫『毎日新聞』2017年2月20日。

137 村上春樹さん、村上文学を語る『毎日新聞』2015年4月24日13面。

138 村上春樹『ねじまき鳥クロニクル』第3部 鳥刺し男編（新潮社、1995年）441-42頁。

139 村上春樹『村上春樹全作品 1990-2000 ④』（講談社、2003年）＜解題＞559頁。

140 イスラエルの文学書「エルサレム賞」授賞式 村上春樹さん記念講演全文（下）『毎日新聞』2009年3月3日。

141 村上春樹『1Q84』BOOK 1（新潮社、2009年）222頁。

第 5 章　作家としての使命感を持ったエグザイルである村上春樹とジョウゼフ・コンラッドの文学

142　オーウェルが『1984』において描き出す世界は、ビッグ・ブラザーを頂点とする徹底した全体主義社会で、党権力はそこでは人口の 2 ％以下の党内局に集中し、実務は党外局が担い、85％のプロレと呼ばれる仮想集団の声なき民衆を支配し、人間の自由を剥奪し思考停止に追いやる（192-93）。否、党に逆らうものには、ビッグ・ブラザーへの忠誠心に留まらず最終的には逆心した事への後悔とビッグ・ブラザーへの心からの敬愛以外何一つ残らないように完全な洗脳を行い、彼らを（人を愛し、友情を温め、生きる喜びを味わい、笑ったり、好奇心を抱いたり、勇気を奮い起こしたり、誠実であろうとすることもできぬ）人間の抜け殻にする（238-39）。ジョウージ・オーウェル『1984』新庄哲夫 訳（早川書房、1975年）。日本のマスコミは次のように報道している。「このディストピア小説が米国で今売れている。誰もが知る明白な嘘をトランプ政権高官（報道官）が「もう一つの事実（alternative fact）」と言った」。(独裁国家を描いた暗黒小説が今、売れるわけ『毎日新聞』2017年 2 月20日)。「テレスクリーンという画像機で国民を監視し、言葉を簡素化した新語法（ニュースピーク）や相矛盾する事実をそのまま受け入れ、そのまま信じる力である二重思考（ダブルシンク）を強制するディストピアを描きだしたジョージ・オーウェルの『1984』である。」＜火論＞玉木研一『1984』再び『毎日新聞』2017年 1 月31日、＜余禄＞『毎日新聞』2017年 2 月10日。

143　前掲書。421-22頁。

144　村上春樹「解題」『村上春樹全作品　1990〜2000年　⑦』(講談社、2003年) 393頁。

145　村上春樹『夢を見るために毎朝僕は目覚めるのです　村上春樹インタビュー集 1997-2009』(文藝春秋、2010年) 133頁。

146　救済求め見失った現実『毎日新聞』2011年11月20日 1 面。

147　村上春樹・河合隼雄『村上春樹、河合隼雄に会いにいく』118頁。

148　「壁のない世界　創造する力を」『毎日新聞』2014年11月 8 日 1 面、 5 面（夕刊）。

149　矢島剛一「ロード・ジム」*Oberon* 第12巻第 1 号（南雲堂、1969年) 28頁。

150 Joseph Conrad, "The Fine Art" *The Mirror of the Sea*, pp.29-30.
151 川村元気『仕事。』(集英社、2014年) 125-26頁。
152 森木 勝『暁の蜂起──豪州カウラ収容所』(国書刊行会、1982年) 112-13頁。
153 ＜論点＞『毎日新聞』2016年12月29日 9 面。
154 山野博史『発掘 司馬遼太郎』(文藝春秋、2001年) 132頁。
155 大岡昇平全集 21』(筑摩書房、1996年) 9 頁。
156 戦場で戻った人間性『毎日新聞』2015年 8 月30日 9 面。
157 前掲書。
158 『毎日新聞』2011年 8 月16日 2 面。
159 西尾典祐『城山三郎伝──昭和を生きた気骨の作家』(ミネルヴァ書房、2011年) 211頁。
160 佐高 信『城山三郎の遺志』(岩波書店、2007年) 51頁、61頁。
161 前掲書。64頁。
162 『中野好夫集』月報 9「ゴルフと英文学」大岡昇平 (筑摩書房、1984年11月) 7 頁。
163 『蓮見重彦 饗宴Ⅱ』(日本文藝社、1990年) 10頁、15頁。
164 村上春樹「方法論としてのアナーキズム──フランシス・コッポラと『地獄の黙示録』」『海』(中央公論社、1981年) 162-63頁。
165 森木 勝『暁の蜂起──豪州カウラ収容所』110-11頁。以下、同書からの引用は本文中（ ）内に頁数を示している。
166 ＜余禄＞『毎日新聞』2015年 1 月11日。
167 Joseph Conrad, "Preface" *The Nigger of the 'Narcissus'* (London: Dent, 1964), p.ⅷ.
168 川上未映子・村上春樹『みみずくは黄昏に飛び立つ 川上未映子 訊く／村上春樹／語る』170頁。
169 前掲書。170頁。
170 スマイルズの『自助』は中村正直が『西国立志伝』と訳し、1871 (明治 4) 年に出版されて、当時の青少年必読の書として、また若き日の明治天皇の御学問

第 5 章　作家としての使命感を持ったエグザイルである村上春樹とジョウゼフ・コンラッドの文学

　　　の教科書としても採用された書物である。松村昌家『文豪たちの情と性へのまなざし　坪内逍遥・漱石・谷崎と英文学』（ミネルヴァ書房、2011年）ⅰ頁。
171　村岡健次『ヴィクトリア時代の政治と社会』（ミネルヴァ書房、1995年）202頁。
172　サミュエル・スマイルズ『西国立志編』中村正直 訳（講談社、1991年、第10刷）525頁。
173　拙著『新編　流浪の作家ジョウゼフ・コンラッド』第四章「理想的価値」の追求――『ロード・ジム』の世界、87-119頁。
174　Inazo Nitobe, *BUSHIDO*（英文新誌社、1905年）65-66頁。
175　『司馬遼太郎が語る日本』未公開講演集愛蔵版Ⅲ（朝日新聞社、1999年）192頁。
176　Inazo Nitobe, *Bushido: The Soul of Japan*（英文新誌社、1905年）26頁。 "it is true courage to live when it is right to live, and to die only when it is right to die" という個所のご指摘とご教示は、瀬藤芳房先生によるものです。厚く御礼申し上げます。
177　鈴木大拙『禅と日本文化』北川桃雄 訳（岩波新書、2006年、第73刷）45-49頁。
178　川成 洋「イギリス19世紀末におけるジャポニズムの一側面」『異文化研究』Ⅰ（国際異文化学会、2004年）88頁。
179　*Some New Letters and Writings of Lafcadio Hearn*, collected and edited by Sanki Ichikawa (Tokyo: Kenkyusha, 1950), p.23.
180　現在も出演中のセルバンテスの『ドン・キホーテ』を原作にしたミュージカル「ラ・マンチャの男」を、日本では東京・帝国劇場での1969年初演以来、一貫してドン・キホーテとセルバンテスの２役を演じてきた松本幸四郎は、次のように語っている。「ドン・キホーテは「あるべき姿」を実現しようと挑戦し続ける。中で歌われる「見果てぬ夢」の原題は「THE QUEST（騎士の唄）」で正義の旗を掲げて突き進んでいこうというミュージカルなんです。初演当時は年齢的に言えば若すぎて無理があったが、演出を担当したエディ・ロールの言葉が忘れられない。「ドン・キホーテは決して老人ではない、精神的には青年であり、ある面は無邪気な子供のような人間だから、類型的な老人の演技をしては

困る」と。俳優として人間としていろいろな経験を積んできました。自分の人生が投影されているところがあります。(73歳になった今) やっとドン・キホーテの年になりました」と。『毎日新聞』2015年9月12日21面。

　また司馬遼太郎は、『この国のかたち』において、レパントの海戦で勇敢に戦って総司令官からもらった国王宛ての特別な推挙状も役に立たず、窮迫の底で、浮世の何者とも知れぬ存在への憎しみを込めつつ、ドン・キホーテという典型を創りだしたセルバンテスと、ほぼ同時代でともに正規の教育をほとんど受けず、歴戦の勇士であったにも拘らずさほど恵まれず、武功なく謀才をもって立身出世する世になった事を動機として『三河物語』を書いた大久保彦左衛門（1560-1639）とを比較して「私はどちらも好きだが、人類への貢献はセルバンテスの方がはるかに大きいように思える。例えば、「あいつはドン・キホーテだ」というふうに、私どもの日常の人間把握のなかで、じつに便利な典型をつくってくれた一時だけでも、セルバンテスの功は、時間と国々を超えている。彦左衛門の死後、その精神と気質をふくませて創りだされた彦左という典型は、人類共通の財産という風にはなりにくく地域性にとどまっている」と述べている。司馬遼太郎『この国のかたち』（文藝春秋、1992年、第九刷）111-12頁。

181　Joseph Conrad, *A Personal Record*, p.36.
182　Ibid., p.44.
183　ルカーチ『ルカーチ著作集2』大久保健治・藤本淳夫・高本研一 訳（白水社、1986年）。
184　牛島信明『ドン・キホーテの旅』（中央公論社、2002年）42-43頁。
185　Joseph Conrad, *Nostromo* (London: Dent, 1972), p.171.
186　Joseph Conrad, "Author's Note" *Lord Jim* (London: Dent, 1968), p.ix.
187　芥川龍之介『芥川龍之介短篇集』ジェイ・ルービン 編著（新潮社、2007年）30頁。
188　村上春樹『遠い太鼓』（講談社、1990年）20頁。
189　前掲書。12頁。
190　村上春樹『夢を見るために毎朝僕は目覚めるのです　村上春樹インタビュー集

1997-2009』140頁。
191　村上春樹編集長『少年カフカ』（新潮社、2003年）35頁。
192　ティム・オブライエン『ニュークリア・エイジ』村上春樹 訳「訳者あとがき」（文藝春秋、1989年）367-68頁。
193　『毎日新聞』2013年5月7日（夕刊）。
194　前掲紙。
195　村上春樹さんと特別インタビュー　小説家40年と「騎士団長殺し」『毎日新聞』2019年5月27日2面（夕刊）。
196　村上春樹『村上春樹全作品　1979-1989 ② 羊をめぐる冒険』（講談社、1990年）103頁。
197　村上春樹『1Q84』BOOK 2（新潮社、2009年）244-45頁。
198　村上春樹さん、時代と物語を語る『毎日新聞』2015年4月19日12面。
199　村上さん単独インタビュー『毎日新聞』2014年11月3日10面。
200　村上春樹『夢を見るために毎朝僕は目覚めるのです　村上春樹インタビュー集1997-2009』499頁。
201　前掲書。180頁。
202　前掲書。155頁。
203　リービ英雄『日本語を書く部屋』（岩波書店、2001年）13頁。
204　リービ英雄『最後の国境への旅』（中央公論社、2000年）9頁。
205　私の出発点、リービ英雄さん『星条旗の聞こえない部屋』『毎日新聞』2016年10月20日2面（夕刊）。
206　リービ英雄『日本語の勝利』（講談社、1992年）69頁。リービが言うコンラッドの執筆への**終わりなき葛藤**とは、「果てのない拷問（torture）」のことである。コンラッドは、「他の作家なら何らかの出発点（some starting point）があるが、私には（「梃子をくれれば世界を持ち上げてみせる」と言ったアルキメデスの）梃子（'fulcrum'）がない」と述べている。1896年6月19日付のエドワード・ガーネット（Edward Garnett）宛てのコンラッドの手紙。Frederick R. Karl & Laurence Davies, eds., *The Collected Letters of Joseph Conrad*, vol. 1,

p.288.
207 リービ英雄『日本語の勝利』256頁。
208 前掲書。239頁。
209 『毎日新聞』2012年10月10日。
210 依岡隆児『ギュンター・グラス「渦中」の文学者』(集英社、2013年) 148頁。
211 前掲書。173頁。
212 コンラッドは、祖国独立のために奔走しているカニンガム・グレアム (Cunninghame Graham) の思考に対して、理想主義的に過ぎると批判はしても、その志に対しては尊敬の念を持ち、たびたび自らの人生観や人間観などを吐露している。1899年2月8日付のグレアム宛ての手紙でコンラッドは次のように述べて、自らの作家としての考えを明らかにしている。「私としては、非常に暗い過去の深みから未来を見て、失われた大義 (a lost cause) に忠誠 (fidelity) を尽くすのが私に残された最終的な行為 (小説を書くこと) だ」と。Frederick R. Karl & Laurence Davies, ed., *The Collected Letters of Joseph Conrad*, vol. 2 (Cambridge University Press, 1986), p.161.
213 ナボコフ、ウィルソン『ナボコフ＝ウィルソン往復書簡集 1940-1971』(作品社、2004年) 71頁。ウィルソンがナボコフに宛てた1941年10月20日付の手紙。
214 Joseph Conrad, *The Secret Agent* (London, Dent, 1972), pp.307, 309.

第6章　小泉八雲とジョウゼフ・コンラッド
　　――夏目漱石を視野に入れて――

序論

　ラフカディオ・ハーン（Lafcadio Hearn）とジョウゼフ・コンラッド（Joseph Conrad）は、故郷喪失者としてほぼ同時代に生き、その流浪の境遇を柔軟な思考力と複眼的な見方とを培う糧としつつ、文学を積極的に活用した点が共通していると言えよう。そして両者は、＜あるべき人間＞像を執拗に希求してそれぞれの倫理観に裏打ちされて一貫した＜誠実さ＞をモットーに文学作品を生み出した作家であったとも言える。ハーンは来日して最初に書き上げた印象主義的に日本を礼賛した書である『知られざる日本の面影』（*Glimpses of Unfamiliar Japan*）を、その後帰化して小泉八雲となって、その見方を深化させたその跡がわかる「日本人の内面生活の暗示と影響」を副題として記した『心』（*Kokoro*）や彼の卒業論文と言われる『日本――一つの解明』（*Japan: An Attempt at Interpretation*）[1] を、文字通り心血を注いで執筆したのである。彼は、『日本――一つの解明』の校正を終了して間もなく、出来上がった本を見ないで、1904年9月26日に他界した。八雲は、それらの作品のすべてを英文で書き、自分をも含めた西洋人に向けて西欧文明の機械主義や功利主義によって人間を単なる物にしか見ない結果、個々の人間存在の在り方が損なわれている、と警告している。『心』に収めた「ある保守主義者」（"A Conservative"）において、長い洋行の歳月の後その主人公は、伝統的な日本の諸価値を再認識して帰国して「西洋の優越性は断じて倫理的なものではなかった」と結論付けている。そして八雲は、西洋の植民地主義の収益拡大策に対して大いに警鐘を鳴らし、新しい時代に向けての「確かな個」による世論形成と文学の力の必要性を『心』に収めた「日本文明の真髄」（"The Genius of

Japanese Civilization")などにおいて力説している。
　同時代の夏目漱石は、ロンドン留学中に、日本人としての「自覚」をもって文学論ノートをとり続け、東京帝国大学において八雲の後任の講師として在職中に、時代に先駆けた独創的な「文学論」を講義し、コンラッドにも関心を示した。退職後は使命感を持った文筆家として、明治の後半にその時代の中で生きた人間が絶対に背負わねばならない風潮の中で自己に対して厳しい倫理観を課して病苦を駆って時代を超越した作品を上梓した。『三四郎』の作中人物である広田先生をして「亡びるね」という言葉を吐かせた漱石は、「日本及び日本文化の紹介者」と呼ばれる八雲とは異なる視点から新興日本の行く末を作品としている。そして漱石は、八雲のいうところの「確かな個」に対して、一個の人間の大切さを、彼独自の観点から「私の個人主義」において言明している。
　一方コンラッドは、およそ20年間の船乗り体験から得た人間のあるべき倫理観を船乗りの「連帯感」に見出した。それを作品化したのが『陰影線』(*The Shadow-Line*)であり、そこではコンラッド文学の中核を成す「倫理観」の本質が明らかにされている。
　八雲とコンラッドに通底する真摯な作家としての姿勢を貫いた夏目漱石を視野に入れ、かつ時代背景にも留意して、この二人の作家の特質を典型的に表明していると見做される八雲の『心』とコンラッドの『陰影線』を中心に、二人の自作品に対する真意を以下に考察してみたい。

I　ハーン（八雲）の時代背景と彼の文学の原点

　ハーンはちょうど19世紀の半ばの1850年に生まれ、所謂世紀末の思想的洗礼を受けて、20世紀まで生きた流浪の作家である。その流浪の中で彼の資質と出生にまつわる異国趣味は、来日を契機として進化して独自の精神文化史観を樹立するのである。彼の求めた淵源は、当時の西欧に

おける物質文明への嫌悪に起因する。西洋化に飲み込まれていく日本を目の当たりにした八雲は、日本という国の過去、現在、将来についての考察と警告を作品を通して表明している。彼は『仏の畑の落穂』（*Gleanings in Buddha-Fields*）に収めた「涅槃」（"Nirvana"）において「光はまさに東方から射してきている」[2] と指摘している。

　ハーンはギリシャ生まれで後に日本に帰化し、小泉八雲と称した。八雲という帰化名は、現存する我が国最古の歴史書である『古事記』（西暦712年成立）の「八雲立つ　八雲八重垣妻籠みに　八重垣つくる　その八重垣を」という須佐之男命の和歌に由来する[3]。また『知られざる日本の面影』に収めた「盆踊り」[4] には、日本や日本文化と共感しようとする八雲の想いが窺える。池田雅之教授は、「この作品は、近代社会から古代社会へ、仏教文化圏から神道文化圏へと向かう、八雲のきわめて霊的(ゴースト)な旅の記録と言える。「盆踊り」は、もう一つの日本、出雲という Deep Japanese に向かう旅の道すがらに体験した序曲的な不思議な作品と言える」[5] と述べている。坪内逍遥は、「盆踊り」一章に描き出されている（踊り手の差す手引く手の）精妙な描写は「絶妙である」[6] と称賛している。

　パトリック・ラフカディオ・ハーン（Patrick Lafcadio Hearn）というのが、ハーンの本名である。そのファーストネームの「パトリック」は、アイルランドに初めてキリスト教を伝えたと言われる聖人セント・パトリックに因んでいる。しかしハーンは、アメリカに渡ってから、19歳の時文無しでアメリカへ移住した時の空しさや、アメリカではアイルランド系移民として生きていくのが肩身の狭い思いをしたという理由から、ファーストネームの「パトリック」を捨て、「ラフカディオ・ハーン」というギリシャの出生地に因んで名乗り、ギリシャ系移民になりすまして生きてきた。彼は4歳で生き別れた母への思慕の念[7] を抱き、更に冷淡な親戚への恨みも心に深く残った。それが、日本に来訪後松江に住んで、山陰の民族文化に触れるうちに、自分はアイルランド人だとい

うアイデンティティを再発見する事になる[8]。アイルランドには自らを積極的に外へ向かわせるケルト魂を持った聖パトリックの如き宣教活動に携わった人たちが数多くいた。八雲も自らを積極的に外へ向かわせるようなケルト魂が働いた生き方をした「エグザイル（exile）」[9]であると言い得るであろう。

　彼はギリシャのレフカダ島で生まれ、東京で死没するまでの54年間、人生そのものが旅であると言っても決して過言ではないであろう。八雲は、いかなる土地でも安住する事なく世界各地を放浪したといえよう。アメリカ在住時代の末期には、新聞社の仕事を辞めて、異文化を探訪する作家として、誰も取材に訪れないような極限の地までも訪れて、脱西洋の立場から異文化の異国情緒を求めつつ放浪した。風変わりなもの、奇妙なもの、不可思議なもの、異国情緒に富むもの、奇怪なものは彼の気質に完全に合致したのである。彼はオコーナー（O'Connor）に宛てた手紙に次のように認めていた。

　　　I think a man must devote himself to one thing in order to succeed: so I have pledged me to the worship of the Odd, the Queer, the Strange, the Exotic, the Monstrous. It quite suits my temperament.[10]

　異文化や未知なるものに遭遇して、それらを取り入れようとする積極的なエグザイルの生き方を自らの漂泊の旅になぞらえて、八雲は「幽霊」（"A Ghost"）というエッセイにおいて、次のように述べている。——「生まれ故郷から漂泊の旅に出ることのない人には、おそらく一生幽霊がどういうものか知らずに過ごすかもしれないが、漂泊の旅人（the nomad）は十二分に幽霊がどういうものかを知り尽くしているようである。漂泊の旅といっても利益が得られるかもしれないという期待から駆り立てられるのではなくて、楽しみたいがために旅に出るのでも

第6章 小泉八雲とジョウゼフ・コンラッド

なく、単に彼の存在する上での差し迫った必要に駆り立てられた文明化した漂白の人（the civilized nomad）のことを私は言っているのであり、そういう人は、ひそかに内に秘めた本性が、偶然とはいえ彼が属する社会の安定条件とは完全に矛盾しているのである」[11]。

小泉八雲の曾孫で民俗学者の小泉 凡氏は、八雲の生涯を「ゴースト」を求める漂泊の旅だと捉え、次のように述べている。──「思えば、ハーンも旅の人生だった。1850年にギリシャで生まれ、アイルランド、イギリス、フランスで教育を受け、19歳の時に単身ニューヨークへ渡った。シンシナティとニューオーリンズでの約18年間をジャーナリストとして過ごした後、カリブ海のフランス領マルティニーク島でも2年間生活した。再びニューヨークに戻り、今度は大陸横断鉄道でカナダのバンクーバーへ、そして太平洋を渡って日本の横浜に来航したのは39歳の時だった。アメリカの出版社との契約を解消して、島根県松江で英語教師となり、更に熊本・神戸・東京へと移り住み、54歳で生涯を終えた。私と違うのは、旅といっても片道切符による旅で、二度と後戻りをしなかったことだ。人生そのものが一筆書きの旅だった。（中略）漂泊の衝動こそが「ゴースト」を導くと考えていた。曾祖父はゴーストに出会うために旅を続けたのかもしれない」[12]。

ところで八雲の日本来訪を決意させた主因の一つは、パーシヴァル・ローウェル（Percival Lowell）著の『極東の魂』（*The Soul of the Far East*）であった。それに関して八雲は、グールド（Gould）に宛てた手紙で次のような賞賛の言葉を認めている。──「東洋に関してこれまで書かれた本の中で最も立派なものです。非常に小さい本ですが、内容は東洋に関する私の蔵書の総てよりも多いです。それは『極東の魂』という本です。おそらくショーペンハウエル（Schopenhauer）のようにあなたを驚愕させるでしょう。その同じ深遠さがです」[13]。但し、バジル・ホール・チェンバレン（Basil Hall Chamberlain）に宛てた手紙では、八雲は『極東の魂』を高く評価しながらもローウェルの純粋な科学的な

- 483 -

立脚点に疑問を呈している。つまり、所謂上からの客観的事実そのもの（the fact *in itself*）（Italics Hearn）からの目線ではなく民衆の生活に入って日本の理解を実感する必要性を表明するに至っている[14]。民俗学者の宮本常一が『忘れられた日本人』に記しているような参与観察の方法で[15]、ハーンは日本人の霊の世界に入り込み、共感的に理解していったのである。八雲は、西洋人が自分たちの物差しを振りかざしていては、日本の文化や日本人を理解できないとして、『知られざる日本の面影』に収めた「日本人の微笑」("The Japanese Smile") 第3章の冒頭において彼独自の日本理解を次のように明らかにしている。

　――「日本人の微笑を理解するには、昔ながらの、あるがままの、日本の庶民の生活に立ち入る必要がある。西洋かぶれの上流階級からは、何も学びとることはできない。民族的な感情や感情表現の面で、西洋と極東とに見られる、明らかな相違の意味を探るには、常に変化に富んだ、あるがままの庶民の生活に目を向けなくてはならない。生にも愛にも、また死に対してすらも微笑を向ける、あの穏やかで親切な、温かい心を持った人たちとなら、些細な日常の事柄についても、気持ちを通じ合う喜びを味わうことができる。そうした親しみと共感を持つことができたなら、日本人の微笑の秘密を理解することができるのである」。

　これは日本のみならず異国の文化理解への八雲の有効な方法であった。因みに「日本の文明の西洋式に独自のものがある事実を反映して、日本文学の人間性の扱い方にも独自なものがある。それ故日本の文明に対する理解と愛情なしには日本文学を了解しがたいであろう」と見做す佐藤春夫は、日本の文明を愛する限りは外国人といえどもそれは可能だとして小泉八雲をその好き例として挙げている[16]。最晩年の八雲の日本観が窺える手紙風のエッセイである（『天の河縁起 その他』(*The Romance of the Milky Way and Other Stories*) に収めた「日本からの手紙」の中で、八雲は「日本人の微笑」を述べている。――「大いなる落ち着きと涙を見せぬ微笑とは、この民族がスパルタ人を凌ぐ自己修

養を身に付けている証左である」[17]。

　池田雅之教授は、八雲が日本人の微笑の意味を理解し、その微笑の持つ深い精神性を、指摘している。――「八雲は、日本人の微笑とは、「自己を抑制し、己に打ち克った者にこそ幸せは訪れる」という日本人の道徳観を象徴していると結論づけています。その範例として、鎌倉大仏の慈悲深い微笑こそ、その理想を体現していると述べています。そして「大仏様の慈顔に、込められているものは、かつて人の手が作り出した、他のどんなものにも比べることのできない『こころの安らぎこそ、最高の幸福である』（法句経）という、永遠の真理であろう」と結論を下しています」[18]。

　ハーンが仏教思想に親しみ始めたのは、「だいたいニューオーリンズ時代で、東洋に関するその他の雑多な文献と併せて、ほとんど淫するほど、それらの書物を嗜読した」[19] ようである。彼は、高遠な哲学としての大乗仏教を尊重したと同時に、大衆の無邪気な胸の奥にしみ込んだ小乗仏教を愛した。「仏教に関する諺」[20]「仏教に因んだ日本民謡」「仏教に因んだ動・植物の名」「死者の文学」その他、紀行や随筆において見られるように習俗としての仏教を、仏教の国民性への影響を、神道のそれと同様に、彼はこよなく愛した[21]。八雲は、『仏の畑の落穂』に収めた「生神」において、その言葉にある日本人の微妙な感性を表現している。――「我々が漫然と temple だの shrine だのという言葉を当てて間に合わせている、「神社」「社（やしろ）」という言葉にしてからが、実を言うと、翻訳などできないのであって、日本人が「社」「宮」「神社」という言葉に持っている観念、これはとても翻訳語では伝えられない。いわゆる「神殿」「宮」――"august house of Kami"（神の尊厳なる家居）――という古語の持っている本来の意味は、temple というよりも、むしろ、"a haunted room"（魂のおわします部屋）、"a spirit chamber"（御霊屋（みたまや））、"a ghost-house"（亡霊の家）というに近いものであって、事実、格の低い多くの神々の中には、何百年、何千年の昔に、生き、愛

され、そして死んでいった豪将・英雄・支配者・指導者などの霊が、たくさんある」[22]。

ローウェルは、チェンバレンの紹介によって松江に居住していた八雲と交友関係を結び、神道関係の書物をも上梓し、1893年、伊勢神宮を参拝し、その年末に日本と永久の別れを告げて、帰米している。ハーンが『古事記』に出会ったのは来日直前の事で、とりわけ出雲神話に興味を持ち、来日直後に横浜で購入している。富山大学ヘルン文庫には"Yokohama, 1890"とハーンの字で記入されたものが所蔵されている[23]。

序ながら、ローウェルの来日を決意させたのは、大森貝塚を発見したエドワード・モース（Edward Morse）の日本に関する講演であった。その1881年暮れからの連続講演を聞いて日本への興味を喚起させられたローウェルが来日する運びとなり、『極東の魂』を上梓するに至ったのである。この書物が米国の書店に並んだ時、偶然にもそれを手にしたのがハーンで、この著書を読んで来日を決意したと言われている。もし、ローウェルがモースの講演を聞いていなかったならば、ハーンはその著作を読む事が出来ず、彼もまた来日していなかったであろう。

チャールズ・ロバート・ダーウィン（Charles Robert Darwin）の『種の起源』（*On the Origin of Species by Means of Natural Selection*）が上梓された1859年、21歳の若き研究者モースはこの新しい学説を受け入れたが、万物は進化によるものではなく、神の創造物だと信じていた保守的なプロテスタントのカルビン主義者であったアガシー（Agassiz）教授はダーウィンの新説を受け入れる事ができず、1860年のボストン博物学会の会合で、ダーウィン説にある腕足類シャミセン貝の進化を例に挙げて、その誤りを指摘した[24]。そこに出席していたモースは、教授がシャミセン貝を例に挙げた事に興味を持ち、直ちにその体系的研究にとりかかる決心をした。その研究・調査は開始から14年後の1874年、モースは、サンフランシスコでの講演においてアメリカでは希

第6章　小泉八雲とジョウゼフ・コンラッド

少であるシャミセン貝が日本周辺海域に30種以上も生息している事を知り、何としても日本に行こうと決意し、1877年5月、アガシー教授の例の講演から17年後、モースは遂に日本行きの船「シティ・オブ・トーキョー」に乗り込んだ[25]。若き日に渡英して直接ダーウィンに師事したモースは、1877（明治10）年にダーウィニズムについての講演を日本で初めて東京大学で行っている[26]。ダーウィンの進化論の哲学を唱えるハーバート・スペンサー（Herbert Spencer）について、八雲は、1887年4月7日と14日付のエリザベス・ビスランド（Elizabeth Bisland）に宛てた手紙で「スペンサーを読めば人間知識の最も滋養のある部分を消化したようなものです。『第一原理』（*First Principles*）から読むことを友人たちに勧めています」[27] と述べている。八雲は自らを「スペンサーの追従者（a follower of Spencer）」[28] 或いは「ハーバート・スペンサーの学徒（a student of Herbert Spencer）」[29] とも称していた。スペンサーの進化論の影響については、Ⅴ　八雲の思想──「日本文明の真髄」と「文学と世論」を中心に　や　Ⅶ『日本──一つの解明』　において論究する「極東の将来」（"The Future of the Far East"）と題する八雲の講演や『日本──一つの解明』に反映されている。そして八雲は、『心』においてスペンサーの進化論擁護者のトマス・ヘンリー・ハックスレイ（Thomas Henry Huxley）の言葉「進化論そのものと同様に、輪廻説は、実在の世界に根拠を持つ」[30] を引用して、進化論を仏教の因果思想にも発展させている[31]。

　ハーンの来日に繋がるローウェル、モース、ダーウィン、スペンサーそして八雲はまことに不思議な縁(えにし)で結ばれているのである。

　ところでハーンは、日本や日本文化の紹介者とも呼ばれるが、彼は単なる紹介者に留まらない。明治以降に来日した数ある西洋人の中でも特異な存在であった[32]。「ハーンは、アメリカ英語の表現を使えば、"oddball"（変わり者）と見做され、また日本婦人と結婚し、日本人になりきろうとしたところが、英国では、彼がマイナー（群小）作家としてし

か評価されない原因になっている」[33] というパット・バー（Pat Bar）女史の指摘もあるが。しかし彼はすでに来日する以前にチェンバレン訳の『古事記』やローウェルの『極東の魂』を読んで、「日本」を理解する素地を備えていた。彼の日本及び日本文化への作家としての姿勢は、来日直前のウィリアム・パットン（William Patten）に宛てた手紙から知る事が出来る。——「私は外側から日本や日本文化を"account"もしくは"explanation"するのではなく内側から、一般の人々の生活の中に入っていき、極力"life"と"colour"を作品の中に採り入れて読者に"vivid sensation"を与えようと思う」[34]。この志向通り、ハーンは小泉八雲となっても日本的な価値をしっかりと体得した稀有な作家となった。この基本的な作家の姿勢を堅持して生まれた彼の作品群は、出生とその後の流浪の人生を艱難辛苦に耐えながら独学で文学の修業を重ねた結果得られたものである。

　ハーンは、ギリシャのレフカダ島で生まれ、ほぼ20年間をヨーロッパ、更にアメリカで20年間暮らした後、帰化した日本で15年間暮らした。ハーンは幼少期に父母の離婚、母との別離、父の死、後見人の破産によって、流浪の生活に追い込まれ、大英帝国のロンドンや新興大国米国のシンシナティでの下層社会での悲惨な体験を味わいながらも、公立図書館などへ通って文筆活動のための修養は怠らないで励んだ。

　一方、ポーランドで生まれて英国に帰化したジョウゼフ・コンラッドは、ロシアの占領下にあった祖国で過酷な幼少・少年期を過ごし、異国での艱難辛苦を味わった末、見習い水夫から航海士を経て船長となり、およそ20年間の船乗りによる体験によって複眼的な視点を育み、様々な植民地の各港に出入りできる職業上の利点を生かして、西欧社会の欺瞞性を目の当たりにして、西欧世界への基本的な視点の転換を図った独自の文学作品を生み出した稀有な作家である。コンラッドの時代背景と生い立ちに関しては Ⅷ において論述したい。

第6章　小泉八雲とジョウゼフ・コンラッド

Ⅱ　八雲の『心』所収の「ある保守主義者」へのプロローグ

　八雲は、1890（明治23）年4月4日、横浜沖合1マイルの投錨地点から富士を眺めた。彼は、『知られざる日本の面影』に収めた「極東の第一日」（"My First Day of the Orient"）において、上陸第一日目の天気が神々しいまでに麗らかで本で読んで夢にまで見た日本に来たという実感と相俟ってその美化された意識を次のような印象でもって生き生きと表現している。
　――「ただひとつそびえ立つ、その雪の高嶺は、薄靄に霞む絶景で、心が洗われるように白い。太古の昔からなじみのあるその輪郭を知らなければ、人はきっと雲だと見まがうことだろう。山の麓の方は、空と爽やかに色が溶けあってしまい、はっきりとは見えない。万年雪の上に夢のような尖峰が現れる姿は、まるでその山頂の幻影が、輝かしい大地と天との間にぶら下がっているかのようだ。これこそ、霊峰不二の山、富士山である」[35]。「円錐形の白い雪を頂く富士」[36]。
　因みに、島根の松江に安住の地を見つけた八雲は、土地の人が「出雲富士」[37] と呼ぶ伯耆の大山を「神々の国の首都」（"The chief City of the Province of the Gods"）の中で「途方もなく素晴らしい夢まぼろしの姿だ。その山は虚空から立ち現れたかのようだ。下の方は透きとおった灰色、上の方は霧に包まれて白く、万年雪が夢かと思えるほどに美しい幻の峰、それが巨峰大山である」[38] と述べている。
　八雲は英文で日本および日本文化の真髄を世界に知らしめた。同じく英文で、世界に「武士道」の真の意味を英文で広めた人物が日本に存在した。その著『武士道』（*Bushido ── The Soul of Japan*）で知られる新渡戸稲造である。彼は、著書の序文において、ハーンを高く評価したうえで、「ラフカディオ・ハーンは日本の代理人或いは弁護士、自分は被告人としての立場で日本の紹介を行っている」[39] と述べている。実

際、『知られざる日本の面影』のような八雲の初期の作品は新渡戸の主張に当てはまる。しかし日本への理解を深めていった彼の著作は、『心』や遺著の『日本―― 一つの解明』においては、八雲は単に「日本の弁護士」に留まるものではない。彼の遺著に関する考察は、Ⅵ 精神の危機を時代の病と捉えた漱石と八雲　において論述したい。

　後年八雲は、「富士の山」("Fuji-no-Yama")において、富士山を「遠く空のかなたに浮かび立つ富士の霊容、これこそが日本の最も麗しい絶景、否、まさしく世界の絶景の一つ」[40]と賛美するだけに留まらず、日本人の思想の原点の一つを「富士講」(Fuji-Kō)に見て、死者の霊に対する考え方、つまり人は死ぬと魂が山に昇り神になり仏になるという死生観が人の心を和らげる働きをするとの考えをもって「富士講」を組織し霊峰富士に登る日本人の山岳信仰を描き出している。そして彼は、頂上に立った巡礼者が雄大な朝日を拝んで神道流に柏手(かしわで)を打っている様子を、今まで同じく頂上から拝んだ幾億もの人々の姿を重ね合わせて、「この瞬間の詩情は自分の心魂に深く染み入り、決して消えぬ記憶となった」[41]とエピローグで述べている。八雲自身、1897（明治30）年に松江時代の教え子である藤崎八三郎（旧姓、小豆沢(あずきざわ)）を伴って念願の富士登山を果たしている。

　八雲の書くものは日本への理解の深まりと共に次第にその内側へと向かっている。『知られざる日本の面影』で日本を発見し、『東の国から』(*Out of the East*) では付き合いが深まったとするならば、『心』の副題として「日本人の内面生活の暗示と影響」("Hints and Echoes of Japanese Inner Life")と記しているのは、注目すべき証左である。日本への理解を深めた八雲は、従来の印象の描写から深化して、「ある保守主義者」において富士山を次のように描き出している。

　　… they could not see Fuji. "Ah!" laughed an officer they questioned, "you are looking too low! higher up —— much

第6章 小泉八雲とジョウゼフ・コンラッド

higher!" Then they looked up, up, up into the heart of the sky, and saw the mighty summit pinking like a wondrous phantom lotus-bud in the flush of the coming day: a spectacle that smote them dumb. …… Still in the wanderer's ears the words rang, *"Ah! you are looking too low! —— higher up —— much higher!"* —— [42] (Italics Hearn)

（…富士はまだ見えない。外国人たちは、高級船員に尋ねてみた。すると船員は笑いながら答えた。「ああ、あなた方は、目の付け所が低すぎるんですよ。もっと上を見てごらんなさい。もっと高い所を。」それで彼らは空の真ん中まで目を上げて見た。すると曙のときめく色の中に、妖しい神秘な幻の蓮の蕾のような、薄桃色に彩られた雄大な山頂が、はっきりと見えた。その壮観に打たれて、誰もかれも、しばらくの間沈黙してしまった。（中略）**もっと上を見てご覧なさい。もっと高い所を！**」——この言葉は、未だにかの流浪者の耳に残る言葉だった。）（ゴシック体は筆者）

ゴシック体の「**もっと上を見てご覧なさい**」は、単に船客の視線に向けたものではなくて、日本の将来のあるべき姿に向けて発せられたものである。坪内逍遥が「『心』の如きは東西文明是非論とも見做すべき箇所がある」[43]と指摘する「ある保守主義者」において、八雲は、若き保守主義者を自分の殻に閉じこもらせず、また西欧への憧憬に目を奪われず、この若者に棄教させ西洋に遊学させて、自らの眼で異文化に接して初めてわかる自国の良さを深く認識させていた。「**もっと上を見てご覧なさい**」という言葉は、複眼的な見方と自己のアイデンティティの重要さと、新しいあるべき祖国を想っての八雲自身の言葉なのである。彼は、国や民族の境目を超えた未来のあるべき国家を目指す明治期における日本人の精神的な苦悩と模索をこの作品において生き生きと表現していた。

八雲の真意は、霊峰富士を仰ぎ見る保守主義者の想いにある。彼は長い欧米等の遍歴の旅から帰国して、祖国の伝統的な文化価値を外国への旅行によって再発見した。八雲自身の第二の祖国である日本への想いと回想、言い換えると、「日本人による日本への回帰」が提示されているのである。この一編のエピローグは次のように締め括られている。——「彼はもう一度、父の屋敷にいたころの少年に帰り、そこの明るい部屋から部屋をうろうろ歩き回り、畳の上に緑の葉の影がちらちら動いている日向(ひなた)で遊び戯れ、山水を象(かたど)った庭先の、夢のように静かな安らかさに、しみじみと眺め入る自分を見た。再び彼は母親の手がそっと自分の手を握ったのを感じた。毎朝毎朝、神棚の前、ご先祖様の御位牌の前へ幼い足取りの自分をお参りに連れて行ってくれた母親の手を。すると今（人生の通過儀礼を経た）大人のこの人の唇が、突然新しく見出された意味に新しく心打たれつつ、幼い頃に何気なく唱えたあの単純な祈りの言葉を再びそっと低い声で繰り返したのであった（（　）括弧挿入は筆者）」(209)。

　若き保守主義者が、日本に到着する船から目の当たりにした富士の威容は、彼が日本から出発していく時に見た風景と同じである。そして、帰国して目にした霊峰富士を仰ぎ見た時、彼の精神を育んでくれた幼少の頃の記憶を蘇らせる。しかしながら、彼の思想は現在、後述するように明らかに深まり進化していた。この若き思想家のモデルに関してはⅣ「ある保守主義者」のモデルの人物に見られる八雲の思想　において論述したい。

Ⅲ　ハーン来日の決意と日本への想い
——「ある保守主義者」を中心に

　来日から1年6か月を経過した1891年松江に滞在していた八雲は、親しい友であるエルウッド・ヘンドリック（Ellwood Hendrick）に宛て

た手紙に、日本に関する著述について並々ならぬ決意を認(したた)めている。

> I *must* finish my work on Japan, and that will take a couple of years more (Italics Hearn). It is the hardest country to learn —— except China —— in the world. I am the only man who ever attempted to learn the people seriously; and I think I shall succeed.[44]
>
> （私は日本に関する著述を完成しなければ**ならないのです**。しかもそれにはなお二か年以上を要します。日本という国は——支那は例外として——世界一わからぬ国です。日本の国民を真面目に研究することを企てた者は私ただ一人です。私はこの研究に成功すると思っています。）

そして八雲が書き上げたのが、来日しての第一作『知られざる日本の面影』である。この作品は印象主義的な日本礼賛(らいさん)に傾いていたが、その後その見方を深化させて、日本および日本文化の長所のみならず短所をも的確に述べている。八雲の卒業論文とも称される『日本——一つの解明』は、彼の親愛な日本人の友人が死の直前に「あと４、５年して、日本人というものが少しも分かっていないと気づいた時に初めて日本人というものが分かってくる」[45]と八雲に語った言葉の真意を理解する事が出来た彼が、死を賭して心血を注いで完成させた遺作である。

同書に収めた「封建制の完成」（"Feudal Integration"）において、日本人の従順と忠義と自己犠牲の精神を長所として認める反面で、短所として衆を以って集まる民族的感情は強制的になされ、特に幕藩体制下んいおいて自由を強制していた事を明示している。徳川幕府の太平の世が存続するために、武士や大名には武家諸法度という厳しい掟が課せられ、町人や農民には勝手に職業を変える事は許されず、親代々世襲制で職業選択の自由は極度に制限され、村の掟や家の決まりなど個人の自由

が規制されていると指摘していた。八雲は、「あらゆる自己主張が押さえつけられ、その代わりに自己犠牲（self-sacrifice）が一般的に義務になっているような社会――個性（personality）というものが、生垣のように刈りそろえられて、新芽も花も外側からは開くことを許されず、内からだけ開くことが許されるような社会だけが生まれてきた」[46]と明らかにしている。言い換えると、同書「反省」（"Reflection"）において、義務とか報恩とか献身といった孝道（filial piety）の行き過ぎた教えは、軍国主義などに繋がる恐ろしい事を強要する可能性を示唆している。これに関する考察については、Ⅴ　八雲の思想――「日本文明の真髄」と「文学と世論」を中心に　において論述するが、ここで留意すべきは、八雲の日本賛美は、一方に西欧の物質文明や行き過ぎた個人主義の欠陥を指摘した上でなされているが、彼は自分をも含めた西欧人への警告として、著作はすべて英語で上梓している事である。

　八雲は、自らの想いを次のように――「孝道の教えによって練成された立派な性格は、我々西洋人にとって、なんとまあ神に近いものに見える事か。あのにぎやかな歓楽と敬虔の心とが陽気に打ち交わった、氏神の祭礼の、あの不思議な魅力、道端の石に経文を刻む仏教芸術の、あのロマンチックな世界など旧日本の理想（the ideals of Old Japan）が示した**倫理的**状態（ethical conditions）を、本能的な無私無欲（instinctive unselfishness）や道徳美に対する一般人の観念とか、そういう世界を、幻影ではなく、はっきりと打ち立てられるところまで、人間がそれぞれ自分の心情の教えるところには、いかなる法典も必要としないところまで進んだ時が、初めて古神道の理想（the ancient ideal of Shintō）が最高の実現を見る時だ」[47]と言明している。

　宗教上の法規は、成文化されているか否かに拘らず、その真意は社会の義務や庶民の道徳的経験を具体的に説いている点にある。神道の理論にはキリスト教で言うところの「原罪」という教義はない。むしろ逆に、人間の魂の生来の善良さと純粋さを信じ、魂を神の意志が宿る聖な

第6章　小泉八雲とジョウゼフ・コンラッド

る場所として崇めている。その場所は質素でただ清潔に保たれている。八雲にとって古い日本は、彼のユートピアの一つの象徴であった。ドイツの建築家ブルーノ・タウト（Bruno Taut）は、「日本国民はひとしく、悠久なこの国土と国民とを創造した精神の宿る神殿としてこれに甚深な崇敬を捧げている」[48]、「日本人は、伊勢神宮を日本国民の最高の象徴として崇敬している。伊勢神宮こそ、真の結晶物である。この国土、この日本の土壌との力を納めた聖櫃、即ち聖祠であり、構造はこの上もなく透明で清澄で、極めて明白単純で、屋根に葺かれた蘆や堅魚木の先端に嵌めた金色の金具から建築物の基底部に置かれた清らかな玉石に至るまで、浄潔の極みであり、あくまで清楚である」[49]と述べている。

　八雲は、日本人がよく風呂に入り、家の中を塵一つないようにきれいにするのは、神道の重要な清めに由来する[50]、と「崇拝と清め」（"Worship and Purification"）において述べている。因みに八雲は、日本最古の神社である杵築大社（出雲大社）に1890年9月13日と翌14日に再訪している。千家尊紀宮司と漢学塾相長舎の同門でごく親しい間柄の西田千太郎[51]が神道研究家として紹介したとはいえ、異国人の昇殿は、八雲が最初にして最後と言われるほどの特別待遇であった[52]。八雲は「杵築――日本最古の神社」の最終章において、「杵築を見るということは、今でも息づく神道の中心地を見ることであり、19世紀になった今日でも、脈々と打ち続けている古代信仰の脈拍を肌身に感じ取ることである」[53]と記している。そして八雲は、松江大橋の上から朝日に向かって柏手を打つ人々の姿に、民俗信仰が神道と深く交わりながら根付いている事を知る[54]。

　なお、「清め」については、エドワード・モースの『日本その日その日』（Japan Day by Day）において[55]、また鈴木大拙の『日本的霊性』において[56]記述されている。

　因みに、宮崎　駿は、「神道の清め」を宗教学者の山折哲雄氏の言葉を援用して次のように述べている。――「山折哲雄さんが、「日本人は自

然のさまざまなものに神や仏を見ている。本来、宗教的な民族である」と言っています。一種のアニミズムなんですが、西洋の概念では宗教ではないんですね。日本人はそういう名づけようのない信仰を持っていると思うんです。例えば、庭先をきれいに掃き清めることが、すでに宗教的な行為になっているんです」[57]、「人も獣も木々も水も、皆等しく生きる価値を持っている。だから人間だけが生きるのではなく、獣にも木々にも水にも生きる場所を与えるべきなのです。そういう思想が、かつての日本にはありました。『もののけ姫』は、そういう考え方で作ろうとやってきました」[58]、そして、「人間というものが、賢くて、祝福された存在では決してないだろう、それでも自分たちは生きなくてはいけないんだという映画を作りたかったんです。つまり、この映画に出てくるヒロインは人間を否定しているんです。人間という存在を醜いものと考えている。それは今この世に住んでいる多くの人間たちが抱えている問題でもあるんです。人間が尊いものとは思えない。この地球上の生き物の中で、一番醜い生き物が人間ではないかと思い始めている。それは19世紀では考えられなかったことだと思うんです。(中略)今も多くの日本人の中に宗教心として強く残っている感情があります。それは自分たちの国の一番奥に、人が足を踏み入れてはいけない非常に清浄なところがあって、そこでは豊かな水が流れ出て、深い森を守っているのだと信じている心です。そういう一種の清浄観があるところに人間は戻っていくのが一番素晴らしいんだという宗教感覚を、僕は激しく持っています。(中略)『もののけ姫』の舞台となっている森というのは、現実の森を写生したものではなくて、日本人の心の中にある、古い国が始まる時からあった森を描こうとしたものです」[59]と彼の意図するところを明かしている。

　宮崎が述べるように、日本人の中に宗教心として強く残っている感情があるのではないだろうか。日本人の暮らしの隅々に神や仏の気配を感じるような、素朴な信仰心を根付かせてきたものが存続しているのでは

第6章　小泉八雲とジョウゼフ・コンラッド

ないだろうか。この考えは、万物によって生かされているという八雲の**アニミズム思想**に通底するものである。なお宮崎 駿と小泉八雲に興味のある方は、拙著『ジョウゼフ・コンラッド研究——比較文学的アプローチ』（大阪教育図書、2014年）に収めた　**第一部　第2章　宮崎 駿とラフカディオ・ハーン**　を参照されたい。

　ドナルド・キーン（Donald Keene）教授は、「清め」が日本文化の特徴の一つとして『魏志倭人伝』（3世紀末）にある事を指摘して、現在でも来日した外国人はそれに驚いていると述べている[60]。2011年3月11日の東日本大震災による福島第1原発の事故が深刻化して、外国人が相次いで海外へ脱出する中、彼はそれを機に日本国籍を取得し、世界に向けて日本文化や日本文学を発信し続けている[61]。

　さてこれらを踏まえて、ある保守主義者の「日本への回帰」開眼の過程をフラッシュバックしてみると、彼は、父が30万石の禄高の大名の息子であった（170）。一人前に口がきけるようになりだす頃から、早くも忠順恭敬を生存のための指針と心得て、克己を己が振る舞いの第一義と定め、艱難辛苦と死とは、鷲毛よりもなお軽いものと考えるように仕込まれていた（171）。海外に渡航するものは死刑に処すべし、との布告令を出した将軍徳川家光による施政は、以後200年もの長きに亘り、我が国民を海外の事情に全くの無知文盲の状態に置いていた（176）。「黒船」によるアメリカ艦隊の来航があって、幕府は初めて、自国の手薄な防備と外患の切迫とに驚き、目を覚ました。諸国からの外圧によって尊王攘夷の嵐が吹き荒れた後、幕府は滅亡し、薩長連合による政府が誕生した。明治4（1871）年に廃藩置県[62]が断行され、武士階級は廃止となる。ある保守主義者は、藩校において英語を大いに学んで、英国人と会話を交える事が出来るという自信を得ていた。彼は刀を捨てて、更に英語の勉強を受けるために、横浜に行った。外国人と接触する事によって、開港地の日本人は野卑で荒っぽくなり、外国人は、被征服者の日本

− 497 −

人に対して征服者の態度を取ったため、武士魂のあった彼は憤りを感じる (185-86)。

　八雲自身も、西洋中心主義を堅持する植民地における西欧優位の立場を嫌悪していた。随所に見られる八雲による西洋へのこの種の批判的言説については、後に述べる「国民性」("National Individuality")と題する論説や「極東の将来」と題する講演などで明らかにしている。

　ある保守主義者はこのような反感を自分で克服するように努めた。真に国を愛する者の務めは、自国に仇をなすものの本性を虚心坦懐な気持ちで臨む事にあると思ったからである (186)。八雲が善しとする自己訓練は、語らざるをもって善しとする、すなわち不言実行ともいうべきものである。ある保守主義者は、自分自身の周囲の新しい生活を、偏見なしに、欠点と共に美点を観察するように、自らを訓練した (186)。やがて、彼はこの国に生きて、教育と伝道の仕事に没頭している外国人宣教師とも親しくなる。一方、その宣教師は彼の中に非凡さを見出し、改宗させたいと思い、自分の貴重な書庫を彼のために開放して、フランス語やドイツ語やラテン語などをも教えた。やがて、彼は自らキリスト教徒になろうと決心する。彼は、愛国者として、また真理の探究者として、これこそ自分の本分だと信ずるものを見つけたのである (190)。しかし、この若い真理探究者は、幾年もたたぬうちにあまたの大哲人の著書を深く研究し、理解もして、宣教師よりもはるかに大きな、更に深い理念によって、彼らの独断的な教義を自力でもって乗り越えたのである (194)。一つの真理——文明と宗教との間の相対関係についての真理、これを曲解した事が、初めに彼を誤らせて、改宗の道に飛び込ませたのであった (195)。彼を導いてくれた宣教師は、キリスト教は卓越した道徳観を持っているという事をよく言ったけれども、開港地の生活では、それが少しも実現されていなかった。しかし、自分もいつか将来には、西洋における宗教の、道徳に対する影響を、目の当たりにしたいと思った。いつの日かヨーロッパ諸国を歴訪して、彼らの進歩発展した原因

第6章 小泉八雲とジョウゼフ・コンラッド

と、強大国となった理由を、つぶさに調査・研究してみたいと望んだのである（195）。宗教上では、自分を一個の懐疑主義者にした知的活動は、政治の上では、彼を一個の・自・由・思・想・家にして（196）、彼は世界中を流浪する。彼は中国大陸[63]に渡り、次いで欧米二大陸を股にかけ、実際に現地で様々な職業に就き、パリやロンドンなどの裏表をつぶさに探訪して、西洋文明を目の当たりにした（197）。

　ロンドンでのハーンについて述べると、父チャールズ・ブッシュ・ハーン（Charles Bush Hearn）の死後、後見人であった裕福な大叔母のサラ・ホームズ・ブレナン（Sara Holmes Brenane）夫人が山師のヘンリー・モリヌーに騙されて破産し、それに伴って彼は特権階級社会から下層社会に突如投げ込まれた。ハーン17歳ごろの事であった。彼は、かつてブレナン夫人のところにいたメイドが夫と住むロンドンのむさくるしい一部屋に身を寄せるまでに落ちぶれてしまったのである。チャールズ・ディケンズ（Charles Dickens）が『ピクウィック・ペイパーズ』（*Pickwick Papers*）[64]や『ディヴィッド・コパーフィールド』（*David Copperfield*）において、またヘンリー・メイヒュー（Henry Mayhew）が『ロンドンの労働とロンドンの貧民』（*London Labour and the London Poor*）において活写していたロンドンの貧民の実態に初めて触れたハーンであった。但しこれらをつぶさに観察した彼は、後年その体験を作品化する。「ある保守主義者」において八雲は、諸国をつぶさに見て回った保守主義者をして次のように記述する。

　——帝政国、王政国、共和国のうちのいずれを問わず、凡そ国と名のつくところには、必ず同じような血も涙もない無常な貧窮が結果を伴って展開されている有り様を見て、いずれの国でも凡そ東洋思想（Far-Eastern ideas）とは全く正反対な思想が基盤となっている現象を見て（203）、ロンドンの実態が徹底して計算し尽くされたメカニズムやその効率性、そこに由来する盲目的な残酷さや偽善や富の横柄さにある事を、ある保守主義者は指摘する。そして、「西洋の優越性は、**断じて倫**

理的なものではなかった。(Western superiority was *not* ethical.)」(204)と"not"をイタリック体表記で強調している。

　なお記述は続いて、──ある保守主義者は、西欧文明がどれほど人間の労力を費やしたか、どれほどそれが強い脅威になっているかをも感じた。その知性の力が、どれほど広範囲なのか、という事も察していた。彼は、そういった文明を憎んだ。恐ろしい、すべて計算ずくめの機械主義や功利主義を心から憎んだ。その常識、貪婪、残忍、偽善、欲望の不潔さ、その富の傍若無人さを憎んだ。現代文明は計り知れない堕落の深淵を彼にのぞかせたのである（204）。彼らの文明の優れている点は、多大な苦難を経て発達したあげくに、弱肉強食の道具として用いられ、知性の力に存するのである。徐々に確実に彼に一つの決意が形成される。それが後年、彼をして一国の指導者、一世の師ならしめたものである。それは全力を挙げて、自国の古代生活の粋を保存する事に専心し、いやしくも国家の自衛に必要のないもの、もしくは国民の自己発展に役立たないものを、輸入する事には大胆にも反対しようという決意である（206）。

　八雲は、ある保守主義者をして植民地化を視野に入れた欧米列強の権益拡大策に対して大いに警鐘を鳴らしたのである。

　進化・発展を哲学の中心概念として、生物・道徳などの諸現象を統一的に解明しようとしたハーバート・スペンサーの哲学思想は明治前半期の我が国に多大な影響を与えた[65]。そこで政府要人は、日本の進むべき方途を彼に諮問している。これに応えてスペンサーは、金子堅太郎男爵（初代総理大臣伊藤博文の秘書官）に宛てた手紙で次のように返答している。──「強大国のアメリカやヨーロッパに条約改正などで彼らの特権を認め、少しでも入り込む足場を与えれば、大日本帝国は強大国に容易に征服されてしまうだろう」[66]。このスペンサーの主張は、前述した八雲の主張と酷似している。

　『神戸クロニクル論説集』(*Editorials from the Kobe Chronicle*)に

収めた「国民性」において、八雲は、「西洋で「国民性の涵養」と定義されてきたものの多くが、実は単なるエゴイズムの涵養以上のなにものでもない」[67]と喝破していた。

Ⅳ 「ある保守主義者」のモデルの人物に見られる八雲の思想

　八雲は、西洋の言葉ではなく日本の「柔術」という言葉を使って『東の国から』に収めた「柔術」において、述べている。——日本は古来の美点を残しつつ、できる限り西欧の力を活用する事で、自国を裨益するのがよい、それには柔術の法によるのがよい。なぜなら、柔術は、「自衛術」[68]であり、自分の力をほとんど使わず、相手の力を使う、「身を捨てて勝つ」という意味だからで、柔術は日本の「民族的天性（a racial genius）」を表したものであるからだ（144）。そして彼が敬愛する嘉納治五郎を、柔術を会得した大師範の一人（144）として紹介している。嘉納治五郎は柔道の「講道館」や英学塾の「弘文館」の創始者であり、日本初の国際オリンピック委員会（IOC）委員なども務めた事でも知られている[69]。ところで山下泰裕氏は、「嘉納師範は日清戦争の後、作家の魯迅（Lu-xun）ら中国の留学生を最も多く受け入れた一人であり、高弟を海外へ派遣するなど、柔道の「自他共栄」の精神を世界に伝えるのに貢献した」[70]と述べている。

　今ひとり八雲が旧日本の代表者として敬愛している人物に秋月胤永（悌次郎）がいる。彼は会津藩の元家老で嘉納治五郎が校長をしていた熊本第五高等中学校で漢文を教えていた。司馬遼太郎は、「ある会津人のこと」と題して「八雲は言葉の通じない、この老人をひどく崇敬し、つねづね秋月先生は暖炉のような人だ、近づくだけで温かくなる、と言ったり、ついには神だと言いだしたりした」と紹介し、「篤実な性格を持ち、他人に対しては遠慮深く、独り居ても自分を慎むような人で、

その性格のままの生涯を送った。秋月悌次郎は小説に書けるような個性や、特異な思想を持っていた人物ではないが、しかしそれでもなお気になる存在だ」[71] と述べている。「神云々」とは八雲の『東の国から』に収めた「九州の学生と共に」に記された以下の件(くだり)である。──「その風采は神道の神（Kami）に生き写しだ。長い白い髭を垂らし白装束に白い束帯を締め、非常に柔和で終始にこやかに笑っておられる」[72]。若いころ峻厳をもって鳴らした戦場の古強者(ふるつわもの)が年老いて温和泰然となって学生たちから絶大な信頼と尊敬を寄せられている秋月はいつも黒紋服で学校に出ていたのである。

さて西洋の生活の、あの**もったいない浪費**（the wastefulness of Western life）は、ある保守主義者に、彼ら西洋人の快楽を好む性向と苦悶を求める癖(へき)よりも、より多くの感銘を与えた。自分の国が貧乏国である事に、彼は強味を見出した。私心を滅したその勤勉で倹約する事こそが、西洋と張り合う唯一の強味なのだ。彼は、外国の文明を見たおかげで、自分の国の文明の価値と美点を理解したのである（206）。

因みに八雲は、ハーバート・スペンサーの進化論の哲学を援用して、西洋の哲学者の立場[73]から日本を念頭において極東の将来の危うさに苦言を呈している。1894年に熊本大学での「極東の将来」と題する講演において、「質素、倹約の美徳」の必要性を説き、世界的な人口増加に伴う食糧争いの中で他国に及ぼす（進化論の「適者生存」の誤った解釈である）「弱肉強食」の西洋の過度な浪費や贅沢の思想に警鐘を鳴らし、1893年のバジル・チェンバレンに宛てた手紙では、「現代の文明が西洋の個人にとって巨大なコストになっている。英国人一人当りの生活費が東洋人一人当りの生活費のまさにほぼ20倍であり、しかも知的能力とエネルギーにおける両者の差異は生きる能力の差異に対応していない」[74] と具体的に述べた。

八雲は「ある保守主義者」を含む『心』を次のような献辞でもって雨森信成に捧げている。──TO MY FRIEND AMENOMORI NO-

第 6 章　小泉八雲とジョウゼフ・コンラッド

BUSHIGE / POET, SCHOLAR, AND PATRIOT（詩人、学者、そして愛国者なる我が友人、雨森信成へ）

　「ある保守主義者」のモデルとされる（キリスト教徒として伝道したが後に日本の精神風土に帰着した）雨森信成（1858-1906）は、八雲の良き友人であり理解者でもあった[75]。雨森は、文章に磨きをかける事はもとより自分の思想や感情を分析して推敲に推敲を重ねて明確化する事に意を用いた八雲[76]を次のように評している。

　――「ある保守主義者」を仕上げるまでには二年近くの歳月を要したことを、私は個人的に知っている。しかし一旦待ち望んでいた「感じ」を掴むや、彼はあくまで「自分に忠実」だった。そして少なくとも「真実に近づき得た」と信じた。こうして発見した真実を発表すべく、彼は全力を傾けた。（中略）彼が第一の目的としたのは、真実に到達することであった。そしてひとたびそれを手にするや、彼は大胆にもその真実を公にした。その結果どんなことが身に降りかかろうと一向頓着しなかった。自分の公表した真実が結局は勝つとの確信は揺るぎないものであった」[77]。

　平川祐弘教授は、雨森が1905年10月号の『大西洋評論集』（*Atlantic Monthly*）に寄稿した『人間ラフカディオ・ハーン』（*Lafcadio Hearn, the Man*）を引用して雨森の八雲評を紹介している。――「日本人の神道感覚を掴む、という点ではハーンは真に稀な、例外的成功者であった」[78]。

V　八雲の思想――「日本文明の真髄」と「文学と世論」を中心に

　日本に関する第三作目の著作『心』に収めた「日本文明の真髄」において、日本文明の真髄が神道と仏教にあるとして、八雲は述べている。
　――「日本の国民性の内に、利己的な個人主義（egotistical individ-

ualism）が比較的少ないことは、この国の救いであり、それがまた、国民をして優勢国に対して自国の独立をよく保つことを得させたのである。これに対して、日本は、自国の道徳力を創造し保存した、二つの大きな宗教に感謝してよかろう。一つは、自分の一家のこと、もしくは自分自身のことを考える前に、まず天皇と国家のことを思うことを国民に教え込んだ、神道である。もう一つは、悲しみに打ち勝ち、苦しみを忍び、執着するものを滅却する、憎悪するものの暴虐を、永遠の法則として甘受するように国民を鍛えあげた、かの仏教である」[79]。

そして、この『心』の巻頭には、楷書で八雲の手になる「神国」という漢字が大きく刷られている。表面的な字面だけでこれらの文や巻頭の「神国」を読むと、曲解される恐れがある。八雲の真意は、国民を戦争に導いたかつての軍国主義に利用された神道を奨励するものでは決してなかった。

八雲は、また禅に関しても造詣が深かった。彼は、『異国風物と回想』（*Exotics and Retrospectives*）の「禅の原典における疑問」（"A Question in the Zen Texts"）において、「禅」とはディアーナ（Dhyâna）の日本語訳で、それは「瞑想を通して言語による表現範囲を超越した思想の領域へ到達しようとする人間の努力（human effort to reach, through meditation, zones of thought beyond the range of verbal expression）」[80] を表すものと述べ、また同書に収めた「死者の文学」（"The Literature of the Dead"）において禅仏教についての考察を行っている。

第二次大戦の勃発当初から、我が国の敗戦の必至を信じていた禅者で、かつ仏教哲学者である鈴木大拙は、日本独自の特性を「日本的霊性」と喝破し、それは戦時中に唱導された日本主義や日本精神といった理念やイデオロギーとは断じて異なる事を強調し、1941年に『禅問答と悟り』の「序」において、大局に立って次のように——「世界は今や思想の上に、生活の上に、一大転機に臨んでおるものと考えなくてはなら

ぬ。この変局を上手く切り抜けて、吾ら東方人は祖先伝来の精神的動力というのは、もとより単なる「物」の力にあらず、空虚な観念的独りよがりの力にあらず、実に「物」と「心」とを超えて、しかもこの二つの上に、具体的に実証的に、活躍するところのものがある。予はこれを禅経験の上に求めんとする」[81]、「禅の真髄というのは人生および世界に関して新たな観察点を得ようとするのである。つまり、物ごとを判断するのに、いままでのような見方のほか、まだ一つの見方があるということを知らなくてはならぬのである」[82] と断言している。

更に大拙は、『日本的霊性』に収めた「鎌倉時代と日本的霊性」において、近代日本の歴史的環境を鎌倉時代にその類似点を見出し、現状は更に切迫したものがあると指摘して、「単に主我自尊的および排外的態度でこれに対抗してはならぬ。それは事実のうえには自滅をたどる心構えである。（中略）武力・機械力・物力の抗争は、有史以来やはり枝末的なものである。畢竟は霊性発揚と思想とである。そしてその霊性・信仰は、思想と現実とによって、いやがうえにも洗練せられたものとならなくてはならぬ。この際における仏教者の使命は、時局に迎合するものであってはならぬ。日本人の世界における使命に対して十分の認識をもち、しかも広く、高く、深く思惟するところがあってほしい」[83] と訴えている。

1948年の暮、『日本的霊性』への「新版に序す」において、鈴木大拙は、「日本的霊性」の自覚の意義を——「若い人々がひたすらにいわゆる客観的情勢に圧迫せられて、みずからの中に深く沈潜していくことを怠ってはならぬ。われらの祖先から伝来しているものにもおのずから世界的意味がある。これはいたずらな国粋主義とか民族主義とか東洋主義とかいうものではなくて、もっと霊性的な意味を持つものである。これに徹底することによって、今日の敗戦も意義あることになる。敗戦の遠い深い原因はかえって日本的・霊性的なものを自覚しなかったところに伏在していたとも言い得る」[84] と述べている。

自らをハーバート・スペンサーの学徒だと名乗り、国家的干渉に敵対して、飽くまでも個人の自由を擁護する進化論思想[85]に深い関心を持っていた八雲は、スペンサーの進化論の解釈を『日本——一つの解明』に収めた「反省」("Reflection")において述べている。

　　The plain teaching of sociology is that the higher races cannot with impunity cast aside their moral experience in dealing with feebler races, and that Western civilization will have to pay, sooner or later, the full penalty of its deeds of oppression.[86]
　（社会学が明白に教えるところは、高等人種が弱小人種を扱う場合、相手の人種の道徳経験を投げやりにしておくと、必ずその報いが来る、だから西洋文明は、早晩、その圧迫行為の報いを十分受けることになるだろうということだ。）

　八雲は、『文学の解釈』(Interpretations of Literature, 1915)に収めた「文学と世論」("Literature and Political Opinion")において、文学と世論を切り離さず、しかもその世論の進化発展の相を映すものとして文学を考えている。そして彼は、現代の言葉でいうところの「ポピュリズム」に抗する必要性を訴えている。民意を一定の方向に導かんとするポピュリズムはナショナリズムと結びつきやすい。国内の閉塞感を外部に向けるナショナリズムの暴発を抑止するには一人一人の国民の自立した意志が不可欠である。ポピュリズムが大衆迎合主義を経て衆愚政治になると、その行き着く先は独裁者の誕生という事になる。民主主義の将来を見据えて、ジャック・アタリ (Jacques Attali) は、「ポピュリズムとは条件の厳しい道を避け、最も安易な方向に人々を導くことだ。ポピュリズムの指導者は本能に近い欲求に訴える。ポピュリズムは多くの場合、衆愚政治から始まり独裁で終わる」[87]と警告している。そのようにならないためには、しっかりとした世論を形成する必要がある。実

第6章 小泉八雲とジョウゼフ・コンラッド

際に八雲は、1895年2月、チェンバレンに宛てた手紙に、「民衆が無知であれば暴政の下で奴隷であることを余儀なくされてしまい民主主義は病んでしまう」[88]と民衆の無知を戒めている。八雲は、ポピュリズムを排し、自分で情報を集め、考え、決定に参加する自立した個人の重要性を指摘している。新しい時代に向けて、自分の考えを持ちそれを理論的に明晰な言葉で表現する「確かな個」の構築を訴えているのである。この八雲の戒めは、21世紀の今日において益々意義深いものとなっている。

　夏目漱石は、「私の個人主義」と題する講演において、明治の文明開化は西洋が本流とする時代にあって、西欧に卑屈になるのではなく自立した個人の在り方を「自己本位」と名付けて、日本人がよくやる従来のやり方ときっぱりと決別した厳しい個人主義を、八雲とは異なる角度から論じている。これに関する論究は　Ⅵ　精神の危機を時代の病と捉えた漱石と八雲　において述べる事にしたい。

　ところで八雲は、21世紀の今日にも当てはまる文学と世論の重要性を、1世紀以上も前に、「文学と世論」において指摘している。

　――「世論こそ、戦争に対して賛成か否かを決定する力であり、改革に対して賛成か反対かを決定する力でもある。無知であってはならない。(中略) 世論を形成してゆく真の力は、文学なのである。ヨーロッパのある国民が他国民について知っていることは、堅苦しい統計学の本やいかめしい歴史書や学究的な旅行記からではなく、その国民の文学――その国民の感情生活の表現である文学――からおおむね得られたものなのである。純粋に科学や哲学の書物を読むのは、たかだか数千人の人々に過ぎないが、心の琴線に触れ、その心情を通して人間の判断力に影響を及ぼす物語や詩歌を読む人々は、数百万人もいるものである。(中略) すべての偏見は、無知によるのである。無知は、より崇高な感情に訴えかける事によって、最もよく解消され得る。そして崇高な感情は、純粋な文学によって最もよく鼓舞されるのである」[89]。

晩年、八雲は『人生と文学』(*Life and Literature*) に収めた「創作論」("On Composition") において述べている。

> Literature means, as I have said before, the highest possible appeal of language to the higher emotions and the nobler sentiments. It is not learning, nor can it be made by any rules of learning.[90]
> （以前にも話したように、文学とは最も崇高な感動と最も高尚な感情に対して、言語により可能な限り崇高な訴えかけをすることなのだ。文学は学問でもなければ、学問の法則によって作られるものではない。）

そして結論として、「正しい世論」を作り出すためには民衆の言語で語る事が欠かせない事を次のように言明している。

> They must teach in the language of the people, just as Wycliffe, and Chaucer, and other great Englishmen of letters once found it necessary to do in order to create a new public opinion. …… The man who can speak to a hundred millions of people may be stronger than a king. But he must not speak in the language of the academy.[91]
> （ウィクリフとチョーサー、他の英国の偉大な文学者が、かつて新しい世論を作り出すためにはそうすることが必要だと気づいたように、彼らは民衆の言語で教えなければならないのだ。…… 一億人の人々に話しかけることの出来る人は、王より力がある。しかし、彼は学士院の言語で話してはならないのだ。）

八雲のこの指摘は、東日本大震災後、なりふり構わず難解な概念を振

第6章　小泉八雲とジョウゼフ・コンラッド

り回し、相手を煙に巻く一部学者の話しぶりが想起される。それは「東大話法」とも揶揄された。

「文学は人を動かす感情表現の芸術である」[92]という信念を基盤とした八雲は、言語により可能な限り崇高な訴えかけをするために、「艱難辛苦した結果が真の意味で独自の文体になる、熱心さと骨折りとが大きければ大きいほど文体は際立ってくる」[93]と未来を担う学生に対して、情熱を込めて創作論の講義を行っている。ここに未来を見据えた教育者としての八雲の一面が見られる。教育者としての八雲をベンチョン・ユー（Beongcheon Yu）教授は、「ハーンの日本での講義のすべてが、この文学創作力を養う文学研究を目的として構想され、計画され、講述されたのであった」[94]と評価している。

教育者としての八雲の姿は、1891年、赴任した熊本から、親愛なる大谷正信の身を案じた次の手紙からも明らかである。──「私が重んじ、多大な望みを置いていた非常に優秀な横木が死んだことを聞いてから、殊に君のことが心配だ。ところがあの生徒は死んだのだ。実に悲しい。私は君が強壮で、病気になりそうもないと思う。しかし、君が余りにも勉強しないようにと敢えて乞いたいとさえ思っている。勉強が苦しくなった時、決して頭脳を無理に酷使しないように。身体に留意をせよ、身体がなければ、少なくともこの世の世界では、心は何もすることが出来はせぬ。…」[95]

芸術に苦闘する友人への激励にも八雲の教育者[96]としての姿勢が見受けられる。テオフィル・ゴーチェ（Theophile Gautier）の『クレオパトラの一夜』（*One of Cleopatra's Nights*）を「（ハーンは）わずかに漏れるガス灯の下で、片方の視力のある眼を本と原稿にすり寄せて」翻訳している[97]、と八雲の理解者のエリザベス・ビスランド（Elzabeth Bisland）が描き出しているように、八雲は確たる芸術観の表明とともに H・E・クレイビール（H.E. Krehbiel）に対して次のような励ましの言葉を認

めている。
　——「一つのテーマに、何の報酬も期待できずに、ただ純粋な愛のために何年もの間打ち込むことにほとほとうんざりした、というあなたの言葉に、私は痛く心を動かされました。なぜなら私自身そのような絶望感に実に長いあいだ捉えられてきたからです。それでも私は、世の中のあらゆる芸術作品は——それはすべて永遠なものなのですが——このようにして生み出されたのだと信じております。また芸術に対する純粋な愛のために完璧に作られた作品は、不可解にして、ありうべからざる事故による以外、消滅することはありえないと信じます。（中略）芸術家の魂が余儀なくされるのはまさに苦く、実りのない犠牲なのです。しかし、この犠牲なくして、神の恩寵を望むことが出来るでしょうか。（中略）私が何か崇高と感じるものを作ることが出来たとするなら、私はまた、＜不可知なもの＞が永遠の意志を秘めた神聖なる輪廻における代弁者として、つまり言葉の媒介者（a medium of utterance）として、私を選んだと感じるでしょうし、私は神を目の当たりに見た預言者の誇りを知るだろう、と思うのです」[98]。
　苦くて実りのない犠牲なくして神の恩寵を望む事は出来ぬと述べた八雲は、死後出版された講義録『人生と文学』において＜誠実＞の重要性を説いていた。

　　　Assuredly the road to all artistic greatness is the road of *sincerity* —— truth to one's own emotional sense of what is beautiful.[99] (Italics mine)
　　　（あらゆる芸術上の偉大さへの道は確実に**誠実**さへの道である——美しいものへの自分自身の情緒感覚に**誠実**になることだ。）

　八雲にとって、人生と文学は表裏一体でありそれに対処する真摯な態度こそが彼の座右の銘なのである。＜誠実＞は、またコンラッドにとっ

ての、そして Ⅵ においてで論述する夏目漱石のモットーでもあった。
　そして八雲は、「ある保守主義者」において謳っていた神道や克己心、忠孝といったものを培ってきた人間の心や日本民族の心をタイトルにした『心』に収めた「祖先崇拝の思想」（"Some Thoughts about Ancestor-Worship"）において、述べている。――「神道の教義は、我々西欧人の正義感とも摩擦する点が少ないし、それに仏教の因果説と同様に、遺伝は、我々西欧人の正義感とも摩擦する点が少ない、遺伝という科学的な事実とも、驚くほどに類似点がある。この似通っている点は、世界のいかなる大宗教の中にもある真理の要素に、勝るとも劣らない深遠なものを神道が持っているというのが証拠である。神道の中にある真理の特殊な要素というのは、生きているものの世界は、死せるものの世界によって、直接に支配を受けているという信念である。人間のあらゆる衝動、つまり行為は、神のなす業であり、すべて死んだものは神となるというのが、神道の基礎観念である。神道でいう「神（Kami）」とは、英語で訳される"deity, divinity, or god"という意味ではなく、「上位に在る者」、「崇高なる者」を意味し、宗教上の意味では、死後において、超自然力を得た人間の霊（a human spirit having obtained supernatural power after death）を意味するのである」[100]。
　八雲は、1891年4月に、チェンバレン教授に宛てた手紙で、西洋人も大いに学ぶべきものとして、「祖先崇拝」の必要性を述べている。
　――「我々西洋人は、祖先崇拝の美点を大いに学ばねばならない。進化が我々にこれを教えているのです。それは人類そのものの生命の不可解な鎖の総てが、長い間費やして嘗め尽くしてきた苦闘、懊悩、経験などに負うものであり、この鎖を辿って行った根源に過去に対する感謝の念、祖先を崇める感謝の貢物に帰着する」[101]。
　八雲は、『日本――一つの解明』において、依然としてスペンサーの学徒であると記した上で、彼の進化論の中に仏教哲学を見出している。つまり、スペンサーの「生きているものに対する死者の支配」[102]を援

用して、八雲は連綿と続く祖先を敬う心情に日本人の霊性を見て取っている。小泉 凡氏は、ハーンの祖先崇拝の基盤が家庭にある事を講演で語っている。

　——「祖先崇拝の基盤というのは家庭の祭りにある。ハーンが熊本で手取本町の家を借りる時に、神棚がなくて、神棚を作ったという話は有名ですけれども、祖先崇拝は神棚や仏壇を毎朝毎晩拝むという家庭の祭りから始まっているという理解なのです」[103]。

　八雲は、『霊の日本』(*In Ghostly Japan*) に収めた「焼津にて」("At Yaidzu")において、「焼津の生活は幾世代も前の生活であり、そこでの人たちも古来日本の人々で、**善良なる子供**のように飾り気がなく親切で正直で、古(いにしえ)からの伝統と古の神々に対して忠実だ（loyal to the ancient traditions and the ancient gods）」[104] と述べている。「無心」を"Childlikeness"と表現し**日本的霊性**の自覚に繋がると指摘した[105] 鈴木大拙の言葉が想起されるのである。

　今から120年以上前、日本が西洋化に狂奔している時、八雲は近代の西欧に端を発する理性中心主義の限界を見切っていたようである。つまり、その行き着く先は、一方で自我の独立を是とする価値観である。個人主義の行き過ぎは、他者を思いやる心が欠如し、利己主義の風潮を喚起し、その中で疎外感とストレスに心身を苛まれる人間を生み出す。それは、今日、世界の各地で起きている様々な紛争であり、究極的には人類の滅亡を招くものであろう。八雲は、人間の利己主義を指摘している。

　　And the pain of life is n't hunger, is n't want, is n't cold, is n't sickness, is n't physical misery of any kind: it is simply moral pain caused by the damnable meanness of those who try to injure others for their own personal benefit or interest. That is really all the pain of the struggle of life. [106]

第 6 章　小泉八雲とジョウゼフ・コンラッド

　　（人生の苦痛とするところは飢餓でも、欠乏でも、寒さでも、病気でもなく、いかなる種類の肉体的惨めさでもありません。それは自らの個人的便益や利益の為に他人を害そうとする者の忌むべき卑劣によって生じる精神的苦痛に他なりません。それこそが正しく生存闘争のあらゆる苦痛です。）

　八雲は、親友である雨森信成に宛てた手紙で「西洋でも個人という考えは、じきに捨て去らなければならなくなるでしょう。その帰着するところは所詮利己主義ですから」[107] と独自の考えを明らかにしている。更に八雲は、「日本文明の真髄」を、フェルディナン・ブルンチュール（Ferdinand Brunetiére）の教育論の一節を引いて次のように結論付けている。
　――「個人主義は、今日では社会秩序の敵であると同時に、教育の敵でもある。これは、元来そうであったのではないが、そうなって来たのである。永久にそれで行くのではないが、今のところは、そうなのである。そこで、この個人主義を絶滅させようとは務めないにしても（それをすると、一方の極端から他の極端へ陥ることになる）、我々は家族に対し、社会に対し、国家に対して、何をしようとするにも、個人主義に反抗してこそ、その仕事は達成されるのだ、ということを見て取らなければならない」[108]。
　八雲は、チェンバレンに宛てた手紙において「個性（personality）とか個人性（individuality）とか言われているものの多くは強烈に他者をはねつけるものであり、西洋の生活の最大の悲惨の原因なのです。それは多分に攻撃的な利己主義と結びつくものを意味しています。（中略）即ち、西洋文明はひたすら集団を犠牲にして個人を啓発し、人間の利己心増大のためには、宗教的情操や法律や感動する心による抑制を受けず、際限なく機会を与えるという欠陥を持っているのです」[109] と述べている。西洋の個人主義の行き過ぎが共に生きるという倫理を損ねて

いるというのである。

　更に彼は、西欧人の「理性（reasoning）」から見て実在の最も信頼できる根拠としている「自我（Self）」を仏教徒は煩悩の最大なるものと見做している観点から、日本の仏教徒の「涅槃」と西洋の「涅槃」との矛盾[110]を指摘した上で、『仏の畑の落穂』に収めた「涅槃」において、「仏教が西洋の宗教の基盤になっているものを退けながら、もっと大きな宗教上の可能性の発現を我々西洋人に与え、世界的な懐疑心が**倫理上の向上精神**（ethical aspiration）に日一日と圧力を加えていく我々自身の今日の知性的進化の時代にあって、光は東方（the East）から射してきている」[111]と述べて、「自我の主張をする西洋的な観念を1日も早く衰弱させて、西洋思想が東洋思想と接触することが望まれる。そんな西洋の観念が我々の中に尾を引いている間は、本当の意味での寛容なども生まれることは無い。真の人類同胞の観念も世界愛の目覚めも起こりはしない」と警鐘を鳴らしつつ、100年も前に**西洋思想と東洋思想の融合**を指摘している。八雲の思想には、自我意識を超えた「没我」、「無私」の"Non-Self"[112]の**倫理観**がある。また『人生と文学』に収めた「散文小品」（"The Prose of Small Things"）においても、時代に最も深く要求されるものは、「無我の同情の念（the sense of unselfish sympathy）」[113]であるという最終的な精神的覚醒だと言明している。

VI　精神の危機を時代の病と捉えた漱石と八雲

　一方、八雲とほぼ同時代に生き、「ある保守主義者」を連想させて、文明開化期に外来思想に陶酔することなく、自らの眼で自らの文学を見つめ通さずにはいられなかった孤立無援の苦悩を一身に背負った人物が日本にいた。その人物とは、2020年現在、生誕153年を経てもなお世代

第6章　小泉八雲とジョウゼフ・コンラッド

を超えて「国民的作家」として謳われる夏目漱石である。彼の日本の西欧化に対する批判は八雲とは異なる観点である。

漱石は、2年間の英国留学中のロンドンで目の当たりにした蒸気機関車を、人間の「無個性化」を促すものとして『草枕』において次のように生き生きと表現している。

——「汽車ほど20世紀の文明を代表するものはあるまい。何百という人間を同じ箱へ詰めて轟と通る。情け容赦はない。詰め込まれた人間は皆同程度の速力で、同一の停車場へとまって、そうして、同様に蒸気の恩恵に浴さねばならぬ。人は汽車に乗るという。余は積み込まれるという。人は汽車で行くという。余は運搬されるという。汽車ほど個性を軽蔑したものはない。文明はあらゆる限りの手段をつくして、個性を発達せしめたる後、あらゆる限りの方法によってこの個性を踏み付けようとする。（中略）文明は個人に自由を与えて虎のごとく猛からしめたる後、これを檻穽（かんせい）（落とし穴）の内に投げ込んで、天下の平和を維持しつつある。この平和は真の平和ではない。（中略）すべての人を貨物同様に心得て走るさまを見るたびに、客車のうちに閉じ込められたる個人と、個人の個性に寸毫（すんごう）の注意をだに払わざるこの鉄車とを比較して、——あぶない、あぶない、気をつけねばあぶないと思う。現代の文明はこのあぶないで鼻を衝かれるくらい充満している。おさき真闇（まっくら）に盲動する汽車はあぶない標本の一つである」[114]。

「文明開化」という名の下に、西欧化に邁進する新日本の危うさを、「おさき真闇に盲動する汽車」と漱石らしい表現で、彼はそのパラドックスを言い当てている[115]。

ペリー提督の浦賀来航以来、諸外国から開国を迫られ、遂に国を開いたのが1865年、ここから近代日本がスタートするが、その後、司馬遼太郎が『坂の上の雲』（1969-1972）の「あとがき」で述べているように、明治維新によってはじめて近代的な「国家」を持ち、「新国民」となった日本人は、のぼってゆく坂の上の青い天にもし一朶（いちだ）の白い雲がかがや

いているとすれば、それのみをみつめて坂をのぼってゆき、急速な国づくりを進めていく[116]。しかし、日露戦争に勝利して、世界の列強と肩を並べられるような近代国家となると、うぬぼれ、自信過剰となり、遂には世界を相手に戦争を起こし日露戦争から40年後の1945年には大日本帝国は敗戦国となった。

　漱石は、英国留学中の1901年3月16日付けの日記に、「真ニ目ガ醒ネバダメダ」と認（したた）めて、警世の言葉を述べている。文明開化の潮流の中で、漱石は、西欧文化に陶酔する時代の風潮から離れて、「汽車」を産業革命以降の機械文明を最も象徴するものとして、すべてを均質化する方向に人間を向かわせ、個性をないがしろにするものとして警鐘を鳴らしている。漱石は、英国留学の帰朝後、小泉八雲の後任として東京帝国大学で英国留学の成果である「文学論」を講じ、その後作家としての苦闘を通して、『吾輩は猫である』、『三四郎』、『それから』、そして『こころ』などの中で日本という国のあり方と個人のあるべき姿を、真摯に探究している。この漱石文学の軌跡を、吉本隆明は、「『吾輩は猫である』から『明暗』に至る道筋は、一路、緊張と上昇の連続であった。少なくとも『それから』以後の漱石は常に同時代の表出の頂を走り続けた。このことは、日本の知識人の問題の内的また外的な要因のすべてを、少なくとも『それから』以後の漱石は膨大な本質的な課題を抱え込んで、死に至るまで緊張を解かなかった」[117]と述べている。

　『吾輩は猫である』[118]において、「金縁眼鏡の美学者」と呼ばれている迷亭をして漱石は次のように語らせている。――「いや時々冗談をいうと人が真に受けるので大いに滑稽的美感を挑撥するのは面白い。先だってある学生にニコラス・ニックルベーがギボンに忠告して彼一世の大著述なる仏国革命史（ふっこく）を仏語で書くのをやめにして英文で出版させたと言ったら、その学生がまた馬鹿に記憶の善い男で、日本文学会で真面目に僕の話したとおりを繰り返したのは滑稽であった」[119]。

　漱石は、トーマス・カーライル（Thomas Carlyle）の『フランス革

命史』(*French Revolution*) とエドワード・ギボン (Edward Gibbon) の『ローマ帝国衰亡史』(*The Decline and Fall of the Roman Empire*) とチャールズ・ディケンズの『ニコラス・ニックルビー』(*Nicholas Nickleby*) の作中人物の混ぜ合わせによって笑うという風刺と滑稽でもって日本文化のヨーロッパ崇拝、出鱈目な西洋知識の受け売りの現状を指摘しているのである。漱石は明治30年代終わりに、この国はこのままでは亡びてしまうのではないかという想いから次々と小説を執筆していくのである。

　『三四郎』において漱石は、漱石の分身である広田先生をして次のように語らせている。――「こんな顔をして、こんなに弱っていては、いくら日露戦争に勝って、一等国になっても駄目ですね。…」三四郎が「しかしこれからは日本もだんだん発展するでしょう」と弁護すると、「亡びるね」と言った。「熊本より東京は広い。東京より日本は広い。日本より…（中略）囚はれちゃ駄目だ。いくら日本の為を思ったって贔屓の引き倒しになる許だ」[120]。広田先生は、悩める三四郎を諭すと共に、若い三四郎が日本より広い頭の中で、日本や他国を世界的視野の下で客観的・理性的に見つめ、囚われぬ自由な思想を育てて行く事を期待したのである。そして漱石は、時代の風潮を次のように的確に記述している。――「熊本でこんなことを口に出せば、すぐ擲ぐられる。悪くすると国賊扱いにされる。三四郎は頭の中でどこの隅にもこういう思想を入れる余裕はないような空気の裡で生長したのである」(17)。『それから』の代助は、「日本ほど借金を拵らえて、貧乏震いをしている国はありゃしない。(中略)日本は西洋から借金でもしなければ、とうてい立ち行かない国だ。それでいて、一等国をもって任じている」[121] と新日本の危うさを戒めている。

　姜 尚中 教授は漱石を次のように評価している。――「生前中に国民作家になりうるほどの声望をえていた漱石が、自ら帰属している帝国の在り方と行く末に、根本的な疑念を抱きつつ、それが外面的に隆盛を極

めれば極めるほど、その内部に病理を抱え込んでしまわざるをえないという背理。この背理を、自らも精神に病をきたしつつ、「近代」というものの根本的な背理にまで掘り下げ、道半ばにして果てた漱石という存在は、ひとつの「奇跡」と言ってもいいかもしれない。なぜなら、漱石ほど、非西欧世界の「近代」というものが強いる「病」に全身全霊で格闘し、その行く末すらも洞察しえた希有な知性は見当たらないからだ」[122]。

漱石が『こころ』を『東京朝日新聞』に連載している時は『心』というタイトルをつけていた事実に着目した山折哲雄氏は、『「ひとり」の哲学』において漢語系の「心」と共に和語系の「こころ」の世界を生きる一人の作家が、外からやってきた西欧流の「個人」を手元に引き寄せ、何とかこれを調教しようとしているとして、次のように指摘している。──「漱石はもしかすると、我が千年の歴史のなかに浮き沈みしてきた「こころ」と「心」のあいだを行きつ戻りつしながら、悩みつづけていたのかもしれない。その漱石の苦悩のあいだからすけて見えてくるのが「ひとり」で生きていくことの難しさであり、「ひとり」という存在から浮き上がる寂しい孤独の姿である」[123]。

79歳になった大江健三郎は、若い頃とは違った読みを『こころ』の最終第二章に見出して、「漱石の真意は、天皇や大日本帝国ではなく、明治の人々の精神が、今までの日本の歴史の中で特別なものだと言いたいのだ」と指摘し、続けて「「時代の精神」というものがあると、はっきり表現し得た小説として、『こころ』を特別な作品だと思います」[124] と述べている。2014年6月3日の『京都新聞』において大江は、「明治の精神」という言葉に注目して、「明治を作った生き生きした民衆の日本が行き詰っていると、漱石は書きたかった」[125] と結論付けている。

また前述した姜 尚中教授は、『こころ』を次のように読み解いている。

第6章　小泉八雲とジョウゼフ・コンラッド

　「漱石は、明治維新から第一次世界大戦の最中まで、まさしく近代的な文明が日本で勃興し、そしてそれが巨大な厄災をもたらす時代を生き抜きました。ある意味で、漱石は私たちに先立って、文明史的な出来事と向き合い続けた「先達」なのです。その中で漱石は、シンプルだけれど、最も大切なものを私たちに残してくれました。それは、どんな悲劇や絶望に陥っても、それでも涙を飲んで前に進んで行く「覚悟」のようなものです。そしてその**覚悟**を担う個人は、ただ孤独の中に生きているわけではありません。むしろ、人から人へと伝えられ、受け取り、また伝えて行く、大きな、大きな「いのち」の流れのようなものの中で生きる個人なのです。その絶えることのない「いのち」の流れはある意味で「魂の相続」とも呼びたくなるものです。小説『こころ』は、まさしくそうした「魂の相続」の物語なのです。「私」はその人を常に先生と呼んでいた」で始まる『こころ』は、明らかに、青年に、おそらくは亡くなった先生と同じか、それ以上の年齢に達した「私」が、かつての若き「私」と思しき青年に語っている、先生とK、先生と「私」の物語と読めるのです。そう思えば、死を選んだ先生と、先生をめぐる人々の物語は、確実に「私」を通じて次の世代に引き継がれていくことがわかります」[126]。

　漱石は、先生への「私」の接し方を次のように述べている。――「私は先生を研究する気で、その宅へ出入りするのではなかった。（中略）今考えるとその時の私の態度は、私の生活のうちで、むしろ尊むべきものの一つであった。私はまったくそのために先生と人間らしい温かい交際が出来たのだと思う。もし私の好奇心がいくぶんでも先生の心に向かって、研究的に働き掛けたなら、二人の間を繋ぐ同情の意図は、なんの容赦もなくその時ぷつりと切れてしまったろう。（中略）先生はそれでなくても、冷たい眼で研究されるのを絶えず恐れていたのであ

る」[127]。

　「私」は先生から思想上においても大きな影響を受けた事を自白している。しかし時として不得要領を得ない「私」は、ある時無遠慮にもその事を打ち明けた。以下に、「私」と先生との腹の底からの誠実な会話のやり取りが交わされる。先生はこう答える。──「私は貧弱な思想家ですけれども、自分の頭で纏め上げた考えをむやみに人に隠しやしません。隠す必要がないんだから。けれども私の過去をことごとくあなたの前に物語らなくてはならないとなると、それはまた別問題になります」[128]。「私」が「ただ真面目なんです。真面目に人生から教訓を受けたいのです」と言うと、「私の過去を訐(あば)いてもですか」と訐くという先生の言葉が、突然恐ろしい響きをもって、「私」の耳を打った。「あなたはほんとうに真面目なんですか。私は過去の因果で、人を疑(うたぐ)り続けている。だからあなたも疑っている。しかしどうもあなただけは疑りたくない。私は死ぬまえにたった一人で好(よ)いから、他(ひと)を信用して死にたいと思っている。あなたはそのたった一人になれますか。なってくれますか。あなたは腹の底から真面目ですか」。「もし私の命が真面目なものなら、私の今いったことも真面目です」私の声は顫(ふる)えた。「よろしい」と先生が言った。そして「私」の＜誠実さ＞に先生が＜誠実＞に応えたのが「先生の遺書」である。「先生の遺書」は、先生が自分の生涯の真実を語ったものである。『こころ』の先生は自分を慕う純粋な一青年に次のように認(したた)めていた。

　「私の過去は私だけの経験だから、私だけの所有といっても差支えないでしょう。それを人に与えないで死ぬのは、惜しいとも言われるでしょう。私にも多少そんな心持があります。ただし受け入れることのできない人に与えるぐらいなら、私はむしろ私の経験を私の生命とともに葬った方が好いと思います。実際ここに貴方という一人の男が存在していないならば、私の過去はついに私の過去で、

第6章 小泉八雲とジョウゼフ・コンラッド

間接にも他人の知識にはならないで済んだでしょう。私は何千万といる日本人のうちで、ただ貴方だけに、私の過去を物語りたいのです。あなたは真面目だから。あなたは真面目に人生そのものから生きた教訓を得たいと言ったから」[129]。

　漱石は、「文芸の士は人間の生存の目的を助長するという人生の大目的に貢献している。（中略）作家たるもの偉大なる人格を有しそれが文芸に反映され読者がそれに接して作者と読者の心の通い合う「還元的感化」をもたらしそれが子々孫々に至るまで伝わるという覚悟を持つべきである」[130] と言明している。

　この『こころ』という作品は、何千万人の読者に真面目に受け取れるか否かを問いかけている漱石の魂のこもった一書である。Kの死に深い罪意識を持ち「死んだ積りで生きている」先生が、Kの死を通して見たもの、そして自分の死を意識しながら明かそうとする「人間存在の核心」を読者に真摯に問いかけている[131]。漱石自身の思想を背負って作者自身と密着する先生は、これからの日本を背負う若き青年に、自らの生き様を「遺書」という形で人間の奥に秘められた**闇の奥**を表現した。先生が陥った孤独感の深さは、八雲が「大文学」と見做すフョードル・ドストエフスキー（Feodor Dostoevskii）の作品において彼が執拗に追求する人間の根本に存在する「悪」の問題に通底する[132]。『こころ』の広告文には「自己の心を捕えんと欲する人々に、人間の心を捕えたるこの作物を奨む」[133] とある。

　若松英輔は、先生と「私」との邂逅を次のように述べている。――「「私」は「先生」と出会うことによって、自分のなかに特定の宗派に属する「信仰」とは異なる、しかし、人生観の深みから湧き出るような働きが生まれているのを実感している。こうした抗いがたい心の衝動を鈴木大拙は「霊性」と呼んだのである」[134]。鈴木大拙は、『日本的霊性』において「霊性の意義」を述べている。――「精神または心を物（物

- 521 -

質）に対峙させた考えの中では、精神を物質に入れ、物質を精神に入れることができない。精神と物質の奥に、いま一つ何かを見なければならぬのである。二つのものが対峙する限り、矛盾・闘争・相克・相殺など問うことは免れない、それでは人間はどうしても生きていくわけにはいかない。なにか二つのものを包んで、二つのものがひっきょうずるに二つでなくて一つであり、また一つであってそのまま二つであるということを見るものがなくてはならぬ。これが霊性である。今までの二元的世界が、相克し相殺しないで、互譲し交歓し相即相入するようになるのは、人間霊性の覚醒にまつよりほかないのである。いわば精神と物質の裏にいま一つの世界が開けて、前者と後者とが、互いに矛盾しながらしかも映発するようにならねばならぬのである。これは霊性的直観または自覚により可能となる」[135]。

　ところで近年 Kのモデルに関して、学僧の清沢満之（1863-1903）との新説が発表されている[136]。

　明治44（1911）年8月15日に漱石は、和歌山での「現代日本の開化」と題する講演において、その主眼を次のように述べている。──「今まで内発的に展開してきたのが、急に自己本位の能力を失って外から無理押しに押されて否応なしにそのいうとおりにしなければ立ち行かないというありさまになったのであります。（中略）一言にして云えば開化の推移はどうしても内発的でなければ嘘だと申し上げたいのであります」[137]。更に「こういう開化の影響を受ける国民はどこかに空虚の感が無ければなりません。またどこかに不満と不安の念をいだかなければなりません。それをあたかもこの開化が内発的ででもあるかのごとき顔をして得意でいる人のあるのはよろしくない。それはよほどハイカラです。よろしくない。虚偽でもある。軽薄でもある」[138]。

　『彼岸過迄』において、登場人物の松本は、講演を聞いた学者の話として「現代の日本の開化を解剖して、かかる開化の影響を受ける吾等

第6章　小泉八雲とジョウゼフ・コンラッド

は、上滑りにならなければ必ず神経衰弱に陥るに決まっている」[139] と語っていた。これは、和歌山での例の講演「現代日本の開化」と趣旨が同じである。

　漱石の言うところの「個人主義」とは、1914年11月25日、学習院輔仁会(ほじんかい)において講演した「私の個人主義」で明らかなように、自己中心的な生き方を意味するのではない。コンラッドの『闇の奥』(Heart of Darkness)における「闇」の如きロンドンの濃霧[140] の中に閉じ込められて立ち竦(すく)んでいた漱石は、文芸に対する自己の立脚点を堅(かた)めるため、堅めるというよりも新しく建設するために、文芸[141] とはまったく縁のない当時の哲学や心理学の書物、例えばウィリアム・ジェイムズ（William James）の以下の3冊『心理学原理』(The Principle of Psychology)『宗教的経験の諸相』(The Varieties of Religious Experience)『多元的宇宙』(A Pluralistic Universe) を読み始めた[142]。明治34（1891）年9月22日、漱石は妻の鏡子に宛てた手紙では次のように愚痴っている。──「近ごろは、文学書は嫌になり候。科学上の書物を読みをり候。当地にて材料を集め、帰朝後一巻の著書を致すつもりなれど、おれの事だからあてにはならない」[143]。

　漱石が明治40年4月に東京美術学校における「文芸の哲学的基礎」という講演で述べているように、漱石の裡(うち)に培われた考え方は『文学論』第五編第二章「意識推移の原則」[144] に窺える。「私の」と付されている漱石の個人主義は、ロンドン留学での「神経衰弱になった！」「発狂した！」とまで言われるほどに真摯に自己に徹して向き合った彼の体験に基づく「個人主義」である。それは明治の文明開化は西欧が本流で、学問の本場は外国と心得て、もっぱら外国の学者の受け売りをする日本人のよくやる従来のやり方ときっぱりと決別した、厳しい個人主義である。漱石はこの新しい生き方を「自己本位」と名付けて、「私はこの自己本位という言葉を自分の手に握ってから、たいへん強くなりました」[145] と「私の個人主義」という講演で述べていた。西洋に対して卑

― 523 ―

屈になるのではなく、西洋何するものぞという気概を持つに至ったのである。漱石はその批判の対象とした文明開化を傍観者として当局外から見たのではない。彼は、渡英して1か月後の1900年11月21日付けのはがきに、「僕ハ独リボッチデ淋シイ」[146]と彼の心情を吐露しながら、「英文学に欺かれたるがごとき不安の念あり」[147]として彷徨（さまよ）ったロンドン留学を経て、新興日本の最高の学府としての東京帝国大学での職を辞するまで、その時代の中で生きた人間が不可避に背負わねばならない風潮の中にあって、自己に厳しい倫理観を課して＜誠実＞に自己を直視して、その「自己本位」を獲得したのである。吉本隆明が言うように、「漱石は、自分の内部に渦巻いている＜文学とは何か＞についての疑問と、東洋における文学と西欧の文学の間にある概念の違いについての疑問を解くための準備と答えに必要なことを、ノートに蓄積して帰国してからの勉強に具えようと考えて、社会学や心理学から文学や文化を捉えた文献、および書籍を集めてノートを取った。漱石は日本の近代文学史の中で最初に文学の本質論を展開した文学者であり、開花期日本の文化が最も必要とする問題に挑んだ最初の文学者であった」[148]と言い得る。漱石の親友の正岡子規は、明治34（1901）年に執筆した『墨汁一滴』の中で、「漱石最も真面目の性質にて」[149]と漱石の本質が倫理観にあると指摘していた。

漱石は「私の個人主義」において、「文学者、ことに此種の小説家は頭脳の修養を怠ってはならん。見識のない作物はこの点から云って価値がない。（中略）小説家はその覚悟がなくてはならん」[150]と言明していた。その結晶が、「余が身辺の状況にして変化せざるかぎりは、余の神経衰弱と狂気とは命のあらんほど永続すべし」[151]とその「序」において述べて普遍的、論理的立場に立つ事を宣言した漱石の『文学論』であり、後の彼の作品群である。『文学論』の「序」において彼は、「ロンドンに住み暮らしたる二年はもっとも不愉快の二年なり。余は英国紳士の間にあって狼群に伍する一匹のむく犬のごとく、あはれなる生活を営み

第6章　小泉八雲とジョウゼフ・コンラッド

たり。ロンドンの人口は五百万と聞く。五百万粒の油のなかに、一滴の水となってかろうじて露命を繋げたるは余が当時の状態なりといふ事を断言して憚らず」[152]と述懐していた。ここで注目すべきは、ロンドン留学中、漱石が文学書に留まらずそれを超えて「科学上の書物」を読んでいる事である。この一大転機の要因の一つは池田菊苗との出会いにある。池田は、後に「味の素」になるうまみ成分、グルタミン酸ナトリウムを発見した大学者で、ドイツ留学を終え、帰朝の途中、英国の漱石の下宿へ来て、しばらく滞在した。「処女作追懐談」(明治41年9月)において「池田君は理学者だけれども、話してみると偉い哲学者であったのには驚ろいた。大分議論をやって大分やられた事を今に記憶してゐる。倫敦で池田君に逢ったのは、自分には大変な利益であった。お蔭で幽霊のような文学をやめて、もっとどっしりとした研究をやらうと思い始めた」[153]と述べ、明治34年9月12日付けの寺田寅彦[154]に宛てた手紙で「学問をやるならコスモポリタンのものに限り候」[155]と書き、実際、漱石は英国人もやっていない文学研究を決意し、実行し、文学を文学以上の学問にしていく。その結晶が時代に先駆けた独創的な漱石の『文学論』である[156]。

「池田との会話を通して、漱石は科学的な、数学の問題を解くような、思考方法のあることを学んだ。この方法を文学という得体のしれないものに適応できるのではないか。つまり「組織だったどっしりとした研究」ということになる。思考の型式をきちんと定めておいて、その定規によって、演繹的に、作品ないし文学思想の分析をする。方程式を解くようにそれが可能と思った漱石もすごいが、そう漱石に思わせた池田もすごい」[157]と半藤一利は指摘する。

漱石の凄さは、渡英の留学中に神経衰弱や発狂の恐怖と闘いながら、ロンドンの下宿で乏しい留学費の三分の一を、食費を切り詰めて毎月のように書籍代に費やして[158]、世界とは何か、人間とは何かという哲学的な根本的なものを見据え、壮大な構想の下に『文学論』の完成に向けて

社会学や心理学や哲学から文学や文化を捉えた文献、および書籍を集めて文学論ノートを日夜積み重ねていた事実である。『文学論』の「序」に「根本的に文学とはいかなるものぞといへる問題を解釈せんと決心したり」[159] という彼の覚悟が吐露されている。漱石の生の声を以下に記す。──「留学中に余が蒐めたるノートは蠅頭の細字にて五六寸の高さに達したり。余はこのノートを唯一の財産として帰朝したり」[160]。文学論ノートの「大要」には、世界観に始まって、人生の意義や目的、人類や日本の進路、進化論、文芸家の覚悟などが16項目にわたって挙げられている[161]。

この16項目は、漱石の「文芸の哲学的基礎」「道楽と職業」「現代日本の開花」「文芸と道徳」「私の個人主義」などに反映されている。漱石は、時代の潮流に正面から対峙し、国家とは何か、日本人とは何か、そして自分とは何か、という事を、ある「覚悟」を持って外部の強大な文明と文字通り命がけで向き合ったのである。

漱石と同時代のジョウゼフ・コンラッドは、船員として、カリブ海、東南アジア、アフリカなど、ヨーロッパの植民地を回り、植民地主義の実態を目の当たりにした。そして、漱石と同様に、時代の潮流に正面から対峙して、作家の使命感を以て『闇の奥』（*Heart of Darkness*）などを作品化した。コンラッドへの評価は、ポストコロニアル批評の中心的存在であるエドワード・サイード（Edward Said）が的確に述べている。彼は博士論文をベースにした処女作である『ジョウゼフ・コンラッドとその自伝という虚構』（*Joseph Conrad and the Fiction of Autobiography*）においてコンラッドを論じて以来、ほとんどの著作の中でコンラッドにこだわり続け、『故国喪失についての省察』（*Reflections on Exile*）において、コンラッドの貢献は「ヨーロッパ中心に対する批判と修正を行った」[162] と言明し、晩年の対談においては、「コンラッドはヨーロッパ帝国主義における文化的役割の最も卓越した証人である」[163] と語っていた。

第6章 小泉八雲とジョウゼフ・コンラッド

　さて漱石に戻って、彼は『野分』において文学者としての「覚悟」を言明している。──「文学は人生そのものである。苦痛にあれ、困窮にあれ、窮愁にあれ、およそ人生の行路にあたるものはすなわち文学で、それ等を嘗めえたものが文学者である。文学者というのは原稿用紙を前に置いて、熟語辞典を参考にして、首をひねっているような閑人じゃありません。円熟して深厚な趣味を体して、人間の万事を臆面なく取り捌いたり、感得したりする普通以上の吾々を指すのであります。（中略）ほかの学問ができるかぎり研究を妨害する事物を避けて、しだいに人世に遠ざかるに引き易えて文学者は進んでこの障害のなかに飛び込むのであります」[164]。

　姜 尚中教授は漱石の優れているところを次のように指摘する。──「夏目漱石は自分の精神的危機を、個人の問題として見つめただけでなく、それを時代の病としてとらえ社会批評と結びつけたことです」[165]。この言葉で想起されるのは、フョードル・ドストエフスキーである。彼は、自らの欝や癲癇の＜病＞を昇華させて、時代の＜病＞、更には人類の＜精神的危機＞に普遍化して『罪と罰』や『カラマーゾフの兄弟』などに作品化した。漱石とドストエフスキーに共通する＜病＞に関しては、本書　第2章　において論述する。

　漱石の文学の理念は「則天去私」と言われているが、角川源義は、漱石の「則天去私」を彼が50年も費やして考え抜いた、人間を不滅にする「道」であったが漱石はその道程にあって死んだ、と見做し、その記録が「思い出す事など」や「硝子戸の中」である、とする。そして漱石の本質を次のように指摘している。──「漱石は自然を最も愛したが、自然の力を怖れた。漱石は運命論者でなかったが、運命の持つ、あやしい力を恐れた。孤独を希った漱石は、人間愛に飢え、人間愛に素直な感動を持った。修善寺大患の吐血は漱石を三十分のあいだ仮死の状態に置いた。死線をようやく超えた漱石は秋空の高さに魅入られて、すべてを「風流」の文字の中に置きかえた。大患後の漢詩や俳句や水墨画への傾

倒は、漱石を「風流」の虜にした。修善寺大患以前の漱石文学における「則天去私」は、どちらかといえば勧善懲悪であった。江戸の名主の家に生まれた漱石には、江戸の開拓者が持った任侠的世界の伝統があったかもしれない。事実漱石の文学には仁義への肯定があり、また近代への飛躍のためにこの世界への否定に賢明であった時も、漱石の血脈に流れる仁義的性格を見忘れてはならぬ。つまり、江戸開拓者的精神が、英国風のディケンズ文学と結びつきやすいものがあったことは否まれぬであろう」[166]。

　林原耕三氏は、国民的作家としての漱石を次のように指摘している。──「あれほど深く身についた漢文学の素養にもかかわらず、漱石の日本文はセンテンス・メーキングにおいて、英文のそれと全く同じである。どんな複雑な心理を描いても、明快な論理による理知的な表現である。描かれている内容が否応なしにこちらの頭の中へ畳まれてくる。我を空(むな)しうし、我と自然とが一体化してけじめがない境地──所謂**則天去私**の心境を叙しても、そういうすがたが如実に受けとれる。これが世代を異にする読者にも、まっすぐに訴へる。精神的発達のそれぞれの段階に於いて素直に受け取られ得るのである。漱石の倫理性と表現の「ことば」、これが彼を国民的作家たらしめた所以である」[167]。

　ジェイ・ルービン（Jay Rubin）は、漱石の普遍性を次のように述べている。──「近代・現代日本文学史の本は明治・大正・昭和の作家を個人ではなく、流派のメンバーとして論じるのが普通だが、漱石は別格で、個人として扱われることが多い。（中略）漱石の文学の中心的なプロジェクトは自己や自我の探究だったが、時代が移って、次々に現れてくる若い読者層は常に漱石を再発見する。また西洋においても現代の知識人の姿を漱石に見出す」[168]。

　明治44(1911)年夏、「文芸と道徳」と題する講演の中で、漱石は、「ありのままのほんとうをありのままに書く正直という美徳があればそれが自然と芸術的になり、その芸術的の筆がまた自然善い感化を人に与え

る」[169]、「もし活社会の要する道徳に反対した文芸が存在するならば……存在するならばではない、そんなものは死文芸としてよりほかは存在できないものである。枯れてしまわなければならないのである。(中略)いやしくも社会の道徳と切っても切れない縁で、結びつけられている以上、倫理面に活動するていの文芸はけっして吾人内心の欲する道徳と乖離して栄えるわけがない」[170]と断じている。これらの言葉には終生文学における「倫理性」を追求し続けた作家夏目漱石の厳しい姿勢が窺える。

　漱石と親交のあった禅僧の富沢珪堂(敬堂)は、円覚寺の師家釈宗演に就いて坐禅もし、参禅もした漱石を次のように述懐している。――「漱石氏は、悟った人でもなければ悟らない人でもない、『ただの凡夫で恐縮して』いられながら、然も空手にして筆を執り、空手にして無絃の琴を弾じ、妙機妙用に逍遥しつつ、明暗双々の境地に安住していられたのであった」[171]。

　序ながら、晩年の物事に動じない漱石の思想を物語る草書体の墨書が、2016年1月に発見され、次のような報道がなされている。――「禅宗の言葉を集めた「禅林句集」から漱石が理想とした自然の情景を描く五言対句が、草書体で二曲一双の屏風に書かれている。その一つは「夜静渓声近　庭寒月色深」(夜静かにして渓声近く、庭寒うして月色深し)。発見者である二松学舎の山口直孝教授は、「筆遣いは真剣かつ伸びやかで、世俗的なものと格闘しながら達観を得た晩年の心境が窺える」と指摘する」[172]。

　沢英彦氏は、最晩年の漱石が日課としていた午前中の『明暗』の執筆において「俗了された心持」を浄化すべく、午後に創作していた漢詩に着目し、漱石が死の床に就く前日(11月20日)のそれを「則天去私」を目指す漱石の辞世の句と見做している[173]。

　ところで漱石の言う「無個性化」を、コンラッドは、『不安の物語』(*The Tales of Unrest*)に収めた「帰宅」("Return")において、「後

ろから見ると、誰もが同じ制服を着ているようだった」と表現し、ヴィクトリア朝後期の大都市ロンドンにおいて画一化され、それに慣らされてしまった上流階級の男たちの内面の心理を生き生きと表現している。そして、彼は英国の首都ロンドンが、その繁栄の一方で実は「冷酷な物質主義の思考や野望」[174] が隠されている事を指摘している。

    Between the bare walls of a sordid staircase men clambered rapidly; their backs appeared alike —— almost as if they had been wearing a uniform; their indifferent faces were varied but somehow suggested kinship, like the faces of a band of brothers who through prudence, dignity, disgust, or foresight would resolutely ignore each other; and their eyes, quick or slow; their eyes gazing up the dusty steps; their eyes brown, black, gray, blue, had all the same stare, concentrated and empty, satisfied and unthinking. [175]

    (薄汚い階段の殺風景な壁の間を男たちが足早に駆け上がる。後ろから見ると彼らは同じように見えた――誰もが同じ制服を着ているようだった。彼らの無関心を装う顔つきは種々様々だが、なぜか血縁関係があるように思わせ、慎重さ、威厳、嫌悪、先見の明からお互いにきっぱりと相手を無視しようと心に決めた一族の兄弟の顔のようだった。埃っぽい階段を見上げる目は、素早い動きもあれば遅いものもあり、目の色も茶、灰色、青と種々様々だが、すべて同じような目つきで、凝視したりうつろになったり、満足しきって何も考えていなかったりしていた。)

ところで八雲が指摘するように「国家レベルの個人主義」には、帝国主義の植民地政策を国是とする思想に発展していく危険性がある。(現代語で言えば、偏狭なナショナリズムであろう。ソフトパワーの提唱者

第 6 章 小泉八雲とジョウゼフ・コンラッド

であるジョセフ・ナイ(Joseph Nye)教授は「米国のソフトパワーを考えても、トランプ大統領は明確に負の材料(国際秩序への脅威)だと言える。ナショナリズムが過剰になり、しかも偏狭になると危険になる」[176]と警告している。)事実、当時の世界は、ハーバート・スペンサーの「社会進化論」を拡大解釈して、機械文明の力で産業革命以降の世界を支配している西欧先進国の白色人種こそが進化論に最適者であると見做して、文明化という錦の御旗の下に、現地の意向を無視したり歪曲したりして、産業化が押し進められつつあった。しかしそのような時代にあって、八雲は古い日本の心、日本の変わらない普遍的な価値を評価した。彼が属する西洋世界は人間の極めて重大な問題に関心を向ける必要性を訴えていた。近代日本が取りつつある進路全般を八雲が反対したのは、日本の未来に起こりうるであろう悲劇が、日本固有の伝統的価値を拒絶する点である事に気づいていたからである。

　「ある保守主義者」において、八雲は「日本が最も必要とする高度な宗教の諸形式は、内から発展していくべきであって、決して外からであってはならぬ」[177]と訴えた。この訴えは、漱石が「現代日本の開化」において「外発的でなくて内発的であれ」と述べた事とも合致する。彼自身、チェンバレンに宛てた手紙において、近代産業がまき散らす工場から排出する煤煙やスモッグに覆われたフィリピンやジャワなどの熱帯の島々を目の当たりにして、その惨状への想いを次のように認めている。

> I shall not die happy unless I can spend some time again in a French, and much time in a Spanish colony. … After all, it is only among the Latins that the charm of life still lingers in our Western civilization. Our industrial covetousness and restlessness, building cities up to heaven, blackening the face of the world with factory ashes, and the face of the sky with pea-

soup fogs, is killing everything of sweetness and light. [178]

　（もう一度フランスの植民地でしばらく過ごし、その上、スペインの植民地でかなり長い間暮らす機会を得られないうちは、私は死んでも死にきれません。（中略）とにかく、西洋文明圏で生の魅力がまだいくらか残っているところといえば、ラテン民族ぐらいのものです。我々の産業の貪婪(どんらん)さと休むことを知らぬがむしゃらさとは、天を摩する程の市街を建設したり、世界中に工場の煤煙をばらまき、すべての空を黄色っぽいスモッグで覆いつくしたりして、一切の優しさと明るさをこの世から葬り去ろうとしています。）[179]

八雲は、こじんまりとした優雅なたたずまいを見せていた古い日本も、「優しさと明るさ」を失っている事に懸念を抱く。事実、『怪談』（*Kwaidan*）所収の「蓬莱」（"Hōrai"）[180] において八雲は、次のように深い憂慮の念を表明している。

　　Evil winds from the West are blowing over Hōrai; and the magical atmosphere, alas! is shrinking away before them. It lingers now in patches only, and bands,——like those long bright bands of cloud that trail across the landscapes of Japanese painters.　Under these shreds of the elfish vapor you still can find Hōrai——but not everywhere. … Remember that Hōrai is also called Shinkiro, which signifies Mirage,——the Vision of the Intangible.　And the Vision is fading——[181]

　（西からのよこしまな風が、蓬莱の上に吹き荒れている。あの霊妙な大気は、その前に、ああ悲しいかな、退散しようとしている。今や、僅かに、切れ切れに、たゆたっているに過ぎない。その有り様は、日本の画家たちが描いた山水の上にたなびく、明るい雲を思わせる。この切れ切れの霊気の下にまだ蓬莱は残っている。だが他

第6章 小泉八雲とジョウゼフ・コンラッド

にはもうどこにもない。… 蓬莱の別名は蜃気楼といい、それは幻影を——**現実にないものの像を意味することを想起してほしい。今やその像は消えかかっている**——）

　近代化こそが彼のユートピアだとする「蓬莱」をこの地球上から消し去るものと八雲は見做していたのである。ハーンが夢の実現とその崩壊を最も切実に体験する事になった日本を、ジョセフ・ド・スメ（Joseph de Smet）は、その著『ラフカディオ・ハーン——その人と作品——』において、「蓬莱」こそは「彼の見た日本の姿を要約した作品」[182] である、と見做す。そして八雲が感激した日本の美を、永遠の如く信じたのは間違いだった、然し、日本はその幻影が今でもなお蘇る国である、という風に、「蓬莱」の最後の一行をどう読むかという問いがある、と彼女は「蓬莱」を読み解いている。

Ⅶ　八雲の『心』と彼の卒業論文と見做す『日本——一つの解明』

　八雲は両親の離婚によって孤児となり、引き取られた先が父方の大叔母で、彼女はヴィクトリア朝の倫理的道徳を体現したようなカトリック信者であった。彼女は彼を強制的にキリスト教の神学校に入学させたが、彼女が破産したため、余儀なく退学させられ、親族からも見放されて、やむなく19歳の時にほとんど無一文でアメリカの競争社会に身を投じ、オハイオ州シンシナティにおいて独力で勉学を積んで苦労した挙句新聞記者になる[183]。彼は幼・少・青年期において様々な国において、様々な文化を会得し、帝国主義の中にあって、異文化との接触によって複眼的視点を培った。シンシナティやニューオーリンズにおいて、彼は、差別に苦しむ人たちの中に分け入って現地でのルポを積極的に行って、異文化の文芸記事を執筆した[184]。その後も孤立無援で苦闘しつつ、

独学で文学の修業にも励み、キリスト教を嫌悪して脱西洋を標榜するようになって、西洋社会において異端児的な存在となった。

八雲のキリスト教嫌悪は、チェンバレンに宛てた手紙からも窺い知る事が出来る。

> Christianity while professing to be a religion of love, has always seemed to me in history and practice a religion of hate, with its jealous and revengeful deity, its long record of religious wars and inquisitions, and its mutual reproaches between sects of being under the curse of eternal perdition.[185]
> （キリスト教は愛の宗教であると公言しておきながら、歴史と実践においては、その嫉妬深い復讐心に燃える神、宗教戦争と宗教裁判の延々たる記録、宗派間相互で投げつけ合う、永劫の堕落地獄の呪いを受けているという非難の応酬などからいって、それは憎悪の宗教であると、いつも私には思われてきました。）

ヨーロッパ、アメリカ、西インド諸島などで豊富な体験を積んだ後来日した八雲は、我が国の西欧第一主義の時流の真只中にあって異文化を理解する複眼的見方の重要性を、『東の国から』に収めた「永遠の女性について」（"Of the Eternal Feminine"）において明示している。

> He who would study impartially the life and thought of the Orient must also study those of the Occident from the Oriental point of view.[186]
> （東洋人の生活や思想を公平に研究しようとするならば、西洋人の生活と思想をも東洋人の視点から研究しなければならない。）

日本文化の多神教的な側面を理解した八雲は、日本文化論の古典と見

做された『日本事物誌』(*Things Japanese*) の著者バジル・ホール・チェンバレンや「伊勢神宮」("Shintau Temples of Ise —— Journal of the Asiatic of Japan") の著者アーネスト・サトウ (Ernest Satow) などが見落としていた自然神道の重要性にいちはやく着目して、日本民族に伝わるアニミスティックな側面に鋭い洞察を行っている[187]。平川祐弘教授は「西洋による植民地化・キリスト教化・文明開化の裏側にひそむその種の問題を鋭く捉えたところに意外にも時代に先んじたこの人の特性があった。八雲は多くの西洋人からはその反動的・反近代的・反西洋的とかつてみなされ、現在ややもすれば軽視されている。しかし神道などを重んじた、その反時代的・反進歩主義的な観察が逆に一部では尊重される時代ともなりつつある」[188]と指摘している。ところで遠田 勝教授は、チェンバレンやサトウや八雲(ハーン)による日本研究に関して根本的な相違を「サトウは神道の研究を始めるや、ただちに『延喜式』『祝詞』の英訳に取り掛かり、チェンバレンは『古事記』の英訳に取り掛かり、彼らの試みは、実は文献学的方法というよりは、キリスト教的方法だったのではないだろうか。(中略) ハーンが神道に最も強く心ひかれたのは、人や動物は勿論のこと、木石にまでも霊力を認め、神に祀るという、心の優しさ——とりわけ死者を神として崇める祖先礼拝の側面だったと思われる」[189]と述べている。池田雅之教授は、チェンバレンが堅実な実証主義で西欧至上主義を旨とする言語学者であるのに対して、ハーンは直感的洞察力のある詩人肌の作家である、[190]とした上で、「19世紀前半のヴィクトリア朝を支配していたイギリス中心主義的な「進化論」信奉者であったチェンバレンは、神話に対するアプローチも、この進化論的立場から免れるものではなかった。一方、ハーンにとって『古事記』とは、自らの魂と死者の魂の根源にある死者と生者の魂が触れ合う「生きるよすが」としての神話であったと考えられる」[191]と指摘している。

　八雲は、西洋至上主義を先入観として捉われる事なく、西田千太郎や

雨森信成のような心を許せる友[192]や日本の昔話や怪談を八雲に語って聞かせ、文学上の仕事に多大な貢献をなした妻の節子を得て、日本の国籍を取得したのである。そして、日本を心から愛する稀有な西洋人として、西洋と東洋の比較文化を絶妙なるバランス感覚をもって考察して、異文化理解に対する繊細な感性によって、次々と彼独特の作品を上梓した。

「生命を有する物質のどんな単位にも無限の力が潜み眠っている。その理由は、これ以上分割を許さぬほどの原子にも、今は消滅した幾億万の宇宙の無限にして不滅の経験が宿っているからである」[193]と輪廻説の解釈をする『骨董』（*Kottō*）の「蛍」("Fireflies")や、同書に収めた「草ひばり」("Kusa-Hibari")に見られる小さな虫に寄せる想いにも八雲の考えが窺われる。同書の枕(まくら)に掲げられている「一寸の虫にも五分の魂」に八雲の考えが明示されている。彼は虫の心や魂をも記そうと努めているのである。八雲の小さな虫や路傍の石などへの関心の深さは、遺著『日本――一つの解明』の次の解釈によっても了解されるであろう。――「それらは、潮騒や滝の音となり、風の唸りや木の葉の囁きとなり、小鳥のさえずりや昆虫の羽音ともなり、他のあらゆる自然の声となってものを問いかけた。日本人にとっては、眼に見えるあらゆるものの動き――波、草木、立ち上る霧、流れる雲など、すべて霊的であった。路傍の石までもが得体の知れぬ厳粛なものに感じられるのである」[194]。石地蔵や樹木にも魂が宿り、その自然の中に人と自然とが細やかに心が通い合う日本の自然観に八雲は価値を見出しているのである。

『知られざる日本の面影』に収めた「地蔵」("Jizō")において路傍の石仏である「六地蔵」('Roku-Jizō')を八雲は記述している。

Roku-Jizō —— "The Six Jizō" —— these images are called in the speech of the people; and such groups may be seen in many a Japanese cemetery. They are representations of the most

beautiful and tender figure in Japanese popular faith, that charming divinity who cares for the souls of little children, and consoles them in the place of unrest, and saves them from the demons.[195]
　（俗に「六地蔵」と呼ばれているこれらの群像は、日本の墓地で多く見受けられる。これは日本の民間信仰における最も美しくて優しい姿を代表したもので、それらは、小さな子供たちの魂の面倒を見、子供たちが不安を覚える場所で彼らを慰め、鬼神たちから救い上げてくれる仏である。）

　更に「日本人の微笑」においては、京都で見た地蔵の笑顔と、それを無心に拝む子供の顔とが瓜二つだったという発見を、八雲は「金仏や石仏の微笑は、あれはただ引き写したものではない。仏師がそこに象徴したものは、この民族の微笑の意味を解き明かしたものに違いない。("The smile of bronze or stone is not a copy only; but which the Buddhist sculptor symbolizes thereby must be the explanation of the smile of the race.")」[196] と記述している。

　八雲は、日本論の集大成である『日本――一つの解明』に収めた「神道の発達」("Developments of Shintō") において、物活論（animism）の発達とともに、昔の日本人は心霊（spirits）と鬼神（demons）の世界の中に自らを見出し[197]、日本人の思想の根源には、天地万物への信心があると見做していた。『心』に収めた「祖先崇拝の思想」においては、スペンサーの「進化論」を念頭に置いて、日本人にとって祖先は連綿と続き今もなお生きている事を次のように「人間各個の生命が先祖代々の生命の経験の影響を受けているのと同様、その先祖時代の物質の古い形の性向さえ、未来の新しい形の物質によって、受け継がれている」[198] と言明している。彼は、利他主義でもって中庸を好み祖先崇拝

に繋がる連綿と続く日本人の心性を日本民族の「折衷主義の特質」[199]であると見做していたのである。
　西田幾多郎は、田部隆次に宛てた手紙において、「ヘルン先生はSpencerを奉ずると雖特にSpencerの細き点をいふにはあらず　単にEvolution-theoryを信じる位の事なるが如し　ヘルンの考はSpencerよりも深くmysticalにて面白しSpencerと仏教の輪廻説を結合せる所など非常に面白し」[200]と八雲の思想をスペンサーの進化論と仏教の輪廻説を融合したものと見做している。そして八雲の思想に深い理解を示す彼は、後に田部の著作への序文に次の文を寄せている。──「ヘルン氏は万象の背後に心霊の活動を見るといふような一種深い神秘思想を抱いた文学者であった。彼は我々の単純なる感覚や感情の奥に過去幾千年来の生の脈拍を感じただけでなく、各々の肉体的表情にも祖先以来幾世の霊の活動を見た」[201]。そして田部著の『小泉八雲』を読んだ西田は、八雲の思想のみならず彼が寸暇を惜しんで執筆に当たる人格に共感と尊敬の念を持った事を、田部に宛てた返礼の手紙に「「刻苦精励と趣味」との章の如きは余に多大の刺激を与へた」[202]と認めている。八雲の「刻苦精励」は、45歳に達し父たる事を自覚した八雲の「人生の最高時期をつまらなく浪費した私は、その償いに死ぬまで雷のように勉強します」[203]というヘンドリックに宛てた彼の手紙から窺える。八雲と同様刻苦精励を以て執筆に生涯を捧げた夏目漱石の訃報に接した西田は、田部に「夏目氏の事誠に御同感の至りに候　現代においてあれ位の人は實に得難く我國文學会の大なる損失と存じ候」[204]と述べている。

　八雲は、日本の古典や民話を取材して、彼自身の再話文学を構築した。種本があっても彼は、妻の節子を助手として、口述による再話を更に推敲に推敲を重ねて原話以上に仕上げた「耳なし芳一の話」("The Story of Mimi-Nashi-Hoichi")[205]をはじめとする彼独特の再話文学を創造している。池田雅之教授は、八雲のユニークな再話文学を次のよう

に指摘されている。――「八雲は、自分が生きていく上で大事にしてきた「愛」「信頼」「約束」「共感」「不条理」といった倫理的な価値観を、再話というコンパクトな物語に封じ込めた。言い換えると、八雲は他者（原典）を媒介として自己を語っているが、私は八雲の再話文学はひそやかな「自伝文学」だと考えている。一般的な自伝とは異なるが、八雲は、自分が生きていく上での切実なテーマを、再話という形式を通して語っている。そういう意味で、これは自己の内面と来歴を語り直す自伝的文学ではないかと思っている。（中略）八雲が再話に込めたこれら五つの倫理的価値観は、彼だけのものではなく、人間にとって普遍的なモラルといえる」[206]。

更に、丸山 学教授が『小泉八雲新考』において指摘するように、「ハーンの著作は、文学作品としてのみならず、民族誌としても見るべきアスペクトを有し」[207] ている。八雲は独自の世界観と死生観に基づいて、優れた作品を数多く生み出した。彼の日本文化の理解は、彼自身のアイデンティティの確立と深く関わっている。八雲は、文学の創作を〈自己修養〉と捉えて、『人生と文学』に収めた「生活および性格と文学との関係について」（"On the Relation of Life and Character to Literature"）において次のように述べている。――「創作の機能は、モラルでなければならない、文学は格別にモラルの実践でなければならない。モラルという言葉を用いたからといって、私が宗教的なものを意味しているとか、不道徳なものの正反対の意味で言っているのではない。私が言う自己修養（self-culture）とは――我々の裡にある心と精神の最良かつ最強の特性を発展させるという意味で言っているのだ」[208]。

来日後、ハーンは帰化して小泉八雲となり、日本という主題を「分別をもって思慮深く」探求し[209]、更なる〈自己修養〉を積み重ねながら、異文化探訪の文学者として、「魂の共感」をもって日本文化や神仏の研究に生涯を捧げて、日本および日本文化を世界に知らしめた功績は極め

て大きい。

Ⅷ　八雲とコンラッドの生い立ちとその後

　八雲（ハーン）が生まれた当時、イオニア諸島は大英帝国の領土であった。1864年にギリシャに返還されるまで、ナポレオン時代の1797年にはフランス領、数年後にはロシア領、そして再度フランス領になった後、英国領といった具合に、母国は繰り返し列強の支配を受けたのである。

　コンラッドが生まれたポーランドについても同様の事が当てはまる。しかも、ポーランドの状況は更に厳しいものであった。

　ポーランドは、963年に歴史の舞台に登場して間もない966年に政治的な理由でローマからキリスト教を受け入れてカトリックの国になった。以来、宿命的・地理的な環境のもとに、四方八方からの侵略に脅かされ続けた。1772年の第一次分割以降は祖国ポーランドを取り囲む列強、つまりロシア、プロイセン、オーストリアの支配を度々受けて[210]、ポーランドは独立への夢と占領の現実との狭間で痛ましく引き裂かれていた。ポーランドが独立できたのは第一次世界大戦が終わる1918年であった。コンラッドが生まれた当時のポーランドはロシアの支配下に置かれ、言論の自由は極度に制限され、一般的に個人はその政治的信条を子の命名に託していた。コンラッドの父アポロ・コジェニオフスキ（Apollo Korzeniowski）もその例にもれず、長男の名をポーランドの国民詩人アダム・ミツキェヴィッチ（Adam Mickiewicz）の愛国的叙事詩『コンラート・ヴァレンロッド』（*Konrad Wallenrod*）の主人公の名前から取っている。彼は父から「ポーランド人たれ！」と言い聞かされて育てられた。後年コンラッドは、同胞のポーランド人に宛てた手紙で、国籍離脱という生涯の故国喪失の葛藤を文面に滲ませながら、見習い水夫から船長にまで上り詰めた事や、陸に上がってから艱難辛苦を経て異国

第6章 小泉八雲とジョウゼフ・コンラッド

の言語を修得して作家になった事を、自負の念を漂わせながらも、名前には「ポーランド人」である事を自覚しつつ、諸外国の抑圧に対する民族的心情を表す「ポーランド性(ポルスコシチ)」を残して、祖国への忠誠を次のように表明している。

I have in no way disavowed either my nationality or the name we share for the sake of success. It is widely known that *I am a Pole* and that Jósef Konrad are my two Christian names, the latter being used by me as a surname so that foreign mouths should not distort my real surname ―― a distortion which I cannot stand. It does not seem to me that I have been unfaithful to my country by having proved to the English that a gentleman from the Ukraine can be as good a sailor as they, and has something to tell them in their own language. I consider such recognition as I have won from this particular point of view, and offer it in silent homage where it is due. [211] (Italics mine)

（私は成功のために、自分の国籍や私たちが共有する名前をどのようなやり方であろうと否認したことはありません。私がポーランド人であることやユゼフ・コンラートが私の二つの洗礼名であることは広く知られています。後者の方は、外国人が私の本当の姓を歪曲して言わないように、通称として使っています――歪曲には我慢できませんので。私は、自分が国に対して不忠実であったとは思いません。英国人に対して、ウクライナから来た紳士でも彼らと同じくまともな水夫となることが出来、しかも彼らの言葉で何か言うべきものを持っている、ということを証明したまでのことです。このような特別の観点から、私は自分がそのような認知を得たと思っています。またそのことを、無言の敬意を表してしかるべきところへ申し上げます。）

事実、彼は祖国への手紙には必ずポーランド名"Konrad"で署名し、祖国への忠誠心を表明した。そして、生い立ちに由来する非西欧の眼とおよそ20年間にわたる船乗り体験などで培った独自の世界観を持って、コンラッドは21世紀にも通じるような国境を超える文学を構築したのである。自らを「故国喪失者(エグザイル)」[212]と称するエドワード・サイードは、コンラッドの代表作の一つ『闇の奥』(*Heart of Darkness*)を「コンラッド自身がエグザイル（exile）であることを意識して書いた最も妥協なきもの」[213]として高く評価した。

　一方、小泉八雲は、『文学の解釈』に収めた「至高の芸術の問題」("The Question of the Highest Art")において彼の芸術観を「もし一個の芸術作品が、私たちに思いやりの深い感情を抱かせることなく、以前より一層寛大で**倫理的**に優れた感情を生じさせることが無いならば、それがいかに巧妙にできていても、その作品は、芸術の最高形式に属するものとは言い難い。（中略）至高の芸術とは、物質的理想をではなく、**倫理的**理想を扱うものであり、その効果は純粋に**倫理的**な熱誠（moral enthusiasm）でなければならない。大文学（great literature）と言われるものは、至高なるもの（the supreme）を目指している」[214]と述べている。

　八雲が洋の東西を見渡して自国の文学を世界に知らしめたと高く評価する大文学の作品とは、ドストエフスキーの『罪と罰』である。『東西文学論』(*Essays in European and Oriental Literature*)に収めた「怖い小説一編」("A Terrible Novel")において彼は次のように「(『罪と罰』は）現実主義(リアリズム)手法の持つ迫真性を持って個（ラスコーリニコフ）の魂(ソウル)の苦悶(アゴニー)を描き出す怖るべき作品。（中略）おそろしいほどに魅惑的であり、しかも、たまげるほどに反発性を有する作品である」[215]と述べている。コンラッドは、このドストエフスキーを意識して、『罪と罰』

第 6 章　小泉八雲とジョウゼフ・コンラッド

の向こうを張って、『西欧の眼の下に』(*Under Western Eyes*)を執筆したのである。(これへの考察は本書の　第 2 章ドストエフスキーとジョウゼフ・コンラッド――アンドレ・ジッドとオルハン・パムクを視野に入れて――　を参照されたい。)

　さて八雲の文学には、例えば、彼独自の再話文学である『怪談』の幽霊にさえも、「心」があり、死者と生きとし生けるものとを結びつける何らかの「倫理性」が作品に通底している。短編「ある保守主義者」においては、古い日本の美点を顧みず西欧化に邁進する日本にあって、これからの日本のあるべき姿を求めて外国語を学び、アジアを含む世界を洋行して自由の意識に目覚め、それに基づく自主的な「倫理」を獲得すると共に欧米を歴訪した武士が、欧米遍歴後に「日本への回帰」を果たす精神的葛藤が生き生きと表現されていた。八雲にあっては、『日本――一つの解明』における如く、宗教上の道徳的基盤から発展したものが「倫理性」に繋がっていた。

　「倫理」に関して言えば、コンラッドにあっては、「船乗り」を志望し「祖国離脱」という生涯の葛藤を脳裏に刻む事に至るおよそ20年間の船乗り体験を経て獲得した「船乗りの倫理」がある。それはコンラッド文学の特質の一つである。F・R・リーヴィス (F.R. Leavis) は、「コンラッドにとって英国商船は精神的現実であり精神的象徴でもあった。それと同時に、それらへの興味が彼の芸術を支配し、かつそれに生命を与えていた。コンラッドはどこまでも人生への真剣な興味の奉仕者であった」[216] と指摘している。

　人生はよく航海に譬えられるが、幼・少年期を除くコンラッドの前半生はまさに船乗りの人生そのものであった。「海」は凪や嵐を起こす舞台であり、多難な人生を象徴している。凪は、風を原動力とする当時の帆船の船乗りにとって航海技量が全く発揮できない無風状態であり、嵐は船乗りの技量が最大限に試される試練にほかならなかった。コンラッドは、『陸と海の間』(*'Twixt Land and Sea*) への「作家の覚書」

("Author's Note") において「凪の作品」(Calm-pieces) としては『陰影線』と「秘密の共有者」("The Secret Sharer") を、そして「嵐の作品」(Storm-pieces) としては『ナーシサス号の黒人』(*The Nigger of the 'Narcissus'*) と「台風」("Typhoon") を挙げている[217]。「文学ハ life 其物デアル。苦痛、悲惨、人生ノ行路ニアタル者ハ即チ文学デアル、他学問ガ出来ル限リ之ヲ避ケントススルニ反シテ文学ハ進ンデ此中ニ飛ビ込ムノデアル」[218] と手厳しい文学に対する覚悟を標榜していた漱石ではあるが、ことにコンラッドの「台風」に関しては高く評価している。書評「コンラッドの描きたる自然に就いて」において、彼は「人間の心状及び動作が悉くタイフーンと舟火事なる自然力を離れずに、何処までも密接な関係を以て展化進行するから、自然と人間が一丸とされて、偉大なる自然力の裏に副ヘ物として人間が調子よく活動する」[219] と指摘し、「台風」を「自然情小説の雄篇」[220] であると見做していた。確かにコンラッドの描く台風は、自然の猛威というよりは偉大な「意志」を持った人間に勝るとも劣らないヒーローの趣がある。

　コンラッドは「海」の回想記である『海の鏡』(*The Mirror of the Sea*) への「作家の覚書」において、「私と海との関係は、計り知れない神々が人間に吹き込む大いなる情熱に似ている。不可解のうちに始まり、理由のないまま何ものにもめげることなく続き、幻滅の試練を乗り越え、日々の骨の折れる生活に潜む失望感をものともしなかった。私はその喜びと苦しみを直視したのだ。私は海に対する情熱に我が身を委ねたのだ。(中略) 本書は、私の人生の大半に及ぶ内面的な真実がありのままに伝わるだろう。16歳から36歳に至るまでの20年間は物事を見たり感じたりすることを、体験的に学ぶには十分な期間である」[221] と述懐していた。困難に立ち向かい、それを克服する事は、人間にとって無上の喜びである。努力すれば、確かに困難を克服できるだけの人間になるかもしれない。逆に困難と闘う機会もなく、又その機会があってもそれを直視して立ち向かわなければ、ただそこに生きている事だけで、無用

の存在であると感じるかもしれない。

IX 『陰影線』へのプロローグ

　「船乗りもの」のうち代表作である『陰影線』を中心に、時代背景を踏まえてコンラッドの倫理観と船長責任について考察したい。
　コンラッド文学の中核をなす倫理観の形成は、フランス商船隊時代を含めた約20年間に及ぶコンラッドの船乗り体験に基づいている。この船乗り体験の中でもおよそ16年間に及ぶ「英国船時代」(1878～1894年)において彼の倫理観が形成される直接の要因があった。更にこの倫理観は処女作『オールメイヤーの愚行』(*Almayer's Folly*) 以来、コンラッド文学の基調をなす「孤独」というテーマと繋がっている[222]。コンラッドはこの主題を更に明確にするためにはその主人公たちを極限状態に置き、幾多の問題に対峙させて、彼らに人生の通過儀礼を課して、過酷な「試練」が彼らを鍛えていったのである。
　『陰影線』(*The Shadow-Line*) では船の世界が舞台となっており、この物語の主人公である「私」は、単に船乗りの孤独な群衆の一人ではなく、船長として一切の困難と責任を一手に引き受けて、より厳しい極限状況下で自己と対峙し、人生の *Shadow-Line* を経験する。この場合の「私」の *Shadow-Line* 経験は、"Before the Congo I was just a mere animal."[223] というほどにコンラッドの生涯における分岐点となった＜コンゴ体験＞(1890年6月12日～12月4日) に匹敵して、「私」の人生観の変革に深く関与するものであった。本稿でいう *Shadow-Line* 経験とは、ただ単に青春後期の倦怠感の表れる一時期の体験にとどまらず、内的葛藤を自己の内部に生じさせて、自己をより一層進化させる「自己発見」の体験の事をいうのである。この作品の主題は、「陰影線」を超えようとする時期にあった「私」の人生における

「試練」にある。この主題を念頭に置いて、次にコンラッドの倫理観を形成する直接的な要因となるヴィクトリア朝当時の英国の船乗りの倫理観をその時代背景に『陰影線』を中心に考察して、コンラッド文学の中核をなす「倫理観（morality）」の本質を明らかにしたい。

Ⅹ　『陰影線』の考察１

　ヴィクトリア朝とは、1837年から1901年にかけてヴィクトリア女王が在位した期間を指し、ヴィクトリア女王によって象徴されるように、自らを律する事に厳しく地味で職務に忠実である事が美徳と見做される時代であった[224]。それと同時にヴィクトリア朝の精神的特性は、内向よりも外向を求める傾向にあった。世界の七つの海に向けて乗り出していく英国商船隊はまさしくその象徴と考えられる。コンラッドが初めて英国東海岸ロウストフトを踏んだ1878年から＜コンゴ体験＞を経て、海の生活（船乗りの生活）に終止符を打って、陸の生活（作家の生活）に移行する1894年以降、つまり1870年代から1900年代に至る時期が、大英帝国の大きな過渡期に当たる。

　19世紀の英国史は、1870年代を境に大きく二分して考えられている。1870年代以前は、世界に先駆けて産業革命を成し遂げた工業国の英国が「世界の覇者」となる躍進期であった。本国の100倍、すなわち地球の約５分の１を占める世界貿易を掌握し、世界を自らの独占市場と化したのである[225]。他方、1870年代以降は「帝国主義」の時代となり、それ以前とは対照的に、英国の今日に至る後退期の始まりでもあった。通説ではこの時期の歴史を特色づけるのは、木綿工業部門に始まった産業革命が[226]、鉄道、汽船による交通革命を経て漸次重工業部門に及んでいる。かくして英国はヴィクトリア中期には「世界の工場」となった[227]。その変革の歩調は、農業社会が工業を基盤とする都市社会に移行した結果、

19世紀には一層加速されていった。Ｊ・Ｆ・ネフ（J.F. Nef）が言うところの16・17世紀のその工業化によって、産業革命の進行は目覚ましいものがあった[228]。

　船乗りコンラッドと密接な関係にある海運業を見ても、綿製品をはじめとする工業製品の輸出が増大して、国内に埋蔵されている豊富な石炭や鉄の発掘や機械の発明によって、コンラッドの船乗りの時代は、帆船から蒸気船への過渡期となっていた。つまりコンラッドの英国商船時代の幕開けとなる1879年の9月に彼はロンドンに行き、非正規の見習い水夫として3か年契約を結び、オーストラリアと東洋へ2度の長期航海をサザーランド公爵号（the *Duke of Sutherland*）とロッホ・エティヴ号（the *Loch Etive*）の全装船に平水夫として乗船していた頃で、1883年までに登録された英国の蒸気船の総屯数がはじめて帆船を上回ったのである。英国沿岸の海運貨物輸送に従事した帆船と蒸気船とを比較すると、1867年から1871年にかけて蒸気船が帆船の屯数を初めて上回っている[229]。コンラッドが船乗りの経歴を終了する1894年までには商船の総屯数の辛うじて3分の1を帆船が占めていた。コンラッドが船乗りを開始した翌年の1875年には、英国商船は25,461隻であったのが、1894年にはその数は21,206隻にまで減少した。この時期、年平均約260人の帆船の船長の失職があったとエドワード・ブラックモア（Edward Blackmore）によって指摘されている[230]。

　帆船の絶頂期を過ぎて蒸気船の時代になっても、コンラッドは多大な労力を要する帆船を専ら好んで操船している。帆船の方が労苦が多い実態を十分承知の上で彼が帆船を操船した理由は、当時のコンラッドを彷彿とさせる海洋物語の「青春」（"Youth"）において窺える。短編の「青春」は、コンラッドが1881年に帆船パレスチナ号にはじめて二等航海士として乗り組んだ実体験に基づく自伝的な要素の濃厚な作品である。例えば400屯の老朽船ユダヤ号（the *Judea*）を操船して、ひどい逆風の中を間切って進むジグザグ航法一つを取って見ても、刻一刻変わる風の

向きに合わせて綱や帆の位置を常に操作して、一瞬の気の緩みも許されない過酷な精神的かつ肉体的緊張が要求される。それだけの労苦に比べて船の進行は、"every inch of the way"なのである。コンラッドの分身とされる青年航海士マーロウ（Marlow）は、このように操船するだけでなく、その後、船荷の石炭が発火して、退船を余儀なくされ、脱出用の三艘のボートのうち最小ながらその一艘の指揮を任された時にも、二人の水夫と共に16時間も一心不乱、炎熱やスコールと闘いながら、全く休む事なくオールを漕ぎ通すという過酷な航海を見事に乗り切って、自分の実力を発見し、「青春！　青春のすべて！　愚かで魅力的なすばらしい青春」[231] と実存の生(ライフ)を実感したのである。40歳になったマーロウは、「20歳になったばかりだった。あの頃は至福な時代だった。初めての二等航海士になった――ほんとうに責任ある高級船員になったんだ！一財産くれると言われたってこの新しい職を投げ出す気にはならなかったね」(4-5)。「僕にとっては、人生の鍛錬であり、試験であり、試練であった」(12) と述懐している。この述懐は、後述の『海の鏡』においてコンラッドが述べた回想と符合するものである。

　更にコンラッドは、『人生と文学についての覚書』（Notes on Life and Letters）において、「我々が仕える船は、我々の生の道徳的象徴」[232] だと言って、「単に船への**誠実**のみならず、尊敬し、全身全霊、船のために仕えれば仕えるほど船の価値は高まり、船はそれに応えてくれる」(189) と指摘している。短編「青春」におけるマーロウは、コンラッドの分身としての認識を「船が与えてくれる「試練」を乗り切る事が出来たのも英国船の乗組員だったからであり、仮令(たとえ)、服従を教え込まれていないやくざな者たちでさえも内面に隠されたものが表出し、船の危急の際には若輩のマーロウの命令にも従って、「完璧」(28) と思わせるほどに一致団結した働きをした」と表明している。コンラッドが英国商船の伝統のうちで身につけた最も重要な事は、船乗り社会の「連帯感」と伝統に根差した＜行動の倫理＞である。海洋エッセイ集の『海の

第6章 小泉八雲とジョウゼフ・コンラッド

鏡』においてコンラッドは長年の船乗り体験から次のように言明している。

> The genuine masters of their craft —— I say this confidently from my experience of ships —— have thought of nothing but of doing their very best by the vessel under their charge. To forget one's self, to surrender all personal feeling in the service of that fine art, is the only way for a seaman to the faithful discharge of his trust.[233]
> （私の船に関する経験から自信を持って言う——船に対する本物の船長は、自分の指揮する船に最善を尽くす以外、何も考えなかった。自己を滅却すること、個人的感情をすべて捨てて名人芸に仕えること、これが船乗りにとって自己の責任を**誠実**に果たす唯一の道なのだ。）

コンラッドは、『人生と文学についての覚書』に収めたエッセイ「よくやった」("Well Done") において船乗りにとっての＜誠実＞について、明確に述べている。

> For the great mass of mankind the only saving grace that is needed is *steady fidelity* to what is nearest to hand and heart in the short moment of each human effort.[234] (Italics mine)
> （人類の大多数にとって必要とされる唯一の美点は、それぞれの人間の束の間の努力であって最も身近なものへの**一貫した誠実**なのだ。）

最も身近なものへの＜一貫した誠実＞を固守して、船乗りとしての義務感を持ち自分に課せられた責務以外には何も考えが及ばない愚直な人

間に、コンラッドは＜あるべき人間＞を見出している。例えば、短編「台風」（"Typhoon"）のマックファー船長（Captain MacWhirr）を、コンラッドは共感と賛辞をもって描き出している。

コンラッドは自からの船乗り人生を振り返って、『海の鏡』への「覚書」（"Author's Notes"）において、「本書は、うそ偽りのない告白のように事実に基づくもので、内面の真実を伝えるものである。16歳から36歳に至るまでの船乗りの体験は、物事を見たり感じたりする事を体験として学ぶ十分な期間であって、私にとって明確な一時期であった」と述懐した。

コンラッドにとって船が提供してくれる「試練」は「訓練」に繋がるものである。コンラッドの倫理観の根源をバートランド・ラッセル（Bertrand Russell）は『記憶よりの肖像』（*Portraits from Memory*）において次のように「コンラッドは、訓練は内部から起こるべきものという古い伝統を固守する。彼は放任を軽蔑するが、単なる外的な訓練を憎んだのである（Conrad adhered to the older tradition, that discipline should come from within. He despised indiscipline, and hated discipline that was merely external.)」[235] と述べている。

コンラッドはおよそ16年間に及ぶ英国商船での船乗りとしての生活において、ラッセルが言うところの厳しい「訓練」を自らに課して、『人生と文学についての覚書』において述べている、「青春時代に自分の性格の根本部分を形成したあの伝統」[236] を固守し、そこから生まれた船乗りの「同胞意識」や「連帯感」を生涯大事にしていた。また『ロード・ジム』（*Lord Jim*）においても「同じ職業に生きる者としての連帯感」[237] を強調した。『陰影線』においても連綿と続く「伝統」[238] の重みを述べている。更に短編の「青春」のマーロウと同様、『陰影線』の「私」も、蒸気船よりも格段に労苦の多い帆船の方をより好むと言明している。それはおそらく帆船の方が全身全霊を捧げる事が出来る「忠誠心」を船乗り仲間と共有出来るからであろう。

XI　『陰影線』の考察2

　船乗りが憧れるのは「船長」という地位である。「船長」という言葉は『陰影線』の中で"magic word"（28）、と記述されている。青春後期の病的な不安感に囚われた倦怠感から「何か新しいとっかかり」（42）を得ようと日々悶々として過ごしていた一等航海士の「私」も、船長職が掴めるかもしれないという話を耳にした途端、行動力が蘇ってくる。そして、首尾よく船長職を正式に認可されると、「私」は早速自分が指揮する事になる船を見に行き、そこで帆船の美しい船体を目の当たりにした時、数ヶ月という日々は空虚なものと見做して、次のような歓喜の情感に浸っている。

　　　Yes, there she was. Her hull, her rigging filled my eye with a great content. That feeling of life-emptiness which had made me so restless for the last few months lost its bitter plausibility, its evil influence, dissolved in a flow of joyous emotion. (49)
　　（船は、立派にそこにいた。その船体も、策具の類も、私の眼を大きな満足でいっぱいにした。この数か月間私をすっかり落ち着かなくさせていたあの空虚な感情は、その苦渋に満ちたもっともらしさを失い、邪(よこしま)な影響を失い、奔流する歓喜の情感の中で霧散した。）

　その帆船の甲板に自らの足で立った時、「私」は深い肉体的な満足感を味わって、後年「あの感激した経験は理想的で完全な体験そのもの」（50）であると述懐している。
　実際に船長の椅子に座った時には歴代の船長の魂の総和、言い換えれば、ある種の「船長魂」（53）を意識する。あらゆる風や海に直面している最高責任者としての「私」の姿を想像している。

船員は、航海中はいわば船舶と共同体を形成して、海上の危険に抗争するという労務を提供する。船長は、こうした中にあって船舶全般の指揮者として活躍し、船上の旅客や積荷の安全はすべて船長の双肩にかかっていると言える。それ故、船長は船舶の最高の指揮者として、海上企業者の代理人としての各種の強大な権限を有するのである[239]。遠隔通信が未だ発達していなかった18世紀においては絶対君主制の政治思想が船長の権限にも反映して、それこそ船長には"master under God"と言われるように海上において王国に君臨するが如き権限と責任が付与されていた。

　19世紀後半には世紀末の社会思想の勃興によって船長の権限はかなり縮小されていたとはいえ[240]、短編「秘密の共有者」における無能なアーチボルド船長でさえも、「俺はこの船では法の代行者だ」[241]と豪語させるほどであった。コンラッドの船乗り時代においても船長の権限は依然として強大であった。「船長」という"magic word"は「私」にとって青春後期における倦怠感や虚無感を一気に打ち砕く起死回生の特効薬であったのである。但し、＜陰影線＞を超えていない未経験である現在の「私」にとっては、船長職に厳しい「孤独」が存在する事さえも未だ認識していない。この認識を経てこそ、「私」は＜陰影線＞を真に超える事になる。しかし、そのためには幾つかの「試練」を経験しなければならなかった。

　コンラッドは、この作品の狙いを次のように述べている。

> Primarily the aim of this piece of writing was the presentation of certain facts which certainly were associated with the change from youth, care-free and fervent, to the more self-conscious and more poignant period of mature life.[242]
> （本来この一編の狙いは、苦労知らずで熱烈な青年期から、より自意識に目覚め、より厳しさの増す成熟期への変化と確かに関連の

第6章 小泉八雲とジョウゼフ・コンラッド

ある、いくつかの事実を提供することに在った。）

　そして、「その意味の深さも大きさも、それは全世界に充満していくように思える」として、これが一個人の実体験に限定された記録ではなく、人類全体の体験に通じる普遍性を指摘している。人生の〈陰影線〉を超えるには、「私」はいくつかの「試練」を経なければならなかった。
　第一の「試練」は「私」の一等航海士バーンズに対する負い目である。船乗り経験が豊富で如何にも「自信」があり気な一等航海士バーンズに比べて、新任船長として「自信」を持てない「私」は、実際にバーンズよりも自分の方がかなり年下であるという引け目と相俟って、ずっと昔に置き去りにしていたと思っていた「若さ」を自覚させられる。因みに、この「自信」という資質は当時のコンラッドが最も望んでいたもののようであり、彼が30歳の時、同じ船長の初体験を扱った短編「運命の微笑」（"A Smile of Fortune"）の舞台となったモーリシャス島におけるインタヴューで、「最も欲しかった天性の資質は何か」というフランス語での質問に対して、コンラッドは "Self-confidence."[243] であると英語で応答している。
　回想記『海の鏡』においては、「部下に持った一等航海士の中で、最も信頼が置けたのはボーン（Born、『陰影線』では Burns）という男だった」[244] とコンラッドが述べて、その理由として「ボーンが船乗りに不可欠な条件である警戒心と自己に対する絶対の自信を持っていたからだ」と記述している。しかし、ボーンよりも5歳年下の船長として初航海であるコンラッドにとっては、ボーンは煙たい存在であったようだ。『陰影線』においても、バーンズに「若さ」を意識させられる「私」の存在があった。一等航海士バーンズは、「船というのは人間と同様に最高のものが示せるチャンスが必要です。この船は私が乗り組んでから一度もそのチャンスがありませんでした」（56）と述べて、自分の力量への自信のほどを「私」に誇示した。では如何にして若くて未経験な

― 553 ―

「私」がバーンズと船とを指揮していくのであろうか。
　第一の「試練」を乗り切る発端は、図らずもバーンズ自身の口から出た自慢話である。バーンズは、「前任船長が航海の途上で頭がおかしくなり、船や乗組員を顧みず、独り船室に閉じこもりやがて亡くなりました。それで船長になり代わってこの船をこのまま港まで運んだのです」と誇らしげに語る。しかし、「なぜシンガポールに向かわなかったのか」（63）と質すと、彼にためらいの色が見えた。「私」にはぴんときた。「この港に船を回航したのは、ここならば有資格の船長がいないから、臨時代理の地位が永久的にバーンズのものになる。しかるにシンガポールには船長の有資格者がうようよいるからだ」。バーンズの腹が読めた「私」は、この時点で彼より優位に立ったのである。そこで「私」は正式に任命された船長である事を自覚する。つまりこの船を指揮する権限が与えられて、この船上の小社会で「私」はいわば「世襲の帝王」（62）であると自覚した。「私」は断固として職務命令をバーンズに次のように伝える。

　　　"Look here, Mr. Burns," I began, very firmly. "You may as well understand that I did not run after this command. It was pushed in my way. I've accepted it. I am here to take the ship home first of all, and you may be sure that I shall see to it that every one of you on board here does his duty to that end. This is all I have to say —— for the present." … "You have signed the ship's articles as chief officer, and till they are terminated at the final port of discharge I shall expect you to attend to your duty and give me the benefit of your experience to the best of your ability." (63-64)

　（「いいか、バーンズ君」私は断固とした口調で始めた。「君に理解願っておいてよいと思うのは、この船長の地位は私の方から追い

求めたものではないという一点だ。無理やり私に押しつけられ、そ
れを私は受け入れた。しかし、こうやって来た以上、私はまずこの
船を故国に回航させる。私の配慮は今後、君ら乗組員全員がその目
的のために各自の義務を果たすように、ということだと思ってもら
おう。今のところ、私の言いたいことはこれだけだ。」…「君は一
等航海士としてこの船との契約書に署名したのだし、その期限が切
れて、下船してよい最後の港に着くまでは、私は君が君の義務を
守って、君の能力の限り、君の多年にわたる経験の恩恵をこの私に
貸してくれることを期待する。」）

　第二の「試練」は、司厨長を始めこの腕のいいバーンズをも含めた
乗組員を次々と倒していく熱帯の風土病と船足を完全に止める凪であ
る。凪が相手では船長の威令も達しようがない。この文字通り動きのと
れぬ如何ともし難い状況下で、「私」はその焦燥感を次のように語って
いる。

　With her anchor at the bow and clothed in canvas to her very trucks, my command seemed to stand as motionless as a model ship set on the gleams and shadows of polished marble. It was impossible to distinguish land from water in the enigmatical tranquillity of the immense forces of the world. A sudden impatience possessed me. (76)
　（錨を船首にのせ、帆柱の頂上までもズックの布にすっぽり包ま
れて、私の指揮する船は、まるで光と影の交錯する磨き上げた大理
石の板の上に置かれた模型の船の如くに、微動だにしないように見
えた。自然の途方も無い力が謎の如く動きを止めてしまった中で、
陸と水の区別さえも不可能だった。私は突然の焦燥に憑りつかれ
た。）

新訂　ジョウゼフ・コンラッドの風景

　全くの静寂の中にあってくっきりと浮かび上がった舵輪の取っ手を握っている逞しい男の手を、「私」は「自分の運命は自分で切り拓いていこうとする人間の主張の象徴（a symbol of mankind's claim to the direction of its own fate）」(76) と見做している。やがて吹いてきた微風に、船はのろのろと進み出したが、その進み具合は蝸牛の如き歩みであった。その間も熱帯の風土病は情け容赦なく乗組員を襲い続ける。しかし、その熱病に対しては特効薬のキニーネの瓶がたっぷり五本あったが故に、前門の意地の悪い天候、後門の病という「二重の戦い」の中にあっても「私」は風さえ吹けばなんとかなると希望的観測を抱いていた。今や病にやられていないのは料理人のランサム（Ransome）と「私」の二人だけで、二人してキニーネを病人に分配して歩くのが日課となっていてキニーネがある故依然として楽観視していた。しかし、「試練」はまだ続く。キニーネの薬で全員が救われ船も救われ呪われていた魔力も打ち破れると信じ込んでいた。ある日、そのキニーネがほとんど使いつくした一本を除いて、他のすべては紛い物である事が判明するのである。その時の精神的な衝撃を「私」は「ある種の一時的無感覚」(89) と言っている。医薬品の点検は船長に課せられた公法上の義務である[245]事に思い至って、その点検を怠った「私」が、「すべて私の責任だ」(95) と自分を直視して、「絶対に許せないのは私自身だ」とバーンズに述べている。生涯消えない悔恨の種が「私」の胸に蒔かれたのである。この自覚と悔恨の念は、「私」が生まれて初めてつけた日記から窺える。そこには凪と熱病が支配する船の極限状態とそれに立ち向かう「勇気」と「自信」を喪失している「私」の本質に根差す赤裸々な想いが認（したた）められている。

　　I suppose the trouble is that the ship is still lying motionless, not under command; and that I have nothing to do to keep my

— 556 —

第6章 小泉八雲とジョウゼフ・コンラッド

imagination from running wild amongst the disastrous images of the worst that may befall us. What's going to happen? Probably nothing. Or anything. It may be a furious squall coming, butt-end foremost. And on deck there are five men with the vitality and the strength of, say, two. We may have all our sails blown away. Every stitch of canvas has been on her since we broke ground at the mouth of the Mei-nam, fifteen days ago … or fifteen centuries. It seems to me that all my life before that momentous day is infinitely remote, a fading memory of light-hearted youth, something on the other side of a shadow. Yes, sails may very well be blown away. And that would be like a death sentence on the men. We haven't strength enough on board to bend another suit; incredible thought, but it is true. Or we may even get dismasted. Ships have been dismasted in squalls simply because they weren't handled quick enough, and we have no power to whirl the yards around. It's like being bound hand and foot preparatory to having one's throat cut. And what appals me most of all is that I shrink from going on deck to face it. It's due to the ship, it's due to the men who are there on deck —— some of them, ready to put out the last remnant of their strength at a word from me. And I am shrinking from it. From the mere vision. My first command. Now I understand that strange sense of insecurity in my past. I always suspected that I might be no good. And here is proof positive, I am shirking it, I am no good. (106-107)

　（胸騒ぎのもとは、船がまだ停止したままで、どうにも動かしようもなく、為す術もなく、つい僕は自分の想像が、起こりうる最悪の事態を描き出す惨憺たる幻の中を、狂おしく駆け回るのを留め得

ないところにあるのだと思う。一体何が起ころうとしているのか。おそらく何でもないのだろう。しかしどんな事態にだってなり得る。猛烈なスコールがまっさかさまに襲ってくるかもしれない。しかも甲板には五人の男がいるだけ、それも五人全部合わせて二人ぐらいの活力、体力しかないのだ。帆を全部吹きちぎられるかもしれない。15日前に … 15世紀も前のような気がする。 … メナムの河口を抜錨して以来、帆という帆は全部張ったままだ。あの忘れがたい日より前の僕の生活は、すべてもう無限の彼方にあるような気がする。陰影を間に挟んだ向こう側の存在、気楽な青春期の薄れゆく記憶だ。いや、本当に帆は全部吹きちぎられるかもしれない。そうなったらそれは水夫たちには死の宣告だ。もう船内の我々には、新たに帆を張り直すだけの体力は残っていない。信じられないことだが、真実なのだ。或いはマストさえ折られるかもしれない。間髪を入れぬ操作を怠ったばかりに船がスコールでマストを折られたというためしは数多くあるというのに、我々は帆桁を回す力さえないのだ。まるで喉をぐさりと切られる前に手も足も縛られるようなものだ。そして我ながら一番ぎょっとするのは、甲板に出て自ら立ち向かうのを躊躇する気持ちがあることだ。私が出て行くことは、船に対する義務であり、甲板にいる連中への義務だ。――その中には私が一言命令さえすれば、残った最後の死力を尽くす者もいる。それなのにこの私は尻込みしている。たんなる幻影に怯えて。初めての船長職だというのに。今こそ私は、むかし妙に自分に不安を感じたのがうなずける気がする。私は自分は物の役に立たぬ人間ではないかと、いつも疑っていた。これこそその絶対の確証ではないか。私は尻込みしているのだ。私は物の役に立たないのだ。)

　この日記をつけた動機を、「私」は、「「精神的孤立」の極限状態に陥った時に「不安」に対比される「内心の安らぎ」を求める純粋な個人的な

要求からなされたものだ」(106)と吐露している。船長は乗組員全員の人命を預かる最高責任者である。機関部の事は機関長がアドバイスしてくれる。操船についてもベテランの航海士は頼りになる相談相手である。しかし、最終判断は船長が自分で決めなければならない。その時に感じる船長の孤独は言い知れぬものである。

　「私」は、船長の孤独、否、人間存在そのものの「不条理」を次のように述べている。

　　There they are: stars, sun, sea, light, darkness, space, great waters; the formidable Work of the Seven Days, into which mankind seems to have blundered unbidden. Or else decoyed. Even as I have been decoyed into this awful, this death-haunted command. … (97-98)
　　（星、太陽、海、光、闇、空間、大海原、すべてが厳然とそこにあって、神が七日間で造り給うたという恐ろしいこの作品の中に、人類は招かれもしないのに迷い込んでしまった、或いはうまくおびき寄せられてしまったのだろうか。それはちょうどこの私が、この恐ろしい、死にまつわりつかれた船長の位置におびき寄せられてしまったことに似ている。… ）

　しかし「私」は、追い詰められながらも、点検の義務を怠った自分の罪深さを自ら確認していた。更に船長の責任と義務を自覚して、この自覚からライオネル・トリリング（Lionel Trilling）が言うところの英国の経験主義の「伝統」[246]に基づく英国の船乗り魂が、＜行動の倫理＞として「私」の中で目覚め始める。

　まず「私」が取った行動は、船員たちに真相を率直に話す事であった。「航海中での船の困難、危険、問題は甲板において直面しなければならない」(89)という決まり通り、「私」は一同を甲板に召集する。彼

らに話そうと思って船室を出る直前の「私」の気持ちは、「恐怖の瞬間」（96）であり、「自らの罪を認めた罪人もこれほど罪の意識に抑圧された者はいなかっただろう」というものであった。みんなが非難轟轟の叫び声を上げて「私」に跳びかかって「私」を八つ裂きにするかもしれぬと覚悟を決めた。しかし、「私」の言葉に対する彼らの反応は非難のそれではなかった。「船にとっても乗組員にとってもベスト・チャンスは我々全員の努力であった。病人も元気なものも全員がこの船の状態から何とか脱出しなければならない」と言った時、「私」はか細くはあっても「私」に同意してくれる囁きや激励の言葉を耳にするのである（96-97）。彼らは熱病に罹りながらも各自がそれぞれ一致団結して嵐に備えて策具や帆の準備に一生懸命働いてくれた。彼らに対する「私」の想いの深さは、この物語の副題に明示されている。

　　　A Confession ── "Worthy of my undying Regard"（告白──「不滅の敬意に値する者たち」）

　「不滅の敬意に値する者たち」とは、あの難航海を乗り切ってくれた船乗りたちの事である。とりわけ、どのような努力や動きをも英雄的な行動を終始一貫して当然の事としてやり遂げてくれたランサムである。コックでありながら、船乗りとしての技量の確かさは、「ランサムはまず船中第一の船乗りだ」（68）とあの自信家の一等航海士バーンズが折り紙をつけていた事からも明瞭である。彼が船乗りになれないのは、心臓に欠陥があるからであった。しかし、心臓発作の不安を常に意識する状態にありながらも、彼は大時化の時に沈着冷静さに加えてあらんかぎりの力を尽くして「私」と二人でその難局を乗り切ってくれた。「私」のランサムへの想いは、今や船の運命を担う舵輪を彼一人に託し、その後ひょっとして肝心なところで急死するのではないかと考えた時、ぞっとするような恐れとなって「私」を襲うほどであった。実際にランサムが二、三歩後退して「私」の視界から消えると、たちまち不安に取り憑かれ、あたかも支柱を外されたかのように感じる。ランサムへの「信

頼」は、難局を切り抜けて安堵した時に「私」の心底からの次の言葉に如実に窺える。「僕も乗組員も本当に世話になったなあ、ランサム」(123)。ランサムは聞こえないふりをして、「私」が交代できるまでなお黙々と舵を操っている。

「私」は後年、この航海は私の性格に焼きを入れて成熟させてくれた」(129) と述懐した。21日間の難航海の後、たどり着いたシンガポールで、心服するジャイルズ船長に出会った時、「私」は自分の初航海の一部始終を語った。彼はそれを辛抱強く聴いてくれた。まるでヤンコー(Yanko) の話を「エイミィ・フォスター」("Amy Foster") の医師ケネディ (Kennedy) と同様に、じっと辛抱強く聴いてくれた。ケネディはヤンコーの臨終を看取っただけでなく、ヤンコーの特異な境涯での「孤独」をも理解してくれた、精神科医でもあった。そのようなジャイルズであるが故に、「私」は現在の率直な心中を打ち明けられたのである。「疲れてはいません。でもどんなふうに現在思っているのかというと、年をとったと思うんです」。ジャイルズ船長は「確かに君は年をとったな」(131) と「私」に同情してくれた。「年をとった」とは、成熟し、いわゆる $Shadow$-$Line$ 経験を超えた事を意味している。今や「私」が＜陰影線＞を超えたと看取したジャイルズは、更にその意味を分からせようとして次のように言った。「実は人生では何事でもあまり重要視し過ぎてはいけないんだ。善きにつけ悪しきにつけ。 … もう一つある。人間は自分は不運や過失や良心の咎めや、そうした種類のあらゆることに立ち向かっていかねばならぬということだ。何故なら——それ以外に立ち向かっていかねばならないものがあるだろうか」(131-32)。そして『ロード・ジム』のシュタイン (Stein) がマーロウの本質を「ロマンチック」[247]と喝破したように、ジャイルズは「私」の心に潜む恐れを的確に「臆病風」だと指摘し、如何にして生きていくかを次のように優しく説いている。

"You will learn soon how not to be faint-hearted. A man has got to learn everything —— and that's what so many of those youngsters don't understand." (132)
（臆病風を吹き払うことだってすぐに覚えるさ。人間は何事もだんだん覚えてゆくほかはないんだ——今どきの若い者の大部分が分からないのはその点さ。）

　ジャイルズは、ゆっくりと着実な、しかし臆病にならない生き方を「私」に教えているのである。「臆病にならない」という事は、自分に＜誠実＞に生きる事に繋がる。「如何にして生きるべきか」という問題は、自分の閾を超えて「破壊的要素に身を浸すこと」だと『ロード・ジム』のシュタインは説いている。＜誠実に生きる＞とは、自己の存在の主であると同時に、自らを厳しく律する事でもある。キニーネの点検を怠って「生涯消えることのない悔恨の種子が蒔かれた」と痛感して自責の念の強い「私」と同様、コンラッドも好んで国外脱出を図った訳ではなかったが、彼は生涯胸に深い罪の意識を抱いていた。1874年、コンラッドが16歳の時に初めてクラクフ（Cracow）から祖国ポーランドを離れた時にステファン・ブシチンスキ（Stefan Buszczyński）が述べた別離の言葉、つまり "Remember wherever you may sail, you are sailing towards Poland!"[248] をコンラッドは「生涯忘れることは無かったし、今後も決して忘れることは無いだろう」[249] と述懐していた。

XI　コンラッドの＜誠実＞のモラル

　コンラッドの＜誠実＞のモラルは、彼の人生観と芸術観を表明している『ナーシサス号の黒人』への「序文」でも明らかである。

第6章　小泉八雲とジョウゼフ・コンラッド

　　A work that aspires, however humbly, to the condition of art should carry its justification in every line. And art itself may be defined as a single-minded attempt to render the highest kind of justice to the visible universe, by bringing to light the truth, manifold and one, underlying its every aspect.[250]
　（どんなに控え目であっても、芸術の有り様を鼓吹する仕事には一行といえども正当な論拠をもたらさねばならない。芸術そのものは、多にして一の真実を明らかにして、真実のあらゆる局面を裏打ちすることによって、目に見える森羅万象に最高の正当性を与えるための直向(ひたむ)きな試みであると定義されるだろう。）

　コンラッドは＜誠実＞が彼の作品のキーワードである事を次のように明言している。

　　Those who read me know my conviction that the world, the temporal world, rests on a few very simple ideas; so simple that they must be as old as the hills. It rests notably, among others, on the idea of Fidelity.[251]
　（私の読者は、つかの間のこの世界が、二、三の単純な観念に基づいているという私の信念を知っている。それは非常に単純なので、とても古いに違いない。それはとりわけ＜誠実＞という観念に基づいているものだ。）

　因みに、日本におけるコンラッド研究の草分けの一人である日高只一氏への1911年6月11日付の私信において、作品に託した彼自身の想いや信条を、「私は、人間が古くから理想としてきた勇気、真実、**誠実**、自己抑制、そして献身を尊重しています（I respect courage, truth, fidelity, self-restraint and devotion to the ancient ideals of mankind;）」[252] と

認(したた)めている。

　コンラッドが言うところの＜誠実＞の"moral"とは、世間で言う"moralist"の規範とは異なっているようである。例えば、短編「秘密の共有者」に登場するレガットは、ハリケーンが襲来した時、船の危急を救うためとはいえ、人一人を殺している。アーチボルドとかいう船長になり代わって、レガットはセフォーラ号の指揮を執った際に逆らってきた水夫を殺害してしまっている。しかし、コンラッドの分身である新任船長の「私」は、船長に就任してわずか2週間で、船にもまた乗組員にも全くの「余所者(よそもの)」(93)だという意識と相俟って、S・T・コウルリッジ(S.T. Coleridge)の想像力の分割における「二次的想像力」[253]とも考えられる直感から、彼を「困難に直面してきた若者」(99)だと看て取り、船乗りたちの「同胞意識」と相俟って、殺人者レガットを追手のセフォーラ号船長ら一行から匿う。そして「私」は、**秘密の共有者**として、「同胞意識」を進化した、いわば「分身意識」を実感するのである。

　レガットは自分が犯した罪について、法の裁きに対する不満から逃亡者となったが、自分をカイン(Cain)に擬えて「私は大地の面(おもて)を放浪する用意は出来ています」(107)と「私」に漏らし、危険で未知なる暗い海中に身を沈めて、「私」の船から遠ざかっていく。そんな彼を目の当たりにして、「私」は彼を「自由人で誇り高い泳ぎ手」(143)と表現し、些か羨望の念すら抱いている。ここでは、世に言う道徳基準には合致しない＜あるべき人間＞の一つの規範が提示されている。つまり、法的な責任を負うよりもむしろ個人の内面にこそ本来求めるべきものがあるとする・コ・ン・ラ・ッ・ド・の・倫・理・観がある（傍点は筆者）。この倫理観は彼の他の主要作品においても明らかである。沈没しかけたパトナ号と乗船客を見捨てて同船を"jump"してしまった『ロード・ジム』のジムの罪は、海難審判の判決とは全く別次元に、つまり理想の自画像を追究する彼の内部にこそあった。『陰影線』の「私」も、キニーネの問題は前任

第6章　小泉八雲とジョウゼフ・コンラッド

船長の仕業であるとバーンズが明言しているにも拘らず、「私」はそれを船長としての点検を怠った自からの責任だと見做して、一種不可抗力ともいえる過失でさえも許さない誠実な良心の持ち主であった。

　コンラッドは、生きる事の具体的な例証として、異国の言語である英語を用いて文学作品を次々と発表し、「如何にして生きるべきか」という人生のテーマを課して、人生の転機に立つ様々な人間の生き方を探し求めている。『陰影線』では青年期を過ぎようとしている「私」が船長としての初航海での「試練」を経て、大人へと成熟していく過程が生き生きと表現されていた。注目すべきは「私」の「試練」を乗り越えていく生き様である。「私」は当初新任船長という事で先任の一等航海士バーンズに対する気後れや負い目を感じている。それらを克服する過程で、船長の責任と義務を自覚すると共に率直に自己を表明していた。キニーネの点検を怠った自らの責任のなさをバーンズに明らかにしていた事がその証である。熱病で本来の半人前も力を出せない船乗り仲間たちに向かって航海中の非常事態の解決の場とされる甲板上で、事の真相を赤裸々に語っていた事も「私」の〈誠実さ〉を裏付ける証である。仮令、内に臆病風に吹かれようとも、「私」には現実に立ち向かっていく〈誠実さ〉の"moral"があった。それに応えて、ひどい熱病や航行を不能にする凪といった「試練」でさえも、船乗り仲間たちは「私」の指揮に従って、体力の限界まで船乗りとしての任務を果たしていた。コックのランサムに至っては力の限界すら超えて、船長の「私」と二人きりで孤軍奮闘して難局を乗り切ってくれた。「私」の彼等への心情は、副題や本文に書かれていた。"Worthy of my undying Regard"という献辞は、単にこの航海のみに捧げたコンラッドの「告白」ではない。コンラッドは英国商船に乗り込んで16年間、更にフランス商船時代をも含めれば20年にも及ぶ船乗り生活において、ラッセルの言うように厳しい「訓練」を自らに課して、『人生と文学についての覚書』において述べている「青春時代に自分の性格の根本部分を形成したあの伝統」を固守

し、そこから生まれた船乗りの「同胞意識」や「連帯感」を生涯大切にした。『ロード・ジム』においても「同じ職場に生きる者としての連帯感」（船乗りの連帯感）を強調していた。この「連帯感」は無数の人たちの心の「孤独」を繋ぎ、生きとし生けるものの潜在的「同胞意識」に直結するものであり、それはコンラッドが芸術家としての「自覚」と「自信」を持って世に問うた[254]、特筆すべき作品である『ナーシサス号の黒人』への「序文」においても明らかであった。

コンラッドが言うところの「連帯感」は、厳しい「試練」の実体験を基底とする人間の「孤独」から生まれたものである。「孤独」が宿命的な人間の実存の条件の如きもの、という事を、『ロード・ジム』のマーロウもまた述べていた (180)。幼少にして両親を政治的な事由(じゆう)で亡くし祖国ポーランドを"jump"して「離国作家」となったコンラッドが「孤独」である故に、人々との「連帯」を求める必然性があったのである。しかし、彼は人との「連帯」は求めはしても、神の助けは求めなかった。短編「エイミィ・フォスター」において「神の不条理」を、ヤンコーをして"Why?"[255]と叫ばせたコンラッドは、『陰影線』において、作者の分身としての「私」をして内面に潜む人間の弱さを描き出す一方で、「神の不条理」を意識の奥深くに抱かせながら、同時に＜誠実＞をモラルの拠り所として、うち続く幾多の「試練」に「私」を敢然と立ち向かわせていた。「人生や人間の運命」に関してコンラッドと根本的に共有する思想の一致を見たラッセルも、「我々は両足でしっかり立って、世の中をまともにその善い事実や悪い事実、その美も醜も見たい。… 神という概念は全く自由人にはふさわしくない概念だ」[256]と述べている。ラッセルの著作中、コンラッドが最も感銘を受けた一つの「自由人の信仰」("The Free Man's Worship," 1903) において、ラッセルは、コンラッドの「孤独」の裏返しである根源的な人間の「連帯感」に直結する「同胞愛」と、自由人に課せられた重圧に立ち向かう「勇気」の大切さとその必要性とを宣言していた[257]。

第6章　小泉八雲とジョウゼフ・コンラッド

　政治的な事由から父母を亡くしたコンラッドは、悲劇の歴史を有する祖国ポーランドの血を受け継ぎ、生来の独立心と相俟って、英語を駆使して、現実をしっかりと見据えた、独自の文学の世界を構築したのである。

　1872年、自らの運命を自らの手で切り拓こうと船乗りになる決意を表明したコンラッドは、『陰影線』において、「私」の指揮する船が微動だにしない凪に遭遇した時、しっかりと舵輪の取っ手を握っている逞しく日焼けした男の手を、神に頼らず、まるで自らの運命は自らの手で切り拓こうとしている「人類の主張の象徴」であるかのように見做していた。永久に消える事のない悔恨の種子（コンラッドにあっては「離国作家」というデラシネ性）を胸中に蒔いた「私」は、次の航海へと出発していく。あのランサムを始めとする永遠の敬意に値する者たちを脳裏にしっかりと焼き付けながら新たなる人生の・通・過・儀・礼を求めて、新たな航海に乗り出していくのである。

　「私」よりも遥かに人生経験を重ねた船長が、視力低下で操船不能という抜き差しならぬ「試練」に直面する物語がある。それは『追い詰められて』（*The End of the Tether*）である。この作品におけるウェイリー（Whalley）船長のモットーは、長年の船乗りの**行動**によって示した一貫した努力と信念に基づいて培われた〈誠実さ〉であった。たとえ娘への盲目的な愛情に過誤があったとしても、人間がもたらし得る善悪を超越した彼の〈誠実さ〉は、懐疑主義に陥っていたウィック（Wyk）に人生の開眼をもたらす事になった。そして、「神は我が祈りを聞き届けて下さらなかった。光は世界からすっかりひいてしまった。わずかな**一筋の光**すらない。あるのは暗黒の荒野のみだ。しかし、一つの主張を通すべき此処まで頑張ってきたウェイリーがなお生き続けるのは見るに堪えないことである。代償を払わなければならない」[258]という想いに至って、彼は船長として、また人間としてこの上ない代償を払って船と共に海中に沈んだ。作者コンラッドは、ウェイリー船長が不幸な人生の

「試練」を乗り越える姿に、様々なアイロニーを込めながら、＜あるべき人間＞の善悪の根本的な倫理を一人の船乗りの人生の中に提示したのである。

結論

　八雲とコンラッド、この両者の創作におけるモットーは、それぞれの倫理観に裏付けられた＜自己修養＞と＜誠実さ＞であった。漱石が堅持していた＜誠実さ＞を想起して彼ら両者の文学作品を読むと、それぞれの独自の作品の中で描き出されている＜あるべき人間＞像の生き方に一段の深みと広がりが窺われる。その問いかけには、普遍性があり、ある保守主義者や新任船長の「私」やウェイリー船長を含めた彼ら登場人物が及ぼした影響は、漱石の主人公たちと同様に時代や国境を超えた21世紀の現在においてもなお生き続けていると言えよう。

※本論は、2014年9月6日、宝塚造形大学梅田キャンパスにおける第33回『言語文化研究会』において講演したものを加筆・修正したものである。

1　『小泉八雲草稿・未刊行書簡拾遺集　第1巻　草稿』編集：八雲会、解説：梶谷康之・染村絢子（雄松堂出版、1990年）。作家は、よりよい文学作品を創作するために、様々な研究、努力をする。ハーンもこの例に漏れず、より芸術作品を制作するために、推敲に推敲を重ねた。本書の草稿は、まさにこの創作過程を如実に証明している（28）。『神国日本』(『日本── 一つの解明』)の原題名は、*Japan an Attempt at Interpretation* であるが、初版本の大扉に『神国日本』と漢字で書かれている（182）。ハーンは、原稿が著作として出版されてしまうまでは、どの段階においても、何らかの手を加えている。清書のつもりで書いた決定稿に近いものや決定稿ばかりでなく、ゲラ刷りの段階でも手を加えている。1898年11月、友人のマクドナルド宛書簡では、「校正刷りでは、自分が

第 6 章　小泉八雲とジョウゼフ・コンラッド

送った原稿通りにできているかどうかを見るのではなく、文句を原稿とは異なったものにする目的をもって見なければならぬ」と言っている。『神国日本』のゲラ刷りは、これを実行していることを示している（184）。

2　小泉八雲『仏の畑の落穂 他』平井呈一 訳（恒文社、1988年、第二版）233頁。

3　池田雅之・高橋一清 編著『日本人の原風景 I 古事記と小泉八雲』（かまくら春秋社、2013年）には次のよう記述されている。――『古事記』は太安万侶が元明天皇の勅により撰録して712（和銅5）年に献上された現存する日本最古の歴史書で、本居宣長（もとおりのりなが）（1730-1801）が生涯を賭して完成させた『古事記伝』によって、今日の本格的な研究が進められている。日本人のみならず、欧米人にとっても、八雲の『知られざる日本の面影』は、今日でも『古事記』への道案内を果たしている。八雲経由による欧米人の日本理解の伝統は、脈々と続いている（6）。『知られざる日本の面影』所収の「杵築」に、八雲が松江から蒸気船に乗って杵築に向かう時の興奮ぶりを記している。彼がいかに『古事記』の世界と共振し、胸をときめかしながら、出雲大社に向かっているのが窺える（89）。「まさにこの大気の中に――幻のような青い湖水や霞に包まれた山並みに、煌々と降り注ぐ明るい陽光の中に、神々しいものが存在するように感じられる。これが、神道の感覚と言うものなのであろうか。私は余りにも『古事記』の伝説に胸を膨らませていたせいか、リズミカルに響く船のエンジン音までが、神々の名と重なり合って、祝詞を唱えているかのように聞こえる。コト シロ ヌシ ノ カミ オオ クニ ヌシ ノ カミ（89）。なお本田総一郎氏は、本居宣長の『古事記伝』にある「御霊（みたま）も神といい、また人はもちろんのこと、鳥獣木草のたぐい海山など、その他なんでも、世の常ならずすぐれていて徳のある、可畏（かしこ）きものを神という」を引いて、霊ある万物が神であると述べている。本田総一郎『日本神道がわかる本　日本人の思考と美意識・倫理の原点を探る』（日本文芸社、2002年）68頁。

4　内田康夫『怪談の道』（徳間書店、2005年）。内田（1934-2018）は、本書『怪談の道』のプロローグを、そっくり全部を八雲の「盆踊り」から借用して、いかにも日本的な謎と怪奇に満ちた本作品のマクラとして、怪しげな盆踊り風景の

描写は効果があった、と「自作解説」で述べている（337頁）。主人公の浅見光彦は、「八雲は外国人でありながら、日本の原風景や日本人の精神構造のあえかな部分について、日本人以上に精通し理解していたような気がする。日本人が忘れてしまった日本人の「心」を、八雲の著書から学ぶところが、たしかにある——と思った」と語っていた（69頁）。

　尚、作者の分身的存在であるルポライターの浅見光彦は、「人間関係が複雑で、得体のしれない謎に満ちているような事件で、それにプラスして、歴史や伝説めいたものが絡んでいれば、申し分ない。抑えがたい好奇心を抱いて、たとえどんな遠隔の地であろうと、ツアラを駆って飛んで行く」と述べている。内田康夫『イーハトーブの幽霊』（中央公論社、1995年、再版）123頁。

5　池田雅之『小泉八雲　日本の面影』（NHK出版、2016年）44頁。

6　田部隆次『小泉八雲』（北星堂書店、1978年、第四版）viii頁。

7　八雲は、「ある保守主義者」の主人公に託して、思慕する母を想起するが如き一節でこの物語を結んでいる。Once more he felt the light touch of his mother's hand guiding his little steps to the place of morning worship. Before the household shrine, before the tablets of the ancestors; and the lips of the man murmured again, with sudden new-found meaning, the simple prayer of the child. "A Conservative" *Kokoro*, p.209.

8　小泉 凡「小泉八雲と宮本常一——旅人がのこしたもの」『宮本常一のメッセージ』（みずのわ出版、2007年）66頁。

9　前掲書。67頁。

10　Hearn, *Life and Letters,* 1, Ellizabeth Bisland, ed., (Boston & New York: Houghton Mifflin Company, 1988), p.322.

11　ハーン「幽霊」『ラフカディオ・ハーン著作集 第十四巻　カルマとそのほか/書簡Ⅰ・Ⅱ』（恒文社、1983年）142頁。Hearn, "A Ghost" *Karma & Other Stories* (London: George G. Harrap & Co. LTD, 1921), p.63.

12　小泉 凡『怪談四代記　八雲のいたずら』（講談社、2014年）10-11頁。

13　小泉八雲全集刊行会代表・金子健二『小泉八雲全集』第九巻（第一書房、1927

第6章 小泉八雲とジョウゼフ・コンラッド

年）448頁。
14 Hearn, *Life & Letters,* 3（Boston & New York: Houghton Mifflin Company, 1923), pp.350-51.
15 宮本常一『忘れられた日本人』（岩波書店、1989年、第13刷）11-21頁。因みに小泉 凡氏は、「小泉八雲と宮本常一――旅人がのこしたもの」と題して、八雲と宮本の生き方に意外な共通点と共に、二人の生き方の中で、現代社会や未来に生かせるような精神や行動を論述している。『宮本常一のメッセージ――周防大島郷土大学講義録』（みずのわ出版、2007年）64-85頁。
16 佐藤春夫『慵齋雑記』（千歳書房、1930年）86-87頁。
17 小泉八雲『天の川幻想――ラフカディオ・ハーン 珠玉の絶唱――』船木 裕 訳（集英社、1994年）116頁。
18 池田雅之『NHK「100分 de 名著」ブックス 小泉八雲 日本の面影』（NHK出版、2016年）87頁。
19 小泉八雲『仏の畑の落穂 他』平井呈一 訳（恒文社、1988年、第二版）所収の「八雲と仏教思想」487頁。
20 小泉八雲／ジョニー・ハイマス『面影の日本』平井呈一 訳（恒文社、1999年）ジョニー・ハイマス（Johnny Hymas, 1934～）は、＜撮影後記＞において次のように述べている。――「ラフカディオ・ハーンと私には共通点が多い。生きた時代には百年の隔たりがあるが、私は詩人の心を持ったこの男に深い共感を覚える。彼が夢中になった日本は、まだ息をのむほど清浄な美しさと洗練された文化を備えていた。百年後に私が夢中になった日本は、ほとんど見る影もなく変わり果てていた。それでも、三十年間にわたり、執拗に日本の僻地をカメラで追ってきた私は、魅惑的な美と昔ながらの気品が、容赦ない進歩にも毒されず、なお力を保っているのに気づいた。こうした魅力あふれる辺境の地は、どこかラフカディオ・ハーンの見た日本に似ている」（120頁）。そしてハイマスは、如何なる社会的変革にもほとんど影響を受けずに残っている、その国民の道徳的経験の一般的特質をあらわす俚諺的格言として『霊の日本』の中から「一寸の虫にも五分の魂」（Even a worm an inch long has a soul half-an-inch

long.)や「雪の果は涅槃」(The end of snow is Nirvâna.)など民間に伝わる仏教思想に関連した諺を百集めてそれに注解を加えた八雲の「日本の仏教俚諺」にハイマス自身が撮った美しい写真を添えて、「仏教の教えが庶民の思想と言葉に与えた影響を多少なりとも解明するに役立つ」事を祈念して、「百の仏教俚諺」のヴィジョアル版の本書を上梓している。

21 前掲書。492頁。
22 小泉八雲『仏の畑の落穂 他』平井呈一訳（恒文社、1988年、第二版）6-7頁。
23 Chaberlain, Basil Hall, Ko-Ji-Ki, or "Records of ancient matters" / translated by Basil Hall Chamberlain. – Yokohama: B. Meiklejohn (Printer),「1882」"Lafcadio Hearn, Yokohama, 1890" のサインあり。富山大学付属図書館所蔵 ヘルン（小泉八雲）文庫目録改訂版（稿）（富山大学図書館、1999年）。
24 ジョン・セイヤー「モース・コレクション──その偶然の出会い」『モースの見た日本 モース・コレクション / 民具編』（小学館、2005年、普及版）209頁。
25 前掲書。209頁。
26 著者代表ベルツ『ベルツ、モース、モラエス、ケーベル、ウオッシュバン集』明治文学全集 49（筑摩書房、1968年）377頁。
27 Hearn, *Life & Letters,* p.15.
28 Hearn, *Life and Letters,* p.56. 1888年8月、ジョージ・M・グールド（Jeorge M. Gould）宛てのハーンの手紙。
29 Hearn, "The Higher Buddhism" *Japan: An Attempt at Interpretation,* p.210.
30 Hearn, "The Idea of Preöxistence" *Kokoro* (Charles E. Tuttle, 1972), p.239.
31 Ibid., p.225.
32 大江健三郎・柄谷行人『大江健三郎 柄谷行人 全対話 世界と日本と日本人』（講談社、2018年）大江健三郎は、「小泉八雲の翻訳した手紙」と題する柄谷行人との対談で、大津事件に際して松江の人々のロシア皇太子への見舞い状の翻訳を小泉八雲が行ったことについて次のように述べている。「それは、「日本の最も古い国出雲の人民として、深甚なる悲痛の意を表します」というような手紙ですが、八雲はフランス語のよくできる人ですから、そのままロシア皇太子への

第 6 章　小泉八雲とジョウゼフ・コンラッド

電文をつくったけれども、生徒や中学校の同僚はフランス語ができない。そこで英語に翻訳して、こういうものを書いて送ったということを証拠に与えたわけです。英語の文章を読みますと、八雲が日本語をフランス語に訳して、それを世界に発信するにあたってどのように苦心したか、このように君たちの手紙は発信されたんだぞということをどのように日本人に伝えたかがよく分かります。例えば「もっとも古い国」というところは、「ジ・オールデスト・プロヴィンス」と書いてあって、小泉八雲の良識みたいなものが出ています。「深甚なる悲痛の意を表します」は、「プロファウンド・ソロウ（ペイン）」となっている。「ソロウ（悲しみ）」だけじゃうまくいかないというのでしょう。「ソロウ」プラス「ペイン」として、自分がフランス語で書いた語感を示そうとしているわけですね。それは日本人が言っている「深甚なる悲痛」に近いということを説明したのでしょう。そういうふうに、言葉が違うと普遍的なものを表現するために苦心が要るということを、八雲というイギリス人がフランス語の手紙を書いて、英語のわかる日本人に説明しようとしている。明治二十年代、日本人もこれから世界で普遍的にやって行かなければいけないと思っている。そういう時に、自分の国の巡査がロシアという大きい国の皇太子を傷つけてしまったということで、パニックに陥っていますし、それこそ世界の一員になることへの危機だと思っている。そこから言葉を通じて普遍的なものに対する努力が行われているわけです」87-88頁。尚、明治政府は、日露関係の悪化を恐れ、津田の大逆罪での死刑を主張するが、時の大審院長である児島惟謙は、「正義を権力から護れ」と主張し、謀殺未遂罪で無期懲役とし、司法の独立を護った。

33　池田雅之『イギリス人の日本観　英国知日家が語る"ニッポン"』（河合出版、1990年）154頁。

34　*Early Biographical Sources on Lafcadio Hearn* edited and introduced by Junko Umemoto, vol. 3（Edition Synepse, 2008, reprint), p.328.　1889年11月28日付の『ハーパーズ・マンスリー』（*The Harper's Monthly*）の美術主任記者であるウィリアム・パットン（William Patten, 1865-1936）宛ての手紙に、ハーンは次のように記している。I would put as much *life* and *colour* especially into such a book, as I could, and attempt to interpret the former rather through vivid sensation given to the reader, than by any account or explanations such as may be found in other writers, whether travellers or scholars. (Italics Hearn)

35　池田雅之『小泉八雲　日本の面影』(NHK出版、2015年) 18頁。
36　Hearn, "My First Day in the Orient" *Glimpses of Unfamiliar Japan,* vol. 1 (Boston & New York: Houghton Mifflin Company, 1988) (reprinted by Rinsen Book Co.), p. 4.
37　田部隆次『小泉八雲』(北星堂書店、1980年)「思い出の記」小泉節子、145頁。
38　『小泉八雲作品集　2 ——日本の印象』「神々の国の首都」森亮 訳 (河出書房新社、1977年) 73-74頁。
39　新渡戸稲造『武士道』岬 隆一郎 訳 (PHP研究所、2008年、第1版、第26刷) 4頁。
40　Hearn, *Exotics & Retrospectives* (Houghton Mifflin Company, 1973), p. 3.
41　Ibid., p.29.
42　Hearn, "A Conservative," *Kokoro* (Charles E. Tuttle, 1972), pp.207-08. 以下、同書からの引用は、本文中 (　) 内に頁数を示している。尚、本文中の訳出に当たっては、ハーン「ある保守主義者」平井呈一 訳≪岩波文庫≫『心』(岩波書店、1980年、第26刷) と「ある保守主義者」平川祐弘 訳『日本の心』(講談社、1990年) を参照させて頂きました。
43　田部隆次『小泉八雲』坪内逍遥 序、ix頁。
44　Hearn, *Life & Letters,* 2, p.168.
45　Hearn, *Japan: An Attempt at Interpretation* (Charles E. Tuttle Company, 1963, fourth printing), pp. 5-6. 尚、本文中の訳出に当たっては、『小泉八雲全集　第九巻　日本—— 一つの解明』平井呈一 訳 (みすず書房、1954年) を参照させて頂きました。
46　Hearn, "Feudal Integration" *Japan : An Attempt at Interpretation,* p.362.
47　Hearn, "Reflections" *Japan: An Attempt at Interpretation,* p.460.

第6章　小泉八雲とジョウゼフ・コンラッド

48　ブルーノ・タウト『日本美の再発見』篠田英雄 訳（岩波書店、1972年、第30刷）34頁。

49　前掲書。45-46頁。

50　Hearn, "Worship and Purification" *Japan: An Attempt at Interpretation,* pp.145-46.

51　八雲の二度目の昇殿の事は、『西田千太郎日記』に「ヘルン氏ト共ニ大社ニ昇殿。… 非常ニ丁重ナル饗応ヲ受ケ夜半過テ帰ル、ヘルン氏大酔」と書かれている。山陰中央新報社：編『ラフカディオ・ハーンの面影を追って』（1987年）89頁。

52　前掲書。89頁。

53　池田雅之『小泉八雲　日本の面影』47頁。

54　監修 小泉 凡『小泉八雲、開かれた精神の航跡』（小泉八雲記念館、2016年）56頁。

55　モース『日本その日その日』明治文学全集49（筑摩書房、1968年）115-16頁。

56　鈴木大拙『日本的霊性』（岩波書店、1978年）（岩波文庫、第7刷）129頁。

57　宮崎 駿『折り返し点　1997〜2008』（岩波書店、2008年）44-45頁。

58　前掲書。44頁。

59　前掲書。105-06頁。

60　ドナルド・キーン「世界のなかの日本文化」『異文化理解の視座――世界からみた日本、日本からみた世界』（東京大学出版会、2003年）4-5頁。

61　ドナルド・キーン「私の日本」『毎日新聞』2011年5月24日2面。

62　所 功『「国民の職実」の由来がわかる小辞典』（PHP研究所、2003年）33頁。廃藩置県（二百六十余の藩を一挙に全廃して、新たに中央直轄の県を置く政策）。

63　飯田 鼎『英国外交官の見た幕末日本』（吉川弘文館、1995年）53-56頁。紀元285〜90年頃に中国から入ってきた日本の文字は中国からの借り物であるが、幕末の英国公使オールコック（Alcock）は、平仮名や片仮名を発見して、そこに独自の日本文化の基礎を見出して、卓越しているものを率直に評価する能力、その優秀さを率直に承認する態度こそは、それ自体に明らかに高い文化がある

事の証であると次のように述べている。「漢字体の導入はいずれにしても話し言葉の面で何らかの変化を引き起こしたとは思われません。それどころか、この様にして彼ら自身の言語の運搬用具となったのでした。これを日本人は全く外国の助けを借りることなしに発明工夫したのです。…… 諸国民において一層稀な自己評価における一定の謙虚さを暗示するもので、明らかに中国人は、いまだかつてこのような自己卑下（self-abasement）の行動をとったためしがなかった。（この事が彼等の場合には）ヨーロッパの思想を国家体制に結合させるのに一大障害をなし、文明の進歩を妨げている」と。

64 拙著『ジョウゼフ・コンラッドの比較文学的世界』（大阪教育図書、2016年）に収めた　第4章　チャールズ・ディケンズとジョウゼフ・コンラッド——『ピクウィック・ペイパーズ』と『闇の奥』を中心に——　223頁。英国の産業革命に由来する格差社会の過酷な現実社会の不正や矛盾を、文豪ディケンズは、庶民の立場に立って告発している。『ピクウィック・ペイパーズ』のような初期の作品では、身分の上下を問わぬ「笑い」が効果的に込められている。アンドレ・ジッドは、1922年の「ヴィユー＝コロンビエ座におけるドストエフスキー連続六回講演」の第二回において、ディケンズの人望の大きさを、彼の民族および時代の世論の動向を踏まえた善悪の提起にあるとして次のように述べている。「善人には天国。悪人には地獄。ディケンズはこの事では彼の民族および彼の時代の世論に従っている。悪人が栄え、善人が犠牲にされる様なことがある。彼の小説全体は我らに心情の特性が精神の特性よりも優位なることを感じさせている」。アンドレ・ジッド『ドストエフスキー文献集成　6　ドストエフスキー』武者小路実光・小西茂也 訳（大空社、1995年）52-53頁。

65 新村 出 編『広辞苑 第四版』（岩波書店、1991年）1393頁。

66 Hearn, "Appendix" *Japan: An Attempt at Interpretation,* pp.481-82.

67 ハーン「国民性について」岩原康夫　訳『ラフカディオ・ハーン著作集　第五巻　東西文学評論集その他』448頁。

68 Hearn, "Jiujutsu" *Out of the East* (Boston and New York: Houghton Mifflin Company, 1923), p.143. 以下、同書からの引用は（　）内に頁数を示してい

る。

69 嘉納治五郎　顕彰の碑　生誕地・御影で除幕式『毎日新聞』2018年12月2日24面。「柔道の父」と呼ばれ、アジア人初の国際オリンピック委員会委員を務めた嘉納治五郎（1860-1938年）の功績を後世に伝えていこうと、神戸市は出身地の東灘区御影地区に生誕の地を示す石碑（高さ約1.2㍍、横幅約2㍍の御影石製）を建立した。「嘉納治五郎翁生誕地」と刻まれている。

70 山下泰裕「世界を繋ぐ日本の心」『毎日新聞』2010年9月9日。

71 司馬遼太郎『幕末維新のこと　幕末・明治論コレクション』関川夏央 編（筑摩書房、2015年）181-82頁。尚、歴史に僅かに登場して消えていった人を無視できない作家である司馬の人間観が窺える格好のエッセイが「ある会津の人のこと」と題する中に見出される。司馬は、「私が勝手に秋月の中に平均的会津人を見出してしまっている」として次のように述べている。──「かつて『竜馬がゆく』や『峠』などで幕末の政治的事態を調べていたころ、何度も「薩会同盟」という曲がり角を往き来した。そのつど、秋月悌二郎という名前が出てくる。この同盟工作の場合、薩摩藩の高崎佐太郎が能動者で秋月は受動者にすぎなかったため、高崎のことだけを調べ、秋月についてその煩を避けた。避けつつも秋月は妙な人物で、その挙動に人間としての体温を感じざるを得なかった。秋月の案内で高崎は松平容保に拝謁し、首尾よく薩会同盟が成る。しかしその後、時勢は変転し、薩摩は会津を捨て、長州と結び、慶応四年、鳥羽伏見で徳川先鋒の会津軍に対し、薩軍から発砲し、攻撃し、会津軍はかつての同盟者と激戦し、敗北した。この結果、徳川慶喜は大坂から江戸へ奔り、会津軍も同行したが、慶喜の命令で江戸を去ることを強制された。以後会津若松城の敗戦とその後の会津人集団の悲劇が始まった。秋月は官軍の寛大を請うべく官軍本部へゆく。しかし徒労に終わり、その帰路、絶望的になって詠んだ詩、「行くに興無く、帰るに家無し 国敗れて孤城、雀鴉乱る。治功を奏せず、戦、略無し 微臣、罪有り、復何をか嗟かん …」そして最後に「何れの地に、又親を置かん」と結び、きまじめな性格だけをもとでにしてかぼそく走りまわり、ついに途方に暮れている姿が、哀れなほどに出ている。明治後、秋月は薩長の連中に記憶され

- 577 -

ていて東京に呼ばれ、左院議官になったが、自分だけが官を得るに忍びないとし、やがて辞し、67歳で熊本の第五高等学校に呼ばれ、漢文を教授した。その熊本在職中のある日、秋月は教壇に立って、文久以来30余年ぶりの友人が訪ねて来て、終夜、痛飲して下調べができなかったとして授業を勘弁してもらいたいと丁寧に一礼して教室を出て行った。昨夜来た友人とは、宮内省の顕官である高崎である。秋月は高崎を前にして恨みもいわず、ひたすら当時を懐かしみ、翌日の授業もできないほどに飲んでしまった」(198-202頁)（傍点は筆者）。

72　Lafcadio Hearn, *Out of the East* (London: Jonathan Cape 30 Bedford Square, 1927), pp.54-56.

73　*Some New Writings of Lafcadio Hearn,* collected and edited by Sanki Ichikawa (Tokyo: Kenkyusha, 1950), pp.383-84.

74　『ラフカディオ・ハーン著作集　第十五巻』（恒文社、1988年）145頁。

75　西川盛男 編『ラフカディオ・ハーン──近代化と異文化理解の諸相──』（九州大学出版会、2005年）233-34頁。

76　小泉 凡『民俗学者　小泉八雲──日本時代の活動から──』（恒文社、1995年）160頁。ハーンは、執筆・推敲の手順を次のように述べている。「私はこんな風に仕事をいたします。問題は私の前にあります。私はそれについて考えるような面倒は致しません。そんな事をするとあまり疲れます。私はただ覚え書きを並べて、最初に最も自分の気に入った問題のどの部分からでも書き出します。私は無頓着に急いで書きます。それから草稿をその日は脇へやって置いて、もっと楽な仕事を何かやります。翌日草稿を読み返してみて、直して、すっかり書き直します。そんな仕事をしているうちに、全く機械的に新しい思想が浮かんできて、間違いが分かってきます。直すところが出てきます。それで止めます。翌日三度目に書き直します。これが試験の時です。結果は大概な進歩ですが、完成ではありません。それから新しい紙に最後の写し直しをしますが、大概二度書かねばなりません。四度書き直しているうちに、全部の思想は改造されて、全部の文体は変わってまいります。仕事は自然にできて発達生長します。もし私が第一の思想を信じてばかりいたら、余程違った物になったでしょう。しか

第 6 章　小泉八雲とジョウゼフ・コンラッド

し、私は思想の方で自然にきまって結晶するようにして置くのです。」(『小泉八雲全集』第十巻、178頁、1893年1月23日付けチェンバレン宛て書簡。尚、詳しくは同十三巻の「創作の方法について」を参照)。

77　雨森信成／仙北谷晃一 訳「人間ラフカディオ・ハーン」『小泉八雲　回想と研究』平川祐弘 編（講談社、1992年）77頁。

78　平川祐弘『破られた友情　ハーンとチェンバレンの日本理解』(新潮社、1987年) 178頁。

79　Hearn, "A Conservative" *Kokoro*, pp.36-37.

80　Hearn, "A Question in the Zen Texts" *Exotics and Retrospectives In Ghostly Japan*, p.64.

81　鈴木大拙『禅問答と悟り』（春秋社、1990年）1頁。

82　前掲書。85頁。

83　鈴木大拙『日本的霊性』（岩波書店、1936年、第 7 刷）60-61頁。

84　『日本の名著43　清沢満之　鈴木大拙』（中央公論社、1978年、第 4 版）243-45頁。因みに、中野孝次は、「幸福とは、自分が生きて今ココニ」在ることを直感することであって、「今ココニ」をまるごとむずと掴むことこそが、禅といわず、念仏といわず東洋の宗教の説くところであり、この「今ココニ」が永遠と直結している事を悟れということの一事に尽きる、と述べ、それは鈴木大拙が『東洋的な見方』にいうところの「即今」（そっこん）（here-now）であると断じている。中野孝次『幸せな老年のために　「今ココニ」充実して生きる』（海竜社、2002年）66頁。参照：鈴木大拙『鈴木大拙全集　第二十巻』『東洋的な見方』（岩波書店、1967年）とにかく、「空」を時の上から解釋して、「即今」といふ。平たく云へば、ただいまである。「空」がわかるといふのは、このただいまがわかるといふ意味である。ただいまを手に入れなくてはならぬ。このただいまを無限そのものと悟るとき、零（ゼロ）すなわち 無限（インフィニティ）の式が成立する。アッといふこの一瞬が直ちに無限の時間そのものであると氣のつくとき、東洋思想の根柢にふれることができる。（237頁）

85　清水幾太郎「コントとスペンサー」『世界の名著 46　コント　スペンサー』（中

央公論社、1980年）382頁。
86 Hearn, "Reflection" *Japan: An Attempt at Interpretation,* p.478.
87 ジャック・アタリ「民主主義の将来」『毎日新聞』2013年1月27日2面。
88 Lafcadio Hearn, *Life and Letters,* 2（New York: Boston & New York: Houghton Mifflin Company, 1923), pp.316-17.
89 Hearn, "Literature and Political Opinion" *Interpretations of Literature,* vol. I (New York: Dodd Mead & Company, 1920), pp.392-98. ハーン「文学と世論」池田雅之訳『ラフカディオ・ハーン著作集　第六巻　文学の解釈Ⅰ』(恒文社、1980年）477-83頁。
90 Hearn, "On Composition" *Life and Literature* (New York: Dodd, Mead & Company, 1919), p.48.
91 Ibid., pp.67-68.
92 Ibid., p.48.
93 Ibid., p.65.
94 ベンチョン・ユー『神々の猿――ラフカディオ・ハーンの芸術と思想』池田雅之 監訳、今村楯夫・坂本 仁・中里壽明・中田賢次 訳（恒文社、1992年）301頁。
95 小泉八雲『小泉八雲全集第九巻』金子健二 訳（第一書房、1925年）619-20頁。
96 八雲は、彼の教育者や作家としての自覚が早くからあったようだ。神戸在住のハーンのヘンドリック宛ての1895年12月の手紙に、その事が窺える。「私は生涯にこれといったことは成し得ぬとしても、小なりといえども教育者（a teacher）として、作家（a writer）として、あらぬ方向に向かう社会や文明の猛進に些かであっても其の阻止に益するところがあると思う。そのことについては八百万の神も私を愛護してくださるだろう。」Lafcadio Hearn, *Life and Letters,* 1, Elizabeth Bisland, ed. (Boston & New York: Houghton Mifflin Company, 1988), p.10.
97 Lafcadio Hearn, *Life and Letters,* 1, p.56.
98 Ibid., pp.229-30. 1882年、シンシナティの友人 H・E・グレイビール宛てのハーンの手紙。

99 Lafcadio Hearn, *Life and Literature* (New York: Dodd, Mead & Company, 1919), p.191.
100 Hearn, "Some Thought about Ancestor-Worship" *Kokoro*, pp.267-68.
101 Hearn, *Life and Letters*, 2, p.129.
102 Hearn, "The Rule of the Dead," *Japan: An Attempt at Interpretation*, p.181.
103 小泉凡「没後100年に思う、ハーンの未来性」『ラフカディオ・ハーン──近代化と異文化理解の諸相』(九州大学出版会、2005年) 175頁。
104 Hearn, *Exotics and Retrospectives* and *In Ghostly Japan*, p.361.
105 井上克人『＜時＞と＜鏡＞超越的覆蔵性の哲学──道元・西田・大拙・ハイデガーの思索をめぐって──』(関西大学出版、2015年) 23-24頁。
106 Hearn, *Life and Letters*, 2, p.277. 1894年春、ヘンドリック宛ての八雲の手紙。
107 雨森信成／仙北谷晃一 訳「人間ラフカディオ・ハーン」『小泉八雲 回想と研究』119頁。
108 Hearn, "The Genius of Japan Civilization," *Kokoro*, p.39.
109 ハーン『ラフカディオ・ハーン著作集 第十四巻 書簡Ⅱ』(恒文社、1983年) 423頁。
110 Hearn, "Nirvana" *Gleanings in Buddha-Fields* (Tokyo: Tuttle, 1981), pp.212-13.
111 Ibid., pp.264-65.
112 Ibid., p.232.
113 Hearn, "The Prose of Small Things" *Life and Literature*, p.128.
114 夏目漱石「草枕」『漱石全集 第三巻 草枕・二百十日 他』(角川書店、1960年) 109-11頁。
115 因みに、美術の専門家として美術学校や美術館を作った人で、日露戦争の前後に西洋列強の圧力に対してアジアの文化的連帯を謳った「アジアは一つだ」で始まる『東洋の理想』(*The Ideals of the East with Especial Reference to the Art of Japan,* 1903) や『茶の本』(*The Book of Tea,* 1906) を、西洋人にアジ

アの普遍性を主張するためにすべて英文で書いた岡倉天心（1862-1913）が日本に存在した。『茶の本』には西洋の「文明」に対する天心のアイロニーがある。「西洋人は日本がものしずかな平和の術に耽っていた間は、野蛮国と見做していたものだった。それが、日本が満州の戦場で大きな殺戮を犯し始めてこの方、日本を文明国と呼んでいる。武士道――我が兵士に喜んで自己犠牲に赴かせる死の術――について最近盛んに論評されている。しかるに、茶道については、この道が我々の生の術を多く説いているにも拘らず、殆ど関心が持たれていない。もし文明ということが、血なまぐさい戦争の栄誉に依存せねばならぬというならば、我々はあくまでも野蛮人に甘んじよう。我々は母国の藝術と理想に対して、当然の尊敬が払われる時期が来るのを喜んで待つとしよう」。岡倉天心『茶の本』浅野 晃 訳（角川書店、文庫本、1966年）7頁。

116　司馬遼太郎『坂の上の雲　一』（文藝春秋、1974年、第41版）「あとがき」316-18頁。

117　吉本隆明『吉本隆明全著作集6』（勁草書房、1969年）226頁。

118　漱石の『吾輩は猫である』の自筆の印税領収証が、奈良県天理市の天理大付属図書館で2017年10月19日に始まる展覧会「漱石――生誕百五十年を記念して――」で公開される。単行本は高価ながら重版する人気だったことや、漱石の著作意識の高さなどを示す貴重な資料だ。その単行本が1905～07年に3分冊で出された。定価は上編95銭、中編と下編が各90銭。1冊の値段は現在の1万円弱。中島国彦早稲田大名誉教授は「初刊本は高価だったが、多くの人に歓迎され、読まれたことを具体的に示す貴重な資料」と話す。領収書の日付は下編の刊行から3か月後の明治40（1907）年8月24日で、版元の一つ、服部書店主の服部国太郎宛て。上編10版の1000部、中編5版の1000部、下編1～4版の4000部、計6000部の印税997円50銭を受領した内容で、本名「夏目金之助」の署名と押印がある。印税率は単純計算で約18%。07年は漱石が教職を辞め、職業作家の道を歩み始めた年。「吾輩は猫である　印税領収証は書く」『毎日新聞』2017年10月17日29面。

119　夏目漱石『漱石全集　第二巻　吾輩は猫である　他』（角川書店、1960年）16

第 6 章 小泉八雲とジョウゼフ・コンラッド

頁。
120　夏目漱石『漱石全集　第六巻　三四郎』(角川書店、1960年) 17頁。
121　夏目漱石『漱石全集　第七巻　それから 他』(角川書店、1960年) 66頁。
122　佐藤泰正 編『漱石における＜文学の力＞とは』(笠間書房、2016年) 姜 尚中「夏目漱石」『明暗』──イニシエーションの文学、32頁。
123　山折哲雄『「ひとり」の哲学』(新潮社、2016年) 206-07頁。
124　大江健三郎『大江健三郎自選短篇』(岩波書店、2014年) 832頁。
125　終了迎えた大江健三郎賞、「戦後の精神」喪失に危機感『京都新聞』2014年6月3日13面。
126　姜 尚中『姜 尚中と読む　夏目漱石』(岩波書店、2016年)(岩波ジュニア新書) 19頁。
127　夏目漱石『漱石全集　第十一巻』こころ 他 (角川書店、1960年) 16頁。
128　前掲書。62頁。
129　前掲書。110頁。
130　夏目漱石『私の個人主義 ほか』(中央公論新社、2007年、再版)「文芸の哲学的基礎」70頁、84頁。
131　『私の漱石──『漱石全集』月報精選』(岩波書店編集部、2017年)。高 史明(こ さみょん)氏は、次のように『こころ』を読み解いている。「『こころ』の先生がKの日ごろの言葉を逆手にとって、真っ向からKを打ち据えた。Kは自死して果てる。先生は死者となったKと対面した。そしてその時はじめて、それぞれが抱える“こころ”の深淵をはっきりと意識した。夏目漱石はその『こころ』において、この人間の“こころ”の闇を、外発的にはじまり、「おそらく永久に今日の如く押されて行かなければ日本が日本として存在できない」(『現代日本の開化』)ような開化の道に呻吟する明治の時代の闇と重ねて見つめているのである。“文明”とは、まさに人間の“こころ”の闇と表裏なのであった」(98-99頁)。
132　ドストエフスキーの文学に関しては、本書の 第2章と第8章 を参照されたい。
133　前掲書。『こころ』広告文 (大正3年9月) 268頁。
134　若松英輔『『こころ』異聞──書かれなかった遺言』(岩波書店、2019年) 80頁。

135 鈴木大拙『日本的霊性』16-17頁。

136 漱石の「こころ」「K」のモデル　学僧　清沢満之か『毎日新聞』2006年8月18日7面。Kは「真宗の坊さん」の次男。「養子に行き」医学を学ぶはずが哲学を学んでいる事が養家に知れて仕送りを断たれ、親友「先生」の住む下宿に同宿。下宿のお嬢さんに恋心を抱くが先生との恋の競争に敗れて自殺する。一方、清沢満之（まんし）（1863-1903）は尾張藩士の子に生まれ、得度して寺の養子となり、大谷派の給費留学生として東京大学文学哲学科卒。1901年、雑誌「精神界」を創刊、「精神主義」を提唱した。同年、大谷派が東京巣鴨に開校した真宗大学の初代学監（学長）に就任。1903年、肺結核のため39歳で亡くなった。藤井さんは二人の人間像がよく似ている事に気づいた。第一は禁欲的という点。第二は精神主義。Kが先生に対して使った「精神的に向上心のないものは馬鹿だ」という言葉を、お嬢さんに対する恋心が生じ悩んでいる時に先生から投げ返された事。「精神界」創刊号には「精神的向上」「向上的傾向」との言葉が見え、「こころ」には明らかに精神主義が投影している。藤井さんは物証を求めて東北大学付属図書館蔵の漱石蔵書のマイクロフィルムを閲覧。満之の弟子、安藤州一著「清沢先生信仰座談」（1910年、無我山房刊）の74頁、親鸞の流罪に触れたくだりに墨で漱石によって傍線が引かれているのを発見した。直前には「先生曰く、精神主義に由るものは、如何なる時と雖も、失敗あることなし」とあり、漱石の精神主義への強い共感が裏付けられた。「こころ」の先生はKを裏切り、自殺に追い込んだ事に自責の念を抱き続けた末に"明治の終わり"の乃木希典大将の殉死を機に自殺する。漱石は「こころ」を構想中の1913（大正2）年、第一高等学校で行った講演「模倣と独立」で乃木大将の殉死について論じる直前、"学校騒動"に言及している。1911（明治44）年、大谷派の政争で改革派が敗れ、満之が仏教革新の夢を託した真宗大学は無理やり京都移転させられた。藤井さんによると"学校騒動"は同大学移転を巡る紛争。漱石はその結末に満之の理想の挫折というもう一つの"明治の終わり"を見てKをして自殺させた、と藤井さんは考える。漱石と満之はともに東大きっての秀才だった。藤井さんは「漱石は小説家となって明治学問界の栄達の道から離れた自分と満之の人生を重ね

第 6 章　小泉八雲とジョウゼフ・コンラッド

合わせていたのではないか」と推測している。
137　夏目漱石『私の個人主義　ほか』（中央公論社、2001年）136頁。
138　前掲書。142頁。
139　夏目漱石『彼岸過迄』（角川書店、1961年）223頁。
140　夏目漱石『作家の自伝　24　夏目漱石』（日本図書センター、1995年）漱石は、『永日小品』所収の「霧」において、ロンドン留学時代の大海に落とされた一滴の水の如き漠とした言い知れぬ不安を次のように述懐している。「表へ出ると二間許り先は見える。其の二間を行き尽すと又二間許り先が見えて来る。世の中が二間四方に縮まったかと思うと、歩けば歩く程新しい二間四方が露（あら）われる。其の代り今通って来た過去の世界は通るに任せて消えて行く。」（75頁）。また漱石は、如何にして生きて行くか、という人生の問題を「硝子戸の中」（1915）において次のように述べている。「何ういう風に生きて行くかという狭い区域のなかでばかり、私は人類の一人(にん)として他の人類の一人(にん)に向かわなければならないと思う。既に生の中に活動する自分を認め、又其生の中に呼吸する他人を認める以上は、互いの根本義は如何に苦しくても如何に醜くても此生の上に置かれたものと解釈するのが当たり前であるから。」（124頁）。
141　夏目漱石『社会と自分　漱石自選講演集』石原千秋 解説（筑摩書房、2014年）明治34（1901）年9月22日夏目鏡子宛ての書簡に「近頃は文学書は嫌になり候 科学上の書物を読み候当地にて材料を集め帰朝後一巻の著書を致すつもりなれどおれの事だからあてにはならない」とあり、明治35年2月6日、菅 虎雄宛て書簡にも「近頃は文学書杯は読まない　心理学の本やら進化論の本やらやたらに読む」とある（373頁）。
142　小倉徹三『夏目漱石　ウィリアム・ジェームズ受容の周辺』（有精堂出版、1989年）3頁。漱石文庫として東北大学に所蔵されている漱石蔵所に多くの書き込みや傍線箇所が見られるが、ジェームズの著書では、『心理学原理』(*The Principles of Psychology.* Vol. I・II, London: Macmillan & Co. 1901)、『宗教的経験の諸相』(*The Varieties of Religious Experience.* London: Longmans, Green & Co., 1902)、『多元的宇宙』(*A Pluralistic Universe.* London: Green

& Co., 1909) の三冊である。

143　夏目漱石『漱石全集　第一巻　坊ちゃん　他』（角川書店、1960年）378頁。

144　夏目漱石『夏目漱石全集　第十四巻』（角川書房、1958年）319-26頁。

145　『社会と自分　漱石自選講演集』348頁。

146　寂しい漱石『毎日新聞』2018年5月23日8面（夕刊）。漱石の英国留学中の葉書が1世紀ぶりに発見された。葉書は、漱石と同じ船でドイツに留学したドイツ文学者の藤代禎輔（1868-1927）に宛てたものである。

147　夏目漱石『漱石全集　第十四巻　文学論』（角川書店、1960年）9頁。

148　吉本隆明『漱石の巨きな旅』（日本放送協会、2004年）11-12頁。

149　正岡子規『墨汁一滴』（岩波書店、1991年）（第25版）13頁。子規は22歳で不治の病とされた結核にかかり、35年たらずの生涯の大半を病を抱えながら俳諧をはじめ文藝の様々な方面で活躍した。最後の数年は激痛に苛まれ、死と隣り合わせで過ごしながらも、明るく活発に生きた。腹を立てる身辺を綴った彼の日誌類（『墨汁一滴』『仰臥漫録』『病牀六尺』）の文章には微妙なユーモアがある。子規は、漱石の真面目さの中に、滑稽趣味を見て取り、「我俳句仲間において俳句に滑稽趣味を発揮して成功したる者は漱石なり。真の滑稽は真面目なる人にして始めて為し能ふ者にやあるべき」（13頁）と死の前年に書いた『墨汁一滴』に述べている。小説においては漱石の作の中でも最も滑稽に満ちた軽やかな『吾輩は猫である』（1905）が想起される。

150　夏目漱石『夏目漱石　人生論集』（講談社、2001年）109-12頁。

151　夏目漱石『漱石全集　第十四巻　文学論』14頁。

152　前掲書。12頁。

153　沢 英彦『漱石と寅彦』（沖積舎、2002年）106頁。

154　外山滋比古『日本の英語、英文学』（研究社、2017年）126-27頁。小泉八雲が明治24〜27年まで満3年勤務した熊本第五高等学校に、夏目漱石が若くしてその第五高等学校の教授になった。英文学ではなく英語を教え大きな影響を与えた。後に日本を代表する学者、文人となる寺田寅彦はその五高で漱石の教えを受けてのちに、"漱石山脈"と言われた学者、文人グループの筆頭であった。

155　前掲書。106頁。

156　序ながらつい先ごろ、若き漱石が、哲学も堪能していた資料が発見された。旧制第一高等中学（現東京大教養部）に在籍した時の成績資料である。現在の福井県越前市出身の哲学者で一校教諭の松本源太郎（1859-1925）が、論理学（哲学）の成績を付けた忘備録手帳で、漱石の大学入学前の学業状況を示す記録である。漱石が1年生だった1888〜89年に100点満点で実施された試験の点数で、1学期の80点、2学期の90点を合計するとクラストップであった。別のクラスのページには、後に親交を深める俳人の正岡子規の名もあり、子規は1学期は74点、2学期は82点だった。松本はその後、旧制五校（現熊本大）に赴任し、教師となった漱石を英国留学に推薦している。「若き漱石　哲学も堪能」一校時代の成績メモ『毎日新聞』2019年1月7日1面。

157　半藤一利『漱石先生ぞな、もし』（文藝春秋、1993年、第11刷）84頁。

158　前掲書。93-97頁。年に1800円、すなわち月に150円の留学費の3分の1を、毎月のように書籍代で費やした。それが漱石先生のロンドン滞在の約2年間であった。（中略）これによって購入できた洋書の数は、最低でも400冊、漱石はこれらの本のほとんどを路上に店を並べて安い本が買える所で買った。（中略）知る人のない遠く異国の大都市にあって、食うや食わずで、部屋にただひとりこもってシコシコ読んでいる漱石先生の後姿を想像すると、これで神経衰弱にならなかったら、ならないほうがどうかしているんじゃあるまいか。そうしみじみと思えてくる。

159　夏目漱石『漱石全集　第十四巻　文学論』9頁。

160　前掲書。10頁。

161　『漱石資料――文学論ノート』村岡　勇　編（岩波書店、1976年、第2版）8-9頁。①世界ヲ如何ニ観ルベキ②人生ト世界トノ関係如何。人生ハ世界ト関係ナキカ。関係アルカ。関係アラバ其関係如何③世界ト人世トノ見解ヨリ人生ノ目的ヲ論ズ④世界ト人類ノ目的ハ皆同一ナルカ。人類ハ他ノ動物トノ目的ハ皆同一ナルカ⑤同一ナラバ衝突ヲ免カレザルカ。衝突ヲ免カレズンバ如何ナル状況ニテ又如何ナル時期ニテ如何ナル方法ヲ以テ此調和ヲハカルカ⑥現在ノ世ハ此調和ヲ

得ツツアルカ⑦調和ヲ得ズトスレバ吾人ノ目的ハ此調和ニ近ヅク為ニ方向ニ歩セザル可ラズ⑧日本人民ハ人類ノ一国代表者トシテ此調和ニ近ズク為ニ其方向ニ歩セザル可ラズ⑨其調和ノ方法如何。其進歩ノ方向如何。未来ノ調和ヲ得ン為ニ時ノ不調和ヲ来ラス事アルベキカ。之ヲ犠牲ニスベキカ⑩此方法ヲ称シテ開化ト云ヒ其方向ヲ名ヅケテ進化ト云フ⑪文芸トハ如何ナル者ゾ　文芸ノ基源　文芸ノ発達及其法則　文芸ト時代トノ関係 etc　文芸ハ開化ニ何ナル関係アルカ進化ニ何ナル関係アルカ⑫若シ此方法ト方向ニ触セバ全ク文芸ヲ廃スベシ⑬若文芸ノ一部文ガ此ニ関係ニテ一部分ガ有益ナラバ第三ヲ除苃スベシ⑭文芸ノ開化ヲ裨益スベキ程度範囲⑮日本目下ノ状況ニテ日本ノ進路ヲ助クベキ文芸ハ如何ナル者ナラザル可。v. 西洋⑯文芸家ノ資格及其決心。

162　Edward Said, "Introduction" *Reflections on Exile and Other Essays* (Cambridge, Massachusetts: Harvard University Press, 2000), p.xv.

163　エドワード・サイード、デーヴィッド・バーミアン『ペンと剣』中野真紀子 訳（筑摩書房、2005年）30頁、95頁、99-101頁。

164　夏目漱石『漱石全集　第三巻　草枕・二百十日 他』（角川書店、1950年）216頁。

165　姜 尚中『姜 尚中と読む　夏目漱石』62頁。

166　夏目漱石『漱石全集　別巻　漱石案内 他』（角川書店、1961年）42-43頁。

167　林原耕三『漱石山房回顧・その他』（桜楓社、1975年）44-45頁。

168　ジェイ・ルービン『村上春樹と私　日本の文学と文化に心を奪われた理由』（東洋経済新報社、2016年）135-36頁。

169　夏目漱石『社会と自分　漱石自選講演集』石原千秋 解説、124頁。

170　前掲書。130頁。

171　漱石追想』十川信介 編（岩波書店、2016年）331頁。

172　動じぬ漱石の書『毎日新聞』2016年1月25日10面。

173　沢 英彦『漱石と寅彦』（沖積舎、2002年）529頁。真蹤寂寞杳難尋（真蹤寂寞杳として尋ね難し）　欲抱虚懐歩古今（虚懐を抱いて　古今を歩まんと欲す）　碧水碧山何有我（碧水碧山　何ぞ我有らんや）　蓋天蓋地是無心（蓋天蓋地是れ無心）　依稀暮色月離草（依稀たる暮色　月　草を離れ）　錯落秋声風

第6章　小泉八雲とジョウゼフ・コンラッド

在林(錯落たる秋声　風　林に在り)　眼耳双忘身亦失(眼耳双つながら忘じて　身亦失し)　空中独唱白雲吟(空中に独り唱ふ　白雲の吟)

【真の道――本来の面目――は、その跡寂莫としてまことに尋ね難い。虚心に古今東西の道を尋ねて歩いて来た。碧い山や水の自然には、小さい我などはない。天地間のすべては本来無心ではないか。薄暗い暮色の中に月が草原をのぼり、入り混じる秋風が林を吹き鳴らして行く。眼も耳も二つながら忘れ去り、身もまた失くなり、ただ空中に独り白雲の吟を詠ずるものである。】

174　Joseph Conrad, "Return" *The Tales of Unrest* (London: Dent, 1918), p.121.
175　Ibid., pp.118-19.
176　＜論点＞揺らぐ国際秩序『毎日新聞』2019年5月29日11面。
177　Hearn, "A Conservative" *Kokoro*, p.193.
178　*The Writings of Lafcadio Hearn,* vol. XV (Boston & New York: Houghton Mifflin Company, 1973) (reproduced by Rinsen Book Co.), pp.444-45.
179　ハーン「書簡Ⅱ」『ラフカディオ・ハーン著作集　第十五巻　書簡Ⅱ・Ⅲ・/拾遺/年譜』(恒文社、1988年)49頁。
180　ハーンは、未だ西欧化に染まらない山陰の松江に来て、流浪の外国人である自分を温かく受け入れてくれた松江と、そして赴任した先の西田教頭を想起して、松江での授業を「蓬莱」にも例えている。ハーンの西田への親密さは、熊本在住のハーンの1892年4月12日付の西田宛ての手紙に親愛なる西田様(Dear Mr. Nishida)から「様」を取って親愛なる西田(Dear Nishida)と変更する旨を認めていた事に明示されている。(I think we ought to drop the "Mr." by this time. 参照: *Some New Letters and Writings of L. Hearn.* Edited by S. Ichikawa(研究社、1950、再販)30頁。心を許していた西田への1897年の手紙で、東京在住のハーンは心の内を次のように述べている。「私は髪が非常に白く、顔が一段と奇妙なものになりました。私はごく限られた物静かな隣人たち以外に訪問したり、知り合いになる事が無かったので、多少変人にもなりました。(中略)松江である人が私の授業を参観に来たことがありました。授業が終わると彼は私の所にやって来て、非常に親切な言葉を述べ、私の手を握り締め

て島へ帰っていきました。私はたびたびその人の夢を見ました。そこは常夏です。松江においてあったように、すべてが温和で、まじめで、愉快で、美しいのです。たとえその報酬が授業の終りに言われる親切な言葉であっても、私はそこで教えたいと思います。しかし、その学校は霧でできていて、教師も生徒も幽霊に過ぎません。あるいは、おそらく、それは"蓬莱"にあるのかもしれません」と。ハーン『ラフカディオ・ハーン著作集　第14巻』(恒文社、1983年) 309-10頁。

181　Hearn, "Hōrai" *Kotto and Kwaidan* (Kyoto: Rinsen Book Co., 1988) (reproduced), pp.266-67.

182　ジョセフ・ド・スメ『ラフカディオ・ハーン――その人と作品――』西村六郎訳（恒文社、1990年）183頁。

183　高瀬彰典『小泉八雲の日本研究――ハーン文学と神仏の世界――』(島根大学ラフカディオ・ハーン研究会、2011年) 80-81頁。

184　前掲書。76頁。

185　*The Writings of Lafcadio Hearn* (Boston & New York: Houghton Mifflin Company, 1973), p.333. 本文中の訳出に当たっては、ハーン『ラフカディオ・ハーン著作集　第十四巻　書簡Ⅱ』(恒文社、1983年) を参照させて頂きました。

186　Hearn, "Of the Eternal Feminine" *Out of the East and Kokoro* (Boston & New York: Houghton Mifflin Company, 1923), p.79.

187　平川祐弘『ラフカディオ・ハーン』(ミネルヴァ書房、2004年) 37頁。

188　平川祐弘「序」『講座　小泉八雲Ⅱ　ハーンの文学世界』(新曜社、2009年) 6頁。

189　遠田勝「小泉八雲――神道発見の旅」『小泉八雲　回想と研究』平川祐弘編（講談社、1992年）357頁。

190　池田雅之・高橋一清編著『日本人の原風景Ⅰ　古事記と小泉八雲』85頁。

191　前掲書。96-97頁。

192　*The Writings of Lafcadio Hearn* (Boston & New York: Houghton Mifflin Company, 1973), p.25. ハーンは親友西田千太郎から「日本人を分かるように

第 6 章　小泉八雲とジョウゼフ・コンラッド

なってきた」という手紙を受け取り、嬉しい気持ちを率直に1896年 4 月付けの西田宛ての手紙に認(したた)めている。

193　ハーン「蛍」仙北谷晃一 訳『小泉八雲作品集 2 ——随筆と評論』(河出書房新社、1977年) 261頁。Hearn, *Kotto and Kwaidan* (Rinsen Book Co., Kyoto, 1988) (reproduced), p.108. 'in every unit of living substance there slumber infinite potentialities, simply because to every ultimate atom belongs the infinite and indestructible experience of billions of billions of vanished universes' スペンサーと仏教の輪廻説を融合した八雲の見解が、『天の川縁起——その他』所収の「究極の問題」に述べられている。小泉八雲『天の川幻想——ラフカディオ・ハーン　珠玉の絶唱——』船木 裕 訳 (集英社、1994年)。八雲は、スペンサーの晩年の思想を記す「究極の問題」(死後における自我の存続、つまりは霊魂の不滅云々の問題) において、彼の哲学的な進化論を次のように読み解いている。——果たして「最後の息と同時に、誰もがまるで今まで生きていなかったのと同じことになる」のだろうか？　しかし、個人の労苦の営みによって、より賢くより優れたものとなった人類はよもやそうではあるまい——それでも、この世界は消え去るに違いない。その後で、この世界は宇宙に対してまるで今まで人類が存在していなかったのと同じことになるのだろうか。それにしても、複数の太陽と惑星から成る全宇宙もやはり消滅するに違いない (166)。(中略) 我々は少なくとも＜生命のエネルギー＞は破壊されはしないという確信を抱いているし、それらの活力が今後もなお発展すべきあまたの宇宙に別の生命と思想を形成する上に役立つだろうという強い見込みも抱いている (166)。(中略) この＜無限の神秘＞に対する我々の心的態度については、スペンサーの忠告は明瞭である。我々は永遠の法則に身を委ねて、「なるほど＜知られざる力＞によって作り出された＜宇宙の働き＞は呵責なきものではあるが、それでも、そのうちにはどこにも復讐というものは見当たらない」(『事実と注解』) という事を忘れぬようにしながら、我々がはるか昔から受け継いできたもろもろの迷信深い恐怖を打ち破るように努めなければならないというのだ (170)。

194　Hearn, *Japan: An Attempt at Interpretation,* p.132.

195　Hearn, "Jizō" *Glimpses of Unfamiliar Japan,* vol. 1 , p.52.

196　Hearn, "The Japanese Smile" *Glimpses of Unfamiliar Japan,* vol. 2 , p.377.

197　Ibid., p.132.

198　Hearn, "Some Thoughts about Ancestor-Worship" *Kokoro,* p.304.

199　八雲は、チェンバレンへ宛てた1891年5月の手紙に、ローウェルが日本民族の折衷主義の特質を見落としている、と指摘していた。Hearn, *Life & Letters,* 2 , Elizabeth Bisland, ed.（Boston & New York: Houghton Mifflin Company, 1923), p.130.

200　西田幾多郎『西田幾多郎全集　第18巻』（岩波書店、1966年）110頁。西田幾多郎の田部隆次宛ての1908年9月28日付けの手紙。

201　西田幾太郎≪序≫田部隆二『小泉八雲』（北星堂、1980年）p.x.

202　西田幾多郎『西田幾多郎全集　第18巻』177頁。1914（大正3）年4月18日付け、西田幾多郎の田部宛ての手紙。

203　田部隆次『小泉八雲』（北星堂書店、1980年）115頁。

204　西田幾多郎『西田幾多郎全集　第18巻』190頁。1917（大正6）年1月10日付け、西田幾多郎の田部宛ての手紙。

205　「耳なし芳一」生みの苦心語る草稿『毎日新聞』1987年6月11日。怪談「耳なし芳一」の草稿の断片（英文）がこのほど、八雲の孫の小泉 時さん（62）宅から見つかった。文章に凝った八雲はいくつかの草稿を残し、バージニア大（米国）、富山大、天理大付属天理図書館などに所蔵されているが、英語の副読本としても広く読まれている「耳なし芳一」の草稿は初めて。梶谷泰之・元京都外大学長の話：「夏目漱石が「小泉先生の文章はぜいたくだ」と言ったほど、八雲は言葉を大切にした。東京帝大講師時代、学生に「原稿は箪笥(たんす)の引き出しにしまい、三日たってから読み直せ」と言った話は有名だ。今回の草稿はそういう八雲の姿勢を生き生きと伝えてくれる第一級の資料だ」。

206　池田雅之『小泉八雲　日本の面影』（NHK出版、2015年）91頁。

207　丸山 学『丸山 学選集文学篇』（古川書房、1976年）285-86頁。小泉八雲の曾孫

である小泉 凡氏は、『民俗学者・小泉八雲　日本時代の活動から』（恒文社、1995年）において、フォークロアとしての一面を持つハーンを実証的に紹介している。

208　Hearn, "On the Relation of Life and Character to Literature" *Life and Literature,* pp.37-38.

209　八雲は、幻想から覚醒した新境地を1893年4月13日付のチェンバレンに宛てた手紙に認めている。

210　山本俊郎、井内敏夫『ポーランド民族の歴史』（三省堂、1980年）121頁。

211　Frederick R. Karl, *Joseph Conrad: The Three Lives* (London: Faber & Faber, 1979), pp.53-54.

212　大橋洋一 訳『サイード自身が語るサイード』（紀伊國屋書店、2006年）152頁。

213　Edward Said, *Reflections on Exile and Other Essays* (Cambridge, Massachusetts: Harvard University Press, 2000), p.179.

214　Hearn, *Interpretations of Literature* (New York: Dodd, Mead & Company, 1920), vol.1, pp.9-10. ハーン「至高の芸術」池田雅之 訳『ラフカディオ・ハーン著作集 第六巻　文学の解釈・Ⅰ』（恒文社、1980年）16-17頁を参照させて頂きました。

215　ハーン「怖い小説一編」斎藤正二 訳『ラフカディオ・ハーン著作集 第五巻　東西文学評論その他』（恒文社、1988年）156頁。

216　F.R. Leavis, *The Great Tradition* (Penguin Books, 1967, reprint), p.27.

217　Conrad, *'Twixt Land and Sea* (London: Dent, 1966), p.ix.

218　松村昌家『文豪たちの情と性へのまなざし――逍遥・漱石・谷崎と英文学』（ミネルヴァ書房、2011年）80-81頁。1906年の漱石の「断片」。

219　夏目漱石『漱石全集』第十一巻（岩波書店、1966年）193頁。

220　前掲書。193頁。

221　Conrad, "Author's Note" *The Mirror of the Sea* (London: Dent, 1968), pp.v-vi.

222　拙稿「コンラッド文学の萌芽――『オールメイヤーの阿房宮』――」(*Kwansai*

Review, 1997) 第16号、1-25頁。及び「ジョウゼフ・コンラッドの「孤独」」（POIESIS 19号、関西大学大学院英語英米文学研究会、1992年）99-127頁。

223 Douglas Hewitt, *Conrad: A Reassessment* (London: Bowes & Bowes, 1969), p.27.

224 リットン・ストレイチィ『ヴィクトリア女王』小川和夫 訳（冨山房、1984年）参照。

225 黒田英雄『世界開運史』（成山堂書店、1979年）31頁。

226 古賀四郎『ランカシャー物語——初期のイギリス綿業史——』（私費出版、1980年）参照。

227 村岡健次『ヴィクトリア時代の政治と社会』（ミネルヴァ書房、1995年）1-2頁。

228 矢口孝二郎『産業革命研究序説』（ミネルヴァ書房、1967年）108頁。

229 梶本元信「イギリス沿岸海運の発展——産業革命から第一次世界大戦まで——」『海外海事研究』No.117（山縣記念財団、1992年）47頁。

230 Ian Watt, *Conrad in the Nineteenth Century* (London: Chatto & Windus, 1980), pp.16-17.

231 Conrad, *Youth* (London: Dent, 1967), p.34. 以下、同書からの引用は、本文中に頁数をつける。

232 Joseph Conrad, *Notes on Life and Letters* (London: Dent, 1949), p.188.

233 Joseph Conrad, *The Mirror of the Sea,* pp.29-30.

234 Joseph Conrad, "Well Done" *Notes on Life and Letters* (London: Dent, 1949), pp.190-91.

235 バートランド・ラッセル「自伝的回想」『バートランド・ラッセル著作集 I』中村秀吉 訳（みすず書房、1959年）97頁。Bertrand Russell, *Portraits from Memory and Other Essays* (London: George Allen & Unwin, 1956), p.84.

236 Joseph Conrad, *Notes on Life and Letters,* p.196.

237 Joseph Conrad, *Lord Jim* (London: Dent, 1968), p.129.

238 Joseph Conrad, *The Shadow-Line* (London: Dent, 1969), p.62. 以下、同書からの引用は、本文中に頁数をつける。本文の訳出に当たっては朱牟田夏雄 訳

『世界の文学 24』（中央公論社、1983年、再版）を参照させて頂きました。
239 伊藤敦司「船長責任の問題点」『商経論集』第26号（千葉経済短期大学、1993年）78頁。
240 戸田修一「船長の責任――その立法的考察への序説」第11号（中央大学法学会、1958年）22-24頁。
241 Joseph Conrad, "The Secret Sharer" *'Twixt Land and Sea* (London: Dent, 1966), p.107.
242 Joseph Conrad, *The Shadow-Line,* p.vi.
243 Jocelyn Baines, *Joseph Conrad: A Critical Biography* (London: Weidenfeld & Nicolson, 1967), p.98.
244 Joseph Conrad, *The Mirror of the Sea,* p.18.
245 伊藤敦司「船長責任の問題点」『商経論集』第26号、79頁。
246 ライオネル・トリリング『＜誠実＞と＜ほんもの＞』野島秀勝 訳（筑摩書房、1976年）22頁。
247 Joseph Conrad, *Lord Jim* (London: Dent, 1968), p.212.
248 Frederick R. Karl & Laurence Davies, ed., *The Collected Letters of Joseph Conrad,* vol. 1 (Cambridge: Cambridge University Press, 1983), pp.7-8.
249 Ibid., p.8.
250 Joseph Conrad, "Preface" *The Nigger of the 'Narcissus'* (London: Dent, 1964), p.vii.
251 Joseph Conrad, "A Familiar Preface" *A Personal Record* (London: Dent, 1968), p.xix.
252 日高只一『英米文藝随筆』（日本書荘、1947年）128頁。
253 S・T・コウルジッジ『文学評伝』桂田利吉 訳（法政大学出版局、1976年）194頁。
254 Robert Kimbrough, *The Nigger of the 'Narcissus'* "To My Readers in America" (New York: W.W. Norton & Company, 1979), p.168.
255 Joseph Conrad, *Typhoon, Amy Foster, Falk, To-morrow* (London: Dent,

1964), p.141.

256 バートランド・ラッセル『宗教は必要か』大竹 勝 訳（荒竹出版社、1968年）34頁。

257 バートランド・ラッセル「自由人の信仰」『バートランド・ラッセル著作集1』江森巳之助 訳（みすず書房、1959年）65頁。

258 Joseph Conrad, *The End of the Tether* (London: Dent, 1967), p.333.

第 7 章　飛行士サン＝テグジュペリと
　　　船乗りジョウゼフ・コンラッド
　　　　——宮崎　駿を視野に入れて——

序論

　宮崎　駿は、サン＝テグジュペリ（Saint-Exupéry）を「流行に左右されず、決して古びない原石のまま海に消えたダイアモンド。人間の高貴さを謳った『人間の大地』は今でも少しも輝きを失っていない」と高く評価して、彼の航空郵便飛行を追体験していた。サン＝テグジュペリは、＜大空のコンラッド＞と呼ばれる作品を執筆していた事からも明らかなように、ジョウゼフ・コンラッド（Joseph Conrad）に深く共感し彼から大きな影響を受けた。コンラッドは、船乗り体験の悉(ことごと)くを作品の糧にしていた。本論では宮崎の視点を視野に入れて、二人の思想を育んだ生い立ちや時代背景と共に、彼らの職業に欠かせない＜飛行機＞と＜船＞に着目して、彼らが独自の文学作品を如何にして創作したかを考察してみよう。

　サン＝テグジュペリは、ちょうど飛行機が発明された時代に生まれ、小さいころから空を飛ぶ事に憧れていた。若くして飛行士となった彼は、郵便を運ぶ飛行機を操縦し、先ずヨーロッパ、次にアフリカ、そして南米大陸に郵便ルートを開拓していった。山脈や砂漠の上空を飛び、強風や嵐の中でも飛び続けた。飛行機の上から地上の人々の暮らしを見詰め、思索を深め、様々な作品を著した。彼が死去する前年の 4 月、『星の王子さま』（*Le Petit Prince*）[1] が出版された。彼が描いたのは、この地球のように穢れてはいない惑星に暮らしていた少年が、その星から遠く離れて冒険し、色々な事に疑問を持ち、その答えを探し求める姿であった。少年の心を生涯持ち続けたサン＝テグジュペリは人間が生きる

事の意義を希求する作家である。彼の裡には、個人を超越した高度の倫理を打ち立てようとする強い意志があった。『夜間飛行』（*Vol de Nuit*）には、アンドレ・ジッド（André Gide）がこの「序文」に寄せたように「人間の緊張した意志の力によってのみ到達し得るあの自己超越の境地」が非情な指導者リヴィエールの裡に描き出されている。

ジュルジュ・アルトマンは、「作家、飛行家　サン＝テグジュペリに会う『夜間飛行』の作家《感謝の負債》である素晴らしい物語をかたる」と題してジョゼフ・コンラッドを引き合いに出して次のように述べている。――「彼は、南方郵便機の操縦士として、また、アンデスを超えながら、《星々に舗装された》空の中を、機上で孤独に生きることを愛していた。だが彼は、飛行する人間たちと人間たちの大地とを、同じ息遣い、同じ調子で歌うことを知っている。『夜間飛行』、この作品は、いまや、コンラッドの「台風」（"Typhoon"）が海の古典であると同じように、空の《古典》である。――私は船乗りになりたかったんですよ……。サン＝テックス――彼を識り、彼を愛するすべての人たちは、彼をこう呼んでいる――そのサン＝テックスは、困惑した様子でこうつぶやく。まるで一生を《誤った》かのように！　海の代わりに空が彼をとらえたのだ。ブルターニュの古い伝説によれば、かつては海が天空を浸していて、海が天空から退いたのは天地創造のあとであるという。そのころ、空の波である雲が船を運んでいたのだ」[2]。

サン＝テグジュペリは飛行機が目覚ましい技術革新を遂げつつある時代に生まれたが、彼はその技術革新の花形を農夫の鋤や鍛冶屋の鉋といった道具と本質的には同じであると見做して、大自然と接触し、人間の真実、その本然の発見に努める事を重要視している。若い頃に彼がサハラ砂漠から南米のパタゴニアまで郵便飛行の路線を延ばす事業に身を投じた事の意義がここにあった。

サン＝テグジュペリが航空郵便機に乗っていた1920年代のフランス・サハラ間の航空郵便飛行を追体験した宮崎　駿は、「サン＝テグジュペリ

第7章　飛行士サン＝テグジュペリと船乗りジョウゼフ・コンラッド

の生涯は、一種不可侵の領域に属するものだと、ぼくは考えている。彼は、原石のまま海に消えたダイアモンドであった。流行にも、時代の風浪にもカットされない原石は決して古びない。過ぎ去った郵便飛行の黎明期を書きながら、人間の高貴さについて書かれた『人間の土地』(『人間の大地』)(Terre des Hommes)が、今でも少しも輝きを失っていないのはその証(あかし)である。彼はまた、この星に不時着したが死に損なった飛行士でもあった。彼が生きながらえたのは、『人間の土地』と「プチ・フランス」を書くためであって、その後は生き延びる理由がなかった。彼は、この星から飛び立とうとして何度も挫折し、傷を負い、ついに地中海でその望みを果たしたのだった」[3] と語っている。『人間の大地』は、小説というよりは、むしろ操縦士としての15年間のサン＝テグジュペリの体験や思い出を集大成したものである。彼の人生の様々な挿話を通じて人間としての意義について問いかけた省察録と言い得るものである。

　フランスの文学者であるジャック・ド・ラクルテルは、『ル・フィガロ』紙上の「文学と戦争」において述べている。――「私は、壮途の伴侶として、戦争の本ではないが、サン＝テグジュペリの『人間の大地』を持ってゆくことを彼(フランスの若者)に求める。その中で彼は、いかに死が行動の生活と混じり合っているか、いかに精神の集中がすべての職業を高貴なものにするか、いかに勇気と活力は、人間の敵に対して暴力のみでは測れないものであるかを知りうるであろう。フランスの若者たちがこのような書物によって与えられる範例について考えてくれるように望む」[4]。サン＝テグジュペリは、晩年に――「私は文学のための文学を嫌悪している。激しく生きたが故に、具体的な事実を書くことが出来たのだ。作家としての私の義務を決定したのは職業である」[5] と述懐していた。1943年1月23日号の「ラ・クロワ」紙は、彼の事を述べている。――「飛行機を操縦している時も、作家として机に向かっている時も、アントワーヌ・ド・サン＝テグジュペリ氏は常に同じ人間であ

る。彼は文学をやるために飛んでいるのではない。彼の文学は虚栄の貨幣鋳造ではない。ただひたすら、彼の内的要請が、いわば同時に彼を思考と行動とに駆り立て、この二つの場合を通じて、彼自身に彼を啓示するように促すのである」[6]。作家であり飛行士でもあったアン・リンドバーグ（Anne Lindbergh）[7]は、『人間の大地』について日記に次のように記している。——「『人間の大地』を貪るように読む。はっとするような美しさがある。人の心を捉えずにはおかない物語。飛行機の操縦について、逃れ行く時間について、人間たちとの交流ついて、彼は私が常に言おうとして望んできたすべてを表現し、かつそれを凌駕している」[8]。

　一方、ジョウゼフ・コンラッドは、帝政ロシアの圧政下にあってポーランド独立運動の指導者だった父が官憲に捕えられ、幼くして母と父を政治的理由で亡くした。孤児となった彼を母方の伯父が引き取り、手厚い愛情と保護の手を差し伸べてくれたが、彼の母国ポーランドは当時ロシアの属領であったが故にそのままでは兵役義務を免れず、コンラッドは伯父や周囲の反対を押し切って海に活路を求める。サン＝テグジュペリが飛行士になる前に整備士として油まみれで働いていたように[9]、コンラッドは見習い船員から艱難辛苦して航海士になり、1886年に船長資格を取得した。そして晴れてロシア国籍を脱して英国人となった。そして文学への転身を夢見てひそかに船上で修行する。その題材には不自由しなかった。彼は世界各地を船で訪れた体験の悉（ことごと）くを作品に活かした。コンラッドは、時代が蒸気船に移行する時代でもあえて人間の労力をはるかに要する帆船に乗り込んで、人間は自然と対峙してこそ＜あるべき人間＞が育まれると考えて、「青春」（"Youth"）やサン＝テグジュペリに多大な影響を与えた「台風」をはじめとする「船乗りもの」と言われる作品群を創作する。コンラッドは当時を次のように述懐している。——「私は自分を、帆船に乗った最後の水夫だと考えています。あの昔ながらの海の生活についてはもう誰も書かないことでしょう。小説

第7章　飛行士サン＝テグジュペリと船乗りジョウゼフ・コンラッド

作品としての『ナーシサス号の黒人』(*The Nigger of the 'Narcissus'*) は、考え得る限り最高の完璧さに至ったと同時に帆船隊の終焉でもあったあの時代を確認するもの、そのことを、英国海峡を見るたびに深く感じます。当節では煙を上げる煙突しか見られないからです」[10]。

　サン＝テグジュペリとジョウゼフ・コンラッドが偉大な文学者であり得たのは、前者が飛行士で、また後者が船乗りであったからであると言い得るであろう。そしてコンラッドが海での体験を文学作品としたように、空での体験を文学にしたのがサン＝テグジュペリだと言い得る。両作家は共に、言語や国籍は異なっても、それぞれ飛行士と船乗りという職業から得た体験を糧にして、「如何にして生きるべきか」という普遍的な〈あるべき人間〉像を問いかける独自の作品を創造したのである。

　サン＝テグジュペリは1939年、フランス軍がたった1ヶ月で敗北した中、命令されるがままに、結果を報告する相手も、また護衛の戦闘機もなしにアラス上空へ偵察に単独で出撃した。この経験から書かれた『戦う操縦士』(*Pilote de Guerre*) からは悲痛な想いが色濃く窺える。1942年3月7日付けの『プール・ラ・ヴィクトワール』紙は次のように報道している。――「アメリカの新聞は、異論の余地なき傑作として、今次大戦の最初の偉大な書物の誕生にこぞって挨拶を送った。『夜間飛行』と『人間の大地』の作者は、『戦う操縦士』をもって、稀有の美しさと、比類ない強固な感情とを有する作品を与えた。『戦う操縦士』は、敗北と亡命とのこの暗い歳月の間、フランスの書物の中で、一つの誇り得るものとしてその名を留めるであろう」[11]。『戦う操縦士』は、「ヒトラーの『わが闘争』に対するデモクラシーの最良の回答」[12] と呼ばれた。しかし基地に帰還後、彼は個人を通じて「人間」を復活させるという文明の使命に思い至って、同じ文明を継承する個人同士の〈連帯感〉に希望を繋ぐ[13]。1940年12月アメリカに亡命したサン＝テグジュペリは、ドイツ占領下にあるフランスの命運に心を痛めていた。彼は、ラジオを通じて「まずフランス人なのだ」という言葉で始まる呼びかけを行う。この

― 601 ―

呼びかけは「あらゆる場所にいるフランス人への公開状」という題名で、1942年11月29日付けの「ニューヨーク・タイムズ・マガジン」紙に英訳が発表された後、その翌日のモントリオールの新聞、「ル・カナダ」紙にフランス語で掲載され、それと同時に、フランス語放送を行うすべてのアメリカの放送局から流され、北アフリカの諸新聞にも再録される[14]。そして彼はフランスの解放のために、一兵士として自らの生命をかけるべく戦列に復帰した。政治抗争の罠にとらえられながら、『戦う操縦士』『ある人質への手紙』『星の王子さま』などの中に、人間が生きる縁（よすが）となる「磁極」の存在を、国籍を超えて人間を結び合わせるものの存在を、生き生きと描き出していた。この人間の結びつきは、コンラッドの所謂「船乗りもの」において彼が強調する国籍や身分を超えた船上における〈同胞意識〉や人間同士の〈連帯感〉に通底するものである（傍点は筆者。以下同じ）。

　彼は、＜大空のコンラッド＞[15]と言われる作品を執筆した事からも明らかなように、「故国喪失者（エグザイル）」のコンラッドに共感して、彼から大きな影響を受けている。サン＝テグジュペリも何かに根づく事を希求しながら、一生涯放浪者であり続けた。そして貴族出身である両者は、それを自慢する事はしなかったが、「騎士道」と「責任ある貴族」という西洋に存続させてきた倫理観を共に心のどこかに堅持していた。宮崎　駿は、サン＝テグジュペリを「高貴な精神を有して、流行にも時代の風浪にもカットされないダイアモンドの原石」として高く評価していた。「高貴な精神」の在り方は、＜あるべき人間＞を追求するコンラッドの根本的な思想に通底するものである。

I　コンラッドとサン＝テグジュペリの生い立ちと文学の成り立ち

　コンラッドは、ポーランドで生まれて英国で亡くなった。彼は生粋の

第7章 飛行士サン゠テグジュペリと船乗りジョウゼフ・コンラッド

ポーランド人でありながら公的には一度もポーランド人ではなかった。つまり彼は1857年出生当時、ロシア支配下のロシア臣民であり、政治的不条理によって父母を幼くして亡くし、祖国ポーランドからの離脱を余儀なくされた。そして水夫から艱難辛苦の末、1886年、28歳で英国商船隊船長の資格を取得した事により、自身の存在基盤を確立する事が出来て、同年英国籍を得て、1889年に英国人となり、その後は英国で生涯を送った。しかし、彼は内面では常にポーランド人であり続けた。ユゼフ・コジェニフスキ（Józef Korzeniowski）に宛てた文面に国籍離脱という彼の生涯の故国喪失（デラシネ）の葛藤を滲ませつつ、祖国への忠誠を誓っている。

> And please let me add, dear Sir, that I have in no way disavowed either my nationality or the name we share for the sake of success. It is widely known that I am a Pole and that Józef Konrad are my two Christian names, the latter being used me as a surname so that foreign mouths should not distort my real surname —— a distortion which I cannot stand.[16]
>
> （それと、もう一言付け加えさせて下さい。私は成功のために、自分の国籍や私たちが共有する名前をどのようなやり方であろうと否認した事はありません。私がポーランド人である事やユゼフ・コンラートが私の二つの洗礼名である事は広く知られています。後者のほうは、外国人が私の本当の姓を歪曲して言わないように、通称として使っています――歪曲には我慢できませんので。）

彼は祖国への手紙には必ずポーランド名の"Konrad"と署名し、祖国への忠誠心を表明した。批評家エドワード・サイード（Edward Said）は、最後の公式インタヴューにおいて、「コンラッドは船乗り、ポーランド人、国籍喪失者として世界各地を放浪した」[17]と述べてい

る。

　コンラッドの英語習得については、「ノーフォークの海岸の船乗りたちが自分の英語の先生」[18] と述べている事からも明白なように、船乗り仲間との接触から始まる。当初、国籍混交の船乗りたちの中にあって、彼は言語による疎外感を意識せざるを得なかったようであるが。しかし、「身ぶり言語」によって、異国の言語を苦労して習得し、後に「コンラッド的文体」(Conradian style) と称される彼独自の文体を確立する。スピリディオン (Spiridion) に宛てた手紙で、「英語で話し、書き、考えている際には、「故郷(ホーム)」という言葉は、私にとっては常に温かくもてなしてくれる英国の海岸を意味している。(When speaking, writing or thinking in English the word Home always means for me the hospitable shores of Great Britain.)」[19] と認(したた)めている。

　当時、英国が政治的難民に対して寛容な大国であったため、英国の文化の精髄とも言うべきリベラリズムに強く魅かれて、コンラッドは英国国民となった[20]。但し、フォード・マドックス・フォード (Ford Madox Ford) によれば、コンラッドは英国人以上の英国人になりたかったようである[21]。彼が求める英国人以上の英国人の姿を『ロード・ジム』(Lord Jim) において描き出している。

　コンラッドは祖国ポーランドでは歴(れっき)とした地主階級を表す「シュラフタ (szlachta)」と呼ばれる貴族階級で、紋章[22] をつける事を許されていた。彼は、船乗り時代に培った「船乗りの倫理」とヴィクトリア朝の時代風潮を意識し、一般の英国紳士を超えた英国紳士を目指したが、英国での称号を決して求めはしなかった。晩年に、時の英国首相のジェイムス・マクドナルド (James MacDonald) から、ナイト爵位授与の申し出を、彼はきっぱりと辞退した[23]。そこには、祖国との絆を強く意識するあまり、「英国作家」と特定される事を好まなかった彼の心情が垣間見られるであろう。またポーランド貴族のコンラッドの出自は、農奴を搾取する貴族という支配階級と当時のポーランドが、ロシア、プロイ

第7章　飛行士サン＝テグジュペリと船乗りジョウゼフ・コンラッド

セン、オーストリアの三ヶ国の支配を受けていた被支配階級という彼の微妙な二重性を物語っている。またこの二重性は、作家コンラッドを育んだ船乗り体験においても見られるのである。前述したように彼は平水夫から艱難辛苦を味わった末英国船長になったのである。＜船＞は秩序と規律が強く求められる一つの階級社会、つまり、一つの共同体社会である。船長はその社会の頂点に君臨する故、航海士や水夫は彼の指揮に従わなければならない。＜船＞の危急の際に一致団結しなければ船もろとも全員がたちまち海の藻屑と化してしまうからである。コンラッドは、「隙あらば、と企む無情な海」[24]において、伝統を重んじ秩序と規律が厳しく求められる英国商船隊における船乗りの過酷な体験をした。そこから彼は平水夫と船長の双方の立場や心情を理解する事が出来た。人生の試練に耐え、疎外された無名の人々に対するコンラッドの共感は、およそ30年に亘る作家生活を通じても終始変わらなかった。そこには英国とポーランドという二つの祖国を持ち、自らを「二重人間（homo duplex）」[25]と認める彼の複眼的な視点があった。かようなものの見方は、彼の生い立ちに由来する非西欧的な視線と長年に亘る船乗りとしての体験との融合に由来すると見做す事が出来るであろう。

　コンラッドの意識の中核にあるものは＜船＞であった。彼が船乗り仲間の〈連帯感〉と結束を強調するのは、全て＜船＞が共同体である所以である。彼が長年の船乗り体験から得た自信によって、海洋エッセイの『海の鏡』（*The Mirror of the Sea*）において言明している。

> 　The genuine masters of their craft have thought of nothing but of doing their very best by the vessel under charge. To forget one's self, to surrender all personal feeling in the service of that fine art, is the only way for a seaman to the faithful discharge of his trust.[26]
> 　（船に対する本物の船長は、自分の指揮する船に最善を尽くす以

外、何も考えなかった。自己を滅却すること、個人的感情をすべて捨てて名人芸に仕えること、これが船乗りにとって自己の責任を誠実に果たす唯一の道なのだ。)

「本書(『海の鏡』)は、嘘偽りのない告白のように事実に基づくもので、内面の真実を伝えるものである。16歳から36歳までの船乗りの体験は、物事を見たり感じたりすることを体験として学ぶ十分な期間であり、私にとって明確な一時期であった」[27]とコンラッドは述懐している。

一方のサン＝テグジュペリは、青少年時代を通して自由な想像力を有する故に学校生活にはなじめず、学業成績は振るわず落ち込んでいたが、12歳の時リヨンのサン＝モーリス近くの飛行場で試乗させてもらった時の興奮が忘れられず、2年間の兵役に就いた折に操縦免許を取得。26歳で郵便航空会社に採用され、僚友のジャン・メルモーズやアンリ・ギヨメと知り合う。人生で初めて「責任を持ってやり遂げる男の仕事」を見出したのである[28]。彼の気質は、生い立ちに由来する「高貴な義務」(noblesse oblige) に拠っているかもしれない。サン＝テグジュペリは、ライト兄弟の初飛行より3年前に生を享け、1927年にスピリット・オブ・セントルイス号で世界初の単独大西洋横断無着陸飛行に成功したチャールズ・リンドバーグ(Charles Lindbergh)とほぼ同じ時代で、きりりとした勇敢な若者のメルモーズや思慮深いギヨメと共にフランス民間航空の開拓者の一人として活躍し、第二次世界大戦で祖国のために戦って地中海で消息を絶った未帰還の飛行士である。アンドレ・ジッドは、「アンドレ・ジッドの思い出」と題してサン＝テグジュペリの死を次のように悼んでいる。――「私は決心することができない。あの未帰還者を死んだものと考えることに甘んじ、あれほどの若々しさ、価値、美徳、快活さを過去のものとすることができない。彼はすでに何度も、いわば奇跡的に危険な冒険からのがれ、もはやそれなしにはすまされな

第7章　飛行士サン＝テグジュペリと船乗りジョウゼフ・コンラッド

いまでにそれを好むようになっていた。だが、義務への、完遂すべき任務への、果たすべき奉仕へのやむにやまれぬ感覚もまた、彼の本来的大胆さを鼓舞し、それを倍加させていた。そして、人間とフランスの事物に対する、燃えるような限りない愛、それに己を捧げようとする要請が。(中略) サン＝テグジュペリは、いかなる時も、また、いかなる形でも、知性の足並みをそろえ、思考を平均化させる全体主義的な意見に与(くみ)せずフランスのために生きかつ死んだ一人の英雄だ」[29]。

　サン＝テグジュペリ家は11世紀にまで遡る名門であった。サン＝テグジュペリは、爵位を名乗る事が出来る家柄であったが、生涯一度として自ら進んで名乗る事はしなかった。彼は、堂々たる家名を有するフランス貴族でありながら、当時命知らずの職業と言われる飛行士になった。アンドレ・ジッドが『夜間飛行』の「序文」で述べているように、「実験段階の危険が乗り越えられた後、実用化に至った夜間飛行は、まだきわめて無謀とされるものだった」[30]。例えば、サン＝テグジュペリが南フランスのトゥールズからダカールまでの全航程のコースの途中、何度も着陸して、飛び石伝いに飛んでいた1927年頃の飛行機は、エンジンの信頼性が低く、エンストや不時着の危険にさらされていた。夜間や悪天候の下で、正しいコースに沿って飛行するのは容易な事ではなかった。搭乗者の技量や意志や体力でもって飛行機の貧弱な性能を補いながら飛んでいたのである[31]。1931年、赴任地のブエノス・アイレスで執筆された『夜間飛行』は、ジッドの序文を付けてガリマール社から出版された。

　彼は＜大空のコンラッド＞と言われる作品をいくつも残した。『夜間飛行』もそのうちの一つである。作中で問題とされた航空郵便事業は、ヨーロッパと南米間を一刻も早く郵便物を届ける事を使命とした。しかし、ジッドも述べていたように当時の飛行機は性能が貧弱なうえに、しかも危険の多い夜間でさえも飛行する事が強要された。その上、個人を

犠牲にしても、大きな事業に身を捧げる事こそ真の価値があると説かれていた[32]。ジッドは、この『夜間飛行』への「序文」において「『夜間飛行』は緊張した意志が獲得させてくれる自己超越を教えてくれる文学だ」[33]と賞賛し、作中の操縦士もさることながら、その上役である支配人リヴィエール（リヴィエールのモデルはラテコエール社空路開発営業主任ディディエ・ドーラ（Didier Daurat））の人物に注目し、この書をそしてサン＝テグジュペリの作品を次のように高く評価している。──「リヴィエールは、部下の操縦士に自分の美質を吹き込み、その代わり、彼らからその能力の最大限度を要求し、彼らに偉功を立てさせる。彼の一徹な決定の前には、弱気は一切許されない。リヴィエールの厳格さは一見すると非情、無道とも思われるが、その厳格さは人間に向けられるのではなく、人間の持つ欠点に向けられ、その欠点を矯正しようとするものであり、皆がそれぞれその義務なる危険な役割に全身全霊を傾けてそれを成就した上でのみ彼らは幸福な安息を持ち得る事を、読者に感知させる。人間の幸福は自由の中に存するものではなく、義務の甘受の中に存するものだということを明らかにした。絶えず危険に遭遇してきているサン＝テグジュペリの体験が、彼の書いた小説をして、模倣し難い実録的興味を与えている」[34]。ジッドはサン＝テグジュペリの有力な後援者の一人となっている。

　サン＝テグジュペリにとって最大の皮肉は、資本主義全盛の近代市民社会に貴族として生まれた事である。1789年に始まったフランス革命は、王を頂点とする貴族特権階級の身分社会を打倒し、自由・平等・私有財産の尊重を基本理念とする近代市民社会の到来を促したのである。貴族社会は、この時点においてその存在理由を失った。そして、英国より遅れる事70年、フランスにおいても産業革命が始まり、19世紀後半には長足の進歩を遂げて、商業活動が極度に活発となった。しかし、資本主義の価値観が社会を強く支配するようになると、モラルの低下が生じてきた。こうして19世紀から20世紀に入った頃に、サン＝テグジュペリ

第 7 章 飛行士サン＝テグジュペリと船乗りジョウゼフ・コンラッド

は生まれた。但し、彼の幼年時代は、サン＝モーリス城の一角に幼い子供でさえ、召使に手伝ってもらいながらも、自分たちで種を蒔き、水やりして、野菜を栽培した。後に「耕すこと」、人生における「庭師」といった、土にまつわるテーマがサン＝テグジュペリの作品では重要な位置を占めている[35]。例えば、『夜間飛行』において、「（飛行士は）芝生と絶えず戦う庭師と同じなのだ。庭師は、ただ手の重みだけで、絶えず地面が萌え出させようとする原始林を地中に押し戻しているのだから」（65）と夜間の郵便飛行開拓時代の責任者ドーラが述べている。『人間の大地』においては、＜飛行機＞は「鋤」に譬えられている。サン＝テグジュペリは、「坂道のモラル」において、人間を高揚させる要諦を卑近なつるはしを例に引いて次のように述べている。──「徒刑囚のつるはしの一撃と、炭鉱夫のつるはしの一撃とは同じものである。しかし前者は愚鈍にする。後者は人間を高揚させる」[36]と。ルネ・マリル・アルベレスは、サン＝テグジュペリのモラルを次のように述べている。──「彼は1926年に早くも、飛行機でトゥルーズからダカールへ郵便物を運ぶというブルジョワ文明の単なる事業に対して、己が《責任あるもの》と感じていたのだ。この最初の《参加》は、もっと後、『人間の大地』、『ある人質への手紙』、『城砦』（Citadelle）において、人間の第一の役割は、まずもって、ある労働を行うことであり、そうして初めて、己をそれに責任あるものと感じ、己を人類に責任あるものと感じ、宇宙における人類の位置に責任があるものと感じるようになることを、彼に理解させ、且つ教えさせることになったのである。サン＝テグジュペリのヒューマニズムは、教育的ヒューマニズムである。ひとは彼の作品を読むことによって、思春期から責任の年齢まで、更には思索の年齢まで、一個の人間がなんであるかを学ぶことが出来る」[37]。

サン＝テグジュペリの時代の様相は、1926年から彼の死に至る1944年までの文学活動において書かれた論説集の『人生に意味を』（Un Sens á la Vie）から窺い知る事が出来る。1920年代の不安の世代の破壊が、

主として抽象的思考や分析という精神の領域で敢行されたのに対して、現実の空しさを知り尽くした上で、自らの生に意味を与えようとする新しい試みがなされた事に何の不思議もない。1930年という年は、大恐慌が全世界を覆いつくし、ヴェルサイユ体制が早くも崩壊の兆しを見せ、一方ではファシズムの脅威が次第に増大すると共に、他方ソヴィエトにおけるスターリン体制が確立された年でもあった。1930年の冒険家が、「もし戦争になったら、我々が身を置くべき場所は赤軍の戦列である」と1933年の反ファシズム大会の壇上で絶叫したアンドレ・マルロー（André Malraux）を皮切りに、いずれもその行動をこの夢に賭けた[38]。

　しかし、社会参画の文学という問題が時代の脚光を浴びたこの時期に、サン＝テグジュペリは独自の文学を貫いた。彼は、『人間の大地』に収めた「人間」において、「イデオロギーを論じ合ったところで何になろう？　すべてのイデオロギーは論証されはするが、そのすべては対立するものだ。そのような議論は人間の救済について人を絶望に追いやるものだ」[39] と述べ、「なぜ憎み合うのか？　ぼくらは同じ地球によって運ばれる連帯責任者だ。同じ船の乗組員だ」[40] と彼の思想を言明している。『人生に意味を』における「平和か戦争か？」という題のエッセイは、ミュンヘン協定成立の翌日に、『パリ＝ソワール』紙の依頼を受けて書かれたものである。ここで未来を憂うるサン＝テグジュペリが見出されるのである。彼は世界の破滅の序奏である事を見抜きながらも、なお争いを超えた人類愛の証を求め続けるのである。スペイン戦争の思い出によって書かれた、敵味方の塹壕の中で夜陰に乗じて叫びあい、応えあう声についての挿話も、またその同じ姿を示すものに他ならない[41]。

　サン＝テグジュペリは、X……将軍（シャンプ将軍？）宛ての未投函の手紙において彼の作家としての想いを吐露している。――「戦争で殺されたとしても、私は一向に構いません。あるいは、もはや飛行とは何の関係もなく、操縦士をボタンや計器で一種の計算係に変えてしまう、

第7章　飛行士サン＝テグジュペリと船乗りジョウゼフ・コンラッド

いわば空飛ぶ魚雷のようなものの狂った発作に身を任せることになったとしても。しかし、この≪やらねばならないが、やりがいのない仕事≫から生きて帰れたとしたら、私にはただ一つの問題しか提起されないでしょう。それは、人間たちに対して何を語ることが出来るか、何を語らなければならないかという問題です」[42]。

　サン＝テグジュペリは、第二次世界大戦中、一旦はナチス占領下の祖国を離れ米国に亡命する。既に人気作家であった彼は、そこで悠々自適の生活を送ることも可能であったが、彼はシャルル・ド・ゴールが中心となった亡命政権、自由フランスの空軍に自ら志願する[43]。渡辺一民教授は、サン＝テグジュペリがニューヨークを後にした理由を1943年7月、チュニス近郊ラ・マルサで書かれた「X将軍への手紙」に着目して次のように指摘している。——「「私（サン＝テグジュペリ）は、世界的な全体主義の下で、人間が飼いならされた大人しい家畜と成り下がっていく、この時代を憎悪する。しかもそれが精神の進歩だと人々は信じているのだ」。同じ文章で別の言葉を借りて言えば、「知性の生活よりさらに一段と高貴な精神の生活、人間を充足させる唯一のもの」に対する脅威を見、「暗黒時代に向かって進んでいく」世界を救わねばならぬと考えて「自由フランス」の軍隊に身を投じたのである」[44]。サン＝テグジュペリは、党派やイデオロギーのために戦ったのではない。彼はただ一介の飛行士として、祖国が統一ある≪拡がり≫となって目の前にある事に希望を繋いで仕事を遂行しているのである[45]。

　サン＝テグジュペリがその作品で訴えているのは、＜人間への敬意＞であり＜人間の高貴さ＞である。『ある人質への手紙』Ⅴにおいて彼は、前者について次のように述べている。——「人間に対する敬意！ここにこそ試金石がある。ナチス党員は自分の似た者だけに敬意を払うが、そういう彼らは自己自身にしか敬意を払っていないのだ。彼らは創造的矛盾を拒否し、上昇へのあらゆる希望を破壊し、千年にわたって、一人の人間の代わりに蟻塚のロボットを作り上げる。秩序のための秩序

は、世界と自己自身を変貌させるという本質的能力を人間から奪い取る。生は秩序を創造するが、秩序は生を創造しない」[46]。そして後者については、『人間の大地』のエピローグの最後を次のように書き記している。――「精神の風に触れて初めて本来の＜あるべき人間＞が創造される」。

　ところで「風」と言えば、サン＝テグジュペリを、「原石のまま海に消えたダイアモンドであった。流行にも、時代の風浪にもカットされない原石は決して古びない」[47]と断言した宮崎　駿のアニメが想起される。宮崎作品には、強い風が吹き抜ける印象的な場面が多数ある。『風の谷のナウシカ』においては、強い風がナウシカの故郷を守っている。風が止めば、有害な生態系と化した腐海の森が出す瘴気(しょうき)が風の谷を襲い、それを吸い込んだ住民たちはたちまち肺が腐って死滅してしまう。ナウシカは風を読む「風使い」である。『風の谷のナウシカ』をはじめ『天空の城ラピュタ』や『となりのトトロ』や『魔女の宅急便』や『紅の豚』など、その風は、まるで人間たちを鍛え、育む、精神の風のように吹き抜けていく。コンラッドの『ナーシサス号の黒人』においては、大嵐が精神の浄化作用を促す。仕事を怠ける口実を、死神に憑かれた病を堂々と持ち出しては船乗りたちの不安な心理を巧みに衝くウエイト（Wait）によって、船乗りたちは一時期〈連帯感〉の分断や船の秩序崩壊の危機に陥る。その時大嵐が襲来して、〈連帯感〉の必要性と重要性を船乗り仲間に再認識させ、彼らの一致団結を促して、ウエイトが放つ呪縛を吹き飛ばしている。

　ところが宮崎は、この風が変わってきている、と指摘する。つまり、2010年3月11日の東日本大震災以降、様相が一変して、日本のみならず、世界が生きていくのに困難な時代になり、「風が吹き始めた時代」になっていると言う。「その風は、放射能を含む風で、さわやかな風ではなく恐ろしく轟々と吹き抜ける風だ。死を孕み、毒を含む風、人生を根こそぎにしようという風だ」[48]と彼は警鐘を鳴らしている。『風の谷

第7章　飛行士サン＝テグジュペリと船乗りジョウゼフ・コンラッド

のナウシカ』における＜火の７日間戦争＞は、未来に対する宮崎の根深い恐怖の表象である。それは一千年前に行われた世界最終戦争を物語るものであった。

　ところで20歳のころ、サン＝テグジュペリの『人間の大地』を読んで、少なからぬ影響を受けた宮崎 駿は、1998年春、サン＝テグジュペリが搭乗した当時と同型の飛行機に乗って、南仏トゥルーズからサハラ砂漠西部のキャップ・ジュビーまでの約三千㌔の郵便航路を追体験している[49]。旅の終着地カップ・ジュビーは、サン＝テグジュペリが航空郵便機の任務に就いていた頃の勤務地である。彼の第一作『南方郵便機』（*Courrier Sud*）は、その体験に基づいて書かれたものである。宮崎は自らのアニメ創作の原点とも重なる想いを語っている。――「彼（サン＝テグジュペリ）の関心は、人間の高貴さについてでした。郵便飛行士たちの中に、彼はそれを見たのです。カモシカがライオンに襲われ、必死の跳躍をする。その瞬間にカモシカの本然があらわれる。エサをたっぷり与えられて安楽にかこわれた中では、カモシカはカモシカになれない。砂漠によって鍛えられて、人間が生まれたとも書いています。カップ・ジュビーの砂に埋もれた滑走路を見た時、彼が自分の出発点の一つだったんだと思い出しました」[50]。

　因みに宮崎は、「（自らの）アニメの出発点においては、子どものために作るんだと考えている」[51]と述べていた。この宮崎の言葉を裏付けるように、司馬遼太郎は、宮崎との対談「トトロの森での立ち話」において、述べている。――「人間は大人になっても、一人ずつ子供をもっている。創造的なしごとは子供の役割ですね。ただトシをとると、自分の中の子供が干からびてきて、いい景色を見ても小躍りするような気分が乏しくなります。宮崎さんは自分の中の子供を、じつに大切にしている。想像力に二種類あって、大人の想像力はせいぜい地上をかすめて地上からすこし離陸する程度ですが、子供の創造力は、天空までいって花を咲かせる想像力です。『紅の豚』の主人公がただの豚だというんです

から、僕の乏しい想像力では、ああいう作品が出来上がるとは思いませんでした。宮崎さんはいつも天空で世界が出来上がる。地上から飛翔しています。魔女の女の子だっていつもはほうきだけど、しまいにはモップでもって飛んだりしますね」[52]。

　宮崎は、『魔女の宅急便』の企画書において彼の想いを、年月を付与して次のように記している。──「今の世界に生きる少女たちの、若さのはなやぎを否定するのではなく、はなやぎのみに目を奪われることなく、自立と依存のはざまにゆれる若い観客に、**連帯**の挨拶を贈る映画としてこの作品を完成せねばならないと考えています。同時に、この映画がすぐれたエンターテインメント作品として、多くの共感と感動を獲得する基礎がそこにあると考えます。　1988年4月」[53]。

　宮崎は、サン＝テグジュペリ時代の飛行士について述べている。──「彼が郵便飛行士として活躍していた1920年代～1930年代中頃のフランスは二つの世界大戦の狭間の混乱と頽廃の時代であった。飛ぶためには郵便飛行士になるしか道はなく、しかも職業としては花形の時代でもあった。だが機体はぼろぼろで、落ちるのは当然でそのギリギリのところで空中に浮いていることに高揚感があったと思う。彼らにとって、自分たちの友愛と**連帯**だけが信じられる唯一のものだったのではないか」[54]。サン＝テグジュペリは、『人間の大地』に収めた「僚友たち」において、ギヨメという尊敬する同僚との友情の意義を次のように述べている。──「職業の偉大さとは、人間たちを結び合わせることだ。真の贅沢は一つだけしかない。それは人間関係という贅沢だ」[55]。この人間の結び合わせは、船乗りコンラッドが言うところの「船乗りの連帯感」に通底するのである。職業によって人間は自己を発見し、他の人間とのつながりを回復する。飛行機や船だけが問題なのではない。サン＝テグジュペリ流に言うと、農夫も庭師も人間の本然に向かって、人間の永遠の創造的行為に参加するのである。

　サン＝テグジュペリが航空郵便機に搭乗していた1920年代のフラン

第7章　飛行士サン=テグジュペリと船乗りジョウゼフ・コンラッド

ス・サハラ間の航空郵便飛行を追体験した宮崎は、1998年に『人間の大地』の日本語版の表紙画にプロペラ飛行機のデッサンを描き、自らを進歩や速度に疑念を持つようになった蟻塚の時代の一匹の白蟻と見做し、その「解説」において——「広大な威厳に満ちた大空が、彼ら郵便飛行士たちを独特の精神の持ち主に鍛え上げていった。(中略)今日、空には線がいっぱいひかれている。軍用の空域やら、大型機とか飛行制限とか安全性のためのなんとかの線だらけ」[56]と述べた上で、彼の考えを次のように表明している。——「過ぎ去った郵便飛行の黎明期を描きながら、人間の高貴さについて書かれた『人間の大地』は、今も少しも輝きを失っていない。(中略)21世紀、メルモーズやギヨメの乗った郵便機はもういない。何もかもコスト計算が行き届き、物はあふれ、何が大切で、何が大切でないかの区別もなくなってしまった。量の氾濫はあらゆるものの質を変えてしまう。それでも、僕らは人間の本然へ歩み続けなければならない。止めようのない歴史の憎悪の奔流の中にあっても、人間であろうとするかぎり高貴さがすべて失われたわけではないはずだ」[57]。

20世紀というわずかな間に、人間は、DDTなどの大量の化学物質を開発し実用化した。それらは、まき散らされた放射能と同様、環境中に放出されるや、小さな生き物を汚染し、やがて食物連鎖の中で汚染度は高まり、最後に人間自身を汚染する[58]。最初にDDTの負の連鎖を指摘したレイチェル・カーソン（Rachel Carson）は、『沈黙の春』（*Silent Spring*）の最終章の冒頭において、述べている。

> We stand now where two roads diverge. … The roads we have long been travelling is deceptively easy, a smooth superhighway on which we progress with great speed, but at its end lies disaster. The other fork of the road —— the one 'less travelled by' —— offers our last, our only chance to reach a destination

at assures the reservation of our earth.[59]（私たちは、今や別かれ道にいる。（中略）長い間旅をしてきた道は、素晴らしい高速道路で、すごいスピードに酔う事もできるが、私たちは容易にだまされているのだ。その行き着く先は、禍であり、破滅だ。もう一つの道は、あまり＜人も行かない＞が、この別かれ道を行く時にこそ、私たちが住んでいるこの地球の安全を守れる、最後の、唯一のチャンスがある。）

　カーソンは〈環境倫理〉を無視した人間本位の便利さ、快適さ、合理性を最優先としたスピード化に対して警鐘を鳴らしていた。
　サン＝テグジュペリの思想を示す『人間の大地』は、一行開けて、「精神の風が粘土の上を吹き渡る時、はじめて人間は創造されるのだ」[60]という一句でもって終っている。サン＝テグジュペリがこの一句に寄せる強い想いは、作家としてのメジャーレビューを後押ししてくれたアンドレ・ジッドから「作品全体との関連が曖昧である」として削除を求められても頑として応じなかった事からも窺われるし、また『星の王子さま』へ献辞を寄せてくれた親友レオン・ウェルト（Léon Werth）による次の証言──『人間の大地』の最終校正刷りの段階で相談を受けた時、サン＝テグジュペリが「いや、駄目だ … やはりあれは残すことにする」と散々ためらった末に、「精神の風」を残す事を決断していた──[61]からも明らかである。
　サン＝テグジュペリは、物質的な価値ではなく＜精神的な価値＞を謳っている。彼が1936年から死に至るまで、4冊の手帳にメモを書き残した『手帖』（*Carnets*）において、「真の問題は、あのおびただしい人間たちが機械によって根無し草にされ、人間的な感覚を持たなくなってしまった事なのだ。物質を生産し、消費する事だけでは、彼らの生を満足させる事は出来ない。彼らの人生に意味を与える事が肝要なのだ」[62]と言明している。「人生の意味」とは、「まずもって自分自身となること

第7章　飛行士サン＝テグジュペリと船乗りジョウゼフ・コンラッド

であり、自分が根づくことであり、そして脱皮することである」[63] と未完の遺作『城砦』において述べている。つまり人生の試練を経験した事によって自分自身を知り、その通過儀礼（イニシエーション）の洗礼を受けて人間は高貴な人間に創造されていくというのである。

　親友のレオン・ウェルト[64]が、サン＝テグジュペリの人となりを一つの挿話として紹介している。彼が、サン＝テグジュペリにあるアメリカ映画の挿話を話した時、サン＝テグジュペリが、この話を聞いて、軽蔑に身を戦慄（わなな）かせ、嫌悪に身震いするのを目撃している。あるパイロットが、操縦桿を放し、パラシュートを装着し、操縦不能に陥った機内に搭乗客を残したまま、飛び降りてしまった、という挿話である[65]。

　この挿話で想起されるのは、「如何にして生きるべきか」という＜あるべき人間＞像を追求するコンラッドの『ロード・ジム』である。この物語は、あろう事か臆病風に吹かれて船長や乗組員が乗客を見捨てて我先に沈没寸前の船から脱出した1880年代の東洋における最たる醜聞の一つとされる巡礼船ジェッダ（Jeddah）号事件に基づくもので[66]、「素朴で感じやすい人物の「生存の心情」を染め上げる」[67]とコンラッドがその「作家の覚書」において述べる彼の主著の一つとなっている。

　パトナ号が水面すれすれのところにある何かと衝突し、喫水線の下に大きな穴が開いて、大量の水が侵入し、浸水を防ぐはずの隔壁が今にも破られそうな緊急事態。この時の想像力はジム（Jim）から現実を直視する力を奪って、恐怖を与えている。「語り手」マーロウ（Marlow）は、この時の追い詰められたジムの恐怖を、「彼の想像力が生み出した恐怖ほどひどいものはない」（113）と述べている。異国へ亡命して第二外国語で小説を書いて、しかも死後30年以上経っても尚その作品が世間から忘れられず、その良さが残り、読み続けられているコンラッドを高く評価する村上春樹は、「真の恐怖とは人間が自らの想像力に対して抱く恐怖のことです」[68]という普遍的な意味を込めて『ロード・ジム』の一節を、『神の子どもたちはみな踊る』において援用している。

コンラッドは晩年、「私の作家としての終生の関心は、物事、事件そして人間の'理想的'価値にあった」[69]と述懐した。事実、彼は、所謂「船乗りもの」「マレーもの」「コンゴもの」などにおいても、自らの体験に基づいて創造した各々の作品において人間の根本的倫理である＜誠実＞や人間の'理想的'価値を探求している。『ロード・ジム』においては＜あるべき人間＞を執拗に追及し、人間の内面そのものを抉り出そうとする物語である。生き抜いた体験を客観的に省察して語る「信頼できる」マーロウが語り手を担っている。マーロウのジムに対する人物評価の一端は、「自分の自由意志」[70]で自ら進んで海難審判を受ける彼の言動から窺える。その法廷においてジムは次のように証言している。――「僕には逃げるなどということは出来なかった。船長は逃げました――船長にはそれでよかったでしょうが、僕にはそれは出来なかったし、そうするつもりもなかった」(79)。
　パトナ号事件以後のジムが＜誠実＞であろうとする人生を見てきたマーロウは、「問題は、罪だけなのに、彼は不名誉をあまりにも気にしすぎた」(177)と述懐していた。
　疎外された無名の人々へ寄せるコンラッドの共感は、処女作『オールメイヤーの愚行』(*Almayer's Folly*)以来およそ30年間に亘る作家生活において、『ロード・ジム』を含めて終始変わらなかった。この共感こそがコンラッドの「小説の芸術」と評される『ナーシサス号の黒人』への「序文」に記された、人種や国籍を超えてこの地上に住むありとあらゆる人々の心を結び付ける不可思議な〈同胞意識〉に繋がるものである。それは無数の人々の心の「孤独」を繋ぐ〈人間的連帯感〉[71]と結びつく。サン＝テグジュペリも、先の「平和か戦争か？」において、深夜、塹壕から塹壕へと両軍の呼応し合う印象的な挿話を提示している。「敵対し合う二つの陣営で、同一の声に耳を傾けようとする。これは同胞愛なのだろうか？」(157-58)と、争いを超えた人間愛を希求している。

第7章　飛行士サン=テグジュペリと船乗りジョウゼフ・コンラッド

　1941年12月、日本軍によるパールハーバー攻撃を機にアメリカが参戦に踏み切り、ドイツとイタリアがアメリカに宣戦布告をした。ドロシー・ソンプソンの求めに応じてサン=テグジュペリは、「進歩的教育協会」の志願学生たちの一団を前に「若きアメリカ人たちへのメッセージ」と題して国を超えた普遍的な〈人間の自由〉について演説を行っている。――「あなたがたは参戦しました。あなたがたは若い。そして、祖国のために働き、戦おうと決意していらっしゃる。しかしあなたがたの祖国の運命以上のものが問題になっているのです。賭けられているのは世界の運命なのです。あなたがたは、世界における自由のために働き、戦おうと決意しているのです。あなた方の責任は兵士の責任よりも重いのです。あなたがたは自由のために戦おうと決意している。しかしまた、その自由の真の意味をあなたがたは明らかにし、かつ築き上げなければならない。言葉というものは人間の間で使い古され、その意味を失っていきます。科学理論も使い古されてゆきます。社会のスローガンも使い古されてゆきます。それは人間の前進のための代償です。死んだ思想で生きようと望まないなら、あなたがたは絶えずそれを若返らせていかなければなりません。ところで自由は、他の諸問題から切り離され得るような問題ではありません。人間が自由であるためには、まずもって人間でなければならないのですから。したがって、あらゆる問題の根底において、あなたがたは人間の問題と向き合うことになるのです」[72]。

　このように「若きアメリカ人たちへのメッセージ」を語っていたサン=テグジュペリは、サルディニア島の偵察部隊に復帰した1944年コルシカ島のボルゴ基地からフランス上空への偵察飛行に出かけたまま、消息を絶った。彼が行方不明となってから49年目の1993年に、仏海洋開発研究所は、次のように発表した。――「ツーロンの沖合の地中海で、サン=テグジュペリの飛行機のものとみられる手がかりを見つけた」[73]。それは記憶の彼方から蘇ったサン=テグジュペリの残影である。サン=テグジュペリは、1912年の飛行士のジュール・ヴィドリーヌが操縦する飛

― 619 ―

行機への試乗以来、黎明期の航空郵便機に乗って、軍の偵察飛行を繰り返し、エリオット・ルーズヴェルト大佐指揮下に置かれた原隊、三三一二飛行大隊への復帰を果たし、1944年、写真偵察機に搭乗してウーロンの沖合の地中海でドイツ戦闘機に撃墜されるまで、『人生に意味を』における「平和か戦争か？」という題のエッセイに込められた、争いを超えた人類愛の証(あかし)を求め続けた。サン＝テグジュペリと同じ飛行士で作家であったジュール・ロワは、次のようにサン＝テグジュペリの悲劇的運命をコンラッドの『ロード・ジム』の一節を引いて証言している。——「僚友のメレディスがドイツ戦闘機に撃墜されたその日に、三三一二飛行大隊の誉てのパイロットの一人が、私に向かって、それとは知らずに、コンラッドの一句——「彼は我々の仲間の一人だった」を口にしたものだったが——は、サン＝テグジュペリに一つの悲劇的運命を確信させる」[74]。

　折しも欧州をはじめ人種や宗教の対立に根差した暴力やテロが世界に広がる昨今、もし彼がその現状を見たとすればどのように思ったであろうか。欧州に移民社会が出現する以前の1939年に出た『人間の大地』において、「なぜ憎み合うのか？　僕らは同じ地球によって運ばれる連帯責任者だ、同じ乗組員だ」と彼は訴えていた。

　宮崎は、サン＝テグジュペリを次のように敬意を込めて、日付けを記して述べている。——「サン＝テグジュペリを想う時、まるで自分の体験であったかのように、ありありとある情景が浮かんで来る。眼下をミディ運河がよぎっていく。ぼくらは並んで低く飛んでいた。ぼくらの乗る機体の木と布と針金の翼のすぐ先に彼の＜ブレゲー14＞[75]がいて、彼が操縦席から軽い挨拶を送って来る。雪をいただくピレネーを避けて、彼は海に出て次の中継地アリカンテへ向かうのだ。淡い黄色に塗られた彼の機体が、ゆっくり離れていくのをぼくらは黙って見送っている。緑の大地と、その向こうに少しずつ広がって来る海と空の狭間に、少しずつ彼の機影は小さくなっていき、やがて地中海の輝きの中に見えなく

なった。ぼくらは、自分達の下界へ降りて行きながら、前よりずっとはっきり彼の存在を感じていた——。　この本を、ぼくの書架の彼の著作が並んでいる棚におさめようと思う。　2006.1.25 」[76]。

Ⅱ　コンラッドの文学

　祖国ポーランドを離れる際に聞いた、「どこへ航海しようと、君はポーランドに向かって＜船＞を操っているんだ！（Wherever you may sail, you are sailing towards Poland!)」[77] という言葉を、コンラッドは生涯忘れる事はなかった。どこへ行っても彼には生い立ちに由来する「余所者（ストレンジャー）」という意識が常に脳裏から離れずに、この意識を払拭する事が生涯での葛藤となった。コンラッドの作品には、「裏切り」という原罪的な主題が底流をなしているように思われる。それと同時に、彼の「余所者意識」の払拭は、普遍的な＜人間の自由＞というテーマにも結びつく。人間に課せられた真の入門式となる重圧や重荷に雄雄しく立ち向かっていく自由人のあり方を、「秘密の共有者」("The Secret Sharer")の主人公レガット（Leggatt）などに投影させているのである[78]。

　彼の船乗り時代はすでに帆船の絶頂期を過ぎて蒸気船の時代となっていた。しかし彼は、蒸気船よりもはるかに多大な労力を要する帆船のほうを好んで操船し、いかにもコンラッドらしいところを見せている。帆船は蒸気船と比べて、勇気、意思、的確な判断、責任感といった人間本来の徳目に大きな余地を残していた上に、自然との格闘は、このような人間的価値が賭けられていたのである。コンラッドは、英国リヴァプールに本拠を置く汽船会社の社長ロレンス・ホールト（Laurence Holt）に宛てた手紙で、「帆船での訓練では、汽船では学ぶことの出来ない、何世代にもわたって伝えられてきたものを獲得することが出来、それは

また本質において未来の世代の海の男たちにも受け継がれていくだろう」[79]と述べている。彼の船乗りを開始した1875年の英国における帆船の登録数は、21,291隻であったが、彼の船乗り時代が終る1894年では12,943隻と激減している[80]。この時すでに蒸気船や鉄製船が登場して、1869年という年はスエズ運河開通の年で、この運河では蒸気船しか通行を許さなかった[81]。事実、コンラッドが搭乗する帆船パレスチナ号も、スエズ運河を通らず、喜望峰回りでバンコクに向かっている。専らアフリカの南端を通る船には、もはや花道はなかった。19世紀の後半は、すでに蒸気船によるスピードを競う時代となっていた。コンラッドは、蒸気船よりもはるかに過酷な労働が要求される帆船に乗船する船乗りとしての〈同胞意識〉や〈連帯意識〉にむしろ注目した。この主題は「青春」や「台風」や『陰影線』などの所謂「船乗りもの」に明示されている。「青春」は、コンラッドが1881年に帆船パレスチナ号に初めて二等航海士として乗り組んだ体験に基づいた自伝的要素が色濃い作品である。初めて東洋の港湾を眼にした瞬間におけるコンラッドの描写は次の如くである。

"And this is how I see the East. I have seen its secret places and have looked into its very soul; but now I see it always from a small boat, a high outline of mountains, blue and afar in the morning; like faint mist at noon; a jagged wall of purple at sunset. I have the feel of the oar in my hand, the vision of a scorching blue sea in my eyes. And I see a bay, a wide bay, smooth as glass and polished like ice, shimmering in the dark.
A red light burns far off upon the gloom of the land, and the night is soft and warm. We drag at the oars with aching arms, and suddenly a puff of wind, a puff faint and tepid and laden with strange odours of blossoms, of aromatic wood, comes out

of the still night —— the first sigh of the East on my face. That I can never forget.[82]

（僕は東洋をこんな風にしか見ることが出来ない。その後、東洋の隠された場所も見、東洋の真髄ものぞいたけれど、僕が東洋を見るのは、いつも小さなボートからだ。高い山々が、朝は遠くに青く見え、昼は霧のように霞み、夕には紫色の鋸の歯のように見えた。僕は手にオールの感触を呼び覚ます。眼には、焼けつくような青海原が浮かんでくる。やがて湾が、ガラスのように滑らかで氷のように磨かれた、大きな湾が、闇の中に微かに光っているのが見えてくる。遠く、陸上の薄暗がりで、赤い灯が燃えている。夜は和やかで、あたたかい。僕らは、痛む腕でオールを漕ぐ。その時だしぬけに、静かな夜から風が吹いてくる。微かな、生ぬるい、花や木のかぎ慣れぬ芳香の漂う風である。これが、僕の顔に初めて感じとられた東洋の息吹である。それを僕は、決して忘れることが出来ない。）[83]

　作者の分身としての語り手マーロウは、「20歳になったばかりであった。あの頃は至福な時代であった。初めての二等航海士になった——本当に責任ある上級船員になったんだ！　ひと財産くれると言われたってこの新しい職を投げ出す気にはならなかったね」[84]、「人生の挿話のために組み込まれたように思われる航海があるものだ。実存の象徴を表しているような航海がね」（3-4）と述べている。

　その航海中、マーロウたち船乗りは船荷の石炭火災に遭遇し、その消火作業で、最初は溺死から免れるために海水を夢中で汲み出し、途中で今度は焼死しないように船に海水を注入したが、果ては退船を余儀なくされる。しかし、本船の危急時に備えて用意されていた救命ボート三艘のうち一番小さいながらも、指揮を任された彼は、二人の水夫と共に16時間も一意専心、炎熱とスコールとに闘いながら全く休みなくオールを漕ぎ続けられる若さを自覚し、「青春！　青春のすべて！　愚かで魅力的

な素晴らしい青春」(34)、と実存の生(ライフ)を実感して、「僕にとって、ユダヤ号は地球上を、石炭を積んで運ぶ老朽の帆船ではなかった。僕にとっては、人生の訓練であり、試験であり、試練であった」(12)と述べる。そして、「船乗りという職業から得られた同胞意識（fellowship）は、ヨットを走らせたり巡航したりするものからは到底得られないものだ。一方は人生を楽しむことでしかなく、他方は人生そのものだからだ」(3)、と22年後、人生経験を経た42歳のマーロウは述懐する。彼はその行為を無駄だとは思わず、船乗り仲間の「連帯」の中でやり遂げられた「意義のある行為」であったと見做している。短編「青春」のマーロウと同様、『陰影線』の「私」も、蒸気船よりも格段に苦労を要する帆船のほうを好むと言明している。それは「帆船のほうが全身全霊を捧げる事ができる忠誠心を船乗り仲間と共有できる」[85]からである。

　事実、コンラッドは1878年のメイヴィス号、1879年から1880年のヨーロッパ号、1887年のヴィダー号、1890年のベルギー王丸、1893年から1894年にかけてのアドワ号と合計5隻の蒸気船を除いて、全て帆船に乗り込んでいた。

　「船乗りもの」の最初の作品『ナーシサス号の黒人』において、＜いかさま船乗り＞と＜あるべき船乗り＞との二項対立の描写から、コンラッドの考えが鮮明に窺われる。＜いかさま船乗り＞とは、仮病を装う怠惰で厚顔無恥で「訳の分からないこと」を喋る不気味な存在のウエイトや、彼を利用して船員たちの連帯や士気の高さを乱そうと扇動するドンキン（Donkin）の事である。彼らは、船乗り社会の連帯感と伝統に根ざした行動・忠誠の倫理に反して、義務を拒絶し、勇気、忍耐、忠誠の何たるかを知らずして、ただ自分の権利のみを声高に主張して止まない者たちである。彼らは、「嘘や鉄面皮がいつの世にも大きな顔でまかり通るものだという事実をまじまじと見せつける不吉な見本」[86]、「呼ばれれば人より一番遅れて顔を出し、真っ先に舞い戻ってくる輩(やから)。大抵の事はできないくせに、できることとなるとしたがらない人種、いわ

第 7 章　飛行士サン＝テグジュペリと船乗りジョウゼフ・コンラッド

ば、博愛主義者のお気に入り、利己主義者の凝り固まった陸者水夫」（11）と断定されている。コンラッドは、彼らを「共同体意識の背反者」と厳しく非難する。一方、大嵐の際に60歳という年齢にも拘らず、30時間以上も舵輪を黙々と操作し続ける寡黙な老シングルトン（Singleton）を、現在もなお昔の船乗りの美徳を保持する「60歳の神秘の海の子供」（26）、だと賛美している。

　因みにサン＝テグジュペリは、『城砦』において「荒れ狂う海原にもめげず、頑なに己が目指す星に立ち戻る船首材の如く、変節することのない者、私はこのような人間を尊敬する」と述べている。

　コンラッドは、長年の船乗り体験から「自信」[87]を持って、「本物の船長たちは、自ら指揮を執る＜船＞に最善を尽くすこと以外は考えなかった。自分を忘れて、個人的感情を滅却すること、それが船乗りに課せられた唯一の方法だ」と言明していた。＜船＞に関して、陸ものドンキンがナーシサス号を、「どんな船ですか。かなりいいほうですかね」（24）、と自分の事は棚に上げて、船の品定めをするかのように疑問を投げかけた時、シングルトンは微動だにせず、「船は大丈夫だ。要は船に乗り込む人間だ！」（24）と断言していた。この言葉はコンラッドが唯一「海の本」[88]と認める『海の鏡』の次の言葉に呼応している。

　　　—"ships are all right; it's the men in 'em."[89]

そして、「船は大丈夫だ。海に生きる者は、終始一貫、その信念を持っていなければならない」（147）と、コンラッドは＜船への信頼＞を繰り返し強調している。

　コンラッドがシングルトンに共感し賛美するのは、彼が「船乗りの倫理」に忠実に従い、海の規律を遵守して、私利私欲を捨てて、＜船＞のために不屈の精神をもって働く、信頼するに足る誠実な人間であったからである。嵐のような危急の際に、最終的に頼りになるのは、想像力

に頼らず間断なく眼前の職務に献身する船乗りの「即座の義務感」であった。そして、行動を通して体得される船乗りの「同胞意識」や「連帯感」が、人生における＜意義のあるもの＞と見做されていた。コンラッドは、＜船＞という運命共同体の一員として、とりわけ蒸気船ではなく帆船の船乗り仲間たちの連帯と結束を謳っているのである。

Ⅲ　サン＝テグジュペリの文学

　一方、サン＝テグジュペリも、現行のジェット機ではなく開拓者時代のプロペラ機の飛行士のように、夜間飛行をも含む過酷な職業に従事させる中に＜人生の意義＞を見出す。『夜間飛行』において、「彼ら（操縦士たち）は、（飛行中の故障や嵐や霧などの）征服という同じ願望をいだく、同じ船の乗組員だった」(66)と述べている。更に、「飛行機もの」の中に「責任」という一つの＜価値＞を発見する。例えば、飛行機でトゥルーズからダカールへ郵便物を運ぶという簡単な仕事ではあるが、その到着を待っている人のために働く事の責任とやりがいを見出し、＜労働の価値＞に人間としての一種の使命感を自覚している。そこに＜人生の意義＞を見出している。彼は、『人間の大地』において、「職業の偉大さは人間同士を結びつけることで、それこそ真の贅沢だ」(169)とコンラッドが述べる船乗りの「連帯感」に直結する表現をして、そして「物質的な富のためにだけ働くことは、自らを牢獄に繋ぐに等しく、生き甲斐は何一つ得られない」(169)と言明している。

　ルネ・マリル・アルベレスは、「今日の人間たちへの教訓」と題して述べている。――「労働が有益なのは、その物質的結果や、その《生産物》によってではない。労働はそれに従事する人間を形成し、練磨し、その人間を活動的人類の中に統合するからだ。したがって、その当初から、英雄的職業の実践的経験を通じて、サン＝テグジュペリのヒューマ

第7章　飛行士サン＝テグジュペリと船乗りジョウゼフ・コンラッド

ニズムは、(少なくとも道徳面では) 個人を社会の上位に置き、人間の労働を、《生産》ないしは集団に有益な成功よりもむしろ、とりわけ個人の形成手段そのものとする。ここには、社会的有益性の問題を乗り越えることを可能にする一種の両面作戦が見られる。即ち、社会に対して己を有益なものにすることによって、人間は己を試練にかけ、己を拘束し、己の責任を自覚することを学んでゆく。そして、この道徳的前提は、最終的には、獲得された結果よりも重要なのである」[90]。

　サン＝テグジュペリは、＜飛行機＞に乗る事によって、人は都市とその会計係りから離れ、農民的な真実を発見している。『人間の大地』の随所で、飛行する事は耕す事に、飛行士は農民や庭師に、＜飛行機＞は鋤に喩えられる。飛行士は「責任」を果たす事で人類と結ばれ、庭師は土を耕す事で大地のあらゆる樹木と結ばれる。空と大地は、高次元の人間の＜精神性＞によって統合されるのである。飛行士にとって＜飛行機＞は、そして、農民にとって鋤は世界を開示する、まさしく手段だとされるのである[91]。

　サン＝テグジュペリは、「飛行機の丸窓越しに人間を観察し、宇宙の尺度で人間を判定することになったのだ。人間の歴史を遡って読むことになったのだ」(189) と『人間の大地』において述べている。「物質的な豊かさだけを期待して闘う人間は、生きる価値のあるものを何一つ手に入れることは出来ない。だが、機械は目的ではない。＜飛行機＞は目的ではない。それは道具だ。鋤のように一個の道具だ」(184) と規定している。彼は高空から「人間の大地」を見下ろしているうちに、些細な事にこだわっていながら、真実を知らず、本当に大切な事を見ていない人間の卑小さを発見する。それと同時に、それ故にこそ、人間の価値の大切さに気付くのである。今までの生活で大切だった子供のころの愛する家や家政婦などを「磁極」という言葉を使って同書の第四章「飛行機と地球」において、──「私は、砂漠のただなかに不時着し、余りに多くの沈黙によって生の磁極から遠ざけられてしまっている自分の立場に

― 627 ―

ついて考えてみた」[92] と表現している。そして彼は、『ある人質への手紙』Ⅲ において、「生きる縁となる磁極」を三つの具体例を挙げてその重要性を言明している。『人間の大地』においては、「飛行士の仲間意識」とは、仲間との友情を築く事が出来るのが仕事の意味であり、物質的な事のために働くのではない事が強調されていたが、これは彼がいうところの「磁極」と深く繋がっている。「磁極」あるいは「仲間意識」の有り様は、共同体のメンバーに対して、利己主義ではなく他者のために生きるという事が価値あるものとされていたのである。

広大な宇宙の暗闇の中にポツンと青く光る美しい＜水の惑星＞地球。1961年、人類で初めて地球を飛び出した旧ソ連の宇宙飛行士ユーリ・ガガーリン（Yurii Gagarin）が、「地球は青かった」と感嘆の声を発したかけがえのない＜生命の星＞地球。それから約50年経た、2009年から2010年にかけて国際宇宙ステーションに161日間もの長期滞在して宇宙から地球を見た宇宙飛行士の野口聡一氏は、『宇宙少年』において次のように語っている。

「地球は美しい。青く、丸かった。一帯は、果てしなく広がる漆黒の闇。生き物は生きていけない、命のない場所。その中で、一人、地球は煌々(こうこう)と輝きながら、命を発している」[93]、「だだっぴろくて真っ暗な宇宙の中で、懸命に地球は生きている。太陽の光を受けて、ぴかぴか光っている。その光の中に、生き物すべての息づかいがある。69億人の生活のすべて、動物や植物、自然の活動のすべて。歴史のすべて。よい事だけではなく、悪い事も、なにもかも。すべてが地球の輝きの中にある」(93)、「宇宙から地球を眺めていると＜人間は地球のごくごく小さな一部にすぎない＞という事を強烈に感じずにはいられません。この広い宇宙の中で、地球というあの星だけが僕の居場所だ。命を拒絶するかのような、漆黒の闇の宇宙空

第7章　飛行士サン゠テグジュペリと船乗りジョウゼフ・コンラッド

間の中で、本能的にそう感じ、僕は地球というものの大切さを実感したのでした」(87)。

　宇宙飛行士野口聡一氏に先んずる、約80年前に、地球という存在価値に、そして、人間の価値に気付いたサン゠テグジュペリは、＜飛行機＞を人間が自らを発見する・道・具として見做していた。『人間の大地』において、それを表明している。

　　大地は我々人間について、万巻の書物より多くのことを教えてくれる。大地は我々に抵抗するからである。障害と力比べをする時、人・間・は・自・ら・を・発・見・す・る。しかし、障害にぶつかるためには、人間には・道・具・が必要だ。定期航空の道具である＜飛行機＞も、人間を全ての古い問題に参入させる (141)。私の目には、アルゼンチンでの最初の夜間飛行の折、星々のように、草原の中に散在する数少ない灯火(ともしび)がまたたいているだけの、暗い夜の模様が永遠に焼きついている。その一つひとつは、闇の大洋の中で、人間の意識の奇跡を告げ知らせていた (141)。あるところでは愛が営まれていた。ポツンポツンと、田園の中に、それぞれの糧を求める灯が輝いていた。詩人、教員、大工の灯のような、もっともつつましやかな灯まであった。だが、それら生きている星々の中には、なんと多くの閉ざされた窓が、なんと多くの光を消した星々があったことか。なんと多くの眠りこけた人間たちがいたことか (141-42)。

　「この大地（自然）と人間との対決」について、ルネ・マリル・アルベレスは、次のように述べる。――「サン゠テグジュペリの作品の三分の一近くがこの対決から作られているし、その対決は、異論の余地なく、一・つ・の・精・神・的・意・味・を帯びている。一方において、人間は物理的世界の盲目の諸力と対立することによって己を創造し、他方において、人間

は——ただひとり人間のみが——その宇宙に対して意味を付与する。物質の中での物質に囲まれての人間の格闘は、ヤコブと天使との戦い（『創世記』32章）のように、自然を貶めず、また自己を貶めずして自然と戦わねばならない人間の高貴さを作り出す」[94]。

　サン＝テグジュペリはこのように決心する。——「努めなければならないのは、自分を完成することだ。試みなければならないのは、山野の間にポツンポツンと光っているあの灯火たちと、心を通じ合うことだ」(142)。彼は、両大戦間という一種の閉塞状況の中にあって、我々が失いつつあるものを、もう一度人間のつながりの大切さを、我々に引き戻そうとした。高空から見て、この地球の表面で、人間がいかに小さな存在であるか。そして、それ故にこそ、人間の存在がいかに尊いものであるかを実感するのである。サン＝テグジュペリのこの想いは、人間以外の生き物に対しても向けられている。それは、この惑星を皆で分かち合うというレイチェル・カーソンの思想を貫く「生命への畏敬の念」に通底するものである。

　「地球環境」をテーマにした2005年の愛知万博で、サン＝テグジュペリの想いを受け継いだのだろうか？　フランス館では、パリ郊外の森の開発やゴミ廃棄の映像を映し出し、最後にサン＝テグジュペリの「地球は子孫から借りたものだ」という言葉で結んでいた[95]。因みに飛行機と共に帰らぬ人となってから50年目の1994年に、フランスは、サン＝テグジュペリを記念して彼の肖像を載せたフランス最後の旧50フラン紙幣や切手を発行している。そして郷里のリヨン・サントラス空港は、生誕百周年の2000年に、リヨン・サンテグジュペリ国際空港と改名している。

　1929年10月、サン＝テグジュペリは、万国航空郵便社の子会社アルゼンチン航空郵便会社の主任に任命され、未開地における航空路の開設を命じられた。そして、彼が尊敬するギヨメ（Guillaumet）やメルモーズ（Mermoz）と共に、彼自身も偵察飛行に加わっている。パタゴニア

第7章　飛行士サン＝テグジュペリと船乗りジョウゼフ・コンラッド

地方で大旋風に遭遇したのは、そうした長距離飛行の最中であった。1939年8月、週刊誌『マリアンヌ』の一面を飾った「操縦士と自然の力」は、この時の苦闘の物語である[96]。コンラッドの「台風」を念頭に置いて執筆している事を仄めかすこの作品は、無論、単なる大旋風のルポルタージュの記録ではない。かつてサン＝テグジュペリは、アン・リンドバーグの『聞け！　風が』（Listen! the Wind）を評価して、その序文に、「彼女は＜飛行機＞について書いているのではなく、＜飛行機＞を通して書いているのだ。その職業独特のイメージというものは、我々に、目立たないながら本質的なあるものを伝達するための、媒介物として用いられているに過ぎない」[97]と記述していた。これを踏まえて、サン＝テグジュペリは、大旋風の恐怖の本質的なあるものを次のように物語る。

　──「私がこれから物語ろうと思っている大旋風は、凶暴さという点では、私が経験したものの中で、飛びぬけて恐ろしいものだった。それでも、ある距離を置いてしまうと、渦巻く風の激しさを描写しようと思って最上級の言葉をいくら重ねてみても、ただいたずらに不愉快な誇張癖を際立たせるだけで、何一つ伝えてはくれない。この無力感を重く感じる原因がやっと私にはわかった。存在しなかったドラマを描出しようとするからなのだ。恐怖が、その現実の姿のまま、示されてはいないのである」（185-86）。

　更に、彼は大旋風の描写を次のように展開している。

　──まず、もはや前進できなくなった。突然生じた偏差を正すために、機首を右に向けたのだが、見ると風景は次第に動かなくなり、遂に完全に止まってしまった。もはや一歩も進んではいない。その上、翼が大地の稜線と重ならなくなってきた。大地が傾き、回っている。そしてすぐに、摩滅した歯車とかみ合っているように、機体は横滑りし始めたのである。それと同時に、自分がむき出しにされたような奇妙な気持ちになった。私が望もうと望むまいと、私自身大地の方へ吸い寄せられて

いるのだった（189）。1秒…2秒…何かが結ばれ、確りと止められ、かたくなっていった。私はただ驚くばかりだった。目を丸く見開いていた。飛行機全体が震え、拡がり、大きくなっていくような気がした。たちまち機体は水平になったまま、あふれ出る水に乗っかったように、500メートルほど持ち上げられた。40分前から、どうしても高度60メートル以上に上昇することの出来なかった私が、突然、敵たちを眼下に眺めたのである。飛行機はまるで湯沸しの中に入ったかのように、がたがた振動し続けていた（192）。

　このシーンは、コンラッドの短編「台風」における嵐の次の描写に類似している。

　——船の揺れにはぞっとするほどの無力感があった、縦揺れは、頭から奈落へ突っ込む感じ、横揺れも真っ直ぐ横に落ち込む感じであった。船は大変な衝撃があってから起き直るために、脳天を棍棒で一撃やられて倒れようとしてふらつく人間のようであった。風がトンネルに吸い込まれたように、力を凝集させて船に吹きつけ、その打撃の凄まじさは、船をしばし空中に持ち上げてしまうかのようであった。船はその間、船首から船尾までわななくだけで、ただじっとしている。しかし、すぐまた煮えくり返った大釜の中に落とされたかのように、転がり始めるのだ（42-43）。

　サン＝テグジュペリが語る＜飛行機＞を通して体験した自然との闘いの精確な描写は、更に続く。

　——自分の誤りに気付くのが遅すぎたきらいはあったが、逆行しようとして、はじめて、風の速さというものを思い知らされた。20メートルの高度でエンジンを全開して時速240キロのスピードを出しても（この時代の最大速度だ）、一向に進まないのである（193）。海に突っ込むのが怖かった。揺れるたびに、衝突する直前、機首を立て直せるのか、心配になった。ガソリンが尽きて、いとも簡単に海に突入する事になりはしないかと不安だった。それが私の運命のようにも思えた。とは言って

も、重い輸送機の操縦桿にしがみつき、肉体の闘いに夢中になっていたので、私にはもう極めて単純な感情しかなかった（194-95）。何も感じないで、海の上に風の軌跡に目を注いでいた。800メートル四方の広く広がった斑点が、240キロの速度で私のほうへ向かって走ってくるのが見える。その中で、空から降りてきた幾筋かの竜巻が、海面にぶつかって水平に飛沫を飛ばしながら、更に割れていくのだった。1時間20分に亘る苦闘の後、遂に300メートルの上昇に成功した（199）。10キロメートル進むのに1時間を要した。それから絶壁に隠れて南の方角に降りていく。今は、陸地伝いに目的地に向かうため、再び上昇するのだった。遂に300メートルの高度を維持することに成功した。相変わらず恐ろしい天候が支配していた。けれども、今までとは比較にならぬものになっていた。終ったのだ（200）。劇的葛藤とか悲壮さとかいうものは、人間の出来事の中にしか存在しない（201）。

　サン＝テグジュペリは、「おそらく、肉体のドラマがそれだけで我々の心に触れるものを持っているとすれば、その＜精神的意味＞が示されている時だけであろう」（202）と結論づけていた。そして、コンラッドが『陰影線』において、人生の試練を経て経験する内的葛藤を自己の内部に生じさせ、自己をより進化させる「自己発見」の体験を描き出していたように[98]、サン＝テグジュペリも、また人間に試練を課す自然の力を背景にして、社会における人間の実存の意味を問いかけている。「目には見えない大切なものが、この世界には見えるもの以上に存在している。心で見なくちゃ、物事は見えないんだよ。＜肝心なことは目には見えない＞[99]」という『星の王子さま』の要諦である。＜肝心なこと＞とは＜本質的なもの＞という意味で、『戦う操縦士』21章において肉体と本質についてのサン＝テグジュペリの思想が述べられている。――「肉体が解体する時、本質が姿を見せる。人間は関係の結び目でしかない。関係だけが人間にとって重要なのである」。

　短編「操縦士と自然の力」において強調されているものの一つは人間

の連帯感である。消息を絶った彼を救助するために、飛行場に集まってくれた兵士たちや友人たちの存在があった事である。サン＝テグジュペリが『人間の大地』において訴えていた人間の連帯と人間への敬意や人間の高貴さに通底するものである。とりわけ第 2 章「同僚たち」のギヨメの雪山遭難からの帰還の話にそれが強く想起される。「歩かなければ、私は卑怯者だ」(177) という人間の連帯への想いである。ギヨメは、操縦する飛行機が墜落し、氷点下40度の中、そのアンデス山中で重度の凍傷にかかって膨れ上がった足が耐えられるように、ナイフの先で毎日少しずつ、靴に入れた弓形の切れ込みを大きくしていき、なお生還しようと必死の努力を傾けていた。目には見えない大切なもののために。「死とか、死を前にしての苦痛とかよりも、何よりも耐えがたかったこと、それは、自分たちの死によって、妻や友人たち——自分たちを愛してくれる者たち——が悲しむこと」である。そして彼らを「裏切ってはいけない」という認識である。「冬のアンデスは決して人間を返してくれぬ」(172) と言われていたその冬のアンデスからの彼の奇跡の生還はひたすら人間としての「責任感」によるものであった。アンデス山中の雪の中で、最早休息と死としか求めなくなった疲労しきった肉体を引きずってゆくように強いられた後、ギヨメが発した言葉は、『夜間飛行』のリヴィエールのモデルとされるディディエ・ドーラ[100] が「その偉大さを、忘れがたい表現でもってサン＝テグジュペリが表現した」[101] と言明する、またカイヨワが「これほど有意的なものはない」[102] と断言する、まさしく人間の高貴さが吐露されている。——「私がしたこと、誓って言うが、それはどんな動物にも出来なかったに違いない」。これは、サン＝テグジュペリが再度にわたって書かずにはいられなかった言葉、すなわち、彼が「意味をなす言葉、人間としての見事な自負」(173) と断言するものである。換言すれば、それは、「コンゴに行くまでは、私は動物に過ぎなかった」[103] と述懐したコンラッドの言葉に通底するものである。コンラッドは、生涯の分水嶺となったこの＜コンゴ

第7章 飛行士サン=テグジュペリと船乗りジョウゼフ・コンラッド

体験＞によって、西欧世界に対する基本的な視点を転換する必要性を実感し、それを作品化して今日のポストコロニアリズム文学の先駆けとなる『闇の奥』などを創作した[104]。

　サン=テグジュペリは、このギヨメの「私が知っている最も高貴な言葉、人間を位置づけ、人間に栄誉を与え、真の序列を再建する言葉」（180）という言葉を高らかに謳っている。ギヨメに対するサン=テグジュペリの深い想いは、ギヨメの名を永遠に留める＜わが僚友、アンリ・ギヨメにこの書物を捧げる＞という『人間の大地』の献辞から窺える。サン=テグジュペリは、「責任」を果たそうとしたギヨメの中に＜人間の高貴な精神＞が持つ偉大さを見たのである。彼は、「ギヨメの偉大さは、己を責任あるものとして感じるところにある。自分に対して、郵便物に対して、また希望を繋いでいる仲間たちに対しても、彼は責任があるのだ。人間であるということは、まさに責任を持つことだ。己には関わりないと思われていたある悲惨さを前にして、恥を知るということだ」（182）と言明していた。この恥とは、『ロード・ジム』のジムが不名誉を最大の恥と考え、より高い倫理的基準を自らに課していた事に繋がる。

　＜責任を持って生きる＞という事を、サン=テグジュペリは、それを子供にでも分かるように易しい言葉で『星の王子さま』の王子さまをして、次のように語らせている。

　──「ぼくが水をやったのは、そのたった一輪のバラなんだ。ガラスの覆いを被せて守ってあげたのも、そのバラなんだ。衝立(ついたて)を立てて、風を防いであげたのも、そのバラなんだ。茎についた毛虫を殺してあげたのも、そのバラなんだ。不平を言ったり、自慢話をしたり、ときどきはむっつり黙りこんだりしたけれども、そんな、なにもかもに、僕は耳を傾けたのも、そのバラなんだ。つまり、それは、僕のバラだからなんだよ。（中略）ぼくは（自分でなじみになった）ぼくのバラに対して責任がある…」（126-28）。

子供たちがこの世界に何度でも立ち向かえる内発的な力を持てるようにと宮崎　駿は、子供たちが一度は読まなければならない本として、『本へのとびら』の巻頭に『星の王子さま』を挙げ、「一度は読まなければいけません。大人になったら同じ作者の『人間の土地（大地）』も読んで下さい」[105] と述べている。因みに、時代の推移に影響されない独自の「反文学」を貫き、晩年に『星の王子さま』を翻訳した倉橋由美子も、その「あとがき」において、「『星の王子さま』は、この主人公をどこまでいっても純粋な「反大人」、自分の中にいる子供として40歳を過ぎた作者が書いた小説で、読者が大人になってからもう一度本気で読むべき本だ」[106] と述べている。狐は、「心で見なくては、物事はよく見えない。肝心なことは目には見えない」[107] と言っていた。倉橋は、「出会う大人をことごとくダメだと見る王子さまにとって、話の通じる相手は地球で出会った狐や蛇だけで、特に狐は、反大人としての立場を明確に説明してくれる哲学教師のような存在だ」[108] と『星の王子さま』を読み解いている。

　王子さまにとって滑稽に思われない唯一の星の住人は点灯夫である。彼は他の小惑星の住民たちのように、相手を家来、讃美者と言ったものとしてしか考えなかったり、相手を自分の自己満足のために利用したりせず、ただひたすら自分の任務に奉仕しているからである。但し問題提起がある。かつてはゆっくり回っていた小さな星が、ますます回転の速度を速めて行く。そのため夜と昼とのめまぐるしい交替に合わせて、必死に街灯の火をつけたり消したりしている。点灯夫は、不合理な命令に忠実に疲労困憊させる機械的な仕事に従事している。点灯夫は次のように述べている。――「何も理解することはないのさ。命令は命令なんだ。（中略）私はひどい仕事をしているのさ。昔はそれも合理的だった。星は１年増しに早く廻るっていうのに、でも命令は変わらないときてるんだ」[109]。ここにはチャールズ・チャップリン（Charles Chaplin）の『モダン・タイムス』（*Modern Times*）の悲惨な労働者の状況が想起

第7章　飛行士サン＝テグジュペリと船乗りジョウゼフ・コンラッド

される。ベルトコンベアでの作業で、機械に翻弄される人間の悲劇が、チャップリンの絶妙なパントマイムで表現されて、その「笑い」を通して非人間的な徹底した効率化や合理主義に基づく格差社会の不合理が描き出されていた。

　アン・リンドバーグは、日記に次のように記している。――「サン＝テグジュペリの妖精物語が届き、貪るように、一気にそれを読む。だがこれは、本当に悲しい、要するに、彼の戦争の物語よりも悲しいものだ。控えめな軽いタッチで素描された、子供向けの、なかば寓話的、なかば妖精物語的な、かわいらしい作品に過ぎないにもかかわらず。いや、全く子供たち向けのものではない（傍点はアン・リンドバーグ）。彼の小さい王子さまは子供ではなく成人だ。子供の心を持った大人だ。ドストエフスキーの『白痴』のような真に《心の浄らかな存在》だ。彼は《子供のかたくなな心》を持っていない。（中略）彼の悲しみは、戦争や悲劇についての悲しみではない。内面の悲しみ、永遠の憂愁、永遠の渇き、永遠の探求だ。耐え難いほどの郷愁、ただし「地上にも海上にもいまだかつて存在しなかった光り」への郷愁だ」[110]。

　サン＝テグジュペリは、『星の王子さま』をヒトラーの迫害を受けているユダヤ人の親友レオン・ウェルトに捧げている。――「この本を一人の大人に捧げたことについて、子供たちに赦しを求めたいと思う。私にはちゃんとした言い訳がある。その大人のひとは、私がこの世に持っている一番の親友なのだ。もう一つ言い訳がある。その大人のひとは、子供たちのための本でもなんでも理解することができる。三つ目の言い訳もある。その大人のひとはフランスに住んでいて、飢えや寒さに苦しんでいる。どうしても慰めてあげなくてはいけない。もしこれらの言い訳でもまだ足りないなら、私はこの本を、その大人のひとが昔そうだった子供に捧げたいと思う。大人は誰でも、はじめは子供だったのだ。（だが、そのことを覚えている大人はほとんどいない。）だから私はこの献辞を次のように書き直す。――小さな子供だったころの　レオン・ウェ

ルトに」[111]。

　『人間の大地』において、サン＝テグジュペリは、「同じ遊星によ
って運ばれた私たちは、連帯責任を担っているし、同じ船の乗組員だ。新
しい統合を育むために諸文明が対立するのは良いことだが、互いに食い
合いをするなどとんでもないことだ。私たちを解放するに当たっては、
私たちを相互に結び付けている目的を自覚するように助け合えば良いの
だから、その目的が私たち全てを一つに結び合わせるところに、その目
的自体を探し求めればそれでいい」（325）と述べている。『夜間飛行』
の第8章において、郵便配達業務に携わるのは飛行士だけでなく、地上
勤務の事務員や無電技師をも含めたすべての従業員だというリヴィエー
ルの**同胞意識**が示されていた（45-49）。

IV　コンラッドの影響を受けたサン＝テグジュペリ

　サン＝テグジュペリが「同じ船の乗組員」だと言う＜人間の連帯＞
は、まさしくコンラッドが述べていた船乗りの＜同胞意識＞に結びつ
く。彼の実体験に即すれば、短編「青春」において語っていたように、
「旅行や遊びではなく人生そのもの」を海上で生きてきたコンラッドに
は、およそ20年間に及ぶ船乗り体験があった。そこでの過酷な生活体験
を通じてコンラッドは自己の孤独や仲間との連帯感に目覚め、ここから
個人としての自己存在の意義と仲間との連帯感の重要性を自覚し、これ
が＜同胞意識＞という高次元への理念へと昇華して、遂に＜誠実さ＞が
個人と仲間を結びつける絆であるという認識が形成されたのである。船
乗りに求められる献身的な忠誠はコンラッド自らへの戒めでもある。
1901年8月2日付の『ニューヨーク・タイムズ』紙「土曜書評」
（"Saturday Review"）において彼は、「作家の献身的な忠誠こそが重
要だ」[112]と述べている。

第7章　飛行士サン＝テグジュペリと船乗りジョウゼフ・コンラッド

彼の思想を物語る『闇の奥』において、人間の最後の拠り所を＜誠実＞にあるとした彼はこの＜誠実＞を彼の真摯な創作理念の中核に位置付けている。

> Those who read me know my conviction that the world, the temporal world, rests on a few simple ideas; so simple that they must be as old as the hills. It rests notably, among others, on the idea of *Fidelity*.[113] (Italics mine)
> （私の読者は、束の間のこの世界が、二、三の単純な観念に基づいているという私の信念を知っている。それは非常に単純なので、極めて古いに相違ない。それは〈誠実〉という観念に基づいているのだ。）

『人生と文学についての覚書』（*Notes on Life and Letters*）における「よくやった」（"Well Done"）と題するエッセイにおいて、彼は＜誠実＞について更に明確に述べている。

> For the great mass of mankind the only saving grace that is needed is steady fidelity to what is nearest to hand and heart in the short moment of each human effort.[114]
> （人類の大多数にとって必要とされる唯一の美点は、それぞれの人間の束の間の努力であっても最も身近なものへの一貫した誠実なのだ。）

最も身近なものへの〈一貫した誠実〉のために、船乗りの義務感をもって、自分に課せられた責務以外には考えが及ばない愚直な人間に、コンラッドは＜あるべき人間＞像を見出している。例えば「台風」のマックファー船長（Captain MacWhirr）に、コンラッドは共感と賛辞

をもって描き出している。なおマックファーの存在意義については本論の　Ⅴ　サン＝テグジュペリに影響を与えたとされるコンラッドの「台風」考察1とⅥ「台風」考察2　において述べる。

　さて、『南方郵便機』と『人間の大地』との間には、人間の弱さを克服する高貴さを描いた『夜間飛行』を挟んで10年の歳月が経過している。『人間の大地』は1939年度のアカデミー小説大賞の受賞作となり、英語版（題名は『風と砂と星と』）とあわせて驚異的なベストセラーになった。しかし、これを小説に分類する事は出来ない。当時のサン＝テグジュペリはすでに小説が自分の資質に合わないジャンルである事を自覚する。それと同時に、それまで蓄積してきた体験や見聞をどのような形で作品化すべきかを迷っていたようである。その時彼を激励してくれたのがアンドレ・ジッドであった。

　――「どうして君に書けないことがあるかね？　話に脈絡のある物語風のものではなくて、一種の … そう花束と言うか、時間や空間を無視して、一飛行家の感覚、信条、知性に訴えたものを各章に雑然と寄せ集めたような作品を、例えば、コンラッドのそれは船乗りにとって素晴らしい作品だが、何かそのようなものだ」。

　この助言は極めて有意義であった。サン＝テグジュペリは、ジッドが訳した「台風」を読み、更にコンラッドの『海の鏡』を読んだ[115]。その結果、これまで書けなかったのに、突然突破口が開けた。いわば＜大空のコンラッド＞とも言うべき作家が誕生したのである。最早、彼は作中の人物や筋を不器用に操るというような努力を完全に放棄して、彼自身が語り手として登場し、一人で物語るのである[116]。彼の実体験に基づいた個々のエピソードを多数並べる事によって彼の分身である語り手のコメントが挿入され、あるいは彼の思考の流れが浮き彫りにされるのである。

　アンドレ・ジッドがコンラッドの小説を読んで、その魅力を初めて

第7章　飛行士サン＝テグジュペリと船乗りジョウゼフ・コンラッド

知ったのは第一次世界大戦後、駐日大使として日仏文化交流に功績のあったポール・クローデル（Pawl Claudel）を介してである。ある昼食会で、一人がラヤード・キップリング（Rudyard Kipling）について熱く語った時、クローデルが、コンラッドの名前を挙げた。しかし当時のコンラッドは無名に等しくて仏訳したものはなかった。当然ながら同席していた者は誰一人として彼の名を知らなかった。そこでコンラッドのどの作品を読むべきかと尋ねると、クローデルは「全てだ」[117]と即答した。ジッドは早速作家名と作品名を書きとめた。以来コンラッドの作品に「完全な虜となった」[118]ジッドは、やがて彼のほとんどの主要作品を彼が率いるグループによって仏語訳することを思いつき、1918年ジッド自らも「台風」の翻訳を担当し、日記の中でしばしばコンラッドについて言及し[119]、手紙の交換と二度の面会を含め、長年にわたる交際を続ける事になる[120]。クローデルがコンラッドの存在をジッドに教えたうちの一作品が「台風」であった。またサン＝テグジュペリはコンラッドの「台風」を意識して、「操縦士と自然の力」を執筆した。その冒頭で次のように記している。

　――「コンラッドは台風について書いているが、おそるべき波浪、あたりの闇、大暴風といったものは、ほとんど描写していない。（中略）コンラッドの示したものは、台風という名の・・・・・・社会的ドラマに他ならない。（中略）私がこれから物語ろうと思っているサイクロンは、凶暴さという点では、私が経験したものの中でも、飛びぬけて恐ろしいものだった。それでも、ある距離を置いてしまうと、渦巻く風の激しさを描写しようと思って最上級の言葉をいくら重ねてみても、ただいたずらに不愉快な誇張癖を際立たせるだけで、何一つ伝えてはくれないのである。こうした深い無力感の原因というものが、私にやっと分かってきた。存在しなかったドラマを描写しようとしたからなのだ。恐怖を喚起しようとして失敗したとすれば、それは事件の後で、記憶を蘇らせながら、その恐怖を作り出したからにほかならない。恐怖が、その現実の姿

のまま、示されてはいないのである」[121]。

　1913年9月18日にコンラッドに初めて会って、「人生や人間の運命」[122] についてある根本的な点で彼と強く共感する思想の一致を見たバートランド・ラッセル（Bertrand Russell）は、『自叙伝』（*The Autobiography of Bertrand Russell*）において、「コンラッドの関心は、自然と対峙する人間の個々の魂であり、その代表作の一つが「台風」だ。（中略）読者はマックファー船長の語ることを通して、彼が成し遂げたこと、思い切って為そうとしたこと、困難と闘って耐え忍んだことの全てを知るのだ」[123] と言明している。

　ところでジッドやサン＝テグジュペリやラッセルを惹きつけた「台風」とは如何なる作品なのであろうか。この主人公であるマックファー船長は、意外にも、特徴らしいところが全くないのが特徴で、打てば響くような性格ではなく泰然自若といった顔つきをしている[124]。しかし、マックファーはコンラッドが評価する数少ない人物の一人である。『台風とその他の物語』（*Typhoon and Other Stories*）への「作家の覚書」（"Author's Note"）において、コンラッドは、マックファー船長を次のように述べている。

　　　MacWhirr is not an acquaintance of a few hours, or a few weeks, or a few months. He is the product of twenty years of life. … I can also assure my readers that he is perfectly authentic.[125]
　　　（マックファーは数時間、数週間、数か月の知人ではない。彼は20年間の人生から生み出されたのだ。… 彼が完全に本物だと私は読者に請け合う。）

　この事から、次章において、マックファー船長に焦点を絞り、コンラッドがこの作品に意図した真意を考察していきたい。

第7章　飛行士サン＝テグジュペリと船乗りジョウゼフ・コンラッド

V　サン＝テグジュペリに影響を与えたとされる　コンラッドの「台風」考察1

マックファー船長の人となりは次のように描写されている。

  Having just enough imagination to carry him through each successive day, and no more, he was tranquilly sure of himself; and from the very same cause he was not in the least conceited. It is your imaginative superior who is touchy, overbearing, and difficult to please; but every ship Captain MacWhirr commanded was the floating abode of harmony and peace.（4）
  （彼はその日その日を切り抜けていくだけで、それ以上の想像力を持ち合わせておらずそれで十分と考え、自らを信じて動じない。しかし、それと全く同じ理由から少しも自惚れているところもなかった。怒りっぽく傲慢で気難しいのは想像にふける上役と相場は決まっているが、マックファー船長が指揮を執った船はすべて調和と平和の海の住居とも言うべきものだった。）

 マックファーは、自らを信じて動じず、また自惚れる事もない。可もなく不可もなく平穏無事な船乗り人生を送っている。事実、一等航海士ジュークス（Jukes）は、本物の嵐を体験するまでは、船長を話題一つ見当たらない想像力の乏しい寡黙で退屈な朴念仁（ぼくねんじん）だと思っていた。人生はよく航海に喩えられるが、コンラッドの海は、短編「青春」でも見られたように幾多の試練やチャンスを与え、人生の実相を垣間見せてくれる場（トポス）である。マックファーも『黙示録』第十六章一節に記された「天の怒り」（40）の如き本物の台風に遭遇して、本当の海の怒りと凶暴さを実際に体験している。「さもなければ、マックファー船長は人生の表面

のみを生きて最期まで真の人生を知らなかったのではないか」(19) と
ジュークスは述懐している。

　目下、マックファー船長は、海図室で、低気圧を示す気圧計と相対し
ている。気圧低下は嵐来襲の不吉な兆しを示すものである。しかし、前
兆などは彼にとっては全く無意味であり、予言などは、それが現実と
なって鼻先に突きつけられるまで意味をなさない。従ってこの時彼の内
心の動揺を物語るものは何一つ見受けられない（6）。

　それではマックファーは船長失格なのであろうか。否、南山号（the
Nan-Shan）を回航するのに頼りとなる船長を求める経緯によってその
事が判明する。南山号の発注主であるシグ（Sigg）は、口数が少なく
て「こっちの指図にあれこれ難癖をつけないことが確実な人物」（9）
としてマックファーを高く評価していた。その事を承知している経営者
である社長はすぐさま電報でマックファーに南山号の船長受諾依頼の手
続きを取る（7）。そして、翌朝何食わぬ顔で現れた彼は、航海に先立っ
ての船の点検で、船長室のドアの錠前の不具合を一目で見破る（9）。
錠前はすぐ付け替えられ、数日後、南山号は東洋を目指して出航した。
マックファーはそれ以後船の装備に関して一言も注文はつけなかった
（9）。まさしく彼は、船主シグの言葉どおりの人物であった。マック
ファー船長は「事実」（14）に忠実であったのだ。更にこの意味すると
ころは、彼の日常の海上生活から端的に窺えるのである。例えば、シナ
海は北と南で狭くなっている。島、砂州、岩礁があり、流れが速く、変
化しやすい潮流がある。こうした事実は的確な言葉でマックファー船長
の現実感覚に訴えてくる。それ故、彼は船長室を引き払って、ほとんど
船橋で生活し、食事もそこに持ってこさせ、寝るのは海図室といった有
様であった（15）。また日頃はマックファー船長の事を「退屈な親父」
「鈍い」（18）といらだっていたジュークスが、いざ凄まじい嵐が襲っ
て来た時、船長がそばにいてくれるだけで嬉しく思っている。船長がた
だ甲板に姿を現しただけで、強風の重圧を全部肩代わりしてくれるとい

第 7 章　飛行士サン＝テグジュペリと船乗りジョウゼフ・コンラッド

う想いであった。マックファー船長が存在する事に指揮官の威信、権限、重責をジュークスは見出したのである (39)。

　夏目漱石は、『文学論』の「序」において「根本的に文学とはいかなるものぞといへる問題を解釈せんと決心したり」[126] と言明して、鈴木三重吉宛てに「僕は一面において俳諧的文学に出入りすると同時に、一面において死ぬか生きるか、命のやりとりをする様な維新の志士の如き烈しい精神で文学をやってみたい」[127] という手紙を送り、実際彼は真正面から文学と向き合った。そして「功業は百歳の後に、価値が定まる」[128] と見做す手厳しい漱石も、こと短編「台風」に関しては高く評価している。『國民新聞』(1909年1月30日) 掲載の「コンラッドの描きたる自然に就いて」と題する論の中で漱石は、「人間の心状及び動作が悉くタイフーンと舟火事なる自然力を離れずに、何処までも密接な関係を以って展化進行するから、自然と人間が一丸とされて、偉大なる自然力の裏に副へ物として人間が調子よく活動するから」[129] と見做し、「台風」を「自然情小説の雄篇」[130] と評価している。確かにコンラッドが描く台風は、自然の猛威というよりは強大な＜意志＞を持った、人間に勝るとも劣らぬヒーローの趣がある。また嵐の海に対抗する主要人物として、船長と並んで＜船＞を挙げる事も出来る。そのリアルな描写を第 3 章において見られる。

　The seas in the dark seemed to rush from all sides to keep *her* back where *she might perish.* There was hate in the way *she was handled,* and a ferocity in the blows that fell. *She* was like *a living creature thrown* to the rage of a mob: *hustled* terribly, *struck* at, *borne* up, *flung* down, *leaped* upon. (47) (Italics mine)
　（闇の中、怒涛は四方八方から突進してきて、あくまで南山号を破滅の淵に追い詰めようとしている気配である。そのあしらい方に

は憎悪が、叩きつけ方には凶暴性がこもっている。怒り狂う暴徒の生贄にされた生身の人間にも似て、小突きまわされ、殴りつけられ、かつぎ上げられ、投げ出され、飛びかかられ、という有様だった。）

そして、荒れ狂う海の暴虐にひたすら耐える＜船＞の姿から叙述は船上のマックファー船長とジュークスたちの悪戦苦闘へ移り、そして二人の必死の、暴風雨の中での途切れ途切れの対話へと続くのである。

"Will she live through this?" (47)
The cry was wrenched out of his breast. … He expected nothing from it. Nothing at all. For indeed what answer could be made? But after a while he heard with amazement the frail and resisting voice in his ear, the dwarf sound, unconquered in the giant tumult. (47)

"*She may!*" (48) It was a dull yell, more difficult to seize than a whisper. And presently the voice returned again, half submerged in the vast crashes, *like a ship battling against the waves* of an ocean.

"Let's hope so!" it cried—small, lonely and unmoved, a stranger to the visions of hope or fear; and it flickered into disconnected words: "*Ship*. … This. … Never—Anyhow … for best." Jukes gave it up.

Then as if it had come suddenly upon the one thing *fit to withstand the power of a storm*, it seemed to *gain force and firmness* for the last broken shouts:

"Keep on hammering … builders … good men. … And chance it … engines. … Rout … good man." (48) (Italics mine)

第 7 章　飛行士サン＝テグジュペリと船乗りジョウゼフ・コンラッド

　（「この船、保(も)つだろうか？」胸から絞り出された叫びであった。… 彼（ジュークス）は何の返答も当てにしていなかった。全く当てにしていなかった。応答のしようがない質問ではないか。しかし、しばらくして驚嘆して聞いた、大暴風の止むことのない咆哮に混じって不屈のかすかな響きが、弱くはあるが必死の抵抗の声を。「保(も)つかも知れん！」鈍い叫びであり、囁きよりも捉えにくかった。やがて砕ける波の轟音に半ば埋もれながら、再びその声が聞こえ出す。大海の波と闘う船の姿そのままの声であった。「そう願おうじゃないか！」それは希望や恐怖の幻影とは全く無縁な人間の小さな、孤独な、動じない叫びであり、風にゆらぐ焔のように、途切れ途切れの言葉として残っていた——「船は … こんな … 絶対とにかく … 希望を捨てずに」ジュークスは理解をあきらめた。その声はふと嵐に対する唯一の対抗策を思いついたと言わんばかりに、最後に力を込めて——「このままでこつこつと … 造船所は … みな頼りになる連中だ … 一か八か … 機関も … ラウト君は … 頼りになる。」）

　本格的な台風の襲来時に、闇の中で四方八方から船をもてあそぶ波の仕打ちには憎しみがこもっており、その打撃には残忍さがこもっていた。嵐の騒音によって耳は聞こえず、風に口は閉ざされていた。その肉体の苦痛とそれに伴う精神的な苦痛から、ジュークスは思わず「これでも船は保(も)ちますか」と大声で叫んでみた。彼はその応えを何ら期待していなかった。こんな場合、どんな応答が実際出来ただろうかと自分でも思っていたからである。しかし程なく、驚いた事に、例の弱々しいが、しぶとい声、巨人の騒乱にも屈服せぬ船長の声が返ってきた。「保つだろう！そう願おうじゃないか！ … このままこつこつと … みな頼りになる連中だ … 」と。この怒涛の嵐にかき消されもせずに。ジュークスは、ずしりと重い指揮官の威厳を感じ入ったのである。

— 647 —

マックファー船長の性格は、夏目漱石が「自然と人間が一丸となっている」とこの作品を評価する台風襲来の真最中でも窺える。船橋に登る鉄梯子はとっくに流され、船上はひどい惨状で、船員たちは、船艙の内部にいる中国の苦力(クーリー)たちなどはどうでもいいと思っている。しかし、マックファーはそんな窮状の中でも船艙にいる200人の苦力たちの事を気に留めている。「苦力たちの様子を見て来い」と命令を下し、報告を受けると、「… の話だと … みんな … ずっこけてしまったと … 目で確かめねば」(54) と嵐に遮られて途切れ途切れにジュークスに言いながら、なおも目で確かめるという正確な事実を求めている。そしてマックファーの本領は、苦力たちの生涯を賭けて蓄えた銀貨を彼自らが公平に分配するまでの彼の的確な言動から窺えるのである。

サン＝テグジュペリは、短編「操縦士と自然の力」において、コンラッドの短編「台風」を台風という名の「社会的ドラマ」と見做していた。

――「船のローリングが中国人移民の詰め込まれている船艙で、手荷物をばらし、木箱を叩き割り、哀れな財宝をばらばらにしてしまう情景が描かれている。そこでは、生涯を賭けてこつこつと蓄えた富、互いに似ていながら、それぞれ特別な意味を秘めた思い出の品々、そうしたものの総てが、秩序を失い、持ち主を棄て、一つに溶け合って混沌とした岩漿に変わっていくのだ。コンラッドの示したものは、台風という名の社会的ドラマに他ならない」(185)。

事実、コンラッドが『台風とその他の物語』への「作家の覚書」において述べているように、彼の関心は悪天候の問題ではなくて、苦力たちが生涯かけて蓄えた銀貨争奪の対処法にあるようである[131]。

先ずマックファー船長は台風の真只中に、船艙にいる苦力たちの様子を見に行かせる。次いで「前部上艙の苦力たち全員がずっこけてしまっている」(51) という報告を水夫長(ボースン)から受けると、彼は一等航海士ジュークスを呼び、「行って目で確かめて来い」(54) と命令を下す。ここでも

第7章　飛行士サン＝テグジュペリと船乗りジョウゼフ・コンラッド

・・・・・
正確な事実を知ろうとするマックファーの性格が現れている。ジュークスから、「彼らが各自所有していた木箱が台風の猛威に激しくゆすぶられ、ぶつかり合って壊れ、中にあったドル銀貨が散らばってその争奪戦が始まり、収拾がつかない状況に陥っています。力ずくで止めさせる以外方法はありません」という事を伝声管から聞くと、彼は「金を全部拾い集めろ。急いで手を貸してやれ」(75)と断を下す。ジュークスは何度も「船長」と叫ぶが、応答はない。いったん下された命令は絶対的だった。悪戦苦闘した後、ジュークスが「おっしゃった通りにしました」と応えると、マックファーは「君ならやれると思っていた。… 彼らにもそれ相応のことをしてやらなくてはな」と言い、そして含蓄のある言葉を若いジュークスに述べる。──「何もかも本に書いてあるわけではない。(You don't find everything in books.)」(81)。まさしくマックファーは20年間海で鍛えられて生み出された人物であった。彼の言葉は20年の体験に裏打ちされた真実の言葉である。台風に遭遇した時、マックファーは海図室で嵐の事が書かれた本を指差し、強力な台風をやり過ごすために船の針路変更を注進しに来たジュークスに向かって、「直ちに変針だと。ここに書いてあることを全部鵜呑みにした日には、海の上を駆けずり回って、嵐の背中に回らなけりゃならなくなる。そんなことは臆病者がやることだ」(33)と本からの知識では駄目だという事を述べた。そして、台風を乗り切った後、経験の浅いジュークスに、マックファー船長は、船乗りの、否、人間のとるべき道を諭す。──「何が起きようと怖気づいては駄目だ。常に船を風に立てることだ。一番大きい波は風の向きに沿って進んで来る。それに真っ向から向かう、常に真っ向から──乗り切り方はそれだ。君は船乗りとしては若い。とにかく真っ向から向かう。誰でもそれさえ心がければ。そして冷静になることだ」(89)。ジュークスは胸の鼓動が高まるのを感じながら、「はい、船長」と応えている。

　「真っ向から立ち向かうこと (Facing it)」この言葉こそがコンラッ

ドの真意である。『陰影線』のジャイルズ船長（Captain Giles）も、「人間はあらゆることに立ち向かっていかなければならない。臆病にならぬことだ」（131-32）と船長は初航海での試練を経て大人へと成熟していく「私」に諭していた。人生を直視して真っ向から立ち向かっていくという、この人生哲学は、「台風」『陰影線』「青春」「秘密の共有者」などの「船乗りもの」に限らず、その他の主要作品の『闇の奥』『ロード・ジム』においてもコンラッドが常に重視している事柄である。

　郵便飛行の草創期において、極めて危険な夜間飛行の確立を目指す『夜間飛行』の主人公リヴェールも、強い責任感と意志を持って、あらゆる困難に立ち向かい、挑戦を続けていく。嵐に巻き込まれた郵便飛行機が遭難し、行方不明となっても、悲嘆にくれてたじろぐ事はしない。どんなに辛くとも、ヨーロッパ・南アメリカ全航空郵便路線の統括責任者として彼自身の使命を果たすため、怯む事なく断固たる態度の指示を出す。アンドレ・ジッドは言う。――「その過酷さが向けられるのは、人間を鍛え上げようとする偉大な、ある義務感に基づいているのだ」[132]。サン＝テグジュペリは、『人間の大地』において困難に立ち向かい、乗り越えて、崇高なものに達する人間を追求する。これはジッドが『ドストエフスキー』で探究した、神を否定し、自分を絶対肯定する「超人」志向ではない。サン＝テグジュペリは、『人間の大地』においてギヨメの偉大さを次のように述べている。――「ギヨメの偉大さは、己を責任あるものとして感じる所にある。自分に対して、郵便物に対して、希望をつないでいる仲間たちに対して、彼は責任があるのだ。人間であるということは、正に責任を持つことだ。己に関わりないと思われていたある悲惨さを前にして、恥を知るということだ。もし自ら引き受けた責任というものに根差していないなら、その人間は、心の貧しさか、若気の至りの表れでしかない」（182）。

　コンラッドは『台風とその他の物語』への「作家の覚書」において、「マックワーは全く本物だ」[133]と読者に請合っていた。では、作者が

第7章　飛行士サン=テグジュペリと船乗りジョウゼフ・コンラッド

　この物語の眼目としているマックファーの言う本物とは、一体何なのであろうか？
　ここで、あの苦力たちに行ったマックファーの見事な貨幣分配の手際のよさを確認してみよう。先ず乗船しているブンヒン社の中国人通訳に船艙に行かせ、苦力たちに金を取り戻せる、唯一の方法を説明させる。──「全員同じような場所で、同じ期間働いていたのだから、拾い集めた金を全員に均等に分配すれば公平になる」(101)。「どの銀貨が誰のものと見分けが付くものではないし、各自がいくら持っていたか尋ねてもきっと嘘をつくだろうから、金が不足することは目に見えている。福州で中国の役人を探してこれに金を引き渡したらどうなるだろうか？」。船長曰く、「そんなことをすれば、役人たちが全部着服してしまう。苦力たちは元も子もなくなるだろう」と。「苦力たちも同じ考えだったようだ」とジュークスも納得した。そして船長自らが、船橋に登って来た苦力一人ひとりに公平に銀貨を手渡していく (102)。
　テキストに密着し、作品の内面からコンラッドの特質を捉えんとしたF・R・リーヴィス (F.R. Leavis) は、『偉大な伝統』(*The Great Tradition*)において、事実を冷静且つ現実的に処理するマックファーの手際のよさを、「船乗り精神の無上の勝利」[134]であると評価している。
　船長としてマックファーは、常に船艙にいる苦力たちをも含めた乗組員全員を船舶共同体の一員と考えている。ジュークスに対して述べる彼の一連の言動からマックファーの人となりが窺える。

　　"Had to do what's fair, for all—they are only Chinamen. Give them the same chance with ourselves—hang it all. She isn't lost yet. Bad enough to be shut up below in a gale —— without being battered to pieces," pursued Captain MacWhirr with rising vehemence. "Couldn't let that go on in my ship, if I knew she hadn't five minutes to live. Couldn't bear it, Mr.

Jukes." (88) (Italics mine)

（「公平にしてやらにゃあ——何、彼らはただの中国人だというだけだ。彼らにも我々と同じチャンスをやろうじゃないか。なんの、船はまだ沈んじゃいない。時化の時に中に閉じ込められているだけでも強いんだ——ましてや、ああこっぴどく波に叩かれりゃな」マックワー船長はだんだん激して来て、「わしの船でそんなことがあってはならん。たとえ後5分で沈むとわかっていてもだ。わしには我慢ならんのだ、ジュークス君。」）

'what's fair' この言葉こそがマックファーの根本的な考え方であった。人間を平等に扱うというこの考えは、人種、国籍を問わず「人間の連帯感」を信じるコンラッドの考えに通じるものである。ガルシア＝マルケス（García Márquez）は、「フェアー」という事に関して、自伝『生きて、語り伝える』（*Vivir para contarla*）においてコンラッドの海洋文学を念頭において、「海上では人間誰もが平等ですから」[135] と述べている。またサン＝テグジュペリは、『手帖』において、「人間の連帯感」に通じる「神性」に関して、「精神を信じ、人間の隠された想像力を信じ、いわば人間の神性を信じている」[136] と、また『星の王子さま』においては、「砂漠が美しいのは、どこかに井戸を隠しているからだ」（103）と彼の願いを込めて述べている。

VI 「台風」考察2

普段のマックファー船長は気圧計低下の不吉な前兆にも無頓着で心もとないが。しかし、一旦大嵐の緊急事態になった時に発揮された彼の現実認識の確かさは、誰もが認めていた。あちこちの熱帯の植民地で数年働いた挙句、福建省の故郷の村に帰る貧しい苦力たち200人を含む全員

を、マックファーは船舶共同体の乗組員として見事に救っている。また嵐に対処する彼の操船術の確かさは、『ナーシサス号の黒人』におけるシングルトンがいざ大嵐の時に発揮した現実認識の正確さを想起させる。シングルトンは12歳で船乗りになり、以来海で鍛えられ、寡黙で逞しい海の男の叡智を秘めた老水夫となっている。60歳という年齢にも拘らず、彼は単独で舵柄の傍らにて、大波に揺さぶられながらも前方を凝視して、30時間以上舵輪を操作し続けて大嵐を乗り切ったのである。

「台風」において、老船長が自らの信念に基づいて老朽船ナンシャン号を嵐に立ち向かわせていたように、『ナーシサス号の黒人』における船長もまた、船やそれを操船する人間たちに襲いかかる大嵐に立ち向かっている。自然も人間も「意志」を持って対峙している。夏目漱石は、『ナーシサス号の黒人』の見返しに「此書中ニ描写サレタルハ nature ト人間ノ will デアル。will ハ itself ニ於イテ美ナリ（広義ニ云フ）」[137]と記述して、コンラッドの文学に「意志」を見出していた。

『ナーシサス号の黒人』の最終章では、コンラッド文学の根本テーマの一つ＜人間の価値＞について襟を正させる意外な展開を見せている。ナーシサス号を下船して給料を受け取る際、口達者な陸ものドンキンは事務員に威勢良く話しかけ、名前もすらすらと書いた。一方、シングルトンは字が書けず、ようやく太い十字の印をサイン代わりに書き、陸の事務員に嘲笑される。これは一体何を物語っているのであろうか。この問題に真っ向から問いかけたのがカニンガム・グレアム（Cunninghame Graham）である。「もしシングルトンに教育があれば」という彼の批判に対し、コンラッドは次のように応えている。

> I think Singleton with an education is impossible. But first of all —— what education? If it is the knowledge how to live my man (Singleton) essentially possessed it. He was in perfect accord with his life.[138]

（教育のあるシングルトンというのは私には不可能に思えます。まず第一に——どんな教育なのでしょうか？　もしそれが如何にして生きるかということならば、あの男は本来それを持っています。彼は自分の人生と完全に一致しています。）

　シングルトンには世間で言うところの「教育」は必要ではなかった。ここでの問題は、「人生を如何にして生きるべきかを知っているか否か」という事であった。シングルトンは本来それを持っていた、と言明されている。シングルトンに対するコンラッドの評価基準は、口達者に喋る術を心得えているとか、自分の名前をすらすら書けるとかではなかった。またサン＝テグジュペリも『城砦』において、「彼が何を知っているかは私にとって何の意味があろうか？　それなら辞書と変わらぬ。そうではなくて、彼が如何なる人間であるかに意味があるのだ」[139]と言明している。また『手帖』において、彼は、「大切なのは知識の荷（知的教育）ではなく、ものの本質を把握する道具である」[140]とも定義していた。サン＝テグジュペリは＜飛行機＞という道具で天空からの視点を得て、人間の小ささと、それゆえ人間への愛おしさを体得していた。彼は『人間の大地』において次のように語っている。

　——「あの灯火の一つ一つは、闇の大洋の中で、人間の意識の奇跡を告知していた。ある家では、読書をしたり、もの想いにふけったり、打ち明け話をしたり、別の家では、空間の計測を試みたり、またあるところでは、愛が営まれていた。それぞれの糧を求める灯が輝いていた。田園の中にぽつんぽつんと燃えているそれらの灯のいくつかと通じ合うように努力しなければならない」(141-42)。

　サン＝テグジュペリは、夜空の星を友とする事で、人間がいかに非力な存在に過ぎないかを常々感じていた。この感覚はまた現代のエコロジー思想をも先取りしている。彼の生きた時代以降、科学の有する力が急激に伸びる。プロペラ飛行機はジェット機になって、音速を超え、更

第 7 章　飛行士サン＝テグジュペリと船乗りジョウゼフ・コンラッド

にはロケットによって星や月にまで人類は飛行してしまう。しかしながら、人間は自然への畏敬の念を失い、戦争はエスカレートし、環境破壊は進み、地球自体が危機に瀕するようになっている。サン＝テグジュペリは命の尊厳や友情の素晴らしさ、職務を遂行する意志力といったモラルを、こうした地球と人間との在り方を捉えながら語った[141]。一方コンラッドは、風の全くない凪（なぎ）や全く逆の大嵐といった大自然の過酷な状況下で、蒸気船よりも格段厳しい操船を強いられる帆船を道具として、船乗りたちの没我的な献身ぶりと徹底した義務遂行の中で、大自然の威力を描き出した。それと同時に、一人ひとりの人間の存在の大切さや人間の倫理観の意義を訴えた。ここに、コンラッドとサン＝テグジュペリにおける両者の文学の根本主題に関わる＜人間の価値＞について、その独自性と共通性が見られるのである。

結論

　日本におけるコンラッド文学研究の草分けの一人である日高只一教授に宛てた手紙の中で、コンラッドは、尊ぶべき人間の資質として、「勇気、真実、誠実、献身、自制」を挙げていた[142]。コンラッドが求めるものは、高い内的倫理が有るか無いかであった。自己への「誠実の倫理」である。それを備えていたマックファー船長は正（まさ）しく本物の船長であった。コンラッドは、『ナーシサス号の黒人』において、生きとし生けるものの「人間としての連帯感」に繋がる「船乗りの同胞意識」を中核に、この＜誠実さ＞を位置づけていた。『ナーシサス号の黒人』の素材は、コンラッドが1884年4月28日にインドのボンベイで帆船ナーシサス号に乗り組み、目的地のダンケルクで同年10月16日に下船するまでの136日間の長い航海に基づくものであるが、その背景にはコンラッドの20年に及ぶ船乗りの体験があった。

　短編「台風」のマックファー船長の大嵐に対する操船や船内における苦力たちへの適切な対処法も長年の体験によるものである。そこには

「如何にして生きるべきか」というコンラッド文学の普遍的テーマが提示されていた。「船乗りもの」を初め「マレーもの」「コンゴもの」「政治もの」などと、ジャンルや内容が異なっていても、そこに通底するものは自己の「内的倫理」の問題であった。そして、この主題が辿り着く先の倫理は＜誠実＞であった。つまり、人間の「内面的価値」の有無であった。マックワーにはそれが備わっていた。＜船＞への忠誠は、コンラッドの一つの信念、つまり、「仕事の倫理」にも繋がっている。コンラッドにとっての仕事の倫理は、ただ単に真面目に仕事に励むという事だけに留まらない。仕事は一個人の行動であるのではなくて、組織の一員として考えられている。更に仕事を成し遂げる過程において、自己のアイデンティティを確立していく倫理的な側面をも併せ持っている。これが、最終的には＜船＞という共同体と自己とを同一視する事に繋がっていくのである。

　サン＝テグジュペリも、自らの体験を基調とした文学を創造している。自らの行動の結果の報告を生き生きと表明している。単なるルポルタージュではなく、その根底には常に自らの「内面的価値」に照らして、見たままを精確にものの本質を捉えんとする姿勢が窺われる。それをするのが自らの＜責任＞だと考えている。『人間の大地』におけるギヨメという尊敬する同僚から学んだ人間の責任や「共同体」で培った友情の重要さ、そして『星の王子さま』において述べられている「面倒を見た相手には、いつまでも責任があるんだ」（99）などにおいて明示されているように、彼の文学において、彼の人となりを表すこの＜責任＞がキーワードとなっている。＜人間の価値＞という事で、コンラッドとサン＝テグジュペリの文学を一言で言えば、コンラッドでは＜誠実＞、サン＝テグジュペリは＜責任＞という事になるであろう。

　飛行士のサン＝テグジュペリにとって、＜飛行機＞の急速な発達が、世界の技術的かつ管理的推移の象徴であったように、城館から出発した彼の一生もまた、いわば典型的な形で、＜飛行機＞を通じて現代世界の

第7章　飛行士サン＝テグジュペリと船乗りジョウゼフ・コンラッド

変貌ぶりを、身をもって体験しつつ生きたのである[143]。山崎庸一郎教授は、サン＝テグジュペリを次のように総括している。——「飛行家はフワフワ浮いている、この浮遊感覚は非常に不安定で、どうしても大地に戻らなくてはならない。だから彼を見ていると、ノーマード（放浪する人間）とセダンテール（定住する人間）とアンラシネ（根付いた人間）、そしてデラシネ（根こそぎにされた人間）にかかわる状態が常に出てきて、それが絡まりあっている。そこから彼には、行動人である面と、常に子供時代の体験を考え直す夢想家或いは詩人という面があって、この行動人と詩人の間を行きつ戻りつし、それが年輪を加えて中心的な原体験が膨らんでいき、彼の作品が出来上がっていく」[144]。サン＝テグジュペリが搭乗するプロペラ機は、地形と密接に関わり、夜ともなれば星と語らい、飛行機はとても人間らしかった。『星の王子さま』での彼は、プロペラ機で星の海を渡る事によって、たった一人海を知り、『夜間飛行』や『南方郵便機』において船乗りの心境をより一層、的確に描き出した。

　コンラッドも、蒸気船よりも苦労が多い帆船のほうに生き甲斐と人間味を感じている。長年の船乗りとしての体験から彼は自信を持って「蒸気船は、芸(アート)を構築するがために不可欠な条件の自然との親近感に欠けて、船との個人的な繋がりも帆船に比べれば希薄である。自信を持てる偉大な瞬間もそれに勝るとも劣らぬほど迷いや反省する瞬間もない。個人の気質の達成感もない」[145]と言明していた。コンラッドは、人間を信じ、「我々は手を繋ぎあってこそ存在している」と見做していた。行動を通して体得される船乗りの〈同胞意識〉や〈連帯感〉を人生における＜意義あるもの＞と見做し、＜船＞という運命共同体の一員として、船乗り仲間の**連帯**を謳っていた。『闇の奥』においても、寂寥(せきりょう)と孤独の真只中にあってなお職務に対して**誠実**に励む船乗りマーロウを、コンラッドは＜分身としての共感＞をもって描き出していた。蒸気船の修理のためにリベットが来る見込みがやっと立ち、共に仕事ができると思っ

た時のマーロウの喜びよう、文明から見捨てられたアフリカの奥地で黙々と研究に専念して書き上げられた『船舶操縦術の研究』(*An Inquiry into some Points of Seamanship*) という本を見つけた時の彼の驚きが、共感をもって描かれていた。

コンラッドは、「私にわかっていることは、作家の＜誠実＞を追い求めて奮闘努力しているということだ。(中略) 私の言うのは、＜誠実＞であろうとする意志のことだ (I mean sincerity of intention)」[146] と言明していた。

サン＝テグジュペリとコンラッドは、それぞれ＜飛行機＞と＜船＞を通して培った独自の視点でもって、人間を信じて、ギヨメやメルモーズ、シングルトンやマックファー船長といった登場人物の＜あるべき人間＞像を希求する普遍的な文学を構築したと言えるのではないだろうか。

1 星の王子さまとキツネ　直筆発見　サン＝テグジュペリ、便箋に『毎日新聞』2019年9月14日7面。フランスの作家、サン＝テグジュペリが小説『星の王子さま』用に自ら描いた挿絵のスケッチが、スイスで新たに見つかった。スイスのメディアが報じた。北部チューリヒ近郊ウィンタートゥルの「文化芸術歴史財団」(SKKG) によると、昨年死亡した財団創設者の男性の遺品を整理していた際、航空便用の薄い紙の便箋に、インクと水彩絵の具で描かれたスケッチが見つかった。作中で「一番大切なことは、目に見えない」との名言で知られるキツネと、王子さまが一緒に描かれた絵のほか、サン＝テグジュペリが妻に宛てた手紙もあった。スケッチは「びっくりするほど良い状態」で保存されていたという。財団は今後、サン＝テグジュペリ直筆の挿絵を所蔵している米ニューヨークのモルガン図書館とも連携しながら、今回発見されたスケッチの公開も

第 7 章　飛行士サン＝テグジュペリと船乗りジョウゼフ・コンラッド

　　　検討している。
2　『サン＝テグジュペリ著作集　9　戦時の記録　1』山崎庸一郎 訳（みすず書房、1988年）188頁。リヨン、「ル・プログレ」紙、1940年10月29日号。「イカール」誌、78号、108-109ページに複製が見られる（193頁）。
3　宮崎 駿「前書きにかえて──シロアリの塚から」サン＝テグジュペリ『サン＝テグジュペリ　デッサン集成』山崎庸一郎・佐藤久美子 訳（みすず書房、2007年）4-5頁。
4　『サン＝テグジュペリ著作集　9　戦時の記録1』115頁。
5　『サンテグジュペリ・コレクション　6　ある人質への手紙』山崎庸一郎 訳（みすず書房、2001年）45頁。（モントリオール、ウィンザー・ホテルで行われた演説）「ラ・プレス」紙、1942年4月29日、水曜日。
6　『サン＝テグジュペリ著作集　10　戦時の記録2』山崎庸一郎 訳（みすず書房、1989年）160頁。
7　『サン＝テグジュペリ著作集　9　戦時に記録1』33頁。A・リンドバーグ、『風立ちぬ』（『風よ、きけ！』1939年8月刊）の作者。サン＝テグジュペリは、この著作のための「序文」を書いている。──「アン・リンドバーグは、この書物の中で、一つの神話のように、表現できないが、基本的で、普遍的なあるものの上に、ひそかにではあるが、何としっかりと足を据えていることだろう。技術的な考察や具体的な描写を通して、人間の条件の問題そのものを何とよく感じさせてくれることだろう！　彼女は飛行機について書いているのではなく、飛行機を通して書いているのだ。職業的表象という素材にしても、彼女にとっては、目立たぬながら本質的なあるものを我々のうちに運び入れるための乗り物として役立っているのだ」。この「序文」は『人生に意味を』に再録されている。
8　サン＝テグジュペリ『サン＝テグジュペリ著作集　9　戦時の記録1』37頁。
9　サン＝テグジュペリ『サン＝テグジュペリ著作集　別巻　証言と不評』山崎庸一郎 訳（みすず書房、1990年）39頁。『夜間飛行』に着想を与えた人物であるディディエ・ドーラが次のように証言している。──私はサン＝テグジュペリ

を採用し、その当日から、彼の僚友のすべての飛行士たちの当初の慣例をなしていたものに服させた。整備員たちと股を接しての作業に。彼は彼らと共にエンジンの音に聞き耳を立てた。彼らと共に、大切にされてきたその手を廃油の中に浸した。

10　Frederick R. Karl & Laurence Davies, eds., *The Collected Letters of Joseph Conrad*, vol. 3 (Cambridge: Cambridge University Press, 1988), p.90.

11　『サン＝テグジュペリ著作集 10　戦時の記録 2』山崎庸一郎 訳（みすず書房、1989年）30頁。

12　『サン＝テグジュペリ・コレクション 6　ある人質への手紙　戦時の記録 2』山崎庸一郎 訳（みすず書房、2001年）27-28頁。「アトランチック・マンスリー」誌、1942年4月号に「戦う人間の信条(クレド)をなし、行動する飛行士の物語であるこの作品と、チャーチルの演説とは、現在までのところ、デモクラシーが（ヒトラーの）『わが闘争』に対して見出した最良の回答をなしている」と書かれている。

13　篠沢秀夫『篠沢フランス文学講義 IV』（大修館書店、2000年）113-14頁。

14　『サン＝テグジュペリ・コレクション 6　ある人質への手紙　戦時の記録 2』86頁。

15　『サン＝テグジュペリ著作集 10 戦時の記録 2』102　ピエール・ド・ラニューの思い出（アメリカにおけるサン＝テグジュペリ」、「コンフリュアンス」誌、109-121頁）。（アメリカにおけるサン＝テグジュペリ」、「コンフリュアンス」誌、109-121頁）。「『戦う操縦士』のフランス語版と英語版とは、1942年の初頭、同時に出版された。英語版の成功は我々の夢を凌駕するものであった。質量ともに成功だった。「アメリカの批評家たちは熱を込めて語ったが、そのためにこの書物は、何週間にもわたって、ベスト・セラーのトップにあった。さらに重要なのは、青年層がこれに飛びついたことだった。この書物は多くの使命感を呼びさまし、一つの理想主義の霊感となったが、このことは説明がつかないことだった（32頁）。（中略）人々はすでに、『夜間飛行』や『人間の大地』を識っていた。したがって、この≪大空のジョウゼフ・コンラッド≫（これはつまら

第 7 章　飛行士サン＝テグジュペリと船乗りジョウゼフ・コンラッド

ぬ賛辞ではない）に対して敬意を表する準備は出来ていた。だから『戦う操縦士』は、もっとも好都合な状況の中で出版されたわけで、喝采は大きく、かつ予想を超えるものだったのである（34頁）」。

16　Frederick R. Karl, *Joseph Conrad: The Three Lives* (London: Faber & Faber, 1979), pp.53-54.
17　Carola M. Kaplan, Peter Mallios & Andrea White, eds., *Conrad in the Twenty-First Century — Contemporary Approaches and Perspectives* (New York・London: Routlege, 2005), p.286.
18　Joseph Conrad, *Notes on Life and Letters* (London: Dent, 1949), p.155.
19　Frederick R. Kark & Laurence Davies, eds., *The Collected Letters of Joseph Conrad*, vol. 1 (Cambridge: Cambridge University Press, 1983), p.12.
20　渡會好一『世紀末の知の風景──ダーウィンからロレンスまで』（南雲堂、1992年）7頁。
21　Ford Madox Ford, *Joseph Conrad: A Personal Remembrance* (London: Octagon, 1971), p.55.
22　シュラフタとしてのコジェニオフスキ家の家紋イラスト。
23　Zdzisław Najder, *Joseph Conrad—A Chronicle* (New Brunswick, New Jersey: Rutgers University Press, 1984), p.488.
24　Joseph Conrad, *The Mirror of the Sea* (London: Dent, 1968), p.148.
25　Frederick R. Karl & Laurence Davies, eds., *The Collected Letters of Joseph Conrad*, vol. 3 (Cambridge: Cambridge University Press, 1988), p.89.
26　Joseph Conrad, *The Mirror of the Sea*, pp.29-30.
27　Joseph Conrad, "Author's Note" *The Mirror of the Sea*, p.vi.
28　『星の王子様の本』星の王子様クラブ編（宝島社、2005年）97-98頁。
29　『サン＝テグジュペリ著作集　11　戦時の記録　3』山崎庸一郎 訳（みすず書房、1989年）187-89頁、190頁。

30 アンドレ・ジッド『秋の断想』辰野 隆 訳（新潮社、1994年、第12刷）227頁。
31 サン＝テグジュペリ『サン＝テグジュペリ著作集 1 南方郵便機・人間の大地』（みすず書房）1983年、月報「飛行士サン＝テグジュペリの世界」木村秀政、2頁。
32 ナタリー・デ・ヴァリエール『星の王子さまの誕生』山崎庸一郎 監修、南條郁子 訳（創元社、2005年）2-3頁。
33 アンドレ・ジッド『秋の断想』辰野 隆 訳（新潮社、1994年、第12刷）228頁。
34 前掲書。228-89頁。
35 稲垣直樹『サン＝テグジュペリ』（清水書院、1992年）12-15頁、23-25頁。
36 『サン＝テグジュペリ・コレクション 7 心は二十歳さ 戦時の記録3』山崎庸一郎 訳（みすず書房、2001年）247頁。
37 『サン＝テグジュペリ著作集 別巻 証言と批評』山崎庸一郎 編訳（みすず書房、1990年）224頁。
38 サン＝テグジュペリ『サン＝テグジュペリ著作集 3 人生に意味を』渡辺一民 訳（みすず書房、1987年）「解説」250-51頁。
39 『愛蔵版 世界文学全集40 夜間飛行・人間の土地／征服者・王道』堀口大学・渡辺一民・安東次男 訳（集英社、1977年、第2版）160頁。
40 前掲書。161頁。
41 前掲書。5頁。
42 サン＝テグジュペリ『サン＝テグジュペリ著作集 10 戦時の記録 2』268-69頁。「X……将軍への手紙」という表題で知られている手紙。1948年4月10日、「フィガロ・リテレール」紙に発表され、その後、1948年、「人間たちは何を語るべきか？ X……将軍への手紙」として小冊子で出版された。
43 平田オリザ「亡命と抵抗 空への旅立ち」『毎日新聞』2019年8月7日2面（夕刊）
44 前掲書。＜解説＞渡辺一民「サン＝テグジュペリ／マルロー」465-66頁。
45 『人生の知恵 3 サン＝テグジュペリの言葉』山崎庸一郎 訳編（弥生書房、1997年）＜解説＞山崎庸一郎、158頁。

第 7 章　飛行士サン＝テグジュペリと船乗りジョウゼフ・コンラッド

46　『サン＝テグジュペリ・コレクション 6　ある人質への手紙　戦時の記録 2』181頁。
47　宮崎 駿「前書きにかえて——白蟻の塚から」『サン＝テグジュペリ　デッサン集成』（みすず書房、2007年）5頁。
48　宮崎 駿『本へのとびら——岩波文庫を語る』（岩波書店、2011年）（岩波文庫）149-51頁。
49　『アニメージュ』1998年5月号所収「宮崎 駿監督が辿ったサン＝テグジュペリの空と大地」74頁。
50　前掲書。76頁。
51　宮崎 駿『出発点　1979-1996』（徳間書店、1996年）80頁。
52　前掲書。379頁。
53　前掲書。409頁。
54　宮崎 駿『折り返し点 1997-2008』サン＝テグジュペリの飛んだ空（岩波書店、2008年）217頁。
55　サン＝テグジュペリ『サン＝テグジュペリ著作集 1　南方郵便機・人間の大地』169頁。
56　宮崎 駿「空のいけにえ」サン＝テグジュペリ『人間の土地』堀口大学 訳（みすず書房、1998年）242-43頁。
57　宮崎 駿「前書きにかえて——白蟻の塚から」5-6頁。
58　上岡克己・上遠恵子・原強編著『レイチェル・カーソン』（ミネルヴァ書房、2007年）83頁。
59　Rachel Carson, *Silent Spring* (Penguin Books, 1962, 1999 reprint), p.240. レイチェル・カーソン『沈黙の春』青樹梁一訳（新潮社、2001年）322頁。
60　サン＝テグジュペリ『サン＝テグジュペリ著作集 1　南方郵便機・人間の大地』山崎庸一郎 訳（みすず書房、1993年）333頁。以下、同書からの引用は本文中（　）内に頁数を示している。
61　『サン＝テグジュペリ著作集 別巻 証言と批評』73頁。
62　サン＝テグジュペリ『サン＝テグジュペリ著作集 5　手帖』杉山毅 訳（みすず

書房、1984年）123頁。

63 サン＝テグジュペリ『サン＝テグジュペリ著作集 6 城砦1』山崎庸一郎 訳（みすず書房、1985年）239頁。

64 『サン＝テグジュペリ著作集 別巻 証言と批評』山崎庸一郎 訳（みすず書房、1990年）97-98頁。レオン・ウェルトは、サン＝テグジュペリより22歳年上のユダヤ系の友人。オクターヴ・ミルボーノの秘書として小説を書き始め、第一次大戦従軍後は熱烈な平和主義者となり、ロマン・ロランらによって「カイエ・ドージュルジュィ」に迎えられ、アンリ・バルビュスの主宰する反ファシズム系の雑誌「モンド」の編集長、「ユマニテ」紙の文芸欄担当などを歴任したが、あくまで、個人主義的、アナーキスト的、トロッキスト的傾向はゆずらなかった。『ある人質への手紙』と『星の王子さま』の献辞に彼の名が挙げられている。

65 サン＝テグジュペリ『サン＝テグジュペリ著作集 5 手帖』80頁。

66 Norman Sherry, *Conrad's Eastern World* (Cambridge: Cambridge University Press, reprint, 1971), pp.41, 44.

67 Joseph Conrad, "Author's Note" *Lord Jim* (London: Dent), p.viii.

68 村上春樹『神の子どもたちはみな踊る』「かえるくん、東京を救う」＜新潮文庫＞（新潮社、2002年）169頁。

69 Jocelyn Baines, *Joseph Conrad: A Critical Biography*, p.439.

70 Joseph Conrad, *Lord Jim*, p.68. 以下、同書からの引用は本文中（ ）内に頁数を示している。尚、本文中の訳は、矢島剛一 訳「ロード・ジム」（世界文学大系86『コンラッド』（筑摩書房、1967年）を参照させて頂きました。

71 Joseph Conrad, "Preface" *The Nigger of the 'Narcissus'* (London: Dent, 1964), p.vii.

72 『サン＝テグジュペリ著作集 9 戦時の記録1』山崎庸一郎 訳（みすず書房、1988年）308-09頁。

73 海に眠る「星の王子さま」の父 墜落機 探知機に反応『朝日新聞』1993年12月22日（夕刊）。

74 『サン＝テグジュペリ著作集　別巻　証言と批評』121頁。
75 戦時に作られた単発複座の軽爆撃機を改良した300馬力のエンジン、武骨な機体、最高時速180㌔ほどの郵便飛行の最初に使われた飛行機。
76 宮崎 駿「前書きにかえて――白蟻の塚から」7頁。
77 Frederick R. Karl & Laurence Davies, eds., *The Collected Letters of Joseph Conrad*, vol. 1 , p.8.
78 拙著『新編　流浪の作家ジョウゼフ・コンラッド』第三章「人間の自由」の獲得――「秘密の共有者」の世界（大阪教育図書、2007年）57-85頁。
79 Laurence Davies & J.H. Stape, eds., *The Collected Letters of Joseph Conrad*, vol. 7（Cambridge University Press, 2005), p.150.
80 Ian Watt, *Conrad in the Nineteenth Century*（Berkley, Los Angeles: University of California Press, 1979), p.17.
81 小池 滋『英国を知る事典』（東京堂出版、2003年）170-71頁。
82 Joseph Conrad, *Youth Heart of Darkness The End of the Tether*（London: Dent, 1967), p.37.
83 コンラッド『世界文学大系50　コンラッド』訳者代表：鈴木建三（筑摩書房、1975年）400頁。
84 Joseph Conrad, *Youth*（London: Dent, 1967), pp.4-5.　以下、同書からの引用は本文中（　）内に頁数を示している。
85 Joseph Conrad, *The Shadow-Line,* p.4.　以下、同書からの引用は本文中（　）内に頁数を示している。
86 Joseph Conrad, *The Nigger of the 'Narcissus'* p.11.　以下、同書からの引用は本文中（　）内に頁数を示している。
87 Jocelyn Baines, *Joseph Conrad: A Critical Biography*, p.98. コンラッドが船長初体験の30歳の時に、「運命の微笑」（"A Smile of the Fortune," 1912）の舞台となったモーリシャス島でなされた質疑応答の中で、「最も欲しかった資質は何か」というフランス語の質問に、"Self-confidence." と英語で答えている。「自信」は、コンラッドが当時最も望んでいた資質であるようだ。

88 Gérard Jean-Aubry, *Joseph Conrad: Life and Letters*, vol. II（London: William Heinemann, 1927), p.342. 1924年4月7日付けの Canby 宛ての手紙。
89 Joseph Conrad, *The Mirror of the Sea*, p.129.
90 『サン＝テグジュペリ著作集　別巻　証言と批評』205頁。
91 稲垣直樹『サン＝テグジュペリ』（清水書院、1992年）128頁。
92 サン＝テグジュペリ『サン＝テグジュペリ著作集 1　南方郵便機・人間の大地』198頁。
93 野口聡一『宇宙少年』（講談社、2011年）10頁。以下、同書からの引用は本文中（　）内に頁数を示している。
94 『サン＝テグジュペリ著作集　別巻　証言と批評』207頁。
95 宮本武史「地球規模の課題に変化」『毎日新聞』2008年6月16日7面。
96 サン＝テグジュペリ『サン＝テグジュペリ著作集 3　人生に意味を』6頁。
97 サン＝テグジュペリ『サン＝テグジュペリ著作集 3　人生に意味を』「アンヌ・モロー＝リンドバーグ『風たちぬ』「序文」244頁。
98 拙稿「ジョウゼフ・コンラッドの倫理観と船長責任──『陰影線』を中心に」『英語・英米文学の心　廣瀬捨三先生米寿記念論文集』（大阪教育図書、1999年）433-52頁。
99 サン＝テグジュペリ作、内藤濯訳『星の王子さま』（岩波書店、1999年）99頁。以下、同書からの引用は本文中（　）内に頁数を示している。
100 『サン＝テグジュペリ著作集　別巻　証言と批評』53頁。ディディエ・ドーラは、第一次世界大戦中は戦闘機のパイロットとして活躍し、1919年、ラテコール社に入り、路線開発部長として、創業者のピエール・ラテコエールのよき協力者となる。次いで、アエロポスタル社に移り、フランス＝南米航空路の開発に貢献、この間、航空事業の将来に揺るがぬ確信を以て、ジャン・メルモーズ、アンリ・ギヨメ、サン＝テグジュペリなど、多くの飛行士を育てる。
101 『サン＝テグジュペリ著作集　別巻　証言と批評』46頁。
102 前掲書。154頁。
103 Douglas Hewitt, *Conrad: A Reassessment* (London: Bowes & Bowes, 1969),

第7章　飛行士サン＝テグジュペリと船乗りジョウゼフ・コンラッド

p.27.

104 拙著『新編　流浪の作家ジョウゼフ・コンラッド』第八章　宮崎アニメとコンラッド文学の世界、237-312頁。

105 宮崎 駿『本へのとびら――岩波少年文庫を語る』2頁。

106 サン＝テグジュペリ『新訳　星の王子さま』倉橋由美子 訳（宝島社、2005年、第4刷）154-58頁。

107 前掲書。112頁。

108 前掲書。156頁。

109 サン＝テグジュペリ『星の王子さま』内藤 濯 訳（岩波書店、2001年、第12刷）72-73頁。

110 『サン＝テグジュペリ著作集 10　戦時の記録2』223頁。

111 前掲書。222-23頁。

112 Frederick R. Karl & Laurence Davies, eds., *The Collected Letters of Joseph Conrad*, vol. 2 , p.349.

113 Joseph Conrad, "A Familiar Preface" *A Personal Record* (London: Dent, 1968), p.xix.

114 Joseph Conrad, "Well Done" *Notes on Life and Letters* (London: Dent, 1949), pp.190-91.

115 サン＝テグジュペリ『サン＝テグジュペリ・コレクション 3　人間の大地』山崎庸一郎 訳（みすず書房、2006年、第2刷）「訳者あとがき」261頁。

116 山崎庸一郎『サン＝テグジュペリ著作集 1　南方郵便機・人間の大地』345-46頁。

117 *The Art of Joseph Conrad: A Critical Symposium,* edited, with an Introduction by R. W. Stallman (Michigan State University Press, 1960), p.3.

118 Ibid., p.3.

119 アンドレ・ジッド『ジッドの日記 I』新庄嘉章 訳（小沢書店、1992年）1905年12月5日の日記に次のように認めている。ポール・クローデルが昼食にやってくる（209頁）。「彼（ポール・クローデル）はトマス・ハーディとジョウゼ

フ・コンラッドのことを、最大の敬意を払って語った」(211頁)。因みにジッド
は、1911年7月3日に「コンラッドの『追い詰められて』を音読する」(377頁)
と書いている。

120　瀬藤芳房「コンラッドとジッド——コンゴの衝撃」『徳島大学教養部紀要』(外国語・外国文学 (第3巻) 1992年) 3頁。

121　サン=テグジュペリ『サン=テグジュペリ著作集 3 人生に意味を』「操縦士と自然の力」渡辺一民 訳 (みすず書房、1991年) 285-86頁。

122　Bertrand Russell, *The Autobiography of Bertrand Russell* (London: George Allen & Unwin, 1967), p.207.

123　Ibid., p.208.

124　Joseph Conrad, *Typhoon* (London: Dent, 1964), p.3. 以下、同書からの引用は本文中 ( ) 内に頁数を示している。尚、「台風」の訳出にあたって、沼澤洽治 訳「颱風」『コンラッド中短篇小説集 2』(人文書院、1983年) を参照させて頂きました。

125　Joseph Conrad, "Author's Note" *Typhoon and Other Stories* (London: Dent, 1964), p.vi.

126　夏目漱石『漱石全集』第十四巻 (角川書店、1960年) 9頁。

127　江藤淳『江藤淳著作集 1』(講談社、1973年) 141頁。

128　秋山豊『漱石の森を歩く』(トランスビュー、2008年) 4頁。明治39 (1906) 年10月21日付の森田草平へ宛てた漱石の手紙。

129　『漱石全集』第十一巻 (岩波書店、1966年) 193頁。

130　前掲書。192頁。

131　Joseph Conrad, "Author's Note" *Typhoon and Other Stories*, pp.v-vi.

132　『サン=テグジュペリ著作集2 夜間飛行』アンドレ・ジッド「序文」4-5頁。

133　Joseph Conrad, *Typhoon,* p.vi.

134　R. W. Stallman, ed., *The Art of Joseph Conrad: A Critical Symposium* (Michigan State University Press, 1960), p.195. F.R. Leavis, *The Great Tradition,* (Hermondsworth: Penguin Books, 1967), p.206.

第7章　飛行士サン＝テグジュペリと船乗りジョウゼフ・コンラッド

135　ガルシア＝マルケス『生きて、語り伝える』旦 敬介 訳（新潮社、2009年）22頁。
136　サン＝テグジュペリ『サン＝テグジュペリ著作集　5　手帖』杉山毅訳（みすず書房、1984年）198頁。
137　夏目漱石『漱石全集　別冊』（漱石全集刊行會、1919年）129頁。
138　Frederick R. Karl, *Joseph Conrad: The Three Lives*（London: Faber & Faber, 1979), p.413.
139　サン＝テグジュペリ『サン＝テグジュペリ著作集　6　城砦1』198頁。
140　サン＝テグジュペリ『サン＝テグジュペリ著作集　5　手帖』138頁。
141　斉藤 孝『斉藤孝の天才伝　2　サン＝テグジュペリ』（どりむ社、2006年）84頁。
142　日高只一・白石 靖『コンラッド研究』（英文學社、1929年）12頁。この貴重なコンラッドの資料は、2002年に古希を迎えられた織田 稔先生から頂きました。厚くお礼申し上げます。
143　山崎庸一郎『『星の王子さま』の人』（新潮社、2000年）328頁。
144　『ユリイカ　特集サン＝テグジュペリ』（青土社、2000年）「空飛ぶ詩人を追って」山崎庸一郎、112頁。
145　Joseph Conrad, *The Mirror of the Sea*, pp.30-31.
146　Frederick R. Karl & Laurence Davies, eds., *The Collected Letters of Joseph Conrad*, vol. 3（Cambridge: Cambridge University Press), p.90.

第8章　「テロとの戦争」の先駆けと見做される
　　　　ジョウゼフ・コンラッドの『密偵』
　　──ドストエフスキーの『悪霊』を視野に入れて──

はじめに

　近年、ジョウゼフ・コンラッド（Joseph Conrad, 1857-1924）の『密偵』（*The Secret Agent*, 1907）が注目されている。とりわけ、2001年9月11日以降、米国のマスメディアにおける引用回数は際立っており、また米国中央情報局（CIA）の基礎を築き政治的インテリジェンスの収集に携わったパイオニアでもあるアレン・ダレス（Allen Dulles）は、『密偵』を念頭に置いて「私が最も興味あると思う情報活動に関する文学は、コンラッドが描いた小説である」と述べている。コンラッドが終生意識していた作家にフョードル・ドストエフスキー（Feodor Dostoevskii, 1821-1881）がいた。彼は『悪霊』（*The Devils*, 1873）において、テロリストの普遍的な心理を描き出している。民衆の無知さや騙され易さがテロリストの跋扈を生み出し、それを陰で操る政治思想の持ち主によって利用される危険性を、現代に通じる予言的な言葉で警鐘を鳴らしていた。
　『悪霊』を視野に入れて、9・11事件以降「テロとの戦争」の先駆けとして近年評価の高い『密偵』を中心に、「政治もの」と称されるコンラッドの文学についての考察を試みてみよう。

　2019年11月24日に、フランシスコ・ローマ教皇（82歳）が、被爆地の長崎市と広島市を訪れ、核兵器の保有自体への非難を国際社会に呼びかけられた。──「長崎市では、何百万という子供や家族が人間以下の生活を強いられる一方で、武器製造や改良、維持、商いに財が費やされ、築かれ、武器は日ごとに破滅的になっている。とてつもないテロ行為だ

（傍点は筆者。以下同じ）」、「広島市では、戦争のために原子力を使用することは犯罪以外の何ものでもない。原子力の戦争目的の使用は倫理に反する。私たちは歴史から学ばなくてはならない。記憶し、共に歩み、守ること。この三つの倫理的命令はまさにここ広島においてより一層強く、普遍的な意味を持つ」[1]。

2019年は「ベルリンの壁」が崩壊して30年に当たる。東西冷戦の終結を象徴する歴史的な出来事である。世界はより善い方向に向かうのではないかとの希望的観測が生まれた。しかし国際社会はそれから30年を経た今日、所得格差や保護主義、反移民・難民の排他主義という新たな壁に直面している。そして近年世界各国において幅広い人々を巻き込んだ反乱、抵抗運動そしてテロ活動が頻発している。それを防止するために各国は躍起となっているのだが、一向に収まる気配がないのが現状である。2019年、英国ロンドン中心部のテムズ川に架かるロンドン橋そばの建物でテロ事件が発生し、2人が死亡し、3人がけがをした。警察はテロ事件として捜査している[2]。2020年1月3日、イラン政権で事実上のナンバー2ともいわれるイラン精鋭部隊のソレイマニ司令官が米軍の無人機による攻撃で殺害された[3]。イランは、同月8日、イラク駐留米軍基地2か所を弾道ミサイルで報復攻撃を行った。

2020年は、伝統的な脅威である核に関する節目の年である。国際社会は、互いに攻撃しづらい状態を保つために核兵器を持つ道を選択してきた。核戦争の危機（1962年のキューバ危機）を経験した後に、米ソの主導によって締結されたのが核拡散防止条約（NPT）であり、今年は発効から50年になる。条約は、核兵器保有国（米英仏中露）には他国への核兵器の譲渡の禁止と核軍縮交渉を義務付け、非核保有国には核兵器の製造・取得を禁止している。しかし、実際には5カ国以外の国（イスラエル、インド、パキスタン、北朝鮮）が核を保有しているし、米露による中距離核戦力（INF）全廃条約の失効により、両国の核戦略は強化されている[4]。中国は米露がINF全廃条約に縛られている間に中距離弾道

第 8 章　「テロとの戦争」の先駆けと見做されるジョウゼフ・コンラッドの『密偵』

ミサイルの開発を進め、核保有国の軍拡競争が加速している[5]。
　西谷 修教授は「「テロとの戦争」が招く真の危険」と題して次のように警鐘を鳴らしている。──「すでに半世紀以上、大国同士の戦争は起きていない。起きないというより起こせないのだ。兵器の破壊力が過大になり、甚大な損害や混乱が予想される。だからこそ戦争は「テロとの戦争」になった。つまり大国が小国や非国家的勢力を「テロリスト」と名指して殲滅しようとしている。そこに圧倒的な軍事力の差があるからこそ「戦争」が仕掛けられる。いま先進国の人々がなじんでいる戦争のイメージは、このテロとの「戦争」によってつくられたものだ」[6]。
　マイケル・イグナティエフは、「暴力をコントロールできなくなった時、また戦争で争う両陣営が、戦争という手段に固執し、その手段が使えると想定されている目的には無関心なテロリストが跋扈し始めれば、「テロとの戦争」に一体何が起こるのだろうか」[7]という問題を提起している。そして彼は、ニヒリズムを「革命や民族の解放といった真に政治的な目的の手段というよりも、むしろ個人の強大化、不死性、名声、権力のために暴力に手を染めることを意味している」と見做し、「この倒錯はイスラエルでカフェ、バー、バス停を破壊した自爆犯にも、また9・11同時テロにおいて飛行機をハイジャックした自爆犯にも言えるだろう」[8]と述べている。テロリストの心理に着目した彼は、フョードル・ドストエフスキーの『悪霊』とジョウゼフ・コンラッドの『密偵』にその共通項を見出した上で「コンラッドはテロリストの心理学を熟知している」[9]と指摘している。
　2001年9月11日の同時多発テロが発生した時、世界貿易センターが崩れ落ちるシーンに世界中が震撼した。この同時多発テロ以降、ジョウゼフ・コンラッドの『密偵』が英語圏で注目されているのである。この作品は、1948年にF・R・リーヴィス（F.R. Leavis, 1895-1978）によって「英国文学史上第一級の傑作」[10]と見做されて以降、2000年にはオーエン・ノールズ（Owen Knowles）とジーン・モーア（Gene Moore）

によって「対スパイ活動の最初の現代小説」[11] として紹介されているからであるが、特に9・11テロ事件以後、『密偵』は米国のマスメディアにおける引用回数は際立っており、更にこの3年間で世界を横断して新聞、雑誌、その他オンラインの報道業界資料での引用回数は百回以上に及んでいるという[12]。

　『密偵』は、1890年代にロンドンとパリで発生した無政府主義テロリストによる事件の影響下で執筆された[13]。『密偵』におけるグリニッジ天文台爆弾事件と世界貿易センターの崩壊を引き起こした9・11同時テロとの類似点が指摘され、「コンラッドを"文学のノストラダモス"("a literary Nostrodamus")や"21世紀における最初の偉大な小説家"("the first great novelist of the 21st century")」[14] と記述されている。つまり『密偵』に登場するテロリストたちが実在の歴史的人物のように現代に蘇ってきたというのである。ドストエフスキーの『悪霊』に登場するテロリストたちも同様である。CIAの歴史の中で第五代長官でありCIAの基礎を作り国務省で政治的インテリジェンス収集に携わったパイオニアである[15] アレン・ダレスは、コンラッドの『密偵』を念頭に、『陰謀の技術』(*The Craft of Intelligence*, 1963)において次のように述べている。──「コンラッドのポーランド人としての血筋が、彼に、陰謀とかスパイとかの遣り口に対する生まれながらの洞察力を与えたのではないかと思う。彼の父は亡命し、二人の伯父はロシア人に対する陰謀に加担した廉により死刑になっている。ポーランド人は、ロシア人と同じくらいに、陰謀について長い経験を持っており、そしてこれはポーランド人を支配しようとするロシア人の試みの結果なのである。コンラッドは、その人となりからして、冒険やサスペンスのためにスパイ小説を書いたのではない。彼は、倫理的葛藤、人間の低俗さやそれを補うもろもろの徳行などに興味があったのである。(中略)私が最も興味あると思う情報活動に関する文学は、コンラッドが描いたような小説である。つまり、スパイや内通者や裏切り者たちの動機を扱うような話で

ある。自分の国を裏切ってスパイをした人々の中には、イデオロギーに基づくスパイもおれば、陰謀が好きでスパイになった者もいる。歴史の時期によって、これらのうちのいずれかが圧倒的となるようであって、また時には一つ以上の動機が組み合わさっていることもある。クラウス・フックスは典型的なイデオロギー的スパイであり、ガイ・バーガスは陰謀型、スウェーデンの大佐スティグ・ヴェンネルストロームは明らかに金銭目当てのスパイであった。ウイリアム・ヴァッサルは罠にかかったためのスパイとしての典型である」[16]。

　中薗英助は、上記のアレン・ダレスを念頭に置いて『密偵』を次のように要約している。――「この主人公ヴァーロック（Verloc）氏は、アナキストからの転向者でロンドンに文房具店を営む怠惰な肥満した大男である。19世紀末の英国に亡命したロシア・テロリストたちの動静を探るため、ロシア大使館に雇われたスパイで、グリニッジ天文台爆破計画などのテロ情報を収集している。それと同時に、文房具店の奥にある彼のサロンにやってくるアナキスト・グループの情報を英国警察にも売るという、貪欲な二重スパイである。英国当局からすれば、これこそ外国テロリスト活動の内幕と、国内の治安情報とを一挙に獲得できる、申し分のないおとりスパイであった。その動機といえば、転向者としての裏切り型と、警察への情報売込みによる金銭目当て型の組み合わさったものである。そのような動機こそが、スペシャリストにとって真に興味あるところだ、というのである」[17]。

　ジョージ・オーウェル（George Orwell, 1903-1950）は、「存命中に彼（コンラッド）は「海洋物語」の作家というレッテルを貼られてしまい、『密偵』や『西欧の眼の下に』（*Under Western Eyes*, 1911）は殆ど見過ごされたままだった。（中略）しかし、彼が本当に持っていたものは一種の成熟と政治的理解であり、これは当時の生粋の英国人作家ではほとんど備え難いものだったろう」[18]と述べている。1945年6月24日付けの『オブザーバー』紙においてオーウェルは次のように指摘してい

る。──「コンラッドが大陸出身であることから得た利点は、陰謀的政治を十分理解していたことだ。彼はアナキストやニヒリストたちに対して恐怖をしばしば表明したが、また同時に、一種の共感を彼らに対して抱いていた。というのは、彼はポーランド人だったからである。つまり、国内問題では反動的であるが、ロシアやドイツに対しては叛逆者であったからである。彼の最も生彩ある文章は海を扱ったものであろうが、陸地に触れる時、彼は最も成熟しているのである」[19]。

　コンラッドが生を受けた1857年は、ドストエフスキーが未だシベリアにいる頃であった。ドストエフスキーの『罪と罰』（1867）に対抗意識を燃やして『西欧の眼の下に』を上梓していた事でも明らかなように、コンラッドは、ドストエフスキーを終生意識していた。『密偵』におけるコンラッドのアナキストたちに対する悪意に満ちた戯画化や白痴の登場は『悪霊』を想起させる。但しドストエフスキーが急進主義者の世界を反動家として眺め、風刺したのに対し、コンラッドは政治的意図を有せぬ保守主義者として独自のアイロニーを駆使して風刺した。一例を挙げれば、ヴァーロックは、仲間の革命アナキストの情報を警察やロシア大使館に流す二重スパイである。皮肉な事に、「自分の密偵としての活動故に社会秩序が保たれている」という彼の自惚れの故に、彼には仲間を裏切りながらその罪の意識はない。のみならずスパイ活動で得た多額の報酬は、彼のモットーとする怠惰と安逸を保証し、英国社会との結びつきを可能にしている。この物語の最大のアイロニーは、日常性にぬくぬくと浸っているヴァーロックがその日常性への耽溺を通じて、日常性をアナキストに通じる政治的ファナティシズム（狂気）の温床にしてしまう事である。コンラッドは、政治と社会のメカニズムと個人の運命との関わりを「アイロニックな距離」をとって冷徹な眼で観察している。

　ドストエフスキーは、『悪霊』において、シニシズムとしてのニヒリズムを一つのキーワードとしてテロリストの普遍的な心理を描き出している。『悪霊』の時代は、まだ農奴解放のうわさがちらほら聞こえ始

第8章 「テロとの戦争」の先駆けと見做されるジョウゼフ・コンラッドの『密偵』

たばかりで全ロシアが不意に歓呼の声を上げ、さながら生まれ変わらんばかりの勢いを見せていた頃である[20]。クリミア戦争における敗北という衝撃によって危機感に目覚めた帝政ロシアは、アレクサンドル二世の下で近代化に向かう「大改革の時代」に入って行った。しかし急激な近代化はロシア社会にテロや暴動が多発し混沌とした状態をもたらした。1866年『罪と罰』の連載をしている時、カラコーゾフによる皇帝暗殺未遂事件が発生し、皇帝へのテロ行為が相次いで起る。またチェルヌイジェフスキー（Chernyshevskii, 1828-1889）の革命思想を受け継いだ急進的な若者たちを中心とするナロードニキ（人民主義者）運動も激化してゆく[21]。（コンラッドの政治思想は、アナキズムの一変種としてのロシアのナロードニキ運動の活動家の子供としての幼児体験に胚胎し、それが年月を経て成熟したものとも言い得る。父はポーランド独立運動の急進派として活躍し、後に政治犯として投獄され流刑になる。父に同行する母に連れられて5歳のコンラッドも極寒の地へ赴く。そして相次いで母と父を亡くす。）ネチャーエフ（Nechaev, 1847-1882）は、チェルヌイシェフスキーの思想を発展させて世に言うところの「ネチャーエフ事件」を起こす。1867年、ドストエフスキーは、アンナ・スニートキナ[22]という女性速記者と結婚する。その新婦アンナの弟イワンは、偶然にもこのネチャーエフ事件の被害者イワーノフの親友であった。ドストエフスキーは、4年間外国に滞在中の1870年から『悪霊』の執筆を始める。この『悪霊』の完成にはどうしてもロシアにいなければならないという内的動機から[23]、1871年7月、この作品のモデルとなるネチャーエフ事件の公判が法廷で始まった最中、ドストエフスキーは4年ぶりで故国に戻る。この小説は、テロリストが暗躍する当時の世相を反映し、ドストエフスキーが執拗に突き止めようとした＜人間の内に潜む悪の深淵＞に迫ってゆく複雑で謎めいた作品である。ドストエフスキーは、構想の段階で「この長編全体の題名は「偉大なる罪人（つみびと）の生涯」（"The Life of a Great Sinner"）」[24]と述べていた。ミハイル・バフチン（Mikhail

Bakhtin, 1895-1975）は、『ドストエフスキーの詩学』に注目して彼のポリフォニー理論を次のように提示している。――「それぞれに独立して互いに融け合うことのないあまたの声と意識、それぞれがれっきとした価値を持つ声たちによるポリフォニーこそが、ドストエフスキーの小説の本質的な特徴なのである。それぞれの世界を持った複数の対等な意識が、各自の独立性を保ったまま、何らかの事件というまとまりの中に織り込まれてゆくのである。実際ドストエフスキーの主要人物たちは、すでに創作の構想において、単なる作者の言葉の客体であるばかりではなく、直接の意味作用を持った自らの言葉の主体でもあるのだ」[25]。つまり、自立しており融合していない複数の声や意識、すなわち、十全な価値を持った声たちの真のポリフォニーは、実際、ドストエフスキーの長編の基本的特徴となっている。作品の中で繰り広げられているのは、自分たちの世界を持った複数の対等な意識であり、主人公の言葉は、作品構造の中で並外れた自立性を持っており、あたかも作者の言葉と隣り合っているかのように響き、作者の言葉や他の主人公たちの十全な価値を持った声と、独特な形で組み合わさっているというのである。実際、『悪霊』の主人公たちは、独自の声を響かせている。

I 『密偵』へのプロローグ

　無政府主義者を主人公とする作品に「無政府主義者」（"An Anarchist," 1908）と『密偵』がある。前者は、平凡な一市民が無政府主義者にされてしまった不幸な男性の物語であり、後者は当時英国で名の知れた無政府主義者であると同時にロシア大使館のスパイでもあるヴァーロックが、帝政ロシアの官僚であるウラジミル氏（Mr. Vladimir）によってグリニッジ天文台の爆破を命じられ、政治の罠に落ちていく物語である。本格的な「政治もの」作品である『密偵』の中

第8章 「テロとの戦争」の先駆けと見做されるジョウゼフ・コンラッドの『密偵』

核に、およそ思想とはもっともかけ離れた子細な出来事によって、善良な人間がその爆弾によって木端微塵に吹き飛ばされるという事件が扱われており、コンラッドが、本文中や執筆に関する手紙において何度も「劇的な」('dramatic')[26] という語をこの作品の特徴として認めている。そして注目すべきは、『密偵』の「作家の序文」("Author's Preface")において「アイロニックな扱いをこの作品の主題に適用する」[27] と言明している事である。事実、二重スパイの主人公ヴァーロックが、実は極めて社会に従順で、社会の秩序と安寧を守るために密偵を行っているというアイロニーがこの作品のユニークさを物語っている。二重スパイのヴァーロックがロシア大使館に召喚されて行く途上、ハイドパークの柵を透かして、町の富裕と奢侈の証拠を、承認の眼差しで概観していた。「この人たちはみな保護されなければならない。保護こそ富裕と奢侈の第一の要請である。彼らの健康的な無為にとって好都合な社会秩序は、非健康的な労働のあさはかな羨望に対して保護されなければならない」[28] とヴァーロック氏は満足そうに見ていた。

　F・R・リーヴィスは、その著『偉大な伝統』(*The Great Tradition*, 1948) において＜コンラッドのアイロニー＞を次のように述べている。――「実際にはヴァーロックはまったくまともな結婚生活を送っている。我々が彼を、ウラジミル氏と比べて思いやりのある人間として見るだけでなく、彼がすべての根本的なもので普通のまともな市民であり、他の人と同じように自分自身と妻を安全に平和にすることを心がけている人物である、ということが喉まで出かかっているのに気づくのは、まさにアイロニーの極致である。卑しい商売をやっており、しょっちゅうアナキストたちの出入りする店と、我々が彼と共に、習慣的なものであり、日常茶飯事であると思う彼の職業の複雑な背信行為が結末に重大な意味を持つのである。彼が妻と共にいる最後の場面で、妻にウラジミル氏の行為の全くの無法さを説明しようとする時、彼は義憤と傷つけられた道義観に酔ってしまって語るのである。「この11年間、私が生命をか

けて阻止しなかった暗殺計画は一つとしてないんだよ。何十人もの革命家を、その恐ろしいポケットに爆弾を忍ばせたまま追放して、国境で捕まるようにしたのだ。あの男爵はわしが彼の国にとってどれほど貴重なものであるかを心得ていたんだ。そこへ突然あの豚めがやって来やがった――無知で横柄な豚めが」」[29]。

　ここで視点を変えて、1909（明治42）年1月30日付けの『國民新聞』に掲載の「コンラッドの描きたる自然に就いて」と題する記事によってコンラッドを日本に紹介した夏目漱石（1867-1916）の言葉を見る。彼は、彼の『文学論』(1907)第三編の第一章において科学的言語と文学的言語の違いを次のとおり述べている。――「およそ科学の目的とするところは叙述にして説明にあらずとは科学者の自白により明らかなり。語を換へていへば科学は"How"の疑問を解けども"Why"に応ずる能はず、否これに応ずる権利なしと自認するものなり。すなわち一つの与へられたる現象はいかにして生じたるものなるかを説きうれば科学者の権能ここに一段落を告ぐるものなり」[30]。
　漱石は、西洋に対して卑屈になるのではなく、ロンドンの人口五百万の油の中の一滴の水となって、ロンドンの下宿で西洋何するものぞという気概を持って狂気と神経衰弱に陥りながらもそれをバネにして独自の文学論を作り上げた。彼は文学的内容の形式を（F+f）と定義して、『吾輩は猫である』(1906)の処女作から文字通り心血を注いで未完の長編『明暗』(1917)に至る小説群を創造した。Fは焦点的印象または観念を意味し、fはこれに付着する情緒を意味する、と『文学論』第一編第一章の冒頭で述べている[31]。
　ところで「科学」と「テロリズム」いう事に関していえば、テロリズムを実証的に認識しようとすると科学では超えられない壁があるようである。テロリズムにまつわる秘密性はいくら科学的に証拠を収集してみても、その真実は100パーセント明らかには出来ない。監視、諜報、捜

第 8 章　「テロとの戦争」の先駆けと見做されるジョウゼフ・コンラッドの『密偵』

査、準備などをテロリスト及び当局でさえも秘匿する部分があるからである。自らの感覚の真実に対する飽くなき追求（*the truth of his own sensations*）と行動の責任（*responsibility of conduct*）[32]がある事を芸術家の信条と見做すコンラッドにとっては、科学と対比して芸術の力を次のように述べている（斜字体はコンラッド）。

　　And it is superior to science, in so far that it calls on us with authority to behold! to feel! whereas science at best can only tell us —— it seems so ! [33]
　　（芸術は科学に勝る。科学とはせいぜいのところ、事実はこんなものであるらしい、と教えるに過ぎない。然るに芸術は有無を言わせぬ力をもって、感じるために！ 見詰めよ！ と読者に訴える。）

この芸術の力を信じるコンラッドは、「小説の芸術」と称される『ナーシサス号の黒人』（*The Nigger of the 'Narcissus,'* 1897）の「序文」から彼の作家としての姿勢が窺える。〈連帯〉が無数の人々の心の孤独を繋ぐ事を念頭に置いて、彼は「序文」において次のように述べている。

　　It is only some such train of thought, or rather of feeling, that can in a measure explain the aim of the attempt, made in the tale which follows, to present an unrestful episode in the obscure lives of a few individuals out of all the disregarded multitude of the bewildered, the simple and the voiceless. [34]
　　（以下の物語に織りなされる連帯という思想あるいは感情という繋がりに立ってこそ、顧みられることもない無数の当惑している人々、無力な人々、単純素朴な人々、そして声なき人々の中から数人を選んで、その無名の人生における不安のエピソードを提示しよ

うとする意図はある意味で説明がつく。)

　芸術家としてのコンラッドの著作は『チャンス』(*Chance*, 1913) を除いて存命中はあまり売れず、孤独であったが、彼の作品は読者を孤独にはしないばかりか読者を突き放しはしなかった。彼の作品のアンチ・ヒーローに対して冷徹な眼はあったとしても冷たく突き放したりはしていない。コンラッドの文学の特徴の一つは、しばしば不条理な外的要因によって善良な一市民が人生の悲哀を被っている事である。コンラッドは人と人とのつながりを重要視している。この〈連帯〉の認識はコンラッドの厳しい「試練」による実体験を基底とする人間の「孤独」から生まれたものである。「孤独」であるが故の〈連帯〉である。後述するポーランドの悲劇的な歴史に繋がる祖国独立運動に加担した父が投獄され、政治犯として流罪の判決を受け、父に同行する母に連れられてコンラッドも極寒の地へ赴く。母はその流刑地で病死し、父も後に病死する（ドストエフスキーは、ペトラシェフスキー・サークル事件に連座して銃殺刑を宣告されるが、死刑執行の直前、特赦が伝えられ、懲役流刑の正式判決が言い渡され、1849年12月24日、足枷を付けられシベリアの流刑地へ向けて橇で送り出され、極寒のシベリアの牢獄に4年間収監されていた）。相次ぐ両親との死別に遭遇した幼少期での過酷な体験によってコンラッドには根深い政治不信の芽が植え付けられた。その後コンゴでの体験によって自らも死線を彷徨い、人間の根源に横たわる「闇」を認識したコンラッドは、不条理な人生に対して懐疑的な人生観を持っていた。その典型として、「人生は生きるに値しない」とする懐疑主義の哲学を標榜し、人間の〈連帯〉そのものを否定し、人生に背を向けた『勝利』(*Victory*, 1915) の主人公アクセル・ヘイスト (Axel Heyst) という人物を創造した。（ドストエフスキーの『悪霊』の真の主人公であるスタヴローギン (Stavrogin) は、「誰をも咎むることなかれ、我自らなり」[35] と小さな紙切れに認めて、「悪霊」に取り憑かれて人生に

第 8 章 「テロとの戦争」の先駆けと見做されるジョウゼフ・コンラッドの『密偵』

絶望して縊死している。）コンラッドは、「孤独」に徹する'detachment'の人生観を貫いたヘイストを最終的には自殺に追い込んでいたが。しかし、焼身自殺をする直前にデヴィドソン船長に「ああ、デヴィドソン。若いうちに、希望を持つこと、愛すること、人生を信じることを学ばなかった者に災いあれ!（Ah, Davidson, woe to the man whose heart has not learned while young to hope, to love —— and to put its trust in life!)」[36] と彼に悔悟の言葉を叫ばせ、彼の人生が失敗であった事を指摘する。それと同時に「生きる」事の意義を明らかにしていた。そして、'detachment'の対極にある'attachment'つまりは〈連帯〉の必要性と意義を訴えていた[37]。幼少年期に政治的な理由で両親を亡くして、祖国ポーランドからの離脱を余儀なくされた「離国作家」コンラッドの「孤独」なるが故に、必然的に人との〈連帯〉を求める理由がそこにあったのである。

一体〈連帯〉とは何であろうか。ところで〈連帯〉と言えば、コンラッドにあってまず想起されるのは所謂いわゆる「船乗りもの」である。その代表作の「青春」("Youth," 1902) において、青春時代に船乗り仲間の〈連帯〉の中でやり遂げられたその＜意味のある行為＞を振り返ってみて、作者の分身としての語り手マーロウ (Marlow) は、「船乗りという職業から得られる〈同胞意識〉は、ヨットを帆走させたり巡航したりする事からは到底得られないものだ。一方は人生を楽しむことでしかないのに対して、他方は人生そのものであるからだ」[38] と述懐していた。

短編「青春」における20歳のマーロウから「通過儀礼」の歳月を経て成長したマーロウは、『ロード・ジム』(*Lord Jim*, 1900) において、「我々は手を繋ぎあってこそ存在している」[39] と言明している。故瀬藤芳房教授が指摘されているように、「人はこの共通の血縁の中で結ばれている時にのみ存在し得るのだという人間としての〈連帯感〉こそが Conrad 文学の根源的な感覚である」[40] と言い得るであろう。「船乗りもの」のうちで注目すべき作品は、『ナーシサス号の黒人』である。

— 683 —

政治に無関係と思われたコンラッドの「船乗りもの」が、本来「連帯」を乱す背反者を厳しく非難する無政府主義者の原型が生き生きと表現されているからである。

　バートランド・ラッセル（Bertrand Russell, 1872-1970）がその著『記憶よりの肖像』（*Portraits from Memory*, 1956）において述べているように、「彼（コンラッド）は外部から強いられた規律を軽蔑していたが、自からの内部から規律を作る事をしないとする無規律も嫌悪していた」[41]。コンラッドが規律を重要視したのは、彼が船乗りであった事からもそれは頷ける。いったん海に出れば、国家の統制から離れる事となり、そこで相互間に規律や団結がなければ、もし、嵐の際に船乗りの規律を破壊したり妨害したりする無政府主義者が存在するならば、全員がたちまち海の藻屑と化してしまうからである。鶴見俊輔（1922-2015）は、『記憶よりの肖像』を念頭に置いて「コンラッド再考」で次のように述べている。──「ラッセルとコンラッドには一つの共通するところがあった。それは、コンラッドが、（そしてラッセルも）外部から強いられた規律が嫌いだったが、自分の内部から規律を作ることのない無規律状態も嫌いだったということだ。二人がともにアナキズムに関心を持ったことは当然である。コンラッドが規律を大切にしたのは、彼が19世紀後半の船乗りだったことから言っても、うなずける。いったん海上に出れば、当時は国家の統制力から離れることになり、しかもそこでお互いの間に最低の規律を作り出すことが出来なければ、船は自然との闘いに負けて沈んでしまう。この意味で、コンラッドの海の小説は、潜在的なアナキズム小説だと言える。だが海の小説の系列から離れて、コンラッドにはアナキストをはっきり名指して書いた作品がある。『密偵』である」[42]。続けて、「コンラッドは、グリーニッチ爆破事件の原因が、貴族出身で自分の思想の責任を自分で取ったことのないウラジミル一等書記官という帝政ロシアの官僚の命令であることをはっきりと書いており、この帝政ロシアの官僚の罠に落ちてゆくものとしてアナキス

第8章 「テロとの戦争」の先駆けと見做されるジョウゼフ・コンラッドの『密偵』

トのもろさを描く。アナキズムに対する批判は、人間の置かれた政治状況に対するより大きな批判の中に一つの場所を与えられている。コンラッドは、自らは意識せずに、アナキズムの優れた面を海の小説に描き、そのもろい面を政治小説に描いた。なぜこの主題に彼がそれほど関心を持ったかは、彼の生い立ちに関わる。ポーランド生まれのコンラッドの父と母は政治犯としてロシアに流され、そのために母はコンラッドが7歳の時に亡くなり、父はコンラッドが11歳の時に亡くなった。父や母のような信じやすい人々の運命は、両親に死に別れたコンラッドの少年時代、青年時代に重くのしかかった」[43]と述べている。

　アナキストにまつわるコンラッドの二つの作品を次に考察する事にする。

II　短編「密告者」と無政府主義者の原型を成す『ナーシサス号の黒人』への考察

　『密偵』の前作である「密告者」("The Informer," 1908）の舞台設定は、一見何の変哲もない生活空間の裏側に、爆弾工場と新聞印刷所を隠したものとなっている。一般住宅の地下と裏庭倉庫に二台の輪転機を設置して新聞を印刷し、屋根裏部屋を爆弾工場とする当時のアナキスト活動の一端を描き出した作品であるが。しかしコンラッドは、「密告者」においてアナキストでありながらその仮面を脱ぎ捨てて密告した者の心情と、アナキストの背後で蠢く黒幕の非情なニヒリズムに焦点を当てている。それはコンラッドが『西欧の眼の下に』において述べているロシア政体の冷笑主義(シニシズム)に通底するものである（ドストエフスキーも『悪霊』において、テロリストたちの根底にニヒリズムが存在している事を指摘している）。一方『ナーシサス号の黒人』は、コンラッドの「船乗りもの」作品の一つであると見做されているが、コンラッドは無政府主義者の原型を二人の黒人に焦点を当てて生き生きと描き出している。

― 685 ―

新訂　ジョウゼフ・コンラッドの風景

　およそ20年間に及ぶコンラッドの船乗り体験に基いた過酷な生活体験を通じて、彼は自己の孤独や仲間との連帯感の重要性を自覚した。これが〈同胞意識〉という高次元の理念へと昇華して、遂に＜誠実さ＞が自己と仲間とを結びつける絆であるという彼の認識が形成された。この高次元での「同胞意識」という概念にはもはや肌の色や人種といった枠を超えた、人類の普遍的な連帯感がその背後から窺える。船乗りの生活体験を積み重ねた事によって、この〈連帯感〉が崩れ去るかも知れないという不安と恐怖が生じて、それがこれを破る事に対するコンラッドの怒りとなり、遂に「共同体意識への信義の背反こそが最も深い罪だ」という認識が生まれたのである。『西欧の眼の下に』において、二重スパイのニキタ（Nikita）が「最も性質の悪い悪党（a scoundrel of the worst kind）」[44]と言明されているのも頷けるところである。自己破壊的な真実の告白をしたラズーモフ（Razumov）を「政府の犬」だと罵倒して彼に一生の不具者になる制裁を加えたニキタこそが実は政府の密偵であったからである（『悪霊』におけるスタヴローギンの「告白」書には『悪霊』の「悪霊」たるものが明示されている）。但しコンラッドは、仮令、密偵や密告者であっても、人間の真情は認めている。短編「密告者」の密偵セブリン（Sevrin）の場合が正にそれに当てはまる。彼は優れたアナキスト（無政府主義者）であったが、所謂 'Lady Amateur'[45]と呼ばれる素人アナキストである娘と知り合ってから彼は彼女に恋をしてしまう。そして彼は、表面上洗練された紳士を装い、またそう信じられている名うての地下組織の黒幕X氏によって嵌められる。X氏の計画で偽警官や偽警部がX氏と共にアナキストのアジトに踏み込んだ時、偶然その場に入ってきた彼女を目の当たりにしたセブリンは、彼女を救うために密告者の仮面を脱ぎ捨ててその正体を明かす。そして、警察のアジト急襲が仕組まれた罠だと気付いた時、彼はアナキストらしくその場で万一のために隠し持っていた毒薬を飲んで自殺する。しかし、彼の想いは彼女には通じなかった。セブリンが自殺直前に彼女に近づいて行っ

第8章　「テロとの戦争」の先駆けと見做されるジョウゼフ・コンラッドの『密偵』

た時の彼女の取ったジェスチャーは、心情的アナキストにふさわしく高潔にして無垢なる仕草で、彼の汚らわしい手に触れられぬようにするかのごとく、スカートをさっとひき、つんと顔を逸らしたのである。しかも後日、彼女はこのアジト急襲を仕組んだX氏に次のように打ち明けているのである。

> 'Has ever any one been exposed to such a terrible experience? To think that he had held my hand! Than man!' Her face twitched, she gulped down a pathetic sob. 'If I ever felt sure of anything, it was of Sevrin's high-minded motives.' (99)
> （「こんなひどい目に遭わされた女があるでしょうか。あんな奴に手を握られたかと思うと！　と顔をひきつらせ、こみ上げてくる涙声を呑み込んでから、「これまでに信じたものがあるとすれば、セブリンの高潔なる理想だけでしたのに」）。

しかし、セブリンの彼女への愛は本物であった。優れたアナキストは証拠となるものは何も残さぬはずであったが、後日、彼の部屋から彼女への熱烈な愛を克明に綴った日記が発見されたのである。ところがX氏は彼女に一寸した悪戯を行った。X氏はセブリンの真情が綴られた彼の日記を彼女に送ったのである。それは彼女に大きな衝撃と心の葛藤を与えた。X氏はそれを知りつつその悪戯を行ったのである。しかもX氏は淡々として臆面もなく次のように「私」に語っている。

> "I confess to the small malice of sending her. (101)
> （「嘘偽りのないところを申し上げると、彼女にセブリンの日記を送るという一寸した悪戯をしたのです。）

そして、その後の打ちひしがれた彼女の一連の行為をX氏は平然と次

のように続けて述べている。

> She went into retirement; then she went to Florence; then she went into retreat in a convent. I can't tell where she will go next. What does it matter? Gestures! Gestures! Mere gestures of her class. (101)
>
> （娘は家に引き籠るようになり、間もなくフィレンツェに移り、それから修道院に閉じ籠ってしまいましたが、この次はどこへ行きなさることやら。すべては見てくれだけ、ジェスチャーなんですよ。あの階級の見てくれだけのジェスチャーに過ぎんのです）(101)。

　コンラッドは、X氏に淡々とかつ平然と語らせる事によってセブリンの真情や娘の純な精神を弄ぶ冷笑主義の恐ろしさを逆説的に浮かび上がらせているのである。このシニシズムの恐怖は、『西欧の眼の下に』において「ロシアの精神は冷笑主義の精神である（the spirit of Russia is the spirit of cynicism）」(67)と明記されるロシア政体の恐怖に通底するものである。
　ところで無政府主義者の原型を描き出す『ナーシサス号の黒人』の舞台は、最も近い陸地からでさえも一千マイルも離れて隔絶された海に浮かぶ船上での世界である。大嵐に遭遇した時には、そこでの社会的秩序を破壊せんとする者と、秩序を固守せんとする者との拮抗と、その中間において揺れ動く人間の心理が浮き彫りにされている。
　コンラッドは、ヘンリー・キャンビー（Henry Canby）に宛てた手紙で『ナーシサス号の黒人』の眼目を、「ある一群の人々の心理と自然の様相である」[46]と表明していた。
　外界の暴風によって仕事への忠誠が試される時に、船乗りたちの共通の忠誠と団結を破壊せんとするのが、ナーシサス号の黒人であり、彼の

第 8 章 「テロとの戦争」の先駆けと見做されるジョウゼフ・コンラッドの『密偵』

蔭に隠れて彼を巧みに利用するのが今一人の黒人である。水夫たちは言葉巧みに扇動する彼らに終始翻弄され続ける。『ナーシサス号の黒人』において、無政府主義者の原型と見做されるのはジミー（Jimmy）と呼ばれるジェイムズ・ウェイト（James Wait）とドンキン（Donkin）という二人の黒人水夫である。彼らによって、船における社会に「臆病な真実と大胆な虚偽（timid truth and audacious lies）」(30) がはびこる事になる。臆病な真実とは、ほんものの死に至る病を内心恐れるウェイトの心理と、ウェイトの咳を生ずる病気が本当ならば、それなりの対処をしなければ薄情な奴だと思われるのを嫌うようなセンチメンタルな水夫たちの心理である。大胆な虚偽とは、仕事を怠ける口実に堂々と死神に憑かれた病を持ち出して水夫たちの不安な心理を巧みに突いて、彼らを欺くウェイトの嘘言である。その結果、ナーシサス号は一時期、船乗りの〈連帯感〉を分断し船の秩序を攪乱する。そして、この危機に瀕した時に外界から大嵐が襲来してきて、船乗りにとって絶対に欠かせない〈連帯感〉の意義が問われる。外界である海の自然現象は、人間に脅威を与えるだけでなく、〈連帯感〉の危機に警鐘を鳴らし、〈連帯〉の必要性とその意義を船乗り仲間に再認識させるのである。

　ウェイトとドンキンは常に自分たちの権利のみを声高に主張し、船乗りとしての責任を果たす事を怠たる。ウェイトは出港に先立って人員点呼をする際に、ただ一人それに応じようとはしない。全員が各自の持ち場に戻ろうとした時、突如あたりに響き渡る声で「待て！（"Wait!"）」[47] と停止をかける。以後ウェイトは船が正常に機能するたびに「待った」をかけて、この社会を不安に陥れる。平常時には、例えば水夫たちが眠りに就こうとしている時に、突然金属音にも似たうつろな激しい咳をして、彼らの眠りを妨げる。あるいは「もうすぐ俺は死ぬんだ」(35) と言って、死神の話を持ち出しては水夫たちの心の奥底に潜む死への恐怖心を掻き立てる。そして、自分の都合のよい時期を選んで咳払いをして、死神に憑かれた病を口実にして堂々と怠けて職務を放棄する。何度

― 689 ―

も何度もこんな事が繰り返されると水夫たちは彼が仮病を使っているのか、本物の病なのかがわからなくなり、本物の病人ならばそれ相応に対処してやらねば薄情な奴らだと思われるという浅薄な博愛主義から、あるいは死神に対する嫌悪感から、ジミーを嫌な奴だと思いながらもつい彼の機嫌を取ってしまう。この怠惰で厚顔無恥なジミーを利用するのが扇動家のドンキンなのである。彼は、大嵐の緊急事態に際して、船乗りならば当然の責務として身体を張って船のために全身全霊を捧げるどころか、船内の秩序を搔き乱す事を平然とやってのける。

　大嵐が襲来した時、ドンキンは、マストを切らねば強風のため船は転覆しはしないかとの恐怖心から、あろう事か船長の命令を無視して、「切れ！　あんな人殺しなんかに構うことはねえ！　切っちゃえ！」（60）と水夫たちを扇動して叫ぶ。彼は船長をさんざん呪い、拳を振って悪態をつく。船が窮地から脱すると、ドンキンは水夫たちに根づいている権利意識を巧みに衝いて、彼らの日頃の憤懣を煽りたてる。「お前たちはどうしようもないお人好しだ。月にたったの２ポンド10シルぽっきりもらって犬猫のような暮らしをしているんじゃないのか。俺たちは命を張って船を守っているのに、それっぽっちのひどい給金で引き合うってのか」（100）等々。能弁なドンキンの言葉に水夫たちは自分たちの権利を彼が代弁してくれているかのように信じきってしまう。純朴な彼らは、一時の恐怖に駆られて帆船の命ともいうべき動力源としての風をとらえるマストを張る帆柱を切ろうとしていた事をも忘れてしまって、船長や高級船員達に叱咤激励されて船の危機を乗り切っていた事を忘れ、高級船員たちは何もしなかった、俺たちが船を救ったのだと思い込んでしまうのである。

　語り手の「私」は、ドンキンが「他人にものをねだる口達者な陸ものりで、風や霙や暗闇を罵り、水夫たちが仕事をしている時にはその仕事ぶりを罵り、彼らの士気を挫き、召集がかかれば一番最後に出ていき一番最初に帰ってくる輩」（10-11）と語る。彼らは、いわば「浅薄な博愛主

義者や利己主義の陸ものたち（landlubbers）のお気に入り」（11）と描き出される。ドンキンとジミーとはこの一点でもって結びついている。

　コンラッドは、この作品において、「共同体意識の背反者」を厳しく非難している。つまり、船乗りの社会の連帯感と伝統に根ざした行動の倫理や忠誠の倫理に反して義務を拒み、勇気、忍耐、忠誠が何たるかを知らず、自分の権利のみを声高に主張して止まない仮病使いの給金泥棒のウェイトや、他の水夫たちを扇動して謀反を企てるいかさま師のドンキンの存在を活写し、無政府主義者の属性を生き生きと描き出しているのである[48]。『ナーシサス号の黒人』のエピローグにおいて共同体意識を体現するシングルトンに対比して秩序を乱し無政府主義者の原型であるドンキンは、アイロニカルに次のように記述されている。

　　Singleton has no doubt taken with him the long record of his faithful work into the peaceful depths of an hospitable sea. And Donkin, who never did a decent day's work in his life, no doubt earns his living by discoursing with filthy eloquence upon the right of labour to live.[49]
　　（シングルトンは、紛うことなくあの忠実な長い船乗りの一生を終え、優しく平和な海底で安らかに眠っていることだろう。ドンキンは、まともな仕事といってはただの一度も果たすことはなかっただろうが、生きる権利とか働く権利について例の忌まわしい雄弁を振うことによって、それなりに暮らしを立てていったに違いない。）

III　「無政府主義者」への考察

　「船乗りもの」よりも端的に無政府主義者を主人公とする作品に「無政府主義者」（"An Anarchist"）がある。この主人公のポール（Paul）

という真面目で勤勉な整備工が、些細な事がもとで、無政府主義者にされ、人生に背を向け、身を滅ぼす。彼自身、「身を滅ぼすなんて、わけないものですね」50 と語り手の「私」に述懐している。彼は地方守備隊で軍務を終え、パリに戻って仕事につき、勤勉に働いてかなりの収入を得る、前途有望な若者であった。

　25歳の誕生日に、一緒に働いている修理工場の二人の親友が祝ってくれて、三人で祝杯を重ねた。偶然にも隣席にいた名も知らぬ二人をも招いてしこたま飲んだ。生涯初めてというぐらいにポールは飲んだ。しかし、何がきっかけか、名も知らぬ二人が、彼に向かって元気がなくなったぞと言った。その時突然、「陰気な思想（gloomy ideas）」(146) がポールの頭に忍び込んできたのである。食堂の外の世界全体は、ほんの一部の者だけが馬車を乗りまわし、宮殿で豪華な生活を送り、ただそれだけのために、多くの貧乏な人たちが奴隷のように働かなければならない、まるで暗い地獄のように思えてきたのだ。すると、自分の幸福が恥ずかしくなり、人類の残酷な運命に対する憐みで、悲しみに詰まった声を張り上げた。「世の中のこんな不正はけしからん。社会の腐った状態を始末する手はたった一つ。何もかも一切合財ぶっ潰せ。一切合財吹っ飛ばせ」(146-47)。見知らぬ二人は彼の義憤に対して拍手喝采を送った。彼はあたかも狂ったように酔っ払って、突然、テーブルに躍り上がり、「無政府主義バンザーイ！　資本家くたばれ！」(147) と何度も叫んでいた。そこに警察官が飛び込んできた。我に返った時には、暴行、治安妨害、そして「無政府主義扇動（anarchist propaganda）」という罪で、警察の独房に収監されていた。更に皮肉な事に、無罪になっていたかもしれないのに、運悪く弁護を買って出た若い弁護士が社会主義者であった。ポールが何度も「無政府主義者なんかではありません。真面目でおとなしい職工です」(147) と言い訳をしても無駄であった。裁判の時に、初仕事でもあったせいか若い弁護士は強引に自分の主張を滔々と論じて、彼を「社会の犠牲者（the victim of society）」(148) に仕立

第8章 「テロとの戦争」の先駆けと見做されるジョウゼフ・コンラッドの『密偵』

てて弁護したため、その職工は初犯としては最も重い罰を受ける事になった。

釈放されると、彼はまっすぐ特別に目をかけてくれていた元の仕事場の親父(パトロン)のところに行った。しかしながら予期に反して、親父は彼の姿を見ると真っ青になって出口を指さして彼を迎えるのを拒絶した。善良な職工に向けられたこのような偏見を、ジョージ・オーウェルは、『カタロニア讃歌』(*Homage to Catalonia*, 1938)[51]の中で、次のように指摘している。――「＜無政府主義者(アナーキスト)＞という言葉を聞いただけで身震いし、(中略)＜無政府主義者＞が関与しているということがいったん知らされれば、間違いなく偏見の雰囲気が出来上がってしまうのだ」[52]。

オーウェルは、「なぜ書くか」("Why I Write," 1946)というエッセイにおいて、「『カタロニア讃歌』はどこから見ても政治的な作品だ」とした上で、執筆の根本的な動機を次のように語っている。

> My starting point is always a feeling of partisanship, a sense of injustice. When I sit down to write a book, I do not say to myself, "I am going to produce a work of art." I write it because there is some lie that I want to expose.[53]
>
> (「私の出発点は、常に一種の党派心、つまり不正に対する嗅覚である。一冊の本を本気で書こうとする時、私は「芸術作品を生み出そう」と思っているわけではない。暴露したい嘘があるから、書くのだ。」)

オーウェルは、"Conrad's Place and Rank in English Letters"において、次のようにコンラッドを高く評価している。――「コンラッドが成し遂げたことは当時の生粋の英国作家にとってはほとんど不可能なある種の成長と政治的な理解だった」[54]。

オーウェルのこのコンラッドへの評価の必然性については、井内雄四

郎教授による次のような指摘がある。——「オーウェルのコンラッドに対するこの思い切った発言によって、「政治小説」の概念を発展、成立させるのに大きく貢献した。オーウェルが独創的な発言をなし得たのは、彼がいわゆる教条主義的な見方や言説をきびしく退け、あくまで自分の眼で見、自分の肌で感じたことに忠実であろうとするたぶんに異端的な、ときとして相対主義的な生き方をおそれなかったからであろう。その点ではコンラッドもあくまで自分の冷徹な目で見たものしか信用しない頑固な相対主義者であって、そのオーウェルがコンラッドの独自の価値を見出したことには、大きな必然性があったと言わなくてはならない」[55]。

　青ざめて当惑していると、自分もエンジンの整備工だと名乗る男が近づき、「裁判を傍聴していた。お前さんは立派な同志（a good comrade）だ。思想だって立派なもんだ。しかし困るのは、どこへ行っても仕事の口は、見つからないってことだ。やつらブルジョワどもは、共謀してお前さんを餓死させようとするのさ」(148) と同情の言葉を述べる。この親切な言葉によって慰められて、そして、もう仕事を見つけられないのだと思い込み、彼はその中年の男に従って、街角の喫茶店に行き、そこで他の数人の仲間に会った。みんなは口々に、「仕事なんかなくても決して食うのに困るようなことはさせない」と言ってくれた。みんなで労働者の雇い主すべての失墜と社会の破壊を唱えて乾杯をした。しかし、仲間になってからの彼の暮らしぶりは彼らの親切な言葉とはまったく裏腹であった。彼は次のような悲痛な叫びで訴えている。「あんな生活なんてあるもんか！　警察に監視され、同志に監視され、自分でさえもはや自分ではなかった！」(149) と。彼には人間としての自由が全くなかったのである。国家主義の統制に対して戦い続けたオーウェルは、『動物農場』(*Animal Farm*, 1945) や『1984年』(*Nineteen Eighty-Four*, 1949) などにおいて、人間の自由を拒む監視社会の恐怖を生き生きと表現していた。『1984年』においては、「戦争は平和である」

第 8 章　「テロとの戦争」の先駆けと見做されるジョウゼフ・コンラッドの『密偵』

「自由は屈従である」「無知は力である」[56]という党の三つのスローガンを掲げ、ビッグブラザーを頂点とする徹底した全体主義社会を描いた。党権力は人口の 2％以下の党内局に集中し、85％のプロレと呼ばれる下層集団を、人間の自由を剝奪し思考停止に追いやり[57]、党の無謬性を守るために記録を改ざんする真理省、半永久的戦争を遂行する平和省を設置し、思想警察が監視カメラやテレスクリーンによって全国民を常に絶対的管理下に置いている。

　さて工場を首になった彼は、流れ流れて世界に展開する有名な精肉エキス会社Ｂ・Ｏ・Ｓの主要牧場の一つ、マラニョン牧場に辿りつき、その支配人からまたもや＜無政府主義者＞というレッテルを貼られて、他に行く当てもなく、いまだにその牧場で奴隷のように酷使されていた。彼は人生を諦めてしまっていた。彼は、全く自分の意志に反して人生の転落の憂き目を見た発端を、次のように「私」に語った。──「俺のように、気が優しくて頭が弱い者には、自由なんか無いんだ。頭が良くないことは自分で分かっているんです。どす黒い怒りが込み上げてきたんです──とことんまで酔った時の怒りです──でも、社会の不正に対してではなかったんです」(158-59)。

　「私」はこの物語を次のように要約している。

　　On the whole, my idea is that he was much more of an anarchist than he confessed to me or to himself; and that, the special features of his case apart, he was very much like many other anarchists. Warm heart and weak head —— that is the word of the riddle; and it is a fact that the bitterest contradictions and the deadliest conflicts of the world are carried on in every individual breast capable of feeling and passion. (160-61)

　　（総じてあの男は、自分で認めていた以上に、また私に語った以上に、無政府主義的なところがあり、彼の場合の特別な事情を別に

すれば、他の多くの無政府主義者と非常によく似ていました。気が
優しくて頭が弱い——これが謎を解く鍵になる言葉です。そして事
実、最も熾烈で過酷な人生の矛盾葛藤が、感じ易く激し易いあらゆ
る個人の心の中でこそ行われているのです。）

　「私」は、この物語の冒頭において、「世界各地に展開するＢ・Ｏ・Ｓ
による新聞、雑誌等の誇大広告を鵜呑みにすることは、現代の堕落の一
形態」であると指摘していた。その「騙され易さ（gullibility）」(136)
は、ポールの「気が優しくて頭の弱い」に繋がっており、そして、『ナー
シサス号の黒人』に登場する単純素朴な水夫たちがドンキンのようなア
ジテーターに、更に『密偵』におけるスティーヴィー（Stevie）が二重
スパイのヴァーロックにいかに容易に騙されるかにも通底している。
　コンラッドのポールへの同情は間違いなくあった。しかし無政府主義
者である事を否定したポールの中に無政府主義的なものが潜在している
事を指摘し、それがすべての人間の中に存在し得るというこの語り手で
ある「私」の結論は、『密偵』において「無政府主義者と警官は同じ穴
の狢だ」と述べる爆弾マニアの「教授」の言葉に通底するものがある。
　では本格的な「政治もの」の作品である長編の『密偵』は果して如何
であろうか。先ずドストエフスキーの『悪霊』から考察を始めたい。

Ⅳ　『悪霊』の考察

　『悪霊』には、ドストエフスキーの小説にしては異常なほど殺人、自
殺、狂気などが頻出している。『悪霊』は、カリスマ的なスタヴローギ
ンと狡猾な詐欺師ピョートル・ヴェルホーヴェンスキー（Peter
Verhovensky）が率いる小さなテロ組織の話である。「彼らはロシアの
小さな町を乗っ取り、騙され易い激しい自己嫌悪に陥っているリベラル

第8章 「テロとの戦争」の先駆けと見做されるジョウゼフ・コンラッドの『密偵』

たちの協力を得て、建物を燃やした挙句に罪のない人たちを死に追いやり、テロ集団を離脱しようとするメンバーの一人を殺害するという凶行に手を染める。この最後の殺人こそが、この話の含意を理解する上での道徳的な手掛かりとなる。なぜならこの殺された男（シャートフ）だけが、暴力をふるって実現しようとした政治的理想を信じていたからである。このため彼こそが、手段によって目的が奪われてしまうことを理解していた唯一の人間だと、そうドストエフスキーは言っているように思われるからである」とマイケル・イグナティエフは述べている[58]。殺された男は自らの道徳的分別のために、そしてその手段を非難して離脱しようとしたために、自らの命を犠牲にする事になるのである。ピョートル・ヴェルホーヴェンスキーの原型と見做されるのが実在のネチャーエフである。彼は目的のためには手段を選ばないという思想の持ち主で、バクーニン（Bakunin, 1814-1876）と共に檄文「革命家の教理問答」を執筆したロシア革命家である[59]。彼は逮捕され、獄中で死去するのだが、25歳から35歳で死ぬまでの10年間の期間彼の姿はいわば伝説化されている。ネズミ一匹通さないと言われた要塞の地下牢から、彼が外部の青年テロリストたちを指導し、ロシアのテロリズムの歴史の頂点をなす1881年3月1日のアレクサンドル二世の暗殺も、実はその年の初めの彼の手紙で決定づけられていたという。テロリストたちが彼の脱獄か皇帝(ツァー)の暗殺かを迫った時、彼は返書にこう書いている。──「皇帝を打倒せよ、独房の奥から、僕の思想は君たちと共に行く。僕は待っているんだ」[60]。ネチャーエフの思想は、彼が1862年に逮捕され、2年間投獄されたのちシベリア苦役に処せられたが、獄中にあって『何をなすべきか』を書き上げたチェルヌイシェフスキーの人民主義による自己犠牲を耐え忍ぶ精神と社会革命の思想を受け継ぐものであった[61]。但し目的のためには手段を選ばぬという手法には賛否両論があった。

ドストエフスキーが生きた時代のロシアは、1861年の農奴解放令を挟んで彼自身の言葉を借りれば、「ロシア国民の全歴史の中でも、おそら

く最も混沌とした、最も過渡的な、最も宿命的な時代」であった。しかもドストエフスキーは、その生活の上でも、自らこの過渡期的な矛盾と混沌のただなかに身を置き、自身がその矛盾に引き裂かれ続けた作家であった。彼は処女作『貧しき人々』(1846)によって詩人ネクラーソフから「新しいゴーゴリの誕生」と称讃され大成功を収めたが、続く『分身』(1846)、『白夜』(1848)などの評判は芳しくなかった。処女作をニコライ・ゴーゴリ(Nikolai Gogol, 1809-1852)の『外套』に連なる写実的ヒューマニズムの傑作として激賞して文壇に華々しい紹介をしてくれたベリンスキー(Belinskii, 1811-1848)は、処女作以降の作品に異常心理への病的な関心とリアリズムからの逸脱を見て、作者を手厳しく批判した。そしてその前後から、ドストエフスキーは、フーリエ(Fourier, 1772-1837)の空想的社会主義を奉じる革命思想家ペトラシェフスキーのサークルに接近し、その最左派の領袖であったスペシネフから強い影響を受け、秘密印刷所設置の計画などにもかなり積極的な役割を果たした。彼自身が1849年のペテラシェフスキー事件で、革命家の集団の一味として逮捕され、裁判にかけられ、死刑を宣告され、寸前のところで演出された皇帝の恩赦[62]によって、シベリアに流刑となる。この時期の彼の体験は、『悪霊』の創作に当たって大幅に活かされており、スペシネフにスタヴローギンの原型を見放すという研究家もいる[63]。

　『悪霊』の原型とみられるものは、『無神論』という題の膨大な長編である。ドストエフスキーは、1868年12月11日のマイコフ(Maikov)に宛てた手紙で次のように述べている。──「当地でいま私の頭にあるのは、(1)『無神論』という題の膨大な長編です」[64]。そして翌年3月8日にはイワーノフに宛てた手紙でその意気込みを熱く次のように語っている。──「僕がどうしてもロシアに帰らなくてはなりません。ここにいたのでは、書くために必要な不断の材料、つまり、ロシアの現実とロシア人とが手元にないため、書く可能性さえなくしてしまいます。今

第8章 「テロとの戦争」の先駆けと見做されるジョウゼフ・コンラッドの『密偵』

膨大な長編の構想が頭にあるのですが、これはいずれにせよ、失敗した場合でさえ、大向こうをうならせるものになる筈です——実際そのテーマから言っても。テーマは——無神論です。これは否応なしに読者を惹きつけるはずです（傍点の全てはドストエフスキーによる）」[65]。ドストエフスキーは、「無神論は貴族的な病気だ、最高教育と発達の病気だ、従って、民衆(ナロード)に敵対するものであるはずだ。これは私が既に『悪霊』で予言したし、常に言っていたことだ」[66]と述べている。彼は、民衆については次のように考えている。——「民衆は堕落している、だがその眼は曇っていない、だから、いずれがよいか？　その堕落した行動か、あるいは民衆の真実であるところのものか（すなわち、善と悪についての作り上げられた観念）を決しなければならぬ場合には、民衆は自分の真実を引き渡しはしない。（中略）あなたは民衆と共に暮らしたことがない、だが私は一緒に暮らしたのだ」[67]。

ドストエフスキーは、1869年の末から1870年の初頭にかけて、『悪霊』を書こうとしていたが、当時は「政治ビラ」とも言えるような小説を書こうと構想していた。つまりロシアに存在するニヒリストを戯画化する事が必要だと考えた。『悪霊』には、モデルとなった事件がある。1869年11月に、モスクワで起こった「ネチャーエフ事件」である。革命家グループから離脱しようとしたイワーノフという学生が、同じグループ内の同志たちに惨殺された。イワーノフはネチャーエフをリーダーとする秘密結社五人組に属していたが、脱退を申し出たために、警察に通報される事を恐れたネチャーエフが、他の三人に指示して殺した事件である。革命家は「死すべく運命づけられた人間」であり、更に、「同志が窮地に陥り、これを助けるべきか否かかが問題となった際、革命家たる者は決して個人的感情によらず、もっぱら革命の事業の有益性に基づいて考慮すべきである」という「教理」が実行に移されたのである[68]。ドストエフスキーは、「共同の偉大な目的の為にという動機があれば、ネチャーエフのみならず我々も厭(いと)うべき行為を為し得る。『悪霊』の中に

描こうとしたのは、まさにこの動機の為に厭うべき罪悪の遂行に誘惑されることの恐ろしさにある」と『作家の日記』（1873年12月10日）に認（したた）めて警鐘を鳴らしていた。

　このネチャーエフ事件をきっかけに、ドストエフスキーは、当初の構想に基づき、8カ月という長時間をかけて小説の第一稿を書いた。『悪霊』の「創作ノート」においてドストエフスキーは、「ネチャーエフを、当初は読者に道化的に見えるようにする。そして漸次、強力な芸術的タッチによって、彼の才知と狡猾さとの差異、現実についての3月1日の「創作ノート」には、「ネチャーエフの思想は、社会の成立の支えになっている要石（かなめいし）を引き抜いてしまわぬ限り、社会変革のあらゆる試みは無駄に終わるだろうという点にある。彼の考えでは、この要石が神であり、神への信仰だ」[69]と書き記している。（『悪霊』においてネチャーエフを戯画化した革命家ピョートルの本質を、ドストエフスキーは、「人神論」を証明するために自殺せねばならないという観念に取り憑かれて苦悩しているキリーロフに対して自分の計画を実行に移す事しか考えずに平然と彼の自殺を見ているピョートルの冷ややかな性格に描き出している。）同年5月13日の「創作ノート」には次のように言明している。──「**大事なことは次の点にある**（太字はドストエフスキー）。何故ネチャーエフがやって来たかについては、全編を通じて一度も完全には説明されていない。だが、次のことは鮮やかに知らされる。それらのすべての奔走、狂奔、悪行の根底にあるのは、スイスあたりででっち上げられた（ロシアは今にも反乱、暴動を起こしかねないといった）ロシアの現状についての偽りの観念である。その結果、巧妙で自信たっぷりの人間（ネチャーエフ）が小手試しのために派遣される。彼はロシアから切り離された馬鹿者であって、自分が一つ口笛を吹きさえすれば目的は達せられると、自信満々で乗り込んでくる。彼は自分の活動の基礎に、各地にサークルを置き、これらのサークルを強固なものにするために、そのメンバーを巻き込んで、彼らにとんでもない失策をやらせ、永

第 8 章　「テロとの戦争」の先駆けと見做されるジョウゼフ・コンラッドの『密偵』

遠に彼らの弱みを握った上で、その後は絶えずそれを種にして彼らを脅しつける。彼の活動の一部が小説に描かれる」[70]。そして戯画化した喜劇的人物である主人公から、新しい人物が彼の頭に浮かんだ。すなわちニコライ・スタヴローギンである。これはドストエフスキーが数年来温めていた『偉大なる罪人の生涯』から発展した新たな主人公である。

　ドストエフスキーは、単に殺人を犯したニヒリストたちをカリカチュアライズするという当初の構想を破棄して、全く新しい構想でもって小説に着手する。この小説のモデルとなったネチャーエフ一派は、真の社会主義者とはかかわりのないアナキストに過ぎなかったとして、「ネチャーエフ、及びそのグループに入っている人間たちは全くとるに足らない人物たちだ、彼らは文学に値しないし、芸術家が自分の力を注ぐには値しない人物だ」[71]、と彼の友人のマイコフに手紙に書き、そして1870年10月21日付の彼宛ての手紙では、ドストエフスキーは、ネチャーエフたちを例に挙げて、「悪霊たちは西欧主義のインテリゲンチャーになったロシア人から由来し、豚の群れに入って溺死してしまったか、さもなくば、確かに溺れ死ぬだろう」[72]と述べていた。ドストエフスキーは、『悪霊』の冒頭において、ルカ福音書の第 8 章 32-36 節 を挙げて彼の考えを指し示している。──「そこなる山べに、おびただしき豚の群れ、飼われありしかば、悪霊ども、その豚に入ることを許せと願えり。イエス許したもう。悪霊ども、人より出でて豚に入りしたれば、その群れ、崖より湖に駆け下りて溺る……」[73]。

　ドストエフスキーは、ネチャーエフの『革命家の教理問答』に基づく、目的のために冷酷に仲間を殺し、テロリズムを展開する「活動家」たちは、悪霊が取り憑いて、崖から一斉に湖に落ちて溺れてしまうと考えているのである。但し、ドストエフスキーは、ステパン・ヴェルホーヴェンスキーの口を利かせて、若い世代に対して共感の意を表明しており、彼は自分なりに若い世代を務めて理解しようとしていた。ドストエフスキー自身、支配体制への反抗に繋がるペトラシェフスキー事件に絡

む「自由思想」の廉(かど)で逮捕されシベリア流刑の憂き目にあっていた。ドストエフスキーは、後半生の20年を通じてステパンの生涯を《生きる良心》と表現して国民詩人クラークフの『熊の狩り』の一節を引用していた。——「生ける良心として … 君は祖国の前に立っていた、理想主義のリベラリストよ」[74]。

ところでドストエフスキーは、『悪霊』の真の主人公をスタヴローギンと見做していたようである。1870年8月16日、「すべてはスタヴローギンの性格に含まれている。スタヴローギンがすべてである（傍点はドストエフスキー）」[75] と「創作ノート」に書きつけてから2か月後、ドストエフスキーは、『ロシア報知』の発行人であるカトコフ（Katkov）に宛てた手紙で「彼を自分の魂の中から取り出してきた。(I have taken him from my heart.)」[76] とこの物語の核心を吐露し、如何なる道徳的規範も持たない、偉大な行為と大罪との間に何の区別も認めない「偉大な罪人(つみびと)」である悪魔的な人物、スタヴローギンを創造している。その「悪魔性」はスタヴローギンの「告白」書に明示されている。

ドストエフスキーは、1870年10月8日にカトコフに宛てた手紙で小説の概要を次のように述べている。——「私の物語の中心的な事件の一つは、モスクワで有名なネチャーエフによるイワーノフ殺害事件です。私は単に実際に起こった事実を借りるだけです。私の書くピョートル・ヴェルホーヴェンスキーは、ネチャーエフとは似ても似つかないかもしれません。しかし、激しい衝撃を受けた私の脳裏には、想像の力によって、あの凶行に似つかわしい人物が、一個のタイプが、生み出されたかのような気がします。しかしかりにその人物一人だけであったなら、私はこれほど惹き込まれはしなかったでしょう。私に言わせると、あのような醜い奇型は文学には値しません。それはやはり、真にこの長編の中心人物と呼ぶことのできるもう一人の人物の行動のアクセサリーであり、舞台装置であるにすぎません。このもう一人の人物（ニコライ・スタヴローギン）は、同じく陰惨で、同じく悪人です。しかし私には、こ

第 8 章　「テロとの戦争」の先駆けと見做されるジョウゼフ・コンラッドの『密偵』

れは悲劇的な人物だと思われるのです。私の考えでは、これはロシア的であり、かつ、ひとつの典型的な人物なのです」[77]。因みにドストエフスキーは、シベリア流刑後に執筆した『地下室の手記』において、ロシアとは、ロシア人とは、ロシア知識人とは何かという彼の命題を地下室の住人に突き付けている。

　物語は、1869年秋から冬にかけて、ロシアのとある地方都市と、その郊外にあるスクヴォレーシニキと呼ばれる領地を舞台に展開する[78]。この町にピョートル・ヴェルホーヴェンスキーという革命家がスイスから戻ってくる。彼は、当時自分に「恐ろしく忠実で、崇め奉らんばかり」だった同志たちの一団に取り巻かれていた。彼は五人組（家主のヴィルギンスキー、妻の弟に当たるシガリョフ、フーリエ主義者のリプーチン、ユダヤ人のピアノ弾きリャームシン、民衆通のトルカチェンコ）による秘密結社をこの町に組織し、デマと放火によって民衆の不安をかきたて、ロシア社会に混乱を引き起こし、支配権力を倒そうと企んでいる政治的策謀家である。彼に続いて、ニコライ・スタヴローギンが同じスイスから戻ってくる。ピョートルはスタヴローギンを神の如く崇拝し、革命が成就したのちは、彼を王国の王に据える算段をしている。ピョートルの父のステパン・ヴェルホーヴェンスキーは、1840年代のロシアを代表する自由主義者の一人で、外国から帰って大学の講壇に颯爽と登場したが、進歩派系の雑誌に掲載した論文が、稀に見るほど高貴で崇高な思想が盛り込まれており、それが危険思想の持ち主と見做されたのか当局の怒りに触れ発禁処分となり（10-11）、根が温和で高潔な心情の持ち主であるが故か（8）、今は裕福なスタヴローギン家の女主人ワルワーラからの好意と珍重すべき古典的な友情とによって同夫人の庇護を受け、アルコールとカード賭博に明け暮れる日々を過ごしている。但し、当時の農奴制に深く安住しながら、社会変革の夢を見続ける彼の姿には、当時の自由思想を説く代表者の一人としての影響力はあった。最終的に、シャートフ殺害へと突き進む「五人組」の多くが、このヴェル

− 703 −

ホーヴェンスキーの「空想的社会主義」の観念論の共有者でもあった。
　夫人にはもう一人ステパンに劣らぬ愛着を抱く人物がいた。彼女の一人息子のニコライ・スタヴローギン（以後スタヴローギンと称す）である。正にこの息子のために、ステパンが教育係として招かれたのであった。当時8歳のニコライはヴェルホーヴェンスキーのもとで教育を受け、そして学習院(リッツェイ)を卒業した。しかし卒業後、軍務についてからにわかに悪癖に身を染め、常軌を逸して二度の決闘騒ぎを起こした。ニコライは「スタヴローギンの告白」において次のように述懐している。──「決闘の場に立って、相手の発射を待ち受ける瞬間での陶酔感がたまらなかった、その恥辱的な、矢も盾もたまらぬ感覚を味わっていた。特に一度はそれがことのほか強烈であった。白状すると、私はしばしば自分から進んでこの感覚を追い求めたこともある。というのは、それが私にとってはその種のものの中で最も強烈に感じられたからである。（中略）滅茶苦茶なほどにその感情に支配されることはあったが、我を忘れるということは一度もなかった。それが私の内部で火そのもののようになっていても、私は同時にそれを完全に支配することができたし、その絶頂期でも押しとどめることさえできた。もっとも、自分から抑えようと思ったことは一度もない。私は生まれつき獣的な情欲を授けられ、また常にそれをかきたててきはしたが、常に自分の主人であった。だから、私は環境とか病気のせいにして、私の犯罪の責任を逃れようとは思わないのである」[79]。ここには、スタヴローギンが公爵スタヴローギン中将の一人息子という恵まれた出自や美貌や並外れた腕力に由来するところの優越感に裏付けられた彼の傲岸自尊の一面が表出している。
　ワルワーラに深い不安を抱かせるニコライの常軌を逸した行動の一例は、動機らしい動機なしに町のクラブの最古参で功労もあるメンバーの一人に対して力任せに、二本の指で彼の鼻をつまみあげ、そのまま広間の中を二、三歩引き回し、その後の彼の言動の異常さに示されている。彼は、激高した一同を前にして当惑の色を見せるどころか、反対に毒々

第8章 「テロとの戦争」の先駆けと見做されるジョウゼフ・コンラッドの『密偵』

しい楽しげな微笑を浮かべて「無論、赦して下さるでしょうね、どうして不意にあんな気持になったのか、ほんとに、さっぱりわからないんですよ … ばかげたことです」[80]と言って出て行った。また公衆の面前で町の有力者の鼻を引っ張りまわしたり、県知事の耳にかみついたりといった異様な振る舞いのために捕縛されたりした。これも彼に宿る「悪霊」の存在を予知するものである。

「悪霊」の最たる出現は、スタヴローギンが少女マトリョーシャに対して行った行為とその後の彼の悪魔的な観察にある。スタヴローギンは、12歳の少女に強引な接吻、凌辱をなし、相手の激しい驚愕、羞恥、極度の歓喜を終始無言で彼女を観察している。そしておずおずと微笑んだ少女を思い出して殺意を抱きたいほどの憎悪、嫌悪を伴った侮蔑感を抱く。少女が敷居の所に立って無言のまま、スタヴローギンを凝視する。この数日後、少女の顔に浮かぶ深い絶望の表情、威嚇するように小さな拳骨を振り上げて顎をしゃくる動作を目の当たりにする。彼女はその後、小さな納屋に行く。彼は時計を取り出し、時間を確認している。スタヴローギンは、彼女が自殺する時間を推し量っていたのである。その後彼女は階段を下り、アパートの中庭にあった物置小屋に入る。スタヴローギンは彼女の死を予感しながら、何もせず待ち受け、やがて板の隙間から彼女の縊死体を覗き見ている。語り手「私」は、「この人物に取り憑いた悪霊のなせるわざである」[81]と言明している。

この物語の頂点と目される「スタヴローギンの告白」（「チーホンのもとで」）において、スタヴローギンは、彼の12歳の少女の凌辱とその後の悪魔的な観察を含むそれまでに犯した罪の一切を告白しようと、ロンドンで印刷した「告白」書を持ってチーホン僧正の許に赴いた時、悪霊を巡る問答の中で次のように述べている。――「僕は悪霊を信じているんです。正真正銘、比喩ではなく、実在のものとして信じているんです」[82]。そして「いいですか、僕はスパイとか心理学者とかいう連中が嫌いです。少なくとも僕の心に入り込もうとする奴らがね」[83]。ここに

- 705 -

は、彼が自分の心の深層に他人が入り込む事を許さぬ彼の本質的な自意識が窺われる。ミハイル・バフチンは、彼独自の「ポリフォニー理論」から、この箇所を次のように指摘している。――「人格の深層に他者が入り込むことを許さないドストエフスキーのモチーフは、「告白」書を携えてチーホンの僧庵を訪れていたスタヴローギンが発する辛辣な言葉の中にも響いている。但しこの場合チーホンに対するスタヴローギンの態度は全く間違っている。チーホンこそはスタヴローギンに対してまさに深く対話的にアプローチし、その内面の人格の不完結性を理解しているのである」[84]。ここにはバフチンが言う＜ソクラテスの対話＞が想起される。バフチンは次のように述べている。――「ソクラテス（Sōkratēs, 前470－前399）は自らを《仲介者》と呼んだ。彼が人々を寄せ集め、議論の中で衝突させると、その議論の中から真理が生まれてくるという意味である。この生まれてくる真実に対する関係から、彼は誕生を助ける者という意味で《産婆》と自称し、そして自分の方法を《産婆術》と呼んだ」[85]。チーホンがこの《産婆》になろうとしていたが、スタヴローギンには彼の自意識の強さ故に＜ソクラテスの対話＞は成らなかった。

実際、ドストエフスキーは、1870年3月25日付のマイコフに宛てた手紙で次のように述べている。――「チーホンこそ、我が国の文学が探し求めるロシアの肯定的人物像であって（傍点はバフチン）、（中略）ただ、ずっと前から自分の心に歓びを以て迎え入れてきた実際のチーホンを外に現して見せるだけです」[86]と言明していた。ドストエフスキーは、第三部「チーホンのもとで」二節において、チーホンがスタヴローギンに対して誠実に応対し、スタヴローギンがそれに呼応して、外面は強者であり英雄でありながら内面は空しい弱者であるという自己矛盾の葛藤から何とか脱出しようとする迫真の応答を次のように記述している。――スタヴローギンの「告白」文をじっくりと黙読した後、チーホンはゆっくりと読み、ある個所は繰り返し二度ずつ読み返した。それからスタヴローギンの顔を見上げて、「この文章にいくつか訂正を施すこ

第8章 「テロとの戦争」の先駆けと見做されるジョウゼフ・コンラッドの『密偵』

とは出来ませんかな？」「どうしてです？ 僕は誠実に書きましたが」とスタヴローギンは答えた。（中略）「もしこれが真に悔悟であり、真にキリスト教の思想であるならばです。あなたは、ご自分の心が望む以上に、ご自分のことをわざと露骨に見せようとしておられる。（中略）この文章は、致命的な傷を受けた心の真の要求から発したものです。さよう、これは悔恨であり、あなたを打ちひしいだ自然な心の要求です、そしてあなたは、これまで前人未到の偉大な道に踏み込まれた。ところがあなたは、いまからもう、ここに書かれたことを読むであろうすべての人を憎悪し、軽蔑されて、その人たちに向かって挑戦状を叩きつけておられる。罪を認めることを恥じられなかったあなたが、なぜ悔恨を恥じられるのです？」[87]。スタヴローギンは、「僕が懺悔を恥ずかしがっているって？」と真っ向から否定している。彼は自分自身を受け入れる事が出来ないのと同様、自分自身についての他者の判断を受け入れようともしていないシニカルな無視の態度を示している。バフチンは、これを「仮面をつけた懺悔」[88]と指摘している。

しかし、スタヴローギンに対するシャートフ、キリーロフ、ピョートル・ヴェルホーヴェンスキーの彼らすべては、彼を外貌、胆力、腕力、知能、あらゆる点で並外れて優れた英雄だと思っている。スタヴローギンが発言する言葉を一貫した自信に満ちたものと錯覚し、彼を信奉し、偉大な教師と見做している。スタヴローギンと彼の追随者三人との対話にそれがよく表れている。その一例をあげると、シャートフはスタヴローギンに向かって次のように述べている。──「ご存知ですか、今この地上で、新しい神の名において世界を一新し、救うべき使命を持つ唯一の国民、生命と新しい言葉の鍵を与えられている唯一《神の体得者》である国民は誰であるのか … その国民が誰で、その名は何であるか、ご存知ですか？」[89]。「君の言い方からすると、どうやら僕は、できるだけ早いところ、それはロシア国民であると結論しなきゃならないようですね … 」。「あなたはもう茶化している、そういう人なんだ！」。

シャートフは飛びかかろうとする気配を見せた。「まあ、落ち着いて。それどころか、僕はちょうどそういった種類の話を期待していたのですよ」。「こういう話を期待していた？　それでいてあなたにはこの言葉に覚えがないのですか？」。「よく覚えていますよ。君が話をどこへ持って行こうとしているか、僕にはわかりすぎるくらいです。君の言い回しも、《神の体得者》たる国民という言葉そのものも、2年ほど前、外国で、君がアメリカへ発つ直前にした話の結論でしかないじゃありませんか…」。「これはあなたの言った言葉そのままで、僕の言葉じゃないんです。僕らの話の結論であるどころか、あなた自身の言葉なんです。大体《僕らの》話なんてありもしなかった。偉大な言葉を語る教師と、死者から蘇った弟子がいただけですよ。僕がその弟子で、あなたが教師だったんです」(388)。

　これ以前にスタヴローギンの底知れぬ魅力は次のように活写されていた。──「25歳になってこの町に現れたスタヴローギンの一変した姿である。放蕩のために面やつれし、ウオッカの匂いをぷんぷんさせる汚らしい浮浪者とばかり思われていた彼が、誰にもまして優雅な紳士で、服装も超一流、物腰は最も洗練された上流の交際に慣れた紳士でなければとても真似できないほど垢抜けしていた」(62)。しかし、「絵に描いたような美男子なのだが、それでいて何か嫌悪感をもたらす。彼の顔は仮面のようだという評判だった」(63)。スタヴローギンは革命家たちにとってカリスマ的な存在であった。リュドミラ・サラスキナは、スタヴローギンを次のように述べている。──「美男子であり、優れた頭脳を持ち、裕福な家に生まれ、あらゆる人々を魅了してしまう。しかし同時に、恐ろしく多くの罪を抱えている人間。スタヴローギンが謎めいている理由は、まさにその二つの側面が混在するという矛盾そのものに潜んでいる」[90]。

　彼の素顔は、彼の正体は果たして何であろうか。本来が政治小説としての出自を持つ『悪霊』に、なぜ、スタヴローギンのような人物が必要

第8章 「テロとの戦争」の先駆けと見做されるジョウゼフ・コンラッドの『密偵』

とされたのであろうか。スタヴローギンは、西欧の知識教養と同時に、その頽廃を全て身に付けた傑出した知識人である。それには当時の西欧文化を理想と仰ぐロシア知識人の憧れが、若者たちの心を毒し、ロシアの現実に根差した思考を育てないというドストエフスキーの世代論的批判がある。ドストエフスキーは、「彼（スタヴローギン）は知識人と西欧の知識教養を身に付けたために、祖国の大地と国民的本質から切り離されてしまった人間だ」と繰り返し述べて、1870年代の理想主義的ユートピアンと1860年代の実行主義者の革命運動の挫折を描いている。

　さて第一部第5章、物語は、9月の初めの日曜日である。町の礼拝堂でマリヤ・レビャートキナという足の悪い女がワルワーラ夫人の前に跪（ひざまず）くところから始まる（249）。マリヤは、美男で貴公子のスタヴローギンが「世間の常識に挑戦して自分の大胆さを証明してやる」という傲慢さ、異常な自己顕示によって結婚した女性であった。マリヤはこの物語の舞台となっている地方都市の郊外の一軒の小屋に、兄レビャートキンの監視と世話の下に置かれていた。かねがね首都でのニコライのよからぬ行状を耳にしていたワルワーラ夫人は、マリヤの出現を不審に感じて彼女を自宅に連れ帰る。この日は、ヴェルホーヴェンスキー氏と養女ダーシャの婚約発表が行われる日に当たっており、ワルワーラ夫人の幼馴染の娘で、美貌の誉れ高いリーザ・トゥーシナも婚約者マヴリーキーを伴ってスタヴローギン家に来ていた。そこへピョートル・ヴェルホーヴェンスキーとニコライ・スタヴローギンの二人がまるで申し合わせたように到着する。シャートフはスイス時代、つかの間ながらもマリヤと言う女性と結婚生活を送った事があった。その後結婚生活に敗れたシャートフは、同志キリーロフと太平洋を渡り、アメリカの農園で働いた過去があった。数日後、有力者の息子ガガーノフが4年前に父親が受けた汚名をそそぐべく、スタヴローギンに決闘を申し込んでくる。スタヴローギンは謝罪の手紙を書くが受け入れられず、友人のキリーロフを訪ねて、介添人になってくれるように依頼する。彼はその足でシャート

フを訪ね、彼の身に危険が迫っている事を告げる。かつて秘密結社の一員だったシャートフだが、革命手段では人々を救えず、正教こそがその役割を果たすとの考えに立って転向を明らかにしていたため、密告を恐れるピョートルとその一味は、彼の処遇を巡ってひそかに最終的な手段を講じようとしていた。これが、本文にネチャーエフ事件が活かされた実例である。シャートフの殺害を唆(そそのか)したのはスタヴローギンであったが、彼のニヒリズムによる躊躇した行動から結果的にピョートルの暗躍を黙認する事になった。同じ夜、スタヴローギンは、町の郊外に住む妻のマリヤとその兄レビャートキン大尉を訪れるが、マリヤは人が変わったように「あたしのあの人は──美しい鷹(たか)で、侯爵なんだ。ところがあんたときたら──けちな梟(ふくろう)で」と彼をののしる。帰り道、スタヴローギンは、ピョートルの手先として町中を徘徊し、犯罪を繰り返す流刑囚フェージカに金をばらまき与え、マリヤの殺害をそれとなく唆す。決闘が挙行される。ガガーノフは失敗を繰り返し、スタヴローギンは空中に向かって発射し続けた。再三空砲を放つ事で自らを神性の試練に賭けたのである。噂は人々の耳に伝わり、スタヴローギンの評判は一挙に好転する。町では、ピョートルが新県知事夫人に取り入り、労働者たちを扇動して町に騒乱を起こそうと画策している。騒然とした町中にあって、自らも動揺し、終に意を決して、スタヴローギンは「告白」書を携え、町はずれにあるスパソ・エフィミエフスキー・ボゴロツキー修道院にチーホン僧正を訪ねる(この「告白」の一章は、『悪霊』における最大の核心に触れている。「告白」書の問題は先に触れたが、後に論究する)。おりしも、新県知事の妻ユーリヤ夫人は、県内出身の女性家庭教師を扶助するチャリティーの催し物を計画中だった。夫人は、昼の部の講演会に、遠縁にあたる小説家のカルマジーノフとステパン・ヴェルホーヴェンスキー氏らを講演会に招き、夜の部には、文学カドリールと舞踏会を予定していた。祭りを翌日に控えた日の午後、町内では、シュピグーリンの工場の労働者たちが待遇改善を要求するために、県知事邸

第 8 章　「テロとの戦争」の先駆けと見做されるジョウゼフ・コンラッドの『密偵』

前の広場に集結していた。集まった労働者たちは、暴動などとは何のゆかりもない人々で、広場に整列するなり早速脱帽したほどであった。しかし、民衆への恐怖に取り憑かれていたレンプケ知事は、この大人しい暴徒たちに対して、直ちに鞭打ちを命ずる。これこそピョートルの描いていた展開であった。計画されていたその夜の大火は、「シュピグーリンの連中の放火」となってしまった。

　祭りの当日が訪れる。ヴェルホーヴェンスキー氏は、1840年代人らしい理想論をぶち上げるが、聴衆の激しいヤジによって退場させられる。かつて彼が、カード賭博に負けて、借金のかたに農奴のフェージカを売りとばした過去が暴露される。講演会は大荒れに荒れ、夜の舞踏会の開催も危ぶまれる事態であったが、ピョートルの強い主張で舞踏会は開催された。だが、その舞踏会も、川向うで上がった火事で中断され、大混乱に陥る。ピョートルの思想と彼の仲間の悪霊たちの行動が引き起こした仕業であった。ピョートルはスタヴローギンに次のように述べていた。──「必要なのは、民衆にも信じ込ませることなんです、僕らが自分が何をするつもりか分かっているが、連中はただ『棒切れを振り回しちゃ、味方を傷つけているだけだ』ということをね。ぼくらは破壊を宣言します……なぜ、なぜまたこの思想ともいえない思想が、こうまで魅力的なんですかね！　しかし、まあ、その前に準備運動も必要ですね。そこで火事を起こすんです……いろんな伝説を振りまくんです……これなら、どんなやくざな《集団》だって役に立ちますよ。そういう集団の中からですね、どんな銃火にもびくともせず突き進んで行って、しかも大混乱が始まるわけです！」[91]。この夜の火事の情景は、青年たちが悪霊のように跳梁した1860年代70年代の、まさにドストエフスキーの目に映ったロシアの姿であった。そして社会を根底から揺るがす事件が深い思想的動機に由来するものではないと喝破したドストエフスキーにとって、殺人を含む放火事件は、一つの過去の終焉であると同時に、新しい時代の開始を告げるものであった[92]。

貴族団長邸の大広間で慈善講演会が催される中、会場を抜け出したリーザは、婚約者マヴリーキーを振り切り、スタヴローギンのいるスクヴォレーシニキの別荘へ走り、一夜を共にする。だが、放蕩の末に、最早人間らしい感情を焼き尽くしているスタヴローギンは、リーザの前で、抜け殻のような無残な姿をさらすばかりだった。明け方、二人は別荘の窓越しに、川向うを嘗め尽くした火事の残り火を目撃する。現場では、スタヴローギンの妻マリヤとその兄レビャートキン、そして女中の惨殺体が発見された。スクヴォレーシニキの別荘を飛び出し、婚約者のマヴリーキーと現場に駆け付けたリーザは、狂い立つ群衆に撲殺される。翌日、3年前にジュネーヴで別れたマリーがシャートフを訪れ、男の子を出産する。赤子がスタヴローギンの子供である事を知りつつ、シャートフは驚喜するが、その夜、「五人組」の一味によって郊外にある公園におびき出され、殺害される。五人組の一人で独自のユートピア思想を唱えるシガロフは、計画に不服であるとして殺害の直前に現場を立ち去った。また、シャートフの友人で、明晰な意識のまま自殺すれば人間は神となれるという独自の人神思想に取り憑かれたキリーロフは、ピョートルとの契約を守り、シャートフ殺害の責任を自ら引き受けた後で、ピストル自殺する。姿を消した夫シャートフを探し出したマリーは、産褥の中で死に、イワンと名付けられた赤子も病死する。一方、失意のうちに放浪の旅に出たヴェルホーヴェンスキー氏は、旅の途中、福音書売りの女性と出会い、熱病による全身衰弱の末に帰らざる人となる。翌日、スタヴローギンは、ダーシャに宛てた手紙を書き、スイス・ウリイ州への出発を伝えるが、果たすことなく、「誰をも咎むることなかれ、我自らなり」の一行を残し、スクヴォレーシニキの別荘の屋根裏部屋で首を吊る。

「政治的パンフレット」に端を発し、良心に大きな罪の記憶を抱く無神論者スタヴローギンの精神的再生への道の模索とその破滅への発展がこの物語の主題であり、真の主人公はスタヴローギンである。以下の

第8章 「テロとの戦争」の先駆けと見做されるジョウゼフ・コンラッドの『密偵』

「スタヴローギンの告白」の章には、スタヴローギンとチーホン神父が交わす真に迫った魂の問答が見られる。――チーホン神父は、彼に言った。「私はあなたに対しては何一つ隠しますまい。私は、無為になずんだ大いなる力が、求めて醜悪に埋没していったのを見て、慄然とさせられたのです。犯罪そのものについて言えば、同じような罪を犯しているものは数多くおるが、皆がそれぞれ自分の良心を守って平穏に暮らし、若き日の避けがたい過ちとさえ考えている者もいる。同じ罪を犯して、それを慰みや戯れと心得ておる老人たちもいないではない。この世界は、そうした醜悪事に充ちておるのです。ところがあなたはその深さを感じ取られた。そして、これほどまでに深くということはめったにあることではない。だが、あなたがその幼い少女に対して犯した罪以上に大きな、恐ろしい罪は、言うまでもなく、存在しないし、また存在し得ないものですぞ。(中略)準備が出来ておられない、鍛えておられない」チーホンは目を伏せて、おずおずとつぶやいた。《土壌から引き離されておられる、信じておられない》。「聴いて下さい、チーホン神父。僕は自分で自分を許したい。これが僕の最大の目的、目的のすべてなのです！」[93]。ふいにスタヴローギンが暗い歓喜の表情を目に浮かべて言った。「その時に初めて幽霊が姿を消すだろうことを、僕は知っています。だからこそ僕は、際限のない苦しみを求めているのです。自分から求めているのです。僕を脅かさないでください。さもないと、僕は悪意のうちに滅びるでしょう」。この思いがけない誠実さのほとばしりに、チーホンは立ちあがった。ややあってチーホンは言った。「私には見える…現<small>うつつ</small>のように見える。いまだかつてあなたは、哀れな、破滅した若者よ、新しい、さらに強烈な犯罪に、いまこの瞬間ほど近く立っておられたことはありませぬぞ！ あなたは救いのみを求めて、新たな犯罪にとびつかれる、そしてその文書の公表を逃れようとただそれだけのために、その犯罪を犯される」。「呪わしい心理学者め！」[94]。不意に彼は激しい怒りの発作に駆られてつぶやき捨てると、後も見ずに庵室を出て行った。

スタヴローギンは、「自分で自分を許したい。その時になって初めて幽霊（悪霊）が姿を消す。だからこそ僕は際限ない苦しみを求めている」と求道者たらんとしている赤裸々な真情を表明していた。これはその通りであろう。しかし、「告白」の唯一の聴き手であったチーホンから、罪の悔悛を通じての信仰への道を選ぶか、それともシニシズムに由来する彼の意識の傲慢を徹底して貫くかの岐路に立った時、スタヴローギンは、チーホンの心理的洞察に屈して前者の道を選ぶ事への屈辱に耐え切れず、彼は後者の道を選択する。善人と悪人の属性を有し、それと同時に内に深く悪霊を宿し、それを自覚し、神を信じられぬ悲劇的なスタヴローギンに残された道は、「死」しかなかった、それもキリスト教が最も忌避するユダの死を連想させる「縊死」しかなかったのである。しかし、彼は狂ってはいなかった。ドストエフスキーは、自殺したスタヴローギンの精神状態を次のように言明していた。──「町の医師たちは、遺体を解剖した上で、精神錯乱を完全に、そして強く否定した」[95]。

　『悪霊』には大きな疑問が残っている。それは冒頭にプーシキン（Pushkin, 1799-1837）のロシア土壌主義の怨念の詩が掲載されている事である。──どうあがいても　わだちは見えぬ、道踏み迷うたぞ何としよう？　悪霊めに憑かれて　荒野のなかを、堂々めぐりする羽目か。……　あまたの悪霊めは　どこへといそぐ、なんとて悲しく歌う？　かまどの神の葬いか、それとも魔女の嫁入りか？　A・プーシキン

　この詩をエピグラフに掲げたドストエフスキーの真意は、これに並列して掲げたルカ福音書とは明らかに異なる。西欧渡来の「非ロシア的な」悪霊たち、すなわちピョートルや五人組を暴露するために執筆し始めたドストエフスキーは、その途上で彼らの中に「ロシア的」なものを発見し、彼らへのある種の共感を覚えるようになったと考えられる。ドストエフスキーは、モラルとしての社会主義問題を深く突き詰めていけばいくほど自らの作家的苦悩に陥っていく。バフチンは、次のように述

べている。――「『地下室の手記』の主人公は、ドストエフスキーの創作における最初のイデオローグとしての主人公である。社会主義者を向こうに回しての議論の中で彼が主張する根本思想の一つは、まさに人間とは何らかの確実な計算のもとになり得るような、決定された定数ではないという思想であった。つまり人間は自由な存在であり、それゆえに自分に課されようとするあらゆる法則性を破ることが出来ると彼は主張するのである」[96]。ドストエフスキーは地下室の人間の必要性を次のように言明している。――「地下室の人間はロシアの主要な人間だ。これについてどの作家よりも多く語ったのは私だ、もっとも他にも語った作家はいる、だって気づかずにはいられぬからだ」[97]。

　ドストエフスキーには、何か荒々しい力を有しながら、根本的に自足しない、動乱のロシア社会において未来へ情熱を燃やしている若者たちとの共感があった。ドストエフスキーは、「メモ・ノート」(1875-1876年)において次のように述べている。――「社会主義の不自然な興奮状態というものが、(我が国にも)存在する――我が国の青年たちはすでに30年このかた《このために》こうした幻想のために流刑地へ送られている」[98]。そしてドストエフスキーは、こう言明している。――「自由主義者たちが言う、最高位の教育を受けなければならないのは十分の一の人々だけであって、残りの十分の九は材料、または手段としてのみ奉仕すべきであるという意味が、私にはどうしても理解できなかった。(中略)私は、十分の九の人々は缶詰にする必要があり、そしてこれこそは飽く迄も守らなければならない大切なことであるという考えを支持したことは、これまで一度もなかった。この考えはまことに恐るべきもので、完全に反キリスト的である」[99]。

　埴谷雄高は、「革命性の先駆者」と題して、次のように述べている。――「『罪と罰』にも社会主義論が出て来るが、この時は、非凡人と平凡人という対比が前面に出ている。非凡人はいわばナポレオンで、その目的達成のためには、人を殺す権利をも持つという着想であった。この

非凡人と平凡人の対立は、その後さらに深められて、ネチャーエフの同志殺しを機会にして書かれた『悪霊』においては、その非凡人と平凡人との対立が、我々の中の十分の一だけが個性の自由と無限の権力を得て、あとの十分の九は個性を持たない、一種従順な羊として数代の改造を経たあと天真爛漫ないわば原始の楽園がそこに現出する、というシガーレフ理論となる」[100]。
　ドストエフスキーは、『罪と罰』の「創作ノート」に次のように彼の真情を吐露している。――「スヴィドガイロフ。もし私が社会主義者であったら、そりゃ、もちろん、生き残るでしょうな。立ってやらなければならないことがあるでしょうからね。社会主義者ほど自分たちは正しいと信じている連中はありません。何しろ人生で一番大事なのは信念ですからね。社会主義者の一番大事な思想――それはメカニズムです（傍点はドストエフスキー）。そこでは人間は人間機械になってしまいます。どんなことにも行動原理があります。人間そのものは排除されてしまう。生きている人間から魂が取り去られてしまう。これならば安心していられるのは、当たり前です――まさに紛れもない中華思想ですよ。しかもこうした連中が、自分たちは進歩主義者だと言っているんですからね！」[101]。
　ロシアの人民がロシアの土地と民族性の意義を忘れてヨーロッパ伝来の無神論や唯物主義、社会主義に翻弄される彼らに対し、神性の具現者としての人民へのドストエフスキーの想いは裏切られるが、彼ら若者の中に残存するナロードへの想いはドストエフスキーの想いと重複するものが強く存在し、それがプーシキンの唱えたロシアの土壌に根差した土壌主義への熱い想いに込められて発言されている。彼は、『死の家の記録』(1862)や『冬に記す夏の印象』(1863)などにおいて、西欧派とスラヴ派のいずれにも与(くみ)せず、教育ある社会と民衆の結合を説き、土壌主義を唱えていた。
　「ネチャーエフ事件」を引き合いに出して、ドストエフスキーは、「メ

第 8 章　「テロとの戦争」の先駆けと見做されるジョウゼフ・コンラッドの『密偵』

モ・ノート」（1872-1875年）において次のように述べている。――「信念もなければ、学問もなく、支えとなるべきものが何もない、そして妙に秘密めかした社会主義なるものがあると断言する――キリーロフのように、自分のお蔭で悩み苦しむ人々。何よりも問題なのは、お互いに理解し合わないことである。この意気地なしどもの心をそっくりシニシズムがひっとらえてしまった、――指針を持たない若者たちが、わっとばかりにそれに飛びつく。ネチャーエフが成功するかもしれないなんてことが、どうしてあり得るのだ。（中略）有能な若い力がことごとく自分たちを社会主義の盲者と聾者に運命づけてしまい、虚偽であろうと矛盾であろうと、そんなものについては何の意見も持たず、ネチャーエフについては、誰一人敢えて発言する者はいない。そしてこのことは我が国のリベラリズムの不安定さのすべて、勇気のなさ、他人は何と言うかという奴隷的な不安の念の全てを示している」[102]。そしてドストエフスキーは、土壌からの遊離に対して繰り返し警鐘を鳴らす。「土壌からの遊離に対して、そもそもどのような根拠と可能性が定められたのか。我が国の社会は――ほかのどこの社会よりもニヒリズムに傾きやすくできている。だがありがたいことに、民衆は違う。民衆は我が国の古代の世襲制暴君主たちの歪んだ意志によって、単なる納税単位に変えられてしまった。だが我々はこれを打ち切りにしようとしている」[103]。

　ここにはドストエフスキーが抱くロシアの未来への深い懸念が吐露されている。それと同時に、彼の脳裏にはロシアの土壌主義があった。彼は、ペトラシェフスキー事件に連座して送られた流刑地のトムスクの監獄において、極悪非道の犯罪者たちの中にもすべての囚人たちから愛され彼の＜誠実さ＞を信じた信心深いヌルラのような聖なる美質の存在を発見していた[104]。またペトロフのような、計算を度外視してためらうことなく恐れを知らずに危地に立ち向かって突進する、するとすべての者がその後を追って突き進む、こういう人間こそ、歴史の流れを変える旗振る者だ、と述べ、ペトロによって開かれた眼でナロードを見た[105]。

ドストエフスキーは、刑罰が満了した1854年2月15日の直後の2月22日に兄ミハイルに宛てた手紙で次のように認（したた）めていた。──「僕はこの4年間の間にとうとう本当の人間が見分けられるようになりました。その中にだって深みのある、強い、素晴らしい性格の持ち主がいるのですよ。そしてかれらの下に隠された黄金を発見するのはどんなにうれしいことでしょう。（中略）全体としてこの年月は僕にとっては決して無駄に失われたものではありません。たとえロシアそのものではないにしても、僕にはロシアの民衆がよく分かりました」[106]。そして幼いころに自分に母親のように優しく接してくれた、素朴に神を信じている「百姓マレイ」を想起して生きる力を得ていた。「メモ・ノート」(1875-1876年)において彼は次のように記していた。──「あの百姓マレイがどんなに優しく私の頬を叩き、頭を撫でてくれたことか。私はそれを忘れていた、いや、忘れたわけではなくて、ただ徒刑地でそれを思い出しただけである。こうした思い出が徒刑地で飽く迄も、生き抜く可能性を私に与えてくれたのだ」[107]、「マレイを忘れたことはなかった」[108]と「メモ・ノート」(1875-1876年)に繰り返して書き留めていた。百姓マレイは、ドストエフスキーがシベリアで生まれて初めて知った本物の「ロシア民衆」の理想化されたものだったのである。
　ドストエフスキーは、1880年12月19日ブラゴーンラヴォフに宛てた手紙で次のように述べている。──「私が悪の原因を不信仰に見ているということ、そしてナロード性を否定する者は信仰をも否定するものであるということ、──あなたが下されたこの結論は正確です。他は知らず、我が国にあってはそうなのです。なぜなら、我々にあっては民族性がすべてキリスト教に根差しているからです。農民、「正教のルーシ」（ルーシはロシアの古称）、──これらの言葉は我々の本源的基盤です。我が国にあっては、ナロード性を否定するロシア人は例外なく無神論者であるか、あるいは神に無関心なる者です。（中略）私はむしろナロードと共にあることを選びます。何ものかを期待できるのはただナロード

第8章　「テロとの戦争」の先駆けと見做されるジョウゼフ・コンラッドの『密偵』

からのみであって、ナロードを否定しているロシアの知識人からではありません。彼らは知性的ですらないのです」[109]。シベリアでの10年間の後にペテンブルグに戻ってきて掲げたドストエフスキーの「土壌主義」は、キリスト教的社会主義と言い得る。

　1849年4月、会員に化けたアントネリというスパイの密告により[110]、ペトラシェフスキーの仲間34人の検挙に当たって、連座として収監されたドストエフスキーは4年間トムスクの監獄に収監される。彼は流刑地での尋常でない獄中の中で、人間とは何かという問いかけを自らに課し、ロシアの民衆を理解した。ドストエフスキーの＜シベリア体験＞はコンラッドの＜コンゴ体験＞に匹敵するものである。当時もっとも進歩的でいわば革命のバイブルとも言うべきチェルヌイシェフスキーの『何をなすべきか』に対抗して、ドストエフスキーは、『地下室の手記』を書いた。そして彼は、『罪と罰』や『悪霊』などを上梓した。彼の脳裏には、民衆(ナロード)の側に立ってロシア国民を激励した国民詩人のプーシキンがあったのである。1880年6月8日のプーシキン記念講演において、熱狂した聴衆にドストエフスキーが見たのは、「兄弟愛の関係」であり、「もっと善い人間になり、これからは憎み合うことなく愛し合おうと互いに誓い合っていた」人々であった[111]。

　ドストエフスキーは、同年6月13日には、「プーシキンは全世界的な普遍性と他民族の天才に完全に自分を変貌させることが出来る才能がある。この才能は我が国の民族精神から生まれるものである」と訴え、同年8月の『作家の日記』には、「プーシキンはその深い洞察力に富んだ天才的な頭脳と純ロシア的なハートによって、民衆を見下すインテリの病的現象を指摘した」とプーシキンに賛意を示した上で、「我々が生まれ育った大地からロシアの美の芸術的典型を見出した最初の人、セルバンテスやシェイクスピアのような他国の天才を換骨奪胎し、同時に彼らの才能を新たな意味づけをし、我が国の民衆の中に全世界の事柄に反応する柔軟な性癖を秘めていることを指摘して前途を明るく照らす民族的

才能の持ち主です。(中略) 芸術的作品において彼はロシア精神の志向が疑いもなく全世界的なものであることを明らかにしてくれました」[112]とその国民詩人の偉大さを記録していた。

　混迷する時代にあって、ドストエフスキーが創造した『悪霊』のスタヴローギンや悪霊たちの出現は、現代への大きな問いかけでもあろう。

V　『密偵』の考察——『悪霊』を視野に入れて

　ところで『密偵』はどうだろうか。『密偵』は、「作家の序文」("Author's Preface")において明示されている如く、1880年代のロンドンでダイナマイト爆破事件が続発した頃にその職に就いていたスコットランド・ヤードの警視官の回想録にヒントを得て書かれたものである[113]。ある思いがけないアナキストの武力行為があったのち、下院のロビーで内務大臣と交わした短い対話を再現したものであるという。無政府主義者が目の敵にしていたグリニッジ天文台の爆破事件を想起して、コンラッドが一番注視したのは、平謝りの警視官に対するW・ハートコート卿の激高した一言であった。

　　　"All that's very well. But your idea of secretary over there seems to consist of keeping the Home Secretary in the dark."[114]
　　　(「そんなことはどうでもよろしい。だが、この件に関して君が考えている秘密というのは内務省に知らせないことを含んでいるようだな。」)

　最高責任者である内務大臣が「情報の闇に置かれる」とすれば、実務責任者の警視官も部下の警部たちも「闇」の中に置かれる事になる。コンラッドは、その事件全体に漂っている異常な雰囲気から、そこに潜む

第 8 章　「テロとの戦争」の先駆けと見做されるジョウゼフ・コンラッドの『密偵』

政治の「闇」、巨大都市ロンドンの暗部、500万人もの人生を埋没させるに十分な「闇」を察知したのである。

　ところで19世紀初頭までの一般人にとって、時間とは15分毎に鳴らされる教会の鐘によって知らされるものでしかなかった。一般家庭に時計などはなかったし、買うお金もなかった。時間は15分毎に区切っていれば済むものであった。その上、正午は太陽が真上に来た時なので、英国はそれほど東西に長く広がった国ではないけれども、土地によっての時差があった。つまり、地方時によって生活が営まれ、それで支障はなかった。ところが、科学の発達、特に鉄道の全国への広がりに伴って、土地によって勝手に違った時間に従っていたのでは不便どころか大事故に繋がる恐れがあった。全国を一つに統一する必要が生じて、その基準がグリニッジ天文台による事となった。各地の個人にとって自由であったはずの時間が、中央の権力者によって横暴にも自由が奪われ、一方的に民衆生活の上に押し付けられた——このように考えた無政府主義者が、その悪の元凶としてグリニッジ天文台を目の敵にしたのである[115]。

　この物語の事件の黒幕は、左翼的な革命思想がテロによって広まる事を恐れるロシア大使館一等書記官ウラジミルである。彼が、無政府主義者と自称するスパイのヴァーロックに、政治的犯罪の抑止に優柔不断な英国政府の態度を転換させようと、「科学の神聖にして犯すべからざる崇拝の対象物（the sacrosanct fetish）」[116]の象徴であるグリニッジ天文台の爆破を命ずる[117]。復讐やテロリズムといった意図を超えた、純粋に破壊的な狂気とも思えるような衝撃を、英国世論の形成者たる中産階級に与えるためである。純粋に破壊的な爆弾攻撃は、コンラッドが言う「狂気」[118]以外の何ものでもない。この戯画的誇張にコンラッドのテロリズムへの真意が窺い知れる。権力を嵩(かさ)にきて、ウラジミルは、次のようにテロ哲学をヴァーロックに述べている。

Murder is always with us. It is almost an institution. The demonstration must be against learning —— science. But not every science will do. The attack must have all the shocking senselessness of gratuitous blasphemy. Since bombs are your means of expression, it would be really telling if one could throw a bomb into pure mathematics. But that is impossible. I have been trying to educate you; I have expounded to you the higher philosophy of your usefulness, and suggested to you some serviceable arguments. The practical application of my teaching interests you mostly. But from the moment I have undertaken to interview *you* I have also given some attention to the practical aspect of the question (Italics Conrad). What do you think of having a go at astronomy? [119]

（殺人という事は常に我々について回る。それは殆どしきたりのようなものだからね。示威行動は学問に対して——科学に対してでなければいけない。しかし、科学なら何でもいいっていうもんじゃない。テロは驚くほど無意味で、冒涜的なものであるべきだ。爆弾が君たちの自己表現の手段だから。もし純粋数学に爆弾を叩き込めば実際効き目があるだろうが、そんなことは不可能だ。私は君に教えてやろうと努めているのだよ。君の任務のもっと高尚な原理を詳しく説明し、役に立つ議論を示唆してやっているんだ。一番利益になるのは私の教えを実地に応用することだ。君と面談を始めた当初から私はこの問題の実際的な面にも気を配ってきた。どうかね、天文学に攻撃を仕掛けてみては。）

権力を嵩に尊大に構えてテロ哲学を教唆（きょうさ）するウラジミル氏から、命令に従わなければ即刻首だと脅され、やむを得ずヴァーロックは、無政府主義者仲間たちの間で「教授（プロフェッサー）」と称されている爆弾マニアから時限爆

第8章 「テロとの戦争」の先駆けと見做されるジョウゼフ・コンラッドの『密偵』

弾を入手し、若い妻ウィニー（Winnie）の弟スティーヴィーにそれを実行させる。義弟は虚弱体質で知能が低かったが、与えられた仕事には忠実であった。その仕事を依頼したのは一家の窮地を救ってくれたヴァーロックであった。ヴァーロックをつゆほども疑わぬスティーヴィーは、時限爆弾を携えてグリニッジ天文台に向かうが、その近くで木の根っこにつまずいて爆死してしまう。事情を全く知らぬ善良で無垢なスティーヴィーが肉塊と化してしまうのである。この後、スティーヴィーの爆死が夫の手引きによるものだと知ったウィニーは夫を刺殺し、自殺する。しかもその自殺は、無政府主義者に騙されて、人間の栄光のために創造されたと称されるロンドンが、彼女にとって「巨大な虚無（a vast blank）」(270)と化し、すべてに絶望し、孤独の果てに余儀なくされたものであった。

　コンラッドはこれら一連の事件を単なる不運な偶然と見做してはいない。政治の暗黒な「闇」を見ている。『密偵』においてはこれまでのロマンチックな海洋作家といわれるコンラッドの姿は何処にも見られない。舞台はロンドンで、登場人物たちの中心は無政府主義者のテロリスト集団、しかもそれが英露両国の国際関係に介入した二重スパイを働いたり、グリニッジ天文台の爆破テロを計画したりと、典型的な「政治色の文学」となっている。しかし、コンラッドの関心は、政治そのものにはないのである。また無政府主義の思想どころか社会民主主義に対しても反感すら覚えていた[120]。1885年12月19日、同世代のポーランド人スピリディオン（Spiridion）に宛てたコンラッドの手紙からその事が明らかに窺い得る。

> Where's the man to stop the rush of social-democratic ideas? … England was the only barrier to the pressure of infernal doctrines born in continental back-slums. Now, there is nothing! … Socialism must inevitably end in Caesarism.[121]

（この激しい社会民主主義思想の台頭を阻止できるものはいないのか？　…　英国だけが、この大陸スラム街で生まれたひどい教義を拒み得る防壁だったのだが、今やそれもない！　…　社会主義という奴は嫌でも独裁主義に終わるものだが。）

　社会主義に関して、シベリアでの4年間の過酷な要塞監獄体験などを通してフーリエの空想的社会主義が観念論である事を看取したドストエフスキーは、次のように述べている。──40歳にして初めて西欧を訪れた印象記の『冬に記す夏の印象』においては、「社会主義者は、友愛関係がないと見ると、すぐに友愛の精神を説き始める。友愛の精神が欠如しているので、彼は友愛の世界を出そう、組織しようとする。それらのもとになるものがないと知ると、絶望のあまり社会主義者はむきになって未来の友愛の世界を作ろうとし始める。各個人は万人のため、万人は各個人のため」というスローガンが高く掲げられていた。フーリエ主義者たちは、自分たちの資本の中から最後の残された90万フランの金を取ってしまい、それでも何とかして友愛の世界を組織しようと試みているそうである。（中略）社会主義者は、いよいよ死にもの狂いになって、終に、自由、平等、友愛を宣言するに至る」[122]。彼は、「メモ・ノート」（1863-1864年）において次のように述べている。──「カトリックのキリスト教から育ったのは社会主義だけであった。──だがわが国のキリスト教からは兄弟愛が育つ。社会主義は人類に対する敬意の欠如（動物の群居本能）とメカニズムに基づいている」[123]。「メモ・ノート」（1875-1876年）においては、「社会主義の不自然な興奮状態というものが（我が国にも）存在する──我が国の青年たちはすでに30年このかた《このために》こうした幻想のために流刑地へ送られている。それというのも、かりにあちらの、ヨーロッパの話だとしたら、これも問題であるけれども、わが国では幻想だからである。わが国にも自分たちの社会問題がたくさんあるけれども、形も全く違えば、対象も全然違ってい

第8章 「テロとの戦争」の先駆けと見做されるジョウゼフ・コンラッドの『密偵』

る。第二には、わが国には全く新しい、ヨーロッパとは似ても似つかぬものが恐ろしいほど多い。また第三には、わが国には大昔からの道徳観念というものがある。この観念こそは――名誉とは何か、義務とは何か、また人々との間の本当の平等と友好的団結とは何かという、すでに大昔から存在した独自の見解である。西欧における平等の渇望はこれとは別ものである、なぜなら統治権がもともと異なっていたからである」(79)。(中略)「西欧に何らかの思想があるとすれば、それは社会主義と共産主義的思想だけである。新しい信念、新しい道徳的規準、古いものは退けられた、その元凶は無神論であるとＮ・ミハイローフスキーは腹を立てているが、無駄なことである」(89)。

　ドストエフスキーが西欧を歴訪した印象記の『冬に記す夏の印象』[124]及び『地下室の手記』[125]において述べたロンドン万国博覧会で目の当たりにした水晶宮の巨大なガラス製の建物は、彼の眼には、人類の未来、文明社会の未来、即ち機械と数字による管視社会の悪夢の象徴として映った。そしてそれは、近代資本主義と共産主義の双方の社会の悪夢であり、「地下室の住人」が呪詛するものであり、その予言は『悪霊』におけるドストエフスキーの予言に通底するものである。江川 卓氏は、「水晶宮」を次のように読み解いている。――「ドストエフスキーは、かつてフーリエ、その他の空想的社会主義者に熱中していた反動からか、というより、シベリア体験の中で彼らの理論の観念性に幻滅し、いわゆる「信念の更正」を経験したせいか、地上に実現されるものとしての「ユートピア」には、深刻な不信を抱いていたようである。「ユートピア」と「逆ユートピア」とが表裏一体の関係に立っていることも、とうに見抜いていたらしい。「地下室人」が、未来のユートピア「水晶宮」では、「内緒でぺろりと舌も出せやしない」と毒づいているのが、その最初の表れである」[126]。

　「コンラッドは政治に対して徹底して懐疑的であり、文学は政治に優

越すると信じた芸術家のひとりであった。彼は被支配民族のポーランド人として生まれ、父母が流刑され、7歳で母を、11歳で父を失った。彼にとって、政治は絶対に観念でもまた、抽象的存在でもなかった。それは肌で感じられた息苦しい現実であり、個人の生活をまきこみ、破壊させる巨大な実在であった。彼のいわゆる政治的な作品は政治を拒む視点から冷徹な認識によって書かれた政治の外部のドラマに巻き込まれた個人の内部での悲劇の追求、悪夢的な政治的状況の鮮やかな設定を特色としている」[127]という井内雄四郎教授が指摘される通り、コンラッドは政治に対して徹底して懐疑的であった。祖国ポーランドは、1772年の第一次ポーランド分割以来、ポーランドを取り囲む列強、いわゆるロシア・オーストリア・プロイセンの支配を受けて、独立の夢と被占領の現実との狭間に痛ましくも引き裂かれていた。コンラッドが生まれた1857年は、クリミア戦争(1853-1856)の直後であり、その敗北と農奴解放令によってロシア帝国自体が動揺をきたしており、ポーランド人は一日も早くロシアからの独立を請い願い、活発な独立運動を展開していた。コンラッドの父アポロ・コジェニオフスキ(Apollo Korzeniowski, 1820-1869)も急進派と言われる「赤党」の先駆をなす「ワルシャワ市委員会」で中心的な役割を果たし、当局から「好ましからぬ急進派」('an undesirable radical')[128]として1861年10月21日にロシア官憲によって逮捕され、流刑に処せられ、後に病死した。母はその前に流刑地で病死していた。この経験の傷痕は後年コンラッドの記憶の中に深いトラウマとなって終生残る事になる。コンラッドは、ポーランドに生まれたその生い立ちから政治に対して極めて懐疑的な状況に置かれていたのである。

　さて話を『密偵』に戻す。『密偵』は白痴の登場や、悪意に満ちたアナキストの戯画化など『悪霊』を連想させる。但しアーヴィング・ハウ(Irving Howe)が述べているように、「ドストエフスキーは政治を変革するために書き、コンラッドはそれを退けるために書いている」[129]。

第 8 章　「テロとの戦争」の先駆けと見做されるジョウゼフ・コンラッドの『密偵』

「決して太陽の沈むことのない大英帝国のまさしく中心地（the very centre of the Empire on which the sun never sets）」（214）と述べられる首都ロンドンで、『密偵』における主要な登場人物たちは互いに真のコミュニケーションが取れずに、「孤独」な状態に置かれている。彼らの多くは、その事を意識すらしていない。それが事件の進展を促す結果にもなっている。例えば、若いウィニーが40過ぎのでっぷりと太った風采の上がらないヴァーロックに嫁いだのも、人がよさそうで金のある彼に、足の不自由な老母と頭の弱い弟を引き取ってもらうためであった。ウィニーは弟を「擬似母性愛の対象（an object of quasi-maternal affection）」（8）としていた。一方、夫婦の会話にはいつも何らかのずれがあって、真実の言葉のやり取りはなかった。ヴァーロック夫妻にあっては、惰性的にその日その日を送るのが夫婦であり、家庭であると思い込んでいる。それが彼らの日常での信仰であった。ウィニーの生活信条は、「物事はあまり詮索しない事（things do not stand much looking into）」（177）であり、そのために夫の本当の職業についても詮索しようとしない。40過ぎのヴァーロックにあっては、「くつろぎと身の安全（his repose and his security）」（52）が彼の最も後生大事にしているものであった。またヴァーロック夫妻のみならず、作中の登場人物はそれぞれに自己中心的な生き方をしており、一人合点で行動し、決して交わる事がない。無邪気なスティーヴィーが描く永遠に交わる事のない無数に反復される円のように（45）。

　コンラッドが本文中に幾度も劇的と表現する事件とは、スティーヴィーの爆死である。スティーヴィーは、裏切りと陰謀が渦巻く大都市ロンドンにあって、ドストエフスキーが描く『白痴』（1868）のムイシュキン公爵にも比せられる、唯一、純真無垢な人物である。「黙示録的悲惨さ（apocalyptic misery）」（167）と形容されるあばら骨が見える老馬に御者が鞭打つ光景に怒りと恐怖を覚え、「鞭をやめて」（157）と大声を上げて異常に興奮する聖なる「博愛精神（universal charity）」

（169）の持ち主であった。彼の「無償の行為」として最も悲惨なシーンは、ヴァーロックに頼まれて何ら疑念も抱かず預かったものをグリニッジ天文台へ運ぶ途上において描き出されている。彼は過（あやま）って木の根っこにつまずく。その瞬間、預かりものに仕込まれていたダイナマイトの爆発によって彼の体が肉片と化すのである。その悲惨な状況は、グリニッジ天文台爆破未遂事件の真相を探っていたヒート（Heat）警部によって次のように淡々と描き出されている。

"We believe he stumbled against the root of a tree? … Blown to small bits: gravel, clothing, bones, splinters-all mixed up together. I tell you they had to fetch a shovel to gather him up with."

（「我々は彼が立木の根っこにつまずいて転んだとみている。…木っ端みじんに吹き飛ばされたんだ。バラバラの手足に、砂利も、衣服も、骨も、破片も、すべてがごっちゃになってね。彼の遺体をかき集めるのにシャベルを取って来なきゃならなかったんだ。」）

　コンラッドは、スティーヴィーのような善良な人間が不条理にも非情な政治に翻弄されて、殺される劇的な過程を冷厳に描き出す事によって、その悲惨さや不条理さを普遍的に浮き彫りにしている。
　コンラッドは、幼少時にロシアの独裁政治による犠牲者となった個人的な体験を経て、その精神構造の深層において抜き難く強烈な痕跡を留めはしても、作品においては個人的なものとしては留めず、そのテーマを普遍的なものに昇華させている。例えば『西欧の眼の下に』において、作者の分身としての語り手である老齢な語学教師は、この物語のテーマを「地上の大部分を支配している精神状態の再現」と言明し、「その倫理的な発見があらゆる物語の目的だ」[130]と証言していた。『西欧の眼の下に』への「作家の覚書」（"Author's Note"）において、彼

第 8 章　「テロとの戦争」の先駆けと見做されるジョウゼフ・コンラッドの『密偵』

はロシアを「無定形の塊（amorphous mass）」[131] と表現し、その冷笑主義が普通の物の見方や生き方をする、この上なく普通の市民を「闇」の中に陥れて、押しつぶす過程を描いている。コンラッドは、勉学への健全な脳や正常な大志を抱いた、この上なく極普通の青年ラズーモフ（Razumov）という人間の内面に執拗に目を据える。彼は、ドストエフスキーの『罪と罰』(1847) を連想させる、この主人公の心理と葛藤を真の主題として、人間の運命に及ぼす帝政ロシアの政体の恐怖とそのメカニズムを活写し、「ロシアの精神は冷笑主義の精神である」と言明していた。それは、コンラッドが「専制政体と戦争」("Autocracy and War," 1905) において述べた、「ロシア政体は無数の精神を滅ぼした」[132] と軌を一にするものである。筋金入りの革命家ハルディン（Haldin）を「専制政体の犠牲者（the moral victim of autocracy）」(347) と見做すのも当然のことであろう。

　『密偵』の舞台は、世界に先駆けて産業革命を成し遂げた英国が、「世界の覇者」となって19世紀ヴィクトリア朝の繁栄を象徴する世界最大都市ロンドンである。しかし、コンラッドは、繁栄のロンドンから置き去りにされた下町ソーホー（Soho）へと読者を誘うのである。その狭い路地裏の一角に建つ、主人公ヴァーロックの店に関する紹介を次のように始めている。

　　　The shop was small, and so was the house. It was one of those grimy brick houses which existed in large quantities before the era of reconstruction dawned upon London. (3)
　　　（ヴァーロックの店は小さく、また家も小さく、それはロンドンに再開発の波が押し寄せる前におびただしく存在していたあの汚れたレンガ造りの建物の一つであった。）

店といっても正面に小さな窓ガラスが光っているだけの、四角い箱の

− 729 −

ようなところだ。ドアは、日中は閉まったままだが、夕方になると慎ましやかに、しかし怪しげにも、半開きになっていた。ウィンドーに並べられているものと言えば、ほとんど何も身につけていない踊り子たちの写真のほか、得体の知れぬ紙包み、不変色のインクの瓶数本、いかがわしげな表題の本が数冊といった怪しげな品々である（3）。窓ガラスの内側に灯る2基のガス灯の炎は、節約のためかそれとも顧客のためか、いつも低く細められていた（3-4）。この店の主人が、例のヴァーロックなのである。

　彼はこの店に怪しげな無政府主義者たちの出入りを許可している。彼は、ロシア大使館第一書記ウラジミルの密偵であると同時にロンドン警視庁のヒート警部へ仲間の無政府主義者の情報を流す二重スパイであったからである。しかし、彼はおよそ無政府主義者らしくない。大使館に呼び出したウラジミルが、ヴァーロックの太って大儀そうな体を目の当たりにし、今まで何の行動も起こしていない彼に向かって、「あなたは怠惰な男にすぎん。いったいこの大使館から何年給金をもらっていたのか」（21-22）と述べている。ヴァーロックは、情報を提供してテロを未然に防いだ功績があると、彼ら仲間たちからも一目置かれて、自分でも自負するよく通る声で訴えるのだが、ウラジミルは不愉快になり、その大声をとがめて、必要なのは「行動（activity）」（22）だと高圧的に述べるとグリニッジ天文台爆破を命じ、拒めば給料も払わぬと脅す。

　この予期せぬ言葉は、今まで「くつろぎと身の安全」をモットーにしてきたヴァーロックにとっては、青天の霹靂であった。更に、ウラジミルは、ヴァーロックが無政府主義者でありながら結婚していた事に驚愕し、「プロの無政府主義者は結婚なんぞせんよ。そんな事をすれば裏切りだ」（36）とまで断言する。実際、ヴァーロックは、故シュトット・ヴァルテンハイム男爵（Baron Stott-Wartenheim）に引きたてられて、11年間も大使館から安定した給金を楽々と得て、その上ヒート警部に仲間の情報を流して身の安全を確保しつつ、妻に店を任せ、怠惰な日

第 8 章　「テロとの戦争」の先駆けと見做されるジョウゼフ・コンラッドの『密偵』

常生活に甘んじ得た。

　二重スパイのヴァーロックに対してだけでなく、善良な市民をテロによって恐怖に陥れる無政府主義者たちを表現するコンラッドの執筆は手厳しい。彼らは「船乗りもの」で謳われている「人間としての連帯」には縁遠い。例えば、人の言う事を聞かず、またその必要性も感じていない「不毛な精神的孤独（a mental solitude）」(45) の中で、物事を一貫して考える習慣を失ってしまったミハエリス（Michaelis）は、大金持ちの老婦人の庇護を受けて、丸々と太った (41) 口のうまい輩として (78)、そしてかつては名うてのテロリストであったユント（Yundt）が、今や毒舌を吐くだけの老いたテロリストとして (51) 表現されている。資格を持たない元医学生で (46)「科学的に話す」(51) という思考法を自慢するオシポン（Ossipon）は、「社会的構築物（social edifice）に対しては生涯、小指一本挙げた事がなく、無垢な大衆を扇動する毒を帯びた傲慢無礼な扇動家」(48) としてグロテスクに戯画化されて描き出されている。この無政府主義者のオシポンは、夫を殺害して途方に暮れているウィニーを言葉巧みに騙して、彼女の持ち金全部を奪い、逃亡し、絶望の淵に沈んでいる彼女を自殺に追い込んでいた。彼女の自殺はオシポンにとって「＜永遠に覆い隠す＞固定観念（an obsession）であり、拷問（a torture）であった」(307) と明示され、無力な一般市民の悲哀が印象付けられている。彼女の自殺を「＜狂気か絶望か、窺い知る事のできぬ神秘（an impenetrable mystery）が永遠に覆い隠す運命のようである＞」と報じる古き新聞の一節は、オシポンが存在する根底を脅かすものであった (307)。

　彼ら無政府主義者たちは、『ナーシサス号の黒人』に登場する「煽動」と「怠惰」という無政府主義者の属性を有するドンキンやウェイトと大同小異である。コンラッドは、『密偵』の無政府主義者たちを、1907年10月7日付のカニンガム・グレアム（Cunninghame Graham）に宛てた手紙で、「これらの連中はすべて革命家ではない──彼らは偽物

だ。(All these people are not revolutionaries —— they are shams.)」[133]と言明していた。

　無政府主義者の中で例外的に評価されているのは、唯一筋金入りと見做されている「教授」(Professor) のみである。「教授」は、「俺ほど動じない性格を持つ者はいない」(67)、「（革命家と称する）連中は生によりかかっている。つまりありとあらゆる組織化されたしがらみにとらわれているが、俺は死を覚悟して、絶対に一人で仕事をする気概を持っている」(69-70) とオシポンに豪語し、オシポンらの無政府主義者のふがいなさを指摘する。

　作者が「教授」を評価するのは、徹底した人間が持つ＜誠実さ＞であった。コンラッドは、それを次のように述べている。──「あの教授に関して、私は彼を卑劣漢にしてやろうとは思っていなかった。彼はともかく清廉潔白なのだ。彼に「狂気と絶望を──梃子の代わりに我に与えよ、さすれば世界を動かして見せよう」と言わせた時、私は純粋に誠実な響きを彼に与えたかったのだ。… 徹底した極端主義者は尊敬に値するのだ。(And as regards the Professor I did not intend to make him despicable. He is incorruptible at any rate. In making him say "madness and despair —— give me that for a lever and I will move the world" I wanted to give him a note of perfect sincerity. … And every extremist is respectable.)」[134]。

　「教授」は革命的社会主義者の地下組織の末端によく出入りしていたが、実際は警察官と同様に革命家を軽蔑していた。彼は鋭い指摘をしている。──「テロリストと警察官とは同じ穴の狢だよ。革命と遵法は、同じゲームの対抗運動、形こそ違え、根は同一の、怠惰の現れさ。彼は彼なりにケチなゲームをやっている。君らプロパガンディストもご同様。しかし俺はゲームなんかやらない。俺は一人で、全く一人で、絶対一人で仕事をする気概を持っている」(70)。但しコンラッドはこの人物についての根本的な欠陥を次のように記述する。「「プロフェッサー」は

第8章 「テロとの戦争」の先駆けと見做されるジョウゼフ・コンラッドの『密偵』

才能があったが、諦念という大きな社会的美徳（the great social virtue of resignation）に欠けていた」(75)。そして彼の完全な起爆装置作りへの衝動は私怨であって、革命や正義といった政治的目標とはおよそ無関係である事を指摘している。

『悪霊』においては、秘密組織を組織し、全ロシアに革命を起こそうと企んでいる革命家ピョートルは、次のように語っている。――「必要なのは民衆にも信じ込ませることですよ。僕らは破壊を宣言します。何故この思想とも言えない思想が、こうまで魅力的なんですかね！　まあ、その前に準備も必要ですね。そこで火事を起こすんです。いろんな伝説を振りまくんです。これなら、どんなやくざな《集団》だって役に立ちますよ。そういう集団の中から、どんな銃火にもびくともせず突き進んで行って、しかも大混乱が始まるわけですよ！」。ドストエフスキーは、社会を根底から揺るがす事件が、深い思想的動機に由来するものではない事を、このテロリストを「悪霊」を宿すものとして表していた。

コンラッドはテロ行為や無政府主義のいずれも肯定してはいない。「世論になんらかの影響力を持つような爆弾攻撃は、いまや復讐だの、テロ行為だのといった意図を越えなければならない。ひたすら純粋に破壊的でなければならない。君ら無政府主義者は一切の社会的産物を一掃する覚悟を完全に固めていることをはっきりさせるべきだ。（中略）英国人ならば誰もが知っている呪術的崇拝物（神聖にして犯す事の出来ぬ崇拝の対象物）であるグリニッジ天文台の爆破は、必ず呪いの叫びを上げさせるはずだ」(32-35)と滔々（とうとう）とヴァーロックに述べるウラジミルの爆弾テロ哲学の不合理に、またオシポンの弁舌を「歯の抜けた老いた無政府主義者の、早口でまくし立てる毒舌」(51)という風に再三にわたる本文中の無政府主義者たちへの否定の言質にもそれは明らかである。それと同時にコンラッドはウラジミルを「戯画化の格好のカモ（fair game for a caricatural presentation）」[135]であると言明していた。

この著作の戯画化として存在するコンラッドのアイロニーは、彼の感

覚の真実に対するあの飽くなき忠誠（that remorse fidelity to the truth of his own sensations)、つまり芸術家の信条（the credo of the artist）に通底するものである[136]。この種の戯画化のアイロニーは、チャールズ・チャップリン（Charles Chaplin, 1889-1977）の映画『チャップリンの独裁者』(*The Great Dictator*, 1940) が想起される。チャップリンは、この映画の意図を、「独裁者とは喜劇的なものです。私は彼らをダシにして大衆を笑わせることを意図したのです」[137] と述べている。ナチスの台頭で人間の自由が蹂躙され始めた時、トーキー嫌いの彼が遂に叫び声を挙げて制作したラストシーンの大演説は、彼が文字通り命を賭して「独裁者の奴隷になってはいけない」と全世界に向けて訴えていた。ヒトラーを痛烈に戯画化し、ヒトラー総統のナチス軍章である鉤十字「卍（ハーケンクロイツ）」を「××」と考案したチャップリンは、「卍」を「ダメダメ」と言っているようである[138]。

　さてアナキストの中でも特異な存在は「教授」である。彼は「庶民は生に依存する。これに対し、死は如何なる制約も知らず、また攻撃され得ない。私の優位性は明白である」と豪語し、起爆装置を常に身に付け死を恐れぬが由に「完璧なアナキスト（the Perfect Anarchist）」（306）とされる。冷厳にして客観的な目で物事を見る事が出来る教授は、彼らの実態と本質を的確に「無政府主義者と警官は同じ穴の狢（むじな）だ。(The terrorist and the policeman both come from the same basket.)」（69）と言い当てていた。テリー・イーグルトンはこの箇所を引用して、次のように述べている。──「「テロリストと警察官、どちらも同じ穴の狢なのだ」とプロフェッサーは述べるのだが、彼の狙いは、この共謀関係を、社会ゲームそのものの裏をかくことで断ち切ることだった。（中略）法には、どこか狂気じみたところがあるというのは、ポスト構造主義で唱えられるありきたりなお題目だ。しかし、このお題目も、この小説のように、政治的ラディカリズムには断固反対し、また社会秩序の維持と擁護に熱心だった作者のペンで記されると、かなり説得

第8章 「テロとの戦争」の先駆けと見做されるジョウゼフ・コンラッドの『密偵』

力のある提言となるのである」[139]。

　実際、ヒート警部は無政府主義対策の専門家として知られていたが、密偵ヴァーロックの存在を上司の警視監に明かさず、こっそり情報をヴァーロックから得て利用している。一方、ヒートの上司は、自ら的確な指示を出す事はせず、有力な縁故を持つ妻との結婚で今の地位を得ていたため、妻には頭が上がらない、また部下からの信頼も得られなかった。無政府主義者と警察組織との癒着、それを許す政治上の構造的な腐敗の実態が描き出されていた。そして、世論を動かすために政治的陰謀として組織されたグリニッジ天文台爆破未遂事件はいつの間にか「闇」に葬り去られ、世間から忘れられていく。

　但しこの物語の最終場面では、コンラッドのメッセージが強く窺われる。破壊のためのテロ哲学を信じる「教授」が、見るからに貧弱な、みじめな姿をしてロンドンの雑踏の中をとぼとぼと歩いて行く姿である。

> And the incorruptible Professor walked, too, averting his eyes from the odious multitude of mankind. He had no future. He disdained it. He was a force. His thoughts caressed the images of ruin and destruction. He walked frail, insignificant, shabby, miserable —— and terrible in the simplicity of his idea calling madness and despair to the regeneration of the world. Nobody looked at him. He passed on unsuspected and deadly, like a pest in the street full of men.[140]

　（また不屈のプロフェッサーも人類の忌まわしい大群衆から目を背けて歩いていた。彼には未来は無かった。彼は未来を侮蔑した。彼は力だった。彼の思想は破滅と破戒のイメージを愛撫していた。彼は、弱々しく、見るからに貧弱な、みすぼらしい、みじめな姿をして歩いた——狂気と絶望を世界の再生に向かって呼び求めるその思想の単純さにおいて、恐るべき存在であるこの人物は。誰ひとり

彼に目をとめる者はいなかった。彼は誰にも疑われずに通り過ぎて行った——まるで人があふれる街頭の疫病神のように、死を孕む存在でありながら。）[141]

彼の姿は、観念に取り憑かれて爆弾を背負って大都会を彷徨する自爆テロリストの隠喩である。彼もまたドストエフスキーが言うところの「悪霊」の一人と言い得るであろう。

結論

二重スパイのヴァーロックや精神的孤独に陥っているミハエリスや毒舌を吐くだけの老いたユントや無垢な大衆を扇動するオシポン、あるいは爆弾マニアなどの無政府主義者たちをコンラッドは『密偵』において生き生きと表現した。彼らはまさにテロリストたちが実在する歴史的人物の再来であった。大都市ロンドンは表面的には安定が保たれているものの、ヴァーロックのような二重スパイが暗躍する「場（トポス）」になっている事を、グリニッジ天文台爆破未遂事件全体に漂っている異常な雰囲気から、コンラッドは、500万人もの人生を埋没させるに十分な「闇」の存在を次のように指摘していた。

Then the vision of an enormous town presented itself, of a monstrous town more populous than some continents and in its man-made might as if indifferent to heaven's frowns and smiles; a cruel devourer of the world's light. There was room enough there to place any story, depth enough there for any passion, variety enough there for any setting, darkness enough to bury five millions of lives.[142] (Italics mine)

（その時ある巨大都市の姿が浮かび上がった。ちょっとした大陸より多くの人口を抱え、まるで天の渋面や微笑みにも無関心である

第8章 「テロとの戦争」の先駆けと見做されるジョウゼフ・コンラッドの『密偵』

かのように人工物で身を固めた、世界の光を冷酷に貪り食う、怪物都市の姿が。そこならばどんな物語でも十分な余地、どんな情熱でも受け入れる十分な深さ、どんな設定でもできる十分な多様性、500万もの人生を埋没させるに十分な闇があった。）

コンラッドは、いかなる主義主張であっても、人間個人を破滅に導くものには与(くみ)する事はない。それは『密偵』の「作者の序文」において言明されていた。――「いつも悲劇的なことにひた走る人間の痛々しい貧困と情に脆く信じやすさとを食い物にする、無政府主義の厚かましいペテンにも比すべき気違いじみたポーズを持つ憎むべき一面、つまりその運動の深淵めかした仮面は到底許し難い」[143] と。それと同時に弱者に対しては、ある種の共感を持った作品として描き出す背景には、宿命的にも地理的な環境のために四方から列強の侵略に脅かされ続けてきたコンラッドの祖国ポーランドが置かれた歴史的悲劇と彼自身の生い立ちとがあった。彼は、その生い立ちに由来する非西欧の視点とおよそ20年間に及ぶ船乗り体験によって複眼的な視点を育て、更に、生涯における分岐点となった＜コンゴ体験＞によってその視点を深めた[144]。コンラッドによって深化したアイロニーの視点は、『密偵』の「作家の序文」において次のように明記されている。――「アイロニックな扱いこそ（an ironic treatment alone）、憐憫と同時に侮蔑をも感じていた私がどうしても言っておかなければならない方法なのだ」[145]。

ドストエフスキーは、『地下室の手記』の主人公が抱く疎外感に共感し、ロシア社会に主要な人間だと考え、同時に西欧の思想と懸命に取り組んでいた。地下室の住人が見た「水晶宮」は、ガラス張りの建物では如何なる秘密をも持つ事が出来ぬ徹底した管視社会を描いた恐怖の未来社会の縮図であった。彼は、『悪霊』において民衆の無知さや騙され易さがテロリストの跋扈(ばっこ)を生み出し、それを陰で操る政治思想の持ち主によって利用される危険性を、現代に通じる予言的な言葉で「我々は民衆

に教育の必要をもたらす」[146]と警鐘を鳴らした。それと同時にそこには土壌主義による民衆への教育によって社会のより善い方向性を示唆する現代的意義が問いかけられていた。

　コンラッドは、「500万もの人生を埋没させるに十分な闇」が支配する大都市ロンドンを、欺瞞を表示する「白く塗りたる墓」でもって表現して、無政府主義や無政府主義者を裏から操る政治上の「闇」を、アイロニックな手法を取りながら、自滅へとひた走る無名の人間の痛々しい貧困と情に脆い「騙され易さ」を食い物にする裏に蠢く「闇」を凝視したのである。自らの意思に反して無政府主義者に奉られた善良な一市民の悲劇を短編「無政府主義者」において、そして長編『密偵』において、また21世紀の現代においても通底する不条理な政治的「闇」を見据えて、無数の無力なる人々、単純素朴な人々、そして声なき人々の中からスティーヴィーやウィニーといった人物を選んで、コンラッドは彼らの人生における不安なエピソードを生き生きと表現した。ウィニーが夫のヴァーロックを殺害する時には「洞窟に住んでいた時代の人類の単純な凶暴さ」(the simple ferocity of the age of caverns)[147]が見られたように、文明化したロンドンは一瞬のうちに原始や野蛮に変貌・転化し得るのである。コンラッドは「闇」の深淵に呑み込まれる人間の空しさを、ロンドンのような大都会を背景に活写した。そしてその「闇」は時空を超えて遠くアフリカの奥地に蠢いていたあのポストコロニアル作品の古典だと見做される『闇の奥』において生き生きと表現されているのである。

1　ローマ教皇演説『毎日新聞』2019年11月25日23面。
2　ロンドン橋でテロ、2人死亡『毎日新聞』2019年11月30日1面。
3　＜社説＞米のイラン司令官殺害『毎日新聞』2020年1月7日5面。
4　＜メディア時評＞本多美紀・法政大教授　核抑止論を問い直そう『毎日新聞』

第 8 章 「テロとの戦争」の先駆けと見做されるジョウゼフ・コンラッドの『密偵』

2020年 3 月 5 日 8 面。
5 　非核保有国　強まる不信　米露軍縮軽視で「分断」『毎日新聞』2020年 3 月 7 日 8 面。
6 　「テロとの戦争」が招く真の危険　西谷 修『毎日新聞』2014年 3 月 3 日 6 面。
7 　マイケル・イグナティエフ『許される悪はあるのか？　テロの時代の政治と倫理』添谷育志・金田耕一 訳（風行社、2011年）246頁。
8 　前掲書。252-53頁。
9 　前掲書。251頁。
10 　F.R. Leavis, *The Great Tradition* (Penguin Books, 1967, reprint), p.242.
11 　Owen Knowles & Gene Moore, eds., *Oxford Reader's Companion to Conrad* (Oxford University Press, 2000), p.331.
12 　Peter Lancelot Mallios, "Reading *The Secret Agent* Now: The Press, the Police, the Premonition of Simulation," in Carola M. Kaplan, Peter Mallios, and Andrea White, eds., *Conrad in the Twenty-First Century: Contemporary Approaches and Perspectives* (New York & London: Routledge, 2005), p.155.
13 　マイケル・イグナティエフ『許される悪はあるのか？――テロの時代の政治と倫理』244-45頁。
14 　Peter Lancelot Mallios, "Reading *The Secret Agent* Now: The Press, the Police, the Premonition of Simulation," p.155.
15 　有馬哲夫『アレン・ダレス　原爆・天皇制・終戦をめぐる暗闘』（講談社、2009年） 4 頁、 8 頁。
16 　アレン・ダレス『陰謀の技術』鹿島守之助 訳（鹿島研究所出版会、1965年、第 5 刷）305-06頁。
17 　中薗英助『スパイの世界』（岩波書店、1992年）175-67頁。
18 　オーウェル『オーウェル著作集 IV 1945-1950』鮎沢重光・岡崎康一・小野協一・工藤昭雄・小池滋・河野徹・鈴木建三・鈴木寧・平野敬一 訳（平凡社、1971年）472頁。
19 　オーウェル『オーウェル著作集 III 1943-1945』鮎沢乗光・小野協一・小野二

郎・小野寺建・河合秀和・小池滋 訳（平凡社、1970年）372頁。

20 ドストエフスキー『悪霊（上）』江川 卓 訳（新潮社、新潮文庫、1997年、第32刷）21頁。

21 岩間 徹 編『世界各国史 4　ロシア史新版』（山川出版社、1983年、第3刷）326-27頁。

22 中村健之助 編訳『ドストエフスキーの手紙』（北海道大学図書刊行会、1986年）175-76頁。ドストエフスキー研究者 A・ドリーニンは次のように言っている。――「ドストエフスキーの創作の最も実り豊かな時期である後記全体が、アンナと切り離せない。この利口で事務処理に長け、実際的能力を豊かに持ち、老いの坂に差し掛かったドストエフスキーのために、"安らぎの港"である家庭を築き、作家を金銭的安定の計算や、債権者出版業者相手の悶着などの激しい心労などから解放して、彼の安らかな時間を守ったばかりではなく、その速記術で作家の創作をも援けた。彼女の速記術のお蔭で、作家の仕事のやり方までが大きく変わったのである。『罪と罰』の最終章と『賭博者』から『カラマーゾフの兄弟』、『作家の日記』に至るまで、ドストエフスキーが産みだしたものの全体の半分以上が、アンナの手を通っているのである。そして、しばしば彼女は、ドストエフスキーの作品の最初の批評者の役を果たすことになった。ドストエフスキーはアンナの意見を無条件に尊重し、彼女の率直な芸術的直観を信頼し、数頁にもわたって書き直したり、挿話全体を作りかえたりしたのである。」

　因みに、ドストエフスキーは、なけなしの金を賭博ですべてすってしまって、以後絶対に賭博に手を出さないと誓う手紙（1871年4月28日）を彼女に宛てて出している。――アーニャ、私は土下座する。そして君の足に接吻する。君は軽蔑して当然であり、従って、「あの人はまた博打をするだろう」と考える権利を十分君は持っていることも承知している。もうやらないと、何にかけて誓ったらよいのだろう。私はすでに君を欺いているのだから。しかし、我が天使よ、分かっておくれ、もしもまた私が賭博ですったら君が死んでしまうということを私だって知っているのだ！ 私は気狂いではない。とんでもない！ そんなことになったら自分自身も破滅だということは承知している。もうやらない、やら

第 8 章　「テロとの戦争」の先駆けと見做されるジョウゼフ・コンラッドの『密偵』

ない、やらない！ すぐ帰る！ 信じてくれ。最後だから信じてくれ（傍点はドストエフスキー）。後で悔やむような目にはあわせないから。いまからは君とリューボチカのために、健康なぞ惜しまずに働く。本当だとも、見ていてくれ。生涯そうやって働く。そして念願をとげてみせる！ 君たちを安堵させるとも」（285頁）。実際、彼は心を入れ換えて、執筆に打ち込んで後期の三大作を上梓していた。中村健之助 編訳『ドストエフスキーの手紙』（北海道大学図書刊行会、1986年）。

23 『ドフトエフスキー全集 27　創作ノート（Ⅱ）』工藤清一郎・安藤 厚・原 卓也・江川 卓・染谷茂 訳（新潮社、1980年）書簡＜6＞（『大いなる罪人の生涯』）1870年3月25日、A・N・マイコフへ）272頁。この長編のためにはどうしてもロシアにいなければいけません。第二の長編の舞台が僧院になるからで、ロシアの僧院のことはよく知っているのですが、それでもロシアにいたいのです。

24 前掲書。272頁。

25 ミハイル・バフチン『ドストエフスキーの詩学』（筑摩書房、1995年）15頁。

26 Frederick R. Karl & Laurence Davies, eds., *The Collected Letters of Joseph Conrad*, vol.3 (Cambridge: Cambridge University Press, 1988), p. 326, p. 358.

27 Joseph Conrad, "Author's Preface" *The Secret Agent* (London: Dent, 1972), p.xiii.

28 Joseph Conrad, *The Secret Agent,* p.12.

29 F.R. Leavis, *The Great Tradition*, pp.233-34.　F・R・リーヴィス『偉大な伝統』277-78頁。

30 夏目漱石『夏目漱石全集　第十四巻』（角川書店、1960年）164-65頁。

31 前掲書。21頁。

32 Frederick R. Karl & Laurence Davies, eds., *The Collected Letters of Joseph Conrad*, vol.5 (Cambridge: Cambridge University Press, 1996), p.238.

33 Ibid., pp.237-38.

34 Joseph Conrad, "Preface" *The Nigger of the 'Narcissus'* (London: Dent,

1964), p.ⅷ.

35　ドストエフスキー『悪霊（下）』江川 卓 訳（新潮社、新潮文庫、第28刷、1996年）528頁。

36　Joseph Conrad, *Victory* (London: Dent, 1967), p.410.

37　拙著『流浪の作家　ジョウゼフ・コンラッド——その思想形成の遠景と近景』7.「ジョウゼフ・コンラッドの素顔——「ローマン公」と『勝利』を中心に」（大阪教育図書、2000年）199-234頁。

38　Joseph Conrad, *Youth* (London: Dent, 1967), pp.3-4. 以下、同書からの引用は、本文中（　）内に頁数を示している。

39　Joseph Conrad, *Lord Jim* (Dent, 1968), p.223. 以下、同書からの引用は、本文中（　）内に頁数を示している。

40　瀬藤芳房「Conrad 試論——自己否定の作家」『徳島大学教養部紀要』第七巻（1972年）19頁。

41　Bertrand Russell, *Portraits from Memory* (London: George Allen & Unwin, 1956), p.84.

42　鶴見俊輔「コンラッド再考」『鶴見俊輔書評集成　2　1970-1987』（みすず書房、2007年）98-99頁。

43　同掲書。100-101頁。

44　Joseph Conrad, *Under Western Eyes* (London: Dent, 1971, reprint), p.380.

45　Joseph Conrad, "The Informer" *A Set of Six* (London: Dent, 1949, reprint), p.85. 以下、同書からの引用は本文中に（　）内に頁数を示している。

46　Jocelyn Baines, *Joseph Conrad: A Critical Biography* (London: Weidenfeld & Nicolson, 1960), p.184.

47　Joseph Conrad, *The Nigger of the "Narcissus,"* p.17. 以下、同書からの引用は、本文中に頁数を示している。

48　拙著『流浪の作家　ジョウゼフ・コンラッド』5．ジョウゼフ・コンラッド文学の主題——『ナーシサス号の黒人』を中心に、151-73頁。

49　Joseph Conrad, *The Nigger of the "Narcissus,"* p.172.

50　Joseph Conrad, "A Desperate Tale —— An Anarchist" *A Set of Six* (London: Dent, 1961), p.144. 以下、同書からの引用は、本文中（　）内に頁数を示している。尚、本文中の訳は、間杉 貞 訳『諜報員・武人の魂』（英宝社、1968年）を参照させて頂きました。

51　小野寺健 訳『オーウェル評論集』（岩波書店、1991年、岩波文庫）17-18頁。

52　George Orwell, *Homage to Catalonia*. The Complete Works of George Orwell, vol. 6 . Peter Davison, ed., (London: Secker & Warburg, 1998), p.230.

53　Bernard Oldsey & Joseph Browne, *Critical Essays on Modern British Literature* (G.K. Hall & Co. Boston, Massachusetts: Library of Congress Cataloging in Publication Data, 1986), p.163.

54　Sonia Orwell & Ian Angus, ed., *The Collected Essays, Journalism and Letters of George Orwell*, vol.Ⅳ (London・Secker & Warburg: The Camelot Press, 1969, reprint), p.489.

55　井内勇四郎『比較の視野』（旺史社、1997年）125頁。

56　ジョージ・オーウェル『1984年』新庄哲夫 訳（早川書房、2003年）7頁。

57　前掲書。238-39頁。

58　マイケル・イグナティエフ『許される悪はあるのか？　――テロの時代の政治と倫理』250頁。

59　新村 出 編『広辞苑』（岩波書店、1991年、第四版）1990頁。

60　「ドストエフスキー月報10」（筑摩書房、1967年4月）佐々木孝次「ドストエフスキーとネチャーエフ」4頁。

61　岩間 徹 編『世界各国史4　ロシア史新版』326-27頁。

62　中村健之助 編訳『ドストエフスキーの手紙』（北海道大学図書刊行会、1986年）60-61頁。ドストエフスキーは、1849年12月22日付けの兄ミハイル宛の手紙で次のように死刑執行劇を述べている。――懐かしい友なる兄さん！一切は決まりました！僕はどこかの要塞（トムスク要塞）で4年間の懲役の後、一兵卒とされるという判決を受けました。今日12月22日、我々はセミョーノフスキー練兵場へ連れていかれました。そこで我々全員に死刑の宣告が読み上がられ、十字

架に接吻させられ、頭の上で剣が折られ、最後の身仕舞いをさせられました（白のゆったりとした上着）。それから、刑を執行するために、三人が柱の所に立たされました。三人ずつ呼び出されるので、僕は次に呼び出される組に入っており、残された僕の命は一分以上はなかったわけです。（中略）最後の土壇場になって、止めの太鼓が鳴り、柱に縛られていた者たちが連れ戻され、皇帝は我々に助命を賜るという宣旨が読み上げられたのです。続いて本当の判決がありました。（傍点はドストエフスキー）

63 ドストエフスキー『悪霊（下）』江川 卓 訳（新潮社、新潮文庫、第28刷、1996年）＜解説＞江川 卓、614頁。
64 『ドストエフスキー全集 27』書簡＜1＞253頁。
65 『ドストエフスキー全集 27』書簡＜2＞254頁。
66 『ドストエフスキー全集 27』「1872-75年の手帖より」342頁。
67 『ドストエフスキー全集 27』「1875-76年の手帖より」387頁。
68 佐藤 彰『ドストエフスキーの黙示録――死滅した100年』（朝日新聞社、1993年）109-110頁。
69 前掲書427頁。
70 前掲書。437-38頁。
71 亀山郁夫／リュドミラ・サラスキナ『ドストエフスキー『悪霊』の衝撃』（光文社、2012年）46頁。
72 N.M. Lary, *Dostoevsky and Dickens ―― A Study of Literary Influence* (London and Boston: Routledge and Kegan Paul, 1973), p.110.
73 ドストエフスキー『悪霊（上）』冒頭のルカ伝の一節。
74 前掲書。16頁。
75 前掲書。405頁。
76 N.M. Lary, *Dostevsky and Dickens ―― A Study of Literary Influence*, p.108.
77 亀山郁夫『謎とき『悪霊』』（新潮社、2012年）30頁。中村健之助 編訳『ドストエフスキーの手紙』（北海道大学図書刊行会、1986年）274頁。
78 ドストエフスキー『悪霊（上）』15頁。以下、同書からの引用は、本文中（　）

第 8 章　「テロとの戦争」の先駆けと見做されるジョウゼフ・コンラッドの『密偵』

内に頁数を示している。

79　『悪霊（下）』551-52頁。
80　『悪霊（上）』67頁。
81　『悪霊（下）』545頁。
82　前掲書。540頁。
83　前掲書。544頁。
84　前掲書。124-25頁。
85　ミハイル・バフチン『ドストエフスキーの詩学』226頁。
86　中村健之助 編訳『ドストエフスキーの手紙』271-72頁。
87　亀山郁夫 訳『悪霊（下）』576-79頁。
88　望月哲夫・鈴木淳一 訳『ドストエフスキーの詩学』513頁。
89　ドストエフスキー『悪霊（上）』387頁。
90　亀山郁夫・リュドミラ・サラスキナ『ドストエフスキー『悪霊』の衝撃』（光文社、2012年）60-61頁。
91　『悪霊（下）』131頁。
92　江川 卓・亀山郁夫　共編『ドストエフスキーの現在』（JCA出版、1985年）「角をもった王子──『悪霊』と第三帝国──」小岸　昭、241-42頁。
93　ドストエフスキー『悪霊（下）』580頁、585頁。
94　前掲書。588頁。
95　ドストエフスキー『悪霊（下）』528頁。
96　バフチン『ドストエフスキーの詩学』122頁。
97　『ドストエフスキー全集　27』348頁。
98　小沼文彦 訳『ドストエフスキー未公刊ノート』（筑摩書房、1997年）79頁。
99　前掲書。80頁。
100　大江健三郎・後藤明生・吉本隆明・埴谷雄高『現代のドストエフキー』（新潮社、1981年）140頁。
101　小沼文彦 訳『ドストエフスキー全集　第18巻』（筑摩書房、1983年）167頁。
102　前掲書。「6　メモ・ノート（1872-75）」44頁。

103　前掲書。46頁。

104　小沼文彦 訳『ドストエフスキー全集　4』(筑摩書房、1970年) 58頁。

105　前掲書。103頁。

106　小沼文彦 訳『ドストエフスキー全集　第15巻　書簡集Ⅰ』(筑摩書房、1875年、第 2 刷) 190頁。

107　『ドストエフスキー未公刊ノート』76頁。

108　前掲書。81頁。

109　中村健之助『ドストエフスキー・作家の誕生』(みすず書房、1979年) 161頁。

110　相田重夫『シベリア流刑史──苦悩する革命家の群像』(中央公論社、1966年) 101頁。

111　小沼文彦 訳『ドストエフスキー全集　第17巻　書簡集Ⅲ』(筑摩書房、1975年) 504頁。妻アンナへの手紙。

112　小沼文彦 訳『ドストエフスキー全集　第14巻　作家の日記Ⅲ』(筑摩書房、1991年、第 2 刷) 310頁。

113　Joseph Conrad, "Author's Preface" *The Secret Agent* (London: Dent, 1972), pp.ix-xi.

114　Joseph Conrad, *The Secret Agent*, p.xi.

115　小池 滋『イギリス文学探訪』(ＮＨＫ出版、2006年) 87-88頁。

116　Joseph Conrad, *The Secret Agent*, p.33. 以下、同書からの引用は、本文中（　）内に頁数を示している。尚、本文中の訳は、井内雄四郎 訳『スパイ』(思潮社、1966年) と、土岐恒二 訳『密偵』＜岩波文庫＞（岩波書店、1990年）を参照させて頂きました。

117　英国は伝統的に科学を重要視してきた国である。古くから欧州の中心はイタリアやフランスなど地中海沿岸地域だった。辺境の島国がローマ・カトリック（聖書）の重圧から逃れ、世界に出るには近代科学に頼るしかなかった。英国はアイザック・ニュートン (Isaac Newton, 1642-1727)、チャールズ・ダーウィン (Charles Darwin, 1809-1882) といった英国の科学者が『聖書』に挑戦しているのも故なきことではない。2020年 4 月現在、世界の新型コロナの感染者が200

第 8 章　「テロとの戦争」の先駆けと見做されるジョウゼフ・コンラッドの『密偵』

　　　万人を突破している。英政府は新型ウィルス対策で、「一斉休校せずと発表した6日後に一転して休校を決めた。ちぐはぐな対応だが、どちらも政府首席科学顧問の助言を受けた決定である。科学者の意見を尊重する点ではむしろ一貫している。「一斉休校せず」の発表の際、ジョンソン首相は冒頭8分のスピーチで、「科学」という言葉を5回も使った。独断専行型の首相でさえ科学に頼る。それでも、この国では「もっと科学者の意見を聞け」と批判される。＜金言＞小倉孝保　望遠鏡から見えるもの『毎日新聞』2020年4月17日2面。

118　Joseph Conrad, *The Secret Agent* (London: Dent, 1972), p.33.
119　Ibid., pp.33-34.
120　中野好夫 編『コンラッド』中野好夫「人と生涯」(研究社、1976年) 30頁。
121　Frederick R. Karl & Laurence Davies, eds., *The Collected Letters of Joseph Conrad*, vol. 1 , p.16.
122　小沼文彦 訳『ドストエフスキー小説全集　4』(筑摩書房、1970年) 387-88頁。
123　小沼文彦 訳『ドストエフスキー未公刊ノート』26頁。
124　小沼文彦 訳『ドストエフスキー小説全集　4』372-73頁。
125　ドストエフスキー『地下室の手記』安岡治子 訳 (光文社、2007年) ドストエスキーは1851年のロンドン万国博覧会の折に当時の科学の粋を集めて建設された壮大な殿堂「水晶宮」を連想して、『地下室の手記』の主人公をして「ぺろりと舌を出してそいつを愚弄することが出来ない」(74頁) とそのやりきれなさを逆説として述べさせていた。この逆説は次の一節に明瞭に窺われる。「結局、何もしないのが一番よいのだ！」(75頁)。
126　江川 卓『ドストエフスキー』(岩波書店、1984年) 194頁。
127　井内雄四郎 訳『スパイ』(思潮社、1966年) 267-68頁。
128　Frederick R. Karl, *Joseph Conrad: The Three Lives* (London: Faber & Faber, 1979), p.40.
129　Irving Howe, *Politics and the Novel* (Meridian Books, New York, 1957), p.87.
130　Joseph Conrad, *Under Western Eyes* (London: Dent, 1971), p.67.　以下、同

書からの引用は、本文中（　）内に頁数を示している。

131　Joseph Conrad, "Author's Note" *Under Western Eyes*, p.ix.
132　Joseph Conrad, "Autocracy and War" *Notes on Life and Letters* (London: Dent, 1949), p.99.
133　Frederick R. Karl & Laurence Davies, eds., *The Collected Letters of Joseph Conrad*, vol.3, p.491.
134　前掲書。491頁。
135　Joseph Conrad, "Author's Preface" *The Secret Agent*, p.xiii.
136　Frederick R. Karl & Laurence Davies, eds., *The Collected Letters of Joseph Conrad*, vol.5 (Cambridge: Cambridge University Press, 1996), p.239.
137　ジョルジュ・サドゥール『チャップリン』鈴木力衛・清水 馨 訳（岩波書店、1972年）202頁。
138　チャップリンへの言及は、『言語文化研究』第22号（2015年）所収の拙稿「チャールズ・ディケンズとジョウゼフ・コンラッドの視点——『ピックウィック・ペーパーズ』と『闇の奥』を中心に」30-32頁を参照されたい。
139　テリー・イーグルトン『テロリズム 聖なる恐怖』大橋洋一 訳（岩波書店、2011年）199頁。
140　Joseph Conrad, *The Secret Agent*, p.311.
141　コンラッド『密偵』土岐恒二 訳、451頁。
142　Joseph Conrad, *The Secret Agent*, p.xii.
143　Ibid., p.ix.
144　拙著『新編　流浪の作家ジョウゼフ・コンラッド』第八章　宮崎アニメとコンラッド文学、237-312頁。
145　Joseph Conrad, "Author's Preface" *The Secret Agent* (London: Dent, 1972), p.xiii.
146　『ドストエフスキー全集 27』「1875-76年の手帖より」390頁。
147　Joseph Conrad, *The Secret Agent*, p.263.

第9章　戦争・テロとジョウゼフ・コンラッドの文学
——短編「エイミィ・フォスター」と　　　　　　中編『闇の奥』を中心に——

はじめに

　2020年1月、米科学誌が、人類滅亡までの時間を示す「終末時計」の針を20秒進め、史上最も短い残り100秒と発表した。トランプ米国大統領が一方的に破棄を宣言した中距離核戦力（INF）全廃条約が昨年失効し、米国は「使える核兵器」として原子力潜水艦への小型核兵器の実践配備を完了した。ロシアも新型核ミサイルを配備するなど、「核の軍事利用」拡大は歯止めを失ったかのようである[1]。ポンペオ米国務長官は2020年5月21日、声明を発表し、締結国間が相互に上空から査察できる「オープンスカイズ（領土開放）」条約から離脱すると宣言した。イラン核合意や中距離核戦略全廃条約から離脱して国際的な軍事管理の枠組みに背を向けるトランプ米政権の姿勢が改めて鮮明になった[2]。

　2008年12月14日に開催された関西大学英文学会第4回大会におけるシンポジウムの論題提起の趣旨は、「9・11同時テロ、イラク戦争以後、現代の流れとして＜戦争＞が文学研究の新たなテーマとしてクローズアップされている。死と対峙する＜戦争＞は、人間を極限状態に置くため、人間の本質を浮かび上がらせ、実存の問題を提示して、文学に多大な影響を与える」というものであった。スウェーデンのストックホルム国際平和研究所（SIPRI）は、2020年4月27日、2019年の世界の軍事費（支出、一部推計値）が前年比3.6％増の1兆9170億ドル（約206兆780億円）だったと発表した[3]。世界全体の推計値が残る1988年以降の最高額を更新。年間の増加率も10年以降で最高だった。世界各国で戦争・テロのリスクが高まっている現状を鑑みて、上記の趣旨に基づき「人間を戦争というくびきから解き放つことは出来るのか」という新たなアプロー

チから、戦争の問題解決に向けて新たな光を希求する「ラッセル・アインシュタイン宣言」を視野に入れて、コンラッド文学のルーツ作品である「エイミィ・フォスター」（"Amy Foster"）とジョウゼフ・コンラッド（Joseph Conrad）の思想の中核を成す『闇の奥』（*Heart of Darkness*）を中心に、比較文学の視点から「あるべき人間とは何か」という普遍的命題を提示するコンラッドの文学を考察していきたい。

I　戦争とテロのリスクの現状分析

　2016年4月27日の『毎日新聞』に次の記事が掲載された。──「2016年4月に4.3光年離れたケンタウルス座アルファ星を目指す超高速の宇宙線を開発し、20年で到達させるという壮大な計画が発表された。この考案者である宇宙物理学者であるスティーヴン・ホーキング（Stephen Hawking）博士が、最近、地球の未来に対して悲観的である。太陽の寿命とか気候変動とかではなく、人類自らの行いがどうやら不安らしい。「貴方が最も正したいと思う人間の欠点は何か？」との問いに、博士は「攻撃性だ」と答えたという事を英紙インディペンデントが2015年2月に報道した。「洞窟で暮らしていた時代、攻撃性は生き延びる上で有益だったが、今では自らを破滅させる恐れがある」とも語っている。また、2016年1月の英紙ガーデアンによると、「科学と技術の進歩で、人類はかつてない人為的な大災害の危険にさらされている」と警告した[4]。具体的な脅威として、核兵器が挙げられている。博士が言う「攻撃性」は異質なものへの拒否に、高じては領土拡張の植民地主義への戦争に繋がり、今やテロや人類絶滅に繋がる核戦争にまで拡大している。
　2020年は、核軍縮を核保有国に求めた核拡散防止条約（NPT）発効から50年を迎え、広島・長崎への原爆投下から75年の節目でもある。しかし、トランプ米政権の発足で事態は深刻化している。政権が18年にま

第 9 章　戦争・テロとジョウゼフ・コンラッドの文学

とめた「核体制の見直し」（NPR）は、通常兵器やサイバー攻撃などの脅威に対しても、核兵器を抑止力として使う事を打ち出した[5]。具体的には米国は、「使いやすい核兵器」とされる小型核を搭載した潜水艦発射弾道ミサイル（SLBM）を配置した。小型核の実戦使用を見据えるロシアに対抗したものだが、専門家からは「核戦争を招く危険が増した」と批判が強い。米露両国はいずれも6000発以上の核兵器を保有、全世界の9割以上を占める[6]。米露間の核戦力制限条約は相次いで失効し、唯一残る新戦略兵器削減条約（新START）も、期限切れまで1年を切った。4月末には「核兵器なき世界」の重要性を再確認する場になる事が期待されていた核拡散防止条約の再検討会議が予定されていたが、新型コロナウイルスの世界的な感染拡大によって延期となった。新型コロナの不安と共に核軍拡競争が始まる懸念が高まっている。

　人類史上最悪の殺傷能力を持つ核兵器を保有した国同士が互いに傷つく事を恐れてその使用を思いとどまる、いわゆる核抑止という考え方には、大いに疑問符が示される。核兵器を保有する国が核を手放さず優位に立ち、それに対抗するためには核開発を進める道しかないと信じ込んでいる国が存続している現状において、核兵器禁止条約に結実した「間違った兵器」という考え方に立たない限りにおいて地球上から核兵器はなくならないであろう。人間の分際を超えた核のゴミ処理問題もまた然りである。

　ストックホルム国際平和研究所（SIPRI）は、2017年7月3日、米国やロシアなど核保有国9カ国が保有する核兵器の数に関する報告書を公表した。それによると、世界の核兵器総数を昨年比460個減の1万4935個と推定。減少が続く一方で各国とも核技術の高度化に注力しており、「近い将来に核を手放そうとしている国はない」[7]と述べている。そして現在、世界各地でテロが頻発しており、テロリストの手に核兵器が渡る可能性も否定できない。このような現状下でトランプ米国大統領は、2017年12月6日、エルサレムをイスラエルの首都と宣言し、テルアビブ

にある米国大使館のエルサレムへの移転準備に着手するよう指示し、2018年5月14日、在イスラム大使館を商都テルアビブからエルサレムに移転した。必然的に東エルサレムを首都として国家樹立を目指すパレスチナ自治政府をはじめ、アラブ諸国は即座に猛反発している。これに便乗したテロが各地で起きる事も懸念される状況である。事実、東エルサレムを将来の独立国家の首都と想定するパレスチナは猛反発しており、パレスチナ自治区ガザでは14日、大規模デモがイスラエル軍との衝突に発展し、多数の死傷者が出ている。14日はイスラエルの建国日であるが、15日はそれに伴い大勢のパレスチナ難民が発生した「ナクバ（大惨事）の日」となる[8]。パレスチナ側は更なる抗議デモを予定している。中東のアラブ諸国のみならず欧州などの国際社会は、今回の決定が中東和平交渉再開を困難にすると反発している。批判は東南アジアのイスラム諸国にも広がるなど拡大する様相を呈している。エルサレムは国際的にはイスラエルの首都とは認められていない。トランプ米政権による多大な後押しを背景に、イスラエルのネタニヤフ政権は2018年7月の国会で「ユダヤ人国家法」を可決し、ユダヤ人のみが「民族自決権を持つ」とするなど、ユダヤ人の優位色をより強めた[9]。この新法でさらに懸念されるのは、ユダヤ人入植者の発展を「国家的価値」と位置付け、建設の促進を唱えている事である。中東和平の前途は益々懸念される。国連は今月、ほぼ壊滅状態に陥ったとされていた過激派組織「イスラム国」（IS）の戦闘員がシリアとイラクに依然として計2〜3万人残っており、今もシリア東部の一部を支配し、現地で産出される原油を密売していると報告している。またISは現在もテロを続けており、「数千人の外国人戦闘員」もいるという[10]。テロのリスクは世界各地に拡散し、留まる兆しを見せていない。

　しかし展望はある。米世論は変化している。政権に批判的な報道を「フェイク（偽）ニュース」と決めつけ、意に沿わぬメディアやジャーナリストを容赦なく「民衆の敵」と呼ぶトランプ大統領を批判する社説

を、米350紙が2018年8月に一斉に掲げた[11]。米紙ニューヨーク・タイムズ（電子版）は同月5日、トランプ大統領の存在を「問題の根源は、大統領に道徳観念が欠如していることだ」と指摘し（傍点は筆者）、国を誤らせないため政権の内部「抵抗勢力であり続ける」と宣言する匿名の政権幹部の寄稿文を掲載した[12]。タイムズ紙は政治任用官であるこの高官の素性を把握したうえで、職を追われるおそれを考慮して匿名に踏み切ったとした。米連邦準備制度理事会の統計（16年）によれば、富裕層の上位1割が米国内の総資産の77.2％を保有し、残る22.8％の資産を9割の国民で分け合う状態である[13]。米国社会を支えてきた中産階級が縮小しているのは明白になっている。2016年大統領候補者選びでバーニー・サンダース上院議員に現状打破を期待した若者たちの存在もある[14]。2020年6月現在、11月の米大統領選に向けた野党・民主党の候補者指名争いで穏健派のジョー・バイデン前副大統領が決まっているが、彼の脳裏にはサンダース氏の大きな存在がある。サンダース氏の強みは、格差是正の訴えに共鳴する若者の強固な支持を基盤に、選挙に足を運ぶ事の少なかった人種的少数派に浸透する力である。打倒トランプに向けコアリション（連合）構築を急ぐバイデン陣営。脳裏にあるのは、2016年の前回大統領選の苦い教訓だ。クリントン元国務長官が党候補指名を獲得した事に、最後まで争ったサンダース氏の支持者が反発。党内の亀裂を抱えたまま突入した本選では、サンダース派の多くがクリントン陣営への協力を拒否し、結果的にトランプ政権誕生の一因になったからである[15]。

2015年のノーベル文学賞が、スヴェトラーナ・アレクシエービッチに授与された。彼女は、ベラルーシの作家・ジャーナリストで、チェルノブイリの事故や戦史を、そして第一作の『戦争は女の顔をしていない』[16]以来、市井の人々の心の声や小さな記憶を集めて原発事故や戦争の実像を伝えるドキュメンタリーを書き続けている。ノーベル賞の授賞理由に「現代の苦痛と、それを乗り越える勇気の記念碑のような、多様

な声を集めた著作」[17] を挙げている。2017年のノーベル平和賞には、同年7月に国連で採択された核兵器を違法とする核兵器禁止条約の成立で「主導的役割を果たした」として、核兵器廃絶国際キャンペーン（ICAN）が授与された。核兵器を保有する大国の反対をはねのけて採択に至ったのは、ICANなどのNGOが被爆者と手を取り合って積極的に交渉会議に参加し、『核なき世界』という理想の実現に向け非核保有国を動かしたためである[18]。

更に2017年度ノーベル文学賞受賞者に、英国人の作家、カズオ・イシグロ（Kazuo Ishiguro）が決まった。文学の力を信じる彼は、同年12月6日、ストックホルムのスウェーデン・アカデミーでの記者会見において「今、社会のあちこちで分断が深まっている。ノーベル賞は、人間が如何にして高みに達するかと、人々が融合できるかどうかとを問うものだ。暗いムードを少しでも塗り替え、世界の分断を埋める仕事ができればうれしい」[19] と力説した。翌7日のノーベル賞記念講演においては、欧米の政情不安や、相次ぐテロにも言及して「前進し続けていると信じていた人道主義的な価値観は幻想だったかもしれないと思う」とした上で、「危険なまでに断絶が深まっている今こそ、お互いの声を聴かねばならない。良いものを書き、良いものを読むことで、私たちを隔てる壁を打ち壊すことが出来る。まだ文学が重要だと信じている。不確実な未来に重要な役割を担うためには、私たちはより多様にならねばならない」[20] と述べて、文学者としての決意を示した。2009年2月、村上春樹がイスラエルのエルサレム賞の授賞演説で行った「壁と卵」のメタファー（隠喩）が想起される[21]。

そしてイシグロは、10日のスピーチにおいてノーベル賞受賞者と同じ国の人々が誇りを感じるのは「仲間の一人が人類共通の努力に意義深い貢献をしたことを知るからだ」と述べ、ノーベル賞で呼びさまされる感情は人類に調和をもたらす、と強調した[22]。このイシグロを念頭に置いて美智子皇后（現上皇后）は、83歳の誕生日に文書で今回のノーベル平

和賞について次のように述べられている。──「文学賞は日系の英国人作家イシグロ・カズオさんが受賞され、私がこれまで読んでいるのは一作のみですが、今も深く記憶に残っているその一作『日の名残り』の作者の受賞を心からお祝いいたします。平和賞は、核兵器廃絶国際キャンペーン「ICAN」が受賞しました。核兵器の問題に関し、本当にながい年月にわたる広島、長崎の被爆者たちの努力により、核兵器の非人道性、ひと度使用された場合の恐るべき結果等にようやく世界の目が向けられたことには大きな意義があったと思います。そして、それと共に、日本の被爆者の心が、決して戦いの連鎖を作る「報復」にではなく、常に将来の平和の希求へと向けられてきたことに、世界の目が注がれることを願っています」[23]。カズオ・イシグロは、ICAN のノーベル平和賞にも触れて「私たちは冷戦が終われば世界が平和になると思っていたが、実際はより危険が増している。だからICANの受賞は喜ばしい」[24]と語っていた。

II コンラッド文学のルーツ作品である「エイミィ・フォスター」と彼の思想の中核を成す『闇の奥』へのプロローグ

ジョウゼフ・コンラッドの文学は、人間をある極限状態に配置して人間の本質を明らかにし、「如何に生きるべきか」という人間の実存を真摯に探究するものである。しばしば海洋作家と言われてきたコンラッドであるが、海の回想記『海の鏡』(*The Mirror of the Sea*) に収めた「船乗りとしての開眼」("Initiation") において述べているように、「海は人間の労苦と勇気に冷たく無関心で、それに対処する立派な船乗りを、悲惨な境遇に陥れた。もはや船乗り生活に対する幻想は無かった。私はやっと本当の船乗りになった」[25]と若き日の海に対するロマンチックな想いから抜け出た人生体験を述懐していた。コンラッドは、「青春」("Youth")や「台風」("Typhoon")をはじめとする「船乗りもの」

と言われる作品において、人間を極限状態に置いて、難局に対処する船乗りの勇気と誠実さの中に人間のあるべき本質の一端を生き生きと描き出している。木宮直仁教授は、次のように述べている。──「若かった頃海に対してロマンチックな思いを抱いていた彼は、海を擬人化して描きながら、人間と船に対する海の残酷さに目覚めさせられた体験を吐露する。海は決してロマンチックな存在ではなく、残酷な専制君主のごとく、無責任な権力意識に取り憑かれ、隙あらば絶えず難破と溺死を狙っている存在なのだ。このように自然そのものの中に原始的な暗い深淵を覗き込む目は、人間の心の中の暗い闇を見詰める作者のもう一つの目と相まって、人間の極限状況を描き出すコンラッド文学の一つの特徴となっている」[26]。

コンラッドの初期の小説は、海洋が舞台であるが、主題はそこで演じられる人間の切迫したドラマであった。中期の政治や革命が舞台の作品でも、政治そのものではなく、それぞれの状況下で翻弄され、疎外され、崩壊していく人間が生き生きと描き出されていた。全く奇妙な事に、そして運命的に、正真正銘のポーランド人であるコンラッドは、公には一度もポーランド人であった事はなかった。1857年に生まれた時は帝政ロシアの臣民であり、1886年に英国に帰化し、1889年にはじめてロシア帝国臣民の義務が消滅する。以後彼は英国人として生き続けその生涯を1924年に英国で閉じている。

「エイミィ・フォスター」は、彼の祖国への帰属意識の葛藤を異文化の「言葉」による悲劇として自伝的色彩の濃い劇的なコンラッドのルーツ作品となっている。主人公のヤンコー（Yanko）は、ヨーロッパ中部からアメリカに行く貧しい移民で、嵐のために英国のとある海岸周辺で難破した「漂着者」である。彼は異国に漂着して「言葉」も通じないので、白眼視され、異端視されて孤独の中で破滅する。ヤンコーの孤独は、単に例外的な異邦人の不運な偶然ではない。国籍や時代を超えて存在する人間の内に潜む孤独である。作者の眼は人間の根源的な孤独へと

第9章　戦争・テロとジョウゼフ・コンラッドの文学

突きぬけている。ここに提示されているその根深い祖国喪失性は、ヤンコー一代だけに留まらずその子にまでも及ぶ。「客観的自己洞察と人間心理を心得た」医師ケネディ（Kennedy）が指摘する「親子二代に亘っての不条理な罠や網にかかったヤンコー」の宿命的な不条理は、コンラッドの出生に、更に遡って彼の父や親兄弟や祖父にまで遡る。

父アポロ・コジェニオフスキ（Apollo Korzeniowski）は1861年ワルシャワで反ロシア蜂起のリーダーとして立ち上がり、ロシア当局に逮捕され妻エヴァ、息子コンラッドと共に北ロシアに流刑になる。コンラッド5歳の時である。そして彼の両親は流刑地で亡くなる。祖父は反ロシア蜂起へ参加する途上で落命し、アポロの兄弟のうち兄は戦死し弟は流刑を課せられた。

9世紀ピアスト王朝に始まるポーランド王国は、一次（1772年）、二次（1793年）、三次（1795年）に亘って分割されていた。1919年6月28日、パリ講和会議におけるベルサイユ条約によって独立が正式に承認されるまで、ポーランドは独立の夢と被占領の現実との狭間に引き裂かれていた[27]。しかしポーランド人は、「われら生くる限り、ポーランドは滅びず」と国歌に謳われている如く、「不死鳥の民族」であり、この自覚は祖国への求心性を表している。しかも、故瀬藤芳房教授のご指摘にあるように「現実に祖国ポーランドへ「回帰」能わざるが故に、その願望は一層切なく激しいもの」[28] となっている。

コンラッドと同様にヤンコーもまた祖国への回帰が出来なかった。「エイミィ・フォスター」は悲劇的な歴史を有する祖国ポーランドを背景にした流浪の作家ジョウゼフ・コンラッドのルーツ作品である[29]。

一方、『闇の奥』は、コンラッドが、「コンゴに行くまでは、私は動物に過ぎなかった。」[30] というほど生涯における分水嶺となった＜コンゴ体験＞に基づくものであり、人間の心の奥に潜む「闇」の恐怖に遭遇した体験を語る人間存在の根本を洞察した作品である。コンラッドが『闇の奥』において頻用した「恐怖だ！」という状況は、21世紀の現代にお

いても世界中に満ち溢れている。エドワード・サイード（Edward Said）は、ブッシュ政権時代の「テロとの戦争」でアメリカ的価値の名の下で起きている残虐行為の隠れ蓑を提供しているメディアに相対していた。彼は、コンラッドの『闇の奥』の一節を引用して、「コンラッドが言うように『地上の征服は … よくよく見れば汚いこと』なのです。それは『低い鼻』を持ち皮膚の色が濃い連中から土地を奪い取ることなのです。──コンラッドの時代の帝国主義の理論的根拠は、＜白人の責務＞であり、＜文明化の使命＞でした。現在では、それは＜テロとの戦争です＞」[31] と言明している。コンラッドは、『闇の奥』の核心を、「アフリカを文明化する仕事に取り組む際の非効率性と全くの利己主義とが生み出す犯罪行為」[32] であると指摘していた。

　『オリエンタリズム』（*Orientalism*）において、文学と芸術における表象が政治的経済的支配関係との不可分を主張したサイードは、9・11テロ事件を、「西洋とイスラムの対立ではなく」（"Islam and the West are Inadequate Banners"）と題して、『オブザーバー』紙（*The Observer*）2001年9月16日号において述べている。

　──「これはテロとの戦争だと、だれもが口にする。しかしこの戦争はどこで行われるのか、どこに前線があり、どのような目的を目指しているのかという問いには、だれ一人答えない。中東とイスラムが＜我々＞の敵であり、テロを撲滅しなければならないというだけなのだ。（中略）いま必要なのは、この状況を理性的に理解することだ。ジョージ・ブッシュとそのチームがやろうとしているように、太鼓をたたいて人々の戦意を高揚させることではない。（中略）宗教的な原理主義や道徳的な原理主義の困ったところは、革命や抵抗について素朴な考え方を抱くようになること、自ら進んで人を殺したり、人に殺されても構わないと考える傾向があることだ。こうした考え方が先進的な技術と結び付くと、人々を怯えさせる行動に喜びを感じるようになりやすい。（中略）賢い指導者たちであれば、教育と、大衆の動員と、地道な組織活動によっ

て、大義を実現しようとするだろう。しかし貧しく、絶望した人々は、今回のテロのように、宗教的なはったりとたわごとで仮装した魔術的な思考方法と、手早い血なまぐさい解決策へと誘い込まれがちなのだ。いかなる大義によっても、いかなる神によっても、いかなる抽象的な理念によっても、罪のない民を大量に殺害することを正当化することなどできないというのに」[33]。

　21世紀に入って戦争の基本的形態は「テロとの戦争」になっている。それは国家間の戦争ではない。「見えない敵」を想定して国家が軍事行動を展開しているのである。「敵」は外国ばかりでなく国内にも想定され、監視や予防の網の目が張られている。学校の更衣室やトイレを含め全国で590万台以上が設置され、行き過ぎた監視社会とも言われる英国[34]。監視社会への警告を続ける英国非政府組織「ビッグ・ブラザー・ウォッチ」のピクルス代表は「短期的には犯罪防止の長所はある。ただ、犯罪の度(たび)にさらにカメラが必要になり、プライバシー侵害が進む」[35] と警告している。ビッグ・ブラザーを頂点とする徹底した管視社会の恐怖は、英国作家のジョージ・オーウェル（George Orwell）が、既に『1984年』（*Nineteen Eighty-Four*）において生き生きと表現していた。鈴木大拙は、『東洋的な見方』に収めた「東洋学者の使命」において、オーウェルの『1984年』やオルダス・ハックスレイ（Aldous Huxley）の『すばらしい新世界』（*Brave New World*）[36] などの予言を念頭に次のように警鐘を鳴らしている。

　——「人工受胎などということが、実際に行われて、それから生まれ出た人間も、いくらかあるときく。西洋的な物の見方からすると、科学は人間をしてますます科学的、物理的、化学的産物に他ならぬようにするに決まっている。世界全般がすでに人間に関する一切の事業を工業化し、機械化し、概念化し、平等化し、組織化しを図らんとしている。オーウェルやオルダス・ハックスレイなどの考えている社会は、予想するより、もっとはやく実現するかもしれぬ」[37]。

Ⅲ 人間を戦争というくびきから解き放つことは
出来るのだろうか？

「人間を戦争というくびきから解き放つことは出来るのだろうか？」[38]。これは、1932年7月30日にアルバート・アインシュタイン（Albert Einstein）が当時最も意見を交わしたいと思ったジグムント・フロイト（Sigmund Freud）[39] に宛てた手紙の一節である。また精神分析学の創始者フロイトが持つ人間の衝動に関する深い知識を頼りとして、戦争の問題解決に向けて新たな光を求めるアインシュタインの切なる問いかけでもある。まずフロイトは戦争と平和に対する自身の考えを次のように述べている。

——「幾世紀もの間、国際平和を実現するために、多数の人が真剣な努力を傾けて来ました。しかし、その真摯な努力にも拘らず、いまだに平和が訪れていません。とすればこう考えざるを得ません。人間の心自体に問題があるのだ。人間の心の中に、平和への努力に抗う種々の力が働いているのだ。（中略）なぜ少数の人たちがおびただしい数の国民を動かし、自分たちの欲望の道具にすることが出来るのか？（中略）人間には本能的な要求が潜んでいる。憎悪に駆られ、相手を絶滅させようとする要求が！ 破壊への衝動は通常心の奥に眠っています。 … これこそ、戦争にまつわる複雑な問題の根底に潜む問題です。人間の衝動に精通している専門家の手を借り、問題を解き明かさねばならないのです」[40]。

この書簡が交わされた翌年、ナチズムが生まれアインシュタインは米国に、フロイトは1938年6月、ナチスのユダヤ人狩りによってロンドンに余儀なく亡命させられた。

フロイトはアインシュタインとの問いに次のように応じている。

——「人間を戦争というくびきから解き放つために、今何が出来るの

か？ 貴方は自然科学者や物理学者として問題を提起したのではない。人間を愛する一人の人間として、国際連盟の呼びかけに応え、この問題を投げかけたと思い至りお応えします」(26)。「精神分析の神話的な衝動理論からすれば、人間がすぐに戦火を交えてしまうのが破壊衝動のなせる業だとしたら、その反対の衝動を呼び醒ませばよい。**人と人との間の感情と心の絆**です。人間の社会を力強く支える**一体感や帰属意識**によって生み出されるものです（ゴシック体は筆者）」(50-51)。「心理学的な側面から眺めた場合、文化が生み出す最も顕著な現象は二つです。一つは、知性を強めることです。そして知性は衝動をコントロールし始めます。二つ目は、攻撃本能を内に向けることです。好都合な面も危険な面も含め、攻撃への衝動が内に向かっていくのです。（中略）戦争への拒絶は、単なる知性レベルでの拒否や単なる感情レベルの拒否ではないと思われるのです。戦争への拒絶、それは平和主義者の体と心の奥底にあるものが激しい形で外に現れたものなのです。文化の発展が生み出した心の在り方と、将来の戦争がもたらすとてつもない惨禍への不安——この双方が近い将来戦争をなくす方向に人間を動かしていくと期待できるのです」(57-58)。

　この両者の往復書簡を読んだ、生物多様性の重要性を訴えるために「地球生きもの応援団」を造った養老孟司は、「戦争と攻撃性」について、動物行動学者コンラート・ローレンツ（Konrad Lorentz）を援用して述べている。

　——「攻撃性とともに攻撃性を発揮しなくなるのは、生物が自然のエコロジーから外れた時であり、まさにそこにこそ工業化した人間の生存にかかわる問題があるのだということを、すでに考えていた人が他にあっただろうか」[41]。更に、「人の攻撃性が生得的であろうとなかろうと、武器の進化は、戦争のヴァーチャル化の歴史だった。手作りの武器で相手と相対している時には、相手を殺すのは容易ではない。相手に対する感情が優先するからである。ローレンツ流にいうなら、そこでは生

得的にセットされた抑止力が機能する。ナイフや刀がそれに相当する。弓矢なり、鉄砲になれば、相手が次第に不特定になる。更に爆弾となると、相手はもはや見えない。ミサイルであれば、まさにテレビ・ゲームそのものであろう。つまり抽象化すればするほど、残虐なことが「普通の人」に可能になる」[42]。

　人を殺せば血を見るし、相手の断末魔の苦しみを見る。するとPTSD（心的外傷後ストレス障害）に襲われるからなるべく戦士のトラウマを軽減するために遠隔操作で事が果たせるような兵器が開発される。無人暗殺機ドローンの登場などその究極の姿である[43]。平和を願う退役軍人の会・ホームレス作業部会長ジャック・ドキシー氏は帰還兵のPTSDの苦悩について指摘している。

　――「集団で行動していると、個人のアイデンティティを失う。帰還した時に初めて、軍隊で自分が犯した倫理を考える。軍隊では人を殺すといった道徳に背く事をするのだ。多くの帰還兵は心的外傷ストレスに苦しみ、人格が変わる。仕事も長続きせず、路上生活に陥ってしまう。（中略）ホームレスの退役軍人が示すように、その後も苦悩は続き、決して消え去ることはないのだ」[44]。

　2015年、無線操作で飛行する無人戦闘機ドローンによる対テロ戦争を描いたアメリカ映画『ドローン・オブ・ウォー』（アンドリュー・ニコル監督）が上映された。主人公のトミー・イーガン少佐は、紛争地域でのテロリストの監視や爆撃などに携わるパイロットである。しかし実際の任務は、ラスベガスの空軍基地に設置されたエアコンの利いたコンテナの中でモニターを見ながらドローンを遠隔操作し、クリック一つで標的物を殺害するだけである。一日の任務を終えれば家族の待つ家に帰りバーベキューを楽しむ。かつて有人戦闘機で身の危険を常に感じながら出撃していたトミーは、そんな実感のない戦争の中で心を病み始める。最先端の戦争に詳しい京都産業大の岩本誠吾教授は、映画を観終わった感想を述べている。

第 9 章 戦争・テロとジョウゼフ・コンラッドの文学

——「近未来ではなく、現実の戦争は今ここまで来ているんです。(中略)攻撃されるという確実な情報があれば先に攻撃する『先制自衛』は国際法上認められているが解釈は難しい。『テロリストにやられる前に報復する』という米国の論理は拡大解釈と言わざるを得ない。20年後はドローン対ドローンになる。無線の電波を乗っ取れば、テロリストがドローンをハッキングする恐れだってある。そうしたらどうなると思いますか」[45]と警鐘を鳴らす。

2015年、世界の株の動向を示すMSCIワールド指数は2％安とさえない動きの中にあって、防衛大手の伊国フィンメカニカは57.6％、仏国タレスは46.9％と驚異的な急伸ぶりである[46]。防衛業界では無人の輸送車や戦闘機の開発競争が活発で、今後さらなる成長の加速が予想されている[47]。

ドローンなども使い方を一歩誤れば殺人ロボットに容易に転嫁される。国際人権団体「ヒューマン・ライツ・ウォッチ」(HRW)日本代表の土井香苗氏は次のように述べる。

——「殺人ロボット禁止の理由は大きく二つある。第一に、100パーセント間違いのないコンピュータープログラムなど実現するはずがないということ。兵士と民間人とを区別するAI（人口知能）の精度が低ければ、誤射や誤爆が生じる。人間が法律に違反した場合には責任を問う体制があるが、ロボットは裁判にかけられても痛くもかゆくもない。責任を問えないなら、法律の執行力は生まれない。それが第二の反対理由だ。HRWは殺人ロボットが犯した罪について、製作者やプログラマー、戦場に投入した人などのあらゆる責任を検証したが、今の法体系では問うことが出来ないという結論を出している。100年以上にわたり、様々な人の努力で、様々な規制の網が掛けられてきた。脈々と築き上げられた国際人道法の枠組みを台無しにしてしまうのが殺人ロボットだ」[48]。

ドローンへの様々な恐怖が現実となった。2018年8月4日、南米ベネゼエラの首都カラカスで反米左派マドゥロ大統領を狙ったとされる小型

無人機「ドローン」攻撃があった。ドローン使用によるテロは世界中で警戒されており、米紙ニューヨークタイムズは、「国家元首に対するドローンによる初の暗殺未遂とみられる」[49]と報じた。

21世紀の人間社会を根本的に変える可能性のある人工知能（AI）が兵器と一体化した時に世界はどうなってしまうのか。それを真剣に考えねばならない段階に入った。AI兵器の開発・使用に関する国際ルール作りを話し合う国連の専門家会合がスイスのジュネーブで始まった。議題となっているのは、人間が関与せずAIの判断で人を殺傷する「自立型致死兵器システム」（LAWS）をいかに規制するかである。人の殺傷をためらう人間的な感情を持たない「殺人ロボット」の登場が戦争の様相を大きく変容させかねない。AI兵器が火薬、核兵器に続く、戦争における「第三の革命」と言われる所以である。為政者にとってはAI兵器を前線に投入する事で自国兵士の死傷を避けられる。その分、戦争を始めるハードルが下がる懸念がある[50]。

「武器の進化は、戦争ヴァーチャル化の歴史だった」というテーゼが、SFの古典とされる『2001年宇宙の旅』によって映画化されている。人類と文明の未来を危惧したスタンリー・キューブリック（Stanley Kubrick）監督は、その冒頭、謎の漆黒の物体モノリスに触れた猿人が、道具の使用と肉食の味を覚え、一気に狂暴化するシーンを映像化していた。この発想は、南アフリカで猿人アウストラピテクスを発掘した人類学者レイモンド・ダート（Raymond Dart）の仮説に依拠している[51]。ダートは、猿人化石と共に石器が多数見つかった事から、無力な類人猿が石器の武器を手にした事で人類進化が加速されたという仮説を提唱した。「キラーエイプ」と呼ばれるこの仮説による攻撃性は、人類の本能として残っているようだ。

第9章　戦争・テロとジョウゼフ・コンラッドの文学

IV　戦争記録としての『俘虜記』への考察

　戦場にあっては敵兵を殺すか殺されるかの瀬戸際にある人間の心理を文学で以って描き出した大岡昇平（1909-1988）は、「アンチ・ヒューマンな戦場にありながら、その瀬戸際に達した時、人間性が戻って来た驚きから、私の戦争記録の『俘虜記』（1948）は出発している」[52]と述べて、最後の個人的な心情の中に希望を見出す。

　『俘虜記』の中に次の一節がある。——「『他人を殺したくはない』というわれわれの嫌悪感は、おそらく『自分が殺されたくない』という願望の倒錯したものにほかならない」[53]。

　保阪正康氏はこの嫌悪感について次のように述べている。

　——「この嫌悪について、大岡は、これは「平和時の感覚」であり、すでにこう考えた段階で兵士ではなくなっていたというのだ。フィリピンの山中でアメリカ軍の攻撃を避けながら徘徊する自分は、独りになったことを自覚したとも書いている。いうまでもなく、死が怖いとか死を免れたいというのではない。とにかく銃を「射つまい」と決めたときを起点として自らの「死」を戦時の状況から切り離したと思えるのだ」[54]。そして、「戦場体験というのはそれだけ作家に対して、きわめて根源的なテーマに出会わせるとともに、『俘虜記』を純文学に昇華させた因(もと)といえるのではないか」[55]と結論付けている。

　亀井勝一郎は、この作品について「敗戦の孤島における死との対決を主要テーマとし、外部の異常変化と、それが心理に投影する刻々の相を執拗に追及しているが、内面化の深さにおいては、従来のこの種のものの中で比をみざる第一級の作品と思う」（昭和23年「文学界」）[56]と評した。大岡昇平は、このような傑作が生まれた事を、かつて小林秀雄が述べた「芸術家における虚無の所有からくる創造」という考え方から引用して、「20年の無益の探究の後、私がフィリッピンで戦争、俘虜という

— 765 —

経験を経た後で、はじめて作品らしいものが書けたのは、この創造的虚無という『恩恵』が訪れたという関係があるかもしれません」[57]と述べている。

『俘虜記』の「捉まるまで」において、「私」は、何度か自殺しようと手榴弾を用いたが不発に終わった時、「私は信管を失った手榴弾を調べた。その口の奥に小さな円形の突起が出ておりそれを刺激すれば発火することは明白である。私はその突起を見てわずかに戦慄した。これがこの一昼夜に私の意識した唯一の恐怖である（傍点は大岡昇平）」[58]と述べていた。米兵に捉まって尋問を受けた後、米兵の持つ雑嚢に縫取りした持ち主の名前からそれが「私」と最後まで分隊に残っていた僚友の死だと知った時、米兵に「殺せ、すぐ射ってくれ、僚友がみんな死んだのに私一人生きているわけには行かない」[59]と「私」は叫んでいた。米兵に捉まって尋問が終わり、マラリアにかかって衰弱した「私」を移送中、担架が進むにつれ、仰臥した「私」の眼に入る樹々の美しい緑が後へ後へと流れるのを見ながら、「初めて私が「助かった」こと、私の命がずっと不定の未来まで延ばされたことを感じる余裕を持った。それと同時に、常に死を控えて生きて来たこれまでの生活が、いかに奇怪なものであったかを思い当たった」[60]と「私」は述懐していた。

大岡は、「戦争文学」ではなく「人間文学」として、極限状態に置かれた耐えられぬ人間の心理の綾を描き出したのである。そして彼は、「現在、我々は水爆によって人類全体が吹っ飛んでしまうかわからない危機感にさいなまれている」[61]と警告を発している。米国でもレイチェル・カーソン（Rachel Carson）が、環境終末論のバイブルとされる『沈黙の春』（*Silent Spring*）において、化学薬品による汚染を核兵器のそれと同等に捉えて次のように人類に対して警告している。──「化学薬品もまた、核兵器と並ぶ現代の重大な問題と言わざるを得ない。植物、動物の組織の中に、有害な物質が蓄積されてゆき、やがては生殖細胞を突き破って、まさに遺伝子をつかさどる部分を破壊し、変化させる。未来

第9章　戦争・テロとジョウゼフ・コンラッドの文学

の世界の姿はひとえにこの部分にかかっているというのに」[62]。

　英国では、平和主義者アインシュタインの友人のH・G・ウェルズ（H.G. Wells, 1866-1946）が、第一次世界大戦（1914-1918）前夜に執筆した『解放された世界』（*The World Set Free*, 1904）において、広島・長崎原爆投下、東日本大震災による3・11原発災害など、今日の核の諸問題についての警鐘を今から約100年も前に次のように述べている。

　――「過去の戦争の歴史には続けざまに爆発するものなど決してなかった。実際、20世紀中頃まで、知られていた唯一の爆発物は可燃性物質であり、その爆発性はその瞬間性による。ところが、これらの原子爆弾、あの晩、科学が世界で爆発させた原子爆弾は、それを使用した人々にとっても、まことに奇怪な代物であった。（中略）一度その崩壊過程が誘発されると、絶えずエネルギーの猛烈な放射を開始した。それは決して止められなかった。（中略）今日知られているもののうちで、一番エネルギーのある放射性物質だ。（中略）このようなものが軍事科学の最高の勝利、すなわち、戦争そのものに"決定的な一撃"を与える究極の爆発物であったのである …」[63]。

　原子力発電・エンジンで世界の富は飛躍的に拡大するが、他方で石炭・石油などによる旧式産業の格差を生む。大国間開発競争から世界戦争となり、原爆が使われる。絶滅兵器の出現でようやく人類は目覚め、科学技術を管理する「世界共和国」を作る。原爆の廃墟には長期の放射能汚染も検出されていた[64]。

　大岡昇平は、「一方、全くそういうことと関係なく生活に追われている第三世界の人間がたくさんいる」[65]と21世紀の現在においても当てはまる格差社会の真実を指摘している。事実、2001年9月11日のテロによる教訓は、元国防次官補で米国ハーバード大学教授のジョウゼフ・ナイ（Joseph Nye）が言うとおり「地球の反対側の悲惨な貧困国が米国に関係している」[66]という事実だったはずだ。更にナイは、「コンラッドが不朽の名作でテロリストの心を描いている」[67]とコンラッドの「政治

小説」を高く評価している。今日、改めて注目されているナイのソフト・パワー論には、強制によらず人々を魅了する文化や価値観などの力を重視するもので、その背景には単独主義に傾く米国の対外政策への批判があった[68]。それと同時にナイは、「米国民をイラク戦争に駆り立てた深層心理は、9・11テロがもたらした恐怖感である」[69]と述べている。

　一方、戦争加害者側の第一線に立って人間の抱える深刻な問題もある。2009年1月29日、米国国防省は、昨年1年間に自殺した陸軍兵士が128人で、記録を取り始めた1980年以来最多だと発表した。自殺の疑いのあるケースが他に15件あり、自殺者数がさらに増える可能性もあるという。長期化したイラク、アフガニスタン両戦争によるストレスが原因だという[70]。その後「調査中」とされていたケースの大半が確認され、3月時点で143人に増加した。この米軍兵士の自殺率（人口10万人当たりの自殺者）は20.2人で、イラク戦争前の2002年（9.8人）から倍増し、ベトナム戦争以来、初めて一般の米国民の自殺率を上回ったと指摘されていた[71]。

V 「エイミィ・フォスター」への考察

　バートランド・ラッセル（Bertrand Russell）は、人文科学分野における多様で人道的かつ一貫した思想の自由を擁護する著作群が評価され、1950年にノーベル文学賞を授与されている[72]。ラッセルはアインシュタインと共に、1955年7月9日に全世界に核兵器禁止を求める「ラッセル・アインシュタイン宣言」を発表した。この宣言はその後の核廃絶運動の礎となっている。日本人初のノーベル賞を受賞した物理学者の湯川秀樹もこの「アインシュタイン宣言」に署名している。彼は、1954年3月に行われたビキニ水爆実験に関する最初の記述を同年3月16日の日記

第 9 章　戦争・テロとジョウゼフ・コンラッドの文学

に「水爆実験による真っ白な灰を被ったマグロ漁船第五福竜丸寄港、火傷の傷害を受けた乗組員を診断　水爆症と推定」と記し、同年 3 月16日「原子力と人類の転機」と題する『毎日新聞』への寄稿に「20世紀の人類は自分の手でとんでもない野獣を作り出した」と書き起こし、原子力を「野獣」と形容し、「もはや飼い主の手でも完全に制御できない凶暴性を発揮し始めた」と危機感を示し、脅威に対する世界の連帯を訴えていた[73]。

　1957年、カナダの漁村パグウォッシュ（Pugwash）に世界の科学者22人が集い、核兵器の危険性や科学者の社会的責任について議論した。湯川秀樹、朝永振一郎も参加した会議のきっかけは、核兵器がもたらす地球規模の破壊を警告し、平和的手段による紛争解決を呼びかけた「ラッセル・アインシュタイン宣言」である[74]。その精神にのっとりパグウォッシュ世界科学者会議を提唱したラッセルは、1913年 9 月10日にコンラッドに初めて会って、「人生や人間の運命」[75] についてある根本的なところで強く共鳴し、彼から多大な影響を受けていた。彼は晩年の『自叙伝』（*The Autobiography of Bertrand Russell*, 1967）において、コンラッド文学の本質を「孤独と異様なものへの恐れ（loneliness and fear of what is strange）」[76] がその想像力の大きな部分を占めているのだと看取し、短編「エイミィ・フォスター」においてその両者が存在すると見做していた。

　1878年 6 月18日、コンラッドは職を求めて初めて英国の土（英国東海岸ロウストフト）を踏んだ時、「（未知の土地へ乗り込む）どんな探検家も、あの時の私ほど孤独な者はいなかっただろう。（No explorer could have been more lonely.）」[77] と述懐していた。以前のフランス到着の際には後見人のタデウシュ伯父から何通かの紹介状をもらい、フランスやフランス文化もかなり知っていたが、今回コンラッドは、この地で誰一人知る人もなく、「言葉」も通じず、フランス到着とはおよそ事情が異なっていた。彼は全くの「余所者（ストレンジャー）」であった。「エイミィ・フォスター」

の主人公ヤンコーは、(コンラッドの祖国ポーランドを想起させる)[78]ヨーロッパのカルパチア (Carpathians) 山の中部から移民船に乗ってアメリカに向かう途上で嵐に遭遇し、英国のとある海岸に漂着した「難破者」である。

ヤンコーの悲劇は、エイミィ (Amy) の素朴さと表裏一体をなす彼女の無知や愚鈍さとヤンコー自身が持つ特異な境涯的「孤独」とがもたらす悲劇である。「あの男は我々とは違う」[79]と思われた漂着者ヤンコーは、世界の辺鄙な片隅で孤立無援、「言葉」も通じず、「彷徨える余所者 (a lost stranger)」(113) と見做され、迫害を受ける。そのヤンコーに、心優しい農夫の娘エイミィのみが、飢えている彼にパンを与え (124)、命を救い、遂には彼と結ばれ、子をもうける。しかし、「言葉」をめぐって二人の間に齟齬が生じる。ヤンコーは、自分の国で、子供だった頃、老齢の父を真似てそうしていたように、この子がだんだん自分を真似て声を出してお祈りを繰り返すようにするつもりで、赤ん坊に語りかける。自国語で歌い語りかけ、そのうちに踊り方も教えてやる事が出来る事を楽しみにしていた。彼は、二人の間に生まれた男の子が成長して、祖国の言葉で話し合えることを待ち望んでいた。しかし、ヤンコーの「国の言葉」は村人やエイミィにはひどく不安を与え、奇怪に響くのである (137)。ヤンコーが熱病に浮かされて母国語を口走った時、その意味が分からず、彼女も村人たちと同様、彼に「異様なものへの恐れ」の念を抱き、子を抱えて逃げる。彼は熱のために喉の渇きを訴え、水が欲しいと言っただけであったが (141)。ヤンコーは、異国の地で唯一の理解者であると思っていた妻のエイミィにも理解されず、放置され、言い知れぬ孤独の中で亡くなる。コンラッドは、自らの根深い祖国喪失 (déraciné) 性を踏まえてヤンコーの宿命的な「不条理」を自らの文学のルーツ作品の中で提起しているのである。「神の不条理」を、ヤンコーをして "Why?" (141) と叫ばせたこの「神」不在の思想は、産業革命によって発展した英国の社会を背景に生まれたと言われる

第 9 章　戦争・テロとジョウゼフ・コンラッドの文学

マルサス（Malthus）の「人口論」（"An Essay on the Principle of Population"）にヒントを得たダーウィン（Darwin）の「進化論」、ニーチェ（Nietzsche）の「超人論」[80]、カミュ（Camus）の「不条理論」[81] へと一脈相通ずる21世紀の今日的思想に繋がるものであるが、コンラッドの場合、その思想が形成された遠因は、彼の出生したポーランドの長い悲劇の歴史に遡り、近因は、政治的理由で幼くして母や父を亡くしたコンラッドの境涯的孤独の悲劇にあったのである。

　ヤンコー同様、コンラッド自身も、新婚旅行で高熱を発し意識朦朧となった時、妻にとっては意味不明のポーランド語を口走っていた。未知なものに対する恐怖体験を味わった妻ジェシー（Jessie）はその時の事情を後に次のように記録している。

> For a whole long week the fever ran high, and for most of the time Conrad was delirious. To see him lying in the white canopied bed, dark-faced, with gleaming teeth and shining eyes, was sufficiently alarming, but to hear him muttering to himself in strange tongue (he must have been speaking Polish), to be unable to penetrate the clouded mind or catch one intelligible word, was for a young, inexperienced girl truly awful.[82]

（丸々 1 週間高熱が続き、その間ほとんどコンラッドは精神錯乱状態でした。白い天蓋で覆われたベッドで、黒ずんだ顔をして、かすかに光る歯をのぞかせ、目をぎらぎらさせて横たわっている夫を見るだけでもう十分不安を感じさせるものでしたが、彼が奇妙な言語で（きっとポーランド語を話しているのでしょう）ぶつぶつ独り言を呟いているのを聞くのは、混濁した頭に入り込むことが出来ないことは、はっきりと理解できる言葉を一語も聞き取れないということは、若い未経験な娘には、本当に恐ろしいことでした。）

病に冒されて意識朦朧になると、コンラッドにはこの種のうわごとが頻繁に起こるようである[83]。更にヤンコーの死に際と同様、コンラッドの臨終の際にもその枕元に妻は居合わせていなかった。隣室のただならぬ物音や様子に夫の異常を感じながらも、彼女はリューマチで動けなかったのである。

　伝記作家のレオ・グルコー（Leo Gurko）はコンラッドを次のように述べている。──「外国人としてのコンラッドはほとんど一生の間、他者とは異なっているというこの断絶感に付きまとわれていた。つまり、フランスではポーランドの新来者であり、極東では船員仲間から「ロシアの伯爵」と渾名され、英国でも外国人の特徴は抜けず、彼の話す英語には強い訛りがあり、英国での生活が続くにつれて、それはますます目立ってきたとジェシー夫人は言っている。その上、容貌、身振り、一般的な外見などが一層外国人であるとの印象を強めた。英国に30年以上暮らしながら英語作家としての名声の絶頂期にある時さえ、英国人と思われた事は一度もなかったのである。この意味で、彼は一種の地下生活、つまり放浪者の地下生活を営む局外者だったと言える」[84]。

　ヤンコーは、異郷の地で唯一の理解者だと思っていた妻のエイミィからも理解されず、孤独の中で一人淋しく死んでいく。しかし、彼の魂は追い詰められて絶えず極苦を受ける地獄の中で益々彼の祖国への帰属意識を渇望している。伴侶を亡くしたエイミィさえその真相を知らず、また理解もしていない。異国での新たなる人間関係を回復しながら、以前にも増して深い根源的な「孤独」の中に突き落とされたヤンコー。この孤独の中にあってヤンコーの唯一の救いは、医師ケネディの存在である。ケネディは、ヤンコーの直接の死因は「心臓麻痺」との医師としての判断を下したが、臨床心理医とも言い得る彼は、それは「（唯一の理解者を失った）心の痛手だ」（141）と看取していた。学術論文で名を知られる「頭脳の洞察力」と「人に気楽に話をさせる才能と他人の話を

第 9 章　戦争・テロとジョウゼフ・コンラッドの文学

じっと辛抱強く聞く能力」とを兼ね備えたと称されるケネディのみがヤンコーの「孤独」の悲劇を理解している。コンラッドは、『個人的記録』（*A Personal Record*）において「自らを突き放した客観的な自己省察（a detached, impersonal glance upon themselves）」[85] の視点の必要性に言及していたが、客観的な自己省察が出来るケネディはコンラッドの分身とも言い得る。ものの本質を見抜く「語り手」ケネディの存在意義は、人間の根源的な「孤独」に繋がるヤンコーの悲劇をヤンコー一人に帰するのではなく、普遍的に、「微妙で人間一人一人の頭上にいつ何時もたらされるかもしれない不可解なものに対する恐怖から生じる悲劇」(107-08) と見抜いていた事にある。

　注目すべきはこの悲劇の物語のタイトルが、「ヤンコー・グラル」ではなく、「エイミィ・フォスター」とヤンコーの妻の名になっている事である。コンラッドは当初このタイトルを「夫」（"A Husband"）あるいは「難破者」（"A Castaway"）[86] としていたが、刊行本のこの物語の終わりでは、ヤンコーという父のポーランド名はなく、英語のジョニー（Johnny）(142) とエイミィによって名づけられていた。子はエイミィ・フォスターの子であるとされていたのである。ここに親子二代に亘って「罠にかかった野鳥」(126)、「網にかかった動物」(112) とケネディが比喩した意味が、あるいは、1901 年 2 月 14 日付のコンラッドと同姓同名の歴史家であり同胞のポーランド人ユゼフ・コジェニフスキ（Jósef Korzeniowski）に宛てた手紙で彼が「ポーランド性」を残すために 'Konrad'[87] という名前を固守していた事実を想起する時、作者コンラッドがこのタイトルに込めた意味が一層悲劇的色彩を帯びて浮かび上がってくる。この罠にかかったジョニーを見ながら、ケネディはその父ヤンコーの「孤独」の悲劇の生涯に思いを馳せて彼の話を次のようにして語り終える。

　　　"And looking at him I seemed to see again the other one ――

the father, cast out mysteriously by the sea to perish in the supreme disaster of *loneliness and despair*." (142) (Italics mine)
（「この子を見ていると、私はあのもう一人の男、神秘な運命によって海から打ち上げられ、この上ない孤独と絶望の惨めさの中で死んでいった父親の姿を目の当たりにするような気がしてきた。」）

　コンラッド文学の想像力の本質を「孤独と異様なものへの恐怖」と看取したラッセルは、この 'loneliness' と 'despair' という二つの単語を 'alone' と 'hopeless' に置き換えて、'He dies alone and hopeless.'[88] とし、異国に漂着した「難破者」ヤンコーの境遇とコンラッドが味わった流刑地での両親との死別という天涯孤独の境遇とを重ね合わせて、「この男の寂寥（せきりょう）をいかほど作者が英国人の中で感じ、強い意志の力で押し潰していったかを、時々想いやった」[89]と彼の「エイミィ・フォスター」観を明らかにしている。
　短編「エイミィ・フォスター」におけるその根深い故国喪失感は、ケネディが指摘するように、ヤンコー一代に留まらずその父子二代に亙って「罠にかかった鳥」のイメージは、コンラッド自身と彼の父アポロが被った政治的「不条理」の象徴と見て取れる。その宿命的「不条理」は、コンラッドの出生に、更に遡って父や祖父に至る「ポーランド性」に繋がり、政治に翻弄された悲劇的歴史を有する祖国ポーランドと共にあった。コンラッドは、自己との深い関わりの中でその宿命的な文学的な主題を「普遍化」して、理想と現実との間を引き裂かれて苦悩する「孤独」な人間の＜魂の葛藤＞の物語として「エイミィ・フォスター」を描き出した。
　因みに、母国語でない異国語で立ち向かうコンラッドの孤独の葛藤を、西洋出身者として初の日本文学作家となったリービ英雄は次のように述べている。
　――「コンラッドは、英語の作品を生み出すとき、自分の書いている

文章と言葉づかいについて百パーセントの確信を持ちかねて、一語一語を勝ち取るのは終わりなき葛藤だった、というような言葉を残している」[90]。そして彼は、『日本語を書く部屋』において次のように言明している。──「越境は、ある文化の外部にいる者にだけ起こるのではない。日本人として生まれた人でも、日本語を書くためには、一度、＜外国人＞にならなければだめなのだ」[91]。

「故国放棄者(エクスペイトリエット)」ではなく自らを「故国喪失者(エグザイル)」[92]と称するエドワード・サイードは、「コンラッド自身がエグザイル（exile）であることを意識して書いたこの作品はエグザイルについてかつて書かれた最も妥協なきもの」[93]と見做し、この作品を「作者の実存的不安を表すもの」[94]と指摘していた。

ヤンコーは「言葉」の障壁のために「孤独」という地獄に陥り自己の破滅を味わう事になった。しかし、コンラッドはその「言葉」を逆手にとって世界に名だたる文豪になっている。彼は異文化の言語である英語を駆使して、人間同士のコミュニケーションにおける「言葉」の障壁を日常生活の伝達を超えた問題として提示した。更に、この言語の持つ本質的な問題を絡めた彼の文学のルーツ作品となる「エイミィ・フォスター」において、独自の視点とアイデンティティを付与された「語り手」のケネディは、短編「青春」における20歳のマーロウ（Marlow）から人生の試練を経て成長し、自己認識した『闇の奥』の「語り手」マーロウへと進化して、コンラッドの「孤独の思想」を深めていく。

V 『闇の奥』への考察

伝達手段としての「言葉」には自ずから限界がある。「言葉」は到底伝達出来ない幾多の不条理を抱え込んだ真実を、「言葉」によって表現しなければならないという事は、それ自体が不条理極まりないものであ

る。それにも拘らずこの真実を「語る」ために、伝達不可能な領域に敢然と挑戦して、人間生存の実態に迫ろうとする事は、作家の良心の証であり、真の作家としての価値でもある。コンラッドの文学は常にこの矛盾と対決し、不条理の壁を突き破ろうとするところにその本質がある[95]。この不可能を可能にしようとして執筆されたのが『闇の奥』である。「語り手」のマーロウは次のように表明している。

――「この物語は伝えるに不可能な人間生存の、ある一時期の生命感、これこそが人間生存の真実、意義、そして、霊妙神秘なその本質だ」[96]。

当時の英国人が領土拡張の帝国主義を讃えているまさにその時に、コンラッドはその告発を他の作家よりも先駆けて、母国語ではなく「英語」で行っている。ヨーロッパ人の愚行と貪欲に軽蔑と憤りを感じて、コンラッドはそれらを、「人間の良心と地理上の探検の歴史を汚した、かつて例を見ない最も下劣な略奪戦」[97]と断言して、彼の死後出版された『最後の随筆集』(*Last Essays*)においても告発していた。コンラッドが同時代の他の植民地作家と異なる点は、彼が自分のしている事を明確に意識していた事である。探検家たちの偉業を想起して執筆した「地理学と探検家たち」("Geography and Some Explorers")において、当時でも最高に鉄面皮で政治において不誠実なレオポルド二世（Leopold II）に対して積極的に協力していたがゆえに、かの有名な探検家スタンリー（Stanley）を意識的に除外していた事実がその証である。

故瀬藤義房教授は次のように指摘されている。――「19世紀後半ヨーロッパ列強のアフリカ大陸植民地化の先頭に立つベルギーのレオポルド二世は、1876年ブリュッセルで「キリスト教の浸透していない地球上の唯一の地域を文明に開放し、全原住民を包んでいる暗闇を突き破る」と宣言し、キリスト教的博愛主義のもと、文明の光を暗黒大陸に点じようとしたが、現実は白人による原住民の酷使、殺戮、搾取と白人文化の容

第9章 戦争・テロとジョウゼフ・コンラッドの文学

赦なき押しつけであって、暗黒大陸はますます暗黒を深めるのであった」[98]。

『闇の奥』は、コンラッドの作家として誠実な使命感から創作されたある種の自伝である。ライオネル・トリリング（Lionel Trilling）は、『誠実と本物』（*Sincerity and Authenticity*）において、「自伝の主題とはまさしくおのが誠実の明示に熱中する自我である」と規定して、「本物の自我に関わる現代の問題を典型的に表現して見せたのがコンラッドの偉大な文学作品『闇の奥』である」[99]と見做している。そこでコンラッドは如何にして誠実にその伝達不可能なものを可能にしていくのであろうか。語り手のマーロウは、「嘘」をこのうえなく嫌悪していた（82）、と記されている。

『闇の奥』において注目すべきは、随所に見られる「夢」という語の表現である。物語の冒頭、テムズ川河口に停泊する帆船ネリー号の上に陽が低く傾き、船上にも川面にも夕闇が落ちかかる頃、マーロウは語り始める。「僕は、何か君たちに夢の話をしているような気がする、…（"It seems to me I am trying to tell you a dream …,"）」（82）という間接的な表現や、本当の「闇」の恐怖を実体験するクルツ（Kurtz）との邂逅それ自体がマーロウにとって「夢のよう（dreamlike）」であり、事件全体として、「我々の生も夢と同じだ、——孤独なんだ。…（"We live, as we dream —— alone. …"）」（82）と、そしてこの物語が、「悪夢の予兆の中を分け入るとでもいうような、物憂い遍歴の旅（a weary pilgrimage amongst hints for nightmares）」（62）という表現に見られるように、「夢」もしくは夢に関連する「言葉」がマーロウの語りの中で繰り返し述べられている。それと同時に、物語の核心に迫るクルツと遭遇する時、「日常の平凡な言葉——毎日目覚めている時に交わされる、聞きなれた曖昧な音声」ではなく、「彼が語る言葉一つひとつの背後に、あのちょうど夢（dream）の中で聞く言葉、悪夢（nightmares）の中で口走る言葉のように、恐ろしいまでの（真実の）暗示が含まれて

— 777 —

いた。＜（　）の挿入は筆者＞」（144）とマーロウは言明していた。
　「夢」といえば、自らの夢の分析から人間の心の内奥を解明せんとした『夢判断』（*Die Traumdeutung*）の著者フロイトが想起される。彼は、『夢判断』において、「夢は幻覚する。夢は思想を幻覚によって表現する」[100]と述べ、アリストテレス（Aristotle）の言葉を引用して、「最上の夢判断家は、類似点をしっかりと捉える人である。なぜなら、夢に出てくる色々のものは、水に映ったものの姿のように、動きによって歪んでいるからだ。そして歪んだものの中に本当のものを見分けることのできる人が最も正しく夢判断を行うことが出来る」（85）と言明している。
　真実を見分ける最上の夢判断家云々の問題は、『闇の奥』においてはこの「語り手」の信憑性であろう。批評家のイアン・ワット（Ian Watt）は、「マーロウは、かつてなかったほど完璧に、作者が自分のものの見方を述べる手段となっている」（85）と述べている。一生涯の分水嶺であった＜コンゴ体験＞の真実を伝えるために、コンラッドは「語り手」のマーロウに工夫を凝らす。エドワード・サイードが『文化と帝国主義』（*Culture and Imperialism*）において指摘するように、物語のほとんどは、引用符の付いたマーロウの語りであるが、マーロウの語りは彼の冒険のストレートな語りとはなっていない[101]。作者は、全知の人間でも傍観者でもない存在としてマーロウ自身を意識的に作中の人物として表示している。1890年、アフリカにおいて文明化や教化という美名の下にヨーロッパ列強による植民地政策の欺瞞と原始の寂寥と孤独がもたらす人間性の荒廃を目の当たりにして、自らも風土病に侵されて死線を彷徨い、人間性の深淵を垣間見たコンラッドは、これまでの自らの人生を省察する。そして自らを客観化し、距離を隔てて眺めるようになった。その結果生み出されたマーロウは、もはや青春を謳歌したあの短編の「青春」における20歳のマーロウではなく、人生における「通過儀礼」を経た42歳のマーロウとなっている。ここでの「語り手」は、植

第 9 章　戦争・テロとジョウゼフ・コンラッドの文学

民地領土を転々とした後に、連綿と続く人類の歴史を眺めてきたテムズ川を見通せる場所で、自らの眼でアフリカの実態を目の当たりにしてきた作者の分身として、自らの体験を物語るのである。

　フランシス・コッポラ（Francis Coppola）は、現代の魂の「闇」を表すメタファー（隠喩）として"The horror!"という言葉を、『地獄の黙示録』（*Apocalypse Now*）のカーツ【原作名クルツ（Kurtz）】に語らせて、人間に潜む＜闇の恐怖＞を描き出したコンラッドの『闇の奥』を再現化しようとした。そして、『地獄の黙示録・完全版』では、この映画を反戦映画以上のもの、つまり＜反"嘘"映画＞と見做し、カーツに「奴らは私を人殺しと呼んでいる。人殺しが人殺しを責める？　欺瞞だ」[102] と言わせ、戦争の＜欺瞞性＞をより鮮明にしていた。一方、「テクノロジーの発展による状況の、あるいは意識のアナーキー化は我々のまわりで確実に進みつつある。そこには観念のみが存在し、思想は存在しないかもしれない。そしてその思想なき革命が体系という名のリアリズムを葬った時、人は自我との対決に耐え得るか？」と現代の問題として突き付ける村上春樹は、「それが『地獄の黙示録』という映画が方法論としてのアナーキズムを徹底的に単純化することによって、つきあたった核(コア)である」[103] と述べている。

　1969年前後は世界中が激動の嵐の様相を呈していた。1960年代後半から70年代前半まで続いた中国の文化大革命、1968年のフランスにおける学生反乱（5月革命）、1969年にピークを迎える日本の全共闘運動。この激動の世情を背景に、村上は、『ノルウェーの森』において、ヒロイン直子の精神世界の崩壊を文学で描き出した。そして東西冷戦後、世界が混乱状態にある中で、『世界の終りとハードボイルド・ワンダーランド』や『ねじまき鳥クロニクル』や『アンダーグラウンド』などを執筆してきた村上は、『1Q84』においても人間の心の奥に潜む「闇」の探求をし続けている。この背景として、カオス的な状況に陥った冷戦後の世界に関する認識を踏まえて、彼は毎日新聞のインタビューで次のように

語っている。――「僕が一番恐ろしいと思うのは特定の主義主張による『精神的な囲い込み』のようなものです。多くの人は枠組みが必要で、それがなくなってしまうと耐えられない。オウム真理教は極端な例だけど、いろんな檻というか、囲い込みがあって、そこに入ってしまうと下手をすると抜けられなくなる」[104]。しかし村上は、「そうした状況でこそ文学は力を持ち得る」、更に続けて、「物語というのは、そういう『精神的な囲い込み』に対抗するものでなくてはいけない。目に見えることじゃないから難しいけど、いい物語は人の心を深く広くする。深く広い心というのは狭いところには入りたがらないものなんです」[105]と述べる。

　コッポラが『地獄の黙示録』の原作としたコンラッドの『闇の奥』は、作品中において特定の国の帝国主義批判はしていない。英国のみならず他のヨーロッパ諸国が他国侵略を是とする帝国主義政策を推進した19世紀末に、それを背景とした一文学作品である。
　1908年8月29日、心より共感してくれる読者と見做すアーサー・シモンズ（Arthur Symons）に宛てた手紙で、コンラッドは自らの根本的な創作姿勢を次のように吐露している。

　　One thing that I am certain of, is that I have approached the object of my task, things human, in a spirit of piety. The earth is a temple where there is going on a mystery play childish and poignant, ridiculous and awful enough, in all conscience.[106]
　　（私が確信していることは一つ、自分の仕事の対象である人間に関する事柄に敬虔な気持ちで取り組んできたことです。地球は一つの神殿で、そこでは子供じみているが心に強く訴えかけ、馬鹿げているが十分に畏怖の念を抱かせる神秘劇が良心にかけて演じられています。）

第9章　戦争・テロとジョウゼフ・コンラッドの文学

　人間に関する事柄に敬虔な気持ちで取り組むと称するコンラッドが、他国侵略や地球を征服する事に関して、いかなる描写をするのであろうか。

　作品中に描写されるテムズ川は、古代ローマ時代に遡りローマ人がテムズ川に侵入し、その後、エリザベス朝時代においては英国の文明の使者がエリザベス女王二世を後ろ盾に海賊行為を堂々と行ったドレイク船長をパロディ化して、よからぬ思惑、私利私欲に踊らされた者たちを繰り返し運んだ川として位置づけられている。未開地に文明や教化をもたらすといった崇高な目的を持って行われた海外貿易や探検隊を賛美するための川ではなかった。この物語の「語り手」マーロウの開口一番の言葉がその何よりの証である。「ここ（世界最大の都市ロンドン）もかつては地球上の暗黒地帯の一つであった」(48)。ヨーロッパ列強によるアフリカ全土の征服と占領の生々しい実態やその裏面に隠された正体は、白人巡礼者たちを「植民者」と呼ばずに「征服者」とマーロウによって表明されている。

　マーロウが暗黒大陸に足を踏み入れて最初に目撃した光景は、闇の中に光を灯すといういわゆる「文明化」と謳われる西欧文明の象徴である鉄道敷設工事現場に、トロッコは動物の死骸の如く、車輪は空に向ってひっくり返り、車輪の一つは飛んでしまい、レールは錆付き、その工事に従事する黒人たちはあばら骨が突き出て、首に鉄の枷がはめられている（66）。すぐ近くの森は「死の森」で、幹にもたれかかって死を待って働けなくなった黒人たちがうずくまっている（66）。その一方で、糊のきいた襟、白いカフス、純白のズボン、垢一つつかないネクタイを締め、寸分の隙もなく身なりを整えた「幻」のような主任会計士の白人が存在する。この黒と白の印象的なコントラストの中に、重層的な意味を喚起するコンラッドの強い想いが提示されている。

　そして、『闇の奥』においてコンラッドは、「英語」という言語を原始

と対比する手段として用い、その言語の持つ「欺瞞性」を物語のうちの随所に表示し、その効果を上げている。クルツに会うために更に奥地へ向かう途上で、マーロウは、近代装備を施したフランス軍艦が武器らしい武器も持たぬ原住民を対等の「敵（enemies）」(62) と見做し、彼らが潜んでいると思しき奥地に向かって艦砲射撃を繰り返している光景に出くわす。しかし、全く何の反応もない。せいぜい弓矢しか持ち合わせていない原住民を「敵」と見做すその言葉の持つ「欺瞞性」と、吸い込まれていく 'Pop' という空しい砲弾の響きの中に、文明人の「愚行」の見事な戯画化が窺える。更に原住民を威嚇するためにいつも長い棍棒を持っているために「巡礼者たち」とマーロウが皮肉って名づけた白人の巡礼者たちは、「信仰なき巡礼者たち」(76) あるいは「植民者」ではなくて、「征服者」だと断定されていた。

　この種のコンラッドのアイロニーは、マーロウたち文明人が味わう恐怖体験としてクルツ探索の遡行の途上にも描き出されている。静寂の闇の奥からの一人の原住民の叫び、それに和して次々と四方八方から湧き上がる喚声、やがてそれらの喚声は合体し、彼ら原住民の〈連帯感〉を物語るかのような唱和は、文明人たるマーロウたちに不安と疎外感を強く認識させる。つまり、ここでの彼らの連帯の唱和は、コンラッドが『陰影線』(*The Shadow-Line*) や短編「青春」などの「船乗りもの」で力説していた人間に安心感を与える帰属意識の基盤となる〈連帯感〉とは裏腹のものである。原始の「闇の奥」にあっては文明人が「余所者意識」(stranger-consciousness) を余儀なく持たされているのである。

　コンラッドの『闇の奥』を携えて「闇の奥」行程を自ら追体験したアンドレ・ジッドは、日記『コンゴ紀行』(*Voyage au Congo*) に認めている。

　——「（あまりに遠隔の地に派遣されると）白人は知的でなければないほど、黒人は彼にとって一層莫迦に見えるものだ。（中略）彼は品性の力、道徳的即ち知的な価値を大いに必要としていたにも拘らず、それ

第9章 戦争・テロとジョウゼフ・コンラッドの文学

らのものを持ち合わせていなかった。これらの徳を欠いていた彼は原住民たちを制圧するために一事的な、狂気じみた、放埓な力を用いた。彼は威嚇し、常軌を逸したことをした。恐怖を感じた。気が変になった。自然に備わった権威を失ってしまい、彼は恐喝によって権力を振おうと努めた。そこで彼は威信を失ってしまい、やがて何ものをもってしても、増大してゆく原住民たちの不満を制御することが出来なくなった。大抵は従順である原住民たちも、様々な不正事、虐待、残虐などにあうと、反抗し苛立つのだ」[107]。

　ジッドが見たこの白人行政官の恥ずべき実態は、コンラッドが描き出すところの白人と全く同類である。その一人、貿易会社の現地出張の支配人がその好例である。紊乱(びんらん)を極めた彼の出張所の有り様を一目見ただけでも明らかである。そこには堕落した白人たちと、彼らの支配下に置かれた黒人たちへの同情と、それらすべてを支配する「闇」の恐怖が窺える。マーロウはそれを「狂気のような恐怖（mad terror）」（54）と呼んだ。

　しかし、本当の「闇」の恐怖はクルツとの邂逅にあった。マーロウが「驚異の人」と評するクルツへの認識の過程でその予兆はあった。中央出張所でクルツに関して聞いた事がその始まりである。莫大な象牙を満載して文明国に凱旋する途上で、クルツが突然その高価な象牙すべてを残して彼一人が丸木舟に乗り込んで、また元の闇の奥へ戻って行った（90）という事を耳にした時、マーロウは初めてクルツを見たような思いをする。更に奥地への遡行の途上でクルツを崇拝するロシア青年に遭遇し、彼から身の毛が弥立(よだ)つ話を聞く。それはクルツに逆らった原住民の首が杭に晒された光景以上に戦慄を覚える＜カニバル＞の話である。病気の治療の儀式に則(のっと)りその捧げられた犠牲(いけにえ)をクルツが喰った事を窺わせる＜カニバリズム＞である。ジャック・アタリ（Jacques Attali）は言う。

　――「カニバリズムはいつも植民地主義の口実の一つとされていた。

― 783 ―

カニバルという言葉はそもそも、スペイン人がカリブ海諸島の原住民につけた名前の一つであるカリバル（caribal）に由来する。… 我々の現代史を通して、食人種という言葉は一貫して野蛮人と同義語であった。… この見解は19世紀に至るまで受け継がれていく。… 1836年以降から19世紀末にかけて、意味の横滑り現象が起こる。人食いが非人間的と同義語となる」[108]。アタリは、＜誠実＞を「文明の未来のための担保」と見做し、「誠実さが通用しない社会は、長続きしない。契約が有効な、あるいは尊重される期間が短縮され、従って共同契約者の間の誠実さも必要がなくなってきているはかない現象が一般化するにつれて西洋の秩序の中でだんだん必要がなくなってきている」[109]と警鐘を鳴らしているのである。＜誠実＞は、コンラッドが＜あるべき人間＞の重要な資質として終始一貫提唱していたものである。さらにアタリは、2015年に起こったパリ同時多発テロについて、「いま世界で起きているのは文明間の衝突ではなく、文明と野蛮性の衝突である。移民系の若者が仏国社会で置かれた厳しい経済状況が過激派による勧誘を容易にしている」と指摘し、犯行声明を出したIS（イスラム国）の目的について「移民と非移民、イスラム教徒と他の宗教の対立をあおる。それによって、宗教を基盤とした国同士が争った神権政治の時代に世界を引き戻そうとしている」[110]と分析している。

　『闇の奥』の原住民たちは飢餓に苛まれている。しかし、ここでの問題は、白人に雇われた＜人食い＞の原住民たちが何日もまともな食料にありつけない船の上でどんなに飢えてもマーロウたち白人を食わない事である。彼らの「何かある種の自制力」(104)にマーロウは驚嘆すらしている。そして逆に、「全ヨーロッパが形成した」(117)と形容される理想主義者クルツが、＜カニバリズム＞の原始の世界に引き戻されている。クルツは「闇」に呑み込まれてその本質において「うつろ」になってしまっていた。クルツの「自制心の欠如」を示す＜杭に刺して晒した原住民の首＞や＜人食い＞を暗示する＜カニバルの儀式＞の提示は、西

欧文明の危うさへの警鐘である。「闇」の恐怖の一つの象徴を、F・R・リーヴィス（F.R. Leavis）は、「対象とされている杭に突き刺して晒されている人間の首は、孤独と荒野によって、クルツの中に育っていく恐怖、精神がうつろになっていったクルツの精神と肉体の不調和を物語るもの」[111] と看取している。

しかし、警官も隣人もなく、見物人も野次も栄光もなく、心の奥底から高まってくるものもなく、緩慢だが根深い精神的もしくは魂の破壊を遂げていくその孤独の「闇」の世界にあって、「闇」の存在にも全く気づかぬ鈍感な多くの植民者たちとは異なり、非凡なクルツは、最期に「闇」の存在や文明人の「幻想」を認識していた。彼は、略奪同然の事をして象牙を集め今までその異常さに盲目になっていたが、最期の一瞬に自分の魂で気づいて、内に潜むエゴの存在を吐露し、人間の根源的な「闇」を認識していた。死を目前にしてクルツが放った「恐怖だ！（"The horror!"）」(149) という叫びは、マーロウが明かしているように、「全宇宙を抱擁せんばかりに大きく見開き、闇の中に鼓動する一切の魂を、その底まで貫くかのように見えた鋭い疑視」(151) のもとに発せられた真実の叫びであり、「闇」に突き落とされた人間の実存を問うものであった。それは、マーロウが文明社会に生還した後も反響し、根源的に問い直すべき西欧文明の危機を彼に警告し続けるものであった。

『闇の奥』が世に出たのは、アインシュタインが戦争の問題解決に関して当時最も意見を聞きたいと念じていたフロイトの時代が始まったばかりの頃で、『夢判断』は1900年に出ていた。新時代のモダニズム宣言としての『闇の奥』の本質は、クルツをマーロウの無意識の分身とする事で、人間の中に埋もれた語られざるものを扱っている点にある[112]。マーロウは、クルツの叫びが「ある種の信念の告白」であり、それには「垣間見られる真実」があり、数え切れないほどの敗北と忌まわしい恐怖と忌まわしい義務の履行の果てにやっと手に入れた「道徳的勝利

だ！」(151) と感嘆符をつけて言明していた。その「道徳」は世に言う一般基準に照らした道徳ではない[113]。つまり既存の道徳基準である「正しいか間違っているか」という判断基準ではなく、人間が生来持つ根本的な善悪の悪の存在の吐露をクルツの叫びにマーロウは見て取ったのである。マーロウもクルツと共にあって死の深淵を覗き見たが、彼はためらいがちな足を後ろに引いてしまっていた。それがマーロウとクルツの相違である。それ故にこそ、マーロウはクルツの死を単なる死とは見ず、彼を最期に死の深淵を、あるいは見えない世界への「閾(いき)」(151) を大きく踏み越えた「驚異の人」と見たのである。言い換えれば、『ロード・ジム』(*Lord Jim*) における謎の人物シュタイン (Stein) が言う「破壊的要素」[114] にクルツは身を投じたのである。但し、マーロウはクルツに欠けていた「自制心」を保持し、「闇」の中で生き残った。そして、彼は元のマーロウではない。魂をすり減らして命を燃焼したクルツという悲劇の主人公と遭遇し、コンゴの「闇の奥」で洗礼を受け、警官の存在云々といった文明社会の秩序の「幻想」に気づいたマーロウは、その思想を一変させていた。マーロウは、原始時代そのままに生きている黒人たちも自分たち白人と同じ人間であり、「その荒々しく情熱的な叫び声は、はるかながら自分たちと同じ血縁関係」(96) がある事を、恐怖を覚えながらも悟っていた。一大経験を経て、文明都市ブリュッセルに戻ったマーロウの眼には、白人たちは文明社会では治安を守る警官の存在があるとの「幻想」を持ち、わずかな金を稼ぐのに日々忙殺されている輩(やから)、「闇」の力に攻撃されている事も知らぬ鈍感な者たちと映っている。

マーロウは、ほぼ10年前に作者が歩んだのと同じ道を辿り、「白く塗りたる墓」を想起させる都市を後にして、「暗黒大陸」によって神話が形成されたアフリカの奥地へ分け入った。しかし、彼の旅は他の多くの白人がしたような、西洋文明を見限っての旅ではなく、また暗黒大陸に文明の光を灯すという当時の「社会ダーウィニズムの白人優越説」を大

第9章 戦争・テロとジョウゼフ・コンラッドの文学

義名分化した旅でもなかった。マーロウには、「闇」の奥に分け入った動機そのものが、すでに「自己を見つけるチャンスになれば」(85)というはっきりとした意識的基盤があった。「全ヨーロッパが形成した」とされるクルツとの邂逅という目標も遡行途上で得て、「闇」に分け入り、＜コンゴ体験＞を経て、彼は「一筋の光（a kind of light）」(51)を得ていた。マーロウは、人生から望み得るのは「自らを多少とも知ること（some knowledge of yourself）」(150)ではないかと述べていた。この世には人知を超えた「闇」が広がっている。その「闇」の中で作者は「汝自身を知れ」と読者に問いかけているのではないだろうか。

　マーロウを震撼させたクルツの魂の叫びは、コンラッドが「三万語から成るとされるこの物語を人生の全局面に対する一つの暗示的見方を封じ込めた」[115]と表明している最終場面でマーロウの耳にはっきりと聞こえる。「虚偽」を嫌悪するマーロウが、クルツの婚約者と称する女性に「嘘」をつく場面である。クルツの臨終の言葉は「恐怖だ！」であった。しかし、マーロウは、「あの方の臨終の言葉は――やはり貴女のお名前でした」(161)と言う。彼女の答えは、「ええ、分かっていました、私、疑っていませんでした」というものであった。この時、マーロウには、「今にも家が崩れ落ち、天が落ちかかってくるのではないか」(162)と思われた。しかし、何一つ事は起こらなかった。これしきの事で天は落ちることはないのである。マーロウには、闇に光をともすというクルツの博愛主義や自分を愛してくれていると無邪気に信じ込んでいる彼女には、その事を話せなかった。「闇」の真実を述べる事は出来なかった。それはあまりにも暗い、暗すぎる残酷なものに思えたからである。
　「闇」の恐怖体験を経て**自らを多少とも知った**マーロウは、彼の思想を次のように語っている。

　　Let the fool grape and shudder ―― the man knows, and can

― 787 ―

look on without a wink. But he must at least be as much as of a man as these on the shore. He must meet that truth with his own true stuff —— with his own inborn strength. (97)

　（世の愚かな者は、驚き身震いするがいい——だが本当の人間は知っている。まじろぎ一つしないで真実を直視することができる。しかし、それには少なくともあの河岸の連中と同じ人間らしさに帰さねばならない。彼自身の生地というか、——言いかえれば、**生れながらの力をもって、その真実に立ち向かわなければならない。**）

VI 「船乗りもの」作品における〈連帯感〉の意義

　それでは「立ち向かわなければならない」「生れながらの力」とは具体的にいかなるものなのであろうか。「立ち向かわなければならない」。この言葉は、「アフリカもの」と呼ばれる『闇の奥』に限らず、「台風」("Typhoon")、『陰影線』、「青春」、「秘密の共有者」("The Secret Sharer")といった所謂「船乗りもの」などにおいても見られるように、コンラッドが常に重視している人生に対処する態度である。台風を乗り切った後に、マックファー（MacWhirr）船長は、まだ船乗り経験の浅いジュークス（Jukes）に、「真っ向から立ち向かうこと」の必要性と意義を述べている。——「何が起きようと怖気づいては駄目だ。常に船を風に立てることだ。一番大きい波は風の向きに沿って進んでくる。それに真っ向から向かう、常に真っ向から——乗り切り方はそれだ。君は船乗りとしては若い。とにかく真っ向から向かう。誰でもそれさえ心掛ければ。そして冷静になることだ」[116]。『陰影線』におけるジャイルズ（Giles）船長も、「人間はあらゆることに立ち向かっていかなければならない。臆病にならぬことだ」[117]と、初航海での試練を大人へと成熟していく「私」に諭していた。

第9章 戦争・テロとジョウゼフ・コンラッドの文学

　コンラッドの意識の中核にあるものは＜船＞であった。彼が船乗り同士の連帯と結束を強調するのも、すべて＜船＞という共同体のためである。長年の船乗り体験から自信を得て彼は海洋エッセイ『海の鏡』(*The Mirror of the Sea*) において表明していた。
　――「16歳から36歳に至る船乗り体験は、物事を見たり感じたりすることを体験的に学ぶ十分な期間であり、私にとって明確な一時期であった」[118]。
　短編「青春」において語っていた如く「旅行や遊びではなく人生そのもの」を海上において生きてきたコンラッドは、そこでの過酷な生活体験を通じて自己の孤独や仲間との連帯感に目覚め、ここから個人としての自己存在の意義と仲間との〈連帯感〉の重要性を自覚し、これが〈同胞意識〉という高次元の理念へと昇華して、遂に＜誠実さ＞が個人と仲間を結びつける絆であるという認識が形成されたのである。この高次元の「同胞意識」という概念には、もはや肌の色や人種、国籍といった枠を超えた、人類の普遍的な連帯感というものがその背後に窺える。それは『ナーシサス号の黒人』(*The Nigger of the 'Narcissus'*) への「序文」で表明された、「人種、国籍を超えてこの地上に居住するあらゆる人々を結びつける不可思議な同胞意識」に繋いで、人々の心の「孤独」を繋ぐ、＜人間の連帯感＞[119]に結びつく。船乗りでの生活体験を重ねていく事によって、この〈連帯感〉が崩れる事への不安と恐怖が生まれ、遂には「共同体意識への信義の背反こそが最も深い罪だ」という認識が生まれたのである。『ナーシサス号の黒人』において、仮病を装い職務に怠惰で厚顔無恥なウェイト（Wait）や彼を利用して船員たちの連帯感や士気を乱そうとする扇動家ドンキン（Donkin）に対する手厳しい描写がその証(あかし)である。彼らは、「嘘や鉄面皮がいつの世にもまかり通るものだという事実をまじまじと見せつける不吉な見本。呼ばれれば人よりも一番遅れて顔を出し、真っ先に舞い戻ってくる輩(やから)。たいていの事は出来ないくせに、出来る事となるとしたがらない人種、いわば博愛

主義者のお気に入り、利己主義者の凝り固まった陸者水夫」(11) と断定されていた。

　コンラッドは晩年に、「私の終生作家として的関心事は、事物、事件、そして人間の"理想的"価値にあった」[120] と述懐している。『闇の奥』において、闇に光を照らそうと未開のアフリカに乗り込んでいった理想主義者クルツに、作者の分身としての「語り手」マーロウは一つの理想像を見つけ出そうとした。しかし、緩慢だが根深い精神的もしくは魂の破壊を遂げていく「闇」に呑み込まれて「自制心」を失い、「象牙」という物欲の虜となってしまい、マーロウのクルツに対する理想像は見事に打ち砕かれる。しかし、マーロウは「闇」の中で一筋の光を見出す。死の間際に「闇」の正体を言ってのけたクルツとの邂逅で、マーロウは彼の人生観に変革をもたらす恐怖による「自己発見」を体験していた。そして、あらゆる人間の眼前にありながら今まで名前を持たず、口に出して言われなかったものの正体を言ってのけたクルツを、マーロウは「道徳的勝利者」と見做していた。『闇の奥』とほぼ同時期に執筆された『ロード・ジム』においても、コンラッドは＜あるべき人間＞を探求し、人間の内部そのものを抉り出そうとした[121]。また「語り手」も同じく、生き抜いた体験を客観的に省察して語る「信頼できる」マーロウである。沈みゆく船と乗客を見捨てて無意識のうちに救命ボートに跳び降りてしまった高級船員ジムの苦悩を見てきたマーロウは、その苦悩の生涯を要約して次のように述懐していた。――「理想とする一貫したあるべき倫理的姿勢、伝統的約束事の理想像を渦中から救い出そうとする人間の苦闘」(81) と。ここには、思想や信義によって手を繋ぎ合った「隊伍の中で闘う」事が人間連帯の、また人間存在に最も重要な条件とする認識がある。それと同時に、意識的あるいは無意識的にせよ「手を離してしまう」可能性がすべての人間の心理に潜んでいる事もコンラッドの体験としての真実である。この事を踏まえて、マーロウは、「我々は手を繋ぎ合ってこそ存在している」(223) と語っていた。

第9章　戦争・テロとジョウゼフ・コンラッドの文学

Ⅶ　破壊衝動に相対する人の間の感情と心の絆

　アインシュタインの「人間を戦争というくびきから解放することは出来るのか？」という問いに対してフロイトは、「精神分析の神話的な衝動理論からすれば、人間がすぐに戦火を交えてしまうのが破壊衝動のなせる業だとしたら、その反対の行動を呼び醒ませばよい。人と人の間の感情と心の絆だ」と応えていた。世界が軍事力を展開する人々によって支配される時代は終わった。バラク・オバマ（Barack Obama）米国大統領は、2009年4月にチェコ・プラハで「核兵器を使ったことがある唯一の核兵器保有国として行動する道義的責任がある」と述べた。この「道義的責任」とは、米国の手で幕開けした「核ある世界」の幕を引き責任は米国にあるという意味であろう。オバマ氏は、同年6月に、ジョン・F・ケネディ（John F. Kennedy）元大統領の核戦争危機のピーク時での危機克服へ決意を示したベルリン演説（1963年6月26日）からの引用を踏まえ、同年4月に続いて核兵器削減を提案、世界に核廃絶を呼びかけ、更に同年9月には国連安保理の首脳会議で自ら議長を務めて「核なき世界」の決議を全会一致で採択した。そして彼は地球温暖化対策にも積極的に取り組んでいた。ノルウェーのノーベル賞委員会は10月9日、2009年のノーベル平和賞を、オバマ大統領に授与すると発表した。
　しかし現在、世界は益々きな臭くなってきている。2015年1月に「ラッセル・アインシュタイン宣言」の流れをくむ「パグォッシュ会議」の第61回会合が長崎市で開催された。採択された「長崎宣言」は、「長崎を最後の被爆地に」と訴え、核兵器の法的禁止を目指す事を提言している。戦後70年、パグウォッシュ会議を取り巻く環境は楽観できない。核拡散防止条約（NPT）再検討会議が決裂し、2015年の国連総会の委員会でも核を持つ国と持たない国の溝が際立つなど、核廃絶の道は

険しい。原発の使用済み燃料の再処理で生じた民生用プルトニウムが過剰に蓄積し、世界で長崎型原爆3万発分に相当するという[122]。

プルトニウムは核兵器に転用できるため、政府は「利用目的の内分は所有しない」事を国際公約にしている。しかし、2018年現在、日本は国内外に核兵器に転用可能な大量のプロトニウム（核兵器6000発分に相当する）をすでに47トンも保有している[123]。高レベル廃棄物の処理方法も未解決なまま核燃料サイクルが続けられるならば、核兵器廃絶を目指す世界の潮流に逆行して核兵器の開発保有の潜在的意図も疑われる事になるだろう。

2001年9月11日の同時多発テロを受けた時、ブッシュ米国大統領は「我々の自由が攻撃された」と述べたが、「9・11」以後、市民の自由は浸食されるようになっている。いたるところに監視カメラが設置され、電話の盗聴などが捜査当局によって日常的に行われ、政府と多くの民間組織が「安全」を理由に、戦争批判を許さない風潮を煽った。ジョージ・オーウェルの『1984年』の徹底した監視社会の恐怖を彷彿させる。「米国憲法の父」と言われるジェームズ・マディソン（James Madison）第4代大統領は、「米国の自由を危機に晒す最大のものは戦争だ」[124]と予言していた。同時多発テロ以降、その懸念は現実のものとなっている。

トランプ米国大統領は、2017年2月に、2018年会計年度の国防予算を前年度比で「歴史的」と形容される約1割増となる540億ドル（約6兆円）増額する事を明らかにし、「力を通じた平和」「米国第一主義」の姿勢を打ち出し、国際協調に基づく紛争解決を目指したオバマ前政権とは対照的である[125]。2017年5月20日、トランプ大統領は就任後初の海外訪問先サウジアラビアで巨額の武器輸出契約を受注した。サウジと結んだ（最新鋭システム「終末高高度防衛（THAAD）ミサイル」を含む）武器輸出契約は、（米国史上最大規模とされる）当初分だけで1090億ドル

（約12兆円）に上り、訪問直前にはアラブ首長国連邦（UAE）への武器輸出でも合意し、武器輸出拡大を実現している[126]。

　原爆投下から71年後の2016年5月10日、日米両政府は、オバマ大統領が5月27日に被爆地・広島を訪問すると発表した。ホワイトハウスは声明で「核兵器なき世界を追求する決意を示す歴史的な訪問だ」とその意義を強調した[127]。ワシントンポスト紙は、終戦の1945年の世論調査では米国民の85％が「原爆投下は正当化される」と答えたのに対し、2015年の調査では56％に減ったと紹介している。特に18～29歳の若い世代では47％と過半数を割り込んだ事が、今回の訪問決定に繋がったと分析している[128]。これは、原爆投下から70年以上が経過した事や、広島・長崎以後は実戦で核兵器が使われていないという現実が、世論に変化をもたらしている可能性がある。但し、世界を見渡せば核の脅威が膨らむ一方、核軍縮の動きは余りにも鈍い。核拡散の柱である核拡散防止条約の5年ごとの再検討会議は昨年2015年、核兵器を持つ国と持たない国の対立から決裂した[129]。

　オバマ大統領の広島訪問は核軍縮に向けた人類の危機を再認識する貴重な機会である。核政策について圧倒的な影響力を持つ米国大統領の広島訪問を世界中が注視している中で、2016年5月27日、現職の大統領として初めてオバマ大統領が広島市の平和記念公園で献花し、被爆者らを前に「原子を分裂させた科学の革命は私たちに道徳的な進歩（a moral revolution）も要求しています。（中略）いつの日か、証言をする被爆者の声（the voices of hibakusha）を聞くことが出来なくなります」と「被爆者」という日本語を使って所感を述べた。そしてその最後の言葉は、核廃絶を訴えたあのプラハ演説の理念に繋がるものであった。

　　That is the future we can choose ―― a future in which Hiroshima and Nagasaki are known not as the dawn of atomic warfare, but as the start of our own moral awakening.

(これこそが私たちが選択できる未来なのです——広島と長崎は、核戦争の夜明けではなく、私たちの道義的な目覚めの始まりとして知られる未来が。)

結論

　アインシュタインの「人間を戦争のくびきから解き放つことは出来るのだろうか？」という問いにフロイトは、「精神分析の神話的な衝動理論からすれば、人間がすぐに戦火を交えてしまうのが破壊的衝動のなせる業だとしたら、その反対の行動を呼び覚ませばよい。人と人の間の感情と心の絆だ」と答えていた。バラク・オバマ米国大統領は、2009年4月にチェコ・プラハで「核兵器を使ったことがある唯一の核兵器国として行動する責任がある」と述べた。この「道義的責任」とは、米国の手で幕開きした「核ある世界」の幕を引く責任は米国にあるという意味であろう。ブッシュ政権時代の「テロとの戦争」でアメリカ的価値の名の下で行われていた事が、今やトランプ大統領の「アメリカ主義」に取って代わられ、世界各地で紛争やテロの可能性が懸念されている。

　コンラッドは、1世紀以上前に西洋世界の基本的な視点の転換を図る必要性を文学でもって表明していた[130]。そして、人間評価を人間心理の実相に即して「内面の価値」に目を向ける事によってそれを可能ならしめたコンラッドは、フロイトの言うところの「人と人との間の感情と心の絆」という根本問題を、人間同士のコミュニケーションにおける「言葉」の障壁と捉えた「エイミィ・フォスター」[131]において、そして作家の良心にかけて真実を語るために伝達不可能な領域に敢然と挑戦して、人間生存の実態に迫ろうとした『闇の奥』をはじめとする文学において提示した、と言えるのではないだろうか。

1　伝えたい世界の核被害『毎日新聞』2020年5月22日4面（夕刊）

第 9 章　戦争・テロとジョウゼフ・コンラッドの文学

2　米、領空開放条約から離脱宣言『毎日新聞』2020年5月5月22日6面（夕刊）

3　世界軍事費過去最高　19年3.6％増　米中押し上げ『毎日新聞』2020年4月28日8面。兵器の近代化を進め、国別の規模で群を抜く米国と中国それぞれの増加が全体を押し上げた。1位の米国は5.3％増の7320億㌦で世界全体の38％を占め、2位の中国は2610億㌦で5.1％増。

4　＜水説＞中村秀明　博士の悲観と希望『毎日新聞』2016年4月27日3面。

5　＜論点＞NPT発効から50年「小型なら」危険な発想『毎日新聞』2020年3月18日11面。

6　米露　核軍拡再燃の恐れ『毎日新聞』2020年3月12日3面。

7　北朝鮮、核弾頭倍増か　国際平和研　推定10～20個『毎日新聞』2017年7月4日8面。

8　≪社説≫エルサレムへの大使館移転　米国外交史に残る汚点だ『毎日新聞』2018年5月15日5面。

9　＜社説＞イスラエルの強硬化『毎日新聞』2018年8月20日5面。

10　国連「IS残党2万人超」『毎日新聞』2018年8月20日6面。

11　米350紙が大統領批判の社説『毎日新聞』2018年8月18日5面。

12　トランプ氏　国家の繁栄に有害　米紙掲載　政府高官が匿名で批判『毎日新聞』2018年9月7日8面。

13　分断の深層　トランプ時代の合衆国『毎日新聞』2018年8月23日3面。

14　トランプ vs サンダース　フロリダ州知事選「代理戦争」『毎日新聞』2018年9月6日10面。

15　バイデン氏　心は本選へ『毎日新聞』2020年3月19日3面。

16　スヴェトラーナ・アレクシエーヴィッチ『戦争は女の顔をしていない』三浦みどり訳（群像社、2009年、第2刷）18-19頁。人間のスケールが戦争を超えてしまうような、そういうエピソードこそ記録に残る。そこでは歴史を超えたもっと強いものが支配している。私は視界を広げて、戦争という事実だけではなく、人が生きるとは、死ぬとはどういう事なのか、その真実を書かねばならない。ドストエフスキーの「一人の人間の中で人間の部分はどれだけあるのか？　そ

の部分をどうやって守るのだろうか？」というあの問いを。（中略）普段なら目につかない証言者たち、当事者たちが語ることを通じて歴史を知る。私が関心を寄せているのはそれだ。それを文学にしたい。思い出話は歴史ではない、文学ではないと言われる。しかし私にとっては全てが違っている。まだ温もりの冷めぬ人間の声に、過去の生々しい再現にこそ、原初の悦びが隠されており、人間の癒し難い悲劇性もむき出しになる。その混沌や情熱が。唯一無二で、理解しきれないものが、ここではまだなんの加工もされておらず、オリジナルのままある。私は人々の気持ちを素材に寺院を組み上げる……私たちの願望や幻滅を。私たちの夢を素材に。

17　アレクシエービッチ氏　ノーベル文学賞受賞『毎日新聞』2015年10月9日2面。
18　非核保有国動かす、条約成立に存在感　ICANに平和賞『毎日新聞』2017年10月7日3面。
19　世界の分断埋める仕事を　文学賞・イシグロさん会見『毎日新聞』2017年12月7日26面。
20　不確実な未来　文学重要『毎日新聞』2017年12月9日27面。
21　村上春樹の「壁と卵」に関する考察は、本書の第5章 作家としての使命感を持ったエグザイルである村上春樹とジョウゼフ・コンラッド　を参照されたい
22　文学賞イシグロさん『毎日新聞』2017年12月12日31面。
23　83歳誕生日　文書で回答『毎日新聞』2017年10月20日8面。
24　文学賞・イシグロさん会見　ICANも祝福『毎日新聞』2017年12月7日26面。
25　Joseph Conrad, *The Mirror of the Sea* (London: Dent, 1968), p.142.
26　「訳者あとがき」木宮直仁　コンラッド『海の鏡　コンラッド海洋エッセイ集』（人文書院、1991年）264頁。
27　エヴァ・パワシュ＝ルトコフスカ、アンジェイ・T・ロメル『日本・ポーランド関係史』柴 理子訳（彩流社、2009年）65頁。
28　瀬藤芳房「コンラッド『エイミ・フォスター』試論──アイデンティティの危機」『徳島大学教養部紀要』（外国語・外国文学、第4巻、1993年）1-28頁。
29　拙著『新編　流浪の作家ジョウゼフ・コンラッド』（大阪教育図書、2007年）1

第9章 戦争・テロとジョウゼフ・コンラッドの文学

-34頁。
30 Douglass Hewitt, *Conrad: A Reassessment* (London: Bowes & Bowes, 1969), p.27.
31 エドワード・サイード『文化と抵抗』大橋洋一郎・大貫隆史・河野真太郎 訳(筑摩書房2008年) 262-63頁。
32 William Blackburn, ed., *Joseph Conrad: Letters to Blackwood & Meldrum*, (Durham: Duke University Press, 1958), p.37. 1998年12月31日付のブラックウッド (Blackwood) 宛てのコンラッドの手紙。
33 外岡秀俊・枝川公一・室憲二 編著『9月11日・メディアが試された日』(トランスアート、2002年、第2版)、132-33頁。
34 ＜記者の目＞小倉孝保［英国という監視社会］『毎日新聞』2014年2月14日。
35 前掲載紙。
36 堀 正人教授は、その著『新訂 オルダス・ハックスレイ研究』(英宝社、1974年)において、鈴木大拙と類似の見解を指摘されている。――「彼の小説『すばらしい新世界』において、機械化された人間および社会の浅ましさを拡大して描いて見せた」(16頁)。「「偉大なるエラズマス・ダーウィン、リチフィールドの白鳥アンナ・シェアド女史が実験して、彼らの科学的熱情にもかかわらず失敗したところを、われわれの子孫が実験してこれに成功するであろう。非人間的な発生が、自然の恐るべき方法に負って代わるであろう。巨大な人工孵化器の胎児を入れた壜の無数の列が世界的に人間を供給するであろう。家族制度は消滅し、社会はその根底において崩壊を来たし、新しい人間を基礎の発見につとめねばならなくなるであろう。そしてエロスは美わしく奔放に、陽光のさした世界を蝶のように花から花に舞い遊ぶであろう。」(*Crome Yellow*, p.31.) ハックスレイが小説『クローム・イエロー』(*Crome Yellow*, 1921)において、科学的な皮肉屋スコーガンに語らせた以上の言葉は、すでに彼の侯年の小説『すばらしい新世界』(*Brave New World*, 1932) を予想させる。『すばらしい新世界』は、フォード紀元632年、人類が人工孵化によって繁殖し「新パブロフ式」条件反射によって習性付けられ、世界は「共同」「一様」「安定」を標語とする統一

国家を形成した時代を描いたもので、少なくともその構想の一般は以上のスコーガンの言葉の拡大であり、肉付けである」(43-44頁)」。

37　鈴木大拙『鈴木大拙全集　第二十巻』「東洋学者の使命」(岩波書店、1970年) 222頁。

38　浅見省吾 編訳『ヒトはなぜ戦争をするのか？——アインシュタインとフロイトの往復書簡』(花風社、2001年) 11頁。以下、同書からの引用は本文中（　）内に頁数を示している。

39　フロイトは、世界がなお第一次大戦の大破壊に苦しんでいた時に、『自我とイド』(*Das Ich und das Es*, 1923) という人類の心の内部を深く探求した本を書く。この自我心理学についてラッシュル・ベイカー (Rachel Baker) は次のように分かりやすく論じている。——イドは我々の動物的欲求、我々の原始的願望及び衝動が宿っている、人間精神の原始的な場所だとフロイトは説明した。どの人間にもこの暗いジャングルの場所があって、ここには欲望と憎しみの感情が宿っている。この精神の部分、つまり、原始的なイドの暗いジャングルの中には、思考は存在できず、ただ原始的で野蛮な欲望だけが生きている。一方、イドに対する「自我」が存在し、イドと「自我」との闘争は、各個人の心のうちの、野蛮と文明の闘争である。しかし、「自我」の一部に裁判官の役割をする場所があり、それをフロイトは「超自我」(自我理想) と呼ぶ。それを育てることによって内部にある野蛮な力を役に立つ目的に「昇華」するのだ。各個人は他の人たちと共同生活をしてゆくために、自分自身の野蛮な感情の抑制に目覚め、原始的なジャングルの中で文明化された観念が成長して文明化された「超自我」がイドを抑制するというのである。レイチェル・ベイカー『フロイト　その思想と生涯』宮城音弥訳 (講談社、1975年) 190-99頁。

40　浅見省吾編訳『ヒトはなぜ戦争をするのか？　アインシュタインとフロイトの往復書簡』15-17頁。

41　前掲書。75頁。

42　前掲書。81-82頁。

43　倉本 聡「科学の中に人間の退化」『毎日新聞』2015年4月1日17面。

第 9 章　戦争・テロとジョウゼフ・コンラッドの文学

44　＜世界の見方＞「帰還兵の苦悩　国に責任」ジャック・ドキシー『毎日新聞』2015年8月23日7面。米国ではイラクやアフガニスタンからの帰還兵がホームレスになる問題が深刻化。オバマ政権は2010年から15年末までに退役軍人のホームレスをゼロにする計画を発表した。ホワイトハウスによると、医療や住宅支援などで、退役軍人のホームレスは14年1月現在で10年に比べ33％減少。ホームレス調査協会の14年1月の調べでは、ホームレス57万8424人のうち退役軍人は8.6％で改善傾向だが、地域差も大きい。

45　米・無人戦闘機パイロットの苦悩『ドローン・オブ・ウォー』　実感なき戦争の怖さ描く『毎日新聞』2015年10月2日2面（夕刊）。

46　「ロボ相場」世界で起動『日本経済新聞』2015年11月14日18面。

47　前掲紙。

48　殺人ロボットは開発禁止に『毎日新聞』2016年10月7日11面。

49　大統領狙った6人拘束『毎日新聞』2018年8月7日8面。

50　＜社説＞現実味帯びるAI兵器　手遅れになる前に規制を『毎日新聞』2019年3月27日5面。

51　渡辺政隆＜2001年宇宙の旅＞「科学の映画の間合い」『毎日新聞』2015年3月12日15面。

52　『大岡昇平全集 21』（筑摩書房、1996年）9頁。

53　大岡昇平『現代日本の名作 41 俘虜記・野火』（旺文社、1978年、第4刷）29頁。

54　保坂正康『作家たちの戦争』（毎日新聞社、2011年）180頁。

55　前掲書。181頁。

56　饗庭孝男「解説」大岡昇平の人と文学『現代の日本の名作 41 俘虜記・野火』650頁。

57　前掲書。650頁。

58　大岡昇平『現代の日本の名作 41 俘虜記』46頁。

59　前掲書。53頁。

60　前掲書。55頁。

61　大岡昇平『大岡昇平全集 21』9頁。

62 Rachel Carson, *Silent Spring* (Penguin, 1999, reprint), p.25. レイチェル・カーソン『沈黙の春』青樹梁一 訳＜新潮文庫＞（新潮社、1974年）18頁。

63 H・G・ウェルズ『解放された世界』浜野 輝 訳（岩波書店、1997年）143-45頁。

64 加藤哲郎＜人権優先の「世界共和国」へ＞『毎日新聞』2013年6月17日6面（夕刊）。

65 大岡昇平『大岡昇平全集21』9頁。

66 笠原敏彦「記者の目 米国の「自由」もろ刃の剣」『毎日新聞』2008年9月16日。

67 ジョセフ・ナイ『ソフト・パワー』山岡洋一 訳（日本経済新聞社、2005年）49頁。

68 岸 俊光「日本の主体性確立に活用を 対米依存の遺産を教訓に」『毎日新聞』2009年3月16日。

69 船橋洋一『冷戦後――失われた時代』（朝日新聞社、2008年）289頁。

70 米国、陸軍兵士の自殺率最多【共同】『毎日新聞』2009年1月31日。

71 米国自殺率が倍増『毎日新聞』2009年5月21日。

72 ノーベル賞の記録編集委員会 編『ノーベル賞117年の記録』（山川出版社、2017年）74頁。

73 湯川秀樹1954年の日記公開 反核科学者の責任『毎日新聞』2018年5月12日26面。

74 ＜社説＞パグウォッシュ 科学者の発信力を高めよ『毎日新聞』2015年11月8日5面。

75 Bertrand Russell, *The Autobiography of Bertrand Russell*, vol. I (London: George Allen & Unwin, 1967), p.207.

76 Ibid., 208.

77 Joseph Conrad, *Notes on Life and Letters* (London: Dent, 1949), p.150.

78 故瀬藤義房教授は、次のように指摘されている。――難破して見知らぬ異国の海岸に漂着した男ヤンコー・グラルがポーランド人であるとは作品中に明言されていない。しかし、彼がヨーロッパ中部、カルパチア山脈東部の山地の出身であり、信心深いキリスト教徒で、故郷にはカルメル派の修道院もあり、道端

には救世主キリスト像が立ち、体にはカトリック教徒が肩から下げる肩衣をつけていたことなどから、ポーランド人であることは先ず確実なことである。決定的なのは名前と苗字である。彼は自分の名は Janko〈ヤンコー〉で、英語のLittle John（小さいジョン）に当たると説明していた。すなわち、Yanko はポーランド *Jan*（John）の指小辞 *Janko* の呼称に当たる。そして彼がイギリスの村人にこの名前を用いたのは、明らかにこの愛称で呼ばれていたポーランドの故郷を思い起こしていたからであろう。彼は、自分は山地人、故郷の方言ではGoorallというように聞こえる山地人（mountaineer）だと何度も言っている。彼の結婚登記簿には Janko Goorall と牧師の筆跡で書かれている。瀬藤芳房「コンラッド『エイミ・フォスター』試論──アイデンティティの危機──」（徳島大学教養部紀要外国語・外国文学、第 4 巻、1993年）2-3頁。

79　Joseph Conrad, *Typhoon and Other Stories* (London: Dent, 1964), p.132. 以下、同書からの引用は、本文中（　）内に頁数を示している。

80　『ツァラトゥストラ』第一部（1883）でツァラトゥストラが語った「神は死せり！」なる言葉がニーチェの思想の根幹をなす。つまり神は死んで人間はただの人間として神の指示も援けも求めず、人間に課せられた苦痛と共に、人間であることの自覚を持って生きることを説く超人思想。

81　『異邦人』(1942) のムルソーのごとく、死という極限状況を目前にした人間が、人生の無意味を直視し、そこからの叛逆を説く不条理の思想。カミュが書いた最も反キリスト教的な作品と自称する『ペスト』(1947) において、ペストの蔓延によって生じるおびただしい死者を目前にして「もし自分が全能の神という者を信じていたら、人々を治療することはやめて、そんな心配はそうなれば神に任せてしまう」とカミュの分身的存在である医師ルウに彼の思想を語らせている。カミュ『ペスト』宮崎峯雄 訳（新潮文庫、1969年）155頁参照。尚、2020年 8 月22日現在、米ジョンズ・ホプキンズ大の集計によると、新型コロナウイルスの感染者が、世界全体で2295万9813人と発表されている。2020年 3 月に世界保健機関（WHO）が新型コロナをパンデミック（世界的大流行）と認定して以来、カミュの『ペスト』が世界で急激に世界的ブームとなっている模様だ。

82 Jessie Conrad, *Joseph Conrad as I Knew Him* (London: Heinemann; Garden City N. Y.: Doubleday, 1926), p.35.

83 Jessie Conrad, *Joseph Conrad and His Circle* (New York: E.P. Dutton & Co., INC, 1935), p.142.

84 レオ・グルコー『ジョウゼフ・コンラッド伝――海と陸の生涯』(興文社、1975年) 182頁。

85 Joseph Conrad, *A Personal Record* (London: Dent, 1968), p.92,

86 Jocelyn Baines, *Joseph Conrad: A Critical Biography* (London: Widenfeld & Nicolson, 1967), p.265.

87 Frederick Karl, *Joseph Conrad: The Three Lives* (London: Faber & Faber, 1979), pp.53-54.

88 Ibid., p.209.

89 Bertrand Russell, *The Autobiography of Bertrand Russell,* vol. I , p.209.

90 リービ英雄『日本語の勝利』(講談社、1992年) 69頁。

91 リービ英雄『日本語を書く部屋』(岩波書店、2001年) 162頁。

92 大橋洋一 訳『サイード自身が語るサイード』(紀伊国屋書店、2006年) 152頁。

93 Edward Said, *Reflections on Exile and Other Essays* (Cambridge, Massachusetts: Harvard University Press, 2000), p.179.

94 Ibid., p.209.

95 荻野昌利『さまよえる旅人たち』(研究社、1996年) 219頁。

96 Joseph Conrad, *Heart of Darkness* (London: Dent, 1964), p.82. 以下、同書からの引用は、本文中 ( ) 内に頁数を示している。

97 Joseph Conrad, "Geography and Some Explorers" *Last Essays* (London: Dent, 1972), p.17.

98 瀬藤義房「コンラッドとジッド――コンゴの衝撃」『徳島大学教養部紀要』第3巻 (外国語・外国文学、1992年) 20頁。

99 Keith Carabine, ed., *Joseph Conrad Critical Assessments*, vol.II (Helm Information, 1992), p.326. L.トリリング『＜誠実＞と＜ほんもの＞――近代自

我の確立と崩壊』野島秀勝 訳（筑摩書房、1976年）146頁。

100　『フロイト著作集　第二巻』高橋義孝 訳（人文書院、1985年）47頁。以下、同書からの引用は、本文中（　）内に頁数を示している。

101　Edward Said, *Culture and Imperialism*（New York: Alfred A. Knopf, 1994, 2 nd. ed.）, p.23.

102　『地獄の黙示録・完全版』パンフレット（東宝株式会社、2002年）。

103　村上春樹「方法論としてのアナーキズム――フランシス・コッポラと『地獄の黙示録』『海』（中央公論社、1981年）168頁。

104　「村上春樹氏　ロングインタビュー」『毎日新聞』2008年5月12日。

105　前掲書。

106　Frederick R. Karl & Laurence Davies, eds., *The Collected Letters of Joseph Conrad*, vol.4, p.113.

107　ジイド『ジイド全集』「コンゴ紀行」根津憲三 訳 第10巻（金星堂、1974年）21-22頁。

108　ジャック・アタリ『カニバリズムの秩序』金塚貞文 訳（みすず書房、1994年）19-20頁。

109　ジャック・アタリ『21世紀辞典』柏原康夫・伴野文夫・荻野弘巳 訳（産業図書、1999年）198頁。

110　若者の絶望、テロ要因『毎日新聞』2015年12月11日 2面。

111　F. R. Leavis, *The Great Tradition*（Penguin, 1967, reprint）, p.198.

112　J・H・ステイプ『コンラッド文学案内』社本雅信（監訳）・日本コンラッド協会（訳）（研究社、2012年）344-45頁。

113　コンラッドの言う'moral'は、世に言う'moralist'の規範とは異なっているようである。「秘密の共有者」（"The Secret Sharer"）に登場するレガット（Leggatt）はハリケーン襲来の際に、たとえ船の危急を救うためとはいえ、人一人を殺している。無能なアーチボルドとかいう船長になり代わって、セフォーラ号の指揮をとり、その際逆らってきた水夫を殺害している。しかし、新任船長の「私」は、コールリッジ（Coleridge）の想像力の分割における「二次的想

像力」ともいえる直感から、彼を「困難に直面してきた若者」と見て取る。「私」は、彼から人一人を殺めるに至った顛末を聞き、船長就任わずか2週間で船にも乗組員にも'stranger'だという意識と、船乗りの「同胞意識」と相まって、殺人者レガットを追手のセフォーラ号船長ら一行から匿う。「私」は、その過程で秘密の共有者として、「同胞意識」を進化させた、いわば「分身意識」を意識する。レガット自身は彼の犯した罪について、法の裁きに対しては不満で逃亡者になったが、自分をカイン（Cain）になぞらえて、「私は大地の面を放浪する用意はできています」と「私」に漏らし、危険な未知なる海中に身を沈め、「私」の船から遠ざかっていく。そんな彼を目の当たりにして、「私」はレガットを「新たなる運命に向かって乗り出していく自由人で誇り高い泳ぎ手」と肯定的に評価している。ここには、既存の道徳基準には合致しない〈あるべき人間〉の一つの規範が提示されている。つまり法的責任を問うよりも、個人の内面にこそ本来求めるべきものがあるとするコンラッドの倫理観が窺える。この倫理観は『ロード・ジム』にも認められる。沈没しかけたパトナ号と乗客を見捨てて船を跳び降りてしまったジムの罪は、海難審判が下す判決とは別次元に、つまり理想の自画像を追求するジムの精神の内部にこそあった。

114 Joseph Conrad, *Lord Jim* (London: Dent, 1968), p.214.
115 Frederick Karl, *Joseph Conrad: The Three Lives*, p.419.
116 Joseph Conrad, *Typhoon and Other Stories*, p.89.
　　以下、同書からの引用は、本文中（　）内に頁数を示している。
117 Joseph Conrad, *The Shadow-Line* (London: Dent, 1969), pp.131-32.
118 Joseph Conrad, *The Mirror of the Sea* (London: Dent, 1968), p.vi.
119 Joseph Conrad, "Preface" *The Nigger of the 'Narcissus'* (London: Dent, 1964), pp.vii-viii.
120 Jocelyn Baines, *Joseph Conrad: A Critical Biography*, p.429.
121 拙稿「「理想的価値」の追求──ジョウゼフ・コンラッド『ロード・ジム』の世界」『伊藤孝治先生古希記念論文集──英語学、言語、文化・教育、英文学、米文学に関する研究』（大阪教育図書、2007年）285-313頁。

第 9 章　戦争・テロとジョウゼフ・コンラッドの文学

122　＜社説＞『毎日新聞』2015年11月 8 日 5 面。

123　もんじゅ廃炉へ一歩　核燃料 1 体取り出し『毎日新聞』2018年 8 月31日 1 面。

124　エリック・フォーナー「「 9 ・11」テロ10年　深刻な市民の自由侵害」『毎日新聞』2011年 9 月 9 日。

125　米国防費 1 割増「歴史的」、「力」で他国圧倒『毎日新聞』2017年 3 月 1 日 3 面。

126　トランプ氏、サウジに武器輸出契約『毎日新聞』2017年 5 月22日 6 面。

127　オバマ氏　広島へ　原爆投下71年『毎日新聞』2016年 5 月11日 1 面。

128　オバマ大統領広島へ　影潜める反対論『毎日新聞』2016年 5 月11日 2 面。

129　＜社説＞米大統領広島へ『毎日新聞』2016年 5 月11日 5 面。

130　拙稿「宮崎アニメとコンラッド文学」*POIESIS*（第34号）（関西大学大学院英語英米文学研究会、2009年） 1 -32頁。

131　拙稿「ジョウゼフ・コンラッドの思想形成の遠景とコンラッド文学のルーツ作品」『英語と英米文学　九つのアプローチ』（大阪教育図書、1997年）139-72頁、参照。

第10章　コンラッド文学の萌芽
――『オールメイヤーの愚行』――

I　序論

　本論では、世界文学に多大な影響を及ぼしたフョードル・ドストエフスキー（Feodor Dostoevskii）と競い合って独自の文学作品を世に送り出したジョウゼフ・コンラッド（Joseph Conrad）の処女作を考察するものである。

　コンラッドの創作の基本的態度は、「同胞意識」である。この「同胞意識」は単に一国のそれではなく、人種、国籍、時代を超えた、バートランド・ラッセル（Bertrand Russell）が「自由人の信仰」（"The Free Man's Worship"）において述べた人間の「孤独」と対比される「同胞愛」に繋がるものである。ラッセルは次のように述べている。
　――「人間同士の友情という明滅する光に照らされた狭い筏の周りには、暗黒の海があって、その荒れ狂う波の上で我々がしばしの生の間揺れ動いているのが見える。外の夜闇からは、冷たい風が我々の避難所の中へ吹き込む。敵意ある諸力の間に置かれた人類の孤独さは、一個人の魂の上に集中される。個人の魂は、あらゆる勇気を奮い起こして、その恐怖や希望をなんら顧慮しないところの宇宙全体の重圧と、ただ一人で闘うのである。暗黒の真の洗礼であり、人間存在の持つ素晴らしい美しさへの真の入門式である。魂の外界とのこの恐ろしい出会いから、自制、知恵、及び同胞愛が生まれる」[1]。（傍点は筆者。以下同じ）
　コンラッドは、ラッセルの言う真の洗礼を受けて、キリスト教の教義に捉われず、人間に課せられた重圧や重荷に立ち向かっていく「自由人」の自覚をもってこの「同胞愛」を持つに至ったようである。それは彼の出生と彼の祖国ポーランドの悲劇の歴史と不可分な関係にある。コ

ンラッドが出生した1857年は、ポーランドはロシア帝国の支配下に置かれ、彼の周囲には生まれた瞬間から暗黒の海があり、彼は疎外された状況下にあった。彼は、母と父を政治的理由で相次いで亡くし、10代の半ばにして祖国離脱という厳しい人生の選択を余儀なくされている。15歳の当時を回想して、コンラッドは『個人的記録』(*A Personal Record*) に、後年になっても生々しい当時の厳しい状況を次のように語っている。

I don't mean to say that a whole country had been convulsed by my desire to go to sea. But for a boy between fifteen and sixteen, sensitive enough, in all conscience, the commotion of his little world had seemed a very considerable thing indeed. So considerable that, absurdly enough, the echoes of it linger to this day. I catch myself in hours of solitude and retrospect meeting arguments and charges made thirty-five years ago by voices now for ever still; finding things to say that an assailed boy could not have found, simply because of the mysteriousness of his impulses to himself. I understood no more than the people who called upon me to explain myself. There was no precedent. I verily believe mine was the only case of a boy of my nationality and antecedents taking a, so to speak, standing jump out of his racial surroundings and associations. [2]

（私が船乗りになりたいと言い出したために、国中が大騒ぎになったと言うつもりはないが、しかし、16歳前の、正直なところ非常に感受性の強い少年にとって、その小さな世界の騒動たるや、全く以て大変なものに思えた。あんまり大変な騒ぎだったので、妙な話ではあるが、いまだにその余韻が耳の中に残っているほどである。一人で昔を想い返したりしている時、15年前に浴びた議論や非

第10章 コンラッド文学の萌芽

難の声、今や黙して語らぬその声に、自分が応酬しているのに気づくことがある。当時、少年が返答に詰まったのは彼自身にも自分の衝動が理解できなかったために他ならなかった。あのような洗礼は一つもなかった。ポーランド生まれの私のような素性の少年が、その民族の環境や結びつきと縁を断って、そこからいわば立ったままの状態での跳躍でもするかのように跳び出していったという例は、後にも先にも私一人だったに相違ない。)[3]

　幼少にして両親を政治的理由で亡くし、その「不条理」を少年ながらもしっかりと脳裏に刻み込み、また彼の生来の独立心から（コンラッドにとって「自由」の象徴であった「海」に）自由を求めて、祖国ポーランドを jump し、フランス商船隊の船乗りになり、次いで英国船に搭乗し、接岸した各地で列強の植民地主義の圧政にあえぐ人々を目の当たりにする。そして、艱難辛苦して英国船長資格を1886年に取得し、1895年に38歳にして作家となる。後年、全くの異国の言語（英語）で世界に文名を馳せても「離国作家」と呼ばれるデラシネ性に、とりわけその「不条理性」に終生コンラッドは苦悩する。しかし彼は、「不条理性」に通じる人間存在の悲劇的性格を自分との深い関わりの中で一種宿命的に認識して、人間の identity の問題を文学者として鋭く深く探究した。その処女作が本論で考察する『オールメイヤーの愚行』（*Almayer's Folly*）であり、コンラッド文学の萌芽が窺える。自己との関わりに密接で、コンラッドのルーツ作品で自伝的作品である「エイミィ・フォスター」（"Amy Foster"）の主人公には、彼の味わった「余所者意識」（stranger-consciousness）と、根深い祖国離脱という「デラシネ性」とが色濃く窺える。そこで「エイミィ・フォスター」の hero ヤンコー（Yanko）に着目して、コンラッド文学への確かな足場を固めてのち本論の考察を進めていきたい。

II 『オールメイヤーの愚行』へのプロローグ

　ヤンコーは、全くの異国の地へ漂着して、孤立無援、言葉も通じず、「彷徨える余所者」(a lost stranger)[4] 扱いを受け、飢えた彼に彼の国では金持ちしか食べられないような白いパンまで与えてくれた唯一親切だった altruist エイミィ (Amy) にさえ最後には見捨てられる。つまり彼女と結婚し一子までもうけるが、ある日ヤンコーが高熱のため喉の渇きに耐えかねて「水が欲しい」と彼女に訴えるが、エイミィには彼の言葉が理解できず、(コンラッドもヤンコー同様、病に侵され意識朦朧になると、彼の母国語であるポーランド語の譫言が頻繁に起こっていた。) 彼女の眼にも彼を迫害した村人同様「余所者」(140) と映り、恐怖を覚えて逃げ去る。ヤンコーは "Why?" なる言葉を残し、息絶える。そして当のヤンコーのみならずその子にまでその「不条理」は付きまとう。その名からも明らかなように、ヤンコーという父のポーランド名はその子にはなく、英語のジョニー (Johnny) とエイミィによって名づけられていた。子はエイミィ・フォスターの子とされていたのである。ここに親子二代にわたって「網にかかった野鳥」「罠にはまった鳥」とこの物語の語り手ケネディ (Kennedy) が比喩した意味が、或いは、1901年2月14日付けのユゼフ・コジェニオフスキ (Józeph Korzeniowski) に宛てた手紙[5]にコンラッドが「ポーランド性」(ポルスコシチ) を残すために、英語の Conrad ではなくポーランド語の Konrad と署名していた事実を想起する時、作家コンラッドがこの作品のタイトルに込めた意味がより悲劇的色彩を帯びて浮かび上がってくる。その宿命的「不条理」は、コンラッドの出生に、そしてさらに遡って彼の父、祖父に至る彼の「ポーランド性」に繋がり、1772年の第一次ポーランドの分割以来、度々ポーランドを取り囲む列強 (ロシア、プロイセン、オーストリア) の支配を受ける悲劇的歴史を有する祖国ポーランドと共にあった。

第10章　コンラッド文学の萌芽

　そして作者コンラッドは、「青春」("Youth")、『ロード・ジム』(Lord Jim)、『闇の奥』(Heart of Darkness)のマーロウ(Marlow)に繋がる語り手「私」という媒体を通して一定の距離、いわゆる「アイロニックな距離」を置きながらも、このヤンコーに共感を示している。この共感の態度は、処女作以来30年間に及ぶ創作におけるコンラッドの終始一貫して変わらぬものであった。人種、国籍を超えてこの地上に住むあらゆる人々を結びつけるあの不可思議な「同胞意識」があると見るコンラッドは、「4年前に出会ったオールメイヤーと彼を取り巻く世界が私の想像力の伴侶となり、私の関心を得ようとして声高に叫ばずに、黙って有無を言わさず訴えかけるように蘇ってきて執筆した」と述べて、熱帯のマレーの奥地で陽に曝された無名の人々を処女作に登場させ、ここには「倫理的特徴」があった、と『個人的記録』に明かしている。

　　―— and the appeal, I affirm here, was not to my self-love or my vanity. It seems now to have had a moral character, for why should the memory of these beings, seen in their obscure sun-bathed existence, demand to express itself in the shape of a novel, except on the ground of that mysterious fellowship which unites in a community of hopes and fears all the dwellers on this earth?
　　（そしてその訴えかけは、ここではっきり申し上げるが、私の自惚れや虚栄心を誘おうとしたものではない。今からすれば、そこには倫理的な特徴があったように思える。というのも、ぼんやりと日差しを浴びた存在として目に映るこれらの人々の想い出が、どうして小説の形で現れることを求めるのだろうか。それは他でもない、希望と恐怖の入り混じった共同体において、この地上に住むありとあらゆる人々を結びつけるあの不可思議な同胞意識があるからなのだ。）[6]

『オールメイヤーの愚行』における「倫理的特徴」とは如何なるものであるのか。この解明がこの処女作を、否、コンラッド文学を解くカギとなる。そして今一つ注目すべきは、この処女作執筆の前年に、「アフリカが船乗りコンラッドを殺して、作家コンラッドを生んだ」[7]と言われる＜コンゴ体験＞をコンラッドが経ていたという事実である。つまり「アフリカの歴史上、最も根本的かつ悲劇的なものが生じた」[8]とユネスコによって報告された1890年代のアフリカの「闇の奥」に分け入っていく中で、コンラッドは19世紀後半のヨーロッパ列強によるアフリカ植民地化の欺瞞性を見抜き、真実を見極めようとする鋭い眼で様々な人間や原始の自然を冷静に直視し、寂寥（せきりょう）と孤独がもたらす人間性の荒廃を目の当たりにして、『闇の奥』のマーロウ同様、人間性の深淵を覗き見ていた。"Before the Congo I was just a mere animal."と言うほどに、この＜コンゴ体験＞でまたと得難い自分を見つけるチャンスを得て、主に青年期から円熟期にかけて経験する内的葛藤を自己の内部に生じさせ、自己をより進化させる「自己発見」の体験、所謂 *Shadow-Line* 体験を経たコンラッドは、38歳にして『オールメイヤーの愚行』をもって作家への第一歩を踏み出した。それ故に、孤独な人生の試練に耐える疎外された者たちへの共感と、真実を見極めようとするコンラッドの鋭い凝視の眼は、処女作においても窺える。

Ⅲ　オールメイヤーとの邂逅

　1889年9月の朝、コルゼニオフスキ船長（Captain Korzeniowski）は小説家ジョウゼフ・コンラッドへの第一歩を踏み出した。彼は『個人的記録』に書き記している。

第10章　コンラッド文学の萌芽

　　I never made a note of a fact, of an impression or of an anecdote in my life. The conception of a planned book was entirely outside my mental range when I sat down to write; the ambition of being an author had never turned up amongst these gracious imaginary existences one creates fondly for oneself at times in the stillness and immobility of a day-dream: yet it stands clear as the sun at noonday that from the moment I had done blackening over the first manuscript page of "Almayer's Folly" (it contained about two hundred words and this proportion of words to a page has remained with me through the fifteen years of my writing life), from the moment I had, in the simplicity of my heart and the amazing ignorance of my mind, written that page the die was cast. Never had Rubicon been more blindly forded, without invocation to the gods, without fear of men.[9]

　（これまでの人生で、事実、印象、逸話は一切書きとめたことがなかった。坐って書いていた時、一冊のまとまった本にしようという考えはまったく念頭にはなかった。静かにじっと動かず白日夢に浸っている時、人はしばしば浅はかにも、自ら想像上の優雅な人生をあれこれ頭に想い描くものだが、作家になろうという野心が、このような空想の中に現れてきたことは一度もなかった。それでも『オールメイヤーの愚行』の原稿の最初の一頁を、一面にインクで黒く埋めた瞬間から（そこには約200語入った。一頁当たりのこの語数の割合は、15年の文筆生活を通じて今も変わらない）——単純な心で、しかも呆れるくらい無知な頭で、あの頁を書いた瞬間から、「賽が投げられた」のは真昼の太陽のように明白である。神々に援助の祈願をすることもなく、人々を恐れることもなく、ルビコン川がかくも向う見ずに渡られたためしは一度もなかった。）

コンラッドの処女作『オールメイヤーの愚行』は、一頁また一頁というよりは、一行また一行と書き加えられていった[10]。オールメイヤーに初めて遭遇した1887年、コンラッドは、彼のイメージを膨らませて執筆に取り掛かった1889年、そして1890年の＜コンゴ体験＞を経て、1892年に未完の『オールメイヤーの愚行』をその最初の読者である若いケンブリッジ大生のジェイクス（Jacques）に見せて、「完成させる値打ちがある」[11] と言われて自信を得て書き続け、1894年4月の完成に至るまで、この処女作はコンラッドが手間暇かけて完成した一編である。
　この物語の hero オールメイヤー（Almayer）は実在のオールメイヤー（Olmeijer）であった[12]。極端な言い方をすれば、オールメイヤーとの邂逅がなければ、コンラッド文学は一冊も生まれていなかったかもしれない。事実、コンラッドは次のように述懐している。

　　……if I had not got to know Almayer pretty well it is almost certain there would never have been a line of mine in print.[13]
　　（もし私がオールメイヤーをかなりよく知るようになっていなかったなら、ほぼ間違いなく私の作品は一行も上梓されることはなかっただろう。）

　コンラッドはオールメイヤーとの出会いを次のように描き出している。

　　I had seen him for the first time some four years before from the bridge of a steamer moored to a rickety little wharf forty miles up, more or less, a Bornean river. …… He stepped upon the jetty. He was clad simply in flapping pyjamas of cretonne pattern (enormous flowers with yellow petals on a disagreeable blue ground) and a thin cotton singlet with short sleeves. His arms, to the elbow, were crossed on his chest. His black hair looked as if it had not been cut for a very long time and a curly wisp of it strayed across his forehead. I had heard of him at Singapore; I had heard of him on board; I had heard of him early in the morning and late at night; I had heard of him at tiffin and at dinner; …… It was really impossible on board that ship to get away definitely from Almayer;[14]

（私が初めてオールメイヤーを見かけたのは、あの時から約４年前、ボルネオ島のとある河を40マイルほど遡ったところにある、今にも壊れそうな小さな埠頭に繋がれた汽船の船橋からだった。（中略）彼は突堤に歩を進めた。クレトン模様（野暮な青字に黄色い花びらの大輪を咲かせた花柄）の絞まりのないパジャマと、薄地の木綿で出来た袖の短い下着しか身に付けていなかった。肘まで剥き出しの両腕を胸の上に組んでいた。黒髪は見た所、ずいぶん長い間散髪していなかったみたいで、その巻き毛の房が額の所でほつれていた。私はすでにシンガポールで彼の噂を耳にしていた。船内でも彼の噂を耳にしていた。早朝にも深夜にも彼の噂を耳にしていた。（中略）実の所、あの船上でオールメイヤーの噂からきっぱり逃れることは不可能だった。）

締りのないパジャマと薄着木綿の袖の短い下着をつけただけのだらしのない格好のオールメイヤーは、腕は肘まで剥き出しで、黒髪は非常に長い間散髪もしていない様子で、巻き毛になった髪の房が額をよぎってほつれていた。しかし、このだらしのない怠惰な男からコンラッドは何か深い印象を受けていた。執筆への苦労は認めながらも、このオールメイヤーのお蔭で、この『オールメイヤーの愚行』から『西欧の眼の下で』（*Under Western Eyes*）まで目下14巻の作品が生まれ、彼を常に好

意的に考えていた事を回想記に次のよう明かしていた。

> ……　The possessor of the only flock of geese on the East Coast is responsible for the existence of some fourteen volumes, so far.　……　whatever the pangs the toil of writing has cost me I have always thought kindly of Almayer.[15]
>
> （これまでに約14冊の作品が存在するのは、元をただせば東海岸にしかいない鷲鳥の群れを所有していたあの男のせいである。（中略）執筆の苦労がどれほど私に苦痛を与えようとも、私は常にオールメイヤーのことを好意的に考えてきたのである。）

このオールメイヤーの何がコンラッドをこれほどまでに惹きつけたのか。その手掛かりとしてオールメイヤーにまつわる子馬のエピソードがある。コンラッドが一等航海士として乗り込んだ800㌧の蒸気船ヴィダー号（the *Vidar*）[16] には、オールメイヤーが発注した子馬を船荷の一つとして積んでいたが、それを受け取りに桟橋に現れたオールメイヤーは、馬の脚が埠頭に触れると彼はもう子馬は自分のものとばかり後先を考えずに咄嗟に止め金を釣り鎖から外してしまう。次の瞬間にコンラッドが眼にしたのは、子馬に蹴られて仰向けになって倒れているオールメイヤーの姿であった。子馬は何処かへ逃げ去ってしまっていた。しかしオールメイヤーは商品価値のある子馬の行方にはまるで無関心であった。「野心的で子馬を輸入して大きなことを企むような男」[17] であったが故に、益々オールメイヤーを不可解と思うが、後年コンラッドは、「オールメイヤーは自分の行動を不可解な考えと途方もない仮定とで決定していた」[18] と述べている。つまりオールメイヤーは、「夢」を追い、それに挫折した男、とコンラッドは見ていたのである。但しコンラッドは、彼への共感を明示している。「オールメイヤーは不運に翻弄されることに慣らされてしまった人間」（a man accustomed to the buffets of evil fortune）[19] という一句にそれは明白である。これは出生からして不運の連続であったコンラッドの孤独な境涯と軌を一にし、その共有する想いをオールメイヤーの心の裡(うち)に看取したからに他ならない。或いはオールメイヤーを、独立の夢と被占領の現実狭間に痛ましく引き裂かれた悲劇の歴史を持つ祖国ポーランドを象徴する人物としてコンラッドの眼に映ったのかもしれない。またこの締りのないパジャマ姿のオールメイヤーに流刑地にあって病み衰えたパジャマ姿の父アポロ（Apollo）のイメージと二重映しになっていたのかもしれない。父母亡きあと、親身になって後見してくれたタデウシュ伯父[20]の手紙にも窺えるように、コンラッドの父アポロは「理想主義的な夢想家」（an idealistic dreamer）[21]で、理想に燃えて祖国ポーランド独立運動の急進派と交わり、深みにはまり、地主階級出身ということや、創作や翻訳をよくする知識人ということで、いつの間にかその渦中の中心人物となり、「好ましからぬ急進派」[22]としてロシア官憲に逮捕され、結局はタデウシュ伯父の手紙にある「一家離散」どころか、アポロは妻ともども流刑地で死ぬ運命にあった。しかしコンラッドは、父のことを「革命家」ではなく「愛国者」[23]というイメージで見て、政治的理由で非業の死を遂げた父母の「不条理」をしっかりと脳裏に焼き付けた。この「不条理」は、コンラッド文学のルーツ作品である「エイミィ・フォスター」において顕現していた。

　勿論コンラッドが描き出したものは、実在のオールメイヤーその人ではなく、コンラッドのオールメイヤーである。つまりコンラッドが実際に見聞きした真実味のある想い出を基に「想像力」を働かせて創造したオールメイヤーであり、長年コンラッドが心の中で温めてきたイメージを膨らませて（執筆に際してモットーとしている）「敬虔」の精神をもって作中のオールメイヤーにしたのである。
　1899年2月8日付のカニンガム・グレアム（Cunningham Graham）

宛ての手紙で、コンラッドは、彼の創作の方法を「私はある抽象的な概念をもって書き始めるのではなく、いくつかのイメージをもって書き始める」[24] と明かし、彼の創作の根幹にかかわる「想像力」と「敬虔の精神」の重要性を次のように言明している。

 Only in men's imagination does every truth find an effective and undeniable existence. Imagination, not invention, is the supreme master of art as of life. An imaginative and exact rendering of authentic memories may serve worthily that spirit of piety towards all things human which sanctions the conceptions of a writer of tales, and the emotions of the man reviewing his own experience.[25]
 （あらゆる真実が有効に確固として存在できるのは、人間の想像力の中だけである。創意ではなく想像力が、人生の師であるのと同様に芸術のこの上ない師でもあるのだ。信憑性のある思い出を、想像力を働かせて正確に描くことは、すべての人間的な事柄に資するあの敬虔の精神に立派に尽くすだろう。そのような精神によって、物語作家の考えや自らの経験を回顧する人間の感情が是認されるのである。）

『オールメイヤーの愚行』は完成させるのに随分手間暇のかかった小説であった。しかし「完成させる見込みが極めて薄かった時でさえ、この小説が（コンラッドの）頭からきれいに忘却することは一度としてなかった」[26]。コンラッドは航海途上でだんだん荷物の少なくなっていくカバンの中に常に『オールメイヤーの愚行』の原稿を携行していた[27]。一行一行と書き加えられていったこのオールメイヤーの物語は如何なる展開を見せるのか。そして如何なるコンラッドのオールメイヤーになったのであろうか。

Ⅳ　コンラッドのオールメイヤー——夢の挫折——

　コンラッドがオールメイヤーに遭遇した1887年は、1890年の＜コンゴ体験＞と同様に、コンラッド文学にとって画期的な年である。「（この年に）もしオールメイヤーを知るようになっていなかったら、一行も出版されていなかっただろう」とコンラッド自らがそれを明らかにしていた。彼はオールメイヤーに会ってみて、この男の外観、そしてとりわけこの男の長年抱いてきた途方もない「夢」と、目の当たりにした彼の荒廃ぶりとの落差の大きさに、コンラッドの意識にはっと閃くものがあったのである。

　「マレーもの」と呼ばれる「カレイン」（"Karain"）や「潟」（"Lagoon"）に留まらず、コンラッドの作品には、マレー人や白人を問わず、すべての人間が根本的に抱かざるを得ないリアルな「幻想」や「夢」といった一個人を突き抜けた文学的テーマが内在している。本論で考察する『オールメイヤーの愚行』においてもこの悲劇の hero オールメイヤーの外面や内面に見える夢の挫折は、まさしくコンラッド文学を貫く主要テーマに通底している。

　『オールメイヤーの愚行』の舞台は、文明国から遠く離れたボルネオの奥地サンバー（Sambir）であり、本作品は、所謂コンラッドの「マレーもの」と言われる作品群の先駆けとなるものである。この「マレーもの」と言われる作品に登場する多くの hero や主要登場人物の原型は、1887年8月22日から翌年1月5日にかけてコンラッドが一等航海士として300㌧の蒸気船ヴィダー号に乗り込んで、シンガポール（Singapore）とボルネオ（Borneo）との間を5、6回航海した時に遭遇した人々である[28]。「台風」（"Typhoon"）において登場する優れたマックワー船長（Captain MacWhirr）の原型はヴィダー号のケント船長（Captain Kent）、『オールメイヤーの愚行』、『島の流れ者』（*An*

— 819 —

Outcast of the Islands)『救助』(The Rescue) に登場する hero で主要登場人物は実名と同名のトム・リンガード (Tom Lingard) といった具合である。実在のオールメイヤーは、物語とは異なり、純潔の白人ではなく、ジャワのスラバヤ (Surabaya) で生まれ、そこで死んだ欧亜混血の人であった[29]。この脚色は、彼のイメージを膨らませてその物語の主題をより鮮明にするためのものである。つまりこの物語の主題の一つに、西洋文明と非西洋文明との対比という大きなテーマがあるからである。

　コンラッドが創造したオールメイヤーは、文明社会から隔離された世界の中で、言い知れぬ「孤独」を味わい、短編「明日」("Tomorrow") のハグバード船長 (Captain Hagberd) の如く「明日こそ」という想いで、(但しここでは家出した息子の帰還を待ちわびるのではなく) 一攫千金の夢を実現してくれるかつての「大海の王」と呼ばれたトム・リンガードを、そしてデイン (Dain) の帰りを、一日千秋の想いで待ち受けている。しかし、リンガードは探検途上で消息不明になり、オールメイヤーが待ちに待ったデインの帰還も残念ながらオールメイヤーと協力して金鉱発見に赴くための帰還ではなかった。文明を拒み且つ弱肉強食のマレーの原始的な熱帯の密林を背景に、オールメイヤーは夢と現実との落差の大きさを実感しつつ、最後には唯一の心の支えであった愛娘(まなむすめ)のニーナ (Nina) にも逃げられ、人間不信に陥り、遂には人間の根底に潜む「同胞意識」さえ喪失し、アヘンに溺れ、「闇」に攻撃されて失意のうちに死んでしまう。コンラッドの「闇」への言及は V 結論に代えて――コンラッドの「闇」―― において論述する。) 文明から隔離された時の白人の内部に存在する「余所者意識」に見られる人間の「孤独」が生き生きと描き出されている点でも、この作品にはコンラッド文学の萌芽がみられる。そして英国船における経験主義の伝統に基づく厳しい訓練を自らに課し、『人生と文学についての覚書』(Notes on Life and Letters) に述べている「青春時代に自分の性格の根本部分を形成

したあの伝統」[30] を固守し、確固とした目的意識に貫かれて16年間の長きにわたり英国商船に乗り組んだ（仏船時代を含めれば20年間に及ぶ）そこでのコンラッドの船乗りとしての眼と体験とが、資本主義以前の国であったポーランド人の眼、つまり西欧社会のアウトサイダーの眼とが合致して、西欧の植民地支配の頽廃をこの『オールメイヤーの愚行』において早くもはっきりと描き出している。

　　　"KASPAR! Maken!"[31]

　この巻頭の無感動で日常的な妻の素っ気ない言葉に、そしてこの言葉から受けるオールメイヤーの妻への嫌悪感に、この物語のテーマである夢の挫折が象徴化されている。「キャスパー！　飯だよ！」というこの声は、長年彼が聞き慣れた妻のそれであるが、彼には不愉快な現実世界に引き戻す嫌な声であった。なぜなら彼の妻はマレー人で、白人である彼の文明を憎み、日常的に彼に乱暴な言葉を吐き、文明を象徴する綺麗なカーテンを引き裂き家具に火を付けたり、といった野生の爆発をするからである。そんな彼女に怖気づき、妻を忌避していたからである。彼も20年前、「金と冒険」（6）を求めてマレー群島にやってきた当時の若者と同様、夢や野心を抱いてヨーロッパからこのマレーにやって来ていたが、今や彼には夢と現実との落差を思い知り、昔の夢や野心を回想し、妻やこの非文明社会から逃れて娘と二人、幸福な生活をヨーロッパで送る事を夢想する日々を送っていた。オールメイヤーが現在ひたすら待ち望んでいるのは、デインの帰還である。それは、妻の養父のトム・リンガードがかつて発見した「夢のような信じられないほどの富」（26）を、今度は彼が手に入れようと計画した探検隊にデインが彼の片腕となって協力するという事を意味していた。発見した莫大な富を使って、文明教育を施した娘と非文明社会のボルネオの奥地から抜け出し、文明社会であるヨーロッパへ行って豪華な生活を送るという彼の「夢」

の実現に繋がるからである。

　彼の妻への忌避は一言で言えば彼女がマレー人であった、という事であり、彼の持つ西洋文明とは根本的に異質であった、という事である。しかし彼女とて非西欧文明に全く縁がなかったわけではない。彼女は元現地人の海賊の娘であったが、当時マレー人なら知らぬものとてない「大海の王」("The Rajah-Laut" —— the King of the Sea)（7）と認められていたトム・リンガードに奮戦空しく海戦で敗れ、その時、彼女も一族とともに死ぬ覚悟でいたが、脚に深手を負い、リンガードに保護され、彼の「理性なき感傷の衝動」(unreasoning impulse of heart)（22）のために彼の養女とされ、彼女は彼によってジャワ（Java）のとある修道院に入れられる。彼女はそこでヨーロッパ式の教育を4年間の長きにわたり、彼女の民族のそれとは全く異なるキリスト教の信仰を教会の修道女(シスター)たちから仕込まれる。修道院の高い壁や静かな庭、そして修道女たちの監視のもとに、彼女は「民族の習慣」(the manner of her people)（22）に従ってその運命を甘受したのである。それは、彼女が脚に深手を負い捕虜になった時、炎上しながら沈んでいく味方の船を凝視しながら彼女が悟り、考え、決意していた事の中に窺える。

　　She realized that with this vanishing gleam her old life departed too. Thenceforth there was slavery in the far countries, amongst strangers, in unknown and perhaps terrible surroundings. There was in her the dread of the unknown; but otherwise she accepted her position calmly, after the manner of her people, and even considered it quite natural; for was she not a daughter of warriors, conquered in battle, and did she not belong rightfully to the victorious Rajah?　Even the evident kindness of the terrible old man must spring, she thought, from admiration for his captive, and the flattered vanity eased for her the pangs of

sorrow after such an awful calamity.（pp.21-22）
　　（(恐るべき敵との戦いに敗れて炎上する船の）この消えゆく光と共に、自分のこれまでの人生も終わったことを彼女は悟った。これからは、遠い国で見知らぬ人々の間で、未知の恐ろしい環境の中で、奴隷の境涯が始まるのだ。彼女の心中には未知のものに対する恐怖はあったが、それを別にすれば、彼女の民族の習慣に従って、自分の運命を静かに感受しようとした。また、それを極めて当然のこととさえ考えた。彼女は戦いに敗れた戦士の娘ではなかったか。だから当然、勝者である王に所属するべきものではないか。恐るべき老人が示す明らかな親切でさえ、自分の捕虜に対する満足から生まれるものに違いないと彼女は考えた。そして虚栄心をくすぐられたことが、このような恐るべき災難の苦悩を和らげた。）

「運命の甘受」は戦士として戦って敗れた「民族の習慣」であったが故に耐え得るものであった。しかし養父リンガードが示したものは、彼女の運命はあらぬ方向を指していた。作者はそれを彼女にとっては「恐ろしい形」(22)をとったと述べている。彼女を待ち受けていたものは、サマラン（Samarang）の修道院での4年間に及ぶ監視付きの、彼女の民族とは相容れない「キリスト教を強制」する教育であった。（因みにコンラッドは、14歳にしてキリスト教の教条主義を嫌悪していた事を親友のガーネット（Garnett）に宛てた手紙で表明していた[32]。）そして4年間のキリスト教教育を受けた後、「大海の王」の「厳命」("fiat")(23)によって彼女はヨーロッパの憎むべき華美な装飾品を身に付け、見知らぬ不機嫌な顔つきをした白人の男と祭壇の前に立たされたのである。しかも伴侶たるその白人オールメイヤーは、当時のアフリカ征服に役立てられた「白色人種優越説」(曲解された「社会ダーウィニズム」)[33]の影響をもろに受けて、「マレー人の女なんて奴隷にしか過ぎない」「白人たる者がマレーの女と一生を共にするなんて恥辱だ」(10)と

考えていた。彼が彼女と結婚したのは、リンガード船長の莫大な財産が目当てであり、彼女と結婚すればそれをオールメイヤーに譲るとリンガードが言っていたからである。しかし少女の方は、「白人の法律に従えば、自分はオールメイヤーの奴隷ではなく伴侶になる」(23) と考えており、それは皮肉にも彼女が修道院で教わった事であった。彼女はそれに従って行動しようと心に誓っていたのである。このヨーロッパ文明の矛盾を彼女は結婚当初から痛感し、それが時として彼女のマレー人の血が首をもたげ、文明に対する「理性なき憎しみ」(her unreasoning hate) (26) となって、その対象となる文明を象徴する綺麗なカーテンを引き裂き、家具に火をつけるといった行動に出たのである。二人の結婚を心から満足していたのは彼女の養父リンガード船長だけであった。しかしその彼も「俺は何でも最後まできちんとやる主義だ」「俺があの娘を孤児にしたんだからな」と自分の主義を通した事を自慢し悦に入っているだけで、後見人として、二人の将来をきちんと見通してはいなかった。ここには一種の感傷主義とマレー人の養女を白人の許に嫁がしたという白人優位のものの考え方が彼の善意の裏に窺える。そして結婚後オールメイヤー夫婦は娘をもうけるが、「エイミィ・フォスター」のあのヤンコー親子におけるが如く、娘ニーナにも母と同様の宿命的な悲劇が見舞うのである。

　10年後、文明教育を受けて洋風の出で立ちも素晴らしく、美しく成長したニーナが戻ってくる。その憂いを帯びた大きな眼はマレー人の女に共通のびっくりしたような表情を持っていたが、それはヨーロッパ人の血から受け継いだ考え深そうな様子で和らいだ表情になっていた (29)。しかし「文明教育の勝利」と思われた外面の彼女の美しい容貌とは裏腹に、彼女の内面は全く違っていた。彼女にとって不幸であったキリスト教の教えによる10年間の文明生活を作者は次のように述べる。

　　She seemed to have forgotten in civilized surroundings her life

第10章　コンラッド文学の萌芽

before the time when Lingard had, so to speak, kidnapped her from Brow. Since then she had had Christian teaching, social education, and a good glimpse of civilized life. Unfortunately her teachers did not understand her nature, and the education ended in a scene of humiliation, in an outburst of contempt from white people for her mixed blood. (42)

　（ニーナは、その昔リンガードがパンタイ河の桟橋から、まだ小さかった自分をさらうようにして連れて行った時以来、文明の環境の中に育ち、慣れて、それ以前の小さかったころの生活を忘れてしまったように思った。彼女はキリスト教の教えを受け、文明生活というものを十分に覗いた。不幸にして、教師たちは、少女の性格を理解せず、その教育は屈辱の場面の中に、──彼女の混血に対する白人の軽蔑の暴露によって──終わりを告げた。）

後に彼女自身が語ったように「白人から軽蔑され、拒絶されて」(180)、ニーナは故郷サンバーに「心の避難所」を求めて帰郷したのである。その時の心情は次のようであった。── When I returned to Sambir I found the place which I thought would be a peaceful refuge for my heart, (191). しかし、彼女の内に秘めたものはオールメイヤーには分からなかった。彼は、娘が家へ帰って来た理由を彼女の口から聞き出そうとしたが無駄だった。彼女はシンガポールの生活について何一つ話さなかった。彼女はよく母の許を訪れて長い間その小屋で時間を過ごした。小屋から出て来た彼女は、相変わらず心の中が測り知れない表情をしていた。そして何か蔑むようなところがあり、オールメイヤーの言うどんな言葉にも決まりきった素っ気ない答えしかしなかった。リンガードは妻が娘の及ぼす影響力に大きな不安を感じていたが、ニーナはこの半分野蛮な、惨めな生活の環境に順応していった。この家の投げやりな事も、朽ちかけている事も、貧乏な有様も、家具の乏しい事も、ま

— 825 —

た家族の食卓に米飯ばかりが供される事にも何も言わず黙って受け入れた。オールメイヤーは、時折娘が思い出したように示してくれる優しい、保護するようなしぐさに満足を覚え、やがて彼はそんな状況に慣れてしまう。それから3年間の月日が過ぎて行った。作者はニーナの境涯を次のように語る。

  And now she had lived on the river for three years with a savage mother and a father walking about amongst pitfalls, with his head in the clouds, weak, irresolute, and unhappy. (42)
  （それから、ニーナはこの河ほとりで、野生を剥き出しの母と、頭を夢の国に突っ込んだまま、弱々しく、不決断に、惨めに、落とし穴の間を彷徨っている父との間で、3年間を過ごしてきた。）

郷里サンバーには「心の安らぎ」は無くそこには倦怠と憎しみ——そして両親の相互の軽蔑があるばかりであった。文明教育を受けた彼女の眼には、「あらゆる文明の上品さ」(all the decencies of civilization)(42)を欠いたと映り、この惨めな家庭環境の中で、彼女は3年間を過ごしたのである。そしてここには、『闇の奥』の出張所全体に渦巻いていた（象牙獲得のために狂奔している者たちの）陰謀の空気（an air of plotting）[34]と同様の、利益を追い求める下劣な陰謀や欲と金を目当ての企みや犯罪が満ちていた。つまりここには英国とオランダの植民地競争を背景にその利権を虎視眈々と狙うアラビア貿易商人とヨーロッパ人、そして彼らの間にあって漁夫の利を得ようとしている欲深い現地人たちの暗躍があった。半年もするとニーナの眼には、キリスト教の七つの大罪（the seven deadly sins）の一つである「貪欲」としか映らない。この貪欲は、「アフリカに対する動機中最も重要だとはいえ、貪欲はほんのその一つだったが、コンゴという「自由国家」の場合のように貪欲がただ一つの動機だったように思われる場合がある」[35]とバートラ

第10章　コンラッド文学の萌芽

ンド・ラッセルが喝破した19世紀後半のアフリカの実態に通底するものである。

　結婚後、野性的なオールメイヤー夫人が夫への軽蔑を込めた威嚇や文句や辛辣な罵りを浴びせかけ、彼が内心の苦痛を顔にこわばらせて黙ってその場を逃げる情景をニーナはいつも目の当たりにする。オールメイヤーに最後に決まって浴びせかける夫人の甲高い叫びは、彼にとって生涯の痛恨で最も苦痛の叫びであった。「いいね。キャスパー。私はあんたの女房だよ！　オランダの国の法律にかなった、あんたのキリスト教の女房だよ」(40)。

　そしてスールーの君主の栄光や君主の船足の速い海賊船を見ただけで白人の心を恐怖で釘づけにしたとか一族に連なる輝かしくも勇敢な民族の行為についての母の話を聞くにつけ、ニーナの果断な性格には、遂に、マレー人の縁者が示す獰猛な、妥協を知らぬ、真剣な決意こそ、彼女が不幸にも接触を持つに至った白人たちの陰険な偽善や、礼儀の仮面、徳の持つ見せかけより望ましいものに思われてくるのである(42)。(この想いが蓄積されてバリ島の酋長の息子のデインが持つ野性味、情熱の一途さ、逞しさに魅かれ、遂には父を捨て、デインの許に走るのである。)

　文明人が持ち込んだ陰謀が渦巻くマレー人の原始の世界の中で、ニーナの孤独感や虚無感がますます募っていく。この孤独感や虚無感は、オールメイヤーにも当てはまる。

　オールメイヤーの許にニーナが戻ってきた時、頼みの綱であったリンガード船長からの莫大な富発見の報告はなかった。否、いつしか彼の消息も不明となっていた。そしてその間にオールメイヤーの不決断な性格のために、アラブの交易商人アブダラ (Abdulla) に彼の交易地を次々と奪われ、おまけに数少ない友であり「少なからぬ畏怖の念と父性的な感情」(これは彼が白人であるというだけの理由で示された「愚かしい愛情」[36])を示してくれた老酋長も亡くなって、今ではアラビア人の取

りなしでオランダ官憲の後釜を得たラカンバ（Lakamba）が前老酋長に成り代わっていた（27）。オールメイヤーが生きながらえているのは、彼がリンガードの貴重な秘密（莫大な秘宝の在処（ありか）に通ずるルート）を知っていると思われていたからに他ならない。当時オールメイヤーは、「孤独と絶望」（isolation and despair）（28）に打ちひしがれていた。彼がアヘンに慰めを見出さなかったのは、皮肉にも白人としての彼の誇り（his white man's pride）（28）が許さなかったからである。この種の皮肉は、コンラッド的 irony の萌芽である。コンラッドの irony の眼は、表面に隠された裏面の実態を見抜き、暴く。この「マレーもの」の作品に限っても、マレー群島やボルネオの原始的な自然の表面に如何に華麗な花が咲いていようと「生命」の糧は腐葉土であり、花はいわば「死」から出たものである。コンラッドは弱肉強食に繋がる原始的な熱帯の密林の中で繁茂した植物の営みを次のように描き出している。

　　……plants shooting upward, entwined, interlaced in inextricable confusion, climbing madly and brutally over each other in the terrible silence of a desperate struggle towards the life-giving sunshine above——as if struck with sudden horror at the seething mass of corruption below, at the death and decay from which they sprang. (p.71)
　　（植物は天に向かって芽を伸ばし、絡み合い、解きほぐすことが不可能なほど渾然と巻き合って、生命の源である日光に向かって、必死の戦いの恐ろしい静寂の中に、気が狂ったように、残忍に、お互いの上によじ登り合っていた。——あたかも、下界の雑然とした腐敗の塊、自らそこに生まれてきた死と腐食に対する、突然の恐怖に駆られたかのように。）

　　On three sides of the clearing, appearing very away in the

deceptive light, the big trees of the forest, lashed together with manifold bonds by a mass of tangled creepers, looked down at the growing young life at their feet with the somber resignation of giants that had lost faith in their strength. And in the midst of them the merciless creepers clung to the big trunks in cable-like coils, leaped from tree to tree, hung in thorny festoons from the lower boughs, and, sending slender tendrils on light to seek out the smallest branches, carried death to their victims in an exulting riot of silent destruction. (p.165)

　　（開墾地の三方にわたって、密林の巨大な樹々が──幻影めいた月光の下で、非常に遠いもののように見えたが──無数の絡み合った蔓草にお互い同士がんじがらめに縛られて、さながら自己の力を信じられなくなった巨人のように、厳粛な諦念をもって足許の若い生命の成長を見下ろしていた。無慈悲な蔓草は太い幹に電線のように巻きついて、樹から樹へと渡り、棘のある花づなを低い枝から垂れて、さらに細い蔓を高く伸ばし、一番小さな枝を探り当てると、無言の破壊の歓喜に酔いしれて、その犠牲者を死へと導くのであった。）

　この弱肉強食の理論は、当時のヨーロッパ列強による植民地政策を正当化する「社会ダーウィニズム」の「白人優越説」を物語るものである。この影響は、オールメイヤーにも及んでいる。彼はリンガードの指示通り、当時英国の支配下にあった植民地シンガポールに娘を送り、そこで文明教育を施し、文明人となったニーナを連れてこの野蛮な生活から一刻も早くヨーロッパへ脱出したいと切望していた。彼はシンガポールを「海峡植民地」と呼び、英国人を「富める国を開発する仕方を心得た英国人」(the English who knew how to develop a rich country)（36）と呼び、英国ボルネオ商会（the British Borneo Company）設

立の話が持ち上がると、オールメイヤーは、全私財を投じて、新会社の英国の技師や代理人や植民者たちのための新しい邸を建てる。しかしその新会社設立計画は、ロンドンの事務所が発した一つの決定で反故になり、その邸は途中で放棄され、当時英国と利権を争っていたオランダの海軍士官たちからオールメイヤーの夢の挫折を嘲笑する「オールメイヤーの愚行」("Almayer's Folly")（37）という名を頂戴する。この水泡に帰したオールメイヤーの愚行がこの物語のタイトルになっている事に着目すれば、作者コンラッドの irony がおよそ窺い知れる。これは取りも直さず「白人優越説」への彼の態度表明に他ならない。この主題をより鮮明に打ち出した作品が、「コンゴもの」と呼ばれる「進歩の前哨地点」("An Outpost of Progress")と『闇の奥』である。ヨーロッパ人の愚行と貪欲に軽蔑と憤りを感じて、"the vilest scramble for loot that ever disfigured the history of human conscience and geographical exploration" [37] とコンラッドが言明しているものである。コンラッドは、アフリカに来た白人巡礼者たちを、「植民者」と呼ばずに「征服者」と呼び、彼らの正体や彼らの抱いている「観念」を『闇の奥』において次のように言明している。

> They were no colonists; their administration was merely a squeeze, and nothing more, I suspect. They were conquerors, and for that you want only brute force —— nothing to boast of, when you have it, since your strength is just an accident arising from the weakness of others. They grabbed what they could get for the sake of what was to be got. It was just robbery with violence, aggravated murder on a great scale, and men going at it blind —— as is very proper for those who tackle a darkness. The conquest of the earth, which mostly means the taking it away from those who have a different complexion or slightly

flatter noses than ourselves, is not a pretty thing when you look into it too much. What redeems it is the idea only. An idea at the back of it; not a sentimental pretence but an idea; and an unselfish belief in the idea —— something you can set up, and bow down before, and offer a sacrifice to.（pp.50-51）

（彼らは植民者ではなかった。彼らの遣り口というのは、おそらくただ搾取、それだけだった。彼らは征服者だったのだ。そしてそのためにはただ動物力さえあればよかったのだ——あったからといって、そんなものは何一つ誇ることはない。彼らの勝利は、ただ相手の弱さからくる偶然、それだけの話に過ぎないのだ。ただ獲物の故に獲物を奪ったに過ぎない。暴力による略奪であり、凶悪極まる大規模な殺戮だ。そして彼らは、ただまっしぐらに、盲目的にそれに飛び込んでいった、——それでこそ闇と格闘するものにふさわしいのだ。この地上の征服とはなんだ？　たいていの場合、それは単に皮膚の色の異なった人間、僕らより多少低い鼻をしただけの人間から、無理に勝利を奪い取ることなんだ。よく見れば汚いことに決まっている。だが、それを補ってあまりあるものは、ただ観念だけなんだ。征服の背後にある一つの観念。感傷的な見栄、いいや、そんなもんじゃない、一つの観念なんだ。己を滅して、観念を信じ込むことなんだ、——我々がそれを仰ぎ、その前にひれ伏し、進んで犠牲(いけにえ)を捧げる、そうしたある観念なんだ。）

19世紀後半のヨーロッパ列強によるアフリカ植民地化の実態をリアルに生き生きと描き出し、クルツをして「恐怖だ！　恐怖だ！」（The horror! The horror!）（149）と言わしめ、その叫びに根源的に問い直すべき西欧文明の危機や人間の危うさを警告する『闇の奥』。この作品の根底には人間が抱く「夢」と「孤独」という普遍的なテーマが存在していた。この作品を読み、啓発されて1925年7月から翌年の5月にかけ

て実際にこの世界を追体験したアンドレ・ジッド（André Gide）は、『コンゴ紀行』の中で、この The horror! と符合する言葉「恐るべきこと」(cet《affreux》) を用いてコンゴ紀行の目的を明瞭に自覚し、以後、西欧文明をその外側から批判する事はなかった。この啓蒙の書である『闇の奥』の先駆けをなす『オールメイヤーの愚行』のオールメイヤーの夢の挫折にも、白人、黒人、黄色人種の枠を超えた人間が抱く「夢」と「孤独」という普遍的なテーマが通底している。

　「夢」はたとえ「幻想」であろうと、人間は持ち続けなければ生きていけない時がある。よほどの鈍感か忍耐力がなければ長くは生きていけない時がある。また、虚無状態では人生を生きているとは言い難い。ニーナの場合、その一族の「運命の甘受」という習慣が彼女の不幸な境遇に耐える支えとなっていたが、そこでの日々の生活は、価値あるものとは言い難く、毎日が過去となって走り去る不合理で屈辱的な日々であった。ある意味では、彼女こそがこの物語の一番の被害者であると言い得る。ニーナの境遇には、生まれながらにして一種宿命的な悲劇感がある。つまり、文明を信じ、非文明人を蔑む父のオールメイヤーと、マレー人の母、それも文明教育を受けた反文明化した母がきわめて強い性格を持つが故に、不当な文明教育の矛盾を、結婚当初から痛感し、却って彼女のマレー人の野性的な血が喚起され、性格の弱い夫への威嚇や侮辱の態度となって表れていた。この異質で正反対とも言い得る二人の間にあって、ニーナはただ沈黙を守り、日ごとに募る憂鬱に耐えていくしかなかった。彼女は父の抱いている「夢」を理解せず、ましてや共鳴する事などは論外であった（152）。しかし、そんな絶望的な孤独の中で、彼女は自分の自由を心の奥深くに潜めていた。逆境にあってもそれに耐えて自身の考えを持ち「夢」を抱く人間には、コンラッドは共感と好感を持つ。作者は、「牢獄の壁の中で、自由を切望する囚人のように、一心不乱に自分自身の夢を持ち続けるニーナ」(151) に、若きマレー人の酋長デインを遭遇させ、ニーナに「自由への道」(the road to freedom)

第10章　コンラッド文学の萌芽

（152）を見出させている。

　デインとの遭遇で、ニーナは、人生の意義と目的（the reason and the aim of life）（152）を理解したのである。

　デインとの遭遇は、まさしく彼女の永らく眠っていた情熱の炎に火をつけた。彼女は、優しいが、しかし探るような凝視でデインの眼の中を覗き込み、そこに確証を見出した。何代も続く偉大な酋長の子孫で生死を支配する男が、彼女の存在の中でのみ人生の太陽を見出している事を。そして嫌悪すべき惨めなあの過去の冷たい灰の中に、今や愛の証拠を、輝かしい素晴らしい未来の誓いを見出している。デインとニーナの根本的な絆は、原初的な「人間共通の血縁」であった。彼が彼女に向かって、「俺は俺の魂を永遠に貴女の手に委ねた」「俺は貴女の呼吸と共に呼吸し、貴女の眼で見、貴女の頭で考え、貴女を永遠に俺の心に受け入れる」（178）と語っていた。ここには白人の文明意識や教えは通用しない。二人の野性的な性格の間に通い合う野生の本能的結びつきがあるばかりである。未来に絶対の確信を持ったが故に、デインが非合法な火薬取引に関わってオランダ当局から追われ、逃亡途上で溺死したと知らされ、その死体が上がったと言われても、ニーナは信じなかった。事実、その死体はデインの偽装工作の替え玉で、デインは死んではいなかった。唯一望みを託していたデインを失ったと思い、失望の淵に立って混乱し平静さを欠くオールメイヤーには、悲嘆にくれる父に優しい言葉をかけようとする想いとデインとの新しい生き方の方を選べと囁く二つの相争うニーナの内面の葛藤はわからず、彼は激しい怒りを爆発させる。

　　　"You have no heart, and you have no mind, or you would have understood that it was for you. For your happiness I was working. I wanted to see white men bowing low before the power of your beauty and your wealth. Old as I am I wished to seek a strange land, a civilization to which I am a stranger, so as to find a new life in the contemplation of your high fortunes, of your triumphs, of your happiness. For that I bore patiently the burden of work, of disappointment, of humiliation amongst these savages here, and I had it all nearly on my grasp. …… Are you content to live in this misery and die in this wretched hole? Say something, Nina; have you no sympathy? Have you no word of comfort for me? I that loved you so." (pp.101-02)

　（お前は心がないのか！　頭がないのか！　さもなきゃ、わしが働いているのはお前のためだ、お前の幸福のためなんだということがわかっていいはずだ。わしは金持ちになりたかった。わしはここから出て行きたかったんだ。白人がお前の美しさとお前の金のために頭を下げるのを見たかったんだ。年はとったが、わしは知らない土地を探して、向こうででもわしを知らないような文明の土地を探して、お前の幸運とお前の勝利と、お前の幸福を眺めながら、新しい人生に入りたかったんだ。だからこそ、ここらあたりの野蛮人どもの間で、仕事や、失望や、屈辱の重みにもじっと辛抱して耐えてきたのだ。それが今にも手に入りそうになっていたんじゃないか！（中略）お前はこんな惨めな所に生きて、こんな哀れな穴倉で死んで満足なのか？　何とか言いなさい、ニーナ。お前には同情がないのか。わしを慰める言葉がないというのか。お前をこんなに愛しているわしなのに。）

　しかし、彼が今までの人生を述懐し、「こんなにもお前を愛しているわしに」と述べたオールメイヤーの言葉に嘘、偽りはなかった。今の彼にとって唯一の生きがいは娘ニーナの事であった。オールメイヤーは確かに利己的で夢想的な所はあったが、愛娘ニーナに対する愛情は本物であった。実際彼がサンバーの奥地でひたすら失望や屈辱の重荷にもじっ

と耐えていたのも、すべてニーナの幸福を願っての事であった。彼の誤算は、民族の違いの障壁であり、彼の夢を娘が理解しておらず、白人の論理が彼女に通じていなかった事にある。オールメイヤーがニーナに「お前は長年の教えを忘れたのか？」という悲痛な問いかけに、ニーナは次のように答えている。

"I remember it well. I remember how it ended also. Scorn for scorn, contempt for contempt, hate for hate. I am not of your race. Between your people and me there is also a barrier that nothing can remove. You ask why I want to go, and I ask you why I should stay. …… You wanted me to dream your dreams, to see your own visions —— the visions of life amongst the white faces of those who cast me out from their midst in angry contempt. But while you spoke I listened to the voice of my own self; then this man came, and all was still; there was only the murmur of his love. You call him a savage! What do you call my mother, your wife?" (pp.178-79)

（よく覚えているわ。それがどういう結果になったかも覚えているわ。侮辱には侮辱、軽蔑には軽蔑、憎悪には憎悪。私はお父さんの種族の人間ではないわ。お父さんの種族と私との間にも、除くことの出来ない障壁があるのよ。何故、私が行きたいかっておっしゃるのね。それじゃ何故留まらなくてはならないかってお聞きしたいわ。（中略）お父さんは、私がお父さんの夢を見るように、お父さんと同じ空想をするようにって、お望みだったのね。それは、私のことを軽蔑で追い出した人たちの、白い顔の間で生活するっていう空想だったじゃないの。でも、お父さんが話してる間、私は自分自身の声を聞いていたのよ。それから、この人がやって来て、何もかも静かになったわ。彼の愛の囁きしか聞こえなくなったの。お父さ

んは彼のことを野蛮人だっていうのね。それじゃ、お母さんのことを、お父さんの奥さんのことを何って呼ぶの？）

そしてニーナは、「今では私は、マレー人よ！」(180) と言い切っている。

オールメイヤーは、ヨーロッパ列強に取り巻かれ、隙あらば彼を陥れようと待ち構えているマレー人やアラブ人に包囲され、そして妻さえも信じる事が出来ない状況下にあった。そして今、唯一信頼していた娘の背信である。彼は「完全な孤独感」(the sense of his absolute loneliness) (102) を味わっている。彼が出来た唯一の背信に対する回答は、娘ニーナの行為を「わしは絶対に許さないぞ、ニーナ」(I will never forgive you, Nina!) (192) であった。これが彼の生涯において、彼が大きな声を出した最後であった。娘は父の許を去り、デインの許へ行く。今やオールメイヤーには娘の存在を忘れてしまいたいという願いがあるばかりであった。彼が出来た唯一の具体的行為は、岸辺に残したニーナの足跡を消す事であった。忠実な下僕であるアリ（Ali）も狼狽した事に、今や「白人としての誇り」もかなぐり捨てて、砂の上を這いながら、娘の足跡を注意深く手で消していく。ここには egoist オールメイヤーの姿は窺えない。夢の挫折に打ちひしがれた哀れな一個の人間の姿があるばかりである。但し、彼の娘のニーナに対する愛情の深さは看取できる。頭では娘の背信行為を絶対に許さぬと決意していながら、どうしても娘の事が忘却できず、益々その想いを深めているからである。娘がオールメイヤーを捨て去る前は、デインの探索に来たオランダの士官たちに "Dain dead; all my plans destroyed. This is the end of all hope and all things."(122) と言いながらも、「わしはこの島中で鷺鳥を所有している唯一の白人だ」という白人優越の自意識を持ち、それが皮肉にも彼が厳しい環境に囲まれていながらもアヘンに手を出さなかった主因であった。しかしニーナの背信によって彼の一生を賭した

第10章　コンラッド文学の萌芽

「夢」が「挫折」した時、その白人優位の自意識も喪失し、オールメイヤーはもはやオールメイヤーではなくなり、人間存在そのものも失くしてしまう。ニーナを失ってから、やがて彼はオールメイヤーの邸に引き込もり、アヘンを吸い始め、廃人への道を辿る。

　人間は生きていく上で「夢」を持つ事は必要である。しかし「夢」は両刃の剣でもある。この「夢」を「幻想」に置き換えてコンラッドは『オールメイヤーの愚行』と同じ「マレーもの」の短編「カレイン」において、「幻想」を二つに大別して、人間に忠実な「幻想」と人間を裏切る「幻想」がある事を、つまり、人間に喜びや希望や平穏を与える「幻想」と、悲しみや苦痛を与える「幻想」のある事を述べている[38]。この尺度で言えば、ニーナは前者の人間に忠実な「幻想」を見、自由への道を見出し、オールメイヤーは、後者の人間を裏切る「幻想」を抱き、復元できない自己破壊を引き起こしてしまったと言い得る。この「破壊的要素」については、コンラッドの「闇」との関わりで後述する。

　ではコンラッドがこの物語に「倫理的特徴」があると明かしていた「倫理」とはいかなるものであるのか。コンラッド文学を解くカギとなるこの「倫理」の根源を、1913年9月10日にコンラッドに会って「人生や人間の運命」(human life and human destiny)[39]について彼と根本的に共有する思想の一致を見たバートランド・ラッセル(Bertrand Russell)の『記憶よりの肖像』(*Portraits from Memory*)に見てみる。

　　「コンラッドは、訓練は内部から起こるべきものという古い伝統に固執する。彼は放任を軽蔑するが、単に外的な訓練を憎んだのである。」[40]

　コンラッドは、英国商船に乗り組んで16年間、フランス船時代を含めれば20年間に及ぶ船乗り生活において、ラッセルの言う厳しい訓練を自らに課し、『人生と文学についての覚書』に述べている「青春時代に自

分の性格の根本部分を形成したあの伝統」を固持し、そこから生まれた船乗りの〈同胞意識〉や〈連帯の倫理〉を生涯大切にしていた。そしてコンラッドらしいところは、すでに帆船の最盛期を過ぎて、蒸気船の時代に入っていたにもかかわらず、「青春」のマーロウや『陰影線』の「私」と同様、蒸気船よりも格段に労苦を要する帆船の方を好んで操船した事にある。その理由は、『陰影線』の「私」が述べているように、「帆船の方が全身全霊を捧げることが出来る忠誠心を船乗り仲間と共有できるから」[41] である。さらにコンラッド自身が、自伝的回想記『海の鏡』（*The Mirror of the Sea*）において、「全身全霊を傾注して個人的感情を捨てて、名人芸に仕えること、これこそが船乗りにとって自己の責任を忠実に果たす唯一の道で、蒸気船は芸(アート)を構築することに不可欠な条件である自然との親近感に欠け、船と個人的な繋がりも帆船に比して希薄である」[42] と言明していた。そして、この種の〈連帯感〉は無数の人々の心の「孤独」を繋ぐ生きとし生けるものの潜在的〈同胞意識〉に直結するもので、それはコンラッドが作家として「自覚」と「自信」をもって世に問うた、特筆すべき作品『ナーシサス号の黒人』（*The Nigger of the 'Narcissus'*）への「序文」においても明らかである。

　　He (The artist) speaks to our capacity for delight and wonder, to the sense of mystery surrounding our lives; to our sense of pity, and beauty, and pain; to the latent feeling of fellowship with all creation —— and to the subtle but invincible conviction of solidarity that knits together the loneliness of innumerable hearts, to the solidarity in dreams, in joy, in sorrow, in aspirations, in illusions, in hope, in fear, which binds men to each other, which binds together all humanity —— the dead to the living and the living to the unborn.[43]

第10章　コンラッド文学の萌芽

　コンラッドは、「我々の内部に宿る生きとし生けるものに対する連帯感——無数の孤独な魂を結合する微妙で確固とした連帯の感情、つまり夢、喜び、悲しみ、渇望、幻想、希望そして恐怖を通じての連帯の感情」の大切さを訴えている。そして彼は、「信念は、人に是認される時、益々確固たるものになる」というノヴァーリス（Novalis）の言葉を『ロード・ジム』の題字として掲げ、その作品の中で、「我々は手を繋ぎ合っていればこそ存在している」、また「手を離してしまった」ジムについて、「罪の本当に需要な点は、それが人間の共同体への信義の背反であるという点にある」とも述べている。一見矛盾する人間の「孤独」と〈連帯〉という問題が、コンラッドの重要な人間的課題となっている[44]。自らの理想の自画像を最後まで追い求めたロード・ジムに対しては、オールメイヤーよりもはるかに作者の共感の度合いが強い。祖国への回帰を希求しながら、果たせず、それを断念し、根源的に人間共通の普遍的な血縁から外れてしまったジムに、作者の分身である「語り手」マーロウは限りない同情と共感を寄せて次のように語っている。

　　"The spirit of the land, as becomes the ruler of great enterprises, is careless of innumerable lives. Woe to the stragglers! We exist only in so far as as we hang together. He had straggled in a way; he had not hung on; but he was aware of it with an intensity that made him touching, just as a man's more intense life makes his death more touching than the death of a tree." [45]

　　（国土の魂は、人間の企てる大きな冒険の支配者にふさわしく、数限りない人間の生命には無頓着だ。哀れなのは落伍者だ！　我々は手を繋ぎ合っていればこそ存在している。彼（ジム）はある意味で落伍した。彼は手を離してしまったのだ。しかし彼が痛切にそのことを意識していた——彼が人を感動させるのはそのためだ。丁

度、強烈な生が人間の死を樹木の死よりも感動的にするのと同じだ。）[46]

　人間は手を繋ぎ合っている時にのみ存在し得るという「人間的連帯感」こそ、コンラッド文学の根源的な感覚である。コンラッドの言う「連帯感」は、彼の厳しい「試練」の実体験を基盤とする人間の「孤独」から生まれたものである。「孤独」が宿命的な人間の実存の如きもの、という事は『ロード・ジム』のマーロウも述べていた（180）。幼少にして両親を政治的理由で亡くし、祖国ポーランドを jump した「離国作家」コンラッドの「孤独」故に、人々との「連帯」を希求する必然的理由があったからである。
　人種や肌の色に関わりなく、人生の重荷を背負う生きとし生けるものすべてに対するコンラッドの「同胞意識」は、『オールメイヤーの愚行』と同じ「マレーもの」の一作「カレイン」においても窺える。

　　There are those who say that a native will not speak to a white man. Error. No man will speak to his master; but to a wanderer and a friend, to him who does not come to teach or to rule, to him who asks for nothing and accepts all things, words are spoken by the camp-fires, in the shared solitude of the sea, in riverside villages, in resting-places surrounded by forests —— words are spoken that take no account of race or colour. One heart speaks —— another one listens; and the earth, the sea, the sky, the passing wind and the stirring leaf, hear also the futile tale of the burden of life.[47]
　（原住民は白人には話さないという人がいるが、それは誤りである。誰も主人には話さない。しかし放浪者や友達には、教えたり支配しに来ない者には、何も求めずすべてを受け入れる者には、孤独

を分け合う海辺で、川辺の村々で、森に囲まれた休息地で、焚き火を囲みながら言葉が語られるのである。人種や肌の色を考慮に入れない言葉が。一つの心が語り、別の心が聴く。そして陸も、海も、空も、吹きすぎる風やそよぐ木の葉もまた、人生の重荷についての空しい話を聞くのである。)[48]

『オールメイヤーの愚行』におけるその「倫理的特徴」も、人間の「孤独」から生まれたものであり、オールメイヤーのニーナに対する愛も彼の夢の挫折が大きければ大きいほど逆に純化され、その根底には、人間の最後の拠り所である〈誠実さ〉があった。この〈誠実さ〉は、原始の世界から文明の世界に戻った『闇の奥』のマーロウが、文明社会での全くの「孤独」の中で、人間の最後の拠り所として、はっきりと言明していた"faithfulness"(116)に繋がるものである。作家コンラッドは、この「誠実」を彼の真摯な創作理念の中核に位置付けていた。

Those who read me know my conviction that the world, the temporal world, rests on a few very simple ideas; so simple that they must be as old as the hills. It rests notably, among others, on the idea of Fidelity.[49]
（私の読者は、つかの間のこの世界が、二、三の単純な観念に基づいているという私の信念を知っている。それは非常に単純なので、とても古いに違いない。それはとりわけ〈誠実〉という観念に基づいているものだ。）

事実、コンラッド文学における〈誠実〉の系譜はいとまがない。質的には異なっても、「台風」の筋金入りのマックファー船長（Captain MacWhirr）を含めて、「青春」や『闇の奥』のマーロウや、「秘密の共有者」（"The Secret Sharer"）の「私」、『ロード・ジム』のジムなど、

コンラッドの hero たちは、倫理の根底に〈誠実〉を置き、人生の折々の真実を垣間見ている。(「誠実」という倫理は、ライオネル・トリリング (Lionel Trilling) も19世紀のヴィクトリア朝当時の英国の高級船員の内にそれがあったと認めている)[50]。そして語り手の「私」やマーロウをして、「余所者」となっていた人たちに共感と同情を示し、同時に、「秘密の共有者」のレガット (Leggatt) のように、雄々しく人生の困難に直面していく者には、仮令、殺人者であろうとも、船乗りの「同胞意識」以上の「分身意識」を感じて、死を賭して彼の逃亡を助けてもいる。それはやむに已まれぬ主題を彼一個人のものに留まらぬ普遍性を持たせた隔絶された人間をテーマとして見る作家コンラッドの生い立ちと気質によるものであった。それ故に Lord と呼ばれたジムも、語り手マーロウをして「ジムも我々の仲間の一人だ」(416) と言明していた。ジムを「誠実」に生きるという一点で、人生の一局面を真摯に生きた人物として描き出していたのである。

　人生の半ばを過ぎて執筆を開始し、〈不誠実〉(insincerity)[51] を嫌うコンラッドが創造した hero たちは、質的には異なってもオールメイヤーを含めて、一時代に留まらぬ〈誠実〉という普遍的な「倫理的特質」を持った hero たちであった。

V　結論に代えて——コンラッドの「闇」——

　『オールメイヤーの愚行』には、〈誠実〉と共に、それと対比される〈裏切り〉があり、その要因としてそこにコンラッドの「闇」が窺える。
　オールメイヤーはマレーの奥地で唯一の白人という孤独の中で、ヨーロッパ列強の植民地化政策の弱肉強食のあおりを受けて、マレー人、アラブ人に彼の交易地を奪われ、一番身近なはずの妻への限りない不信、軽蔑があった。そして最後には、唯一の理解者と思い信頼もしていた娘

ニーナにも裏切られ、人間不信に陥り、その孤独地獄の中でアヘンに溺れ、廃人となる。この物語にはコンラッドの言う根源的な「同胞意識」の必要性や重要性が述べられてはいるが、その裏には自分の内に潜むegoの存在を認識できずに「闇」の試練に打ち負かされたオールメイヤーの姿があった。

　コンラッドの「闇」は、『オールメイヤーの愚行』の3年後に出版された「進歩の前哨地点」において、その輪郭がより明瞭に窺える。コンラッドが、「破局をもたらす、取るに足らない出来事」[52]と呼ぶ出来事を、アイロニーを込めて「闇」の恐怖が描き出されている。

　無為な日々をアフリカの孤独な交易地で過ごしている二人の白人交易者がいる。当初は文明から取り残さという「不安」な想いを共有して、(この「不安」は、この一作に留まらず、この一編を含む『不安の物語』(Tales of Unrest)一巻の主題であり、白人、黒人を問わず、あらゆる人間に存在する根源的な「不安」を意味している。)片方が病に倒れると、もう片方がつきっきりで献身的に看病するという関係にあったが、8カ月以上も故国から音信もなくなった時、二人の不安感は日ごとに増幅され、「曖昧な手に負えない何か」によって、つまり極度の寂寥と孤独によって人間性に荒廃をきたし、出口なし(without issue)(112)の一種の精神錯乱状態に二人は陥る。カイヤールは、「闇」の恐怖から、たかだか15個のコーヒーに入れる角砂糖の事で唯一の白人仲間のカルリエを射殺してしまい、人間の根底に潜む「同胞意識」あるいは「連帯感」さえも喪失してしまう。そしてカルリエを射殺したカイヤールも、「闇」に攻撃されて死んでしまう。

　この作品でコンラッドは、白人のみならず、すべての人間が「闇」の力の試練を受ける事を、あるいはその可能性を説いている。つまり「まったくの未開状態、原始の自然、そして原始の人間との接触は、心に突然の困惑をもたらす。(中略)自分が孤立しているという明白な認識——安全を意味する習慣の欠如に、危険という意味の異常さの認識が

なされる。そして曖昧な手に負えぬ何かが、愚者や賢者の文明化された神経を等しく試練にかける」(89) というのである。

　コンラッドの「闇」に真っ向から立ち向かったのは『闇の奥』のクルツである。彼がある「幻」に向かって言い放った「恐怖だ！」(149) という叫びは、自らを破壊し、自己をより深く認識したそれである。巨大な「闇」と同化し、自制心を欠いたクルツは、略奪同然の事をして象牙を集め、今までその異常さに盲目になっていたが、最後の一瞬に自分の魂で気づいて内に潜む ego の存在を吐露していた。この「語り手」マーロウは言う──「その微かな畏れる声には、彼の荒廃した闇（the barren darkness of his heart）(147) が秘められていた。それは断固とした肯定で、数えきれないほどの敗北と忌まわしい義務の履行の果てに、やっと手にした道徳的勝利だったんだ！(151)」と。クルツは最後の一瞬で自分の「閾」を超えて、自分の魂で「闇」の正体を暴露していた。この自己破壊を経て、より深い自己認識に達したクルツ故に、この「語り手」マーロウは、彼を、見えない世界の「閾」を大きく一歩踏み越えた「驚異の人」と見做し、クルツの死後も彼に忠誠を誓っていた。つまりマーロウは、クルツの一線を超えなかったが故に、自己の中に魂を見詰めるという「試練」(ordeal)(145) を経て行かねばならなかった。そしてずっと後々までも、クルツの透明純粋な魂の雄叫びの反響を、あのクルツの許嫁と称する女性と相対した時も、「恐怖だ！」という叫びを耳にするのである。自分の閾を超えるとは、「破壊的要素に身を浸すこと」(214) と『ロード・ジム』のシュタイン (Stein) が明かしていた。そしてそれを実際に成し遂げたのが、このクルツであったのである。オールメイヤーは、「闇」の力の試練にさらされた時、正しい自己認識が出来ず「闇」に呑み込まれてしまったのである。

　コンラッドは、「闇」と共に、人間の無意識に潜む「破壊的要素」をどこかに常に感じ取っていた。悪の追究を徹底的に暴き立てた作家にロシアのフョードル・ドストエフスキーがいた。しかしコンラッドは、

第10章　コンラッド文学の萌芽

1917年5月2日にドストエフスキーの事を、"the grimacing, haunted creature"[53]と呼び、彼に強い反発を抱いていた。しかしそれは逆説的に言えば、それだけドストエフスキーの中にコンラッドは同質のものを、つまり自分の中に感じざるを得ない悪の力、つまりは「破壊的要素」をこのロシアの作家の中に見出していたことを証す事でもある。親友エドワード・ガーネット（Edward Garnett）の夫人コンスタンスの翻訳で『カラマーゾフの兄弟』（*The Brothers Karamazov*）を読んだコンラッドが、ガーネットに宛てた手紙にそれが窺える。

> It's terrifically bad and impressive and exasperating. Moreover, I don't know what Dostevsky stands for or reveals, but I do know that he is too Russian for me. It sounds to me like some fierce mouthings from prehistoric ages.[54]
>
> （それは手の付けようのない代物であり、恐ろしく出来が悪くしかも圧倒的でいらいらさせる。その上私には、ドストエフスキーが何を弁護し、何を啓示しようとしているのかはわからない。しかし、私にとっては、彼があまりにロシア的すぎるのだということははっきりわかる。私にはそれは、前史的なある激しい叫喚のように響いたのだ。）

処女作『オールメイヤーの愚行』においては、コンラッドの「闇」の追究は萌芽的なものに留まっている。本格的な悪の力である「破壊的要素」の追究は、『闇の奥』、そしてドストエフスキーの『罪と罰』の向こうを張ってロシアを舞台にしたロシアの専制政治の恐怖を生き生きと描き出した後期の傑作『西欧の眼の下に』や、『悪霊』に比せられる『密偵』（*The Secret Agent*）まで待たねばならなかった。

1　バートランド・ラッセル『バートランド・ラッセル著作集Ⅰ』江守巳之助 訳

（みすず書房、1959年）65頁。
2 Joseph Conrad, *A Personal Record* (London: Dent, 1968), pp.120-21.
3 ジョウゼフ・コンラッド『コンラッド自伝――個人的記録』木宮直仁 訳（鳥影社、1994年）188頁。
4 Joseph Conrad, *Typhoon and Other Stories* (London: Dent, 1964), p.113. 以下、同書からの引用は、本文中にその頁数を記す。
5 Frederick R. Karl, *Joseph Conrad: The Three Lives* (London: Dent, 1979), pp.53-54.
6 ジョウゼフ・コンラッド『コンラッド自伝――個人的記録』木宮直仁 訳（鳥影社、1994年）39頁。
7 Morton Dauwen Zabel, *The Portable Conrad* (New York: The Viking Press, 1966), p.458.
8 A. アドゥ・ボァヘン『ユネスコ　アフリカの歴史――植民地支配下のアフリカ 1880年から1935年まで』第7巻（同朋社、1988年）2頁。
9 Joseph Conrad, *A Personal Record,* pp.68-69.
10 Ibid., p.19.
11 Ibid., p.17.
12 Jocelyn Baines, *Joseph Conrad: A Critical Biography* (London: Weidenfeld & Nicolson, 1967), p.89.
13 Joseph Conrad, *A Personal Record,* p.87.
14 Ibid., pp.74-76.
15 Ibid., p.87.
16 Jocelyn Baines, *Joseph Conrad: A Critical Biography,* p.88.
17 Ibid., p.76.
18 Ibid., p.76.
19 Ibid., p.77.
20 この伯父に対するコンラッドの深い感謝の想いは、この処女作への献辞に窺える。――"To the memory of T.B." T.B. とは、タデウシュ・ボブロフスキ

(Tadeusz Bobrowski, 1829-1894) の略である。

21　Frederick R. Karl, *Joseph Conrad: The Three Lives,* p.23.
22　Ibid., p.40.
23　Joseph Conrad, "Author's Note" *A Personal Record,* p.viii.
24　*Joseph Conrad's Letters to Cunningham Graham,* edited by C.T. (Cambridge: Cambridge University Press, 1969), p.116.
25　Joseph Conrad, *A Personal Record,* p.25.
26　Ibid., p.68.
27　Ibid., p.14.
28　Gérard Jean-Aubry, *The Sea Dreamer, A Definitive Biography of Joseph Conrad* (Archon Books, 1967), p.116.
29　Norman Sherry, *Conrad's Eastern World* (Cambridge: Cambridge University Press, 1971), p.138.
30　Joseph Conrad, *Notes on Life and Letters* (London: Dent, 1949), p.196.
31　Joseph Conrad, *Almayer's Folly* (London: Dent, 1968), p.3.　以下、同書からの引用は本文中にその頁数をつける。
32　Jocelyn Baines, *Joseph Conrad: A Critical Biography,* p.447.
33　A・アドゥ・ボァヘン『ユネスコ アフリカの歴史——植民地支配下のアフリカ 1880年から1935年まで——』34頁参照。「社会ダーウィニズム」に基づく「白色人種優越説」は、1859年11月のチャールズ・ダーウィン（Charles Darwin, 1809-1882）の自然淘汰説、即ち生存競争における適者生存による『種の起源』（*The Origin of Species,* 1859）の出版が一部の間で17世紀以来のヨーロッパ人種の優越性という信念に科学的な裏付けを提供するかのように思われ、後に「従属人種」や「遅れた人種」の「支配人種」による征服は、生存競争において強者が弱者を支配する「自然淘汰」の不可避の自然的過程の一部と見做された、当時のアフリカ征服に役立てられた説である。
34　Joseph Conrad, *Heart of Darkness* (London: Dent, 1967), p.78.
35　バートランド・ラッセル『バートランド・ラッセル著作集　3』田中幸穂 訳（み

すず書房、1960年）299頁。

36 この種の愛情は、「進歩の前哨地点」（"An Outpost of Progress," 1898）における老酋長ゴビラ（Gobila）がカイヤール（Kayerts）やカルリエ（Carlier）の如き無能な白人に対してさえ示されたそれである。つまり「白人は皆若く酷似しており皆兄弟で、死んでもまた他の兄弟に生まれ変わる不死で不可思議な存在だ」と考える彼ら原住民の信仰である。

37 Joseph Conrad, "Geography and Some Explorers" *Last Essays* (London: Dent, 1972), p.17.

38 Joseph Conrad, "Karain" *Tales of Unrest* (London: Dent, 1968), p.40.

39 Bertrand Russell, *The Autobiography of Bertrand Russell,* vol. 1 (London: George Allen & Unwin, 1967), p.207.

40 バートランド・ラッセル『バートランド・ラッセル著作集 1 自伝的回想』中村秀吉 訳（みすず書房、1959年）207頁。

41 Joseph Conrad, *The Shadow-Line* (London: Dent, 1969), p.4.

42 Joseph Conrad, *The Mirror of the Sea* (London: Dent, 1968), p.30.

43 Joseph Conrad, "Preface" *The Nigger of the 'Narcissus,'* p.viii.

44 矢島剛一「秘密の共有者――「自由な人間」について」『オベロン』第12巻第2号（南雲堂、1970）参照。

45 Joseph Conrad, *Lord Jim* (London: Dent, 1968), p.223. 以下、同書からの引用は本文中にその頁数をつける。

46 コンラッド『世界文学大系 86 コンラッド』訳者代表 矢島剛一（筑摩書房、1967年）222頁。以下、同書からの引用は引用文中にその頁数をつける。

47 Joseph Conrad, "Karain" *Tales of Unrest,* p.26.

48 コンラッド『コンラッド海洋小説傑作集』奥村 透 訳（あぽろん社、1980年）26頁。

49 Joseph Conrad, "A Familiar Preface" *A Personal Record,* p.xix.

50 ライオネル・トリリング『＜誠実＞と＜ほんもの＞』野島秀勝 訳（筑摩書房、1976年）152-53頁。

51 Joseph Conrad, "A Familiar Preface" *A Personal Record,* p.xvii.
52 Joselyn Baines, *Joseph Conrad: A Critical Biography,* p.177.
53 Ibid., p.360.
54 Ibid., p.360.

あとがき

　私事にわたって恐縮ながら、今年は母の生誕98年に当たります。母が折に触れて語っていた言葉を今改めて実感しています。「人間は自分で生きているのではなく、大きな存在によって生・か・さ・れ・て・い・る。」(傍点は母)

　本書は、本当に多くの方々の温かい応援とご協力を得て成りました。

　「照葉樹林文化」などに関しての資料や的確なコメントを頂いた京都大学名誉教授の阪本寧男先生、出版のギリギリまで言葉に尽くせぬお世話になった奈良県立大学名誉教授の伊藤孝治先生、そしてその他にも本当に多くの方々からの惜しみない援助と励ましを頂きました。

　今年は関西大学名誉教授の廣岡英雄先生の生誕102年、徳島大学名誉教授の瀬藤芳房先生の生誕91年、そして大阪産業大学名誉教授の古澤允雄先生は生誕87年になります。三人の先生からは生前に折に触れて研究者としてのあるべき姿をご教示して頂きました。廣岡先生には大学、大学院修了以後も「研究者はその成果を社会に発表する義務がある」と常に温かい叱咤激励をして頂きました。瀬藤先生には一本芯の通ったコンラッド研究の本道を、そして古澤先生には現実と遊離せぬ時事的な文学の在り方を教えて頂きました。今後も三先生に教わった事を肝に銘じて新たなる研究を続けたく思っております。本書を三先生に捧げます。

　最後に、今回も本書の出版を快諾して頂いた大阪教育図書の横山哲彌社長と、編集や装丁に際しての多大なご配慮を頂いた春名英明編集長に心からの感謝を申し上げます。

2020年8月
松村敏彦

初出一覧

第1章 従来の欧米中心の視点からの脱却——宮崎 駿のアニメとジョウゼフ・コンラッドの文学——
ジョウゼフ・コンラッドの比較文学的世界——宮崎アニメの『風の谷のナウシカ』とコンラッドの『闇の奥』を中心に——『言語文化研究』第23号（言語文化研究会、2017年）

第2章 ドストエフスキーとジョウゼフ・コンラッド——アンドレ・ジッドとオルハン・パムクを視野に入れて——
オルハン・パムクとジョウゼフ・コンラッド『言語文化研究』第21号（言語文化研究会、2014年）

第3章 チャールズ・ディケンズとジョウゼフ・コンラッド——ジョージ・オーウェルを視野に入れて——
チャールズ・ディケンズとジョウゼフ・コンラッドの視点——『ピクウィック・ペーパーズ』と『闇の奥』を中心に——『言語文化研究』第22号（言語文化研究会、2016年）

第4章 村上春樹の『1Q84』——カズオ・イシグロとジョージ・オーウェルを視野に入れて——
オーウェルの『1984』を意識した村上の『1Q84』における彼の現代への問いかけと真意——カズオ・イシグロを視野に入れて——拙著『ジョウゼフ・コンラッドの風景』（大阪教育図書、2018年）に収めた第一部 第4章。

第5章 作家的使命感を持ったエグザイルである村上春樹とジョウゼフ・コンラッド
村上春樹の『騎士団長殺し』とジョウゼフ・コンラッドの『ロード・ジム』と『闇の奥』を中心に——拙著『ジョウゼフ・コンラッドの風景』（大阪教育図書、2018年）に収めた第一部 第6章。

第 6 章　小泉八雲とジョウゼフ・コンラッド──夏目漱石を視野に入れて──
　　　　ラフカディオ・ハーンとジョウゼフ・コンラッド　拙著『ジョウゼフ・コンラッド研究──比較文学的アプローチ』(大阪教育図書、2014年)に収めた第一部 第 1 章。
第 7 章　飛行士サン＝テグジュペリと船乗りジョウゼフ・コンラッド──宮崎 駿を視野に入れて──
　　　　飛行士サン＝テグジュペリと船乗りジョウゼフ・コンラッド『POIESIS』第33号(関西大学大学院英語英米文学研究会、2008年)
第 8 章　「テロとの戦争」の先駆けと見做されるジョウゼフ・コンラッドの『密偵』──ドストエフスキーの『悪霊』を視野に入れて──
　　　　(書き下ろし)
第 9 章　戦争・テロとジョウゼフ・コンラッドの文学──短編「エイミィ・フォスター」と中編『闇の奥』を中心に──
　　　　戦争とコンラッドの文学──「エイミィ・フォスター」と『闇の奥』を中心に──『英米文学と戦争の断想』(関西大学出版部、2011年)に収めた拙稿の第二部第 6 章。
第10章　コンラッド文学の萌芽──『オールメイヤーの愚行』──
　　　　コンラッド文学の萌芽──『オールメイヤーの阿房宮』──*KWANSAI REVIEW*(第16号)(関西英語英米文学会、1997年)

≪参考文献≫

日本語≪参考文献≫（50音順）

アーレント、ハンナ『全体主義の起源2　帝国主義』大島道義・大島かおり 共訳（みすず書房、1972年）

相田重夫『シベリア流刑史　苦悩する革命家の群像』（中央公論社、1966年）

秋山 豊『漱石の森を歩く』（トランスビュー、2008年）

芥川龍之介『芥川龍之介短篇集』ジェイ・ルービン 編者（新潮社、2007年）

浅見省吾 編訳『ヒトはなぜ戦争をするのか？――アインシュタインとフロイトの往復書簡』（花風社、2001年）

雨森信成 / 仙北谷晃一 共訳「人間ラフカディオ・ハーン」『小泉八雲 回想と研究』（講談社、1992年）

新井政美『オスマントルコ帝国はなぜ崩壊したのか』（青土社、2009年）

――『トルコ近現代史』（みすず書房、2001年）

荒 正人「解説」ドストエフスキー『罪と罰』（世界文学全集 18）（河出書房新社、1959年）

アル・ゴア『不都合な真実』枝廣淳子 訳（ランダムハウス講談社、2007年）

アレクシェーヴィッチ、スヴェトラーナ『戦争は女の顔をしていない』三浦みどり 訳（群像社、2009年、第 2 刷）

池内 紀『二列目の人生　隠れた異才たち』（晶文社、2003年）

飯田 鼎『英国外交官の見た幕末日本』（吉川弘文館、1995年）

池田雅之『イギリス人の日本観　英国知日家が語る"ニッポン"』（河合出版、1990年）

――『日本人の原風景 I　古事記と小泉八雲』池田雅之・高橋一清 編

著（かまくら春秋社2013年）
——『小泉八雲　日本の面影』（NHK出版、2015年）
——池田雅之・高橋一清 編著『日本人の風景 Ⅰ　小泉八雲』（かまくら春秋社、2013年）
稲垣直樹『サン＝テグジュペリ』（清水書院、1992年）
井上克人『＜時＞と＜鏡＞超越的覆蔵性の哲学――道元・西田・大拙・ハイデガーの思想をめぐって――』（関西大学出版、2015年）
井内雄四郎『スパイ』（思潮社、1966年）
——『現代イギリス小説序論――政治と実存』（南雲堂、1984年）
——『比較の視野　漱石・オースティン・マードック』（旺史社、1997年）
ウィルソン、アンガス『ディケンズの世界』松村昌家 訳（英宝社、1979年）
ウィルソン、エドマンド『エドマンド・ウィルソン批評集　文学』中村紘一・佐々木徹・若島 正 共訳（みすず書房、2005年）
ウィルソン、コリン『アウトサイダー』福田恒存・中村保男 訳（紀伊国屋書店、1972年）
——『宗教とアウトサイダー』中村保夫 訳（河出書房新社、1992年）
ウェルズ、H・G・『世界文化史大系　第四巻』北川三郎 訳（大鐙閣、1933年）
——『解放された世界』浜野 輝 訳（岩波書店、1997年）
内田康夫『イートハーブの幽霊』（中央公論社、1995年）
——『怪談の道』（徳間書店、2005年）
ウッドコック、ジョージ『オーウェルの全体像――水晶の精神』奥山康治 訳（晶文社、1972年）
内田魯庵『新編　思い出す人々』紅野敏郎 編（岩波書店、1994年）
梅田良忠・岩間 徹『図説 世界文化史大系 第12巻 東欧・ロシア』（角川書店、1959年）
梅原 猛『戦争と仏教――思うままに』（文藝春秋、2005年）

《参考文献》

──『親鸞のこころ──永遠の命を生きる』（小学館、2008年）
牛島信明『ドン・キホーテの旅』（中央公論社、2002年）
江川 卓『ドストエフスキー』（岩波書店、1984年）
江藤 淳『江藤 淳著作集1』（講談社、1973年）
大江健三郎『大江健三郎自選短篇』（岩波書店、2014年）
──『大江健三郎　作家自身を語る』（新潮社、2007年）
──『広島ノート』（岩波書店、1994年）
大江健三郎・柄谷行人『大江健三郎　柄谷行人　全対話　世界と日本と日本人』（講談社、2018年）
大江健三郎・後藤明生・吉本隆明・埴谷雄高『現代のドストエフスキー』（新潮社、1981年）
『大岡昇平全集　21』（筑摩書房、1996年）
大岡昇平『現代日本の名作41 俘虜記・野火』（旺文社、1978年、第4刷）
オーウェル、ジョージ『パリ・ロンドン　どん底生活』小林歳雄 訳（晶文社、1984年）
──『オーウェル著作集　Ⅰ　1920−1940』訳者代表：鶴見俊輔（平凡社、1970年）
──『オーウェル著作集　Ⅱ』訳者代表：小野協一（平凡社、1970年）
『オーウェル著作集　Ⅲ　1943-1945年』（平凡社、1970年）
『オーウェル著作集　Ⅳ　1945-1950年』鮎沢重光・岡崎康一・小野協一・工藤昭雄・小池 滋・河野 徹・鈴木建三・鈴木 寧・平野敬一 訳（平凡社、1971年）
──『鯨の腹のなかで　オーウェル評論集 3』編者：川端康雄（平凡社、1995年）
──『戦争とラジオ　BBC時代』W・J・ウェスト、甲斐弦・三澤佳子・奥山康治 編（晶文社、1994年）
『オーウェル短篇集』小野寺 健 訳（岩波書店、1991年）
『オーウェル評論集』小野寺 健 訳（岩波書店、1991年）

オールティック『ヴィクトリア朝の人と思想』要田圭治・大島治・田中孝信 訳（音羽書房鶴見書店、1998年）
大野裕之『チャップリンとヒトラー　メディアとイメージの世界大戦』（岩波書店、2015年）
岡倉天心『茶の本』浅野 晃 訳（角川書店、1966年）
ギッシング、ジョージ『ギッシング選集』小池 滋・金山亮太　訳（秀文インターナショナル、1988年）
カー、E・H・『ドストエフスキー』中橋一夫・松村達雄 訳（社会思想研究会出版部、1952年）
カサス、ラス『インディアス破壊を弾劾する簡略な陳述』石原保徳 訳（現代企画室、1987年）
カズオ・イシグロ『日の名残り』土屋政雄 訳（中央公論社、1994年、第7版）
カーソン、レイチェル『沈黙の春』青樹梁一 訳（新潮社、2001年）
加藤典洋『村上春樹の世界』（講談社、2020年）
上岡克己・上遠恵子・原 強 編著『レイチェル・カーソン』（ミネルヴァ書房、2007年）
亀山郁夫『『罪と罰』ノート』（平凡社、2009年）
――『ドストエフスキー――謎とちから』（文藝春秋、2007年）
柄谷行人『漱石論集成』（平凡社、2001年）
川上未映子・村上春樹『みみずくは黄昏に飛び立つ』（新潮社、2017年）
川成 洋（編集委員長）『イギリス文化事典』（丸善出版、2014年）
姜 尚中『姜尚中と読む　夏目漱石』（岩波書店、2016年）
キーン、ドナルド『異文化理解の視座――世界からみた日本、日本からみた世界』（東京大学出版会、2003年）
ギッシング、ジョージ『ギッシング選集　第五巻　チャールズ・ディケンズ論』小池滋・金山亮太 共訳（秀文インターナショナル、1988年）

《参考文献》

岸 正尚『宮崎 駿、異界への好奇心』(菁柿堂、2006年)
金 栄心「韓国から見る『千と千尋の神隠し』」米村みゆき 編『ジブリの森へ』(森話社、2003年)
『グアバの香り――ガルシア＝マルケス』木村榮一 訳(岩波書店、2013年)
クリストファー『景観の大英帝国――絶頂期の帝国システム』川北 稔 訳(三嶺書房、1995年)
黒田英雄『世界海運史』(成山堂、1979年)
黒澤 明『全集 黒澤明 第三巻』(岩波書店、1988年)
草薙聡志『アメリカで日本のアニメは、どう見られてきたか？』(徳間書店、2003年)
グルコー、レオ『ジョウゼフ・コンラッド伝――海と陸の生涯』水島正路 訳(興文社、1975年)
『現代思想』19巻2号「国境を超える文学」青木保とリービ英雄の対談(青土社、1991年2月)
ゴア、アル『不都合な真実』枝廣淳子 訳(ランダムハウス講談社、2007年)
小池 滋『英国を知る事典』(東京堂出版、2003年)
小泉節子・小泉一雄『小泉八雲 思い出の記・父八雲を憶ふ』(恒文社、1989年)
小泉 凡『民俗学者・小泉八雲 日本時代の活動から』(恒文社、1995年)
――「小泉八雲と宮本常一 ―― 一旅人がのこしたもの」『宮本常一のメッセージ』(みずのわ出版、2007年)
――『妖怪四代記 八雲のいたずら』(講談社、2014年)
小泉 凡(監修)『小泉八雲、開かれた精神の航跡』(小泉八雲記念館、2016年)
小泉八雲『小泉八雲全集』第九巻 金子健二 訳(第一書房、1925年)
――『小泉八雲全集 第九巻』平井呈一 訳(みすず書房、1954年)

――「蛍」「草ひばり」仙北谷晃一 訳『小泉八雲作品集 2 随筆と評論』（河出書房新社、1977年）

――『小泉八雲草稿・未刊行書簡遺集 第1巻 草稿』編集：八雲会（雄松堂出版、1990年）

――『小泉八雲 回想と研究』平川祐弘 編（講談社、1992年）

古賀四郎『ランカッシャー物語――初期のイギリスの綿業史』私費出版（1980年）

ゴーディマ、ナディン『現代アフリカの文学』土屋 哲 訳（岩波書店、1975年）

――『ゴーディマ短編小説集 JUMP』ヤンソン柳沢由美子 訳（岩波書店、1994年）

小林秀雄『小林秀雄集』（筑摩書房、1956年）

――『ドストエフスキイの生活』（角川書店、1977年）

――『新訂 小林秀雄全集 第六巻 ドストエフスキイの作品』（新潮社、1988年）

――『小林秀雄全作品5「罪と罰」について』（新潮社、2003年）

――『日本人の知性3 小林秀雄』（学術出版会、2010年）

小林喜彦『ルソーとその時代』（大修館、1987年）

コンラッド、ジョウゼフ――Conrad, *Typhoon & The Nigger of the 'Narcissus'* 福原鱗太郎 注釈（研究社、1959年）

――『闇の奥』中野好夫 訳（岩波書店、1963年）

――『東洋のある河のほとりの物語』渥美昭夫 訳（鹿島研究所出版会、1964年）

――『スパイ』井内雄四郎 訳（思潮社、1966年）

――『ロード・ジム』世界文学大系86 矢島剛一 訳（筑摩書房、1967年）

――『ジョセフ・コンラッド「潟・エイミィフォスター」』増田義郎 訳（英宝社、1969年）

――『西欧の眼の下で・青春』篠田一士 訳（集英社、1970年）

《参考文献》

――『短篇小説選（現代）』小野寺 健 他訳（グロリアインターナショナル、1971年）
――『世界の文学』朱牟田夏雄 他訳（中央公論社、1973年）
――『筑摩世界文学大系50』高見幸郎 他訳（筑摩書房、1975年）
――『コンラッド海洋小説傑作集』奥村 透 訳（あぽろん社、1980年）
――『コンラッド中短篇小説集』1巻～3巻　中野好夫 他訳（人文書院、1983-1984年）
――『密偵』土岐恒二　訳＜岩波文庫＞（岩波書店、1990年）
――『海の鏡』木宮直仁 訳（人文書院、1991年）
――『コンラッド自伝――個人的記録』木宮直仁 訳（鳥影社、1994年）
――『闇の奥』藤永 茂　訳（三交社、2006年）
サイード、エドワード『文化と帝国主義　1』大橋洋一 訳（みすず書房、1998年）
――『戦争とプロパガンダ』中野真紀子・早尾貴紀 訳（みすず書房、2002年）
――『フロイトと非ヨーロッパ人』長原 豊 訳（平凡社、2003年）
――『人文学と批評の使命――デモクラシーのために』村山敏勝・三宅敦子 訳（岩波書店、2006年）
――『サイード自身が語るサイード』大橋洋一 訳（紀伊國屋書店、2006年）
――『文化と抵抗』大橋洋一郎・大貫隆史・河野真太郎 訳（筑摩書房、2008年）
――『故国喪失についての省察 2』大橋洋一・近藤浩年・和田唯・大貫孝史・貞廣真樹 共訳（みすず書房、2009年）
佐伯彰一『現代小説の問題点』（南雲堂、1961年）
阪本寧男「雑草を想う――私の偏見と妄想」『NPO法人・地球環境大学編（2013）・会報特別号「地球大学講座12年間（2001-2012年)」』
佐藤春夫『慵齋雑記』（千歳書店、1930年）

佐藤泰正『文学の力とは何か――漱石・透谷・賢治ほかにふれつつ』（翰林書房、2015年）
佐藤泰正・山城むつみ『文学は＜人間学＞だ』（笠間書房、2013年）
――『漱石における＜文学の力＞とは』（笠間書房、2016年）
サドゥール・ジュルジュ『チャップリン』鈴木力衛・清水 馨 訳（岩波書店、1972年）
佐高 信『城山三郎の遺志』（岩波書店、2007年）
サミュエル・スマイルズ『西国立志編』中村正直 訳（講談社、1991年）
沢 英彦『漱石と寅彦』（沖積舎、2002年）
サン＝テグジュペリ『星の王子さま』内藤 濯 訳（岩波書店、1999年）
――『星の王子様の本』星の王子様クラブ 編（宝島社、2005年）
――『サン＝テグジュペリ・コレクション 3 人間の大地』山崎庸一郎 訳（みすず書房、2006年）
――『サン＝テグジュペリ デッサン集成』山崎庸一郎・佐藤久美子 訳（みすず書房、2007年）
――『人間の土地』堀口大學 訳（新潮社、2008年）
――『サン＝テグジュペリ著作集1 南方郵便機・人間の大地』（みすず書房、1983年）
――『サン＝テグジュペリ著作集2 夜間飛行・戦う操縦士』山崎庸一郎 訳（みすず書房、1984年）
――『サン＝テグジュペリ著作集3 人生に意味を』渡辺一民 訳（みすず書房、1991年）
――『サン＝テグジュペリ著作集5 手帖』杉山 毅 訳（みすず書房、1984年）
――『サン＝テグジュペリ著作集6 城塞1』山崎庸一郎 訳（みすず書房、1985年）
――『サン＝テグジュペリ著作集9 戦時の記録1』山崎庸一郎 訳（みすず書房、1988年）

《参考文献》

——『サン＝テグジュペリ著作集 10　戦時の記録２』山崎庸一郎 訳（みすず書房、1989年）
——『サン＝テグジュペリ著作集別巻　証言と批評』山崎庸一郎 訳（みすず書房、1990年）
——『サン＝テグジュペリ・コレクション　6　ある人質への手紙』山崎庸一郎 訳（みすず書房、2001年）
司馬遼太郎『対談集　日本人への遺言』（朝日新聞社、1997年）
——『司馬遼太郎が語る日本』未公開講演集愛蔵版Ⅲ（朝日新聞社、1999年）
——『坂の上の雲』（文藝春秋、1974年）
——『幕末維新のこと　幕末・明治コレクション』関川夏央 編（筑摩書房、2015年）
柴田元幸 翻訳『ナイン・インタビューズ　柴田元幸と９人の作家たち』（アルク、2009年）
ジイド（ジッド）、アンドレ『ドストエフスキー』寺田 透 訳（新潮社、1955年）
——『世界文学大系 50　ジイド』佐藤正彰 編（筑摩書房、1963年）
——『ジイド全集』第10巻 根津憲三 訳（金星堂、1974年）
——『ジッドの日記　Ⅰ』新庄嘉章訳（日本図書センター、2003年）
——『コンゴ日記』河盛好蔵 訳（岩波書店、1988年）
——『秋の断想』辰野 隆　他 訳（新潮社、1994年）
——『ドストエフスキイ文献集成　6　ドストエフスキー』武者小路実光・小西 茂訳（大空社、1995年）
——『アンドレ・ジッド集成　第Ⅲ巻』二宮正之 訳（筑摩書房、2014年）
——『アンドレ・ジッド集成　第Ⅳ巻』二宮正之 訳（筑摩書房、2017年）
篠沢秀夫『篠沢フランス文学講義 Ⅳ』（大修館書店、2000年）

『ジブリの教科書 1　風の谷のナウシカ』（文藝春秋、2013年）
『ジブリの教科書 2　天空の城ラピュタ』（文藝春秋、2013年）
『ジブリの教科書 3　となりのトトロ』（文藝春秋、2013年）
『ジブリの森へ』米村みゆき 編（森話社、2000年）
清水良典「世界の終りとハードボイルド・ワンダーランド」『村上春樹がわかる』（朝日新聞社、2001年）
清水 正『清水 正・ドストエフスキー論全集 5　『罪と罰』論余話』（星雲社、2010年）
ジョベール、アンブロワーズ『ポーランド史』山本俊朗 訳（白水社、1971年）
清水幾太郎「コントとスペンサー」『世界の名著 46　コント　スペンサー』（中央公論社、1980年）
杉浦廣治『コンラッド『闇の奥』研究』（成美堂、2003年）
鈴木大拙『禅とは何か』（角川書店、1969年）
――『鈴木大拙全集　第二十巻』（岩波書店、1970年）
――『日本的霊性』（岩波書店、1978年）
――『禅問答と悟り』（春秋社、1990年）
――『禅と日本文化』北川桃雄 訳（岩波新書、2006年、第73刷）
鈴木敏夫『ジブリの文学』（岩波書店、2017年）
スタイナー、ジョージ『言語と沈黙』由良君美 訳（せりか書房、2001年）
ステイプ『コンラッド文学案内』社本雅信（監訳）・日本コンラッド協会（訳）（研究社、2012年）
ストレイチイ、リットン『ヴィクトリア女王』小川和夫 訳（冨山書房、1981年）
スペンダー、ステファン『創造的要素』（筑摩書房、1965年）
スマイルズ、サミュエル『西国立志編』中村正直 訳（講談社、1991年）
瀬藤芳房「コンラッド試論――自己否定の作家」（『徳島大学教養部紀

《参考文献》

要』第 7 巻、1972年）
——「コンラッドとジッド——コンゴの衝撃」（『徳島大学教養部紀要』第 3 巻、1992年）
——「コンラッド『エイミ・フォスター』試論——アイデンティティの危機」（『徳島大学教養部紀要』外国語・外国文学、1993年）
——（翻訳）『七つ島のフレイアさん』（旺史社、2000年）
セルバンテス『ドン・キホーテ』後編（三）牛島信明 訳（岩波書店、2001年）
外岡秀俊・枝川公一・室 憲二 編著『9月11日・メディアが試された日』（トランスアート、2002年、第 2 刷）
タウト、ブルーノ『日本美再発見』篠田英雄 訳（岩波書店、1972年、第30刷）
高瀬彰典『小泉八雲の日本研究——ハーン文学と神仏の世界——』（島根大学ラフカディオ・ハーン研究会、2011年）
高橋誠一郎『ロシアの近代化と若きドストエフスキー「祖国戦争」からクリミア戦争へ』（成文社、2007年）
竹内オサム「名なし、カオナシ、＜含み＞なし」『CONTÉ』No. 1 特集 宮崎駿の不思議（若草書房、2001年）
田部隆次『小泉八雲』（北星堂書店、1980年）
ダレス、アレン『陰謀の技術』鹿島守之助 訳（鹿島研究所出版会、1965年）
ダンテ『神曲 地獄篇（第 1 歌～第17歌）』須賀敦子・藤谷道夫 訳（河出書房新社、2018年）
辻原 登『東大で文学を学ぶ ドストエフスキーから谷崎潤一郎へ』（朝日新聞出版、2014年）
鶴見和子『鶴見和子曼荼羅 Ⅶ』華の巻——わが生き相（すがた）（藤原書店、1998年）
——『南方熊楠』（講談社、1986年、第 8 刷）

鶴見俊輔「コンラッド再考」『鶴見俊輔書評集成2　1970-1987』（みすず書房、2007年）

デイヴィソン、ピーター『ジョージ・オーウェル書簡集』高儀 進 訳（白水社、2011年）

ディケンズ、チャールズ『骨董屋』北川悌二 訳（三笠書房、1973年）

――『ディケンズ短編集』小池 滋・石塚裕子 訳（岩波書店、1986年）

――『ピクウィック・ペーパーズ』北川悌二 訳（筑摩書房、1990年）

――『クリスマス・キャロル』中川 敏 訳（集英社、1991年）

――『デヴィッド・コパーフィールド』石塚裕子 訳（岩波書店、2003年）

遠田 勝「小泉八雲――神道発見の旅」『小泉八雲　回想と研究』（講談社、1992年）

ドストエフスキー『罪と罰』米川正夫 訳（河出書房新社、1959年）

――『世界文学全集20　カラマーゾフの兄弟Ⅱ』米川正夫 訳（河出書房新社、1960年）

――『ドストエフスキー全集　4』小沼文彦 訳（筑摩書房、1970年）

――『ドストエフスキー全集　5　死の家の記録　いまわしい話』工藤精一 訳（新潮社、1979年）

――『ドストエフスキー全集　第12巻　作家の日記Ⅰ』小沼文彦 訳（筑摩書房、1976年）

――『ドストエフスキー全集　第13巻　作家の日記Ⅱ』小沼文彦 訳（筑摩書房、1991年）

――『ドストエフスキー全集　第14巻　作家の日記Ⅲ』小沼文彦 訳（筑摩書房、1991年）

――『ドストエフスキー全集　第15巻　書簡集Ⅰ』小沼文彦 訳（筑摩書房、1975年）

――『ドストエフスキー全集　第17巻　書簡集Ⅲ』小沼文彦 訳（筑摩書房、1975年）

《参考文献》

――『ドストエフスキー全集 27』工藤清一郎・安東 厚・原 卓也・江川 卓・染谷 茂 訳（新潮社、1980年）
――『ドストエフスキー全集　第18巻』小沼文彦 訳（筑摩書房、1983年）
――『ドストエフスキー全集　第19巻』小沼文彦 訳（筑摩書房、1991年）
――『悪霊』江川 卓 訳（新潮社、1996年）
――『地下室の手記』安岡治子 訳（光文社、2007年）
――『ドストエフスキー全集 27　創作ノート（Ⅱ）』工藤清一郎・安東 厚・原 卓也・江川 卓・染谷 茂 訳（新潮社、1980年）
――『ドストエフスキー未公刊ノート』小沼文彦 訳（筑摩書房、1997年）
――『ドストエフスキー全集　5　死の家の記録』望月哲夫 訳（光文社、2013年）
トマリン、クレア『チャールズ・ディケンズ伝』高儀 進 訳（理想社、2014年）
外山滋比古『日本の英語、英文学』（研究社、2017年）
トリリング、ライオネル『＜誠実＞と＜ほんもの＞――近代自我の確立と崩壊』野島秀勝　訳（筑摩書房、1976年）
内藤正典『イスラームから世界を見る』（筑摩書房、2012年）
『ナイン・インタビューズ　柴田元幸と９人の作家たち』柴田元幸 訳（株式会社アルク、2009年）
中尾佐助『中尾佐助著作集　第１巻　農耕の起源と栽培植物』（北海道大学図書館刊行会、2004年）
中薗英助『スパイの世界』（岩波書店、1992年）
中野好夫 編『コンラッド――20世紀英米文学案内 3』（研究社、1966年）
『中野好夫集』月報9「ゴルフと英文学」（筑摩書房、1984年）
中村健之助『ドストエフスキーの生活』（角川書店、1977年）

――『ドストエフスキー・作家の誕生』（みすず書房、1979年）

――『ドストエフスキーの手紙』（北海道大学図書刊行会、1986年）

――『ドストエフスキー人物事典』（朝日新聞社、1990年）

――『ドストエフスキー　生と死の感覚』（岩波書店、1992年）

夏目漱石『漱石全集』別冊（漱石全集刊行會、1919年）

――『漱石全集　第一巻　坊ちゃん　他』（角川書店、1960年）

――『漱石全集　第二巻　吾が輩は猫である』（角川書店、1960年）

――『漱石全集　第六巻　三四郎』（角川書店、1960年）

――『漱石全集　第七巻　それから 他』（角川書店、1960年）

――『漱石全集　第十四巻　文学論』（角川書店、1960年）

――『漱石全集　第八巻　門　他』（角川書店、1961年）

――『漱石全集　第十三巻　明暗　他』（角川書店、1961年）

――『漱石全集　別巻　漱石案内　他』（角川書店、1961年）

――『漱石全集　第十一巻　こころ　他』（岩波書店、1966年）

――『漱石資料――文学論ノート』村岡 勇 編（岩波書店、1976年）

――『漱石全集　第三巻　草枕・二百十日』（角川書店、1980年）

――『作家の自伝 24 夏目漱石』（日本図書センター、1995年）

――『私の個人主義　ほか』（中央公論社、2001年）

――『夏目漱石　人生論集』（講談社、2001年）

――『社会と自分　漱石自選講演集』石原千秋 解説（筑摩書房、2014年）

――『漱石追想』十川信介 編（岩波書店、2016年）

ナタリー・デ・ヴァリエール『星の王子さまの誕生』山崎庸一郎 監修、南條郁子 訳（創元社、2005年）

ナボコフ、ウィルソン『ナボコフ＝ウィルソン往復書簡集 1940-1971』（作品社、2004年）

ニーチェ、フリードリッヒ『この人を見よ』阿部六郎 訳（新潮社、1972年）

《参考文献》

『日本の名著 43 清沢満之　鈴木大拙』（中央公論社、1978年）
西川盛男 編『ラグカディオ・ハーン──近代化と異文化理解の諸相』（九州大学出版会、2005年）
西田幾多郎『西田幾多郎全集　第18巻』（岩波書店、1966年）
新渡戸稲造『武士道』岬 龍一郎 訳（PHO研究所、2008年）
西尾典祐『城山三郎伝──昭和を生きた気骨の作家』（ミネルヴァ書房、2011年）
ネイピア、スーザン『現代の日本のアニメ』神田京子 訳（中央公論社、2002年）
野村幸一郎『宮崎駿の地平──広場の孤独・照葉樹林・アニミズム』（白地社、2010年）
ハーン「文学と世論」池田雅之 訳『ラフカディオ・ハーン著作集　第六巻　文学解釈Ⅰ』（恒文社、1980年）
──『心』平井呈一 訳（岩波書店、1980年）
──『ラフカディオ・ハーン著作集　第十四巻』（恒文社、1983年）
──『日本瞥見記　上』平井呈一 訳（恒文社、1986年）
──『ラフカディオ・ハーン著作集　第五巻』（恒文社、1988年）
──『ラフカディオ・ハーン著作集　第十五巻』（恒文社、1988年）
──『仏の畑の落穂　他』平井呈一 訳（恒文社、1988年）
──『日本の心』平川祐弘 訳（講談社、1990年）
──『天の川幻想──ラフカディオ・ハーン　珠玉の絶唱──』船木裕 訳（集英社、1994年）
埴谷雄高『埴谷雄高全集　第七巻ドストエフスキー』（講談社、1999年）
──『埴谷雄高全集　第十二巻『討論・ドストエフスキイ全作品』』（講談社、2000年）
バフチン、ミハイル『ドストエフスキーの詩学』望月哲夫・鈴木諄一 訳（筑摩書房、1995年）
バルト・ロラン『ロラン・バルト著作集 1　文学のユートピア　1942

－1954』渡辺 諒 訳（みすず書房、2004年）
── 『彼自身によるロラン・バルト』佐藤信夫 訳（みすず書房、1979年）
パムク、オルハン『わたしの名は紅』和久井路子 訳（藤原書店、2006年）
── 『父のトランク』和久井路子 訳（藤原書店、2007年）
── 『イスタンブール──思い出とこの町』和久井路子 訳（藤原書店、2007年）
── 『新しい人生』足立智英子 訳（藤原書店、2010年）
── 『雪』宮下 遼 訳（早川書房、2012年）
「パムクと語る──東洋の西橋と東端から──オルハン・パムク/辻井孝/小倉和夫」（アナトリアニュース/日本・トルコ協会編 100号、2012年）
『蓮實重彦　饗宴Ⅱ』（日本文藝社、1990年）
半藤一利・宮崎 駿『半藤一利と宮崎駿の腰抜け愛国談義』（文藝春秋、2013年）
── 『漱石先生ぞな、もし』（文藝春秋、1993年）
林原耕三『漱石山房回顧・その他』（桜楓社、1975年）
日野原重明『続　生き方上手』（ユーリー株式会社、2003年）
日高只一・白石 靖『コンラッド研究』（英文學社、1929年）
── 『英米文藝随筆』（日本書荘、1947年）
平井杏子『カズオ・イシグロ　国境のない世界』（水声社、2011年）
平川祐弘『破られた友情　ハーンとチェンバレンの日本理解』（新潮社、1987年）
── 『ラフカディオ・ハーン』（ミネルヴァ書房、2004年）
── 「序」『講座　小泉八雲Ⅱ　ハーンの文学世界』（新曜社、2009年）
ピーター・デイヴィソン『ジョージ・オーウェル書簡集』高儀 進 訳（白水社、2011年）

《参考文献》

ブラウン、キース 編著『D・H・ロレンス批評文學地図』吉村宏一・杉山泰 他訳（松伯社、2001年）
フランクル、ヴィクトール『夜と霧』池田香代子 訳（みすず書房、2013年）
フロイト『フロイト著作集　第二巻』高橋義春 訳（人文書院、1985年）
古田 亮『横山大観――近代と対峙した日本画の巨人』（中央公論社、2018年）
ベルジャーエフ『ドストエフスキーの世界観』斎藤栄治 訳（山陽社、2009年）
ベンチョン・ユー『神々の猿――ラフカディオ・ハーンの芸術と思想』池田雅之 監訳（今村楯夫・坂本 仁・中里壽明・中田賢次 共訳（恒文社、1992年）
ボァヘン、A. アドゥ『ユネスコ　アフリカの歴史――植民地支配下のアフリカ　1880年から1935年まで』第7巻（同朋舎、1988年）
ポール・マレイ『ファンタスティック・ジャーニー――ラフカディオ・ハーンの生涯と作品』村井文夫 訳（恒文社、2000年）
保阪正康『作家たちの戦争』（毎日新聞、2011年）
堀田 満「中尾佐助・農耕の起源論の成立過程」『中尾佐助著作集　第Ⅰ巻　農耕の起源と栽培植物』（北海道大学図書刊行会、2004年）
堀 正人『新訂　オルダス・ハックスレイ研究』（英宝社、1974年）
ホワイト、マシュー『殺戮者の世界史』住友 進 訳（早川書房、2013年）
正岡子規『墨汁一滴』（角川書店、1991年）
「マタイによる福音書」第23章第27節『新約聖書』（日本聖書協会、1972年）
松原真夫『親日の国トルコ　歴史の国トルコ』（東京図書出版会、2001年）
松村敏彦「ジョウゼフ・コンラッドの倫理観と船長責任――『陰影線』を中心に」『英語・英米文学の心　広瀬捨三先生米寿記念論集』（大

阪教育図書、1999年）
――『流浪の作家　ジョウゼフ・コンラッド――その思想形成の遠景と近景』（大阪教育図書、2000年）
――「「人間の自由」の獲得――ジョウゼフ・コンラッド「秘密の共有者」における「余所者意識」の克服」*POIESIS* 第31号（関西大学大学院英語英米文学研究会、2006年）
――『新編　流浪の作家ジョウゼフ・コンラッド』（大阪教育図書、2007年）
――「「理想的価値」の追求――ジョウゼフ・コンラッド『ロード・ジム』の世界」『伊藤孝治先生古希記念論文集』（大阪教育図書、2007年）
――「宮崎アニメとコンラッド文学」*POIESIS* 第34号（関西大学大学院英語英米文学研究会、2009年）
――「ジョウゼフ・コンラッド文学の本質――「船乗りもの」作品を中心に――」『言語文化研究』第17号（言語文化研究会、2010年）
――『ジョウゼフ・コンラッド　比較文学的研究と作品研究』（大阪教育図書、2012年）
――『ジョウゼフ・コンラッド研究　比較文学的アプローチ』（大阪教育図書、2014年）
――『ジョウゼフ・コンラッドの比較文学的世界――村上春樹・宮崎駿・小泉八雲・C.ディケンズ・H.ジェイムズ・O.パムク――』（大阪教育図書、2016年）
――「チャールズ・ディケンズとジョウゼフ・コンラッドの視点――『ピクウィック・ペーパーズ』と『闇の奥』を中心に――」『言語文化研究』第22号（言語文化研究会、2016年）
――「ジョウゼフ・コンラッドの比較文学的世界――宮崎アニメの『風の谷のナウシカ』とコンラッドの『闇の奥』を中心に」『言語文化研究』第23号（言語文化研究会、2017年）

《参考文献》

──『ジョウゼフ・コンラッドの風景』(大阪教育図書、2018年)
松村昌家『文豪たちの情と性へのまなざし──逍遥・漱石・谷崎と英文学』(ミネルヴァ書房、2011年)
松本健一『ドストエフスキーと日本人』(第三文明社、2003年)
──『ドストエフスキイと日本人(下)小林名喜二から村上春樹まで』(第三文明社、2008年)
マルケス、ガルシア『生きて、語り伝える』旦 敬介 訳(新潮社、2009年)
丸山 学『丸山学選集文学集』(古川書房、1976年)
宮崎 駿『出発点［1979〜1996］』(徳間書店、1996年)
──『風の帰る場所　ナウシカから千尋までの軌跡』(ロッキング・オン、2002年)
──『折り返し地点　1997〜2008』(岩波書店、2008年)
──『本へのとびら──岩波文庫を語る』(岩波書店、2011年)
──『続・風の帰る場所　映画監督・宮崎駿はいかに始まり、いかに幕を引いたのか』(ロッキング・オン、2013年)
宮沢賢治『宮沢賢治コレクションⅠ　銀河鉄道の夜　童話１・少年小説ほか』(筑摩書房、2016年)
宮本常一『忘れられた日本人』(岩波書店、1989年)
宮脇 昭『植物と人間』(日本放送協会、1970年)
ミンツ、シドニー『甘さと権力』川北 稔・和田光弘　共訳(平凡社、1989年)
村岡健次『ヴィクトリア時代の政治と社会』(ミネルヴァ書房、1995年)
『村上春樹全作品　1979-1989　②』(講談社、1990年)
『村上春樹全作品　1990-2000　③』(講談社、2003年)
『村上春樹全作品　1990-2000　④』(講談社、2003年)
『村上春樹全作品　1990-2000　⑥』(講談社、2003年)
『村上春樹全作品　1990-2000　⑦』(講談社、2003年)

村上春樹「方法論としてのアナーキズム――フランシス・コッポラと『地獄の黙示録』」『海』（中央公論社、1981年）
――『遠い太鼓』（講談社、1990年）
――『ねじまき鳥クロニクル』第1部－第3部（新潮社、1994-1995年）
――『ノルウェイの森　上』（講談社、1995年）
――『若い読者のための短編小説案内』（文藝春秋、1997年）
――『神の子供たちはみな踊る』＜新潮文庫＞（新潮社、2002年）
――『海辺のカフカ』（新潮社、2002年）
――　村上春樹編集長『少年カフカ』（新潮社、2003年）
――『夢を見るために毎朝僕は目覚めるのです　村上春樹インタビュー集1997-2009』
　（文藝春秋、2010年）
――『1Q84』BOOK 1－3（新潮社、2009-2010年）
――『雑文集』（新潮社、2011年）
――『走ることについて語るとき』（文藝春秋、2013年）
――『色彩を持たない多崎つくると、彼の巡礼の年』（文藝春秋、2013年）
――『職業としての小説家』（スイッチ・パブリッシング、2015年）
――『村上春樹さんのところ』（新潮社2015年）
――『騎士団長殺し』第1部 顕われるイデア編、第2部 還ろうメタファー編（新潮社、2017年）
村岡健次『ヴィクトリア時代の政治と社会』（ミネルヴァ書房、1995年）
メイソン、フィリップ『英国の紳士』金谷展雄 訳（晶文社、1992年）
メイヒュー、ヘンリー『ロンドン路地裏の生活誌　上・下』植松晴夫 訳（原書房、1966年）
モース『日本その日その日』明治文学全集49（筑摩書房、1968年）
森木 勝『暁の蜂起――豪州カウラ収容所』（国書刊行会、1982年）
ラッセル、バートランド『バートランド・ラッセル著作集 I』田中幸

《参考文献》

　　穂 訳（みすず書房、1959年）
――『バートランド・ラッセル著作集 Ⅰ』中村秀吉 訳（みすず書房、1959年）
――『宗教は必要か』大竹 勝 訳（荒地出版社、1968年）
リア、リンダ 編『失われた森　レイチェル・カーソン遺稿集』古草秀子 訳（集英社、2000年）
ルービン、アルバート『ゴッホ　この世の旅人』高橋 進 訳（講談社、1977年）
ルービン、ジェイ『村上春樹と私』（東洋経済新聞社、2016年）
リービ英雄『日本語の勝利』（講談社、1992年）
――『最後の国境への旅』（中央公論社、2000年）
――『日本語を書く部屋』（岩波書店、2001年）
リットン・ストレイチィ『ヴィクトリア女王』小川和夫 訳（冨山房、1984年）
リンダ・リア編『失われた森 レイチェル・カーソン遺稿集』古草秀子 訳（集英社、2000年）
ルカーチ『ルカーチ著作集 2』大久保・藤本・高本 訳（白水社、1986年）
――『小説の理論』（白水社、1986年）
ルソー『社会契約論 / ジュネーヴ草稿』中山 元 訳（光文社、2000年）
矢島剛一「ロード・ジム」『オベロン』第12巻 第１号（南雲堂、1969年）
――「秘密の共有者」――「自由な人間」について『オベロン』第12巻 第25号（南雲堂、1970年）
山折哲雄『「ひとり」の哲学』（新潮社、2016年）
山田 豪『日本人の言語観とその未来――日本語はいかにつくりあげられるべきか』（図書刊行会、2011年）
山野博史『発掘　司馬遼太郎』（文芸春秋、2001年）
山崎弘行『英文学の内なる外部――ポストコロニアリズムと文化の混

交』(松柏社、2003年)
山崎庸一郎「解説」『サン゠テグジュペリ著作集1 南方郵便機・人間の大地』(みすず書房、1993年)
――『『星の王子さま』の人』(新潮社、2000年)
安田喜憲『稲作漁撈文明――長江から弥生文化へ――』(雄山閣、2009年)
山本俊郎、井内敏夫『ポーランド民族の歴史』(三省堂、1980年)
山本和道『宗教性にやどる「文学の力」を求めて――ドストエフスキー、ジッド、サン゠テグジュペリ、カミュ――』(大学教育出版、2017年)
山城むつみ『ドストエフスキー』(講談社、2011年)
芳賀理彦「アメリカにおける村上春樹の受容」『越境する言の葉――世界と出会う日本文学』(日本比較文学会、2011年)
吉田徹夫『ジョウゼフ・コンラッドの世界――翼の折れた鳥』(開文社出版、2004年、第二版)
――「ジョウゼフ・コンラッド」『イギリス小説の愉しみ』(音羽書房鶴見書店、2009年)
吉田 亮『横山大観――近代と対峙した日本画の巨人』(中央公論社、2018年)
吉野源三郎『君たちはどう生きるか』(岩波書店、1984年、第9刷)
――『平和への意志――『世界』編集後記 1946-55年』(岩波書店、1995年)
吉本隆明『吉本隆明全著作集 6』(勁草書房、1969年)
――『漱石の巨きな旅』(日本放送出版協会、2004年)
依岡隆児『ギュンター・グラス「渦中」の文学者』(集英社、2013年)
渡辺克義『物語ポーランドの歴史 東欧の「大国」の苦難と再生』(中央公論社、2017年)
渡會好一『世紀末の知の風景――ダーウィンからロレンスまで』(南雲

《参考文献》

　堂、1992年）
和田 俊「カズオ・イシグロを読む　ルーツをたどる長崎への旅」『朝日ジャーナル』（1990年1月）

英語≪参考文献≫（ABC順）

Achebe, Chinua, "An Image of Africa" *Joseph Conrad: Critical Assessments*, Keith Carabine, ed., Vol.II East Sussex: Helm Information, 1992.

Baines, Jocelyn, *Joseph Conrad: A Critical Biography*. London: Weidenfeld & Nicolson, 1967.

Blackburn, William, ed., *Joseph Conrad: Letters to Blackwood & Meldrum*. Duke University Press, 1958.

Bruccoli, Matthew, ed., *The Great Gatsby*. Cambridge: Cambridge University Press, 1991.

Carabine, Keith, ed., *Joseph Conrad: Critical Assessments*. Vol.II. Hem Information, 1922.

—— *Joseph Conrad: A Critical Biography*. London: Weidenfeld & Nicolson, 1966.

Carola M. Kaplan, Peter Mallious & Andrea White, eds., *Conrad in the Twenty-First Century —— Contemporary Approaches and Perspectives*. New York: London: Routlege, 2005.

Carson, Rachel, *Silent Spring*. Penguin, 1999 (reprint).

Chaplin, Charles, *My Autobiography* Penguin Books, 1973, (reprint).

Collins, Philip, ed., *Dickens: The Critical Heritage*. London: Routledge & Kegan Paul, 1971.

Conrad, Jessie, *Joseph Conrad as I Knew Him*. London: W. Heinemann, 1926.

—— *Joseph Conrad and His Circle*. New York: Dutton, 1935.

Conrad, Joseph, *Notes on Life and Letters*. London: Dent, 1949.

—— *A Set of Six*. London: Dent, 1961.

—— *The Nigger of the 'Narcissus' and Typhoon, and Falk, etc.*

London: Dent, 1964.
—— *Youth, Heart of Darkness and The End of Tether*. London: Dent, 1967.
—— *Almayer's Folly and Tales of Unrest*. London: Dent, 1968.
—— *The Mirror of the Sea and A Personal Record*. London: Dent, 1968.
—— *Lord Jim*. London: Dent, 1968.
—— *The Shadow-Line*. London: Dent, 1969.
—— *Under Western Eyes*. London: Dent, 1971.
—— *The Secret Agent*. London: Dent, 1972.
—— *Nostromo*. London: Dent, 1972.
—— *Last Essays*. London: Dent, 1972.
Cox, C.B. (introduction), JOSEPH CONRAD *Youth, Heart of Darkness and The End of the Tether*. London: Everyman Library, 1990.
Davies&Karl & Stape, eds., *The Collected Letters of Joseph Conrad*. Vol. 1-7. Cambridge: Cambridge University Press, 1983-2005.
Davison, Peter, ed., *The Complete Works of George Orwell*. Vol. 6. London: Secker & Warburg, 1998.
Dickens, Charles, *The Mystery of Edwin Drood and Hard Times*. London: The Gresham Publishing Company, 1901.
—— *Dombey and Son*. London: The Gresham Publishing Company, 1901.
—— *Bleak House*. London: The Gresham Publishing Company, 1901.
—— *The Pickwick Papers*. London: The Gresham Publishing Company, 1900.
—— *Sketches by Boz*. London: The Gresham Publishing Company, 1901.

―― *Nicholas Nickleby*. London: The Gresham Publishing Company, 1901.

―― *Oliver Twist*. London: The Gresham Publishing Company, 1901.

Dowden, Wilfred S, *Joseph Conrad: The Imaged Style*. Nashville: Vanderbilt University, 1970.

Eloise Knapp Hay, ed., *The Political Novel of Joseph Conrad*. Chicago: The University of Chicago Press, 1963.

Ford Madox Ford, *Joseph Conrad: A Personal Remembrance*. London: Octagon, 1971.

Foster, John, *The Life of Charles Dickens*. Dutton New York. Dent London Melborne Toronto Everyman's Library, 1980.

Freishman, Avrom, *Conrad's Politics: Community and Anarchy in the Fiction of Joseph Conrad*. Baltimore: Johns Hopkins Press, 1967.

Frazer, Gail, Conrad's Revision to "Amy Foster" *CONRADIANA*. Vol. 20. No.3 (1988) .

FUJI Xerox: GRAPHICATION. No.361. January 2011.

Garnett, Edward, *Letters from Conrad 1895-1924*. The Nonesuch Press, 1928.

Graver, Lawrence, *Conrad's Short Fiction*. Berkeley & Los Angeles: University of California Press, 1971.

Greene, Graham, *In Search of a Character*. Vintage Classics, 2000.

Guerard, Albert, *Conrad the Novelist*. Harvard University Press, 1958.

Inazo, Nitobe, *BUSHIDO*（英文新誌社、1905年）

Hay, Eloise Knapp, *The Political Novel of Joseph Conrad*. Chicago & London: University of Chicago Press, 1963.

Hearn, *Life and Literature*. New York: Dodd, Mead & Company,

1919.

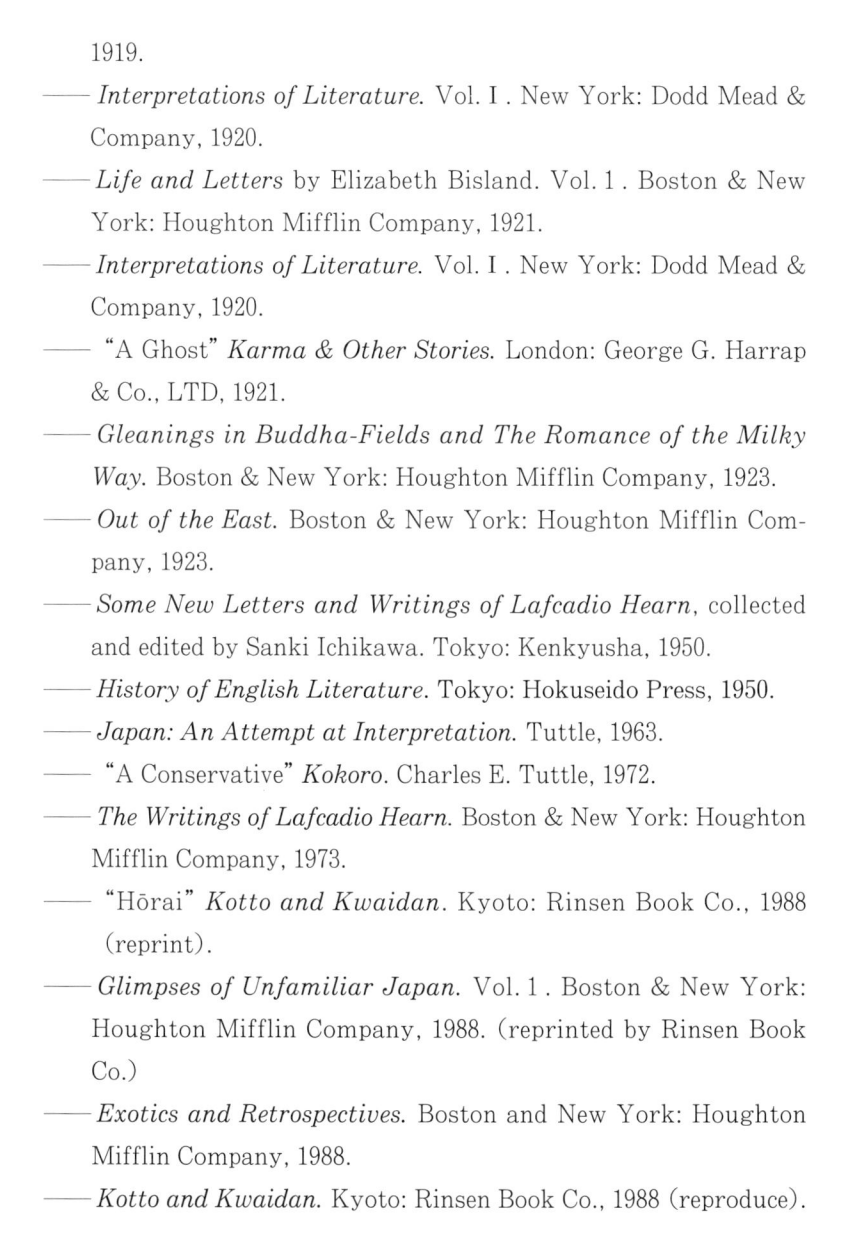

——*Interpretations of Literature*. Vol. I . New York: Dodd Mead & Company, 1920.

——*Life and Letters* by Elizabeth Bisland. Vol. 1 . Boston & New York: Houghton Mifflin Company, 1921.

——*Interpretations of Literature*. Vol. I . New York: Dodd Mead & Company, 1920.

——"A Ghost" *Karma & Other Stories*. London: George G. Harrap & Co., LTD, 1921.

——*Gleanings in Buddha-Fields and The Romance of the Milky Way*. Boston & New York: Houghton Mifflin Company, 1923.

——*Out of the East*. Boston & New York: Houghton Mifflin Company, 1923.

——*Some New Letters and Writings of Lafcadio Hearn*, collected and edited by Sanki Ichikawa. Tokyo: Kenkyusha, 1950.

——*History of English Literature*. Tokyo: Hokuseido Press, 1950.

——*Japan: An Attempt at Interpretation*. Tuttle, 1963.

——"A Conservative" *Kokoro*. Charles E. Tuttle, 1972.

——*The Writings of Lafcadio Hearn*. Boston & New York: Houghton Mifflin Company, 1973.

——"Hōrai" *Kotto and Kwaidan*. Kyoto: Rinsen Book Co., 1988 (reprint).

——*Glimpses of Unfamiliar Japan*. Vol. 1 . Boston & New York: Houghton Mifflin Company, 1988. (reprinted by Rinsen Book Co.)

——*Exotics and Retrospectives*. Boston and New York: Houghton Mifflin Company, 1988.

——*Kotto and Kwaidan*. Kyoto: Rinsen Book Co., 1988 (reproduce).

Hewitt, Douglas, *Conrad: A Reassessment*. Cambridge: Bowes & Bowes, 1969.

Howe, Irving, *Politics and the Novel*. New York: Books for Libraries Press, 1957.

Hynes, Samuel, *The Edwardian Turn of Mind* (Princeton University Press, 1968)

Inazo Nitobe, *BUSHIDO: The Soul of Japan* (英文新誌社、1905年)

Jean-Aubry, Gèrard, *The Sea Dreamer, A Definitive Biography of Joseph Conrad*. Archon Books, 1967.

—— *Joseph Conrad: Life and Letters*. Vol. I & II, Garden City, N.Y: Doubleday, 1927.

Karl, Frederick, *A Reader's Guide to Joseph Conrad*. New York: Noonday Press, 1966.

—— *Joseph Conrad: The Three Lives*. London: Faber & Faber, 1979.

Karl, Frederick and Laurence Davies, eds., *The Collected Letters of Joseph Conrad*. Vol. 1-7. Cambridge: Cambridge University Press, 1983-1922.

Kazuo Ishiguro, *The Remains of the Day*. Penguin Books, 2008.

Kimbrough, Robert, ed., "To my Readers in America" *The Nigger of the 'Narcissuss'* New York: W.W. Norton & Company, 1979.

Knowles, Owen & Moore, Gene, *Oxford Reader's Companion to Conrad*. Oxford: Oxford University Press, 2000.

Leaves, F.R., *The Great Tradition*. Penguin Books, 1967 (reprint).

Mallios, Peter Lancelot, "Reading *The Secret Agent* Now: The Press, the Police, the Premonition of Simulation" *Conrad in the Twenty-First Century: Contemporary Approaches and Perspectives*. New York & London: Routledge, 2005.

Matthew J. Bruccoli, ed., *The Great Gatsby*. Cambridge: Cambridge

《参考文献》

University Press, 1991.

Maugham, Somerset, *Ten Novels and Their Authors*. Mercury Books, 1963.

McCarthy, Helen, *Hayao Miyazaki, master of Japanese animation: films, themes, artistry*. California: Stone Bridge Press, 2002.

Najder, Zdzisław, "Conrad's Polish Background, or, From Biography to a Study of Culture" *CONRADIANA*. Vol. XVIII. No. 1. 1984.

—— *Joseph Conrad: A Chronicle*. New Brunswick, New Jersey: Rutgers University Press, 1984 (second print).

Napier, Susan *MIYAZAKIWORLD A Life in Art*. Yale University Press, 2018.

Orwell, George, *The Complete Works of George Orwell*. Vol. 6. Peter Davision, ed., London: Secker & Warburg, 1998.

Orwell, Sonia & Angus, Ian, eds., *The Collected Essays, Journalism and Letters of George Orwell*. Vol. III. London: Secker & Warburg, 1969.

Ricks Christopher & McCure Jim, eds., *The Poems of T.S. Eliot*. Baltimore: Johns Hopkins University Press, 2015.

Ross, Daniel, "Lord Jim & The Saving Illusion" *CONRADIANA*. Vol. XX. No. 2. 1962.

Russell, Bertrand, *Portraits from Memory and Other Essays*. London: George Allen & Unwin, 1956.

—— *The Autobiography of Bertrand Russell*. Vol. 1. London: George Allen & Unwin, 1967.

Said, Edward, *Culture and Imperialism*. New York: Alfred A. Knopf, 1994.

—— *Orientalism*. Penguin Books, 1995.

—— *Reflections on Exile and Other Essays*. Cambridge, Massachusetts:

Harvard University Press, 2000.

Sanki, Ichikawa, *Some New Writings of Lafcadio Hearn*. Tokyo: Kenkyusha, 1950.

Schwartz, Daniel, *Conrad: Almayer's Folly to Under Western Eyes*. London: Macmillan, 1980.

Sherry, Norman, *Conrad's Eastern World*. Cambridge: Cambridge University Press, 1971 (reprint).

Sonia Orwell & Ian Angus, eds., *The Collected Essays, Journalism and Letters of George Orwell*. Vol. 4. London: Secker & Warburg, 1969, (reprint).

——— *Conrad and His World*. London: Thames & Hudson, 1972.

Stallman, R.W. ed., *The Art of Joseph Conrad: A Critical Symposium*. East Lansing: Michigan State University, 1960.

Thoreau, Henry David, *Walden*. Houghton Mifflin, 1906.

Varda, Allan and Herzinger, Kim, eds., "An Interview with Kazuo Ishiguro" *Mississippi Review* 20, 1991.

Watt, Ian, *Conrad in the Nineteen Century*. Berkley, Los Angeles: University of California Press, 1979.

Wetmore, Elizabeth Bisland, *The Japanese Letters of Lafcadio Hearn*. The Riverside Press Cambridge, Boston & New York: Houghton Mifflin Company, 1910.

Wilson, Angus, *The World of Charles Dickens*. Martin Secker & Warbung, 1970.

Wilson, Colin, *The Craft of the Novel*. London: Victor Gollancz Ltd., 1975.

Wilson, Edmund, "Dickens: The Two Scrooges" *The Wound and the Bow*, Ohio University Press, 1997.

Zabel, Morton Dauwen, *The Portable Conrad*. New York: The Viking

《参考文献》

Press, 1966.

索　引

1　本書は論文集であるが、読者の便宜を図り索引を付すことにした。
2　重要と思われる固有名詞、作品名、術語などを収録したが、必ずしも網羅的ではない。
3　注や参考文献に挙げた研究書などは索引から省いた。
4　日本語表記で不明瞭の恐れのある場合、原綴りを添えた。
5　コンラッドの作品名にはすべて原綴りを添えた。
6　数字はページ数を示す。

【ア】

アークライト、リチャード（Arkwright, Richard）　　225
アーレント、ハンナ（Arendt, Hannah）　　57, 253, 297
アイデンティティ（identity）　　64, 119, 124, 129, 141, 205, 314, 355, 363, 364, 381, 428, 429, 482, 491, 539, 656, 762, 775, 801, 809
アイロニック・ディスタンス（アイロニックな距離）　　317, 366, 676, 811
アインシュタイン、アルバート（Einstein, Albert）　　333, 760, 768, 785, 791, 794, 798
『赤い鳥』　　30
秋月胤永（悌二郎）　　501, 502, 577, 578
『秋の断想』（*Feuillets d' Automne*）　　97, 101, 198, 199, 662
アグロフォレストリー　　11
『芥川龍之介短篇集』　　340, 350, 453, 476
『悪霊』　　112, 210, 285, 342, 343, 454, 455, 456, 457, 671, 673, 674, 676, 677, 678, 682, 685, 686, 696, 698, 699, 700, 701, 702, 708, 710, 714, 716, 719, 720, 725, 726, 733, 737, 739, 741, 744, 745, 845
「明日」（"Tomorrow"）　　595, 820
新しいキリスト教としての社会主義　　112

『新しい人生』	208
アタチュルク	118, 127
アタリ、ジャック（Attali, Jacques）	506, 783, 784, 803
アチェベ、チヌア（Achebe, Chinua）	45
アニミズム思想	4, 40, 80, 497
アニミズム	36, 76, 496
アファンの森	24, 73
『天の河縁起　その他』（*The Romance of the Milky Way and Other Stories*）	484, 591
雨森信成（あめのもりのぶしげ）	502, 503, 513, 536, 579, 581
嵐の作品（'Storm-pieces'）	544
『アラビアン・ナイト』（*The Arabian Night*）	302
アリストテレス（Aristotle）	778
『ある人質への手紙』	602, 609, 611, 628, 660, 663
アルキメデス（Archimédés）	205, 477
＜あるべき人間＞（像）	108, 195, 454, 461, 479, 568, 601, 602, 618, 658, 750
「ある保守主義者」（"A Conservative"）	479, 491, 492, 499, 501, 502, 503, 511, 514, 531, 543, 570, 574, 589
アレクサンドル二世	677, 697
アレクシエービッチ、スヴェトラーナ	753, 795, 796
『荒地』（*The Waste Land*）	50, 409
アンデルセン（Andersen）	472
『アンダーグラウンド』	322, 335, 338, 355, 369, 434, 779

【イ】

イエイツ、ウィリアム・バトラー（Yeats, William Butler）	362
『異国風物と回想』（*Exotics and Retrospectives*）	504

索引

池田菊苗	525
池田雅之	481, 485, 535, 538, 569, 573, 574, 575, 580
イースター島の廃墟	36
イースター島のモアイ像	3
意識の流れ	455
一寸の虫にも五分の魂	571
『イスタンブル──思い出とこの町』	131, 138, 209
イスラム化	119
イスラム主義者	131, 132
「伊勢神宮」	535
『偉大なギャッビー』(*The Great Gatsby*)	355, 356, 390
『偉大な伝統』(*The Great Tradition*)	55, 85, 251, 378, 593, 651, 679, 739, 741, 803
「偉大なる罪人の生涯」("The Life of a Great Sinner")	677
『1Q84』	309, 310, 312, 314, 323, 332, 333, 337, 338, 344, 345, 350, 351, 357, 358, 370, 385, 388, 433, 456, 477, 779
伊藤孝治	804
伊藤博文	500
イド（Id）	380
井内雄四郎	215, 218, 726, 743, 747
『異邦人』	801
イラク戦争	334, 749, 768
『陰影線』(*The Shadow-Line*)	144, 211, 429, 447, 472, 480, 544, 545, 546, 551, 553, 565, 566, 567, 594, 595, 622, 650, 665, 782, 788, 804, 848
『インディアス破壊を弾劾する簡略なる陳述』	189, 218, 249
『陰謀の技術』(*The Craft of Intelligence*)	674, 739

【ウ】

ヴァーロック（Verloc）	386, 675, 678, 679, 721, 722, 723, 727, 729, 730, 738
ヴィクトリア女王（Queen Victoria）	232, 258, 286, 291, 367, 546, 594
ヴィクトリア朝（時代）	46, 52, 232, 241, 286, 294, 365, 475, 535, 546, 604, 729, 842
ヴュー＝コロンビエ座での講演	99, 576
ウィルソン、アンガス（Wilson, Angus）	227, 290
ウィルソン、コリン（Wilson, Colin）	235, 302
ウィルソン、エドマンド（Wilson, Edmund）	279, 299, 300, 305, 460
ウェイリー船長	567, 568
（上田）秋成	401
ウェラー、サム（Weller, Sam）	234, 263, 268, 269, 271, 272, 273, 274, 275, 278, 283, 286
ウェラー、メアリー（Weller, Mary）	262
ウェルズ、H・G（Wells, H.G.）	250, 297, 767, 800
ウェルト、レオン（Werth, Léon）	616, 617, 637, 664
『ヴェローナの二紳士』（*Two Gentlemen of Verona*）	290
ウォーターローの戦い	28, 29
ウォール街占拠運動	224
『浮世の画家』（*An Artist of the Floating World*）	316
『雨月物語』	401
内田 樹	470, 471
内田康夫	569, 570
内田魯庵	91, 92, 195
宇宙化石	18
美しい小説	138
『うつろなる人々』（*Hollow Men*）	51, 73, 409

索引

『海の鏡』（*The Mirror of the Sea*）　　211, 256, 437, 464, 474, 544, 548, 553
　　593, 594, 595, 605, 606, 625, 640, 661, 666, 669, 755, 789, 796, 804
　　　　　　　　　　　　　　　　　　　　　　　　　　　　　　　　838, 848
梅田良忠　　　　　　　　　　　　　　　　　　　　　　　　　　　　214, 856
梅原 猛　　　　　　　　　　　　　　　　　　　42, 68, 213, 402, 469
『海辺のカフカ』　　　　　　　　　　　　　　　　　　　　384, 427, 466
「運命の微笑」（"A Smile of Fortune"）　　　　　　　　　　　553, 665

【エ】

「永遠の女性について」（"Of the Eternal Feminine"）　　　　534, 590
『永遠の夫』　　　　　　　　　　　　　　　　　　　　　　　　　　　92
『永日小品』　　　　　　　　　　　　　　　　　　　　　　　　　　585
英国（商）船時代　　　　　　　　　　　　　　　　　　　365, 545, 547
「英文学におけるコンラッドの位置と序列」（"Conrad's Place and Rank in English Letters"）　　　　　　　　　　　　　　　　　　　　　　　　　　361, 693
「エイミィ・フォスター」（"Amy Foster"）　　49, 83, 124, 205, 335, 561, 566
　　　　750, 755, 756, 757, 768, 769, 774, 775, 794, 796, 809, 824
エヴェリーナ、ボブロフスキ（Evelina, Bobrowski）　　　　　　　　363
江川 卓　　　　　　　　　　　　　　　　　　725, 741, 744, 745, 747
エコロジスト　　　　　　　　　　　　　　　　　　　　　　　　　　33
＜越境＞　　　　　　　　　　　　　　　　　　　　　　　　　123, 459
越境文学（論）　　　　　　　　　　　　　　　　　　　　　　123, 459
エリオット、トーマス・スターンズ（Eliot, Thomas Stearns）　55, 73, 251, 409
　　　　　　　　　　　　　　　　　　　　　　　　　　　　　　　　469
エリザベス女王二世（Queen Elizabeth Ⅱ）　　　　　　　　　232, 781
『延喜式』　　　　　　　　　　　　　　　　　　　　　　　　　　535
円空　　　　　　　　　　　　　　　　　　　　　　　　　　　　　402

【オ】

『大いなる遺産』（*Great Expectations*）	279
大谷正信	509
『追い詰められて』（*The End of the Tether*）	466, 567, 596, 668
オウム真理教事件（地下鉄サリン事件）	311, 322, 334, 335, 337, 341, 454
オーウェル、ジョージ（Orwell, George）	21, 22, 98, 126, 207, 219, 220, 221, 222, 223, 224, 225, 229, 232, 234, 286, 287, 288, 289, 290, 292, 299, 300, 305, 309, 318, 334, 343, 347, 348, 349, 361, 362, 365, 375, 376, 377, 378, 394, 434, 463, 465, 466, 468, 675, 693, 694, 739, 743, 759, 792
オーウェルの「チャールズ・ディケンズ論」（"Charles Dickens"）	225, 276, 280
『オーウェルの全体像——水晶の精神』	261, 276, 300, 315, 328, 349
大江健三郎	127, 174, 216, 315, 346, 359, 470, 518, 583, 745
大岡昇平	93, 439, 440, 441, 765, 766, 767, 799, 800
大久保彦左衛門	476
大津事件	573
太安万侶	569
岡倉天心（覚三）	582
『お気に召すまま』（*As You Like It*）	290
『オセロ』（*Othello*）	290
オバマ、バラク（Obama, Barack）	791, 792, 793, 794, 805
小津安二郎	342, 346
織田 稔	86, 669
オムスク（の）監獄	114, 145, 146, 156, 158, 199
「思い出す事など」	203, 527
『思い出す人々』	91
オールコック（Alcock）	575
『オールメイヤーの愚行』（*Almayer's Folly*）	210, 237, 354, 364, 445, 545

索引

	618, 809, 810, 812, 813, 814, 815, 819, 820, 821, 832, 837, 840, 841, 842, 843, 845, 847
『オリエンタリズム』（*Orientalism*）	758
『オリヴァー・トゥイスト』（*Oliver Twist*）	266, 304
『女のいない男たち』	335, 336, 431

【カ】

Ka（『雪』の主人公）	127, 128, 131, 132, 133, 134, 135, 136, 137
カー、エドワード・ハレット（Carr, Edward Hallett）	108
カーソン、レイチェル（Carson, Rachel）	34, 77, 615, 616, 630, 663, 766, 800, 858
ガーネット、エドワード（Garnett, Edward）	62, 66, 142, 210, 477, 823, 845
ガーネット、コンスタンス（Garnett, Constance）	142, 210, 845
カーボンリサイクル	10
カーライル、トーマス（Carlyle, Thomas）	235, 516
『怪談』（*Kwaidan*）	532, 543
『外套』	698
『解放された世界』（*The World Set Free*）	767, 800
カイヨワ、ロジェ（Caillois, Roger）	462, 634
カイン（Cain）	564, 804
外来性（foreignness）	357
カウラ（の大脱走）事件	441, 442, 448
「かえるくん、東京を救う」	368, 369
ガガーリン、ユーリ（Gagarin, Yurii）	628
核拡散防止条約（NPT）	672, 750, 751, 791, 793
核戦争の危機（キューバ危機）	672
核兵器廃絶国際キャンペーン（ICAN）	754

『崖の上のポニョ』	26, 29, 41
カサス、ラス（Casas, Las）	189, 218
カズオ、イシグロ（Kazuo, Ishiguro）	309, 312, 314, 315, 316, 317, 319, 320, 321, 322, 340, 341, 342, 344, 345, 346, 347, 348, 350, 358, 754, 755, 796
『風立ちぬ』	26, 48, 438
『風の歌を聴け』	310, 336, 354, 384, 385, 442
『風の谷のナウシカ』	3, 7, 26, 29, 30, 32, 33, 37, 39, 40, 41, 42, 43, 64, 77, 80, 217, 612
「潟」（"Lagoon"）	819
『カタロニア讃歌』（*Homage to Catalonia*）	693, 743
角川源義	527
加藤典洋	469
角野栄子	74
活動的なアイロニー	123, 459
金子堅太郎	500
『悲しき熱帯』（*Tristes Tropiques*）	139
嘉納治五郎	449, 450, 501, 577
カフカ、フランツ（Kafka, Franz）	257
「壁と卵」（"Of Walls and Eggs"）	310, 311, 313, 754
『神の子どもたちはみな踊る』	368, 617, 664
「神々の国の首都」（"The chief City of the Province of the Gods"）	489
神の不条理	566
神なきドストエフスキー	100
カミュ、アルバート（Camus, Albert）	771, 801, 802
「硝子戸の中」	527, 585
亀井勝一郎	765
亀山郁夫	171, 211, 744, 745
『空騒ぎ』（*Ado about Nothing*）	290

索引

柄谷行人	117, 204, 572
『カラマーゾフの兄弟』	98, 106, 112, 113, 142, 176, 199, 202, 210, 313, 342 343, 344, 455, 456, 457, 458, 527, 845
ガリポリの戦い	118
『カルマとそのほか』（*Karma and Other Stories*）	570
「カルスの雪ノート」	128, 140
「カレイン」（"Karain"）	217, 819, 840, 848
河合俊雄	431, 472
河合隼雄	333, 350, 374, 462, 468, 473
河上徹太郎	196
川端康成	315, 316, 347
河村民部	291, 380
環境倫理	36, 40, 616
姜 尚中	517, 518, 527, 583, 588

【キ】

キーン、ドナルド（Keene, Donald）	73, 346, 439, 497, 575
『木を植えた男』	77
『記憶よりの肖像』（*Portraits from Memory*）	73, 215, 550, 594, 684, 742, 837
機械主義や功利主義	500
気候変動に関する政府間パネル（IPCC）	7
騎士道（小説）（物語）	451, 452, 602
『騎士団長殺し』	311, 336, 340, 353, 354, 355, 356, 358, 370, 372, 374, 375, 379, 380, 382, 386, 387, 389, 393, 394, 395, 408, 410, 411, 413, 415, 418, 420, 421, 424, 425, 427, 446, 455, 457, 461, 467, 468, 469, 470
ギッシング、ジョージ（Gissing, George）	282, 306

『魏志倭人伝』	497
『傷と弓』（*The Wound and the Bow*）	279, 305
「帰宅」（"Return"）	217, 246, 294, 529, 589
キップリング、ラヤード（Kipling, Rudyard）	641
『きのふけふ』	195
ギボン、エドワード（Gibbon, Edward）	516
『君たちはどう生きるか』	26, 27, 28, 30, 75
キャラバイン、キース（Carabine, Keith）	184
9・11（同時多発）テロ	127, 334, 335, 341, 454, 671, 673, 674, 749, 758, 768, 792, 805
キューブリック、スタンリー（Kubric, Stanley）	764
キューリー、マリー（Curie, Marie）	125, 206
『救助』（*The Rescue*）	820
『弓道における禅』（*Zen in the Art of Archery*）	62
旧日本の理想（the ideals of Old Japan）	494
「極東の将来」（"The Future of the Far East"）	487, 498, 502
「極東の第一日」（"My First Day of the Orient"）	489
『極東の魂』（*The Soul of the Far East*）	483, 486, 488
共存（共生）の思想	36, 41
清沢満之	522, 579, 584
京都議定書	70
共同体社会主義思想	202
『杵築——日本最古の神社』	495
『仰臥漫録』	586
ギヨメ、アンリ	202, 606, 615, 630, 635, 650, 658, 666
『銀河鉄道の夜』	4, 65

索引

【ク】

空海	402
空想的社会主義（者）	704, 724, 725
『食えなんだら食うな』	87
「草ひばり」（「草雲雀」）（"Kusa-Hibari"）	81, 536
『草枕』	74, 515, 588
クストー、ジャック・イヴ（Cousteau, Jacques-Yves）	36
国を超えた作家	309
クック、ジェイムズ（Cook, James）	250
国木田独歩	92
グラス・ギュンター（Grass, Günter）	459, 478
倉橋由美子	636, 667
グリーン、グレアム（Greene, Graham）	25, 63, 74
クリスティ、アガサ（Christie, Agatha）	316
『クリスマス・キャロル』(*Christmas Carol*)	281, 286, 300, 301, 303
黒澤 明	74, 342
黒澤 明の『白痴』	177
クルツ（Kurtz）	6, 50, 60, 62, 63, 73, 248, 295, 375, 378, 379, 417, 777, 779, 782, 784, 783, 785, 786, 787, 790, 844
グレアム、カニンガム（Graham, Cunninghame）	478, 653, 731, 817, 831, 844, 847
クレイビール（Krehbiel）	509, 580
『クレオパトラの一夜』(*One of Cleopatra's Nights*)	509
『紅の豚』	26, 612, 613
クローデル・ポール（Claudel, Pawl）	94, 641, 667
『クローム・イエロー』(*Crome Yellow*)	797
軍国主義	494, 504

【ケ】

ケネディ、ジョン・F（Kennedy, John F.）	791
「現代日本の開化」	522, 523
『言語と沈黙』（*Language and Silence*）	56, 253, 257, 298, 307
『源氏物語』や『枕草子』の時代	32

【コ】

ゴア・アル（Gore, Al）	11, 14, 68, 69
高貴な義務（noblesse oblige）	606
高貴な精神	602
高貴な人間	617
小泉節子（戸籍上はセツ）	536, 859
小泉 時	592
小泉 凡	483, 512, 570, 571, 575, 578, 581, 593, 859
『小泉八雲新考』	539
『行人』	203
皇帝ニコライ一世（Nikolai Ⅰ）	111
行動の倫理	548, 559
『神戸クロニクル論説集』（*Editorials from the Kobe Chronicle*）	500
効率化や合理主義に基づく格差社会	229, 637
『荒涼館』（*Bleak House*）	229, 257, 258
ゴーゴリ、ニコライ（Gogol, Nikolai）	110, 211, 212, 391, 468, 698
ゴーディマ、ナディン（Gordimer, Nadine）	57, 250, 253, 296, 297
ゴーチェ、テオフィル（Gautier, Theophile）	509
コッホ、ロベール（Koch, Robert）	293
ゴッホ、ヴィンセント・ファン（Gogh, Vincent van）	302, 303, 398, 407
ゴールズワージー、ジョン（Galsworthy, John）	214, 218, 291, 357
コールリッジ、サムエル・テイラー（Coleridge, Samuel Taylor）	564, 803

索引

「国民性」（"National Individuality"）	498, 501
国際エネルギー機関（IEA）	2, 18
故国喪失（déraciné）	364, 603, 770
故国喪失者（エグザイル）	120, 124, 130, 131, 353, 354, 357, 366, 460, 482, 542, 602, 603, 775
『故国喪失についての省察』（*Reflections on Exile*）	59, 85, 130, 208, 255, 298, 526
故国放棄者	130, 775
『こころ』	117, 204, 382, 399, 468, 516, 518, 519, 520, 521, 583
『心』（*Kokoro*）	479, 490, 491, 502, 503, 504, 511, 533, 537, 574, 581
児島惟謙	573
コジェニオフスキ・アポロ（Korzeniowski, Apollo）	121, 129, 290, 363, 540, 726, 757, 810, 817
コジェニオフスキ、ユゼフ（Korzeniowski, Józef）	364, 603, 810
『古事記』	481, 486, 488, 535, 569
『古事記伝』	78, 569
古神道の理想（the ideals of Old Shintō）	494
『ゴジラ』	82
『個人的記録』（*A Personal Record*）	52, 84, 85, 86, 120, 129, 249, 595, 802, 808, 811, 812, 846, 847, 849
個人的倫理観	191
ゴッホ、ヴィンセント・ヴァン（Gogh, Vincent van）	398
『骨董』（*Kottō*）	536
『骨董店』（*The Old Curiosity*）	235, 468
『この国のかたち』	476
『この人を見よ』	147, 213
コッポラ、フランシス（Coppola, Francis）	25, 59, 73, 189, 441, 474, 779, 780, 803

小林秀雄	92, 145, 147, 174, 196, 212, 213, 215, 303, 765
「怖い小説一編」（"A Terrible Novel"）	542, 593
コルヴィン（Colvin）	428
『コンゴ紀行』（*Travel: Voyage au Congo*）	6, 7, 67, 91, 95, 97, 376, 465, 803, 832
『コンゴ奴隷国』	57, 253
＜コンゴ体験＞	5, 6, 97, 112, 130, 155, 190, 192, 246, 287, 364, 375, 380, 393, 545, 634, 719, 737, 757, 778, 787, 812
『コンラート・ヴァレンロッド』（*Konrad Wallenrod*）	129
コンラッド、ジェシー（Conrad, Jessie）	771, 772, 802
コンラッド、ジョウゼフ（Conrad, Joseph）	1, 5, 6, 7, 20, 25, 26, 44, 45, 46, 48, 49, 51, 52, 53, 54, 55, 57, 58, 59, 60, 61, 62, 64, 66, 67, 72, 73, 82, 83, 84, 85, 86, 87, 91, 93, 94, 95, 96, 97, 99, 100, 101, 112, 118, 120, 121, 122, 123, 124, 125, 126, 127, 129, 130, 131, 134, 137, 138, 141, 142, 143, 144, 145, 151, 152, 154, 166, 167, 168, 176, 177, 182, 187, 189, 190, 191, 192, 193, 194, 195, 198, 199, 200, 204, 205, 206, 207, 208, 209, 210, 211, 214, 217, 218, 219, 229, 231, 236, 237, 244, 245, 246, 247, 248, 249, 250, 253, 254, 255, 256, 257, 268, 282, 286, 287, 290, 291, 292, 293, 294, 295, 297, 298, 307, 317, 336, 340, 343, 353, 354, 356, 357, 359, 360, 361, 362, 363, 364, 365, 366, 367, 368, 375, 376, 378, 379, 380, 381, 382, 384, 386, 387, 388, 393, 417, 428, 429, 436, 437, 441, 445, 446, 447, 448, 450, 451, 452, 453, 454, 458, 460, 461, 464, 465, 466, 467, 471, 472, 474, 475, 476, 477, 478, 479, 480, 488, 497, 510, 523, 526, 529, 540, 542, 543, 544, 545, 546, 547, 548, 549, 550, 552, 553, 562, 563, 564, 565, 566, 567, 568, 576, 589, 593, 594, 595, 596, 597, 598, 600, 601, 602, 603, 604, 605, 606, 607, 612, 614, 617, 618, 620, 621, 622, 624, 625, 626, 631, 632, 633, 634, 638, 639, 640, 641, 642, 643, 645, 648, 649, 650, 651, 652, 653, 654

索引

655, 656, 657, 658, 660, 661, 664, 665, 666, 667, 668, 669, 671, 673, 674, 675, 676, 677, 679, 680, 681, 682, 683, 684, 685, 686, 688, 691, 693, 694, 696, 719, 720, 721, 723, 725, 726, 727, 728, 729, 731, 732, 733, 735, 736, 737, 738, 741, 742, 746, 747, 748, 749, 750, 755, 756, 757, 758, 767, 769, 770, 771, 772, 773, 774, 775, 776, 777, 778, 779, 780, 781, 782, 783, 784, 787, 788, 789, 790, 794, 796, 797, 800, 801, 802, 803, 804, 805, 807, 808, 809, 810, 811, 812, 814, 815, 816, 817, 818, 819, 820, 821, 828, 830, 832, 837, 838, 839, 840, 841, 842, 843, 844, 845, 846, 847, 848, 849

「コンラッドの描きたる自然に就いて」　544, 645
コンラッドの倫理観　545, 550, 564
コンラッドの「闇」　195, 820, 842, 843, 844, 845

【サ】

サーマルリサイクル（熱回収）　13
サイード、エドワード（Said, Edward）　5, 25, 59, 85, 124, 208, 255, 298, 317, 356, 526, 542, 588, 758, 778, 797, 803
『サイード自身が語るサイード』　593, 861
西行法師　402
『西国立志伝』　83, 474, 475
『最後の国境への旅』　477
『最後の随筆集』（*Last Essays*）　776
『栽培植物と農耕の起源』　5, 30, 66
『作家の日記』　109, 112, 148, 154, 156, 157, 164, 214, 215, 216, 217, 391, 468
サッカレー、ウィリアム（Thackeray, William）　231
『坂の上の雲』　439, 515, 582
「坂道のモラル」　609

阪本寧男	77, 84, 207
佐高 信	441, 474
サトウ、アーネスト（Satow, Ernest）	535
佐藤春夫	484
産業革命	7, 8, 11, 16, 21, 52, 190, 225, 228, 234, 258, 269, 293, 516, 546, 547, 576, 594, 608, 770
『三四郎』	400, 480, 516, 517, 583
サン＝テグジュペリ（Saint-Exupéry）	118, 126, 200, 202, 204, 384, 462, 597, 598, 599, 600, 601, 602, 606, 607, 608, 609, 610, 611, 612, 613, 614, 616, 617, 619, 620, 625, 626, 627, 629, 630, 631, 632, 633, 634, 635, 637, 638, 640, 641, 642, 643, 648, 650, 652, 654, 655, 656, 657, 658, 659, 660, 661, 662, 663, 664, 665, 666, 667, 668, 669
「散文小品」（"The Prose of small Things"）	514, 581
参与観察	484

【シ】

ジイド（ジッド）、アンドレ（Gide, André）	6, 63, 67, 91, 92, 93, 94, 95, 97, 98, 99, 100, 101, 102, 104, 105, 106, 107, 126, 155, 158, 194, 195, 196, 197, 198, 199, 200, 214, 216, 218, 376, 465, 576, 598, 606, 607, 608, 640, 641, 650, 662, 667, 668, 802, 803, 832
シェイクスピア、ウィリアム（Shakespeare, William）	121, 229, 719
ジェイムズ、ウィリアム（James William）	523, 585
ジェイムズの「小説の芸術」（"The Art of Fiction"）	445
ジェイムズ、ヘンリー（James, Henry）	231, 268, 282, 291, 357, 362, 463
『自我とイド』（Das Ich und das Es）	798
『色彩を持たない多崎つくると、彼の巡礼の旅』	311, 333, 342, 343, 370, 385, 414, 455, 465

索引

「磁極」	202, 602, 628
『地獄の黙示録』（*Apocalypse Now*）	25, 59, 73, 189, 441, 779, 803
思考停止	324, 334, 338, 434, 436
自己（の）発見（自己を見つける）	58, 61, 97, 248, 336, 353, 430, 460, 629, 633, 787, 790
＜自己修養＞	360, 539, 568
「至高の芸術の問題」（"The Question of the Highest Art"）	542
「死者の文学」（"The Literature of the Dead"）	504
『死の家の記録』	101, 103, 112, 114, 146, 203, 212, 866
『自助』（*Self-Help*）	232, 291, 446, 474
自他共栄	501
自然と（人間と）の共存（共生）	3, 32, 38, 43, 44, 64, 77
司馬遼太郎	31, 439, 469, 474, 475, 577, 582
＜シベリア体験＞	719
「シベリア・ノート」	203
「地蔵」（"Jizō"）	536, 592
『島の流れ者』（*An Outcast of the Islands*）	819
『社会契約論』（*Du Contrat Social*）	166
社会進化論	531
社会ダーウィニズム	53, 786, 823, 829, 847
社会民主主義	723
『自由からの逃走』（*Escape from Freedom*）	325, 326, 348
「自由人の信仰」（"The Free Man's Worship"）	566, 807
自由思想家	499
自由人の思想	122
『宗教的経験の諸相』（*The Varieties of Religious Experience*）	523, 585
『宗教は必要か』	205, 596
「邪悪な物語」	336, 353, 424

釈 宗演	529
修善寺大患（修善寺での人事不肖）	114, 115, 117, 527, 528
「柔術」（"Jiujutsu"）	501
「ジャングルの野獣」（"The Beast in Jungle"）	357
「出版の自由」（"The Freedom of the Press"）	330
シュラフタ（szlachta）	604, 661
『種の起源』（*The Origin of Species*）	53, 54, 486, 847
少女ネル（little Nell）	235
『勝利』（*The Victory*）	682, 742
ショーペンハウエル（Schopenhauer）	483
ショパン（Chopin）	125, 206
「書簡を通してみたドストエフスキー」	104, 105
「処女作追懐談」	525
シモンズ、アーサー（Symons, Arthur）	55, 247, 780
ジョイス（Joyce, James）	362
『ジョウゼフ・コンラッドとその自伝という虚構』	526
昭和天皇	37, 80
『職業としての小説家』	355, 373, 426, 461, 465, 468
『小説の理論』（*Die Theorie des Romans*）	57
照葉樹林文化（論）	30, 50, 65, 76, 77
『城』	257
白く塗りたる墓（a whited sepulcher）	59, 245, 738
『城砦』	609, 617, 625, 654, 664
小乗仏教	485
『知られざる日本の面影』（*Glimpses of Unfamiliar Japan*）	479, 481, 484, 490, 493, 569, 574
城山三郎	440, 441, 474
新型コロナ（禍）	1, 2, 20, 65, 325, 746, 751, 801

索引

進化論	487, 502, 506, 511, 535, 537, 538, 585
進化論思想	506
『人生と文学』（*Life and Literature*）	360, 508, 510, 514, 539, 580, 581
『人生と文学についての覚書』（*Notes on Life and Letters*）	47, 83, 210, 211, 255, 298, 548, 549, 550, 565, 594, 639, 661, 667, 800, 820, 837, 847
『人生に意味を』	609, 620, 659, 666, 668
新戦略兵器削減条約（新START）	751
神道（流）	485, 486, 490, 495, 502, 504, 511, 535
神道の清め	495
「神道の発達」（"Developments of Shintō"）	537
「進歩の犠牲者」（"A Victim of Progress"）	189
「進歩の前哨地点」（"An Outpost of Progress"）	52, 53, 54, 84, 130, 187, 189, 190, 217, 246, 830, 843, 848
真実の語り部	61
真実の告白	144, 177, 185, 186, 686
『心理学原理』（*The Principle of Psychology*）	523, 585
真理探究者	498
心理的な展開（the psychological developments）	151
『審判』	257
信頼に満ちた眼	178, 185
親鸞	469, 584

【ス】

スヴィドリガイロフ	108, 146
「崇拝と清め」（"Worship and Purification"）	495
鈴木大拙	62, 475, 495, 505, 521, 575, 579, 581, 584, 759, 798
鈴木敏夫	26, 43, 74, 82
鈴木三重吉	645

スターリン体制	224, 610
スターン、ロレンス (Sterne, Laurence)	452
スタイナー、ジョージ (Steiner, George)	56, 253, 257, 279, 286, 298, 307
スタヴローギン	112, 682, 686, 696, 702, 703, 704, 705, 706, 707, 708, 709, 710, 711, 712, 713, 714
スタンリー、ヘンリー (Stanley, Henry)	248, 776
スティーヴィー (Stevie)	178, 696, 723, 727, 728, 738
ストーン、オリバー (Stone, Oliver)	334
スニートキナ、アンナ	214, 677, 740, 746
『すばらしい新世界』(*Brave New World*)	759, 797
スペンサー、ハーバート (Spencer, Herbert)	258, 299, 487, 500, 502, 506, 511, 531, 538, 591
スペンダー、ステファン (Spender, Stephen)	221, 287
スマイルズ、サミュエル (Smiles, Samuel)	46, 232, 291, 446, 474, 475
スメ、ジョセフ・ド (Smet, Joseph de)	533
スモレット、ジョージ (Smollett, George)	262

【セ】

西欧化	99, 123, 131, 515, 543, 589
西欧人気質	91, 100, 122, 133, 137
『西欧の眼の下に』(*Under Western Eyes*)	91, 92, 99, 121, 126, 141, 142, 143, 145, 151, 152, 153, 163, 168, 178, 189, 192, 195, 209, 210, 211, 214, 218, 417, 543, 675, 676, 685, 686, 688, 728, 742, 747, 815, 845
「生活および性格と文学との関係について」("On the Relation of Life and Character to Literature")	539, 593
『聖書』	148, 213, 313, 746
精神の浄化作用	612
誠実(さ)	47, 58, 85, 93, 97, 143, 187, 210, 211, 219, 224, 256, 261

索引

　　　　　268, 278, 286, 287, 319, 437, 438, 450, 454, 456, 479, 510, 520, 548
　　　　　549, 563, 564, 565, 566, 567, 618, 639, 656, 658, 706, 707, 713, 717
　　　　　732, 789, 841, 842

『誠実と本物』（*Sincerity and Authenticity*）　　58, 190, 218, 287, 777, 802, 849
政治的「闇」　　187, 738
「青春」（"Youth"）　　51, 84, 95, 137, 353, 378, 466, 547, 594, 600, 622
　　　　　638, 650, 665, 683, 742, 755, 775, 778, 788, 789, 811, 838
『星条旗の聞こえない部屋』　　316, 458, 477
世界恐慌　　222
『世界の終りとハードボイルド・ワンダーランド』　　340, 354, 429, 445, 467
　　　　　779
精神的な囲い込み　　337, 338, 434, 780
西洋思想と東洋思想の融合　　514
西洋と非西欧文明との対比　　820
世界気象機関（WMO）　　16
関 大徹　　87
責任（感）　　202, 406, 454, 545, 559, 564, 602, 609, 619, 621, 626, 627, 635
　　　　　650, 656, 681, 791, 794
折衷主義の特質　　537
瀬藤芳房　　125, 131, 199, 205, 207, 462, 475, 742, 757, 796
『狭き門』　　93
セルバンテス、ミゲル（Cervantes, Miguel）　　262, 267, 450, 475, 476, 719
『1973年のピンボール』　　384
千家尊紀　　495
『戦争とプロパガンダ』（*War and Propaganda*）　　131, 208
『戦争とラジオ――BBC時代』　　224, 328, 349
『戦争は女の顔をしていない』　　753, 795
潜在自然植生　　36

戦陣訓	439, 441, 442
「専制政体と戦争」（"Autocracy and War"）	143, 211, 729, 747
『千と千尋の神隠し』	4, 23, 24, 26, 29, 37, 44, 47, 49, 64, 72, 73, 84
『善悪の彼岸』（*Jenseits von Gut und Böse*）	147
『禅と日本文化』（*Zen Buddhism and its Influence on Japanese Culture*）	449
『全体主義の起源』（*The Origins of Totalitarianism*）	57, 253
「禅の原典における疑問」（"A Question in the Zen Texts"）	504
『禅問答と悟り』	504

【ソ】

『相互の友』（*Our Mutual Friend*）	226
『創世記』	630
『創造的要素』（*The Creative Element*）	287
「操縦士と自然の力」	631, 641, 668
『ソヴィエト旅行記修正（1937年6月）』	223
「象を撃つ」（"Shooting an Elephant"）	376, 465
ソーニャ（Sonia）	106, 107, 108, 109, 149, 151, 152, 169, 170, 172, 173, 174, 175, 176, 178, 193, 215, 216
「創作論」（"On Composition"）	508, 580
「則天去私」	203, 528, 529
ソクラテス（Sōkratēs）	706
「祖先崇拝の思想」（"Some Thoughts about Ancestor-Worship"）	511, 537, 592
ソフト・パワー（論）	119, 768
ソマリア人のテクラ（Tekla the Samaritan）	176
『それから』	516, 517

【タ】

ダーウィン、チャールズ（Darwin, Charles）	35, 486, 487, 746, 771, 847

索引

ダート、レイモンド（Dart, Raymond）	764
『第一原理』（First Principles）	487
大乗仏教	68, 449, 485
大文学（'great literature'）	521, 542
「台風」（"Typhoon"）	95, 255, 544, 550, 595, 598, 600, 622, 631, 632, 640, 641, 642, 643, 645, 650, 655, 668, 755, 788, 801, 804, 819, 841, 846
『大西洋評論集』（Atlantic Monthly）	503
タウト、ブルーノ（Taut, Bruno）	495, 575
高畑 勲	25, 41, 77
『多元的宇宙』（A Pluralistic Universe）	523, 585
確かな個	479, 480, 507
『戦う操縦士』（Pilote de Guerre）	601, 633, 660, 661
立花 隆	37, 80
脱炭素社会（脱炭素化産業）	9, 17
田部隆次	538
魂の共感	360, 539
魂の相続	519
ダレス、アレン（Dulles, Allen）	671, 674, 739
『ダンス・ダンス・ダンス』	384, 427
ダンテの『神曲』	427, 428, 471

【チ】

チェンバレン、バジル（Chamberlain, Basil）	483, 502, 507, 513, 531, 534, 535, 592
『地下生活者の手記』（『地下室の手記』）	55, 92, 98, 106, 149, 188, 214, 217, 715, 737
地下（室）の逆説家	55, 106, 149
（地球の）温暖化（対策）	1, 2, 3, 5, 7, 8, 9, 10, 11, 13, 14, 15, 16, 17

	18, 35, 65, 67, 68, 69, 71
「地球環境」をテーマにした2005年の愛知万博	630
『父のトランク』	199, 204, 205, 209
『地の糧』	93, 97, 100
チェルヌイシェフスキー（Chernyshevskii）	114, 149, 188, 677, 697
地産地消	15
中華思想	716
チャーチル、ウィンストン（Churchill, Winston）	660
『チャールズ・ディケンズの生涯』（*The Life of Charles Dickens*）	266
チャップリン、チャールズ（Chaplin, Charles）	21, 22, 72, 227, 228, 275, 636, 637, 734, 748
『チャップリン』	72, 748
『チャップリンの独裁者』（*The Great Dictator*）	21, 72, 734
『茶の本』（*The Book of Tea*）	581, 582
『チャンス』（*Chance*）	357, 682
チョーサー、ジェフリー（Chaucer, Geoffrey）	508
チョムスキー、ノーム（Chomsky Noam）	16, 70
「地理学と探検家たち」（"Geography and Some Explorers"）	84, 218, 250, 295, 776, 802, 848
鎮守の森	36, 78
『沈黙の春』（*Silent Spring*）	33, 77, 615, 663, 766, 800, 858

【ツ】

通過儀礼（Initiation）	354, 378, 492, 545, 567, 617, 683, 778
円谷英二（つぶらや）	82
坪内逍遥	481, 491, 574
『罪と罰』	91, 92, 94, 99, 100, 105, 107, 108, 109, 112, 117, 142, 144, 145, 148, 149, 150, 151, 152, 155, 159, 169, 170, 173, 174, 175, 192, 195

索引

	201, 211, 214, 215, 216, 313, 456, 457, 527, 542, 676, 677, 715, 716
	719, 729, 740, 845
罪の告白	151, 178
中距離核戦力全廃条約	749
『辛い世の中』(*Hard Times*)	226, 238
鶴見和子	36, 79, 80
鶴見俊輔	288, 684, 742

【テ】

ディケンズ、チャールズ (Dickens, Charles)	21, 149, 219, 225, 226, 227, 228
	229, 230, 231, 232, 234, 235, 238, 239, 240, 241, 242, 257, 258, 259
	260, 261, 262, 263, 264, 265, 266, 267, 268, 269, 276, 277, 278, 279
	280, 281, 282, 283, 284, 285, 286, 292, 293, 299, 300, 301, 302, 303
	304, 305, 306, 307, 468, 499, 517, 528, 576, 748
ディケンズ、エリザベス (Dickens, Elizabeth)	262
ディケンズ、ジョン (Dickens, John)	232, 260, 264
『ディヴィッド・コパーフィールド』(*David Copperfield*)	231, 232, 233, 306
	499
「帝国主義」("Imperialism")	253
デヴィッドソン船長	683
『手帖』	616, 652, 654, 663, 664, 669
デカブリスト事件	111
寺田寅彦	525, 586
テラフォーミング（地球化）	19
「テロとの戦争」	671, 673, 739
『天空の城ラピュタ』	21, 26, 365, 612

【ト】

『東京物語』	346
『峠』	577
『東洋的な見方』	579
『東洋の理想』（*The Ideals of the East with Especial Reference to the Art of Japan*)	581
「道楽と職業」	526
道元	86
ドーラ、ディディエ	608, 659
東洋思想（Far-Easter ideas）	62, 449, 514, 579
『東西文学論』（*Essays in European and Oriental Literature*）	542
『動物農場』（*Animal Farm*）	224, 328, 332, 361, 377, 694
同胞意識	46, 445, 550, 564, 618, 622, 624, 638, 655, 657, 683, 686, 789, 804, 807, 811, 820, 838, 840, 842
『遠い太鼓』	354, 461
『遠い山なみの光』（*A Pale View of Hills*）	315, 316, 341
徳川家光	497
徳川光圀	449
徳川慶喜	577
「読書論」（"On Reading"）	360
土壌主義（者）	188, 714, 716, 719, 737
ドストエフスキー、フョードル（Dostoevskii, Feodor）	55, 91, 92, 93, 94, 98, 99, 100, 101, 102, 103, 104, 105, 106, 107, 108, 109, 110, 111, 112, 113, 114, 115, 116, 117, 118, 141, 142, 144, 145, 146, 147, 148, 149, 150, 151, 155, 156, 157, 158, 164, 169, 170, 171, 172, 173, 174, 175, 176, 177, 179, 188, 189, 191, 192, 194, 195, 196, 197, 198, 199, 200, 201, 202, 203, 210, 211, 212, 213, 214, 215, 216, 217, 218, 227, 285, 304, 313, 342, 343, 358, 386, 391, 454, 455, 456, 457, 458, 468, 521

索引

	527, 542, 576, 583, 671, 673, 674, 676, 677, 678, 682, 697, 698, 699 700, 701, 702, 703, 711, 714, 715, 716, 717, 718, 719, 720, 724, 725 726, 727, 736, 737, 739, 740, 741, 743, 744, 745, 746, 747, 748, 795 807, 844, 845
ドストエフスキー的ロシア	176
ドストエフスキーの逆説	189
ドストエフスキーの『白痴』	92, 104, 112, 177, 199, 313, 637, 727
『ドストエフスキーの詩学』	23, 73, 108, 200, 214, 678, 745
『三四郎』	480, 516, 517, 583
『ドストエフスキイの生活』	145, 212
『ドストエフスキーの世界観』	179, 217
『となりのトトロ』	4, 7, 23, 25, 26, 29, 30, 31, 33, 34, 36, 37, 72, 612
『賭博者』	740
朝永振一郎	769
外山滋比古	586
トランプ（米国）大統領（政権）	2, 10, 16, 17, 70, 289, 531, 749, 750, 751 752, 753, 792, 794, 795, 805
トリリング、ライオネル（Trilling, Lionel）	58, 190, 218, 287, 559, 595, 777 802, 842, 848
ドレイク船長（Captain Drake）	247, 781
『ドローン・オブ・ウォー』	762
『ドン・キホーテ』（Don Quixote）	229, 262, 267, 268, 278, 297, 450, 451 452, 475
『ドン・ジュアン』（Don Juan）	452
『ドン・ジョバンニ』	396, 405
『ドンビー父子』（Donbey and Son）	240, 279

【ナ】

『ナーシサス号の黒人』（*The Nigger of the 'Narcissus'*）　　　95, 120, 237, 356
　　　445, 474, 544, 562, 595, 601, 612, 618, 624, 653, 655, 664, 665, 681
　　　　　683, 685, 688, 689, 691, 696, 731, 741, 742, 789, 804, 838, 848
ナイ、ジョウゼフ（Nye, Joseph）　　　119, 531, 767, 768, 800
ナイポール、ヴィディアダール・スラジプラサト（Naipaul, Vidiadhar Surajprasad）
　　　　　　　　　　　　　　　　　　　　　　　　　　　　25, 138, 248
『1984年』（*Nineteen Eighty-Four*）　　　219, 220, 221, 224, 288, 289, 309, 314
　　　323, 324, 325, 326, 327, 328, 329, 332, 333, 343, 348, 361, 378, 434
　　　　　　　　　　　　　　　　　　　　　　473, 694, 743, 759, 792
中尾佐助　　　5, 30, 65, 66
中野孝次　　　579
中村 哲　　　83
中村正直　　　291
中村光男　　　197
凪の作品（'Calm-pieces'）　　　543
「なぜ書くか」（"Why I Write"）　　　98, 330, 693
夏目漱石　　　114, 115, 116, 117, 203, 204, 215, 292, 379, 399, 400, 450, 466
　　　479, 480, 514, 515, 516, 517, 518, 519, 521, 522, 523, 524, 525, 526
　　　　527, 528, 529, 531, 568, 582, 583, 584, 585, 586, 587, 588, 593, 645
　　　　　　　　　　　　　　　　　　　　　653, 668, 669, 680, 741
夏目漱石の『文学論』　　　117, 480, 523, 524, 525, 526, 586, 587, 645, 680
『七つ島のフレイアさん』（"Freya of Seven Isles"）　　　207
ナターリア（Nathalie）　　　151, 152, 167, 177, 178, 179, 180, 181, 182, 185
　　　　　　　　　　　　　　　　　　　　　　　　　　　　　　　　193
『何をなすべきか』　　　149, 188, 697
ナボコフ、ウラジミール（Nabokov, Vladimir）　　　138, 460, 478
ナポレオン法典（Code Napoléon）　　　75, 76

索引

『南方郵便機』（*Cournier Sud*）	202, 613, 640, 657, 663, 667

【ニ】

ニーチェ、フリードリッヒ（Nietzsche, Friedrich）	104, 105, 106, 107, 147, 213, 771, 801
ニコライ一世（Nikolai Ⅰ）	111, 211
『ニコラス・ニックルビー』（*Nicholas Nickleby*）	229, 264, 303, 517
『21世紀の資本』（*Capital in the Twenty-First Century*）	219
二重人間（homo duplex）	125, 126, 254, 356, 357, 366, 460, 605
二重メタファー	416
『2001年宇宙の旅』	764
『贋金つかい』（*Les Fauxmonnayeurs*）	94
新渡戸稲造	448, 475, 489, 490, 574
西田幾多郎	538, 581, 592
西田千太郎	450, 495, 535, 589, 590, 591
日露戦争	516, 517
『日本的霊性』	505, 521, 575, 579
日本の代理人或いは弁護士	489
（日本人による）日本への回帰	492, 497
『日本その日その日』（*Japan Day by Day*）	241, 495
『日本語を書く部屋』	775, 802
『日本語の勝利』	123, 205, 802
『日本事物誌』（*Things Japanese*）	535
「日本文明の神髄」（"The Genius of Japanese Civilization"）	479, 494, 503, 513, 581
『日本――一つの解明』（*Japan: An Attempt at Interpretation*）	479, 493, 506, 511, 533, 536, 537, 543, 568, 574, 576, 592
「日本人の内面生活の暗示と影響」（"Hints and Echoes of Japanese Inner Life"）	

	490
「日本人の微笑」（"The Japanese Smile"）	484, 537, 592
ニュートン、アイザック（Newton, Isaac）	746
人間性の強さ	141
人間存在の核心	521
人間存在の根源	457
人間的連帯感	618
人間と自然とが共生	37, 64
人間の内に潜む悪の深淵	677
人間の高貴さ	268, 451, 597, 613, 615, 630, 634
人間の（真の）自由	100, 619, 621, 665
『人間の大地（土地）』	202, 597, 599, 600, 609, 610, 612, 614, 615, 616 627, 629, 640, 654, 660, 662, 663, 666, 667
人間の利己主義	512

【ネ】

ネイピア、スーザン（Napier, Susan）	868, 882
『ねじまき鳥クロニクル』	312, 355, 358, 403, 427, 429, 430, 472, 779
ネチャーエフ事件	677, 699, 710, 716
根無し草	30, 50, 616
「涅槃」（"Nirvana"）	481, 514, 581
ネルソン・ホレイシオ（Nelson Horacio）提督	446

【ノ】

農奴解放令	121, 697, 726
「農民芸術概論綱要」	5
乃木希典（まれすけ）大将	584
野口聡一	35, 78, 629

索引

『祝詞(のりと)』	569
『ノストローモ』(*Nostromo*)	168, 452, 476
『ノルウェイの森』	311, 312, 339, 360, 435, 463, 779
『野分』	526

【ハ】

ハーディ、トマス（Hardy, Thomas）	95, 667
ハーン, チャールズ・ブッシュ（Hearn, Charles Bush）	499
ハーン、ラフカディオ（Hearn Lafcadio）（小泉八雲(やくも)）	80, 81, 198, 201, 204, 275, 360, 449, 463, 479, 480, 481, 482, 483, 484, 485, 486, 487, 488, 489, 490, 491, 492, 493, 494, 495, 497, 498, 499, 500, 501, 502, 503, 504, 506, 507, 508, 509, 510, 511, 512, 513, 514, 521, 530, 531, 532, 533, 534, 535, 536, 537, 538, 539, 540, 569, 570, 571, 572, 573, 574, 575, 576, 578, 579, 580, 581, 589, 590, 591, 592, 593
バートン、ロバート（Burton, Robert）	139
『バーナビ・ラッジ』(*Barnaby Rudge*)	285
『背徳者』(*L' Immeoraliste*)	98
廃藩置県	497, 575
バイロン、ジョージ（Byron, George）	452
ハイマス、ジョニー（Hymas Johnny）	571, 572
ハウ、アーヴィング（Howe, Irving）	726, 747
『ハウルの動く城』	26
破壊的要素	100, 380, 445, 562, 786, 837, 844, 845
「葉隠」	449
白色人種優越説	53
バッグ、フレデリック	77
バクーニン（Bakunin）	697
ハックスレイ、オルダス（Huxley, Aldous）	759

ハックスリイ、トマス・ヘンリー（Huxley, Thomas Henry）	487
パットン、ウィリアム（Patten, William）	488, 573
パシャ、ケマル	118
パスカル（Pascal）	22
埴谷雄高	202, 216, 715, 869
バフチン、ミハイル（Bakhtin, Mikhail）	23, 73, 108, 109, 214, 677, 706
	714, 741, 745
阪神大震災	341, 369, 454
パナマ文書	225, 289
パムク、オルハン（Pamuk, Orhan）	91, 99, 118, 119, 120, 121, 122, 123
	127, 128, 131, 132, 133, 135, 136, 137, 138, 139, 140, 192, 194, 195
	199, 200, 204, 205, 207, 208, 209, 218, 543
パリ協定	2, 8, 9, 10, 14, 15, 16, 17, 18, 65, 68, 70
『パリ・ロンドンどん底生活』（*Down and Out in Paris and London*）	222, 330
	331, 377
バルト、ロラン（Barthes, Roland）	93, 196, 197
パンサ、サンチョ（Panza, Sancho）	268, 452, 453
「反省」（"Reflection"）	494, 506, 580
半藤一利	31, 37, 345, 439, 469, 525, 587

【ヒ】

光りはまさに東方から射してきている	481
東日本大震災	42, 341, 454, 497, 612
『東の国から』（*Out of the East*）	490, 502, 534, 590
『彼岸過迄』	117, 522
ビキニ水爆実験	768
樋口正義	295, 304
『羊をめぐる冒険』	310, 332, 340, 375, 380, 381, 384, 387, 429, 445, 456

索引

非西欧と西欧	123
非西欧の眼と船乗り体験	191
一筋（一条）の光	60, 61, 354, 379, 383, 387, 414, 424, 427, 461, 568, 787, 790
ヒ(ッ)トラー、アドルフ（Hitler, Adolf）	21, 22, 27, 72, 206, 318, 393, 394, 601, 637, 660, 734
日野原重明	22, 72, 228
『日の名残り』（*The Remains of the Day*）	315, 316, 317, 318, 341, 348, 358, 755
「秘密の共有者」（"The Secret Sharer"）	429, 438, 443, 544, 552, 595, 621, 650, 788, 803, 841
ビスランド、エリザベス（Bisland, Elizabeth）	509, 592
広島・長崎への原爆投下	750, 767
『広島ノート』	81
広田弘毅	440
「百姓マレイ」	112, 718
ヒュズン（hüzün）	139
『ピクウィック・ペイパーズ』（*Pickwick Papers*）	21, 72, 227, 229, 231, 232, 235, 259, 262, 263, 265, 267, 269, 275, 277, 278, 283, 285, 286, 290, 299, 303, 304, 305, 306, 468, 499
ピョートル大帝	201
『病牀六尺』	586
『白夜』	698

【フ】

『不安の物語』（*The Tales of Unrest*）	217, 246, 529, 589, 843, 848
フィッツジェラルド、スコット（Fitzgerald, Scott）	355, 356, 359, 390, 461
フィールディング、ヘンリー（Fielding Henry）	262, 452

フーリエ（Fourier）	111, 149, 155, 724
フーリエ主義（者）	201, 703, 724
フォースター、E・M（Foster, E.M.）	317
福島第1原発の事故	42, 497
仏教（Buddhism）	203, 485, 511
仏教哲学（Buddhist philosohy）	511
不死鳥の民族	125, 757
富士講	490
「富士の山」（"Fuji-no-Yama"）	490
武士道	448, 449, 489, 582
『武士道』（*BUSHIDO: The Soul of Japan*）	448, 449, 475, 489, 574
プーシキン、アレクサンドル（Pushkin, Aleksandr）	110, 111, 714, 716, 719
ブシチンスキ、ステファン（Buszczyński, Stefan）	562
ブッシュ政権	792
『不都合な真実』（*An Inconvenient Truth*）	12, 14, 68, 69
『不都合な真実 2 放置された地球』	14, 69
船乗りの倫理（観）	46, 365, 437, 543, 545, 604
普遍的な「生」の問いかけ	460
普遍的な〈人間の自由〉	619, 621
普遍的なモラル	539
『冬に記す夏の印象』	149, 716, 725
プラスチックごみ	12, 13, 14, 69
『プラトーン』（*Platoon*）	334
プラハ演説	793
フランス革命	608
『フランス革命史』（*French Revolution*）	516
ブラックモア、エドワード（Blackmore, Edward）	547
フランクル、ヴィクトール（Frankl, Viktor）	212

索引

『ブリキの太鼓』	459
『俘虜記』	439, 440, 765, 766, 799
古川 薫	75
フルトン、ロバート (Fulton, Robert)	225
ブルンチュール、フェルディナン (Brunetiére, Ferdinand)	513
ブレイク、ウィリアム (Blake, William)	226
ブレナン、サラ・ホームズ (Brenane, Sara Holmes)	499
フロイト、ジグムント (Freud, Sigmund)	380, 760, 778, 785, 791, 794, 798, 803
フロム、エリッヒ (Fromm, Erich)	325, 348
『文化と帝国主義』(*Culture and Imperialism*)	25, 298, 464, 778, 803
「文学と世論」("Literature and Political Opinion")	494, 503, 506, 507
『文学の解釈』(*Interpretations of Literature*)	506, 593
文学の力	120
『文学の力とは何か』	173
「文芸と道徳」	526, 528
「文芸の哲学的基礎」	523, 526
分身意識	564

【ヘ】

『ベーオウルフ』の怪物グレンデル	82
ヘイスト、アクセル (Heyst, Axel)	682, 683
『平成狸合戦ぽんぽこ』	25, 77
平成天皇（現上皇）	8, 65, 67, 73
『ペスト』	2, 801
ヘッケル、エルンスト (Häckel, Ernst)	35
ペトラシェフスキー（政治）事件	111, 115, 145, 155, 213, 313, 682, 701, 717
ヘミングウェイ、アーネスト (Hemingway, Ernest)	126, 356

ベリンスキー（Belinskii）	109, 155, 211
ヘリゲル、オイケン	62
ベルリンの壁崩壊	310
『変身』	257
ヘンドリック、エルウッド（Hendrick, Ellwoood）	492, 538, 580

【ホ】

『法王庁の抜け穴』（*Les du Fauxmonnayeurs*）	94
「蓬莱」（"Hōrai"）	532, 590
「封建制の完成」（"Feudal Integration"）	493
フォード、マドックス・フォード（Ford Madox Ford）	363, 464
フォスター、ジョン（Foster, John）	232, 279, 293, 300, 304, 305, 306
保阪正康	765, 799
ホーキング、スティーヴン（Hawking, Stephen）	750
ホガース、ウィリアム（Hogarth, William）	282
『墨汁一滴』	524, 586
『星の王子さま』（*Le Petit Prince*）	384, 597, 602, 616, 635, 636, 637, 652, 657, 664, 666, 667, 669
『ボストンの人々』（*The Bostonians*）	463
『ボズのスケッチ集』（*Sketches by Boz*）	269, 301
ボナパルト、ナポレオン（Bonaparte, Napoléon）	28, 29, 75, 76, 155, 540, 715
ボブロフスキ、タデウシュ（Bobrowski, Tadeusz）	364, 769, 817, 846, 847
ホームズ、シャーロック	316
ポーランド人気質	120
ポーランド性（ポルスコシチ）	125, 206, 365, 447, 541, 773, 774, 810
ポーランド大蜂起	134
ポール（Paul）	691, 692, 696

索引

『坊ちゃん』	586
「蛍」（"Fireflies"）	81, 536, 591
『火垂るの墓』	77
ポピュリズム	506, 507
『仏の畑の落穂』（*Gleanings in Buddha-Fields*）	481, 485, 514, 569, 581
堀越二郎	26, 438
堀 辰雄	26, 48, 438
堀 正人	797
本田猪四郎	82
本多静六	39
本田総一郎	80, 569
「盆踊り」	481

【マ】

マータイ女史	20, 21
マーロウ（Marlow）	6, 45, 46, 58, 59, 60, 61, 62, 63, 137, 255, 256, 257, 287, 353, 354, 365, 367, 375, 376, 378, 379, 383, 387, 424, 443, 445, 447, 448, 454, 460, 461, 466, 548, 550, 561, 617, 618, 623, 624, 683, 775, 776, 777, 778, 781, 782, 783, 784, 785, 786, 787, 790, 811, 812, 840, 841, 842, 844
マクドナルド、ジェイムズ（MacDonald, James）	365, 604
正岡子規	586
『貧しき人々』	111
マックワー船長	255, 454, 550, 640, 642, 643, 644, 645, 646, 648, 649, 650, 651, 652, 653, 655, 788, 819, 841
マディソン、ジェームズ（Madison, James）	792
『魔女の宅急便』	26, 614
マディソン、ジェームズ（Madison, James）第4代米大統領	792

『街の灯』（*City Lights*）	22, 228
松本幸四郎	475
マルクス主義	158
マルケス、ガルシア（Márquwz, García）	206, 207, 652, 669
マルケスの『生きて、語り伝える』	652, 669
マルサス（Malthus）	771
丸山 学	539
マルロー、アンドレ（Malraux, André）	610, 662
漫画『風の谷のナウシカ』	32, 75
漫画「君たちはどう生きるか」	75

【ミ】

『三河物語』	476
『未成年』	92
『充たされざる者』（*The Unconsoled*）	316
「密告者」（"The Informer"）	685, 686
ミツキェヴィッチ、アダム（Mickiewicz, Adam）	124, 129, 540
美智子皇后（現上皇后）	73, 754
『密偵』（*The Secret Agent*）	59, 142, 168, 178, 190, 193, 217, 218, 229, 238 386, 460, 478, 671, 673, 674, 675, 676, 678, 679, 685, 696, 726, 727 729, 736, 737, 741, 746, 747, 748, 845
『道草』	203
南方熊楠	36, 78, 79
南方曼荼羅	36
「耳なし芳一（の話）」（"The Story of Mimi-Nashi-Hoichi"）	538, 592
宮本常一	484, 571
『未来少年コナン』	26
ミラー、ヘンリー（Miller, Henry）	330, 331

索引

宮崎至朗	33, 77
宮崎（駿）	1, 3, 4, 5, 6, 7, 20, 21, 23, 24, 25, 26, 29, 30, 31, 32, 33, 34, 36, 37, 39, 40, 41, 42, 43, 44, 47, 48, 49, 50, 61, 64, 65, 66, 72, 74, 75, 76, 77, 80, 81, 82, 83, 228, 365, 495, 497, 575, 597, 598, 612, 613, 614, 615, 636, 659, 663
宮沢賢治	4, 5, 65
宮脇 昭	36, 79, 873
民主的社会主義	223, 224, 330

【ム】

ムイシュキン（公爵）	147, 177, 290
無個性化	515
「無私」（"Non-Self"）の倫理観	514
無心（Childlikeness）	62, 512
「無政府主義者」（"An Anarchist"）	691, 742
『無垢の博物館』（*Masumiyet Müzesi*）	127, 136
無定形の塊（amorphous mass）	141, 728
村上春樹	309, 310, 311, 312, 313, 314, 315, 322, 323, 332, 333, 335, 336, 337, 338, 339, 340, 341, 342, 343, 344, 345, 346, 347, 348, 349, 350, 351, 353, 354, 355, 356, 357, 358, 359, 360, 361, 362, 367, 368, 369, 370, 372, 373, 374, 375, 380, 381, 385, 386, 387, 388, 389, 390, 391, 392, 400, 401, 402, 403, 404, 405, 406, 407, 408, 412, 413, 414, 420, 424, 425, 426, 427, 428, 429, 430, 431, 432, 433, 434, 435, 436, 445, 446, 455, 456, 457, 458, 459, 461, 462, 463, 465, 466, 467, 468, 469, 470, 471, 472, 473, 474, 476, 477, 588, 664, 754, 779, 780, 803

【メ】

『明暗』	114, 117, 203, 400, 516, 529, 583

メイヒュー、ヘンリー（Mayhew, Henry）　　238, 241, 242, 243, 244, 294, 499
明治天皇　　291, 474, 569
明治の精神　　518
『メランコリーの解剖』（*The Anatomy of Melancholy*）　　139
メルモーズ、ジャン　　606, 615, 630, 658, 666

【モ】
モース、エドワード（Morse, Edward）　　241, 486, 487, 572, 575
モーツァルト（Mozart）　　396
モーム、サマセット（Maugham, Somerset）　　262, 268, 276, 282, 300, 304, 305, 306
『モダン・タイムス』（*Modern Times*）　　22, 228, 229, 290, 636
本居宣長　　78, 569
『もののけ姫』　　23, 24, 25, 26, 30, 31, 35, 37, 38, 39, 49, 496
モリスン、トニ（Morrison, Toni）　　82
『門』　　203, 400

【ヤ】
「焼津にて」（"At Yaidzu"）　　512
『夜間飛行』　　598, 601, 607, 608, 609, 638, 640, 650, 657, 660, 662
『約束された場所で』　　338, 369, 434
八雲（ハーン）の『英文学史』（*History of English Literature*）　　463
山折哲雄　　62, 495, 518, 583
山極寿一　　63, 87
山田顕義　　75
山下泰裕　　501, 577
山城むつみ　　216, 462
山中伸弥　　333

索引

山本有三	27
『闇の奥』（*Heart of Darkness*）	5, 6, 7, 25, 26, 44, 45, 50, 51, 52, 53, 55, 56, 57, 58, 59, 60, 61, 62, 63, 72, 73, 82, 83, 84, 91, 95, 97, 131, 189, 190, 198, 200, 229, 238, 244, 245, 246, 247, 253, 256, 257, 287, 294, 297, 353, 354, 357, 361, 375, 378, 379, 380, 381, 383, 386, 387, 388, 408, 409, 417, 441, 460, 465, 466, 467, 523, 526, 542, 576, 635, 639, 650, 748, 749, 750, 755, 757, 758, 775, 777, 778, 779, 780, 781, 782, 784, 785, 788, 790, 794, 802, 811, 826, 830, 831, 841, 844, 845, 847
『闇の領域』（*An Area of Darkness*）	25
ヤンコー（Yanko）	124, 561, 756, 770, 771, 774, 800, 801, 809, 810, 811

【ユ】

ユー、ベンチョン（Yu, Bengcheon）	509, 580
ユートピア（理想郷）	156, 344, 495, 533
「幽霊」（"Ghost"）	482
湯川秀樹	769
『雪』（*Kar*）	91, 99, 121, 127, 128, 131, 132, 133, 140, 192, 205, 208
ユネスコ（国連教育科学文化機関）	84
『夢判断』（Die Traurdeutung）	778, 785
夢分析	380

【ヨ】

養老孟司	761
「善き物語」	336, 353, 425, 446
横山大観	87
吉田精一	92
吉田松陰	75

吉田徹夫	464, 876
吉野 彰	19, 71
吉野源三郎	27
吉本隆明	216, 516, 524, 582, 586, 745, 876
吉本ばなな	469
余所者意識（stranger-consciousness）	621, 809, 820
米川正夫	112, 199, 215, 216
『夜と霧』	212

【ラ】

「ライオンと一角獣──社会主義とイギリス精神」（"The Lion and the Unicorn: Socialism and the English Genius"）	318, 347, 395, 468
ライト兄弟	606
『落日燃ゆ』	440
ラシュディ、サルマン（Rushudie, Salman）	138
ラスコーリニコフ（Raskolnikov）	92, 94, 105, 106, 107, 108, 109, 112, 142, 146, 148, 150, 151, 159, 164, 165, 169, 170, 171, 172, 173, 174, 175, 187, 193, 195, 201, 215, 216
ラズーモフ（Razumov）	144, 151, 152, 153, 154, 155, 159, 160, 161, 162, 163, 165, 166, 167, 168, 169, 178, 180, 181, 182, 183, 184, 185, 186, 187, 191, 193, 194, 417, 686
ラッセル・アインシュタイン宣言	750, 768, 769, 791
ラッセル、バートランド（Russell, Bertrand）	25, 73, 166, 768, 769, 774, 807, 826, 837, 845, 847, 848
ラッセルの『自叙伝』（The Autobiography of Bertrand Russell）	642, 769, 800, 802, 848
ラッセルの『私は何故キリスト教徒ではないのか』（Why I am not a Christian）	122

【リ】

索引

リーヴィス、フランク・レイノルド（Leavis, Frank Raymond） 55, 85, 193, 198
245, 251, 282, 306, 543, 673, 679, 739, 741, 785, 803
リービ（英雄） 123, 205, 458, 460, 477, 774, 802
リヴィングストン、ディヴィッド（Livingstone, David） 53, 250
『陸と海の間』（'Twixt Land and Sea） 543
'理想的' 価値（'ideal' value） 428, 618, 790
リチウムイオン電池 19
『竜馬がゆく』 577
リンカーン、エイブラハム（Lincoln, Abraham） 360
リンドバーグ、アン（Lindbergh, Anne） 600, 631, 637, 659
リンドバーグ、チャールズ（Lindbergh, Charles） 606
輪廻説 81, 487, 536, 538
倫理的発見（the moral discovery） 144
倫理的理想 542

【ル】

ルービン、ジェイ（Rubin, Jay） 340, 345, 349, 453, 467, 476, 528, 588
『ルパン三世――カリオストロの城』 41
ルカーチ、ジョージ（Lukács, Georg） 57, 253, 297, 451, 452, 476
ルカーチの『小説の理論』（Die Theorie des Romans） 57, 253, 297, 451
『ルカ伝』 285
『流刑地にて』 257
ルソー、ジャン-ジャック（Rousseau, Jean-Jaques） 166

【レ】

『霊の日本』（In Ghostly Japan） 512
レヴィ＝ストロース（Lévi-Strauss） 139, 209
レオポルド二世（Leopold Ⅱ）（レオポルド国王） 52, 54, 57, 189, 245, 249

	250, 253, 254, 776
レガット（Leggatt）	438, 564, 621, 803, 804, 842
連帯（意識）（感）	130, 192, 194, 202, 237, 382, 548, 550, 566, 601, 602, 605, 612, 614, 622, 624, 638, 655, 657, 681, 682, 683, 686, 689, 769, 788, 789, 838, 839

【ロ】

ローウェル、パーシヴァル（Lowell, Percival）	483, 486, 488, 592
『ロード・ジム』（*Lord Jim*）	94, 95, 97, 108, 121, 124, 200, 292, 340, 361, 362, 363, 365, 367, 368, 375, 380, 386, 387, 428, 436, 437, 445, 453, 460, 467, 473, 475, 476, 561, 562, 564, 594, 595, 604, 617, 618, 635, 650, 683, 742, 786, 804, 811, 839, 840, 841, 844, 848
ローマ教皇、フランシスコ	671
『ローマ帝国衰亡史』（*The Decline and Fall of the Roman Empire*）	517
ローレンツ、コンラート（Lorentz, Konrad）	761
老子	87
ロシア革命	125
ロシアの社会主義	158
魯迅（Lu-xun）	501
『ロマンス』（*Romance*）	363
ロラン、ロマン（Rolland Romain）	664
ロンドン万国博覧会	188, 293, 725
『ロンドンの労働とロンドンの貧民』（*London Labour and the London Poor*）	242, 243, 499

【ワ】

ワーテルローの戦い	28, 29
『わが闘争』	394, 601, 660

索引

『吾輩は猫である』	516, 582, 680
ワシントン条約	85
『忘れられた日本人』	484, 571
「私の個人主義」	480, 507, 523, 524, 526, 583
『わたしの名は紅』(*Benim Adim Kirmizi*)	140, 209
『私は何故キリスト教徒ではないのか』(*Why I am not a Christian*)	122
『わたしを離さないで』(*Never Let Me Go*)	319, 346
ワッツ、セドリック (Watts, Cedric)	45
ワット、イアン (Watt, Ian)	378, 466, 778
ワット、ジェイムズ (Watt, James)	225
ワトキン、ヘンリー (Watkin, Henry)	201

著者紹介

松村　敏彦
まつむら　としひこ

　1947年に生まれる。1971年、関西大学大学院文学研究科（英文学専攻）修士課程修了。文学博士。

　単著に『流浪の作家ジョウゼフ・コンラッド――その思想形成の遠景と近景――』（大阪教育図書、2000年）、『新編　流浪の作家ジョウゼフ・コンラッド』（大阪教育図書、2007年）、『ジョウゼフ・コンラッド　比較文学的研究と作品研究』（大阪教育図書、2012年）、『ジョウゼフ・コンラッド研究――比較文学的アプローチ』（大阪教育図書、2014年）、『ジョウゼフ・コンラッドの比較文学的世界――村上春樹・宮崎駿・小泉八雲・C.ディケインズ・H.ジェイムズ・O.パムク――』（大阪教育図書、2016年）、『ジョウゼフ・コンラッドの風景――サン＝テグジュベリ・O.パムク・ドストエフスキー・K.イシグロ・小泉八雲・夏目漱石・宮崎駿・村上春樹』（大阪教育図書、2018年）、共著に『英語・英米文学　九つアプローチ』（大阪教育図書、1997年）、『英語・英米文学の心』廣瀬捨三先生米寿記念論文集（大阪教育図書、1999年）、『二十一世紀への飛翔』（大阪教育図書、2001年）、『Justice and Mercy―古澤允雄教授退職記念論文集――』（大阪教育図書、2005年）、『伊藤孝治先生古希記念論文集――英語学、言語・文化・教育、英文学に関する研究――』（大阪教育図書、2007年）、『英米文学と戦争の断層』（関西大学出版部、2011年）、編者に『松村芙美子（活）花と句集』（大阪教育図書、2011年）、『松村芙美子　三回忌に寄せて』（大阪教育図書、2012年）、『（活）花と俳句　松村芙美子　七回忌に寄せて』（大阪教育図書、2016年）がある。

新訂　ジョウゼフ・コンラッドの風景

2021年1月8日　初版第1刷発行
　　著　者　　松村　敏彦Ⓒ
　　発行者　　横山　哲彌
　　印刷所　　株式会社　共和印刷

発行所　　大阪教育図書株式会社
　　　　〒530-0055　大阪市北区野崎町1-25
　　　　TEL　06-6361-5936
　　　　FAX　06-6361-5819
　　　　振替　00940-1-115500
　　　　email　info@osaka-kyoiku-tosho.net

ISBN 978-4-271-21066-5　C3097　落丁・乱丁本はお取り替えいたします。

本書のコピー、スキャン、デジタル化等の無断複製は著作権法上での例外を除き禁じられています。本書を代行業者等の第三者に依頼してスキャンやデジタル化することは、たとえ個人や家庭内での利用であっても著作権法上認められておりません。